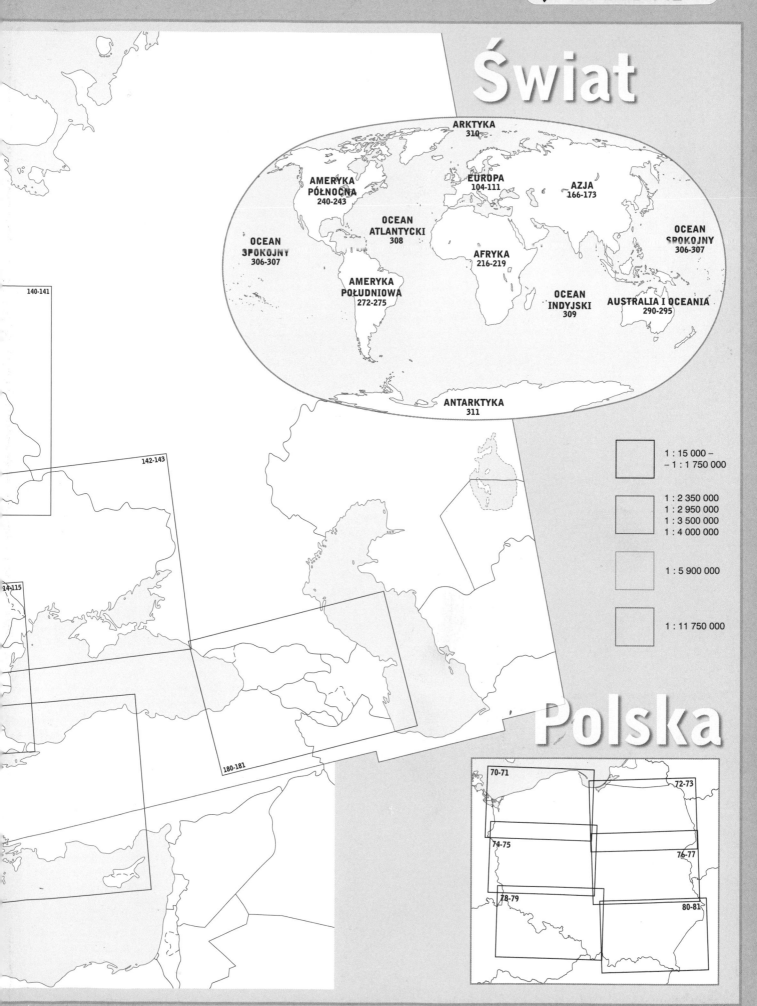

Świat

ARKTYKA
310

AMERYKA
PÓŁNOCNA
240-243

EUROPA
104-111

AZJA
166-173

OCEAN
ATLANTYCKI
308

OCEAN
SPOKOJNY
306-307

OCEAN
SPOKOJNY
306-307

AFRYKA
216-219

AMERYKA
POŁUDNIOWA
272-275

OCEAN
INDYJSKI
309

AUSTRALIA I OCEANIA
290-295

ANTARKTYKA
311

140-141

142-143

14-115

180-181

1 : 15 000 –
– 1 : 1 750 000

1 : 2 350 000
1 : 2 950 000
1 : 3 500 000
1 : 4 000 000

1 : 5 900 000

1 : 11 750 000

Polska

70-71

72-73

74-75

76-77

78-79

80-81

WIELKI

ILUSTROWANY

ATLAS ŚWIATA

Wydawca: **Demart SA**
02-495 Warszawa,
ul. Poczty Gdańskiej 22a
tel. (0-22) 662 62 63
fax (0-22) 824 97 51
http://www.demart.com.pl
e-mail: info@demart.com.pl

Redakcja atlasu: Hubert Mroczkiewicz

Projekt graficzny i projekt okładki: Krzysztof Stefaniuk

Opracowanie i redakcja map: Grzegorz Ajdacki, Beata Byer, Małgorzata Chruślińska, Jan Goleń, dr Bogdan Horodyski, dr Jolanta Korycka-Skorupa, dr Paweł Kowalski, Dariusz Kozak, dr Tomasz Krzywicki, Hubert Mroczkiewicz, dr Wiesław Ostrowski, Katarzyna Sańko, dr Jerzy Siwek, Wojciech Stalęga, Marzena Wieczorek, Piotr Wójcik.
Wersja polska wykonana na podstawie Atlasu Świata Cartographia Ltd.

Opracowanie nazewnictwa: Grzegorz Ajdacki, Józef Borkowski, Beata Byer, Anna Kuklińska, Marcin Marikin, Łukasz Mędrzycki, Konrad Rosłoń, Marianna Rychlicka, Katarzyna Sańko, Wojciech Stalęga, Maciej Zych

Opracowanie tekstów: Konrad Banach, Mirosław Bortniczuk, Jakub Paweł Cygan, Jerzy Kwiatek, Katarzyna Sańko, Kazimierz Sierakowski, Przemysław Śleszyński, Katarzyna Tomalik, Marek Więckowski

Fotografie: Jakub Paweł Cygan, Paweł Fabijański, Wojciech Gorgolewski, Renata i Marek Kosińscy, Stanisław Kryciński, Bolesław Lemisiewicz, Marian Pokropek, Kazimierz Sierakowski, Wojciech Stalęga, Agencja Fotograficzna BE&W, A. Olej-Kobus/K. Kobus – TravelPhoto, „Forum" Polska Agencja Fotograficzna, G.A., NASA

Wybór i przygotowanie zdjęć do druku: Kamila Kuna, Łukasz Mędrzycki, Wojciech Stalęga, Krzysztof Stefaniuk

Opracowanie graficzne i komputerowe map: Agnieszka Bielecka, Beata Byer, Krzysztof Byer, Małgorzata Chruślińska, Barbara Gawrysiak, Anna Kamińska, Bogusława Karlicka, Piotr Karwulewicz, Barbara Koźmik, Krzysztof Kulczyk, Justyna Kuna, Katarzyna Kuna, Kamila Kuna, Renata Laskowska, Ryszard Laskowski, Tomasz Laskowski, Grzegorz Lęcznar, Dariusz Łukasik, Jacek Majerczak, Alicja Miziołek, Hubert Mroczkiewicz, Anna Nadstawna, Teresa Pawłowska, Konrad Rosłoń, Katarzyna Sańko, Paweł Smyk, Wojciech Stalęga, Katarzyna Wlazło, Piotr Wójcik

Opracowanie części encyklopedycznej: *Dane statystyczne:*
Grzegorz Ajdacki, Anna Kuklińska, Hubert Mroczkiewicz, Marianna Rychlicka, Wojciech Stalęga, Bożenna Zaraś, Maciej Zych

Notki historyczne:
Stanisław Kryciński, Hubert Mroczkiewicz, Wojciech Stalęga

Opracowanie skorowidza: Beata Byer, Krzysztof Byer, Małgorzata Cała, Piotr Karwulewicz, Łukasz Mędrzycki, Hubert Mroczkiewicz, Anna Nadstawna, Mariusz Olczyk, Rafał Rostkowski, Katarzyna Sańko, Wojciech Stalęga, Piotr Wójcik

Skład i łamanie: Paweł Smyk

Przygotowanie do druku: Tomasz Góra

ISBN: 978-83-7427-445-6

Wydanie 2008 r.

Wielki ilustrowany atlas świata

Wielki ilustrowany atlas świata to prawdziwe kompendium wiedzy przydatne w każdym domu. Oprócz tradycyjnych map prezentujących kraje i regiony zawiera wiele map o tematyce społeczno-gospodarczej.
Na wstępie prezentowane są zagadnienia dotyczące wszechświata i całej naszej planety. Historia naturalna Ziemi, ewolucja człowieka oraz roślin i zwierząt, procesy przyrodnicze – to tylko niektóre z nich.

Szeroki wachlarz tematów społeczno-gospodarczych pojawia się zarówno na mapach całego świata, jak i kontynentów oraz Polski. Ilustrują one najczęściej stosowane wskaźniki i przybliżają takie problemy współczesnego świata jak AIDS, analfabetyzm, bezrobocie i bieda czy degradacja środowiska.

Przed rozdziałami dotyczącymi Polski i poszczególnych kontynentów zostały umieszczone obszerne informacje tekstowe opisujące regiony i kraje. Ich atrakcyjność zwiększają zdjęcia z całego świata, do których dołączono podpisy uzupełniające tekst główny. W połączeniu z mapami jest to bardzo wszechstronna charakterystyka podana w nader atrakcyjnej formie.

Ważnym atutem zwiększającym użyteczność map regionów i krajów jest oryginalne nazewnictwo. Na obszarach zamieszkanych przez różne narodowości podano nazwy w kliku językach. Ponadto szeroko zastosowano nazewnictwo polskie.

Atlas zawiera także obszerną i aktualną część encyklopedyczną. Znajdują się tam zestawienia „rekordów świata", czyli informacje typu: najwyższe szczyty, najwyżej położone miasta.
Szeroko scharakteryzowano wszystkie kraje świata, w tym nieuznawane oraz wszystkie terytoria zależne. Oprócz flag i godeł podano krótki rys historyczny, dane ogólne i społeczno-gospodarcze.

Atlas zamyka skorowidz nazw geograficznych zawierający 72 000 haseł.

Życzymy przyjemnej lektury

Zespół redakcyjny wydawnictwa Demart

Spis treści

Afryka
INFORMATOR

Afryka
MAPY

Ameryka Północna
INFORMATOR

Ameryka Północna
MAPY

Ameryka Południowa
INFORMATOR

Ameryka Południowa
MAPY

Australia i Oceania
INFORMATOR

Australia i Oceania
MAPY

Oceany i obszary polarne
INFORMATOR

Oceany i obszary polarne
MAPY

mapy świata

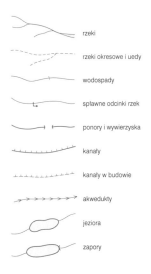
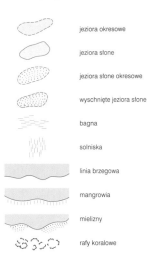
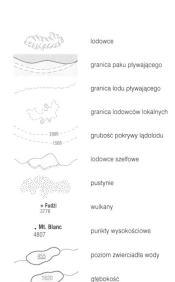

rzeki	jeziora okresowe	lodowce
rzeki okresowe i uedy	jeziora słone	granica paku pływającego
wodospady	jeziora słone okresowe	granica lodu pływającego
spławne odcinki rzek	wyschnięte jeziora słone	granica lodowców lokalnych
ponory i wywierzyska	bagna	grubość pokrywy lądolodu
kanały	solniska	lodowce szelfowe
kanały w budowie	linia brzegowa	pustynie
akwedukty	mangrowia	wulkany ⋆ Fudżi 3776
jeziora	mielizny	punkty wysokościowe Mt. Blanc 4807
zapory	rafy koralowe	poziom zwierciadła wody 455
		głębokość 1620

m p.p.m. | 8000 | 6000 | 4000 | 2000 | 200 | 0 | 200 | 500 | 1000 | 1500 | 3000 | 5000 | m n.p.m.

koleje	granice państw
koleje w budowie	granice republik związkowych, stanów, krajów federacyjnych
tunele kolejowe, promy kolejowe	granice jednostek administracyjnych pierwszego rzędu
autostrady	granice prowincji, okręgów
drogi główne	granice obwodów
tunele drogowe, promy drogowe	granice państwowe nieustalone
drogi inne	roszczenia terytorialne
)(300 przełęcze z wysokościami	granice morskie
✈ porty lotnicze	granice sporne morskie
⚓ porty morskie	

Miejscowości:

◆ **HAMBURG**	miasta powyżej 1 000 000 mieszkańców	∴	ruiny
● **OSLO**	500 000 - 1 000 000 mieszkańców	△	wieże wiertnicze ropy naftowej i gazu ziemnego
◉ Oradea	100 000 - 500 000 mieszkańców	▲	polarne stacje badawcze
⊙ San Remo	25 000 - 100 000 mieszkańców	✦	biegun magnetyczny
○ Oberstdorf	10 000 - 25 000 mieszkańców	‿	studnie, oazy
○ Kolka	miejscowości poniżej 10 000 mieszkańców	∩	jaskinie
▪ ÜSKÜDAR	dzielnice powyżej 500 000 mieszkańców	⊓⊓⊓⊓	starożytne mury
▪ Greenwich	dzielnice poniżej 500 000 mieszkańców	— — —	linia zmiany daty
○ Mumbai	miejscowości na mapach ukształtowania powierzchni		

WARSZAWA	stolice państw
EDMONTON	stolice republik związkowych, stanów, krajów federacyjnych
Uliastaj	stolice pozostałych jednostek administracyjnych

Inne opisy na mapach

POLSKA	państwa	*Angara*	rzeki i zbiorniki wodne
NADDNIESTRZE	państwa nieuznawane i o statusie nieokreślonym	Cejlon	wyspy i półwyspy
Portoryko	terytoria zależne	*Przylądek Igielny*	przylądki
La Pampa	jednostki administracyjne	*MORZE BAŁTYCKIE*	morza i oceany
Elburs	krainy fizyczno-geograficzne	*Zatoka Perska*	zatoki i cieśniny
Kapadocja	regiony, krainy historyczne	Grzbiet Wielorybi	rowy, baseny, grzbiety oceaniczne
Atakama	pustynie, bagna, stepy itp.		

mapy Polski

1 : 875 000

0   5   10   15   20   25 km

Miejscowości:

- ■ powyżej 500 000 mieszkańców
- ◉ 250 000 - 500 000 mieszkańców
- ◙ 100 000 - 250 000 mieszkańców
- ◉ 50 000 - 100 000 mieszkańców
- ◎ 25 000 - 50 000 mieszkańców
- ⊙ 10 000 - 25 000 mieszkańców
- ○ 5 000 - 10 000 mieszkańców
- ○ poniżej 5 000 mieszkańców

WARSZAWA stolica państwa

LUBLIN miasta wojewódzkie

KALISZ siedziby powiatów grodzkich

PUŁAWY siedziby powiatów ziemskich

Raciąż inne miasta

Żyrzyn wsie gminne

Złotokłos pozostałe wsie

15 liczba mieszkańców miast w tysiącach

- granice państw
- granice województw
- granice powiatów
- granice gmin

- granice parków narodowych
- granice parków krajobrazowych
- koleje
- koleje wyłącznie z ruchem towarowym
- koleje wąskotorowe
- autostrady
- autostrady w budowie
- drogi ekspresowe dwujezdniowe
- drogi ekspresowe dwujezdniowe w budowie
- drogi ekspresowe jednojezdniowe
- drogi ekspresowe jednojezdniowe w budowie
- drogi główne dwujezdniowe (krajowe)
- drogi główne jednojezdniowe (krajowe)
- drogi główne jednojezdniowe w budowie (krajowe)
- drogi drugorzędne (wojewódzkie)
- zabudowa mieszkalna i usługowa
- zabudowa przemysłowa
- lasy
- łąki i pastwiska
- sady
- tereny zdegradowane
- bagna

- ⊥ kościoły
- ⊥ klasztory
- ⊥ cerkwie
- ⊥ synagogi
- ⊥ meczety
- ▙ zamki
- ⋒ pałace
- ⊿ ruiny
- ⊔ mury obronne
- ✖ fortyfikacje
- ⊥ skanseny
- ⊥ inne zabytki architektury
- .612 szczyty, punkty wysokościowe
- ⌣ zapory wodne
- ⊥ przeprawy promowe
- ✈ porty lotnicze
- ⚓ porty morskie
- ⊥ latarnie morskie
- ⊖ przejścia graniczne

Odwzorowania kartograficzne

Rodzaje odwzorowań

na powierzchnię boczną walca

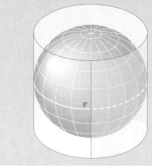

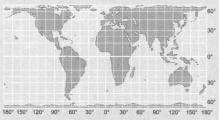

Odwzorowanie walcowe, normalne
(styczne na równiku)

na powierzchnię boczną stożka

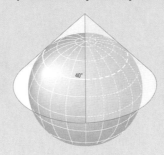

Odwzorowanie stożkowe normalne
(styczne na równoleżniku 40°N)

na płaszczyznę

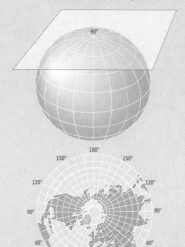

Odwzorowanie płaszczyznowe (azymutalne),
normalne (styczne na biegunie północnym)

na płaszczyznę

Odwzorowanie płaszczyznowe (azymutalne),
poprzeczne (styczne do równika)

na płaszczyznę

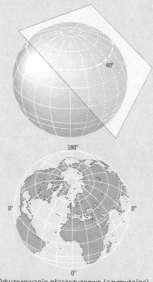

Odwzorowanie płaszczyznowe (azymutalne),
ukośne (styczne do równoleżnika 40°N)

Powierzchnia globusa pocięta wzdłuż południków i rozciągnięta wzdłuż równika

Odwzorowanie wiernokątne walcowe normalne Mercatora

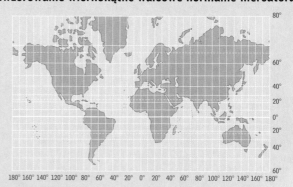

Odwzorowania umowne
(do map świata)

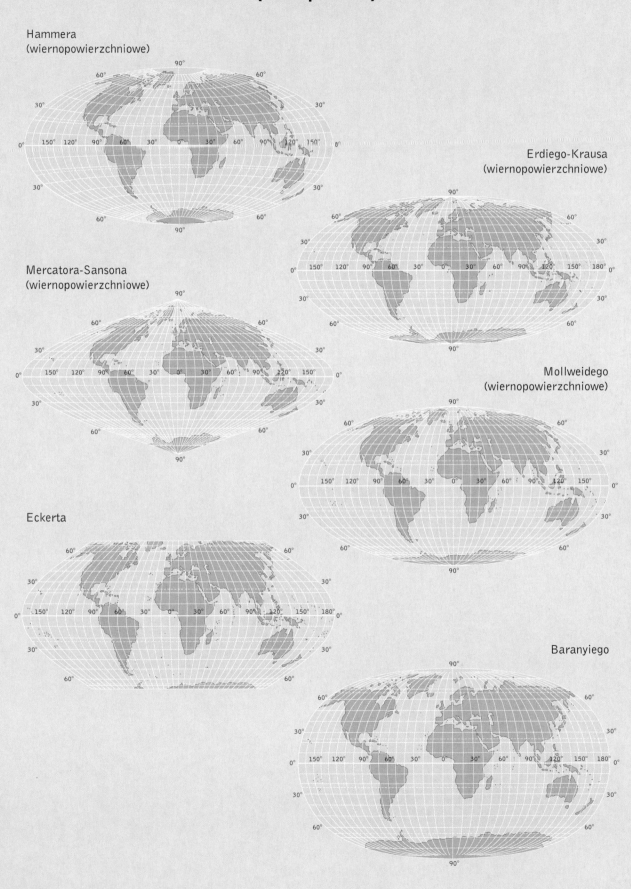

Hammera
(wiernopowierzchniowe)

Erdiego-Krausa
(wiernopowierzchniowe)

Mercatora-Sansona
(wiernopowierzchniowe)

Mollweidego
(wiernopowierzchniowe)

Eckerta

Baranyiego

Wszechświat

Budowa Wszechświata

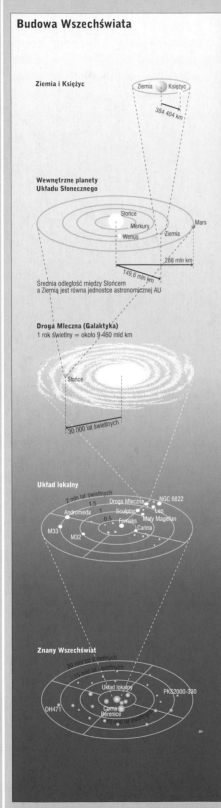

Ziemia i Księżyc

Ziemia Księżyc
384 404 km

Wewnętrzne planety Układu Słonecznego

Słońce
Merkury
Wenus
Ziemia
Mars

288 mln km
149,6 mln km

Średnia odległość między Słońcem a Ziemią jest równa jednostce astronomicznej AU

Droga Mleczna (Galaktyka)
1 rok świetlny = około 9 460 mld km

Słońce

30 000 lat świetlnych

Układ lokalny

2 mln lat świetlnych
Andromeda Droga Mleczna NGC 6822
Sculptor Leo
Fornaks Mały Magellan
M33 Carina
M32

Znany Wszechświat

20 mld lat świetlnych
15 mld lat świetlnych
Układ lokalny PKS2000-330
OH471 Coma Berenice
10 mld lat świetlnych

Układ Słoneczny

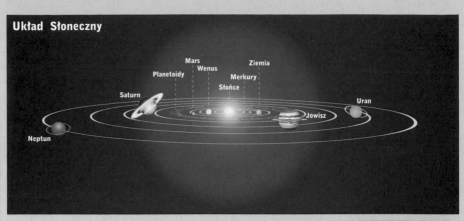

Mars
Wenus Ziemia
Planetoidy Merkury
Słońce
Saturn
Uran
Jowisz
Neptun

Planety Układu Słonecznego

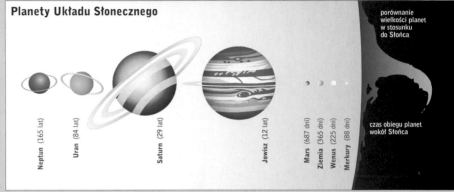

porównanie wielkości planet w stosunku do Słońca

Neptun (165 lat)
Uran (84 lat)
Saturn (29 lat)
Jowisz (12 lat)
Mars (687 dni)
Ziemia (365 dni)
Wenus (225 dni)
Merkury (88 dni)

czas obiegu planet wokół Słońca

Ruch Ziemi wokół Słońca

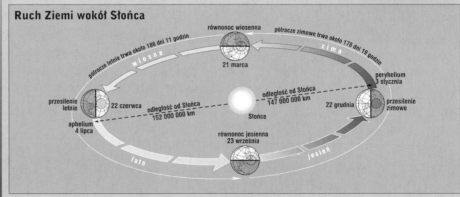

równonoc wiosenna
półrocze letnie trwa około 186 dni 11 godzin
półrocze zimowe trwa około 178 dni 19 godzin
wiosna zima
21 marca
przesilenie letnie
22 czerwca
odległość od Słońca 152 000 000 km
peryhelium 3 stycznia
odległość od Słońca 147 000 000 km
Słońce
22 grudnia
przesilenie zimowe
aphelium 4 lipca
lato jesień
równonoc jesienna 23 września

Oświetlenie Ziemi

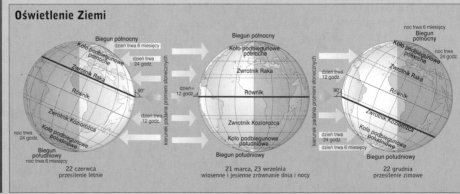

Biegun północny
dzień trwa 6 miesięcy
Koło podbiegunowe północne
dzień trwa 24 godz.
Zwrotnik Raka
Równik
Zwrotnik Koziorożca
noc trwa 24 godz.
Koło podbiegunowe południowe
Biegun południowy
noc trwa 6 miesięcy
22 czerwca
przesilenie letnie

Biegun północny
Koło podbiegunowe północne
Zwrotnik Raka
Równik
dzień= 12 godz.
Zwrotnik Koziorożca
Koło podbiegunowe południowe
Biegun południowy
dzień trwa 12 godz.
21 marca, 23 września
wiosenne i jesienne zrównanie dnia i nocy

noc trwa 6 miesięcy
Biegun północny
Koło podbiegunowe północne
noc trwa 24 godz.
Zwrotnik Raka
Równik
dzień trwa 12 godz.
Zwrotnik Koziorożca
Koło podbiegunowe południowe
dzień trwa 6 miesięcy
Biegun południowy
22 grudnia
przesilenie zimowe

kierunek padania promieni słonecznych

Droga Mleczna (Galaktyka) – rzut z boku

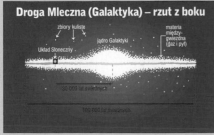

zbiory kuliste
materia międzygwiezdna (gaz i pył)
jądro Galaktyki
Układ Słoneczny
30 000 lat świetlnych
100 000 lat świetlnych

Pozorne ruchy Słońca

22 czerwca
Zenit
21 marca
23 września
Łuk dzienny
Biegun północny
22 grudnia
W
Ziemia
E Horyzont
S N
Biegun południowy
Łuk nocny
Nadir

Kształt Ziemi

promień równikowy 6378,245 km
spłaszczenie 21,382 km
promień biegunowy 6356,863 km

Widok Ziemi z Księżyca

Księżyc

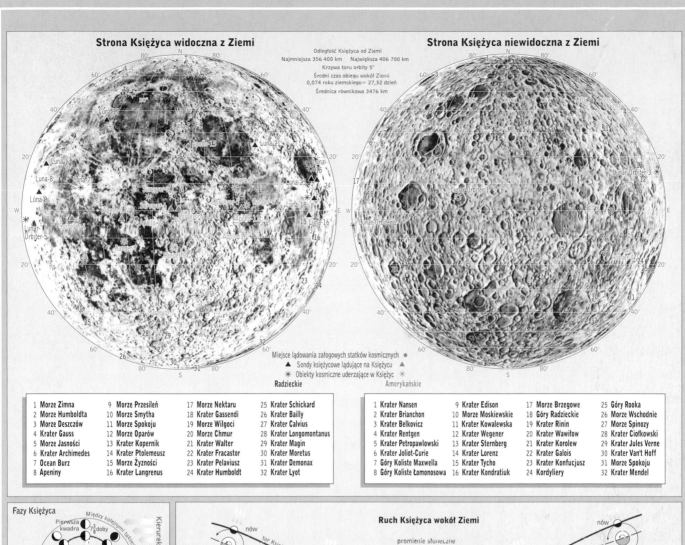

Strona Księżyca widoczna z Ziemi

Strona Księżyca niewidoczna z Ziemi

Odległość Księżyca od Ziemi
Najmniejsza 356 400 km   Największa 406 700 km
Krzywa toru orbity 5°
Średni czas obiegu wokół Ziemi
0,074 roku ziemskiego = 27,32 dzień
Średnica równikowa 3476 km

- Miejsce lądowania załogowych statków kosmicznych ●
- ▲ Sondy księżycowe lądujące na Księżyc ▲
- ✳ Obiekty kosmiczne uderzające w Księżyc ✳
- Radzieckie   Amerykańskie

#		#		#		#	
1	Morze Zimna	9	Morze Przesileń	17	Morze Nektaru	25	Krater Schickard
2	Morze Humboldta	10	Morze Smytha	18	Krater Gassendi	26	Krater Bailly
3	Morze Deszczów	11	Morze Spokoju	19	Morze Wilgoci	27	Krater Calvius
4	Krater Gauss	12	Morze Oparów	20	Morze Chmur	28	Krater Longomontanus
5	Morze Jasności	13	Krater Kopernik	21	Krater Walter	29	Krater Magin
6	Krater Archimedes	14	Krater Ptolemeusz	22	Krater Fracastor	30	Krater Moretus
7	Ocean Burz	15	Morze Żyzności	23	Krater Pelaviusz	31	Krater Demonax
8	Apeniny	16	Krater Langrenus	24	Krater Humboldt	32	Krater Lyot

#		#		#		#	
1	Krater Nansen	9	Krater Edison	17	Morze Brzegowe	25	Góry Rooka
2	Krater Brianchon	10	Morze Moskiewskie	18	Góry Radzieckie	26	Morze Wschodnie
3	Krater Belkovicz	11	Krater Kowalewska	19	Krater Rinin	27	Krater Spinozy
4	Krater Rentgen	12	Krater Wegener	20	Krater Wawiłow	28	Krater Ciołkowski
5	Krater Petropawlowski	13	Krater Sternberg	21	Krater Korolew	29	Krater Jules Verne
6	Krater Joliot-Curie	14	Krater Lorenz	22	Krater Galois	30	Krater Van't Hoff
7	Góry Koliste Maxwella	15	Krater Tycho	23	Krater Konfucjusz	31	Morze Spokoju
8	Góry Koliste Łomonosowa	16	Krater Kondratiuk	24	Kordyliery	32	Krater Mendel

Fazy Księżyca

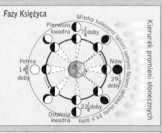

Między kolejnymi takimi samymi fazami upływa około 29,5 doby

Kierunek promieni słonecznych

Pierwsza kwadra 7¾ doby — Nów 29¾ doby — Pełnia 14¾ doby — Ostatnia kwadra 22¼ doby

Ruch Księżyca wokół Ziemi

Ziemia — nów — tor Księżyca — promienie słoneczne — nów
pierwsza kwadra — tor Ziemi — ostatnia kwadra

nów — Księżyc rosnący — pierwsza kwadra — Księżyc rosnący — pełnia — Księżyc malejący — ostatnia kwadra — Księżyc malejący — nów

Zaćmienie Słońca i Księżyca

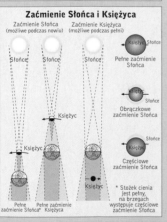

Zaćmienie Słońca (możliwe podczas nowiu) — Zaćmienie Księżyca (możliwe podczas pełni)

Słońce — Księżyc
Pełne zaćmienie Słońca
Obrączkowe zaćmienie Słońca
Częściowe zaćmienie Słońca

Pełne zaćmienie Słońca* — Pełne zaćmienie Księżyca

* Stożek cienia jest pełny, na brzegach występuje częściowe zaćmienie Słońca

Pełne zaćmienia Słońca do 2020 roku

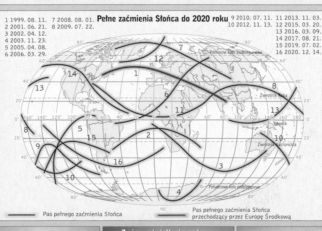

1 1999. 08. 11.   7 2008. 08. 01.   9 2010. 07. 11.   11 2013. 11. 03.
2 2001. 06. 21.   8 2009. 07. 22.   10 2012. 11. 13.   12 2015. 03. 20.
3 2002. 04. 12.   13 2016. 03. 09.
4 2003. 11. 23.   14 2017. 08. 21.
5 2005. 04. 08.   15 2019. 07. 02.
6 2006. 03. 29.   16 2020. 12. 14.

— Pas pełnego zaćmienia Słońca
— Pas pełnego zaćmienia Słońca przechodzący przez Europę Środkową

Pływy morskie

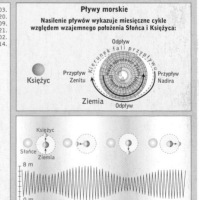

Nasilenie pływów wykazuje miesięczne cykle względem wzajemnego położenia Słońca i Księżyca:

Księżyc — Ziemia
Odpływ — Przypływ Zenitu — Kierunek fali przypływu — Przypływ Nadira — Odpływ

Księżyc — Słońce — Ziemia
8 m — 0 m

Zmiany oświetlenia podczas zaćmienia Słońca (5 faz)

1. faza

2. faza

3. faza

4. faza

5. faza

Kontynenty

Powierzchnia Ziemi 510,22 mln km², z tego powierzchnia lądów 150, 20 mln km² (wyspy 6,3%); <u>średnia wysokość 875 m n.p.m.</u>, długość linii brzegowej (bez wysp) 292,2 tys. km ▲ Najwyższy szczyt: **Czomolungma** /Mount Everest 8848m n.p.m. ▼ Najniżej położony punkt: Morze Martwe -405 m

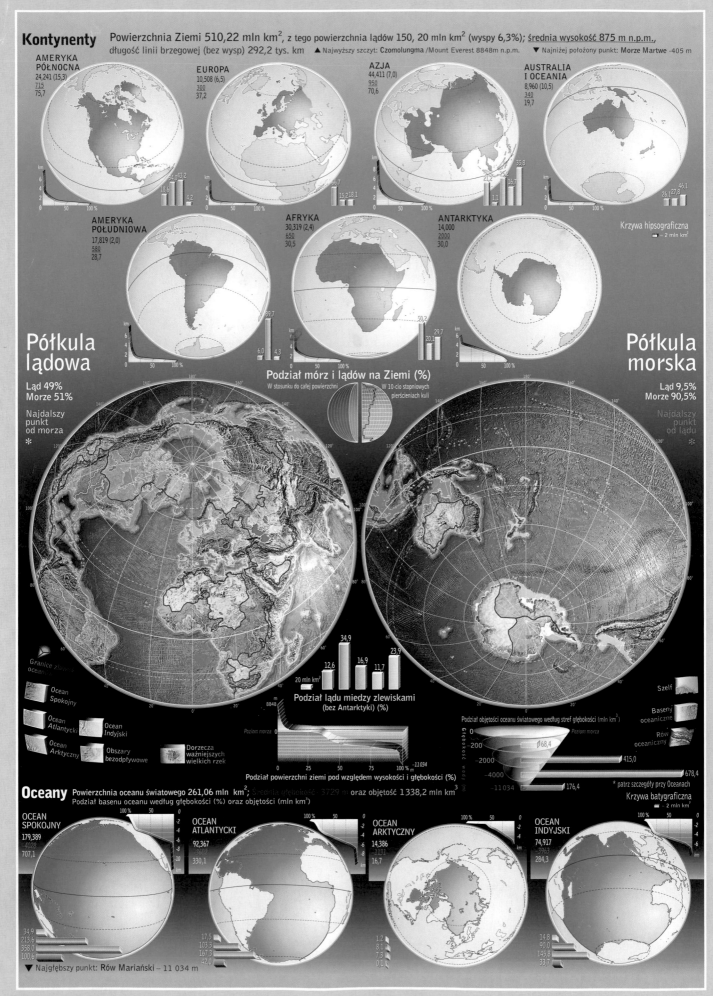

AMERYKA PÓŁNOCNA
24,241 (15,3)
715
75,7

EUROPA
10,508 (6,5)
300
37,2

AZJA
44,411 (7,0)
950
70,6

AUSTRALIA I OCEANIA
8,960 (10,5)
340
19,7

AMERYKA POŁUDNIOWA
17,819 (2,0)
580
28,7

AFRYKA
30,319 (2,4)
650
30,5

ANTARKTYKA
14,000
2000
30,0

Krzywa hipsograficzna
= 2 mln km²

Półkula lądowa
Ląd 49%
Morze 51%
Najdalszy punkt od morza *

Półkula morska
Ląd 9,5%
Morze 90,5%
Najdalszy punkt od lądu *

Podział mórz i lądów na Ziemi (%)
W stosunku do całej powierzchni   W 10-cio stopniowych pierścieniach kuli

Granice zlewisk oceanicznych

Ocean Spokojny
Ocean Atlantycki
Ocean Indyjski
Ocean Arktyczny
Obszary bezodpływowe
Dorzecza ważniejszych wielkich rzek

Podział lądu miedzy zlewiskami (bez Antarktyki) (%)
12,6 34,9 16,9 11,7 23,9
20 mln km²

Podział powierzchni ziemi pod względem wysokości i głębokości (%)
Poziom morza   8848   -11034

Szelf
Baseny oceaniczne
Rów oceaniczny

Podział objętości oceanu światowego według stref głębokości (mln km³)
Poziom morza
Ø68,4
415,0
678,4
176,4
* patrz szczegóły przy Oceanach
Krzywa batygraficzna
= 2 mln km²

Oceany
Powierzchnia oceanu światowego 261,06 mln km²; średnia głębokość: 3729 m oraz objętość 1338,2 mln km³
Podział basenu oceanu według głębokości (%) oraz objętości (mln km³)

OCEAN SPOKOJNY
179,389
4028
707,1
34,9
213,6
358,0
100,6

OCEAN ATLANTYCKI
92,367
3602
330,1
17,5
103,3
167,3
42,0

OCEAN ARKTYCZNY
14,386
1131
16,7
1,2
8,1
7,3
0,1

OCEAN INDYJSKI
74,917
3963
284,3
14,8
90,0
145,8
33,7

▼ Najgłębszy punkt: **Rów Mariański — 11 034 m**

Wyspy, rzeki, jeziora, szczyty

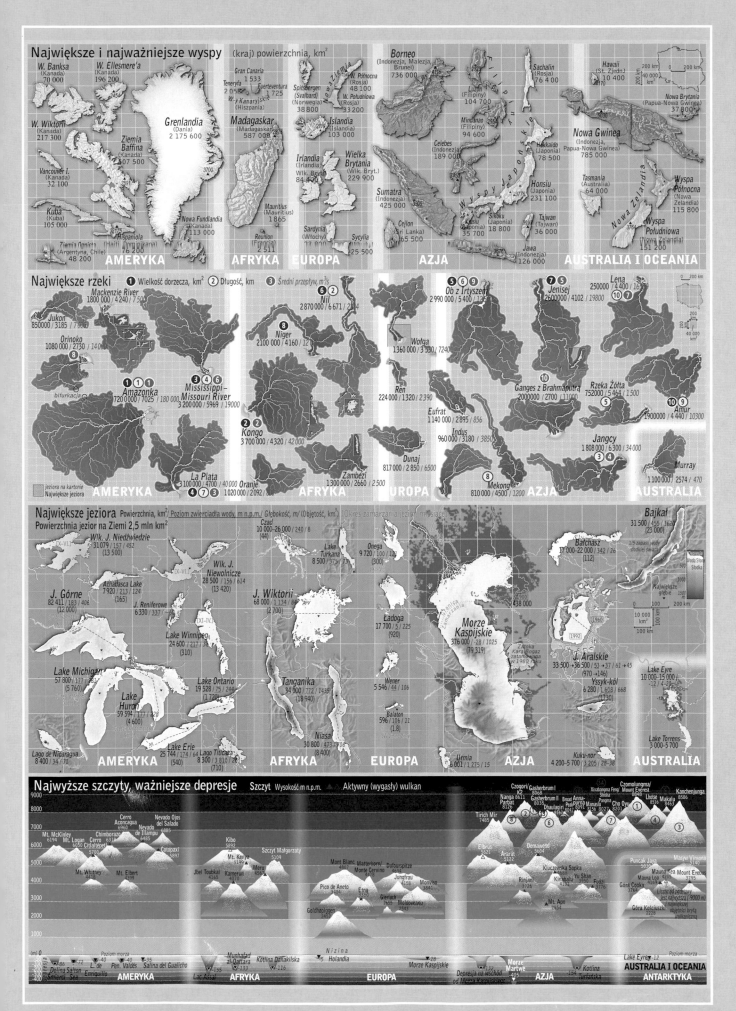

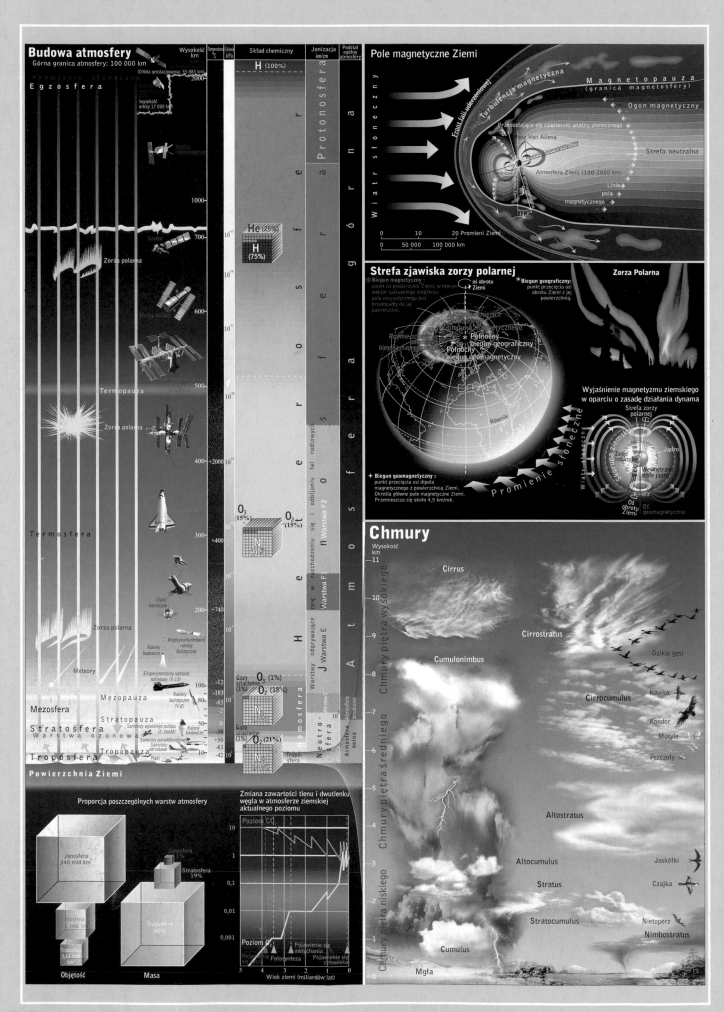

Budowa atmosfery

Górna granica atmosfery: 100 000 km

Promienie słoneczne

Egzosfera

(Orbita geostacjonarna: 35 883 km)

(wysokość orbity 17 000 km)

Zorza polarna

Termopauza

Zorza polarna

Termosfera

Zorza polarna

Meteory

Mezopauza

Mezosfera

Stratopauza

Stratosfera

Warstwa ozonowa

Tropopauza

Troposfera

Powierzchnia Ziemi

Wysokość km

2000

1000

700

600

500

400

300

200

100

80

50

10

Temperatura °C

Ciśnienie kPa

Skład chemiczny

H (100%)

He (25%)
H (75%)

O₃ (15%)
O₂ (15%)
N₂ (80%)

Gazy szlachetne (1%)
O₃ (1%)
O₂ (18%)
N₂ (80%)

Gazy szlachetne (1%)
O₂ (21%)
N₂ (78%)

Jonizacja ion/cm

Podział ogólny atmosfery

Protonosfera

Górna atmosfera

Heterosfera

Homosfera

Neutrosfera

Atmosfera dolna
Atmosfera środkowa

Warstwy odgrywające rolę w rozchodzeniu się i odbijaniu fal radiowych

Warstwa F2
Warstwa F1
Warstwa E
Warstwa D

Jonosfera

Troposfera

Statki kosmiczne

Rakiety badawcze

Międzykontynentalne rakiety balistyczne

Eksperymentalny samolot rakietowy (X-15)

Rakiety balistyczne (V-2)

Samoloty wysokiego pułapu (E-266M)

Balony badawcze

Samoloty ponaddźwiękowe
Samoloty odrzutowe

Ptaki

Proporcja poszczególnych warstw atmosfery

Jonosfera 340 mld km

Stratosfera 19%

Troposfera 80%

Objętość

Masa

Zmiana zawartości tlenu i dwutlenku węgla w atmosferze ziemskiej aktualnego poziomu

Poziom CO₂

Poziom O₂

Fotosynteza

Pojawienie się oddychania

Pojawienie się człowieka

Wiek ziemi (miliardów lat)

Pole magnetyczne Ziemi

Wiatr słoneczny

Front fali uderzeniowej

Turbulencja magnetyczna

Magnetopauza (granica magnetosfery)

Ogon magnetyczny

Przedostające się cząsteczki wiatru słonecznego

Pasy Van Allena

Równik geomagnetyczny

Atmosfera Ziemi (100-1000 km)

Strefa neutralna

Linie pola magnetycznego

Promieni Ziemi

Strefa zjawiska zorzy polarnej

Zorza Polarna

Biegun magnetyczny: punkt na powierzchni Ziemi, w którym wektor całkowitego natężenia pola magnetycznego jest prostopadły do jej powierzchni.

Biegun geograficzny: punkt przecięcia osi obrotu Ziemi z jej powierzchnią.

oś obrotu Ziemi

Północny biegun geograficzny
Północny biegun geomagnetyczny

Równik

Biegun geomagnetyczny: punkt przecięcia osi dipola magnetycznego z powierzchnią Ziemi. Określa główne pole magnetyczne Ziemi. Przemieszcza się około 4,5 km/rok.

Wyjaśnienie magnetyzmu ziemskiego w oparciu o zasadę działania dynama

Strefa zorzy polarnej

Wiatr słoneczny

Promienie słoneczne

Jądro

Wewnętrzne stałe jądro

Oś obrotu Ziemi

Oś geomagnetyczna

Chmury

Wysokość km

11

Cirrus

Chmury piętra wysokiego

Cirrostratus

Dzikie gęsi

Kawka

Cirrocumulus

Kondor

Motyle

Cumulonimbus

Pszczoły

Chmury piętra średniego

Altostratus

Altocumulus

Jaskółki

Stratus

Czajka

Chmury piętra niskiego

Stratocumulus

Nietoperz

Nimbostratus

Cumulus

Mgła

Klimat

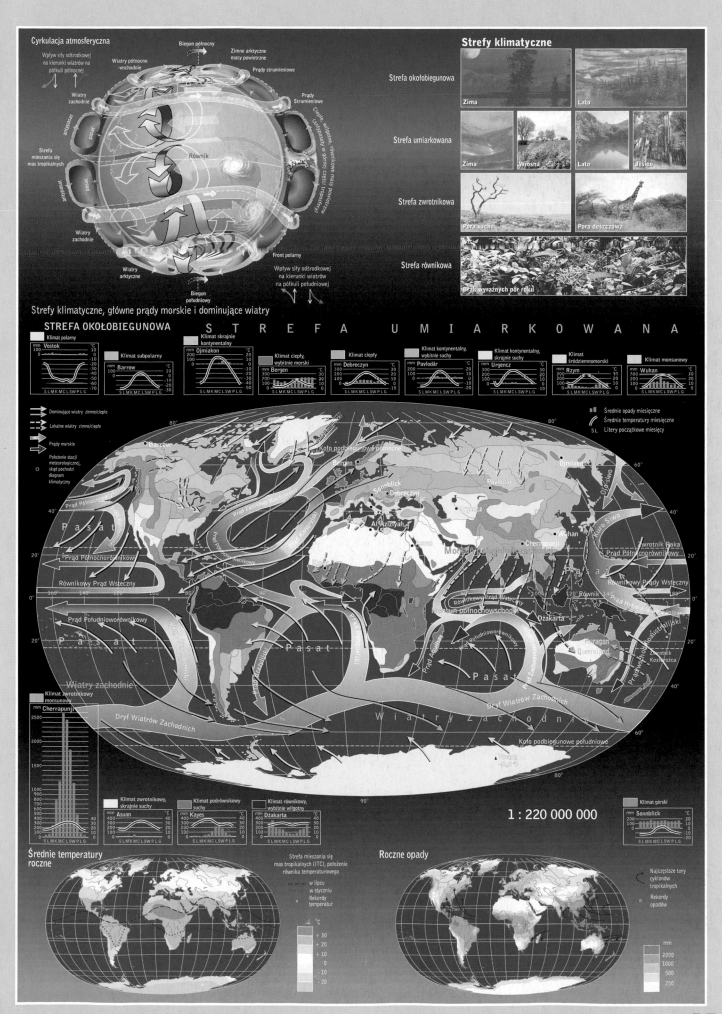

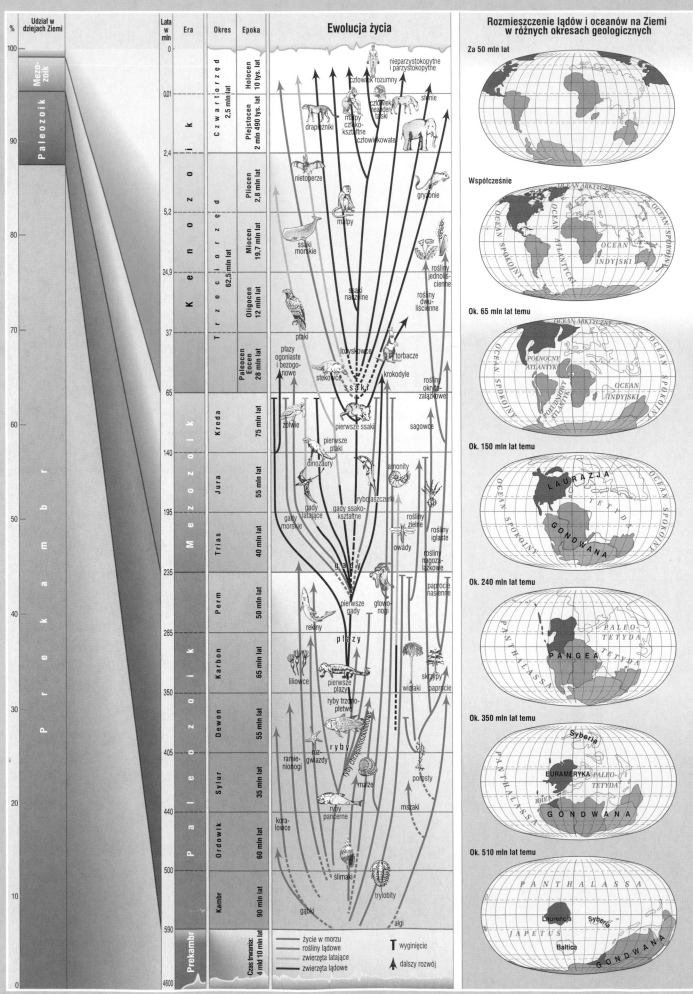

Rozmieszczenie lądów i oceanów na Ziemi w różnych okresach geologicznych

Rozwój gatunku ludzkiego

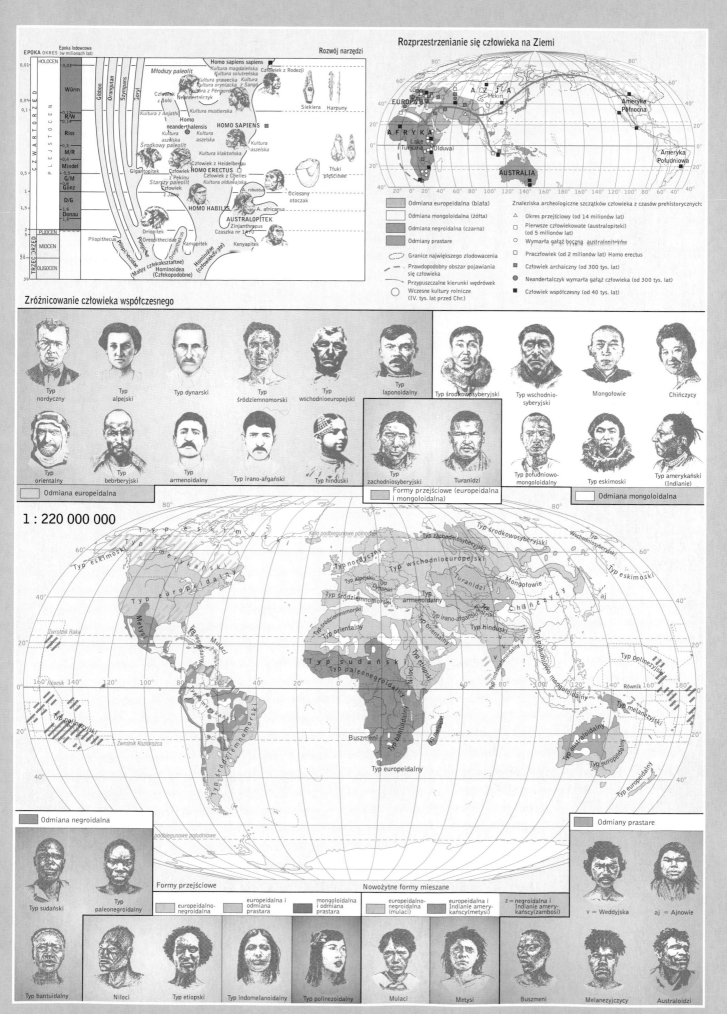

Podział organizmów żywych

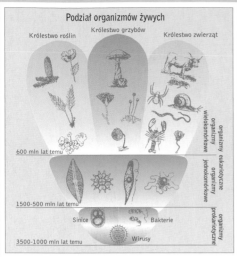

Królestwo roślin Królestwo grzybów Królestwo zwierząt

organizmy eukariotyczne — organizmy wielokomórkowe
600 mln lat temu
organizmy eukariotyczne — organizmy jednokomórkowe
1500-500 mln lat temu
Sinice Bakterie
organizmy prokariotyczne
Wirusy
3500-1000 mln lat temu

Liczba opisanych gatunków występujących na Ziemi (w tys.)

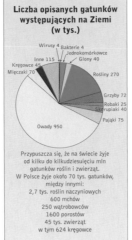

Wirusy 4 Bakterie 4
Inne 115 Jednokomórkowce
Kręgowce 45 Glony 40
Mięczaki 70 Rośliny 270

Grzyby 72
Robaki 25
Skorupiaki 40
Pająki 75
Owady 950

Przypuszcza się, że na świecie żyje od kilku do kilkudziesięciu mln gatunków roślin i zwierząt.
W Polsce żyje około 70 tys. gatunków, między innymi:
2,7 tys. roślin naczyniowych
600 mchów
250 wątrobowców
1600 porostów
45 tys. zwierząt
w tym 624 kręgowce

Podział biogeograficzny Ziemi
obszary o szczególnie dużej bioróżnorodności

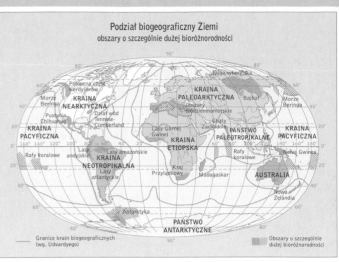

KRAINA NEARKTYCZNA
KRAINA PALEOARKTYCZNA
Taiga syberyjska
Bajkał
Morze Beringa
Morze Beringa
Północna część Kordylierów
Pustynia Chihuahua
Dział wód Tennese-Cumberland
Ghaty Zachodnie
Morze Śródziemnomorskie
KRAINA PACYFICZNA
KRAINA PACYFICZNA
Lasy Górnej Gwinei
PAŃSTWO PALEOTROPIKALNE
Nowa Gwinea
Rafy koralowe
Lasy andyjskie
KRAINA ETIOPSKA
Rafy koralowe
Lasy amazońskie
KRAINA NEOTROPIKALNA
Lasy atlantyckie
Kraj Przylądkowy
Madagaskar
AUSTRALIA
Nowa Zelandia
Antarktyka
PAŃSTWO ANTARKTYCZNE

Granice krain biogeograficznych (wg. Udvardyego)
Obszary o szczególnie dużej bioróżnorodności

Krainy fitogeograficzne

1 : 220 000 000

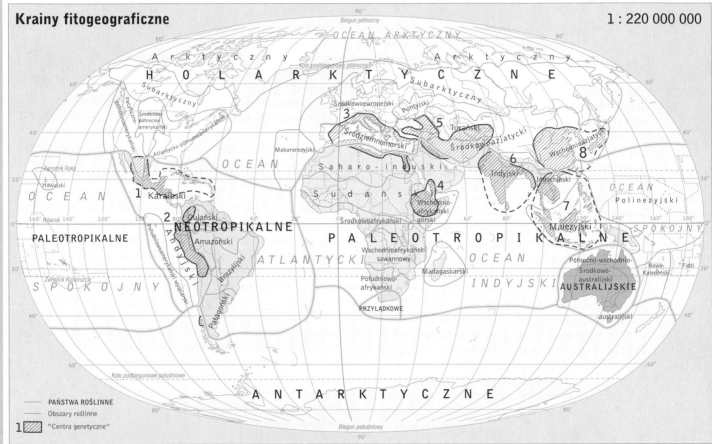

Biegun północny
OCEAN ARKTYCZNY
Arktyczny — Koło podbiegunowe północne — Arktyczny
HOLARKTYCZNE
Subarktyczny Subarktyczny
Pacyficzno-północnoamerykański
Środkowo-północnoamerykański
Środkowoeuropejski Pontyjski
Śródziemnomorski Turański
Środkowoazjatycki
Wschodnioazjatycki
Atlantycko-północnoamerykański
Makaronezyjski
OCEAN
Saharo-induski
Zwrotnik Raka
Hawajski
OCEAN Karaibski
Indyjski Indochiński
OCEAN Polinezyjski
Sudański
Wschodnio-afrykański górski
Gujański
NEOTROPIKALNE
Środkowoafrykański
Malezyjski
PALEOTROPIKALNE
Amazoński
PALEOTROPIKALNE
Andyjski
Brazylijski
Wschodnioafrykański sawannowy
OCEAN
Madagaskarski
Północno-wschodnio-australijski
Środkowo-australijski
AUSTRALIJSKIE
Nowo-Kaledoński Fidżi
Zwrotnik Koziorożca
SPOKOJNY
Południowo-afrykański
ATLANTYCKI
INDYJSKI
-australijski
Patagoński
PRZYLĄDKOWE
Koło podbiegunowe południowe
ANTARKTYCZNE
Biegun południowy

PAŃSTWA ROŚLINNE
Obszary roślinne
1 "Centra genetyczne"

Charakterystyczne rośliny użytkowe

1 Środkowo-amerykańskie

Kukurydza Słonecznik
Papryka Batat
Bawełna
Kakaowiec

2 Andyjskie

Maniok Ziemniak
Orzech ziemny Pomidor
Wanilia
Kauczukowiec

3 Śródziemnomorskie
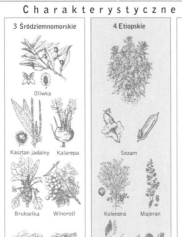
Oliwka
Kasztan jadalny Kalarepa
Brukselka Winorośl
Kapusta Sałata

4 Etiopskie

Sezam
Kolendra Majeran
Sorgo Kawowiec

5 Bliskowschodnie
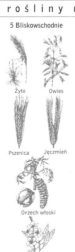
Żyto Owies
Pszenica Jęczmień
Orzech włoski
Migdałowiec

6 Indyjskie

Dynia Ogórek
Oberżyna (bakłażan)
Trzcina cukrowa
Jam Ryż

7 indochińsko-indonezyjskie

Banan Kokos
Chlebowiec
Cynamonowiec
Muszkatołowiec

8 wschodnioazjatyckie

Proso
Herbata Soja
Brzoskwinia Mango

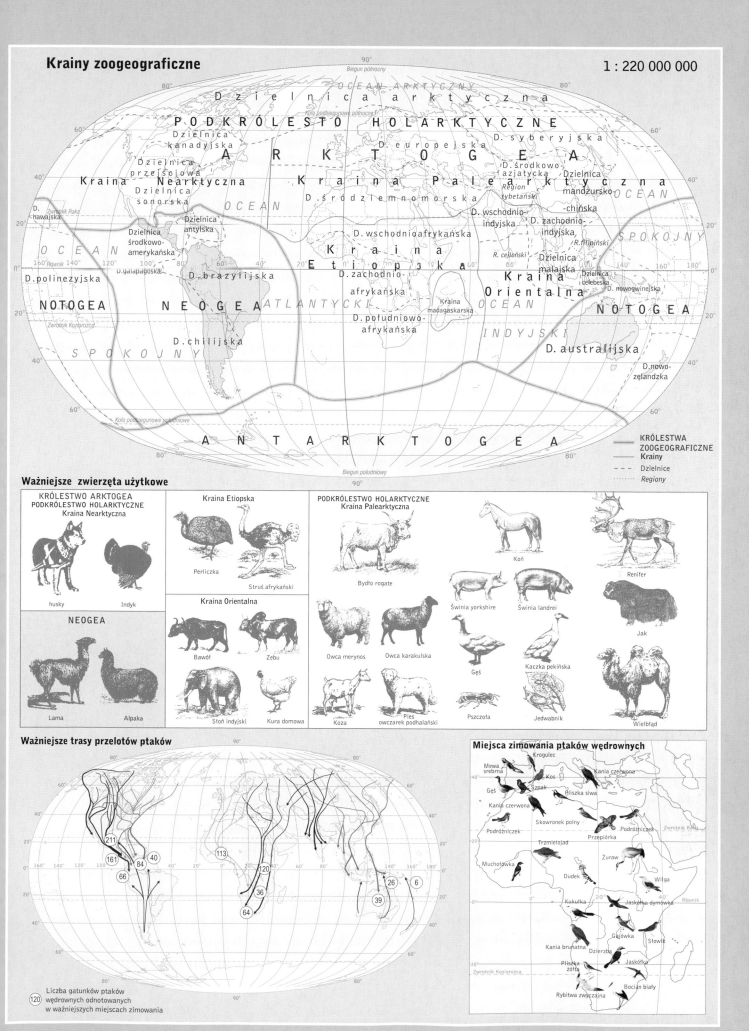

Krainy zoogeograficzne

1 : 220 000 000

Krainy zoogeograficzne

OCEAN ARKTYCZNY
Biegun północny 90°
Dzielnica arktyczna
PODKRÓLESTWO HOLARKTYCZNE
Koło podbiegunowe północne
Dzielnica kanadyjska
D. europejska
D. syberyjska
ARKTOGEA
Kraina Nearktyczna
Dzielnica przejściowa
D. środkowo-azjatycka
Dzielnica mandżursko-chińska
Kraina Palearktyczna
Dzielnica sonorska
D.śródziemnomorska
Region tybetański
D. hawajska
Zwrotnik Raka
OCEAN
Dzielnica antylska
D. wschodnio-indyjska
D. zachodnio-indyjska
R.filipiński
SPOKOJNY
Dzielnica środkowo-amerykańska
D.wschodnioafrykańska
R. cejloński
Dzielnica malajska
Kraina Etiopska
Dzielnica celebeska
D.galapagoska
Równik
D.brazylijska
Kraina Orientalna
D. nowogwinejska
D.polinezyjska
D.zachodnio-afrykańska
Kraina madagaskarska
Kraina Orientalna
NOTOGEA
NOTOGEA
NEOGEA
ATLANTYCKI
OCEAN
Zwrotnik Koziorożca
D.południowo-afrykańska
INDYJSKI
D. australijska
SPOKOJNY
D.chilijska
D.nowo-zelandzka
Koło podbiegunowe południowe
ANTARKTOGEA
Biegun południowy 90°

KRÓLESTWA ZOOGEOGRAFICZNE
Krainy
Dzielnice
Regiony

Ważniejsze zwierzęta użytkowe

KRÓLESTWO ARKTOGEA
PODKRÓLESTWO HOLARKTYCZNE
Kraina Nearktyczna

husky — Indyk

NEOGEA

Lama — Alpaka

Kraina Etiopska

Perliczka — Struś afrykański

Kraina Orientalna

Bawół — Zebu

Słoń indyjski — Kura domowa

PODKRÓLESTWO HOLARKTYCZNE
Kraina Palearktyczna

Bydło rogate — Koń — Renifer

Świnia yorkshire — Świnia landrei — Jak

Owca merynos — Owca karakulska — Gęś — Kaczka pekińska

Koza — Pies owczarek podhalański — Pszczoła — Jedwabnik — Wielbłąd

Ważniejsze trasy przelotów ptaków

211
161
66
84
40
113
120
36
64
26
6
39

(120) Liczba gatunków ptaków
wędrownych odnotowanych
w ważniejszych miejscach zimowania

Miejsca zimowania ptaków wędrownych

Mewa srebrna — Krogulec — Kania czerwona
Gęś — Kos — Szpak — Pliszka siwa
Kania czerwona — Skowronek polny — Podróżniczek
Podróżniczek — Przepiórka
Trzmielojad — Żuraw
Muchołówka — Dudek — Wilga
Kukułka — Jaskółka dymówka
Gajówka — Słowik
Kania brunatna — Dzierzba — Jaskółka
Pliszka żółta — Bocian biały
Rybitwa zwyczajna

19

Świat

Degradacja środowiska

1 : 220 000 000

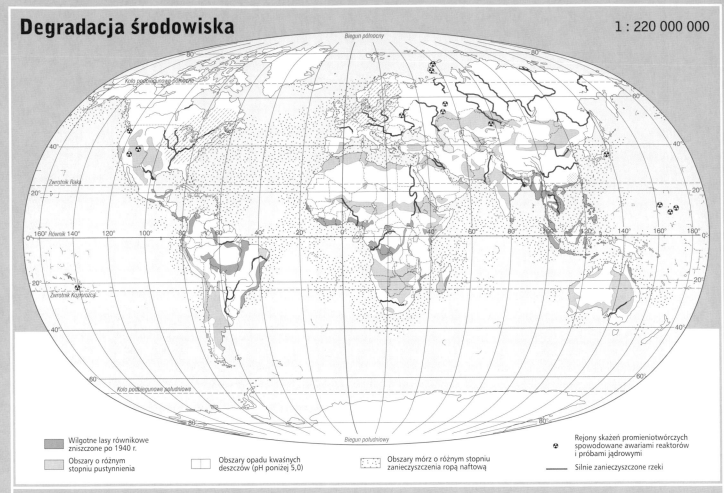

| | Wilgotne lasy równikowe zniszczone po 1940 r. | | | | Rejony skażeń promieniotwórczych spowodowane awariami reaktorów i próbami jądrowymi |
| | Obszary o różnym stopniu pustynnienia | | Obszary opadu kwaśnych deszczów (pH poniżej 5,0) | | Obszary mórz o różnym stopniu zanieczyszczenia ropą naftową | | Silnie zanieczyszczone rzeki |

Ochrona przyrody

1 : 220 000 000

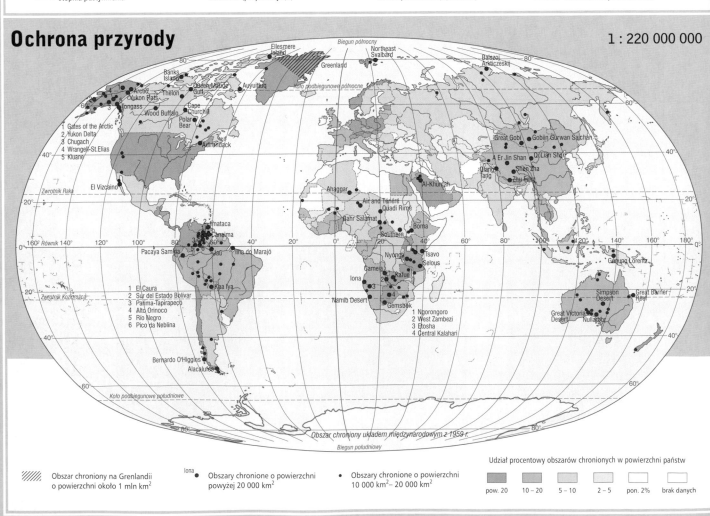

Obszar chroniony układem międzynarodowym z 1959 r.

Obszar chroniony na Grenlandii o powierzchni około 1 mln km²

Iona
Obszary chronione o powierzchni powyżej 20 000 km²

Obszary chronione o powierzchni 10 000 km² – 20 000 km²

Udział procentowy obszarów chronionych w powierzchni państw

| pow. 20 | 10 – 20 | 5 – 10 | 2 – 5 | pon. 2% | brak danych |

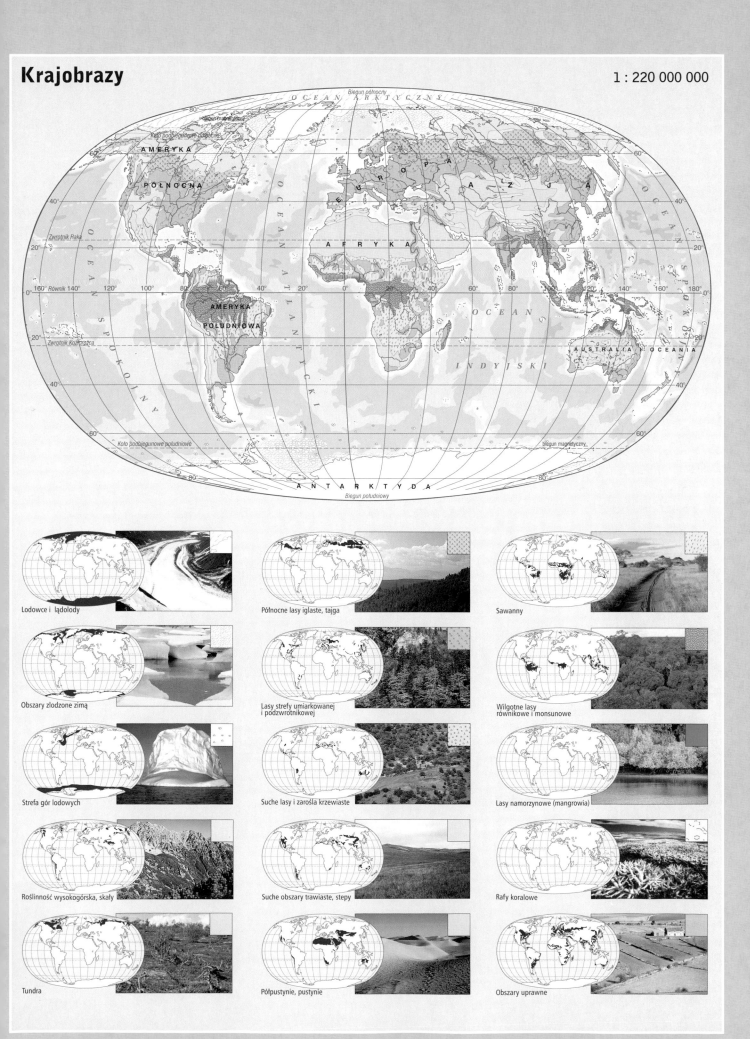

Krajobrazy

1 : 220 000 000

Lodowce i lądolody

Północne lasy iglaste, tajga

Sawanny

Obszary zlodzone zimą

Lasy strefy umiarkowanej i podzwrotnikowej

Wilgotne lasy równikowe i monsunowe

Strefa gór lodowych

Suche lasy i zarośla krzewiaste

Lasy namorzynowe (mangrowia)

Roślinność wysokogórska, skały

Suche obszary trawiaste, stepy

Rafy koralowe

Tundra

Półpustynie, pustynie

Obszary uprawne

Świat

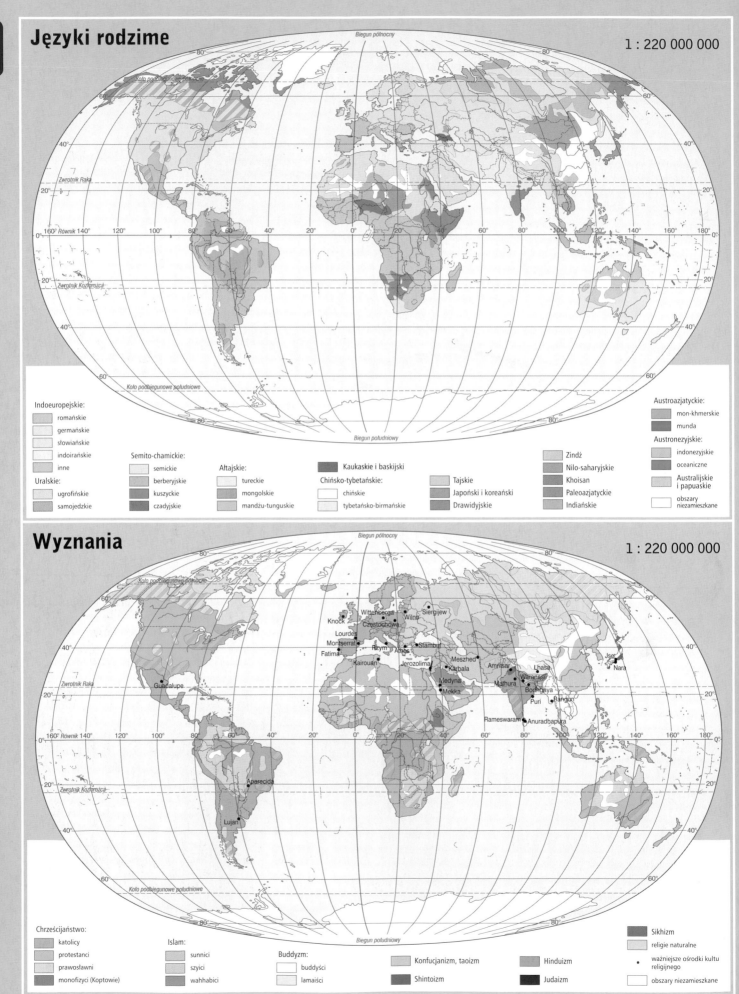

Języki rodzime

1 : 220 000 000

80° · Biegun północny · 80°

Koło podbiegunowe północne

60° · 60°

40° · 40°

Zwrotnik Raka · 20° · 20°

0° 160° Równik 140° · 120° · 100° · 80° · 60° · 40° · 20° · 0° · 20° · 40° · 60° · 80° · 100° · 120° · 140° · 160° · 180° 0°

20° · 20°

Zwrotnik Koziorożca

40° · 40°

60° · 60°

Koło podbiegunowe południowe

80° · Biegun południowy · 80°

Indoeuropejskie:
- romańskie
- germańskie
- słowiańskie
- indoirańskie
- inne

Uralskie:
- ugrofińskie
- samojedzkie

Semito-chamickie:
- semickie
- berberyjskie
- kuszyckie
- czadyjskie

Ałtajskie:
- tureckie
- mongolskie
- mandżu-tunguskie

Kaukaskie i baskijski

Chińsko-tybetańskie:
- chińskie
- tybetańsko-birmańskie

- Tajskie
- Japoński i koreański
- Drawidyjskie

- Zindż
- Nilo-saharyjskie
- Khoisan
- Paleoazjatyckie
- Indiańskie

Austroazjatyckie:
- mon-khmerskie
- munda

Austronezyjskie:
- indonezyjskie
- oceaniczne
- Australijskie i papuaskie
- obszary niezamieszkane

Wyznania

1 : 220 000 000

80° · Biegun północny · 80°

Koło podbiegunowe północne

60° · 60°

Knock · Wittenberga · Sierpijew · Wilno
Częstochowa
40° · Lourdes · 40°
Montserrat
Fatima · Rzym · Athos · Stambuł
Kairouan · Jerozolima · Meszhed · Amritsar · Lhasa · Jse · Nara
Karbala · Waranasi
Zwrotnik Raka · 20° · Guadalupe · Medyna · Mathura · Bodhgaya · 20°
Mekka · Rangun
Puri
Rameswaram · Anuradbapura

0° 160° Równik 140° · 120° · 100° · 80° · 60° · 40° · 20° · 0° · 20° · 40° · 60° · 80° · 100° · 120° · 140° · 160° · 180° 0°

Aparecida
20° · 20°
Zwrotnik Koziorożca
Lujan
40° · 40°

60° · 60°

Koło podbiegunowe południowe

80° · Biegun południowy · 80°

Chrześcijaństwo:
- katolicy
- protestanci
- prawosławni
- monofizyci (Koptowie)

Islam:
- sunnici
- szyici
- wahhabici

Buddyzm:
- buddyści
- lamaiści

- Konfucjanizm, taoizm
- Shintoizm

- Hinduizm
- Judaizm

- Sikhizm
- religie naturalne
- • ważniejsze ośrodki kultu religijnego
- obszary niezamieszkane

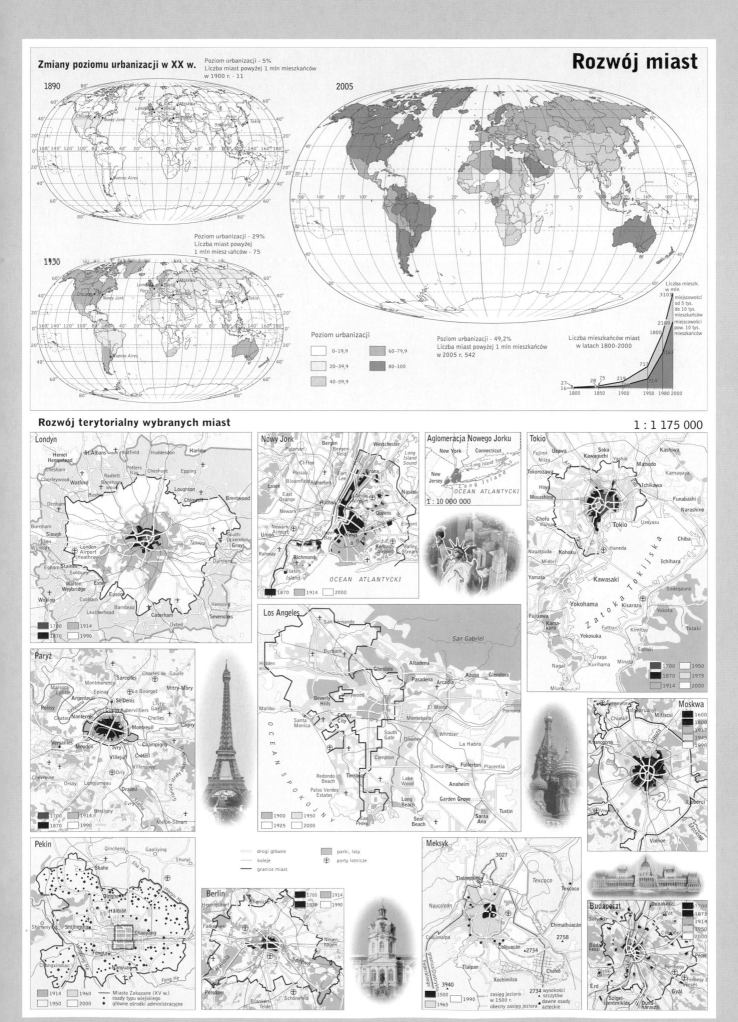

Rozwój miast

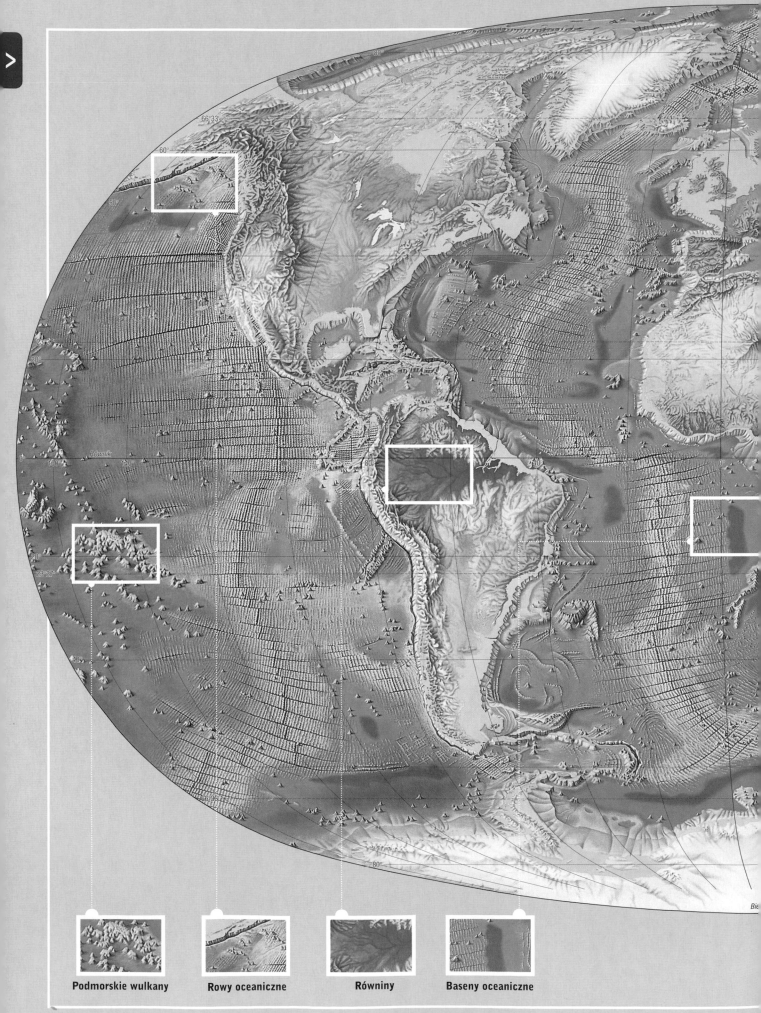

Podmorskie wulkany

Rowy oceaniczne

Równiny

Baseny oceaniczne

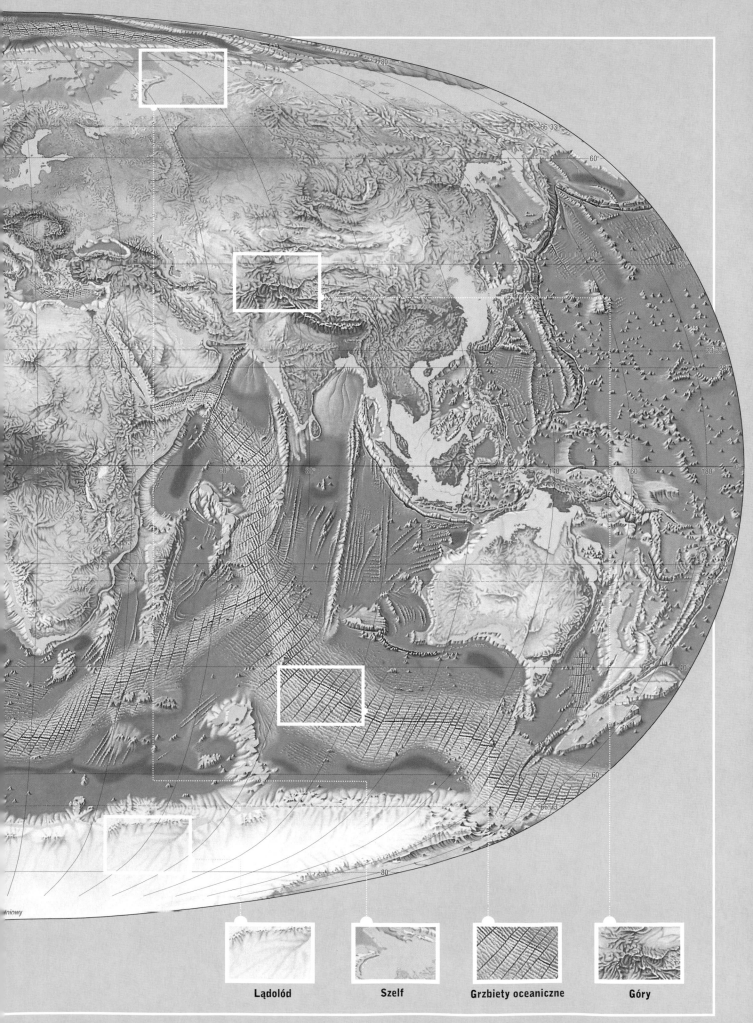

1 : 100 000 000

Lądolód Szelf Grzbiety oceaniczne Góry

25

Udział kontynentów i oceanów w powierzchni Ziemi

Lądy 29,2%

Morza i oceany 70,8%

Udział oceanów w powierzchni wszechoceanu

Ocean Arktyczny 4,5%
Ocean Atlantycki 25%
Ocean Spokojny 49,8%
Ocean Indyjski 20,7%

Przekrój wzdłuż równika

8000 m
6000
4000
2000
0
-2000
-4000
-6000
-8000

AMERYKA POŁUDNIOWA

O C E A N   S P O K O J N Y   W-y Galápagos   Andy   Nizina Amazonki   O C E A N   A T L A N T Y C K I   Gwine

Wyspa Św. Tomasza

Basen Północnopacyficzny   Grzbiet Północnoatlantycki

160° 150° 140° 130° 120° 110° 100° 90° 80° 70° 60° 50° 40° 30° 20° 10° 0°

Map labels

O C E A N   Kap Morris Jesup

Wyspy Królowej Elżbiety

Grenlandia   MORZE GRENLANDZKIE

MORZE BEAUFORTA   Point Barrow   Wyspa Wiktorii   Ziemia Baffina   MORZE BAFFINA   Cieśn. Danska   3700   Cieśn. Duńska   Islandia   Jan Mayen   MORZE NORWESKI   W-y Owcze

biegun magnetyczny

66°33'   Jukon   Koło podbiegunowe północne   Wlk. J. Niedźwiedzie   Wlk. J. Niewolnicze   Zatoka Hudsona   Labrador   530   Wlk. Brytania   MORZE PÓŁNOC

Alaska Range   6194   Mt. McKinley   Góry Nadbrzeżne   Góry Skaliste   Saskatchewan R.   Nelson R.   Nowa Fundlandia   Kap Forvel   Irlandia   Wyspy Brytyjskie

Zatoka Alaska   W-y Królowej Charlotty   Lake Winnipeg   Mt. Blanc   4807

Aleuty   Rów Aleucki   Vancouver I.   Missouri   Górne   L. Huron   W-a Św. Wawrzyńca   Cap Race   6323   Półwysep Iberyjski   Cabo da Roca   Cieśn. Gibraltarska

50°   Cape Mendocino   4399   Lake Michigan   L. Ontario   L. Erie   Appalachy   2037   Basen Północnoamerykański   Azory   MORZE   Madera   4165   Atla

40°   Wlk. Równiny   Bermudy   Basen Kanaryjski   W-y Kanaryjskie   Sahara

B a s e n   6896   Guadalupe   Plw. Kalifornijski   Floryda   MORZE SARGASSOWE   7110   6690   W-y Zielonego Przylądka   Sa

Północno-   Zwrotnik Raka   Cerro Citlaltepetl   5700   Zatoka Meksykańska   Wielkie Antyle   9219   Haiti   Przyl. Zielony   Basen   Górna Gwin

Hawaje   4205   Mauna Kea   Przyl. św. Łukasza   Jukatan   M. KARAIBSKIE   Małe Antyle   Zatoka Gwinejs

p a c y f i c z n y   5720   Islas Revilla Gigedo   Punta Gallinas   W-y Świętego Piotra i Pawła

Île Clipperton   6662   Orinoko   Wyż. Gujańska   3014   6690   Fernando de Noronha   W. Św. Toma

W. Bożego Narodzenia   Równik   Galápagos   6310   Amazonka   Cabo Branco

160°   140°   120°   100°   Andy   Nizina Amazonki   Amazonia

5486   Punta Parinas   6768   Ukajali   Madeira   Xingu   Wyżyna Brazylijska   6697   B a s e n   Angolski   B a s e n

Markizy   Laga Titicaca   São Francisco   Brazylijski   W. Św. Heleny

W-y Cooka   W-y Towarzystwa   Zwrotnik Koziorożca   8066   Andy   Trynidad Pd.   Martin Vaz

San Félix   San Ambrosio   Parana   pust. Atakama   A T L A N T Y C K I

Pitcairn   Sala y Gómez   W. Wielkanocna   Cerro Aconcagua   6960

B a s e n   Juan Fernández   Patagonia   B a s e n   W-y Tristan da Cunha

Południowo-   6681   Argentyński   Grzbiet Af

p a c y f i c z n y   5500   Cieśn. Magellana   Falklandy/Malwiny   W. Bou

Ziemia Ognista   Georgia Pd.   B a s

Przyl. Horn   6820   Sandwich Pd.   8264

Koło podbiegunowe południowe   Cieśn. Drake'a   Orkady Pd.   MORZE WEDDELLA

66°33'   B a s e n   Bellingshausena   80°   Ziemi

MORZE AMUNDSENA   MORZE BELLINGSHAUSENA   Półwysep Antarktyczny

Ziemia Marii Byrd   Masyw Winsona   5140

P ó ł n o c n o -   Wschodniopacyficzny   Peruwiański   A n d y

23°27'   20°   23°27'   40°   60°   80°

160°   140°   120°   100°   80°   60°   40°   20°   0°

RKTYCZNY

Ziemia Franciszka Józefa
Ziemia Północna
mys Czeluskin
W-y Nowosyberyjskie
MORZE
BARENTSA
MORZE
KARSKIE
MORZE
ŁAPTIEWÓW
MORZE
WSCHODNIO-
SYBERYJSKIE
W. Wrangla
80°
66°33'

Nowa Ziemia
Przyl. Północny
1695

Nizina
Wschodnio-
europejska

Wyżyna
Środkowo-
syberyjska

S y b e r i a

OCEAN
Północno-
Zachodni

MORZE
BERINGA
Aleuty
60°

Nizina
Zachodnio-
syberyjska

Sajany
Altaj
Bielucha
4506

Pasmo Stanowe
G.Stanowe
G.Jabłonowe
Bajkał
Wlk.Chingan
Amur

MORZE
OCHOCKIE
Sachalin
10542
Basen

40°

Elbrus
5621
Kaukaz
M.KASPIJSKIE

Kotl.
Dżungarska
Tien-szan
7439
Takla Makan
Gobi

Hokkaido
MORZE
JAPOŃSKIE
Honsiu
3776
8412

Pamir
Hindukusz
Kunlun
Wyżyna
Tybetańska
Himalaje
8848
Czomolungma
Brahmaputra
Ganges

Płw.
Koreański
W-y Chińskie
MORZE
ŻÓŁTE
10595

Wyżyna
Irańska
5604
Elburs
Zagros
3760

Tajwan
Riukiu
9156
Midway
23°27'
20°

Półwysep
Arabski

MORZE
ARABSKIE
Indyjski
Zatoka
Bengalska
Hainan
Płw.
Indochiński

Tibesti
3415
Czad
4620

Sokotra
Lakkadiwy
2695
Andamany
Cejlon
Nikobary
Mui Ca Mau
Płw.
Malajski

Basen
Środkowo-
pacyficzny

Wyżyna
Abisyńska
5824
Płw.
Somalijski

Maledywy

M i k r o n e z j a
11034
Rów Mariański
140°
160°
180°

Kotlina
Konga
Szczyt Małgorzaty
5109
Mt. Kenya
5199
Kibo
5895

Seszele
Arch. Chagos
Basen
Środkowo-
indyjski

Borneo
Celebes
W-y Sundajskie
10830
M. POŁUDNIOWOCHIŃSKIE
Jawa
Puncak
Jaya 5030
Nowa Gwinea
W-y Salomona

M e l a n e z j a
Nowe Hebrydy

P o l i n e z j a
Tonga

Komory
Tanjona Bobaomby
Niasa
Tanganika

O C E A N
Basen

7450
Timor
Sundajskie

MORZE
KORALOWE
W-y Fidżi
Nowa
Kaledonia
23°27'
10882

Kalahari
3482
Namib Desert
G. Smocze

Madagaskar
Maskareny
Mauritius
Reunion
6400
631

Środkowo-
indyjski
Basen
6716
Zachodnio-
australijski
Wielka
Pust. Piaszczysta

Wlk. Góry Wododz

Norfolk

P O K O J N Y

I N D Y J S K I

Cape Leeuwin
Wielka
Pust. Wiktorii
Darling
Wielka
Zatoka Australijska
Murray
2228
G.Kościuszki
770

MORZE
TASMANA

Przyl.
Północny
10047

Przyl.
rej Nadziei
Przyl. Igielny
Amsterdam
W. św. Piotra
Tasmania
5604
Przyl. Wilsona
G. Cooka
3764

Nowa Zelandia
40°

5972
W-y Księcia
Edwarda
W-y Crozeta
W-y Kerguelena
Przyl.
Południowy
W-y Antypodów
Auckland

230
5525
W-y McDonalda
Heard

Udział
kontynentów
w powierzchni
lądowej

Grzbiet Zachodnioindyjski
Grzbiet Australijsko-Antarktyczny
60°
sko-Antarktyczny
rykańsko-Antarktyczny
Basen Australijsko-Antarktyczny
66°33'

Cap Ann
Ziemia
Enderby
Ziemia Wilkesa
biegun magnetyczny

ólowej Maud
Ziemia Wiktorii
80°
dniowy

Antarktyda 9%
Australia
i Oceania 5,7%
Eur 7%
Azja 29,9%
Ame
Południe 1,9%
16,2%
20,3%
Ameryka
Północna
Afryka

F   R   Y   K   A
A   Z   J   A

Szczyt Małgorzaty
5109
Jezioro
Wiktorii
Mt. Kenya
5199

Kotlina Konga
O C E A N   I N D Y J S K I
Sumatra
Borneo
Celebes
Moluki
O C E A N   S P O K O J N Y

Maledywy

Grzbiet
Środkowoindyjski

Basen
Środkowopacyficzny

20°   30°   40°   50°   60°   70°   80°   90°   100°   110°   120°   130°   140°   150°   160°   170°   180°

1 ABCHAZJA
2 ALBANIA
3 ANDORA
4 AUSTRIA
5 AZERBEJDŻAN
6 BAHRAJN
7 BELGIA
8 BOŚNIA I HERCEGOWINA
9 BURUNDI
10 CHORWACJA
11 CYPR PÓŁNOCNY
12 CZARNOGÓRA
13 CZECHY
14 DŻIBUTI
15 GÓRSKI KARABACH
16 GWINEA RÓWNIKOWA
17 HOLANDIA
18 KIRGISTAN
19 KOSOWO

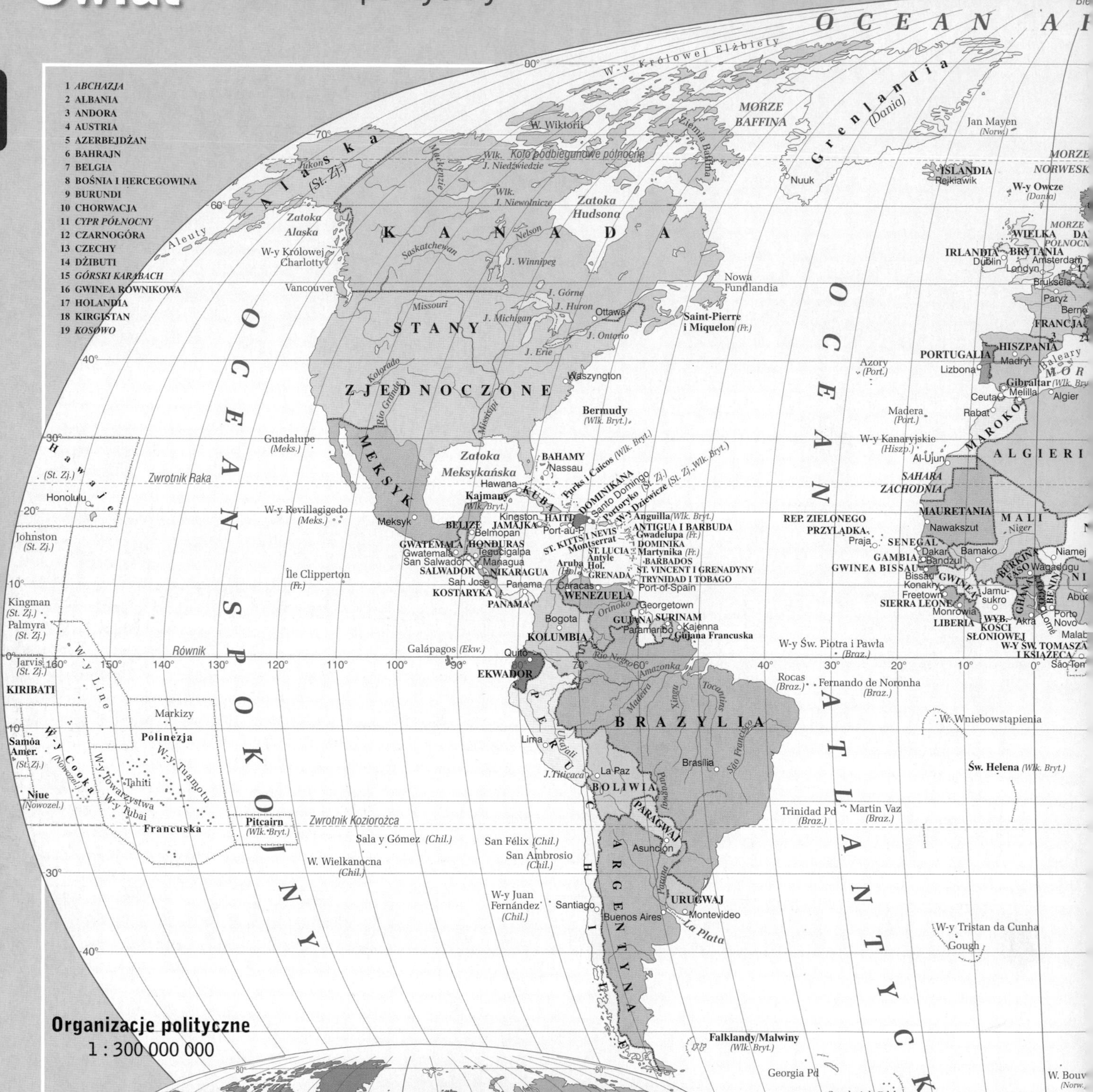

Organizacje polityczne
1 : 300 000 000

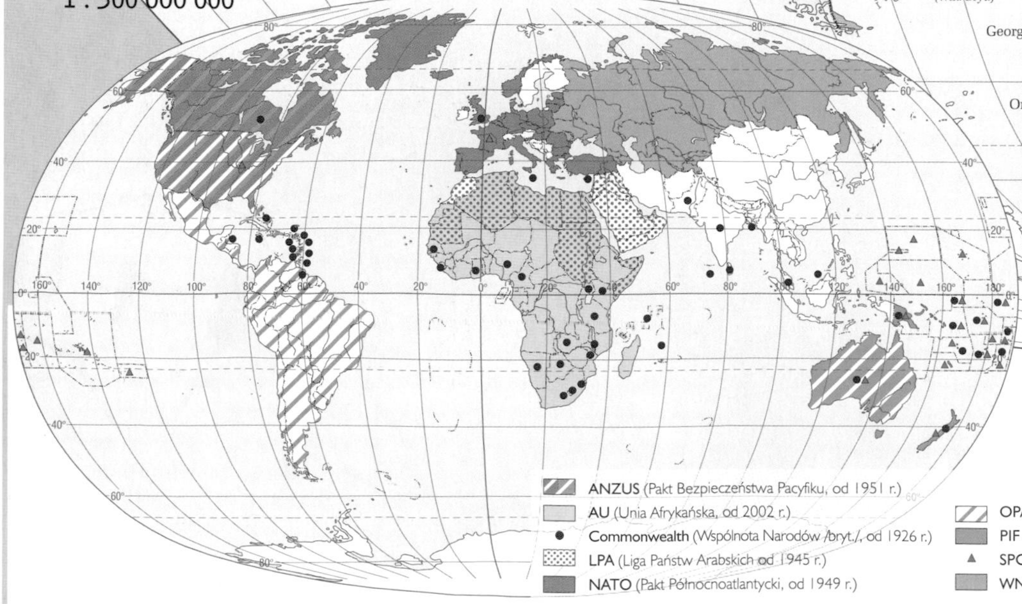

ANZUS (Pakt Bezpieczeństwa Pacyfiku, od 1951 r.)
AU (Unia Afrykańska, od 2002 r.)
Commonwealth (Wspólnota Narodów /bryt./, od 1926 r.)
LPA (Liga Państw Arabskich od 1945 r.)
NATO (Pakt Północnoatlantycki, od 1949 r.)
OPA (Organizacja Państw Amerykańskich, od 1948 r.)
PIF (Forum Wysp Pacyfiku, od 1971 r.)
SPC (Komisja Południowopacyficzna, od 1947 r.)
WNP (Wspólnota Niepodległych Państw)

Oceany

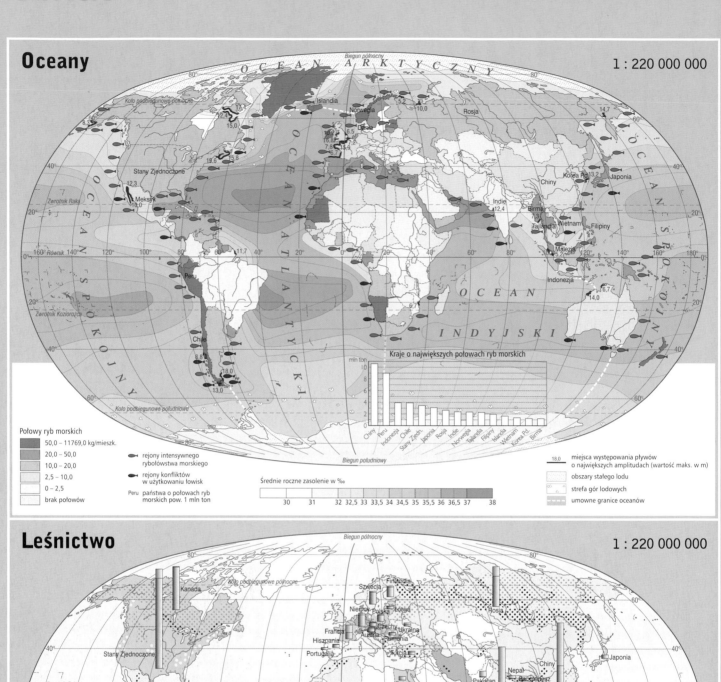

Leśnictwo

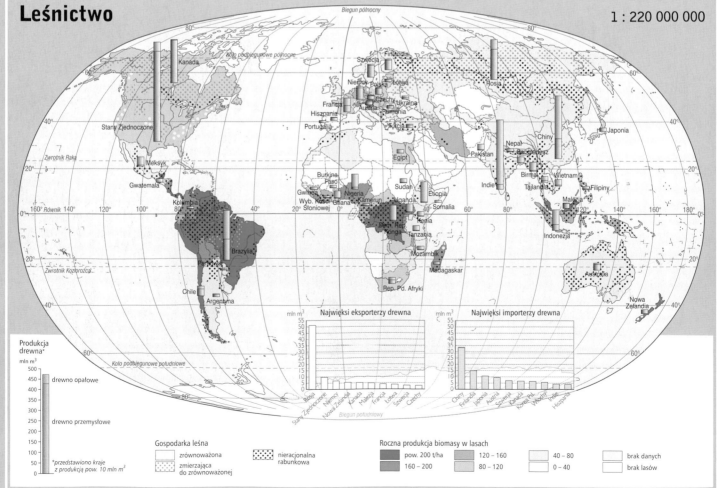

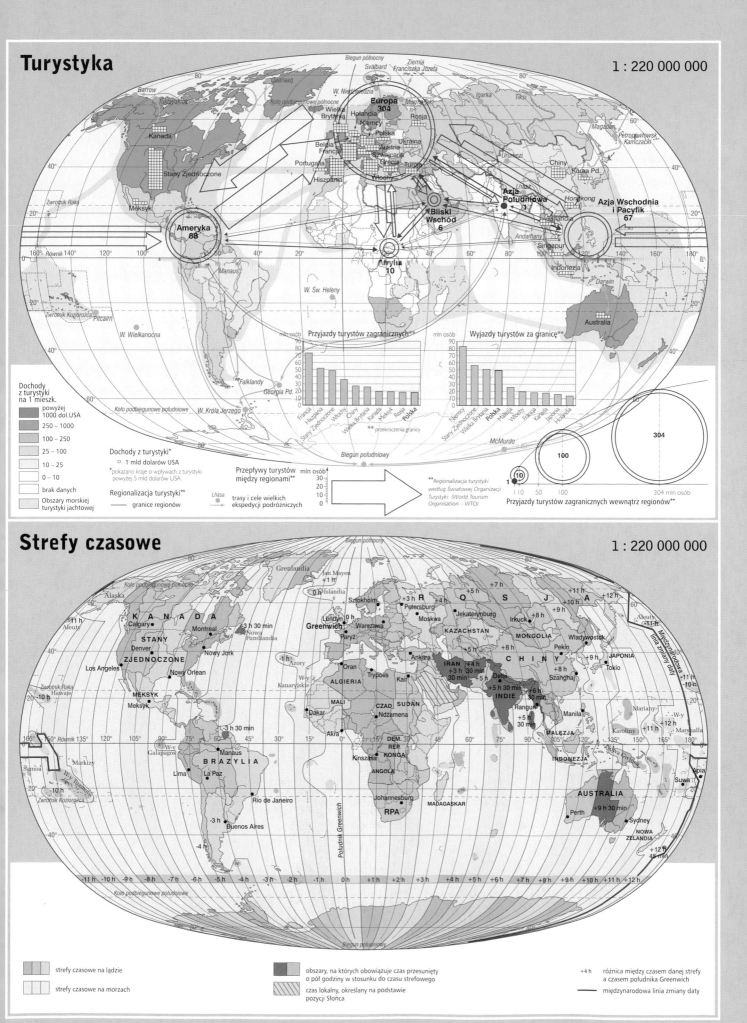

Turystyka

1 : 220 000 000

Przyjazdy turystów zagranicznych*

Wyjazdy turystów za granicę**

Dochody z turystyki na 1 mieszk.
- powyżej 1000 dol.USA
- 250 – 1000
- 100 – 250
- 25 – 100
- 10 – 25
- 0 – 10
- brak danych
- Obszary morskiej turystyki jachtowej

Dochody z turystyki*
- □ 1 mld dolarów USA

*pokazano kraje o wpływach z turystyki powyżej 5 mld dolarów USA

Regionalizacja turystyki**
- granice regionów
- Lhasa trasy i cele wielkich ekspedycji podróżniczych

Przepływy turystów między regionami**

**Regionalizacja turystyki według Światowej Organizacji Turystyki (World Tourism Organisation – WTO)

** przekroczenia granicy

Przyjazdy turystów zagranicznych wewnątrz regionów**

Strefy czasowe

1 : 220 000 000

- strefy czasowe na lądzie
- strefy czasowe na morzach
- obszary, na których obowiązuje czas przesunięty o pół godziny w stosunku do czasu strefowego
- czas lokalny, określany na podstawie pozycji Słońca
- +4 h różnica między czasem danej strefy a czasem południka Greenwich
- międzynarodowa linia zmiany daty

31

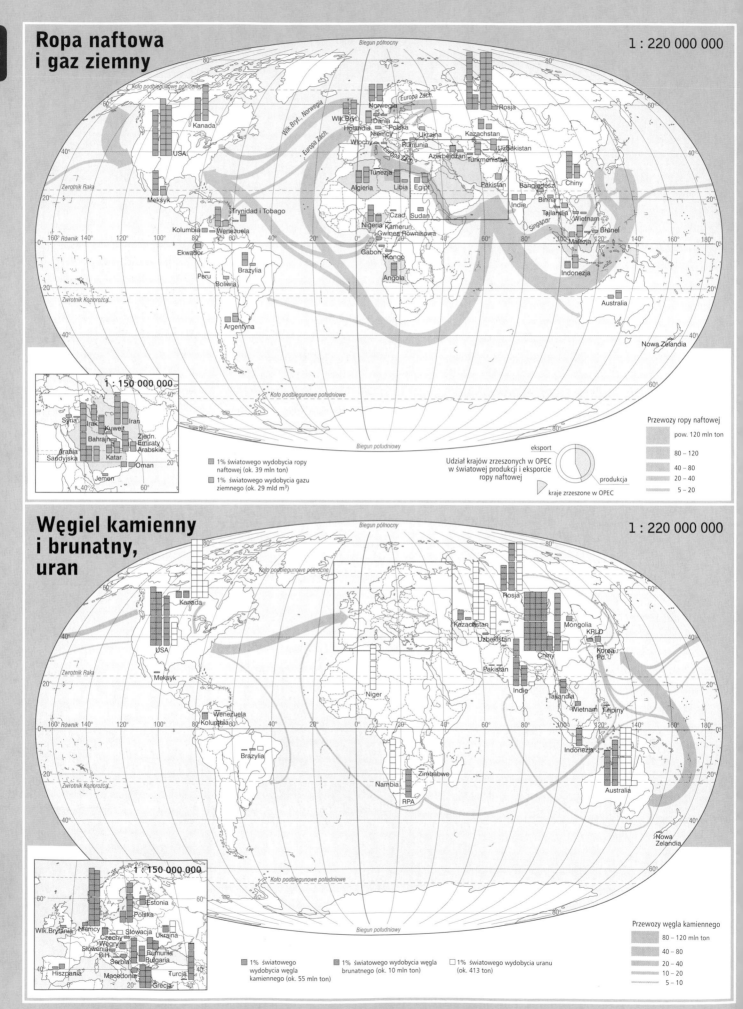

Ropa naftowa i gaz ziemny

1 : 220 000 000

1 : 150 000 000

■ 1% światowego wydobycia ropy naftowej (ok. 39 mln ton)

■ 1% światowego wydobycia gazu ziemnego (ok. 29 mld m³)

Udział krajów zrzeszonych w OPEC w światowej produkcji i eksporcie ropy naftowej

eksport
produkcja
◁ kraje zrzeszone w OPEC

Przewozy ropy naftowej

pow. 120 mln ton
80 – 120
40 – 80
20 – 40
5 – 20

Węgiel kamienny i brunatny, uran

1 : 220 000 000

1 : 150 000 000

■ 1% światowego wydobycia węgla kamiennego (ok. 55 mln ton)

■ 1% światowego wydobycia węgla brunatnego (ok. 10 mln ton)

□ 1% światowego wydobycia uranu (ok. 413 ton)

Przewozy węgla kamiennego

80 – 120 mln ton
40 – 80
20 – 40
10 – 20
5 – 10

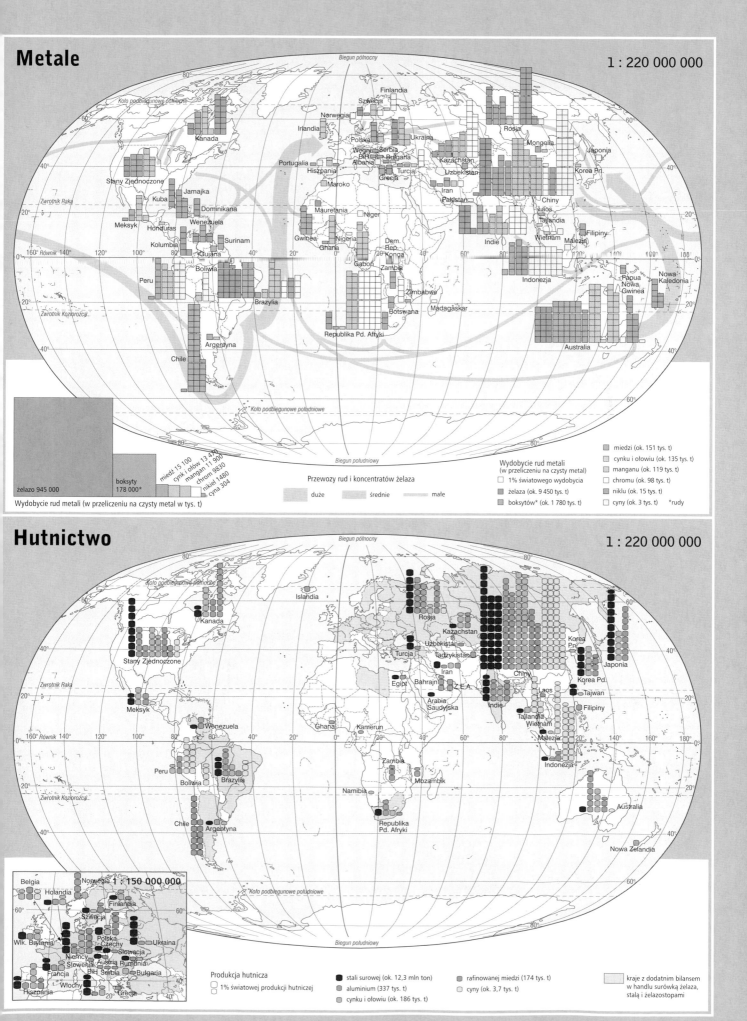

Metale

1 : 220 000 000

Biegun północny

Koło podbiegunowe północne

Kanada
Stany Zjednoczone
Kuba
Jamajka
Meksyk
Honduras
Dominikana
Wenezuela
Kolumbia
Gujana
Surinam
Peru
Boliwia
Brazylia
Chile
Argentyna

Irlandia
Norwegia
Finlandia
Szwecja
Polska
Węgry
BiH
Serbia
Albania
Bułgaria
Portugalia
Hiszpania
Turcja
Grecja
Maroko
Mauretania
Niger
Gwinea
Nigeria
Ghana
Gabon
Dem. Rep. Konga
Zambia
Zimbabwe
Botswana
Madagaskar
Republika Pd. Afryki

Ukraina
Rosja
Mongolia
Kazachstan
Uzbekistan
Iran
Pakistan
Indie
Chiny
Laos
Tajlandia
Wietnam
Malezja
Indonezja
Japonia
Korea Pn.
Filipiny
Papua Nowa Gwinea
Nowa Kaledonia
Australia

Biegun południowy

Koło podbiegunowe południowe

Równik
Zwrotnik Raka
Zwrotnik Koziorożca

żelazo 945 000
boksyty 178 000*
miedź 15 100
cynk 13 470
i ołów
mangan 11 900
chrom 9830
nikiel 1480
cyna 304

Wydobycie rud metali (w przeliczeniu na czysty metal w tys. t)

Przewozy rud i koncentratów żelaza

duże średnie małe

Wydobycie rud metali
(w przeliczeniu na czysty metal)

- 1% światowego wydobycia
- żelaza (ok. 9 450 tys. t)
- boksytów* (ok. 1 780 tys. t)

- miedzi (ok. 151 tys. t)
- cynku i ołowiu (ok. 135 tys. t)
- manganu (ok. 119 tys. t)
- chromu (ok. 98 tys. t)
- niklu (ok. 15 tys. t)
- cyny (ok. 3 tys. t) *rudy

Hutnictwo

1 : 220 000 000

Biegun północny

Koło podbiegunowe północne

Islandia
Kanada
Stany Zjednoczone
Meksyk
Wenezuela
Peru
Boliwia
Brazylia
Chile
Argentyna

Rosja
Kazachstan
Uzbekistan
Tadżykistan
Turcja
Iran
Egipt
Bahrajn
Z.E.A.
Arabia Saudyjska
Ghana
Kamerun
Zambia
Mozambik
Namibia
Republika Pd. Afryki

Chiny
Korea Pn.
Japonia
Korea Pd.
Tajwan
Indie
Laos
Filipiny
Tajlandia
Wietnam
Malezja
Indonezja
Australia
Nowa Zelandia

Równik
Zwrotnik Raka
Zwrotnik Koziorożca

Biegun południowy
Koło podbiegunowe południowe

Belgia
Holandia
Norwegia 1 : 150 000 000
Finlandia
Szwecja
Wlk. Brytania
Polska
Czechy
Ukraina
Niemcy
Słowacja
Słowenia
Austria
Rumunia
Francja
BiH
Serbia
Bułgaria
Włochy
Hiszpania
Grecja

Produkcja hutnicza

- 1% światowej produkcji hutniczej
- stali surowej (ok. 12,3 mln ton)
- aluminium (337 tys. t)
- cynku i ołowiu (ok. 186 tys. t)
- rafinowanej miedzi (174 tys. t)
- cyny (ok. 3,7 tys. t)
- kraje z dodatnim bilansem w handlu surówką żelaza, stalą i żelazostopami

Świat Zróżnicowanie społeczno-gospodarcze

OCEANA

Grenlandia (duń.)

Islandia

W-y Owcze (duń.)

Norw

Wielka Brytania

Glasgow

Irlandia

Dublin Birmingham

Londyn

Paryż

Amsterd.

H.

Belgia

Lu

Francja

Sz.

Lyon

Marsylia

M

Hiszpania

And.

Portugalia

Porto

Madryt

Lisbona

PM

Benidorm

Gibraltar (br.)

Casablanca

Algier

Tu

Maroko

Laş Palmas

Algieria

Sahara Zachodnia

Mauretania

Mali

Niger

N

Senegal

Dakar

Gambia

Burkina Faso

Gwinea Bissau

Gwinea

Wyb. Kości Słoniowej

Benin

Ni

Sierra Leone

Abidżan

Ghana

Lagos

Liberia

Gwinea Równik.

W-y Św. Tomasz i Książę

KOŁO PODBIEGUNOWE PÓŁNOCNE

Jukon

Alaska (St. Zj.)

Anchorage

Edmonton

Kanada

Vancouver

Winnipeg

Nelson

Seattle

Portland

Minneapolis

Montreal

Toronto

Salt Lake City

Chicago

D.

Droga 128

Boston

Nowy Jork

San Francisco

Denver

Kansas City

Saint Louis

Cincinnati

Waszyngton

Filadelfia

Dolina Krzemowa

Los Angeles

Orange County

San Diego

Phoenix

Dallas

San Antonio

Atlanta

Bermudy (br.)

Monterrey

Houston

Nowy Orlean

Miami

Bahamy

Meksyk

Guadalajara

Hawana

Turks i Caicos (br.)

Dominikana

Santo Domingo

Portoryko (St. Zj.)

W-y Dziewicze (St. Zj. i br.)

Kajmany (br.)

Kuba

Haiti

Anguilla (br.)

Antigua I Barbuda

Meksyk

Belize

Jamajka

Kingston

Gwadelupa (fr.)

Dominika

St. Kitts i Nevis

Montserrat (br.)

Martynika (fr.)

Gwatemala

Honduras

St. Lucia

Barbados

Aruba (hol.)

Antyle Hol.

St. Vincent i Grenadyny

Salwador

Nikaragua

Maracaibo

Grenada

Trynidad i Tobago

Kostaryka

Panama

Caracas

Wenezuela

Surinam

Panama

Bogota

Cali

Gujana

Gujana Francuska

Kolumbia

Ekwador

Amazonka

40°

Guayaquil

Manaus

Belém

Fortaleza

Peru

Brazylia

Recife

Lima

São Francisco

Brasilia

La Paz

Boliwia

Belo Horizonte

Św. Helena (br.)

Paragwaj

Rio de Janeiro

São Paulo

Kurytyba

Tucuman

Asunción

Parana

Porto Alegre

Santiago

Córdoba

Urugwaj

Chile

Buenos Aires

Argentyna

Montevideo

Falklandy (Malwiny) (br. sporne z Arg.)

Hawaje (St. Zj.)

Zwrotnik Raka

Kiribati (St. Zj.)

Samoa Amer. (St. Zj.)

W-y Cooka (nowozel.)

Niue (nowozel.)

Polinezja Francuska

Pitcairn (br.)

Równik

Zwrotnik Koziorożca

OCEAN SPOKOJNY

OCEAN ATLANTYCKI

Skróty:

A. - Austria
And. - Andora
H. - Holandia
L. - Liechtenstein
Luks. - Luksemburg
M. - Monako
S.M. - San Marino
Sz. - Szwajcaria

B. - Bruksela
Ba. - Barcelona
C. - Cleveland
C.S. - Cyklady i Sporady
D. - Detroit
F. - Frankfurt n. Menem
L.M. - Lloret de Mar
M. - Manchester
Mo. - Monachium
N. - Nicea
P. - Pittsburgh
P.M. - Palma de Mallorca
W. - Wiedeń
Z. - Zurych
Z.R. - Zagłębie Ruhry

Transport

1 : 300 000 000

Murmańsk

Norylsk

Hamburg

Bergen

Petersburg

Amsterdam

Rotterdam

Moskwa

Antwerpia

Gdańsk

Londyn

Hawr

Frankfurt n.M.

Paryż

Kijów

Odessa

Bilbao

Madryt

Barcelona

Rzym

Stambuł

Malaga

Algier

Aleksandria

Tel Awiw-Jafa

Las Palmas

Aş-Sidr

Kair

Al-Manama

Basra

Lahauł

Dakar

Monrovia

Lagos

Kinszasa

Luanda

Nairobi

Mombasa

Dżakarta

Władywostok

Hakodate

Dalian

Tiencin

Tokio

Chiba

Szanghaj

Kobe

Jokohama

Hongkong

Tajpej

Kanton

Madras

Rangun

Bangkok

Manila

Kolombo

Singapur

Vancouver

Calgary

Port-Cartier

Sept-Îles

Anchorage

Valdez

Montreal

San Francisco

Seattle

Denver

Chicago

Toronto

Long Beach

Nowy Jork

Los Angeles

Dallas

Atlanta

Filadelfia

Norfolk

Houston

Miami

Tampa

Nowy Orlean

Honolulu

Corpus Christi

Tampico

Meksyk

Amuay

Caracas

Panama

Bogota

Puerto la Cruz

Lima

Recife

Rio de Janeiro

São Paulo

Valparaiso

Montevideo

Buenos Aires

Punta Arenas

Johannesburg

Richard's Bay

Kapsztad

Durban

Darwin

Gladstone

Brisbane

Perth

Sydney

Adelaide

Melbourne

Auckland

Wellington

Gęstość dróg utwardzonych

	km /100 km²
	100 – 2500
	25 – 100
	5 – 25
	1 – 5
	0 – 1

Porty lotnicze:
○ bardzo duże
○ duże

Porty morskie:
● bardzo duże
● duże

Główne szlaki morskie przewozów towarowych:
najważniejsze
ważne
pozostałe

G. – Genua
M. – Marsylia
N. – Nagoja
Z. – Zurych

Udział krajów w tworzeniu produktu światowego brutto

□ 1 % produktu światowego brutto

Stany Zjednoczone
Japonia
Niemcy
Chiny
Wielka Brytania
Francja
Włochy
Kanada
Hiszpania
Brazyl

Wskaźnik rozwoju społecznego (HDI - Human Development Index*)

wysoki
średni
niski

*HDI, opracowany przez ekspertów ONZ, oblicza się na podstawie następujących mierników:
• % dorosłych umiejących czytać i pisać,
• % dzieci uczęszczających do szkoły,
• średnia długość życia,
• PKB na 1 mieszkańca

Produkt krajowy brutto na 1 mieszkańca

Dania pow 30 000 dol. USA
Sudan pon 400 dol. USA

Organizacje gospodarcze
■ G-7**
OECD***

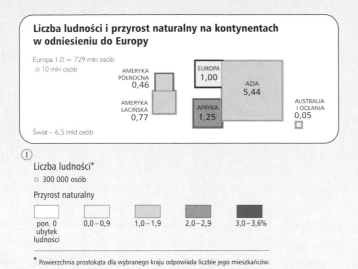

Liczba ludności i przyrost naturalny na kontynentach w odniesieniu do Europy

Europa 1,0 = 729 mln osób
□ 10 mln osób

EUROPA 1,00	AZJA 5,44
AMERYKA PÓŁNOCNA 0,46	
AMERYKA ŁACIŃSKA 0,77	AFRYKA 1,25
	AUSTRALIA I OCEANIA 0,05

Świat – 6,5 mld osób

(I) Liczba ludności*

□ 300 000 osób

Przyrost naturalny

| pon. 0 ubytek ludności | 0,0 – 0,9 | 1,0 – 1,9 | 2,0 – 2,9 | 3,0 – 3,6% |

* Powierzchnia prostokąta dla wybranego kraju odpowiada liczbie jego mieszkańców.

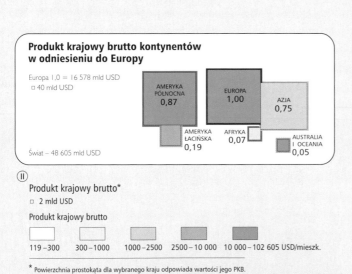

Produkt krajowy brutto kontynentów w odniesieniu do Europy

Europa 1,0 = 16 578 mld USD
□ 40 mld USD

| AMERYKA PÓŁNOCNA 0,87 | EUROPA 1,00 | AZJA 0,75 |
| AMERYKA ŁACIŃSKA 0,19 | AFRYKA 0,07 | AUSTRALIA I OCEANIA 0,05 |

Świat – 48 605 mld USD

(II) Produkt krajowy brutto*

□ 2 mld USD

Produkt krajowy brutto

| 119 – 300 | 300 – 1000 | 1000 – 2500 | 2500 – 10 000 | 10 000 – 102 605 USD/mieszk. |

* Powierzchnia prostokąta dla wybranego kraju odpowiada wartości jego PKB.

(I)

Kanada 33
Stany Zjednoczone 298

Ameryka Północna 332 mln os.

Meksyk 107
Bahamy
Kuba 11 | Dominikana
Haiti 8 | 9 | 4 | Portoryko
3
Jamajka
Gwadelupa
Martynika
6
Saint Lucia
Gwate-mala 12 | Belize Honduras 7 | Saint Vincent i Grenadyny | Antyle Holenderskie | Trynidad i Tobago 1
Nikaragua 6
Salwador 4 | 3
Kostaryka Panama
Kolumbia 44 | Wenezuela 26 | Surinam | Gujana
Gujana Francuska
Ekwador 14
Peru 28
Brazylia 188

Ameryka Łacińska 562 mln os.

Chile 16 | Boliwia 9 | Paragwaj 7 | Urugwaj 3
Argentyna 40

Ameryka Północna 14 477 mld USD

(II)

Kanada 1275
Stany Zjednoczone 13 195

Meksyk 840
Bahamy 6
Kuba 52 | Dominikana
Haiti 32 | Portoryko 91
10
Jamajka
Gwadelupa 6
Saint Lucia 1 | Martynika 6
Belize 1 Honduras 9
Antyle Holenderskie 3 | Grenada | Saint Vincent i Grenadyny
Gwatemala 30 | 19 | Barbados 3
18 | Trynidad i Tobago
Salwador 21 | Kolumbia 135 | Wenezuela 182 | Surinam 2
Kostaryka | Gujana
Ekwador 41
Peru 93 | Boliwia 10
Brazylia 1068

Ameryka Łacińska 3112 mld USD

Chile 146 | Argentyna 213 | Paragwaj | Urugwaj 19

Liczba ludności (w mln osób) i przyrost naturalny

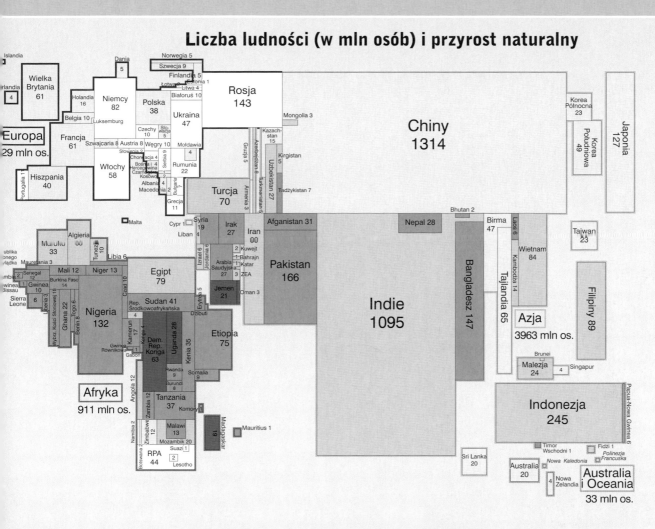

Islandia

Irlandia 4

Wielka Brytania 61

Europa 29 mln os.

Holandia 16

Belgia 10

Luksemburg

Niemcy 82

Francja 61

Szwajcaria 8

Włochy 58

Hiszpania 40

Portugalia 1

Dania 5

Polska 38

Czechy 10

Słowacja 5

Austria 8

Słowenia 2

Chorwacja 4

Bośnia i Hercegowina 4

Czarnogóra

Kosowo

Serbia 9

Węgry 10

Rumunia 22

Albania 4

Macedonia 2

Grecja 11

Norwegia 5

Szwecja 9

Finlandia 5

Łotwa 2

Estonia 1

Litwa 4

Białoruś 10

Ukraina 47

Mołdawia 4

Bułgaria

Rosja 143

Mongolia 3

Gruzja 5

Azerbejdżan 8

Armenia 3

Turcja 70

Cypr 1

Syria 19

Liban

Izrael 6

Jordania 6

Irak 27

Kuwejt 2

Bahrajn 1

Katar

Arabia Saudyjska 27

ZEA 3

Jemen 21

Oman 3

Afganistan 31

Iran 70

Kazachstan 15

Uzbekistan 27

Kirgistan 5

Turkmenistan 5

Tadżykistan 7

Chiny 1314

Korea Północna 23

Korea Południowa 49

Japonia 127

Nepal 28

Bhutan 2

Birma 47

Laos 6

Wietnam 84

Kambodża 14

Tajlandia 65

Tajwan 23

Filipiny 89

Bangladesz 147

Indie 1095

Azja 3963 mln os.

Malezja 24

Brunei

Singapur 4

Indonezja 245

Sri Lanka 20

Timor Wschodni 1

Papua-Nowa Gwinea 6

Fidżi 1

Polinezja Francuska

Nowa Kaledonia

Australia 20

Nowa Zelandia 4

Australia i Oceania 33 mln os.

Malta

Republika Zielonego Przylądka

Maroko 33

Tunezja 10

Algieria 33

Libia 6

Mauretania 3

Mali 12

Niger 13

Egipt 79

Czad 10

Gambia 2

Senegal 12

Gwinea Bissau

Gwinea 10

Liberia 3

Sierra Leone 6

Burkina Faso 14

Wybrz. Kości Słoniowej 19

Ghana 22

Togo 6

Benin 8

Nigeria 132

Kamerun 17

Gwinea Równikowa 1

Gabon 1

Rep. Środkowoafrykańska

Sudan 41

Dem. Rep. Konga 63

Uganda 28

Rwanda 9

Burundi 8

Kenia 35

Etiopia 75

Dżibuti

Erytrea 5

Somalia 9

Afryka 911 mln os.

Angola 12

Zambia 12

Zimbabwe

Tanzania 37

Komory 1

Malawi 13

Mozambik 20

Suazi 1

Namibia 2

Botswana

RPA 44

Lesotho

Madagaskar 19

Mauritius 1

Produkt krajowy brutto (w mld USD)

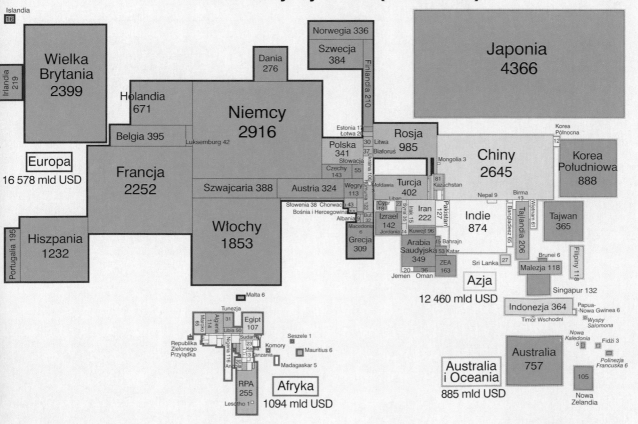

Islandia 16

Irlandia 219

Wielka Brytania 2399

Europa 16 578 mld USD

Holandia 671

Belgia 395

Luksemburg 42

Dania 276

Niemcy 2916

Francja 2252

Szwajcaria 388

Austria 324

Włochy 1853

Hiszpania 1232

Portugalia 195

Norwegia 336

Szwecja 384

Finlandia 210

Estonia 12

Łotwa 20

Litwa 30

Polska 341

Słowacja 37

Czechy 143

Węgry 113

Słowenia 38

Chorwacja 43

Bośnia i Hercegowina 11

Albania

Macedonia 6

Grecja 309

Ukraina 106

Białoruś 30

Mołdawia

Rosja 985

Mongolia 3

Gruzja

Turcja 402

Cypr 18

Syria 23

Liban

Izrael 142

Jordania 13

Irak 15

Kuwejt 96

Bahrajn

Katar 53

Arabia Saudyjska 349

ZEA 163

Jemen 20

Oman 36

Iran 222

Pakistan 127

Nepal 9

Bhutan

Birma 13

Wietnam 61

Chiny 2645

Korea Północna 12

Korea Południowa 888

Japonia 4366

Indie 874

Bangladesz 65

Tajlandia 206

Tajwan 365

Brunei 6

Sri Lanka 27

Malezja 118

Filipiny 118

Azja 12 460 mld USD

Singapur 132

Indonezja 364

Timor Wschodni

Papua-Nowa Gwinea 6

Wyspy Salomona

Nowa Kaledonia 5

Fidżi 3

Polinezja Francuska 6

Australia 757

Australia i Oceania 885 mld USD

Nowa Zelandia 105

Malta 6

Maroko 65

Tunezja 31

Algieria 114

Libia 50

Egipt 107

Seszele 1

Republika Zielonego Przylądka

Nigeria 116

Sudan 23

Kenia 20

Tanzania 13

Komory

Mauritius 6

Angola

Madagaskar 5

RPA 255

Afryka 1094 mld USD

Lesotho 1

Wyżywienie

1 : 220 000 000

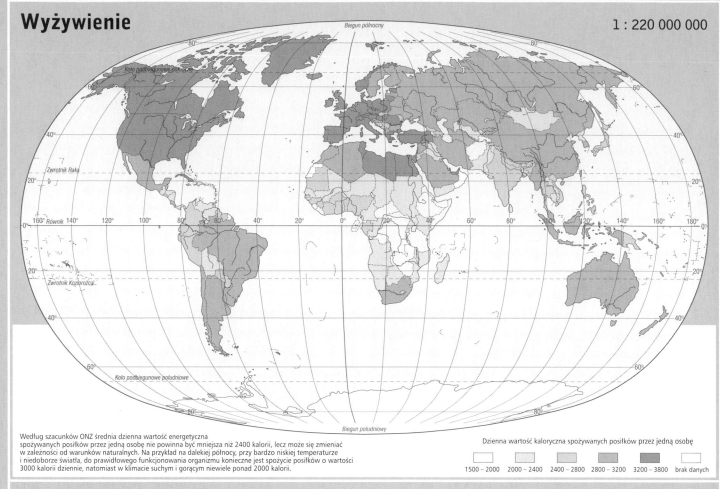

Według szacunków ONZ średnia dzienna wartość energetyczna
spożywanych posiłków przez jedną osobę nie powinna być mniejsza niż 2400 kalorii, lecz może się zmieniać
w zależności od warunków naturalnych. Na przykład na dalekiej północy, przy bardzo niskiej temperaturze
i niedoborze światła, do prawidłowego funkcjonowania organizmu konieczne jest spożycie posiłków o wartości
3000 kalorii dziennie, natomiast w klimacie suchym i gorącym niewiele ponad 2000 kalorii.

Dzienna wartość kaloryczna spożywanych posiłków przez jedną osobę

| 1500 – 2000 | 2000 – 2400 | 2400 – 2800 | 2800 – 3200 | 3200 – 3800 | brak danych |

Długość życia

1 : 220 000 000

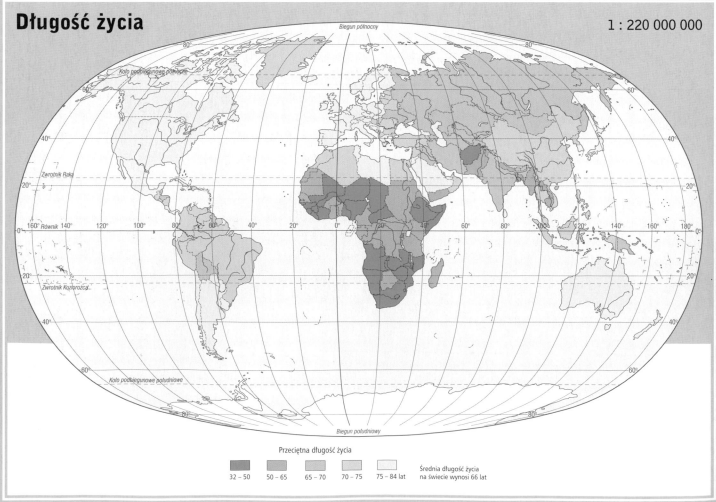

Przeciętna długość życia

| 32 – 50 | 50 – 65 | 65 – 70 | 70 – 75 | 75 – 84 lat |

Średnia długość życia
na świecie wynosi 66 lat

Analfabetyzm
Studenci

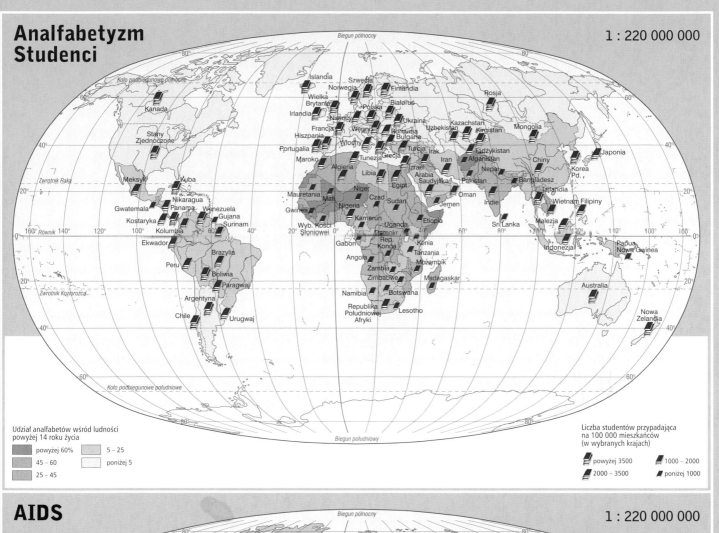

1 : 220 000 000

Udział analfabetów wśród ludności
powyżej 14 roku życia

- powyżej 60%
- 45 – 60
- 25 – 45
- 5 – 25
- poniżej 5

Liczba studentów przypadająca
na 100 000 mieszkańców
(w wybranych krajach)

- powyżej 3500
- 2000 – 3500
- 1000 – 2000
- poniżej 1000

AIDS

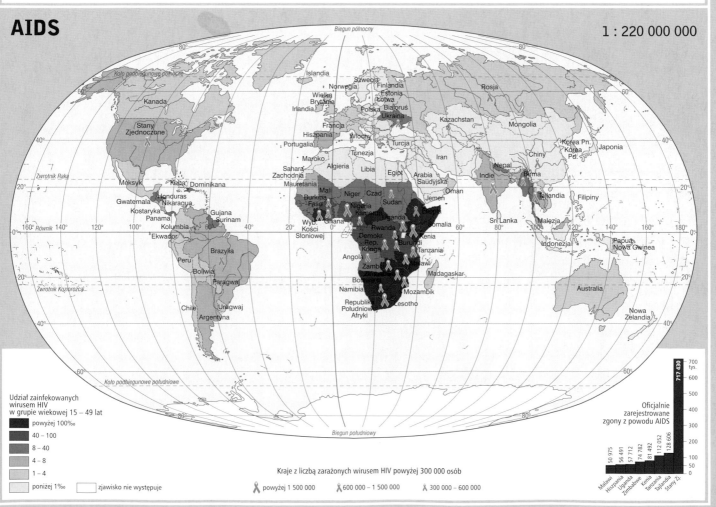

1 : 220 000 000

Udział zainfekowanych
wirusem HIV
w grupie wiekowej 15 – 49 lat

- powyżej 100‰
- 40 – 100
- 8 – 40
- 4 – 8
- 1 – 4
- poniżej 1‰
- zjawisko nie występuje

Kraje z liczbą zarażonych wirusem HIV powyżej 300 000 osób

- powyżej 1 500 000
- 600 000 – 1 500 000
- 300 000 – 600 000

Oficjalnie
zarejestrowane
zgony z powodu AIDS

	50 975	56 491	57 712	74 782	81 492	112 052	128 606	717 430
	Malawi	Hiszpania	Uganda	Zimbabwe	Kenia	Tanzania	Tajlandia	Stany Zj.

39

Ukształtowanie powierzchni

Największą rzeką północno-wschodniej Polski jest Narew, prawy dopływ Wisły. Płynie ona przez teren nizinny, dlatego wiosną wskutek roztopów tworzą się rozlewiska. Największym dopływem Narwi jest Bug, który do ujścia jest dłuższy od Narwi, Narew natomiast ma większy przepływ i powierzchnię dorzecza.

Wyżyna Krakowsko-Częstochowska jest zbudowana głównie z wapieni. Wapień dobrze rozpuszcza się w wodzie, dlatego łatwo ulega krasowieniu; efektem są różnorodne formy, jak np. jaskinie. W średniowieczu na urwistych skałach budowano zamki, do dziś zachowały się ich liczne ruiny (m.in. Ogrodzieniec, Olsztyn, Ojców).

Wielki Staw Polski to jezioro tatrzańskie położone na wysokości 1665 m n.p.m. w Dolinie Pięciu Stawów. Jest to najgłębsze (79,3 m) i najdłuższe (998 m) jezioro w Tatrach.

Chociaż Polska w przeważającej części jest krajem nizinnym (obszary poniżej 300 m n.p.m. zajmują 91% powierzchni kraju), to jednak ukształtowanie powierzchni jest mocno zróżnicowane. Wynika to ze skomplikowanej przeszłości geologicznej. Na obszarze Polski znajdują się trzy wielkie jednostki tektoniczne: nizinna Platforma Wschodnioeuropejska, wyżynno-górskie pasmo hercyńskie oraz górskie pasmo alpejskie. Struktury te wpłynęły na pasowy (równoleżnikowy) układ rzeźby powierzchni Polski.

W pasie nizin wyróżnia się: pobrzeża, pojezierza i „właściwe" niziny. Rzeźba ukształtowała się tu głównie wskutek zlodowaceń, przy czym ostatniemu z nich zawdzięczamy bardzo zróżnicowany młodoglacjalny charakter północnej części Polski. Występuje tutaj wiele mniejszych pojezierzy, rozdzielonych wysoczyznami i dnami dolin. Spotykane różnice wysokości, czyli deniwelacje, wynoszą często powyżej 100 m i są jednymi z największych w nizinnej Europie. Najwyżej położony punkt nizin – morenowe wzniesienie Wieżyca na Pojezierzu Kaszubskim, wznosi się do 329 m n.p.m., w tym około 160 m nad położone u jego stóp Jezioro Ostrzyckie.

Na południe od pojezierzy dominuje rzeźba staroglacjalna. Lądolód był tu znacznie wcześniej, jeziora pozarastały, a deniwelacje nie są już tak duże. Główne jednostki to Nizina Mazowiecka, Wielkopolska, Śląska i Podlaska. Rozcinają je szerokie doliny Wisły z Narwią i Bugiem oraz Odry z Wartą i Notecią. Niektóre dzisiejsze rzeki na pewnych odcinkach wykorzystują dawne pradoliny.

Wyżyny (Małopolska, Lubelska) i góry (Świętokrzyskie, Sudety) z geologicznego punktu widzenia są najstarszymi jednostkami strukturalnymi w Polsce. Ich rzeźba często jest bardzo malownicza (skałki, ostańce, zjawiska krasowe). Na południu kraju rozciągają się Karpaty, a wśród nich pasmo Tatr, z najwyższym polskim szczytem Rysami (2499 m n.p.m.).

Tatry zajmują bardzo mały obszar (715 km^2, z czego w Polsce zaledwie 180 km^2 – tj. 0,06% powierzchni kraju), ale są bardzo zróżnicowane; zapewne dlatego przez wielu uważane są za najbardziej malowniczy zakątek Polski.

patrz mapa str. **48-49**

Podział administracyjny

W Polsce, jak w większości krajów na świecie, istnieje podział władzy na ustawodawczą, wykonawczą i sądowniczą. Tę pierwszą reprezentuje Sejm. W Polsce ma on tradycje jeszcze od XV w. Obecna siedziba Sejmu przy ul. Wiejskiej w Warszawie, z charakterystyczną amfiteatralną salą posiedzeń plenarnych, została wybudowana w latach 1925–28.

W miastach – od średniowiecza – ośrodkiem założenia urbanistycznego był rynek z ratuszem (na zdjęciu ratusz w Nowym Sączu), w którym koncentrowała się władza administracyjna. Do dziś w mniejszych miastach rynek pozostaje ośrodkiem handlowym, administracyjnym, kulturalnym.

Po II wojnie światowej w Polsce utworzono 14 województw (do 1950 r. powstały jeszcze 3), 330 powiatów oraz 2993 gminy. W 1955 r. zniesiono podział na gminy i wprowadzono 8790 gromad. Ich liczba jednak stopniowo malała, zaś ostatecznie zniesiono je w 1973 r., przywracając gminy. Ważną zmianą było utworzenie w 1975 r. 49 województw i zniesienie powiatów.

Po ostatniej reformie administracyjnej (1999) Polska ma trójstopniowy podział na mniejsze jednostki terytorialne. W 2008 r. istniało 16 województw, równocześnie będących regionami drugiego rzędu w systemie statystycznym Unii Europejskiej NUTS. Województwa dzieliły się na 314 powiatów (tzw. ziemskich) i 65 miast na prawach powiatu (tzw. grodzkich), te zaś dalej na 2478 gmin – miejskich, wiejskich i miejsko-wiejskich. W tych ostatnich wyróżnia się ponadto miasta i obszary wiejskie. W gminach wiejskich jednostkami pomocniczymi są sołectwa (40 348), a w największych miastach – dzielnice. Największą obszarowo gminą był Pisz (635 km^2), najmniejszą – Górowo Iławeckie (3 km^2), obie w województwie warmińsko-mazurskim.

W Polsce po II wojnie światowej kilkakrotnie zmieniano podział administracyjny. Wynika to ze zmian porządku prawno--politycznego i z rozwoju społeczno-gospodarczego. Na przykład urbanizacja i nadawanie praw miejskich spowodowały, że liczba miast w latach 1946–2008 wzrosła z 703 do 892. Najmniejsze pod względem liczby ludności miasto to Wyśmierzyce w woj. mazowieckim, które 1 stycznia 2008 r. liczyło zaledwie 891 mieszkańców.

Podział terytorialny i wyznaczanie granic jednostek administracyjnych powinny nawiązywać do rzeczywistych więzi funkcjonalnych w społeczeństwie i gospodarce, a te wynikają głównie z przeszłości regionów, warunków naturalnych, układu komunikacyjnego oraz struktury społeczno-kulturowej.

Każdy region jest w pewnym stopniu odzwierciedleniem aspiracji lokalnych społeczności, ich ambicji do samostanowienia i samorządności, stąd zmianom podziału administracyjnego towarzyszą niejednokrotnie gorące spory o wydzielenie i zasięg obszarowy poszczególnych jednostek.

Warszawa jest głównym ośrodkiem administracyjnym kraju. Tu mieści się większość urzędów centralnych (Sejm, Senat, urząd Prezydenta, Urząd Rady Ministrów, Sąd Najwyższy, bank centralny itd.). Oprócz funkcji stołecznych Warszawa pełni funkcję stolicy województwa, jest powiatem grodzkim oraz gminą (na zdjęciu ratusz).

patrz mapa str. **50-51**

Pomorze

Największe w środkowej Europie, wysokie do 50 m, nadmorskie ruchome wydmy na Mierzei Łebskiej są największą atrakcją Słowińskiego Parku Narodowego. Miejscami wydmy porasta utrwalająca je roślinność trawiasta, a w wilgotniejszych zagłębieniach rosną niewielkie lasy.

Pomorze to nazwa ziem nad Morzem Bałtyckim, od dolnej Wisły na wschodzie, poza dolną Odrę na zachodzie. Odmienność losów dziejowych części wschodniej i zachodniej powoduje, że wyróżnia się, jako odrębne dzielnice historyczne, silnie związane z Polską Pomorze Gdańskie, i wcześnie przez Polskę utracone Pomorze Zachodnie.

Największymi miastami w regionie są: Gdańsk (wraz z Gdynią i Sopotem tworzące Trójmiasto) i Szczecin (historyczna stolica Pomorza Zachodniego). Wybrzeże morskie jest przeważnie płaskie, wyrównane, z przybrzeżnymi jeziorami; miejscami występuje urwisty brzeg klifowy. Na zachodzie regionu znajduje się ujście Odry oraz przybrzeżne wyspy Uznam i Wolin, na wschodzie płaska, urodzajna dolina dolnej Wisły, jej deltowe ujście (Żuławy Wiślane) i piaszczysty wał Mierzei Helskiej.

Na wybrzeżu wypoczynek oferują liczne nadmorskie kąpieliska z piaszczystymi plażami; duże miasta Świnoujście i Kołobrzeg znane są również jako uzdrowiska. Wzdłuż wybrzeża rozciągają się płaskie niziny, dalej na południe młody krajobraz polodowcowy Pojezierza Pomorskiego (zalesione wzgórza morenowe i sandry, liczne jeziora). Szczególnie ulubionym przez turystów zakątkiem są leżące w pobliżu Trójmiasta malownicze tereny Pojezierza Kaszubskiego, zwane „Szwajcarią Kaszubską". Doskonałe warunki do wypoczynku stwarzają rozległe połacie lasów, w tym wielki kompleks Borów Tucholskich. Czyste rzeki Pojezierza stanowią atrakcyjne szlaki kajakowe (Drawa, Brda, Gwda). Znajdują się tu parki narodowe: na wybrzeżu Woliński i Słowiński, na Pojezierzu – Drawieński i Bory Tucholskie.

Największą liczbą cennych zabytków szczyci się Gdańsk. Na uwagę zasługują usytuowane na wschodzie regionu dawne zamki krzyżackie, z najsłynniejszym w Malborku, na zachodzie urokliwe miasteczka z zachowanymi murami obronnymi (np. Chojnice, Lębork, Białogard, Gryfice), zaś na całym Pomorzu liczne gotyckie kościoły, zabytkowe dwory i pałace. Gdańsk, Gdynia i Szczecin są ważnymi portami morskimi.

patrz mapa str. **70-71**

Warmia, Mazury, Suwalszczyzna

Kanał Elbląski, unikatowy zabytek techniki, łączy Elbląg z Ostródą. Ze względu na znaczne różnice wysokości zastosowano tu oryginalne rozwiązanie – pochylnie, po których statki są przetaczane na platformach, po szynach. Podróż statkiem jest dużą atrakcją turystyczną.

Warmia i Mazury do II wojny światowej wchodziły w skład niemieckich Prus Wschodnich, przy czym Warmia do I rozbioru należała do Polski, jako część Prus Królewskich i znajdowała się pod panowaniem biskupów warmińskich. Suwalszczyzna stanowiła w Polsce przedrozbiorowej część Wielkiego Księstwa Litewskiego. Obecnie w okolicach Sejn żyje najliczniejsze w Polsce skupisko litewskiej mniejszości narodowej (w Puńsku działa jedyna w Polsce szkoła średnia z językiem wykładowym litewskim). W niewielkim stopniu dotarły tu gwałtowne zmiany gospodarcze dwóch poprzednich stuleci, toteż dziś Suwalszczyznę wyróżnia, w skali całej Unii Europejskiej, mało zniszczone i przekształcone środowisko naturalne. Największymi miastami są: Białystok (na historycznym Podlasiu) i położony na Warmii Olsztyn. W krajobrazach widoczna jest różnica między częścią północną, o młodej rzeźbie polodowcowej, a częścią południową, gdzie krajobraz tworzą zniszczone pozostałości wcześniejszego zlodowacenia. Na Pojezierzu Mazurskim, wśród licznych jezior, znajdują się dwa największe w Polsce – Śniardwy i Mamry. Pojezierze Suwalskie wyróżnia się urozmaiconą rzeźbą terenu i surowością klimatu (w Wiżajnach znajduje się polski biegun zimna).

Cisowa Góra (256 m) w Suwalskim Parku Krajobrazowym ze względu na regularny kształt stożka zwana jest „Suwalską Fudżijamą". Z bezleśnego szczytu wzniesienia, uznanego za pomnik przyrody, roztacza się rozległy widok na okoliczne jeziora i wzgórza morenowe.

Na północnym zachodzie znajduje się fragment płaskich Żuław Wiślanych (z najniższą w Polsce depresją -1,8 m koło Raczek Elbląskich) i przylegający do nich piaszczysty wał Mierzei Wiślanej. Znaczne obszary porastają lasy, w tym puszcze, jak Piska, Augustowska, Knyszyńska, Romincka, Białowieska. Na przedstawionym na stronach 72-73 obszarze znajdują się parki narodowe: Wigierski, Biebrzański (największy w Polsce, chroniący unikatowe tereny bagienne), Narwiański, Białowieski. Wspaniałe świątynie Warmii świadczą o związkach z Polską oraz o bogactwie warmińskich biskupów i mieszczan. Wielowiekowa spuścizna pruska i ślady poniemieckie widoczne są w stylu zabudowy i krzyżackich zamkach. Położony na Mazurach Grunwald, pamiętny ze świetnego zwycięstwa nad Zakonem, zajmuje wyjątkowe miejsce w Polskiej tradycji patriotycznej.

patrz mapa str. **72-73**

Wielkopolska i Kujawy

Fragment Drzwi Gnieźnieńskich, znajdujących się w portalu katedry w Gnieźnie. To arcydzieło sztuki romańskiej wykonali z brązu w 2. poł. XII w. mistrzowie znad Mozy, prawdopodobnie w miejscowym warsztacie. Przedstawiono na nich, w 18 scenach, życie św. Wojciecha.

Wielkopolska, dzielnica historyczna położona głównie w dorzeczu Warty, jest kolebką państwa polskiego. Wielkopolanie znani są z pracowitości, gospodarności, a także z patriotyzmu i kultywowania bogatej kultury ludowej. Największym obecnie miastem regionu jest Poznań, zaś Gniezno było pierwszą historyczną stolicą Polski. Kalisz to najstarsza znana z nazwy miejscowość na naszych ziemiach (utożsamiana z Calisią, wspomnianą w połowie II w. przez Klaudiusza Ptolemeusza).

Kujawy leżą nad górną Notecią i dalej na wschód, aż po Wisłę; jest to także kraina etnograficzna o bogatym folklorze, stąd pochodzi m.in. znany taniec – kujawiak. Na obszarze Wielkopolski i Kujaw występują krajobrazy polodowcowe, głównie młode (pasma wzgórz morenowych, liczne jeziora), na południu występują zniszczone pozostałości wcześniejszego zlodowacenia (równiny, miejscami faliste, bez jezior). Największym kompleksem leśnym jest, leżąca w widłach Warty i Noteci, Puszcza Notecka. Położona na zachodzie ziemia lubuska, bardzo lesista, z malowniczymi jeziorami, stwarza doskonałe warunki dla wypoczynku, także dla mieszkańców Berlina. Kujawy są krainą ubogą w lasy, dzięki urodzajnym glebom od pradawnych czasów intensywnie wykorzystywaną rolniczo. Na przedstawionym na mapie obszarze znajdują się parki narodowe: Wielkopolski, Ujście Warty (z unikatową na skalę światową ostoją ptactwa wodnego i błotnego) i Drawieński. Poznań znany jest nie tylko z targów (krajowych i międzynarodowych), lecz także z zabytków, muzeów z cennymi zbiorami oraz wysokiej kultury muzycznej.

W Wielkopolsce znajduje się wiele zabytkowych pałaców i dworów, często w pięknych parkach, oraz gotyckich i barokowych kościołów i klasztorów. Liczne miejsca związane są z prehistorią (jak Biskupin) i z początkami państwa polskiego (jak Gniezno, czy na Kujawach Gopło i Kruszwica). Przez Wielkopolskę przebiega, równoleżnikowo, najważniejsze połączenie drogowe i kolejowe zachodniej i wschodniej Europy.

Poznański ratusz, pierwotnie gotycki, przebudowany w XVI w. przez Jana Baptystę Quadro, jest jedną z najpiękniejszych renesansowych budowli środkowej Europy. Atrakcją dla turystów są pojawiające się w południe, na wieżyczce powyżej arkadowej loggii, 2 blaszane koziołki.

patrz mapa str. **74-75**

Mazowsze i Podlasie

Puszcza Białowieska, zachowany fragment naturalnych lasów mieszanych porastających niegdyś środkową Europę, jest wpisana na Listę Światowego Dziedzictwa Kulturalnego i Przyrodniczego UNESCO. W 1976 r. Puszcza została uznana jako światowy rezerwat biosfery.

Mazowsze jest historyczną dzielnicą Polski, położoną w dorzeczu środkowej Wisły. Leżące po obu stronach Bugu Podlasie jest częścią dawnych ziem Wielkiego Księstwa Litewskiego, włączonych do Korony po unii lubelskiej. Warszawa, stolica Polski, równocześnie największe miasto kraju, główny ośrodek życia politycznego, gospodarczego i kulturalnego, wraz z otaczającymi miastami tworzy trzymilionową aglomerację. Trzecie co do wielkości w kraju miasto – Łódź – stanowi wraz z pobliskimi miastami okręg przemysłowy, sięgający tradycjami początków XIX w.

Na Mazowszu dominują krajobrazy polodowcowe, w znacznym stopniu zniszczone, na które składają się: lekko faliste wysoczyzny, szerokie pradoliny, którymi ongiś odpływały wody topniejącego lodowca, płaskie doliny rzek, piaszczyste równiny sandrowe; na piaskach zachowały się znaczne połacie borów sosnowych.

W pobliżu Warszawy leży Puszcza Kampinoska, zaś na granicy z Białorusią – Puszcza Białowieska, na terenie których utworzono parki narodowe: Kampinoski i Białowieski (światowe rezerwaty biosfery). Trzeci park narodowy, Poleski, powstał na zachodnim skraju wkraczających w granice Polski zabagnionych równin Polesia. Mimo w większości ubogich gleb przeważają obszary rolnicze. Okolice Warszawy są najważniejszym w Polsce regionem intensywnego warzywnictwa, w okolicach Grójca i Warki skupiają się największe w kraju obszary zajęte przez sady (głównie jabłoniowe).

Warszawa skupia najwięcej w kraju muzeów i galerii, a także liczne miejsca związane z ważnymi wydarzeniami historycznymi. Zabytki stolicy, w większości zniszczone przez hitlerowskich barbarzyńców, zostały po wojnie, pieczołowicie odbudowane. Szczególnie cennymi zespołami zabytkowymi może się także pochwalić Płock.

Melancholijne krajobrazy Mazowsza znalazły, w najdoskonalszej formie, artystyczny wyraz w muzyce Chopina oraz obrazach Chełmońskiego.

patrz mapa str. **76-77**

Śląsk

Stojące na rozległym wrocławskim Rynku Sukiennice – zespół kamieniczek na miejscu dawnych kramów– sąsiadują z widocznym w głębi jednym z najpiękniejszych gotyckich ratuszy Europy. Wznoszony od XIII do XVI w. Ratusz ma bogato dekorowane elewacje i reprezentacyjne wnętrza.

Śląsk jest historyczną dzielnicą Polski, położoną w dorzeczu górnej i środkowej Odry, a częściowo także górnej Wisły. Wcześnie przez Polskę utracony, należał kolejno do Czech, austriackich Habsburgów, Prus. Tradycyjnie dzieli się na Śląsk Dolny i Górny, wyróżnia się też Śląsk Cieszyński i Opolski.

Największym miastem regionu, historyczną stolicą Śląska, jest Wrocław. Na wschodzie regionu duże skupisko miast tworzy, największą w kraju, konurbację katowicką.

Krajobrazy Śląska są zróżnicowane. Na Nizinie Śląskiej, na przeważnie dobrych glebach na zachód od Odry, przeważają krajobrazy rolnicze. Niewiele jest tu lasów; za to na wschód od Odry porastają one znaczne obszary piaszczystych równin. Także na północnym zachodzie regionu rozciąga się wielki kompleks leśny Borów Dolnośląskich.

Na południowy zachód od Niziny Śląskiej, oddzielone od niej Pogórzem Sudeckim, leżą Sudety. Są to góry bardzo stare, wypiętrzone i sfałdowane w czasie orogenezy hercyńskiej, w ciągu setek lat zniszczone i zrównane.

Granitowe skałki o fantastycznych kształtach, zwane Pielgrzymami, wznoszą się na północnym stoku głównego grzbietu Karkonoszy, w Karkonoskim Parku Narodowym.
Wypełnione wodą regularne zagłębienia, nazywane „misami ofiarnymi", w rzeczywistości powstały wskutek wietrzenia skał.

W czasie najmłodszej orogenezy, alpejskiej, zostały już tylko wypiętrzone i potrzaskane uskokami. Swym skomplikowanym dziejom geologicznym zawdzięczają dzisiejszy wygląd: rozbicie na masywy o stromych zboczach, zrównane powierzchnie szczytowe. Najciekawsze fragmenty zostały objęte ochroną w parkach narodowych: Karkonoskim i Gór Stołowych.

Na wschodzie regionu leży Wyżyna Śląska. Eksploatowane są tu pokłady węgla, jedne z najbogatszych w Europie, powstało też wielkie skupisko przemysłu, a środowisko naturalne uległo daleko idącej degradacji. Na południowym wschodzie znajdują się zalesione pasma górskie, zaliczane do Beskidów.

Zniszczony pod koniec wojny Wrocław ponownie chlubi się swymi budowlami, często pieczołowicie odbudowanymi. Na Dolnym Śląsku zachowały się zabytkowe zespoły miejskie, w nich, a także poza nimi liczne piękne kościoły, opactwa i klasztory, zamki i pałace. Sudety są najważniejszym w kraju regionem uzdrowiskowym, w Sudetach i Beskidach znajdują się masowo odwiedzane ośrodki sportów zimowych.

patrz mapa str. **78-79**

Małopolska

Połonina Caryńska jest jednym z najwyższych pasm Bieszczadów i leży na terenie Bieszczadzkiego Parku Narodowego. Połoniny to wysokogórskie łąki porastające partie szczytowe. Z grzbietu Połoniny roztacza się wspaniała panorama.

Małopolska jest historyczną dzielnicą Polski, położoną głównie w dorzeczu górnej Wisły. Włączona do państwa Polan w końcu X w., została nazwana Małą Polską, w odróżnieniu od Wielkiej (Głównej) Polski, dzisiejszej Wielkopolski, rdzennych ziem Polan. Największym miastem w regionie jest Kraków, dawna stolica Polski.

Krajobrazy Małopolski są najbardziej zróżnicowane w porównaniu z resztą kraju. W północnej części regionu, zaliczanej do pasa wyżyn, występuje krasowy krajobraz Wyżyny Krakowsko-Częstochowskiej (malownicze dolinki, skałki wapienne, jaskinie), pocięte głębokimi wąwozami wyżyny lessowe w okolicach Miechowa, Sandomierza i na Wyżynie Lubelskiej, malownicze wzgórza Roztocza, a także stare, kilkakrotnie odmładzane i ponownie niszczone Góry Świętokrzyskie. Część środkową zajmuje Kotlina Sandomierska, płaska, krajobrazowo raczej mało atrakcyjna. Są tu duże kompleksy leśne, w tym puszcze: Niepołomicka pod Krakowem, Sandomierska w widłach Wisły i Sanu oraz Solska, wkraczająca częściowo na obszar Roztocza.

Południe regionu zajmują Karpaty, wraz z przyległym Pogórzem. Są tu krajobrazy kopulastych wzniesień na Pogórzu i w Beskidach, wapienne skałki Pienin, czy wysokogórski, alpejski krajobraz Tatr. Najpiękniejsze fragmenty naturalnego krajobrazu chronią parki narodowe: Świętokrzyski, Roztoczański, Ojcowski, Babiogórski, Gorczański, Magurski, Bieszczadzki, Pieniński, Tatrzański.

Największym nagromadzeniem zabytków i bezcennych pamiątek przeszłości szczyci się Kraków, słynne są zabytkowe zespoły Sandomierza czy Zamościa, a także zamki – „Orle Gniazda" – na Wyżynie Krakowsko-Częstochowskiej. Unikatowymi na skalę światową są, znajdujące się zwłaszcza w Karpatach, zabytkowe drewniane kościoły, a na południowym wschodzie także cerkwie. Są tu również niepowtarzalne zabytki działalności gospodarczej, w tym najcenniejsze kopalnie soli w Wieliczce i Bochni. W Karpatach znajdują się liczne uzdrowiska i ośrodki sportów zimowych.

Kraków od wieków słynie jako ważny europejski ośrodek sztuki, a także nauki i kultury. Gotycki budynek Collegium Maius był ongiś siedzibą Akademii Krakowskiej, najstarszego polskiego uniwersytetu, którego bogate tradycje kontynuuje dzisiejszy Uniwersytet Jagielloński.

patrz mapa str. **80-81**

Opis patrz str. **42**

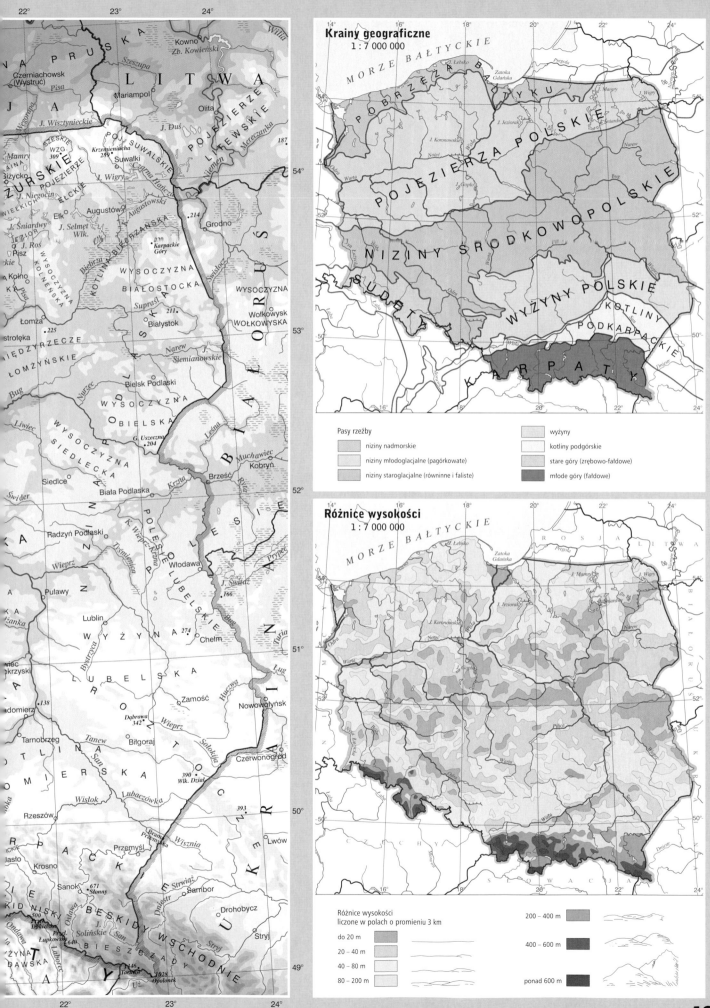

1 : 2 650 000

0   25   50   75   100 km

Krainy geograficzne
1 : 7 000 000

Pasy rzeźby

niziny nadmorskie

niziny młodoglacjalne (pagórkowate)

niziny staroglacjalne (równinne i faliste)

wyżyny

kotliny podgórskie

stare góry (zrębowo-fałdowe)

młode góry (fałdowe)

Różnice wysokości
1 : 7 000 000

Różnice wysokości
liczone w polach o promieniu 3 km

do 20 m

20 – 40 m

40 – 80 m

80 – 200 m

200 – 400 m

400 – 600 m

ponad 600 m

Górny Śląsk

1 : 1 500 000

WARSZAWA — stolica państwa
KATOWICE — siedziby urzędów wojewódzkich
Gdynia — siedziby powiatów
— granice państw
— granice województw
— granice powiatów ziemskich
— granice powiatów grodzkich

Jednostki terytorialne kraju

| województwa | 16 | powiaty grodzkie | 65 |
| powiaty ziemskie | 314 | gminy | 2478 |

Opis patrz str. 43

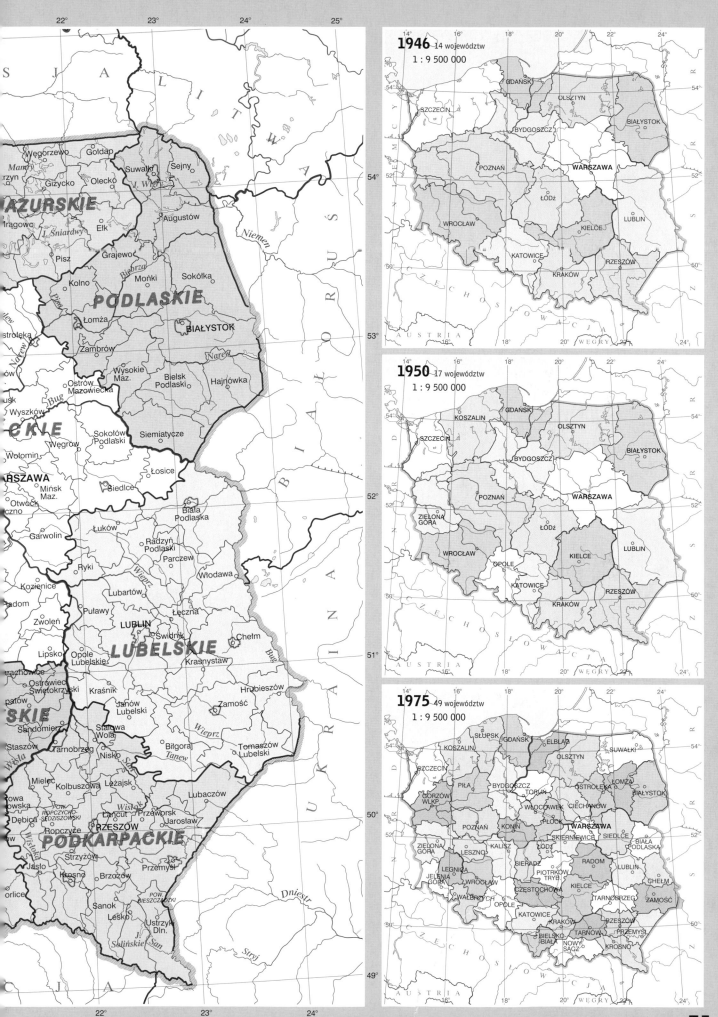

1 : 2 650 000

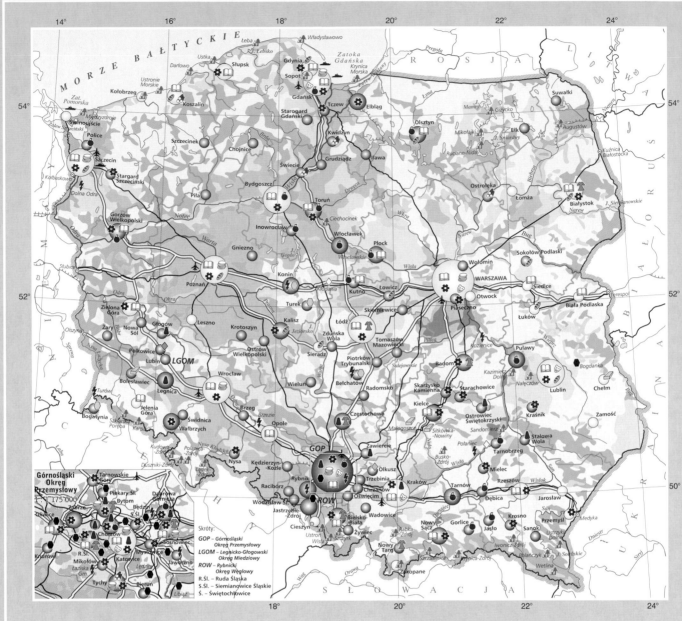

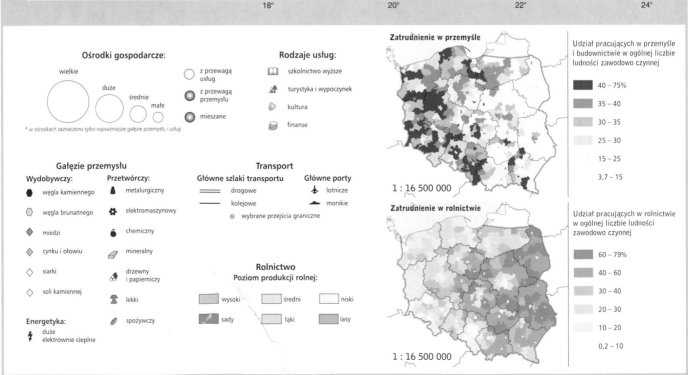

Ośrodki gospodarcze:

wielkie

duże

średnie

małe

*w ośrodkach zaznaczono tylko najważniejsze gałęzie przemysłu i usług

z przewagą usług

z przewagą przemysłu

mieszane

Rodzaje usług:

szkolnictwo wyższe

turystyka i wypoczynek

kultura

finanse

Gałęzie przemysłu

Wydobywczy:

węgla kamiennego

węgla brunatnego

miedzi

cynku i ołowiu

siarki

soli kamiennej

Energetyka:

duże elektrownie cieplne

Przetwórczy:

metalurgiczny

elektromaszynowy

chemiczny

mineralny

drzewny i papierniczy

lekki

spożywczy

Transport

Główne szlaki transportu

drogowe

kolejowe

wybrane przejścia graniczne

Główne porty

lotnicze

morskie

Rolnictwo

Poziom produkcji rolnej:

wysoki

średni

niski

sady

łąki

lasy

Zatrudnienie w przemyśle

1 : 16 500 000

Udział pracujących w przemyśle i budownictwie w ogólnej liczbie ludności zawodowo czynnej

40 – 75%

35 – 40

30 – 35

25 – 30

15 – 25

3,7 – 15

Zatrudnienie w rolnictwie

1 : 16 500 000

Udział pracujących w rolnictwie w ogólnej liczbie ludności zawodowo czynnej

60 – 79%

40 – 60

30 – 40

20 – 30

10 – 20

0,2 – 10

Zanieczyszczenie środowiska

1 : 4 000 000

0   50   100   150 km

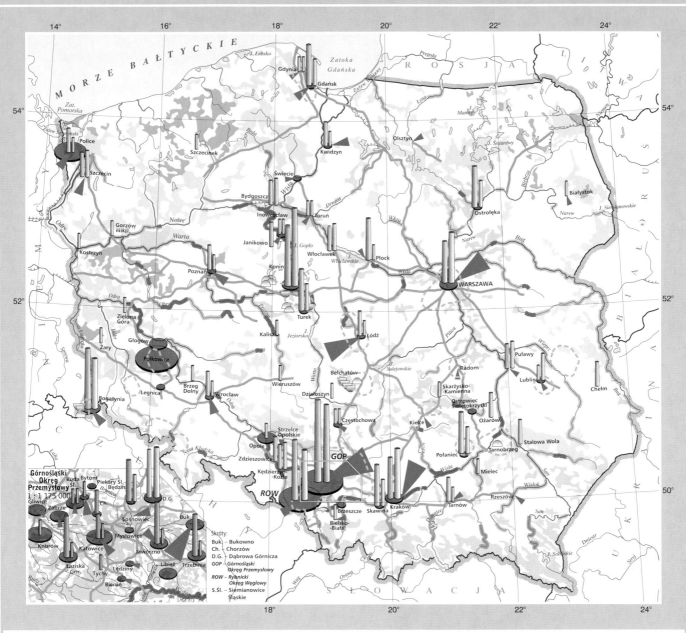

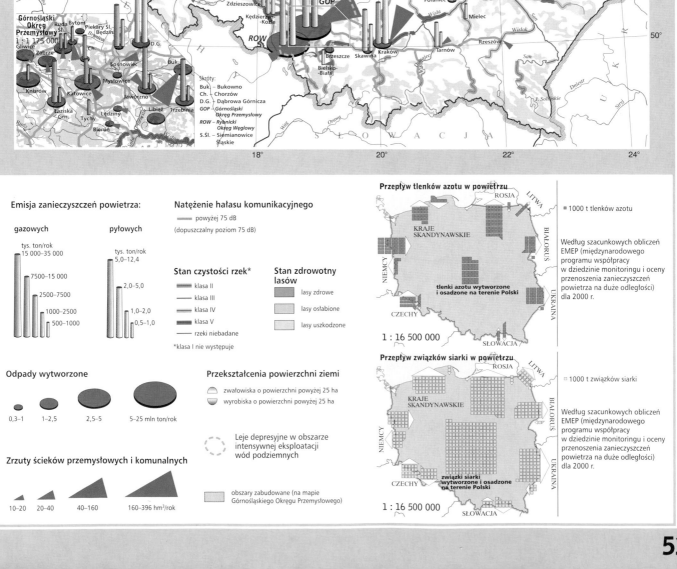

Emisja zanieczyszczeń powietrza:

gazowych
tys. ton/rok
15 000–35 000
7500–15 000
2500–7500
1000–2500
500–1000

pyłowych
tys. ton/rok
5,0–12,4
2,0–5,0
1,0–2,0
0,5–1,0

Odpady wytworzone
0,3–1   1–2,5   2,5–5   5–25 mln ton/rok

Zrzuty ścieków przemysłowych i komunalnych
10–20   20–40   40–160   160–396 hm³/rok

Natężenie hałasu komunikacyjnego
powyżej 75 dB
(dopuszczalny poziom 75 dB)

Stan czystości rzek*
klasa II
klasa III
klasa IV
klasa V
rzeki niebadane

*klasa I nie występuje

Stan zdrowotny lasów
lasy zdrowe
lasy osłabione
lasy uszkodzone

Przekształcenia powierzchni ziemi
zwałowiska o powierzchni powyżej 25 ha
wyrobiska o powierzchni powyżej 25 ha

Leje depresyjne w obszarze intensywnej eksploatacji wód podziemnych

obszary zabudowane (na mapie Górnośląskiego Okręgu Przemysłowego)

Przepływ tlenków azotu w powietrzu

1 : 16 500 000

1000 t tlenków azotu

Według szacunkowych obliczeń EMEP (międzynarodowego programu współpracy w dziedzinie monitoringu i oceny przenoszenia zanieczyszczeń powietrza na duże odległości) dla 2000 r.

Przepływ związków siarki w powietrzu

1 : 16 500 000

1000 t związków siarki

Według szacunkowych obliczeń EMEP (międzynarodowego programu współpracy w dziedzinie monitoringu i oceny przenoszenia zanieczyszczeń powietrza na duże odległości) dla 2000 r.

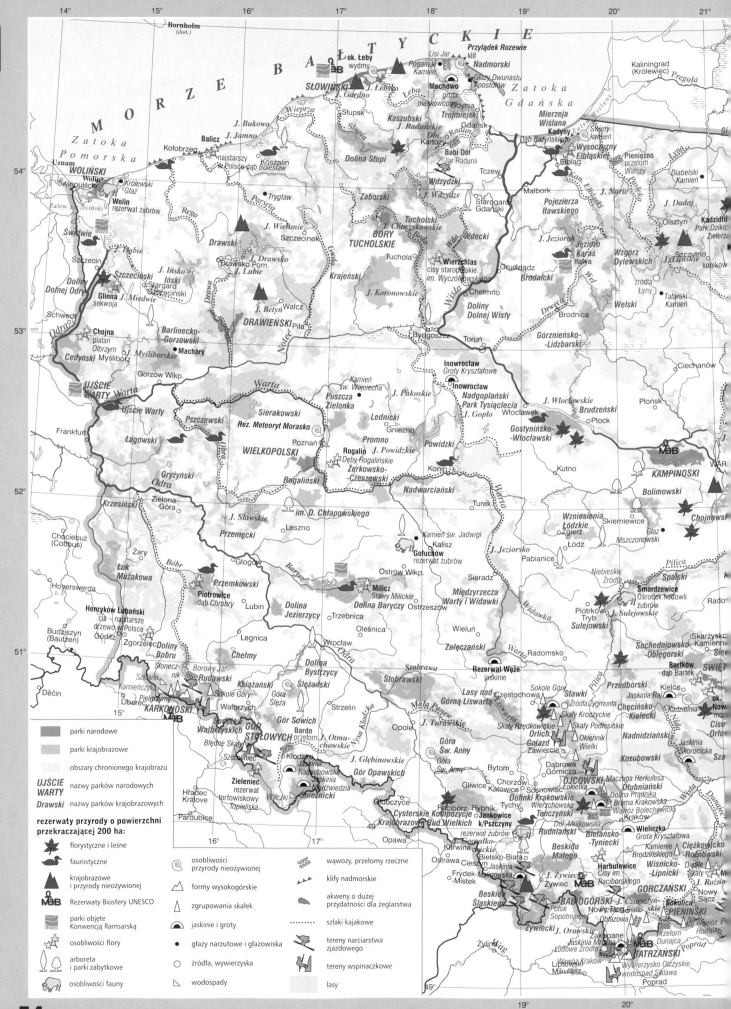

Legenda:

- parki narodowe
- parki krajobrazowe
- obszary chronionego krajobrazu
- **UJŚCIE WARTY** nazwy parków narodowych
- *Drawski* nazwy parków krajobrazowych

rezerwaty przyrody o powierzchni przekraczającej 200 ha:

- florystyczne i leśne
- faunistyczne
- krajobrazowe i przyrody nieożywionej
- **MaB** Rezerwaty Biosfery UNESCO
- parki objęte Konwencją Ramsarską
- osobliwości flory
- arboreta i parki zabytkowe
- osobliwości fauny

- osobliwości przyrody nieożywionej
- formy wysokogórskie
- zgrupowania skałek
- jaskinie i groty
- głazy narzutowe i głazowiska
- źródła, wywierzyska
- wodospady

- wąwozy, przełomy rzeczne
- klify nadmorskie
- akweny o dużej przydatności dla żeglarstwa
- ···· szlaki kajakowe
- tereny narciarstwa zjazdowego
- tereny wspinaczkowe
- lasy

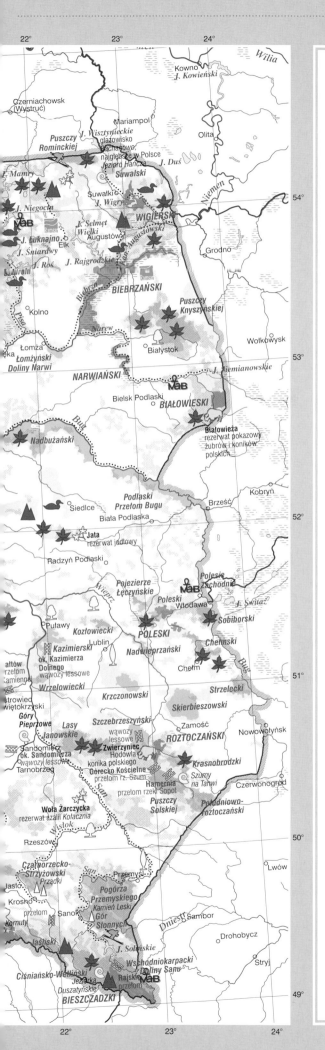

Na kilkusetkilometrowym polskim wybrzeżu Morza Bałtyckiego przeważają niskie brzegi z rozległymi piaszczystymi plażami. Niekiedy formują się na nich wydmy.
Na niektórych odcinkach wybrzeża występują malownicze wysokie brzegi, zwane klifami, świadczące o niszczącej działalności morza. Urwiska mogą osiągać prawie 100 m wysokości. Na zdjęciu widoczny jest klif w okolicach Kępy Redłowskiej.

W Polsce jest już osiem obszarów objętych międzynarodową Konwencją Ramsarską. Jej celem jest ochrona terenów wodno-błotnych mających znaczenie zwłaszcza jako środowisko życia ptactwa wodnego. Wśród nich znajduje się Park Narodowy „Ujście Warty", obejmujący najwięcej miejsc podmokłych, będących ostoją rzadkich gatunków ptaków, m.in. widocznego na zdjęciu perkoza zausznika. Takich obszarów jest w naszym kraju znacznie więcej. Co roku przyciągają one tysiące ornitologów.

Na zróżnicowanie krajobrazowe Polski wpłynęło kilka czynników. Należą do nich m.in.: przeszłość geologiczna oraz położenie geograficzne kraju. Czynniki te w połączeniu ze znaczną powierzchnią Polski sprawiły, że na jej obszarze występują krajobrazy charakterystyczne dla różnych, często odległych zakątków świata. Nasze zajmujące niewielką powierzchnię Tatry porównywane są z Alpami, rozlewiska Narwi uznawane są za polską Amazonię, Puszcza Romincka – za syberyjską tajgę, a na poleskich bagnach i w części Karkonoszy niektórzy doszukują się cech dalekiej tundry.

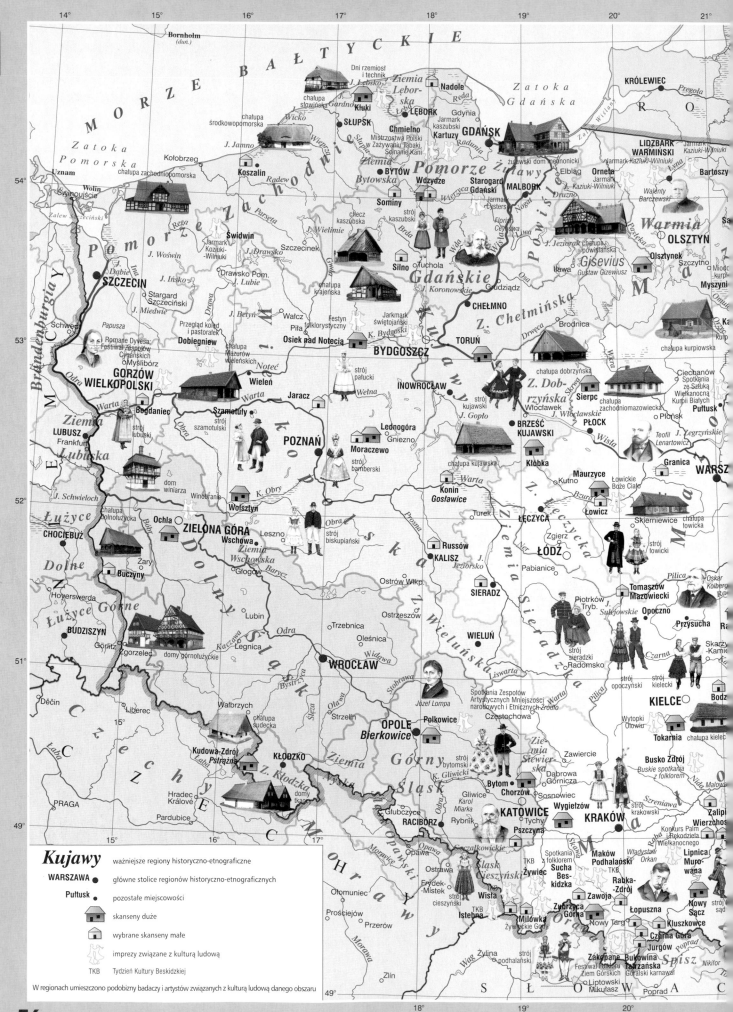

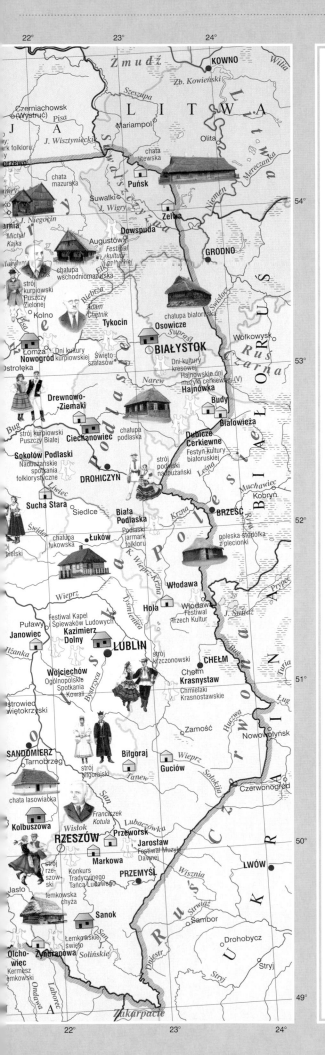

1 : 2 650 000

0   25   50   75   100 km

W Polsce można wyróżnić kilka obszarów o zdecydowanie odmiennym charakterze budownictwa ludowego. Chaty różnią się od siebie konstrukcją dachu, ścian i systemów ogniowych oraz rozplanowaniem wnętrza, wystrojem architektonicznym, a także zdobnictwem. Oryginalne zdobnictwo można zobaczyć m.in. w okolicach wsi Zalipie koło Tarnowa, gdzie ściany domów i ich wnętrza malowane są w kwiatowe wzory.

Spinka cieszyńska „hoczek" – ozdoba stroju kobiecego (u góry) i zapinka góralska noszona przy koszulach przez mężczyzn na Podhalu (obok).

Obecnie w Polsce odbywa się bardzo wiele imprez inspirowanych kulturą ludową. Część z nich przypomina najstarsze zachowane na wsiach obrzędy i zwyczaje, część poświęcona jest wyłącznie muzyce i tańcom. Nieodłącznym elementem tych imprez są stroje ludowe charakterystyczne dla danego regionu. Naszą wiedzę o zwyczajach, tańcach, zdobnictwie i architekturze poszczególnych regionów zawdzięczamy badaniom wielu już pokoleń etnografów. Na zdjęciu obok kobiety z kurpiowskiej Puszczy Zielonej w odświętnych strojach podczas dni swojej kultury.

Zabytki architektury drewnianej nie należą do trwałych. W polskim budownictwie ludowym najwięcej przetrwało obiektów XIX-wiecznych. Najlepiej zachowane budynki wraz ze sprzętami i narzędziami charakterystycznymi dla wybranych regionów zgromadzono w kilkudziesięciu skansenach. Trzydzieści z nich posiada większą ilość zagród i innych budynków takich jak kuźnie, młyny wodne, wiatraki. Widoczne na zdjęciu wnętrze chaty pochodzi właśnie z takiego skansenu w Maurzycach, gdzie znajduje się Łowicki Park Etnograficzny.

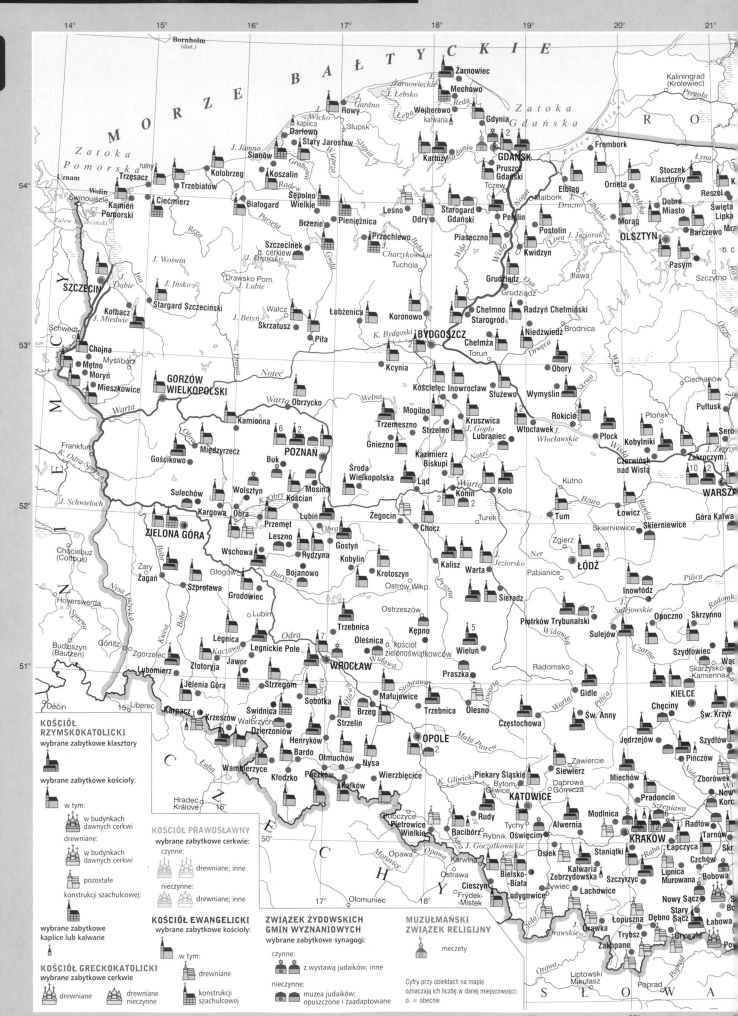

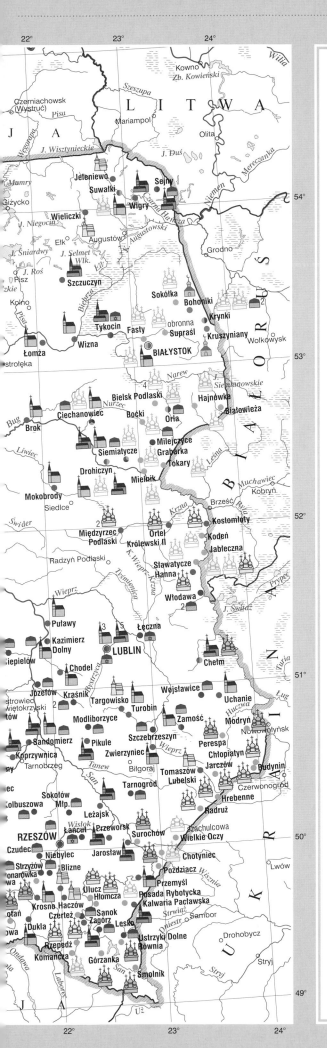

W Polsce czynne są trzy meczety. Najstarsza świątynia polskich tatarów znajduje się w Kruszynianach. To drewniany budynek z końca XVIII w. W każdym meczecie mieści się mihrab (nisza w ścianie modlitw, zwykle bogato dekorowana, wskazująca kierunek Mekki) i minbar (kazalnica, z której w czasie południowej modlitwy piątkowej imam wygłasza kazanie).

Synagoga pełni nie tylko funkcje religijne, ale jest także ośrodkiem życia społecznego. Mieści się w niej siedziba władz gminy żydowskiej i sądu rabinackiego. Wnętrze świątyni podporządkowane jest funkcjom religijnym. Centralnym miejscem jest bima – podium lub pulpit służący do czytania „Tory", czyli pięciu początkowych ksiąg Starego Testamentu. Na zdjęciu widać bimę dawnej synagogi w Łańcucie, gdzie mieści się obecnie wystawa judaików.

Charakterystycznym elementem architektonicznym chrześcijańskich świątyń obrządku wschodniego (prawosławnego i greckokatolickiego) są kopuły, na których umieszczone są krzyże. Kopuła symbolizuje Niebo, Boga, świętych i świat anielski. Krzyż oznacza, oddawanie chwały Jezusowi Chrystusowi. Liczba kopuł nie jest przypadkowa – np. trzy nawiązują do Trójcy Świętej. Na zdjęciu widać kopuły cerkwi greckokatolickiej w Owczarach.

Kościoły rzymskokatolickie to stały element polskiego krajobrazu. Często dominują w otoczeniu, jak widoczna na zdjęciu katedra we Fromborku. Stanowi ona element XIV-wiecznego gotyckiego założenia obronnego. Charakterystyczny dla tego stylu przyporowy system konstrukcji nadał jej lekkość i strzelistość.

59

Zamki, pałace, dwory

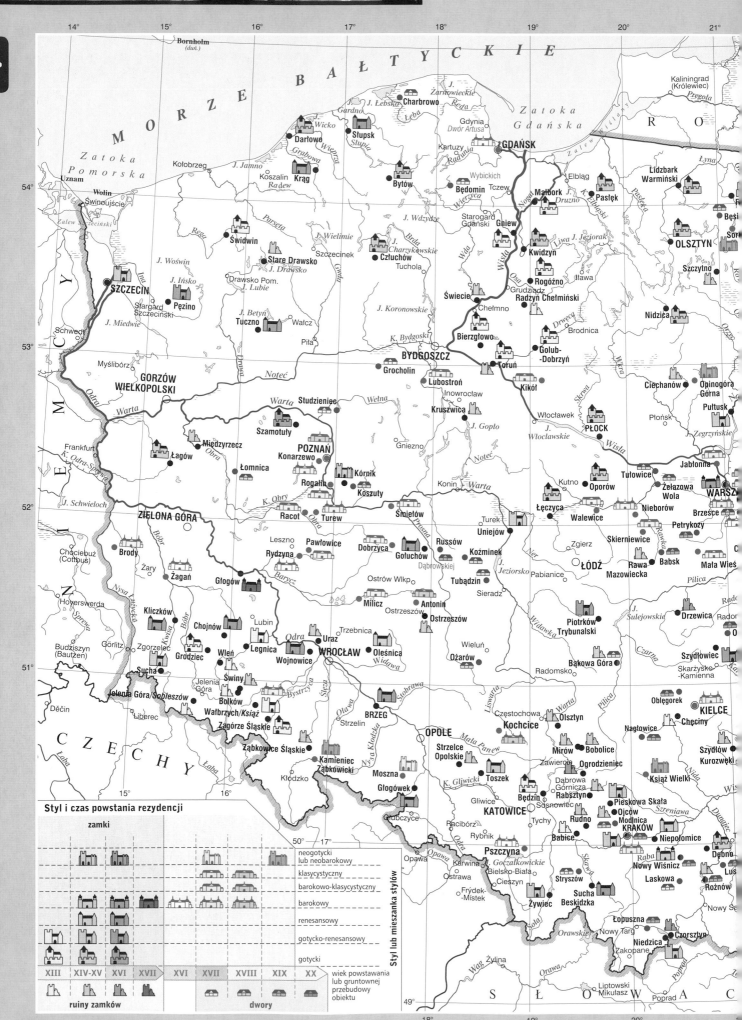

Styl i czas powstania rezydencji

zamki								
								neogotycki lub neobarokowy
								klasycystyczny
								barokowo-klasycystyczny
								barokowy
								renesansowy
								gotycko-renesansowy
								gotycki
XIII	XIV-XV	XVI	XVII	XVI	XVII	XVIII	XIX	XX
								wiek powstania lub gruntownej przebudowy obiektu
ruiny zamków				dwory				

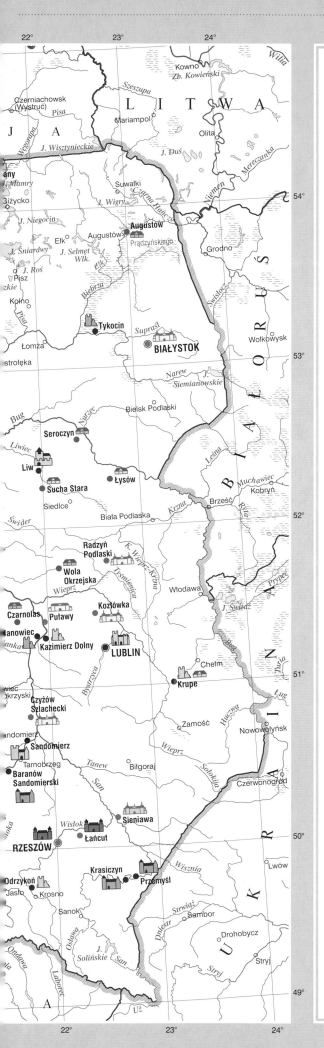

Rezydencje pałacowe budowano w różnych stylach, zgodnie z duchem obowiązującej w tym czasie mody. Z tego też powodu nowi właściciele remontowali je i przebudowywali. W XIX w. ponownie zaczęto sięgać po elementy charakterystyczne dla stylu gotyckiego. Widoczny na zdjęciu, wielokrotnie rozbudowywany pałac pruskiego rodu Tiele-Winclerów w Mosznie, ostateczny wygląd uzyskał w 1914 roku. Strzeliste wieżyczki, wykusze, balkony i tarasy upodabniają go do tajemniczego, pełnego przepychu bajkowego zamku.

Orle Gniazda to określenie stosowane do zamków i strażnic Wyżyny Krakowsko-Częstochowskiej, które w XIV w. stanowiły fragment potężnego systemu obronnego króla Kazimierza Wielkiego. Zabezpieczały ważny trakt handlowy z Krakowa do Wielkopolski i chroniły pobliskie wówczas granice kraju. Swoją nazwę zawdzięczają usytuowaniu na skałach dochodzących do 20–30 m wysokości, jak widoczne na zdjęciu ruiny zamku w Olsztynie koło Częstochowy.

Na terenach obecnej Polski zachowała się znaczna część zamków krzyżackich. Najokazalszy z nich jest zamek wielkich mistrzów w Malborku – największa ceglana budowla obronna średniowiecznej Europy. W 1977 roku malborski zamek został wpisany na Listę Światowego Dziedzictwa Kulturowego i Przyrodniczego UNESCO.

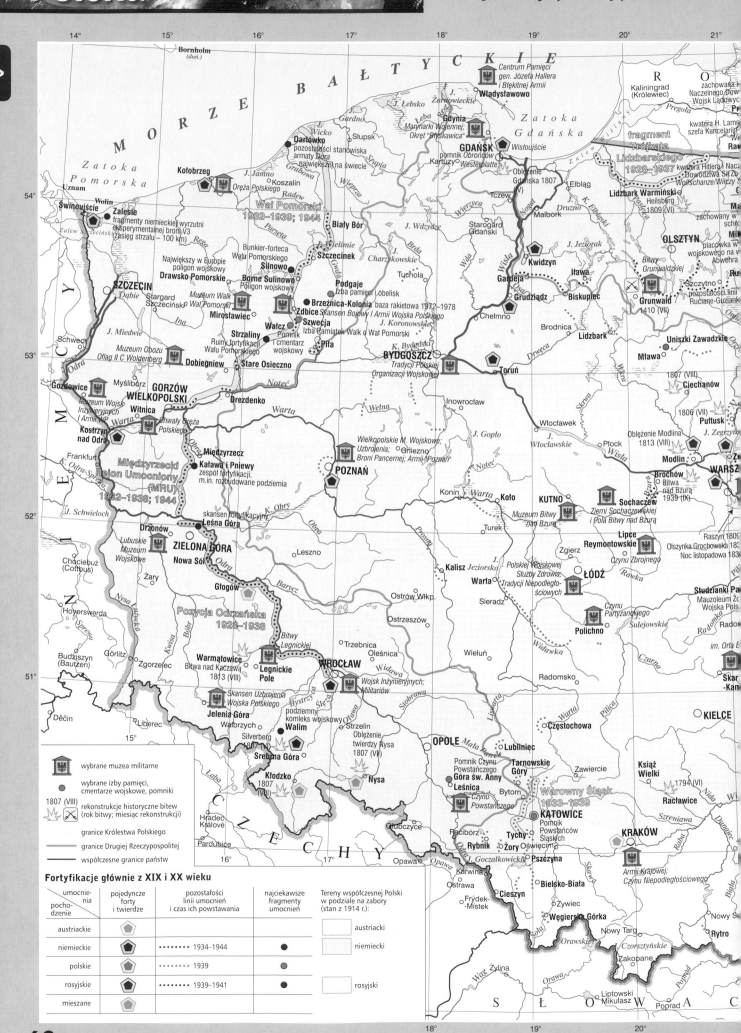

Fortyfikacje głównie z XIX i XX wieku

umocnienia pochodzenie	pojedyncze forty i twierdze	pozostałości linii umocnień i czas ich powstawania	najciekawsze fragmenty umocnień
austriackie			
niemieckie		•••••••• 1934–1944	●
polskie		•••••••• 1939	●
rosyjskie		•••••••• 1939–1941	●
mieszane			

Tereny współczesnej Polski w podziale na zabory (stan z 1914 r.):

- austriacki
- niemiecki
- rosyjski

Legenda:
- wybrane muzea militarne
- wybrane izby pamięci, cmentarze wojskowe, pomniki
- 1807 (VIII) rekonstrukcje historyczne bitew (rok bitwy; miesiąc rekonstrukcji)
- granice Królestwa Polskiego
- granice Drugiej Rzeczypospolitej
- współczesne granice państw

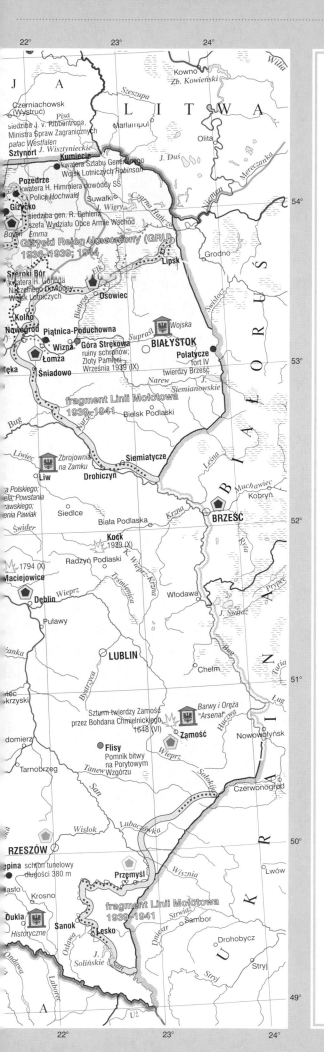

Przełęcz Srebrna była jedynym przejściem pomiędzy Górami Bardzkimi a Górami Sowimi, które osłaniają Śląsk od południa. Twierdzę na wzniesieniu nad przełęczą wybudował Fryderyk Wielki w latach 1865–1877. Nowoczesna na owe czasy forteca zachowała się bez większych modernizacji. Obecnie mieści się w niej filia Muzeum Historycznego w Wałbrzychu.

Najczęściej odwiedzanymi fortyfikacjami w Polsce są obiekty poniemieckiego Międzyrzeckiego Rejonu Umocnionego, powstałe w latach 1932–1939. W założeniu były to grupy dzieł obronnych połączone ciągłym systemem podziemnych korytarzy. Najbardziej rozbudowany odcinek tej linii znajduje się we wsi Pniewo koło Kaławy. Podziemnym obiektom towarzyszą umocnienia przeciwpancerne, tzw. zęby smoka (na zdjęciu).

Na terenach obecnej Polski zachowała się znaczna część zamków krzyżackich. Najokazalszy z nich jest zamek wielkich mistrzów w Malborku – największa ceglana budowla obronna średniowiecznej Europy. W 1977 roku malborski zamek został wpisany na Listę Światowego Dziedzictwa Kulturowego i Przyrodniczego UNESCO.

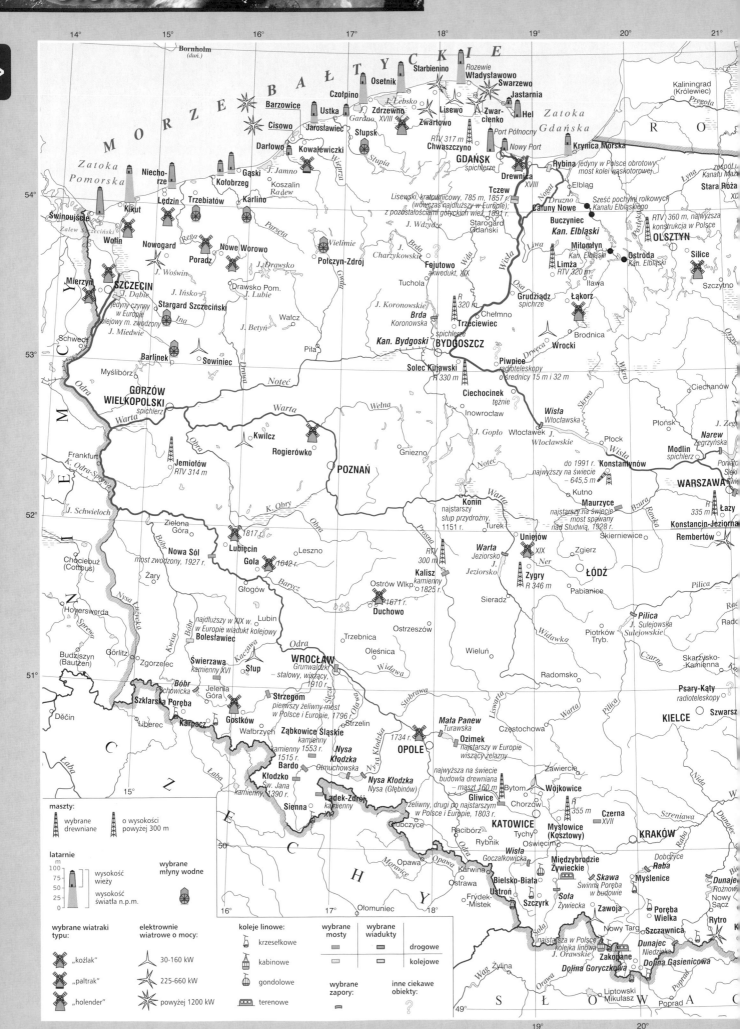

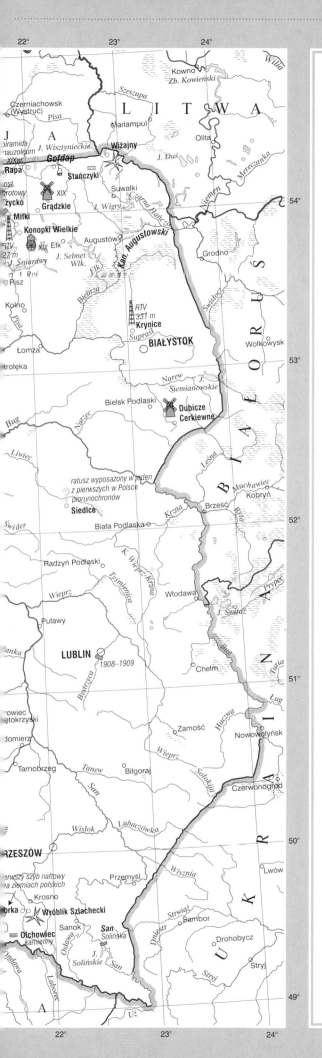

Kolej gondolowa na Jaworzynę Krynicką to jedna z najnowocześniejszych w Europie kolejek górskich. Sześcioosobowe wagoniki mknące z prędkością 5 m/s mogą przewieźć w ciągu godziny do 1600 osób.

Znikające bezpowrotnie z polskich pejzaży wiatraki różnią się konstrukcją mechanizmów umożliwiających obracanie śmigieł w stronę wiatru. Dzielimy je na trzy typy. Najczęściej można spotkać tzw. koźlaki, jak ten ze skansenu w Szymbarku (na zdjęciu). Ich obudowa jest umieszczona na czteronożnym koźle, na którym za pomocą specjalnego dyszla obraca się cała konstrukcja. Podobnie w całości obraca się wiatrak paltrak osadzony na stalowych rolkach poruszających się po torze położonym na solidnym murowanym fundamencie. Trzeci rodzaj wiatraków sprowadzili na tereny Polski Holendrzy, dlatego nazywa się je „holendrami". Obraca się w nich tylko umieszczona na rolkach głowica.

Zapory należą do bardzo spektakularnych budowli i są świadectwem najwyższego kunsztu inżynieryjnego. Pilchowicka zapora na Bobrze, wysoka na 62 m, powstała na początku XX w., po katastrofalnej powodzi w 1897 roku.

Wrocław może poszczycić się jednym z najpiękniejszych mostów w Polsce. Cała przeprawa na Odrze liczy 216 m długości, z czego wisząca kładka ma 112,5 m. Podtrzymywana jest przez stalowe liny rozpięte na potężnych granitowych pylonach.

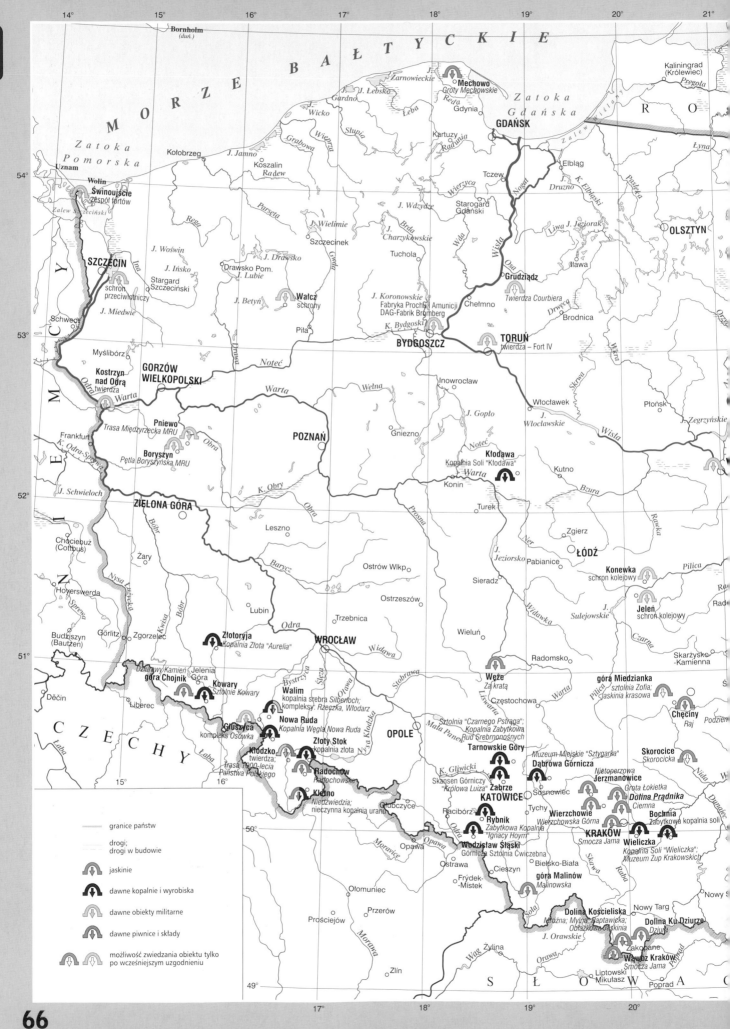

1 : 2 650 000   0   25   50   75   100 km

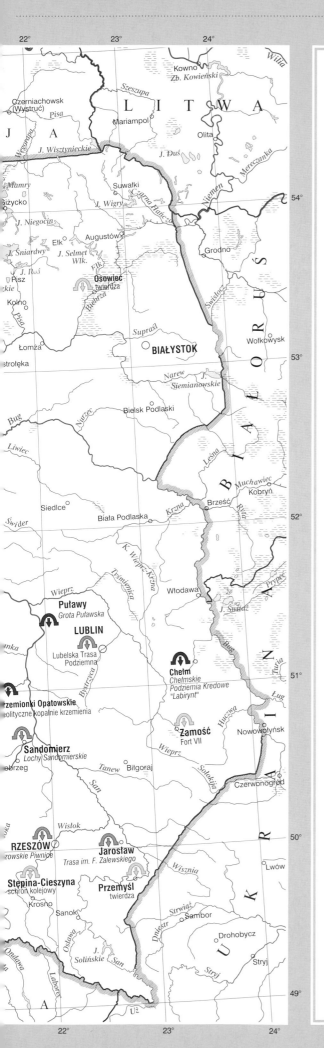

Jaskinie i groty powstałe w wyniku wypłukiwania rozpuszczalnych skał przez wody, czasem z bogatą szatą naciekową, są atrakcjami turystycznymi głównie w południowej Polsce. Ale cuda stworzone przez naturę można podziwiać też koło Pucka (zdjęcie z lewej strony – Groty Mechowskie).

Na terenie Polski zachowało się wiele twierdz i fortyfikacji. Te średniowieczne, z czasem przebudowywano lub nawet wznoszono od nowa by mogły nadal pełnić funkcje obronne. Zamki zastępowano nowocześniejszymi cytadelami, wznoszono beluardy, bastiony. Rozwój broni i strategii prowadzenia wojen spowodował konieczność budowania system chodników minerskich oraz przeciwminowych. (Na fotografii widoczne są kazamaty twierdzy Kłodzkiej.) Niektóre podziemne części fortyfikacji ciągnęły się na długości nawet 30 km np. w MRU, czyli Międzyrzeckim Rejonie Umocnionym.

W nieczynnych kopalniach, i to zarówno tych działających w odległej przeszłości jak i tych zamkniętych całkiem niedawno, często urządzane są atrakcyjne trasy dla turystów. W wielu organizuje się przejażdżki łódkami.

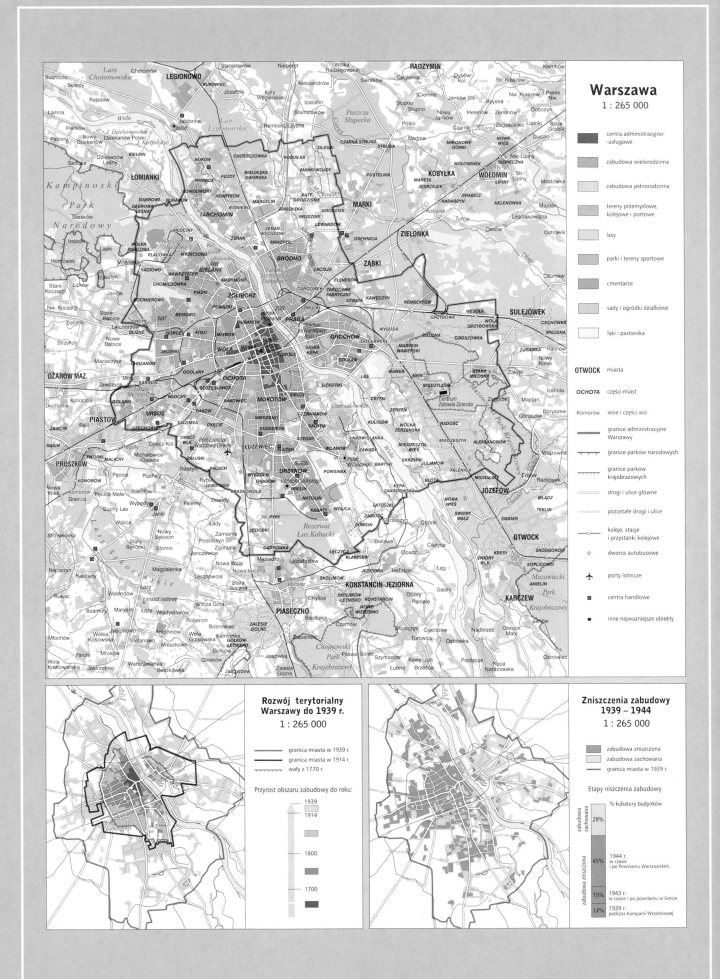

Warszawa
1 : 265 000

- centra administracyjno-usługowe
- zabudowa wielorodzinna
- zabudowa jednorodzinna
- tereny przemysłowe, kolejowe i portowe
- lasy
- parki i tereny sportowe
- cmentarze
- sady i ogródki działkowe
- łąki i pastwiska

OTWOCK   miasta
OCHOTA   części miast
Komorów   wsie i części wsi

- granice administracyjne Warszawy
- granice parków narodowych
- granice parków krajobrazowych
- drogi i ulice główne
- pozostałe drogi i ulice
- koleje, stacje i przystanki kolejowe
- dworce autobusowe
- porty lotnicze
- centra handlowe
- inne najważniejsze obiekty

Rozwój terytorialny Warszawy do 1939 r.
1 : 265 000

- granica miasta w 1939 r.
- granica miasta w 1914 r.
- wały z 1770 r.

Przyrost obszaru zabudowy do roku:
- 1939
- 1914
- 1800
- 1700

Zniszczenia zabudowy 1939 – 1944
1 : 265 000

- zabudowa zniszczona
- zabudowa zachowana
- granica miasta w 1939 r.

Etapy niszczenia zabudowy
% kubatury budynków

zabudowa zachowana — 28%

zabudowa zniszczona:
- 45% — 1944 r. w czasie i po Powstaniu Warszawskim
- 15% — 1943 r. w czasie i po powstaniu w Getcie
- 12% — 1939 r. podczas Kampanii Wrześniowej

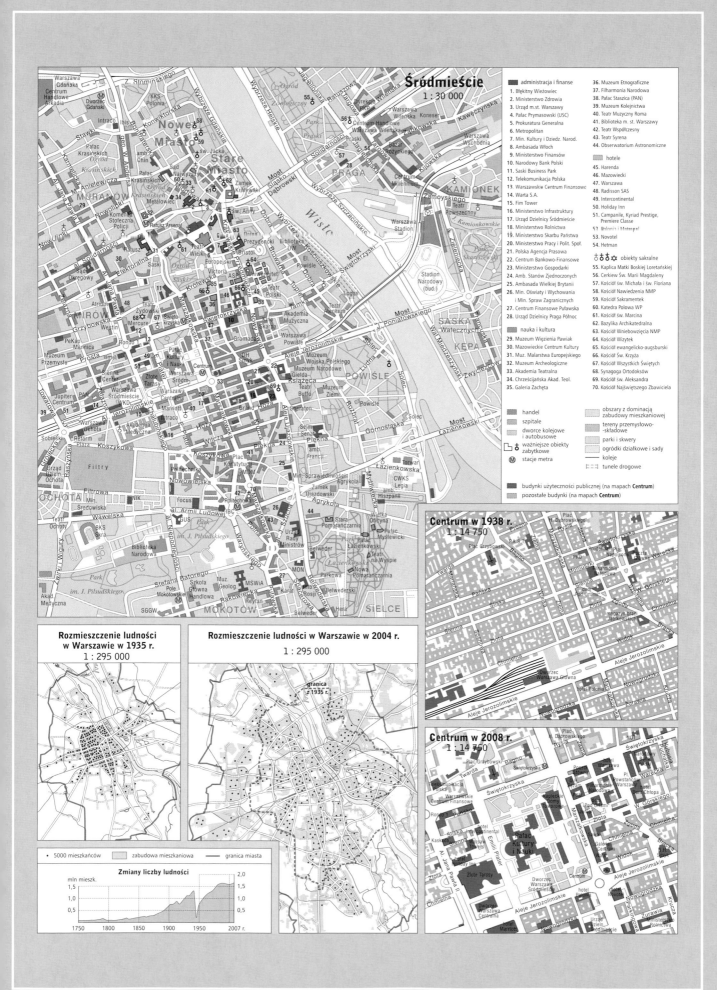

0 5 10 15 20 25 km

17°   5   18°   6   19° 7

E

Nadmorski P.K.
Przyl. Rozewie
Dębki
Białogóra   Jastrzębia Góra
Krokowa   Władysławowo
Zarnowiec   15
Choczewo   J. Żarnowieckie   Swarzewo   Nadmorski
Nowęcin   PUCK   Park   Krajobrazowy
Łeba   J. Sarbsko   11   Jastarnia
4   Nowęcin   Gniewino   Mierzeja Helska   4
SŁOWIŃSKI   Wicko   Reda   Jurata
PARK NARODOWY   J. Lebsko   Łeczyce   Reda   Kosakowo   Hel
Kleki   Leba   19   Zatoka   4
Smełdzino   WEJHEROWO   Pucka
Rowy   Rowokół   46   Rumia
Ustka   Główczyce   Nw.Wieś   221   45
16   J. Gardno   Lęborska   Luzino   GDYNIA   Zatoka
Damnica   LĘBORK   250
Potęgowo   35   Szemud   Chwaszczyno   SOPOT   Gdańska
SŁUPSK   Cewice   Linia   Trójmiejski P.K.   39
97   Kobylnica   Przodkowo   GDAŃSK
ŁAWNO   Debrica   Czarna   Sierakowice   KARTUZY   456
13   Kaszubska   Dąbrówka   183   Kaszubski   15
Krąg   J. Krzynia   Chmielno   Żukowo   Cedry Wlk.   Ostaszewo
Warcino   Park   6   PRUSZCZ   Suchy
Kępice   J. Strzegomino   J. Jasień   Krajobrazowy   Somonino   GDAŃSKI   Dąb
4   Kołczygłowy   Sulęczyno   Szymbark   Wieżyca   Kolbudy Grn.   25   Lichnowy
Park Krajobrazowy Dolina Słupi   Parchowo   Przywidz   Trąbki Wlk.   Pszczółki   Nowy
Trzebielino   J. Bytów   Stężyca   Pszczółki   Staw
Borzytuchom   Mausz   Skarszewy   4
Żydowo   BYTÓW   Liniewo   Subkowy   MALBORK
189   17   Będomin   STAROGARD   Miłoradz   38   54°
Miastko   Tuchomie   Nw. Karczma   GDAŃSKI   112
11   Lipusz   48   SZTUM
J. Bobięcino   Studzienice   Wdzydzki P.K.   Pelplin   10
Wlk.   J. Kłączno   Dziemiany   Wdzydze   Zblewo   8   Walichnowy
Biały Bór   J. Kielskie   Lipnica   J. Kruszyńskie   Kaliska   Wlk.
2   Koczała   J. Gwiazdy   Zaborski   J. Wdzydze   Morzeszczyn
J. Wierzchowo   Park   Karsin   Bobowo   GNIEW   Ryjewo
J. Wielimie   Lisia Góra   Krajobrazowy   Brusy   Odry   Lubichowo   Gniew
Rzeczenica   J. Karśnickie   J. Dydrek   5   Czarna Woda   Ocypel   Skórcz
J. Krępsko   J. Szczytno   Konarzyny   P.N. BORY   3   Osieczna   KWIDZYN
CINEK   219   Przechlewo   TUCHOLSKIE   Czersk   Śliwice   38
Czarne   J. Charzykowskie   10   Bory   Osiek   Smętowo
6   CHOJNICE   J. Spierewnik   Tucholski   Graniczne
Gda   CZŁUCHÓW   40   Park   J. Ołobińskie   Tucholskie   Nowe
14   Krajobrazowy   6   Sadlinki
Debrzno   TUCHOLA   Osie   Gardeja
Okonek   5   14   Wdecki   Rogóźno
4   Kamień   Cekcyn   P.K.   88
Jastrowie   Krajeński   Lipka   Kęsowo   Lniano   Warlubie   GRUDZIĄDZ
8   J. Jastrowskie   SĘPÓLNO   Gostycyn   Drzycim   99
J. Płotowskie   Zakrzewo   KRAJEŃSKIE   Lubiewo   Jeżewo   Drągacz   Gruta
Tarnówka   9   Melno
ZŁOTÓW   Krajeński   Sośno   Świekatowo   Bukowiec   ŚWIECIE   Radzyń
18   Park   Więcbork   26   Chełmiński
Krajenka   Krajobrazowy   6   J. Koronowskie   CHEŁMNO   2
Górka   Pruszcz   20   Lisewo
Słavianowskie   Mrocza   Koronowo   Dobrcz   Stolno   Płużnica
Łobżenica   4   11   Papowo   WĄBRZEŹNO
PIŁA   3   J. Słupowskie   Biskupie   14
75   Wysoka   Wyrzysk   Sicienko   Osielsko   Kijewo   Chełmża
3   5   NAKŁO   Królewskie   15
Miasteczko   Sadki   N. NOTECIĄ   Dąbrowa   Unisław   J. Chełmżyńskie
Ujście   Krajeńskie   194   19   Chełmińska   Kowalewo
Kaczory   Białośliwie   Osiek n.Notecią   BYDGOSZCZ   Łubianka   Pomorskie
207   Notec   Kan. Bydgoska   Żławieś   4
Szamocin   Kcynia   Szubin   Kan.Noteci   Wlk.   TORUŃ   Łysomice
9   Biała   Solec   207   Lubicz   Ciechocin
CHODZIEŻ   Błota   Kujawski   Zamek   Obrowo
20   15   Bierzgłowski
Margonin   Gołańcz   Wapno   116   Nieszawka   Czernikowo
RNKÓW   3   Łabiszyn   Szwedzka G.   104
11   Nw.Wieś Wlk.   Ciechocinek
Budzyń   Złotniki   11
Damasławek   Kujawskie   Gniewkowo   ALEKSANDRÓW   Raciążek
ŻNIN   Rojewo   KUJAWSKI   Nieszawa
14   Barcin   Wąganiec
Pakość   19°
17°   5   18°   6

53°

A

B

C

Opis patrz str. 44-45

Opis patrz str. 45

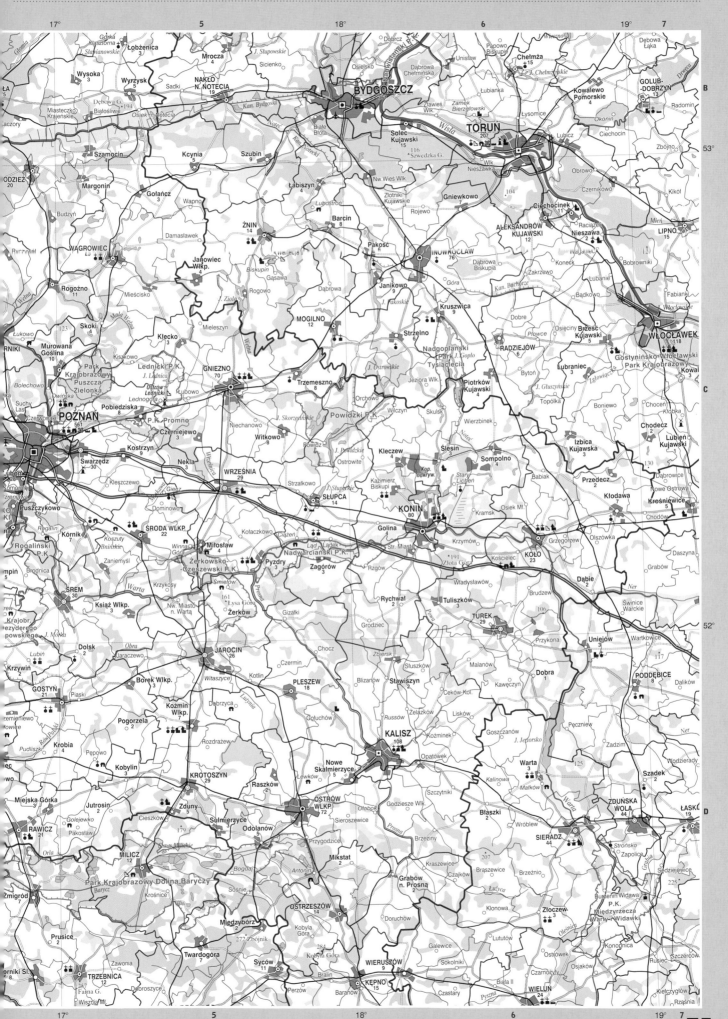

0 5 10 15 20 25 km

17°   5   18°   6   19°   7

B

53°

C

52°

D

17°   5   18°   6   19°   7

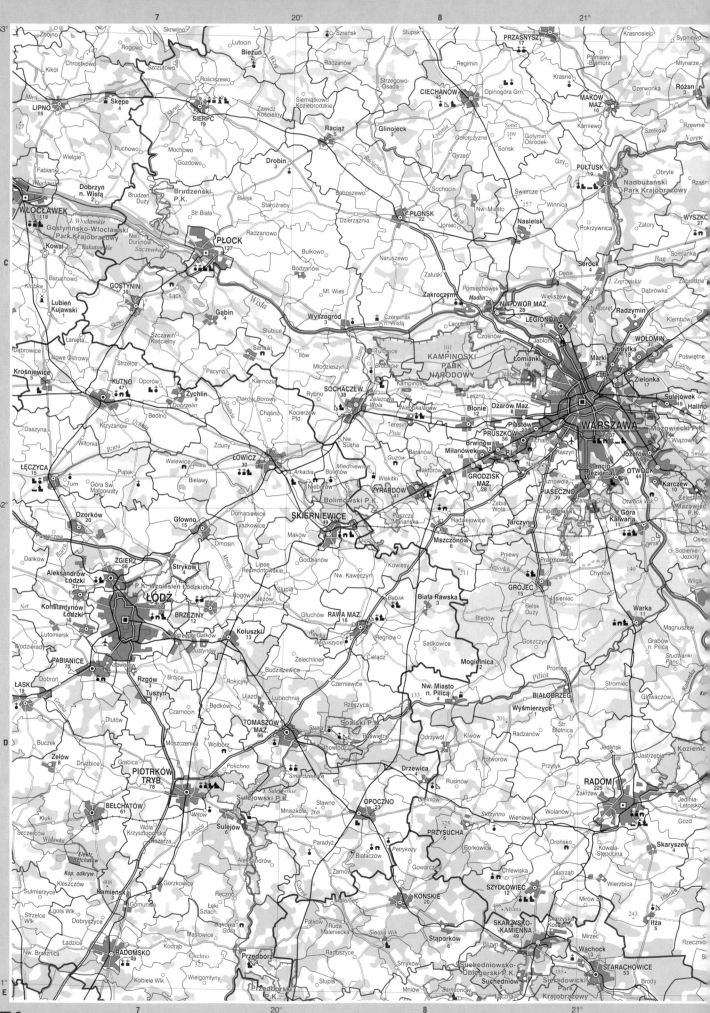

Opis patrz str. 46-47

Górny Śląsk
1 : 265 000

1 : 875 000

0 5 10 15 20 25 km

P.K. Międzyrzecza Warty i Widawki

Międzybórz
Twardogóra 7
Syców 11
OLEŚNICA 37
Bierutów 5
NAMYSŁÓW 16
OSTRZESZÓW 14
Kobyla Góra
WIERUSZÓW 9
KĘPNO 15
WIELUŃ 24
ZŁOCZEW 3
PAJĘCZNO 7
BEŁCHATÓW 61
Wola Krzysztoporska
KAMIEŃSK 3
RADOMSKO 49
Elektr. Bełchatów
51°
Jelcz-Laskowice 15
OŁAWA 31
BRZEG 38
Grodków 9
Niemodlin 7
Skoroszyce
NYSA 47
Głuchołazy 15
P.K. Gór Opawskich
Zlaté Hory
Vrbno Pradědem
Město Albrechtice
KRNOV (KARNIÓW)
Wołczyn
Byczyna 4
Gorzów Śl. 3
KLUCZBORK 20
OLESNO 10
Dobrodzień
LUBLINIEC 24
Blachownia 10
CZĘSTOCHOWA 242
Kłobuck 13
Myszków 33
ZAWIERCIE
Zawadzkie 8
Kolonowskie 3
STRZELCE OPOLSKIE 20
KĘDZIERZYN-KOŹLE 66
GLIWICE 199
ZABRZE 189
BYTOM 185
Piekary Śl. 59
TARNOWSKIE GÓRY 61
DĄBROWA GÓRNICZA
SOSNOWIEC 223
BĘDZIN 59
KATOWICE 312
CHORZÓW 114
RUDA ŚL. 145
MYSŁOWICE
JAWORZNO 96
TYCHY 130
Mikołów 39
RYBNIK 141
ŻORY 62
WODZISŁAW ŚL. 49
JASTRZĘBIE ZDRÓJ 94
OŚWIĘCIM 41
CHRZANÓW
Trzebinia 19
PSZCZYNA 26
KĘTY 19
WADOWICE 39
BIELSKO-BIAŁA
ŻYWIEC 32
CIESZYN 35
ČESKÝ TĚŠÍN (CZESKI CIESZYN)
Ustroń
TŘINEC (TRZYNIEC)
OPAVA (OPAWA)
OSTRAVA (OSTRAWA)
HAVÍŘOV
ORLOVÁ
KARVINÁ (KARWINA)
BOHUMÍN (BOGUMIN)
FRÝDEK-MÍSTEK
PŘÍBOR
Kopřivnice
NOVÝ JIČÍN
VALAŠSKÉ MEZIŘÍČÍ
Frenštát p. Radhoštěm
Rožnov p. Radhoštěm
OPOLE 127
RACIBÓRZ 57
50°

S Ł O W A C J A

Legenda

- centra administracyjno-usługowe
- zabudowa wielorodzinna
- zabudowa jednorodzinna
- tereny przemysłowe, kolejowe i portowe
- tereny zdegradowane (hałdy, wyrobiska)
- lasy
- parki i tereny sportowe
- cmentarze
- sady i ogródki działkowe
- łąki i pastwiska

N miasta
A części miast
— wsie i części wsi
— granice administracyjne miast
= autostrady
= drogi i ulice główne
= pozostałe drogi i ulice
— koleje, stacje i przystanki kolejowe
dworce autobusowe
kościoły, inne najważniejsze obiekty
centra handlowe

1 : 875 000

0 5 10 15 20 25 km

Ukształtowanie powierzchni

Północną część Europy jeszcze 10 tys. lat temu pokrywał lądolód. Pozostałością są rozległe pojezierza. Pojezierze Fińskie (na zdjęciu) liczy ponad 60 tys. jezior i jest największe w Europie. Pojezierze to leży na zróżnicowanej pod względem ukształtowania prekambryjskiej płycie, przykrytej tylko cienką warstwą utworów polodowcowych.

Śladem po transgresjach morskich jest charakter wybrzeży północnej Europy. Podniesienie się poziomu oceanu spowodowało bowiem zalanie wybrzeży. W ten sposób w Skandynawii powstały wysokie, bardzo strome fiordy oraz niższe, urozmaicone wybrzeża typu szkierowego.

Centralną część Europy rozcina łuk Karpat. Znaczną ich część stanowią stosunkowo niewysokie i łagodne Beskidy, zbudowane z pofałdowanych skał osadowych fliszu karpackiego (głównie piaskowców i łupków). W skałach fliszu często spotyka się złoża ropy naftowej i gazu ziemnego.

Europa to kontynent o bardzo urozmaiconej linii brzegowej. Jego cechą charakterystyczną jest występowanie wielu półwyspów, zatok, mórz wewnętrznych, dużych wysp i archipelagów. Łączna długość linii brzegowej wynosi około 40 tys. km, zaś półwyspy zajmują 1/4 powierzchni kontynentu. Największe z nich to: Skandynawski (około 800 tys. km^2), następnie Iberyjski, Bałkański i Apeniński. Z morfologicznego punktu widzenia Europa nie jest samodzielnym kontynentem, ale stanowi mniejszą część kontynentu Eurazji.

Europa jest również bardzo zróżnicowana pod względem ukształtowania powierzchni. Wynika to ze skomplikowanej przeszłości geologicznej. Na obszarze Europy są bowiem góry powstałe podczas trzech wielkich orogenez (kaledońskiej, hercyńskiej i alpejskiej), wielkie zdenudowane masywy wyżynne oraz rozległe niziny. Na obszarze dzisiejszej Europy wielokrotnie następowały transgresje morskie, czyli zalanie lądu wodą, powodowane głównie podnoszeniem się poziomu oceanu. Śladem po transgresjach jest charakter wybrzeży północnej Europy. Spotyka się tu wysokie, bardzo strome fiordy oraz niższe, ale urozmaicone szkiery. Szybkie – w skali geologicznej – podniesienie się poziomu Oceanu Atlantyckiego w ciągu ostatnich 10 tys. lat spowodowało również przekształcenie się „zwykłych", deltowych ujść rzecznych w lejkowate (np. Tamiza, Sekwana, Garonna).

Alpejskie ruchy górotwórcze w Europie jeszcze nie ustały i niektóre góry wciąż „rosną", np. Tatry.

Szczególny wpływ na rzeźbę i krajobraz znacznych obszarów Europy wywarły także zlodowacenia, które objęły całą północną i dużą część środkowej Europy. Zlodowacenia pozostawiły ślady nie tylko w postaci malowniczych pojezierzy. Wskutek ochłodzenia klimatu we wszystkich większych górach środkowej i południowej Europy rozwinęły się lodowce górskie (do dziś istniejące zwłaszcza w Alpach), które wyrzeźbiły głębokie, U-kształtne doliny. Nazwa pochodzi od przekroju poprzecznego dolin, natomiast współczesne rzeki wcinają się w skałę i przekrój ma kształt litery „V".

patrz mapa str. **104-105**

Podział polityczny

Pałac Prezydencki w Warszawie obecną nazwę nosi od 1994 r., gdy stał się siedzibą Prezydenta RP. Dawniej nazywano go pałacem Koniecpolskich, a później Namiestnikowskim. Tu w 1955 r. podpisano Układ Warszawski, a w 1989 r. odbyły się obrady Okrągłego Stołu. Przed gmachem stoi pomnik księcia Józefa Poniatowskiego.

Jednym z symboli stolicy Niemiec jest gmach Reichstagu. Budowa parlamentu pod koniec XIX w. została sfinansowana z francuskich reparacji wojennych po wojnie francusko-pruskiej. Podczas przebudowy w latach 90. XX w. gmach został przykryty wielką elipsoidalną kopułą, w której znajduje się taras widokowy.

Europa – kontynent przez pół wieku podzielony żelazną kurtyną – powoli jednoczy się w organizacjach politycznych i militarnych. Do Unii Europejskiej i NATO wstępują nowe państwa z Europy wschodniej i południowej. Nowe konstelacje polityczne nie niwelują jednak poważnych różnic pomiędzy państwami europejskimi.

Europa to trzy wielkie kręgi językowe i kulturowo-religijne. Północna i zachodnia część kontynentu to Europa germańska. Ludność tego regionu posługuje się językami z grupy germańskiej: angielskim, niemieckim, niderlandzkim i językami skandynawskimi, i należy głównie do różnych kościołów protestanckich. W Austrii i południowych Niemczech większość ludności należy do Kościoła rzymskokatolickiego. Zachodnią i południową część kontynentu zamieszkuje ludność romańska, należąca w większości do Kościoła rzymskokatolickiego. Wschód Europy to państwa słowiańskie, wśród których Polska, Czechy, Słowacja, Słowenia i Chorwacja należą do kręgu łacińskiego, związanego z Kościołem rzymskokatolickim, natomiast pozostałe narody słowiańskie wschodniej Europy i Bałkanów należą do prawosławnego kręgu kulturowo-religijnego. Do tego kręgu należy także Rumunia oraz Mołdawia. Oprócz trzech głównych grup Europę współtworzą Bałtowie (Litwa, Łotwa), narody ugrofińskie (Węgrzy, Finowie, Estończycy), narody autonomicznych republik rosyjskich, Celtowie (Irlandia, część ludności Wielkiej Brytanii i Francji), Grecy oraz dwa narody uznawane w Europie za pierwotne: Baskowie (Hiszpania i Francja) oraz Albańczycy (Albania, Serbia i Czarnogóra, Macedonia). Na Bałkanach, Krymie oraz Powołżu licznie zamieszkuje ludność muzułmańska. Islam na Bałkanach jest efektem wielowiekowego panowania na tym terenie Turcji. W niektórych krajach muzułmanie stanowią dominującą część ludności (Albania, Bośnia i Hercegowina, europejska część Turcji). Liczne grupy muzułmanów zamieszkują zachodnią Europę. Są to emigranci i ich potomkowie pochodzący głównie z krajów arabskich i Afryki (Francja, Hiszpania, Włochy, Belgia), Azji, głównie Indii i Pakistanu (Wielka Brytania) lub Turcji (Niemcy).

Londyński pałac Buckingham od czasów królowej Wiktorii, czyli od połowy XIX w. jest oficjalną rezydencją rodziny królewskiej. Nazwa pochodzi od nazwiska pierwszego właściciela, lorda Buckingham. Przed pałacem w Memorial Gardens stoi pomnik królowej Wiktorii.

patrz mapa str. **106-107**

Europa Środkowa

Polska i kraje z nią sąsiadujące (wschodnie Niemcy, Czechy, Słowacja, zachodnie części Białorusi i Ukrainy) zajmują większą część regionu Europy Środkowej. W przeszłości był to obszar szczególnie niespokojny. W ciągu kilku wieków krzyżowały się tu interesy trzech mocarstw: Rosji, Austro-Węgier i Niemiec. Na początku XIX w. przez tę część Europy przeszła armia Napoleona, a w zmaganiach II wojny światowej starły się wojska Hitlera i Stalina. Stąd też szczególne, często tragiczne położenie Polski, która na przemian pozostawała w strefach wpływów Rosji (a następnie ZSRR) i Niemiec. Wielkie działania wojenne umożliwiał charakter środowiska naturalnego. Pomiędzy Morzem Bałtyckim na północy, a Karpatami, Sudetami i Średniogórzem Niemieckim na Niżu Środkowoeuropejskim dość łatwo było prowadzić ofensywy: jedyną poważniejszą przeszkodą pozostawały trudne do sforsowania rzeki – Łaba, Odra i Wisła. Wspólne oddziaływanie historii i środowiska naturalnego sprawiło, że najstabilniejsze historycznie są granice górskie w południowej części regionu – w Karpatach, Sudetach, Rudawach, Lesie Czeskim i Szumawie. Obecna zróżnicowana struktura społeczno-gospodarcza regionu jest pochodną procesów historycznych. Żelazna kurtyna, która opadła po II wojnie światowej, wpłynęła na losy milionów ludzi, ale i spowodowała zróżnicowanie rozwoju gospodarczego. Najlepiej rozwinięte są Niemcy i Austria, słabiej – Polska, Czechy, Słowacja i Węgry. Stabilność polityczną i ekonomiczną regionu warunkuje w dużej mierze członkostwo w Unii Europejskiej (od maja 2004 r.) części państw dawnego bloku komunistycznego.

Poszczególne kraje Europy Środkowej są dość jednolite etnicznie. Najliczniejsze mniejszości występują w Polsce (Niemcy, Ukraińcy, Białorusini) oraz na pograniczu słowacko-węgierskim (przemieszanie Słowaków i Węgrów). Pod pewnymi względami wyróżnia się południowa część regionu: na obszarze dawnej monarchii austro-węgierskiej nadal można zauważyć pewne cechy wspólne, wykształcone pod berłem Habsburgów; wystarczy odwiedzić np. Pragę, Wiedeń, Kraków, Lwów czy Koszyce.

W Europie Środkowej wielką popularnością cieszą się uzdrowiska. Bardzo znane i od dawna zagospodarowane są czeskie cieplice, a wśród nich najsłynniejsze Karlowe Wary, czyli dawny Karlsbad. Karlowe Wary słyną też z wyrobu doskonałej ziołowej wódki Becherovki.

Leżące na granicy Polski i Słowacji Tatry to najwyższe pasmo regionu, jedyne o rzeźbie alpejskiej i bardzo malowniczych krajobrazach. Tatry są chronione od 1937 r., a parki narodowe powstały w 1949 r. (słowacki) i w 1954 r. (polski). W 1993 r. utworzono Tatrzański Rezerwat Biosfery.

W 2001 r. w czeskim Temelinie oddano do użytku jedną z największych elektrowni jądrowych w Europie (łączna moc dwóch reaktorów 1962 MW). Jej uruchomienie poprzedziły gorące protesty przeciwników wykorzystania energii jądrowej. Zaspokaja ona ponad 20% czeskiego zapotrzebowania na energię.

patrz mapa str. 112-113

Rumunia, Bułgaria, Węgry, Siedmiogród

Jednym z najbardziej znanych i charakterystycznych obiektów architektonicznych Budapesztu jest budynek węgierskiego parlamentu (Országház), jeden z największych w Europie. Powstał on na przełomie XIX i XX w. Jego neogotycka i eklektyczna architektura początkowo budziła wiele kontrowersji.

We wschodniej części Bałkanów zachowało się wiele zabytków kultury prawosławnej, szczególnie monastyry. Najsłynniejszy z nich, założony jeszcze w X w. znajduje się w bułgarskich górach Riła, na południe od Sofii. Na dziedzińcu wznosi się cerkiew Narodzenia Najświętszej Marii Panny.

Węgierskie wina, choć mniej znane na świecie niż francuskie czy włoskie, z pewnością nie ustępują im jakością i smakiem. Z Węgier pochodzą słynne wina tokajskie, znane z charakterystycznej złocistej barwy. Inne znane regiony winiarskie to Eger, Villány, Balaton i Szekszárd.

Bogata przeszłość historyczna, sięgająca czasów rzymskich, późniejsze wpływy Imperium Otomańskiego, Austro-Węgier, a następnie Związku Radzieckiego sprawiły, że obszar zajmowany przez Rumunię, Bułgarię i Węgry jest wyjątkowo zróżnicowany pod względem kulturowym i gospodarczym. Zróżnicowanie dotyczy również środowiska naturalnego – górskie obszary Karpat oraz nizinne w dorzeczu dolnego Dunaju, do dziś stanowią poważną barierę komunikacyjną. Jest to region rolniczo-przemysłowy, niestety – poza Węgrami – nie najlepiej rozwinięty gospodarczo. Występują tu natomiast złoża ropy naftowej, gazu ziemnego oraz rud metali.

Odmiennym krajem w skali całej Europy są Węgry. Państwo w końcu X w. założyli Madziarzy – lud ugrofiński, pierwotnie zamieszkujący tereny na południe od Uralu. Przywędrowali do Europy podbijając napotkane po drodze plemiona i państwa, zaś zatrzymali się na obszarze Wielkiej Niziny Węgierskiej ponoć dlatego, że krajobraz stepowej puszty najbardziej przypominał ich rodzinne strony.

Mniej szczęścia w samostanowieniu mieli Bułgarzy i Rumuni. Choć ci pierwsi własne państwo na terenie dzisiejszej północno--wschodniej Bułgarii założyli już w 681 r. po podporządkowaniu plemion słowiańskich (wcześniej państwa zakładane przez Protobułgarów istniały pomiędzy Morzem Kaspijskim i Czarnym), to późniejszy turecki podbój przekreślił samodzielność państwową wszystkich ludów bałkańskich. Niepodległość umożliwił początek rozpadu Imperium Otomańskiego w końcu XIX w. Dzisiaj Bułgaria, Rumunia i Węgry są członkami Unii Europejskiej.

Bardzo bogatą przeszłość ma należący obecnie do Rumunii Siedmiogród, czyli Transylwania. Był on nie tylko w rękach Węgrów (dziś jest tam silna mniejszość węgierska – około 1,5 mln), Polaków, Turków czy austriackich Habsburgów, ale pewna część była nawet we władaniu Krzyżaków (początek XIII w.).

patrz mapa str. **114-115**

Karpaty

Karpaty to jeden z większych masywów górskich w Europie (długość około 1300 km, szerokość 100–300 km). Ciągną się łukiem od przełomu Dunaju pod Bratysławą do przełomu Żelaznej Bramy w Rumunii. Najczęściej wydziela się Karpaty Zachodnie, Wschodnie i Południowe. Najwyższym szczytem jest tatrzański Gierlach (2655 m n.p.m.), położony na Słowacji w pobliżu granicy z Polską, ale warto pamiętać, że w Karpatach Południowych wiele szczytów osiąga wysokość powyżej 2500 m n.p.m. Karpaty zostały wypiętrzone i sfałdowane w ostatniej orogenezie – alpejskiej. Charakterystyczną cechą alpidów w Europie jest istnienie zewnętrznej strefy fliszowej – formacji geologicznej zbudowanej z piaskowców i łupków ilastych. Wewnątrz tej strefy znajdują się trzony krystaliczne, powstałe na bazie skał wapiennych (granitoidy, łupki), a także nieskrystalizowane masywy wapienne (np. Pieniny). W Karpatach i na ich przedpolu wskutek działania różnych procesów geologicznych powstało wiele złóż surowców mineralnych. Do najważniejszych należą złoża gazu ziemnego i ropy naftowej, węgla oraz różnorodnych rud metali, surowców chemicznych i skalnych. Polska część Karpat to kolebka przemysłu naftowego. W 1854 r. Ignacy Łukasiewicz, wynalazca lampy naftowej, uruchomił pierwszą na świecie kopalnię ropy we wsi Bóbrka koło Krosna.

Jednak obecnie nie jest to region przemysłowy, raczej słabo rozwinięty gospodarczo, ale za to niewiele przekształcony i dlatego bardzo atrakcyjny turystycznie. Znane są uzdrowiska, zwłaszcza polskie (Krynica Zdrój), słowackie (Pieszczany) i rumuńskie (Sinaia). Na pograniczu Polski, Słowacji, Ukrainy i Węgier w 1993 r. utworzono Euroregion Karpaty, który ma wspierać rozwój współpracy transgranicznej.

Na dużych obszarach Karpat przetrwało tradycyjne pasterstwo, ale także tradycje lokalnych kultur. Wiele pięknych cerkwi, zwłaszcza rumuńskich (Bukowina, Maramures) wpisano na Listę Światowego Dziedzictwa Kulturalnego i Przyrodniczego UNESCO.

Najwyższym szczytem Karpat jest Gierlach (2655 m n.p.m.). Nie leży on w głównym grzbiecie Tatr, po którym biegnie granica polsko-słowacka, ale w jego południowym odgałęzieniu. Zbudowany jest – podobnie jak całe Tatry– z paleozoicznego trzonu krystalicznego, wypiętrzonego podczas orogenezy alpejskiej.

Bukowina to kraina historyczna we wschodniej części Karpat Wschodnich, jeden z najmniej przekształconych obszarów regionu. Choć mieszały się tu różne kultury i narodowości – głównie Ukraińcy, Rumuni, oraz Polacy, Żydzi, Niemcy i Ormianie, nie wybuchały nigdy konflikty, a region nazywano „Krainą Łagodności".

Góry Fogaraskie to najwyższe pasmo Karpat Południowych i równocześnie Rumunii, gdzie szczyty osiągają ponad 2500 m n.p.m. (Moldoveanu 2543 m n.p.m.). Spotyka się tu stada kozic i ... skorpiona karpackiego.

patrz mapa str. 116-117

Kraje alpejskie

Najwyższy szczyt Alp – Mont Blanc, osiąga 4807 m n.p.m. i leży na granicy trzech państw: Francji, Włoch i Szwajcarii. Masyw ma kształt piramidy i spływają z niego liczne lodowce, gdyż granica wiecznego śniegu przebiega na wysokości ponad 3000 m n.p.m. W rejonie Mont Blanc bardzo dobrze rozwinęły się sporty zimowe i alpinizm.

Wiedeń, stolica Austrii, to miasto pełne zabytków. Jednym z najbardziej znanych i cennych obiektów jest romańsko-gotycka katedra św. Stefana (na zdjęciu). Wiedeń pełni ważne funkcje administracyjne w skali europejskiej, mieści się tu m.in. jest europejska siedziba ONZ.

Szczególną malowniczość krajobraz alpejski zawdzięcza kontrastowi zielonych, kwiecistych łąk alpejskich i biało-niebieskich lodowców górskich. Największym lodowcem jest Aletsch (powierzchnia 89 km^2, długość 25 km), położony w pobliżu szwajcarskiego ośrodka turystycznego Grindelwald.

Góry, zwłaszcza wysokie, zazwyczaj stanowią poważną barierę komunikacyjną i cywilizacyjną. Inaczej jest w przypadku Alp, w których przynajmniej od XIX w. prężnie rozwija się turystyka. Sprzyjają temu doskonałe warunki rozwoju wielu sportów, zwłaszcza zimowych. Ocenia się, że w Alpy przyjeżdża rocznie nawet 80 mln turystów zagranicznych. Dochody z turystyki wynoszą ponad 50 mld euro.

Alpy były kolebką zimowych igrzysk olimpijskich – po raz pierwszy igrzyska odbyły się w 1924 r. we francuskim Chamonix, potem w Alpach organizowano je jeszcze ośmiokrotnie. Rozwojowi – nie tylko turystyki, sprzyja dobra sieć połączeń komunikacyjnych. Przez Alpy wiodą ważne szlaki tranzytowe łączące kraje północnej i południowej Europy. Pod Alpami przebito wiele tuneli drogowych i kolejowych; najważniejsze i najdłuższe z nich to: Simplon (na trasie Berno–Mediolan, długość 19,8 km – najdłuższy w Alpach), Św. Gotharda (Zurych– – Mediolan), Tauryjski (Salzburg–Villach w Austrii), Arlberg (również w Austrii) oraz tunel pod Mont Blanc.

Alpy, najwyższe góry Europy, ciągną się łukiem o długości ponad 1200 km i szerokości do 280 km, od Zatoki Genueńskiej po Małą Nizinę Węgierską, na terytorium kilku państw (Francja, Włochy, Szwajcaria, Liechtenstein, Niemcy, Austria i Słowenia). Najwyższy szczyt – Mont Blanc, osiąga 4807 m n.p.m. Podobnie jak na innych obszarach górskich oraz w ich pobliżu, w Alpach jest wiele bogactw naturalnych, jednak górnictwo ze względu na ochronę środowiska jest ograniczane. Również rolnictwo przestaje być stałym elementem krajobrazu, zaś ludność w coraz większym stopniu znajduje zatrudnienie w usługach, zwłaszcza w turystyce. Spośród tradycyjnego przemysłu ważną gałąź stanowi hydroenergetyka, znajdująca tu doskonałe warunki w postaci górskich rzek o dużym przepływie i spadkach.

patrz mapa str. **120-121**

89

Niemcy

Państwo, które jeszcze nie tak dawno rozpętało wojnę światową, obecnie stanowi przykład stabilizacji i wzór dobrosąsiedzkich stosunków. Niemcy, które po zjednoczeniu liczą ponad 80 mln mieszkańców, są pierwszą potęgą gospodarczą Europy (1/3 dochodu krajów strefy euro) i trzecią na świecie (po Stanach Zjednoczonych i Japonii), ostatnio są nękane kryzysami wynikającymi z nadmiernych wydatków budżetu państwa, przeznaczanych dla landów wschodnich. Przed wprowadzeniem euro wydatki te wynosiły nawet do 150 mld marek rocznie. Pomoc finansowa wpłynęła na zmniejszenie dystansu w poziomie rozwoju, zwłaszcza infrastruktury. Niestety, nie jest w stanie uzdrowić sytuacji społecznej (stopa bezrobocia we wschodnich Niemczech utrzymuje się na poziomie powyżej 20%).

Podstawą rozwoju Niemiec po 2. wojnie światowej był przemysł, zwłaszcza wydobywczy, elektroenergetyczny, elektromaszynowy (w tym motoryzacyjny) i chemiczny. Wraz z rozwojem gospodarczym udział przemysłu ciężkiego był ograniczany, a przykładem jest choćby zakończona z powodzeniem restrukturyzacja Zagłębia Ruhry – obszaru wydobycia węgla kamiennego i hutnictwa żelaza, gdzie powstała największa konurbacja w Europie (ponad 10 mln mieszkańców). W miejscu przestarzałych zakładów przemysłowych pojawiły się nowoczesne centra badawczo-rozwojowe, stanowiące zaplecze dla rozwoju technopolii, czyli obszarów cechujących się dużą koncentracją firm bazujących na nowoczesnych technologiach.

Z Niemiec wywodzą się największe europejskie koncerny motoryzacyjne: Daimler Benz i Volkswagen, elektrotechniczno--elektroniczny Siemens oraz chemiczne: BASF i Bayer.

Środowisko geograficzne Niemiec i Polski wykazuje podobieństwa wynikające z pasowego układu ukształtowania powierzchni: na północy znajdują się niziny z pobrzeżem i polodowcowymi pojezierzami, dalej biegnie pas starych wyżyn i gór, zaś granica południowa opiera się o Alpy.

Rolę centrum finansowego Niemiec pełni Frankfurt nad Menem. We Frankfurcie znajduje się także największe niemieckie lotnisko, drugie w Europie po londyńskim. Światową sławę przynoszą miastu doroczne targi księgarskie.

Baśniowy zamek w Neuschwanstein w Alpach Bawarskich wybudował w 2. połowie XIX w. ekscentryczny król Ludwik II Bawarski. Kosztowne budowle opróżniły kasę państwową Bawarii, ale dziś 1,5 mln turystów rocznie zwiedzających ten zamek jest poważnym źródłem dochodów.

Hamburg jest największym portem niemieckim i jednym z większych w Europie (ponad 60 mln t przeładunków) oraz ośrodkiem stoczniowym i rafineryjnym. Leży ponad 100 km od ujścia Łaby do Morza Północnego, jednak szerokość i głębokość rzeki pozwala na wpływanie do portu dużych statków.

Francja

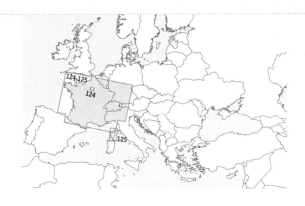

Luwr był w średniowieczu zamkiem obronnym. Założony w 1190 r., był wielokrotnie rozbudowywany. Ostatni raz zmienił wygląd w latach 1981–93, kiedy na dziedzińcu pojawiła się szklana piramida, projektu amerykańskiego architekta Ieoh Ming Pei. Muzeum Luwru ze swoimi bogatymi zbiorami sztuki należy do największych na świecie.

Opactwo Św. Michała w Bretanii bywa nazywane ósmym cudem świata. To niezwykłe połączenie monumentalnej, gotyckiej architektury z siłami przyrody: bardzo wysokie pływy morskie (do 15 m) sprawiają, że w zależności od pory dnia kompleks jest wyspą lub półwyspem.

Dyżą atrakcją turystyczną jest dolina Loary (wpisana na Listę Światowego Dziedzictwa Kulturalnego i Przyrodniczego UNESCO). W średniowieczu był to region ważny strategicznie, dlatego zbudowano tu wiele wspaniałych zamków. Niektóre przetrwały do dziś, jak zamek w Chinon (na zdjęciu).

Francja to państwo, które odgrywa bardzo ważną rolę w historii i kulturze Europy. Obecnie wraz z Niemcami stanowi główny rdzeń integrującego się kontynentu. To właśnie francusko-niemieckie pojednanie po II wojnie światowej dało początek zacieśniającej się współpracy i integracji – najpierw zachodniej, a po upadku systemu komunistycznego – także środkowo-wschodniej Europy.

Francja jest pod wieloma względami krajem wysoko rozwiniętym gospodarczo. Szczególnie dobrze rozwinął się przemysł środków transportu, głównie samochodowy (Renault, Peugeot), taboru kolejowego, lotniczy (samoloty wojskowe Mirage), a także kosmiczny (rakiety Ariane). Siedzibą największego konsorcjum lotniczego w Europie – Airbus Industrie – jest Tuluza. Szczególną rolę odgrywa przemysł spożywczy, zaś kuchnia francuska uważana jest przez wielu smakoszy za najlepszą i najbardziej wykwintną na świecie. Cenione są wina, sery (których jest ponad 300 gatunków) oraz owoce morza, w których produkcji Francja zajmuje czołowe miejsce na świecie. Szczególną rolę w skali Europy odgrywa francuskie rolnictwo, które otrzymuje bardzo wysokie dopłaty bezpośrednie związane ze wspólną polityką rolną krajów Unii Europejskiej. Należy też wspomnieć o francuskim przemyśle perfumeryjnym i o Paryżu jako stolicy światowej mody. Francja to również jedno z ważniejszych centrów turystyki nie tylko w Europie, ale i na całym świecie. Turystów (ponad 80 mln rocznie) przyciągają zabytki kultury i sztuki, sięgające czasów rzymskich, ale i bardziej współczesne (jak choćby słynna paryska wieża Eiffla czy Centrum Pompidou), bogate muzea (tylko w paryskim Luwrze zgromadzonych jest około 30 mln eksponatów – tyle, ile we wszystkich muzeach w Polsce), wreszcie uroki śródziemnomorskich plaż na Lazurowym Wybrzeżu. Szczególną rolę odgrywa stolica. Paryż jest metropolią w skali światowej, zwłaszcza w dziedzinie kultury.

Wysokiemu poziomowi rozwoju towarzyszą napięcia społeczne. Są one związane z dużym udziałem imigrantów (ponad 10% ludności), zwłaszcza z muzułmańskich krajów Afryki Północnej.

patrz mapa str. **124-125**

Kraje Beneluksu

Nazwa „Beneluks" powstała z pierwszych sylab nazw trzech państw: Belgii (Belgique), Holandii (Nederland) i Luksemburga (Luxembourg). W praktyce oznacza unię gospodarczą, realizowaną na podstawie umowy podpisanej w Hadze w 1958 r. na 50 lat. Umowa przewidywała pełną integrację rynkową, przy czym już wcześniej wprowadzono wspólną walutę (1943 r.) i przepisy celne (1948 r.).

Jednym z charakterystycznych obiektów Brukseli jest Manneken-Pis, czyli siusiający chłopczyk. Najbardziej zabawna fontanna Belgii pochodzi z 1619 r. i odlana jest z brązu. Jak głosi legenda, chłopiec pokazanym w rzeźbie gestem uratował miasto od pożaru. Dziś chłopiec kolekcjonuje stroje, których ma już kilkaset z całego świata, w tym kopię polskiej husarskiej zbroi z XVII w.

Można zatem uważać, że to właśnie Beneluks przetarł ścieżkę integracji europejskiej oraz że doświadczenia zdobyte przez te trzy kraje wiele wniosły do przyszłego modelu integracji. Nieprzypadkowo zatem stolica Unii Europejskiej znajduje się w Brukseli.

Beneluks zamieszkuje łącznie około 27 mln mieszkańców, z czego ponad połowa przypada na Holandię. Jest to obszar dość specyficzny kulturowo, głównie za sprawą Belgii. Dzieli się ona bowiem na część flamandzką (północną) i walońską (środkową i południową), gdzie mówi się różnymi językami (flamandzki jest dialektem niderlandzkiego, a waloński – francuskiego). Ponadto znany jest szczególny liberalizm obyczajowy, zwłaszcza w Holandii. Pod względem gospodarczym Beneluks to jeden z najlepiej rozwiniętych regionów Europy. Stąd pochodzi koncern Philips, zaś jego zakłady w Eindhoven to jedne z największych tego typu na świecie. Największy na świecie jest natomiast kompleks rafineryjny zlokalizowany w pobliżu portu w Rotterdamie – również zajmującego pierwsze miejsce pod względem przeładunków (około 300 mln t rocznie). Słynne są szlifiernie diamentów w Amsterdamie. Rolnictwo, zwłaszcza holenderskie, uważane jest za jedno z najwyżej rozwiniętych na świecie.

Bruksela pełni bardzo ważne funkcje administracyjne. To nie tylko stolica Belgii, ale także siedziba najwyższych władz Unii Europejskiej, europejskiego dowództwa NATO (na zdjęciu), a także wielu korporacji transnarodowych i instytucji, zwłaszcza w zakresie handlu i finansów. Ta ostatnia cecha wyróżnia także Luksemburg.

Zamek Vianden w Luksemburgu jest jedną z największych romańsko-
-gotyckich rezydencji feudalnych w Europie. Był siedzibą książąt Vianden,
później niemieckiego rodu Nassau, a także kolebką dynastii Orange-Nassau.
Od 1977 r. zamek jest własnością państwa. Odbywają się w nim koncerty,
wystawy, i przedstawienia teatralne.

Duża gęstość zaludnienia sprawia, że w Holandii brakuje terenów,
zwłaszcza pod uprawę, dlatego utworzono tu pierwsze poldery
– tereny wydarte morzu, powstałe przez usypanie wałów
i osuszenie obszaru wewnątrz nich. Są to bardzo żyzne tereny uprawne,
ze względu na bogate w próchnicę i związki mineralne gleby aluwialne.
Na polderach w szczególności uprawia się kwiaty, zaś Holandia
jest głównym światowym producentem cebulek kwiatowych.

Holandia znana jest z dbałości o środowisko przyrodnicze
oraz z wykorzystania energii naturalnej. Pierwsze wiatraki
służące do przepompowywania wody zbudowano w XIII–XIV w.
Dziś urządzenia wykorzystujące siłę wiatru są charakterystycznym
elementem krajobrazu rolniczego kraju.

Holandia słynie także z upraw kwiatowych, rozwiniętych zwłaszcza na nadmorskich polderach. Kraj jest głównym światowym producentem cebulek kwiatowych,
zwłaszcza tulipanów, które sprowadzono do Europy z Turcji w XVI w. Z lotu ptaka widać, jak uprawy kwiatów tworzą wielobarwne pola.

patrz mapa str. **126**

Małe państwa

W Europie istnieje kilka nietypowych, bardzo małych państw. Ich powstanie jest wynikiem przede wszystkim skomplikowanej przeszłości historycznej. Andora, Liechtenstein, Luksemburg i Monako do dziś pozostają samodzielnymi księstwami. San Marino zostało założone jako komuna miejska. Malta rozwinęła się jako ośrodek zakonu joannitów, a później była głównie brytyjską bazą wojenną w ważnym strategicznie punkcie (podobnie jak Gibraltar).

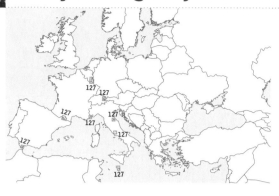

Do dziś zresztą status niektórych małych państw europejskich w świetle różnych umów międzynarodowych trudno uznać za całkowicie niezależny. Niektóre z tych krajów nie są zainteresowane samodzielnością – np. mieszkańcy Gibraltaru w referendum w 2002 r. opowiedzieli się za przynależnością do Wielkiej Brytanii. Małe państwa w wielu dziedzinach gospodarki nie są samowystarczalne, a nawet głęboko uzależnione, np. od dostaw energii. W sumie w prezentowanych na stronie 127 8 krajach, o różnym stopniu samodzielności, mieszka nieco ponad 1 mln mieszkańców, z czego 874 tys. w Luksemburgu i na Malcie (notabene są to jedyne z tych małych państw będące członkami Unii Europejskiej). Dzięki splotowi najczęściej szczęśliwych okoliczności, małe państwa są bardzo bogate. Szacuje się, że produkt krajowy brutto na jednego mieszkańca przekracza często 50 tys. dolarów.

Dochody Watykanu pochodzą głównie z opłat i ofiar składanych poprzez diecezje przez wyznawców Kościoła katolickiego na całym świecie oraz z turystyki. Watykan nie jest państwem działającym wyłącznie według reguł rynkowych, a wydatki przeznaczane są nie tylko na funkcjonowanie najwyższych władz kościelnych, ale i rozwój Kościoła katolickiego na całym świecie.

Monako do dziś formalnie pozostaje samodzielnym księstwem. Turystów – głównie tych bogatych – przyciąga słynne kasyno oraz wyścigi samochodowe Monte Carlo. Bardzo opłacalna dla budżetu państwa jest też emisja unikatowych znaczków pocztowych. Cały kraj to właściwie gęsto zaludnione miasto Monte Carlo (ponad 30 tys. mieszkańców na niespełna 2 km² powierzchni), leżące na Lazurowym Wybrzeżu.

San Marino słynie z malowniczych zamków na urwistych skałach (na zdjęciu widok na Monte Titano). Mniej znany jest fakt, że jest to najdłużej istniejące państwo na świecie o niezmienionym przebiegu granicy państwowej (od 885 r.). Początki San Marino sięgają IV w.

Gibraltar, urwista wapienna skała wznosząca się 425 m nad lustro wody, strzeże wąskiego przesmyku pomiędzy Morzem Śródziemnym a Oceanem Atlantyckim. W tym miejscu Europę od Afryki dzieli zaledwie 14 km. Na cyplu jest tak mało miejsca, że lotniczy pas startowy jest jednocześnie drogą samochodową, a ruch odbywa się przemiennie.

Malta rozwinęła się jako ośrodek zakonu joannitów, a później była głównie brytyjską bazą wojenną w ważnym strategicznie punkcie (podobnie jak Gibraltar). W 2004 r. – wraz z Polską i dziewięcioma innymi krajami – weszła jako najmniejsze państwo w skład Unii Europejskiej. W krajobrazie charakterystyczne są wapienne wzgórza.
W gospodarce Malty ważną rolę odgrywa turystyka i usługi portowe.

Bazylika św. Piotra w Watykanie to jeden z największych kościołów na świecie. Długość nawy wynosi 186 m, wysokość centralnego sklepienia 23 m, średnica wewnątrz kopuły 43,5 m, a wysokość wewnętrzna 119 m. Olbrzymi plac św. Piotra, którego dłuższa oś ma 240 m, otacza słynna kolumnada projektu Lorenza Berniniego, zwieńczona 140 figurami świętych. Podobno koszt kolumnady przekroczył sumy wydane na Bazylikę.

patrz mapa str. 127

Hiszpania i Portugalia

Lizbona liczy niecałe 600 tys. mieszkańców, ale cała aglomeracja prawie 3 mln. Jednym z podmiejskich ośrodków jest Belém, które słynie z zespołu klasztornego z warowną wieżą w stylu manuelińskim z XVI w. (na zdjęciu), obecnie wpisanego na Listę Światowego Dziedzictwa Kulturalnego i Przyrodniczego UNESCO.

Ibiza to jedna z trzech największych wysp archipelagu Balearów. Podobnie jak pozostałe wyspy, słynie z turystyki. Na wyspie są 33 plaże, a wzdłuż wybrzeża – niewielkie, błękitne zatoczki i podwodne jaskinie. Ibiza znana jest z nocnego życia, dużym powodzeniem cieszą się zwłaszcza dyskoteki, których w sezonie na wyspie działa ponad 100.

Na Półwyspie Iberyjskim pozostało wiele śladów z czasów rzymskich. Jednym z nich jest dwupoziomowy akwedukt w Segowii (I–II w. n.e.), którym w starożytności dostarczano czystą wodę.

Hiszpania i Portugalia zajmują cały – z wyjątkiem Gibraltaru – Półwysep Iberyjski. Nadmorskie położenie przyczyniło się do stworzenia przez te kraje w przeszłości imperiów kolonialnych, i sprzyjało żeglarskim wyprawom. Niegdyś potęgi polityczne, w ciągu ostatnich kilku stuleci kraje te straciły jednak wiele na znaczeniu.

Obecnie do Hiszpanii i Portugalii kieruje się znaczna część zagranicznego ruchu turystycznego, przypadającego na Europę (ponad 70 mln osób rocznie). Turystów kuszą przede wszystkim gorące plaże, jak na przykład słynna katalońska Costa Brava, czy plaże na Wyspach Kanaryjskich. Wpływy z turystyki przekraczają w Hiszpanii 50 mld dolarów rocznie, a 1/4 z tego pochodzi z archipelagu Balearów (Ibiza, Majorka, Minorka). Dla turystów spragnionych bardziej duchowych wrażeń pozostały niezliczone zabytki przebogatej kultury i sztuki z czasów świetności obu mocarstw (portugalska Coimbra, Porto i Lizbona, hiszpański Madryt, Barcelona, Sewilla, Kadyks, Toledo czy Granada). Współcześnie rola Hiszpanii i Portugalii w dziedzinie kultury jest nadal bardzo ważna, zwłaszcza w literaturze, malarstwie i sztuce filmowej.

Ukształtowanie powierzchni i krajobraz w obu krajach są dość podobne. Wnętrze półwyspu zajmuje wyżynno-górska Meseta, na którą składa się wiele pasm i masywów. Wybrzeża często są strome i urwiste, a przez to niezwykle malownicze. W hiszpańsko-francuskich Pirenejach najwyższe szczyty przekraczają 3000 m n.p.m., w partiach zbudowanych z wapieni rozwinęły się zjawiska krasowe, a na północnych stokach – niewielkie lodowce.

Portugalia jest w zasadzie krajem jednolitym etnicznie, Hiszpania – wielonarodowościowym. Oprócz Hiszpanów (3/4 liczby ludności) kraj zamieszkują Katalończycy, Galicyjczycy i Baskowie. Ci ostatni, których jest około 900 tys., znani są z bardzo silnych dążeń separatystycznych i uciekania się, w celu uzyskania autonomii, do niejednokrotnie krwawej przemocy.

Oba kraje wiele skorzystały na integracji europejskiej, zwłaszcza w dziedzinie infrastruktury technicznej.

patrz mapa str. **130-131**

Włochy

Najstarsza część Wenecji leży na 118 wyspach, rozdzielonych około 150 kanałami. Największy z nich – Wielki Kanał (na zdjęciu) liczy ponad 4 km długości. Ponadto wyspy łączy około 400 mostów. Wenecję i lagunę, nad którą leży, wpisano na Listę Światowego Dziedzictwa Kulturalnego i Przyrodniczego UNESCO.

Rzym – Wieczne Miasto – był niegdyś największą metropolią świata, dziś jest jedną z ważniejszych w Europie. Stanowi jeden z najcenniejszych zespołów architektoniczno-urbanistycznych świata, zaś śródmieście wpisano na Listę Światowego Dziedzictwa Kulturalnego i Przyrodniczego UNESCO. Szczególnie cenne są zabytki antyczne, jak np. Koloseum.

Obszar Włoch jest aktywny sejsmicznie, częste są trzęsienia ziemi i wybuchy wulkanów, w tym najwyższego w Europie – Etny na Sycylii (około 3350 m n.p.m.). Stoki góry w niższych partiach są gęsto zaludnione i użytkowane rolniczo. Od V w. zanotowano 80 dużych wybuchów. Ostatnia erupcja miała miejsce w 2008 r.

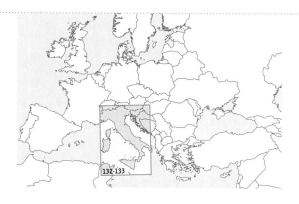

W sensie kulturowym Włochy to przede wszystkim kolebka cywilizacji łacińskiej, a w sensie gospodarczym i przyrodniczym – kraj bardzo zróżnicowany. Na północy granica prowadzi przez Alpy, a urozmaiconą linię brzegową oblewają mniejsze akweny Morza Śródziemnego. Wnętrze Półwyspu Apenińskiego, na którym leży przeważająca część kraju, przecinają góry o tej samej nazwie. Do Włoch należą ponadto dwie duże wyspy – Sardynia i Sycylia, oraz setki małych wysepek. Na Półwyspie Apenińskim, wskutek dużego zróżnicowania budowy geologicznej i rzeźby, a także klimatu (od górskiego w Alpach do różnych odmian podzwrotnikowego na pozostałym obszarze kraju) – występuje ogromne zróżnicowanie krajobrazów i formacji roślinnych. Na północy są lodowce i wieczne śniegi, a dalej na południe gaje pomarańczowe i oliwne, ale także suche zarośla typu makii.

Wskutek uwarunkowań historyczno-gospodarczych lepiej rozwinięta jest część północna (Piemont, Lombardia, Liguria). Tam też znajduje się aglomeracja Mediolanu – głównego ośrodka gospodarczego, handlowego i finansowego. Włochy są znane z produkcji maszyn i urządzeń (między innymi koncern motoryzacyjny Fiat w Turynie, założony w 1899 r., wiele zakładów sprzętu gospodarstwa domowego). Włochy są także drugim na świecie producentem wina (po Francji). Część południowa półwyspu wraz z wyspami to region znacznie słabiej rozwinięty gospodarczo.

Włoskie uniwersytety bardzo wiele wniosły w rozwój intelektualny Europy, a uniwersytet w Bolonii był pierwszy na świecie. Włochy to również region bardzo atrakcyjny turystycznie, przede wszystkim ze względu na piękne i dobrze zachowane zabytki kultury antycznej, renesansowej i barokowej. Turystów zagranicznych (ponad 40 mln rocznie, ponad 40 mld dolarów wpływów) przyciągają tak znane miasta jak Wenecja, Florencja, Neapol oraz przede wszystkim Rzym (w tym państwo kościelne Watykan, cel licznych pielgrzymek). W Alpach rozwijają się sporty zimowe, a przy piaszczystych plażach powstały słynne kurorty (Capri, Rimini, San Remo).

patrz mapa str. **132-133**

Półwysep Bałkański – część zachodnia

Albania jest krajem górzystym, a najwyższy szczyt – Korab
(leżący w górach o tej samej nazwie na granicy z Macedonią),
osiąga 2764 m n.p.m. Równocześnie jest to najsłabiej – obok Mołdawii
– rozwinięty kraj w Europie.

Adriatyk kusi turystów zwłaszcza malowniczym wybrzeżem
typu dalmatyńskiego. Powstało ono wskutek transgresji morza
(podniesienie poziomu oceanu spowodowało zalanie lądu), a jego
charakterystyczną cechą są podłużne, równoległe do lądu wyspy.
Wybrzeże dalmatyńskie ma długość około 400 km.

W krajach dawnej Jugosławii powszechne są zjawiska krasowe,
polegające na rozpuszczaniu skał, głównie wapiennych, przez wody
powierzchniowe i podziemne. W trakcie tego procesu powstaje
wiele fantastycznych form, np. stalaktyty (powstające u stropu jaskiń)
i stalagmity (na dnie).

Bałkany w przeszłości historycznej były zawsze
regionem niespokojnym. Wielkie zróżnicowanie etniczno-kulturowe
i religijne powodowało liczne konflikty. Ostatni z nich,
spowodowany rozpadem Jugosławii, był największym konfliktem
wojennym w Europie po II wojnie światowej.
Na mozaikę kulturową nałożyło się zróżnicowanie środowiska,
zwłaszcza ukształtowania powierzchni. Nieprzypadkowo
partyzantka jugosłowiańska podczas II wojny światowej
była jednym z najskuteczniejszych i najtrudniejszych do pokonania
ruchów oporu. Przeważającą część Półwyspu zajmują góry.
Najdłuższym pasmem są ciągnące się wzdłuż wybrzeża
Morza Adriatyckiego Góry Dynarskie. Leżą one na terytorium
kilku państw: Chorwacji, Słowenii, Bośni i Hercegowiny,
Serbii oraz Czarnogóry. Charakterystyczne są zjawiska krasowe
– najrozleglejsze i najlepiej rozwinięte w całej Europie.
Ich nazwa pochodzi od gór Kras (Karst) w Słowenii;
znajduje się tam m.in. słynna wielka jaskinia Postojna, w której
uruchomiono nawet podziemną kolejkę dla turystów.
Po II wojnie światowej Bałkany znalazły się w strefie wpływów
Związku Radzieckiego, ale Jugosławia pozostawała państwem
dość niezależnym i stosunkowo dobrze rozwiniętym gospodarczo.
Reżim komunistów, podtrzymywany autorytetem
Josifa Broz-Tito (1891–1981), rozpadł się na początku lat 90. XX w.
i kraj ogarnęły wówczas tendencje separatystyczne, co doprowadziło
do wybuchu wojny. Pomimo formalnego jej zakończenia
konflikty tlą się do dziś.

Najszybciej z wolnością i niezależnością uporała się Słowenia,
która stanowi obecnie najlepiej rozwinięty kraj regionu.
Szybko rozwija się także Chorwacja. Obydwa te kraje starają się
przyciągnąć turystów zagranicznych.

Bardzo niespokojna jest nadal sytuacja w Macedonii,
gdzie jest duża mniejszość albańska, i w Kosowie, które w wyniku
przeprowadzonej 17 lutego 2008 r. sesji parlamentu w Prisztinie
zadeklarowało zerwanie dotychczas istniejącej federacji z Serbią
i ogłosiło niepodległość. Obecnie na arenie międzynarodowej
Kosowo zostało uznane przez ponad 40 krajów, w tym przez Polskę.

patrz mapa str. **118-119**

Grecja, Cypr, Turcja zachodnia

Obszar pogranicza Europy i Azji na południu zajmują dwa państwa: Grecja i Turcja. Jest to również obszar pogranicza kulturowego, na którym ścierają się do dziś dwie odmienne cywilizacje: chrześcijańska i muzułmańska. Jednym z efektów jest np. nadal nieuporządkowany status wyspy Cypr, która praktycznie jest podzielona na część turecką i grecką, zaś prowadzone od kilkudziesięciu lat negocjacje, w które zaangażowała się także społeczność międzynarodowa, nie przyniosły oczekiwanych rezultatów.

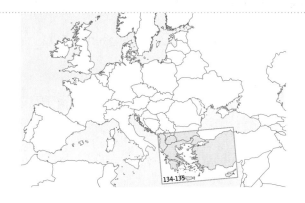

Strome stoki gór schodzących wprost do morza nie stwarzają dobrych warunków dla osadnictwa. Zabudowa greckich miast jest bardzo zwarta, uliczki są strome i kręte. Uwarunkowania klimatyczne, w tym niskie opady sprawiają, że budynki mieszkalne mają na ogół płaskie dachy.

Natomiast wymownym obrazem przemian, jakie zaszły w powojennej Turcji, jest członkostwo tego państwa w NATO i starania o przyjęcie do Unii Europejskiej. Grecja, która tak wiele wniosła do kultury europejskiej i przyczyniła się do ogromnego postępu cywilizacyjnego, obecnie nie odgrywa większej roli gospodarczej. Upadek spowodowały najazdy sąsiednich plemion, długotrwałe pozostawanie w obrębie Cesarstwa Bizantyńskiego, a także kilkusetletni podbój przez Imperium Otomańskie. W 1896 r. Grecja powróciła na mapę kulturalną świata organizując – jako niepodległy kraj i po raz pierwszy w czasach nowożytnych – igrzyska olimpijskie. Po 108 latach, w 2004 r., odbyły się one ponownie w Atenach.

Starożytna kolonizacja grecka pozostawiła po sobie wspaniałe zabytki w wielu miejscach regionu – nie tylko w części europejskiej (Ateny, Sparta), ale także w należącej obecnie do Turcji Azji Mniejszej (Troja, Efez, Milet).

Bogactwo kultury przyczyniło się do znacznego rozwoju turystyki. Dodatkowym atutem są bardzo malownicze, schodzące do morza góry i wiele dobrze zagospodarowanych turystycznie wysp na Morzu Egejskim i Kreteńskim, z najsłynniejszymi z nich – Kretą i Rodos. Łącznie do Turcji, Grecji i na Cypr przyjeżdża rocznie około 40 mln turystów. Wielkim ośrodkiem na pograniczu dwóch części świata jest Stambuł (antyczne Bizancjum). Liczba mieszkańców tej wielkiej aglomeracji przekroczyła 10 mln. Metropolia leży nad Morzem Marmara i cieśniną Bosfor, a Europę i Azję łączą dwa duże mosty.

Greckie Meteory (Wiszące Głazy) to strzeliste skały w kształcie iglic i maczug, o wysokości względnej do kilkuset metrów, zbudowane z piaskowców. Do skał w najbardziej niedostępnych miejscach „przytulone" są średniowieczne klasztory prawosławnych mnichów. Spośród 24 klasztorów obecnie tylko 6 jest zamieszkanych.

W mieście Pamukkale w zachodniej Turcji wielką atrakcją są tarasy utworzone z tufu wapiennego, wytrącającego się z gorących wód mineralnych. Miasto jest znanym uzdrowiskiem, znaleziono tu także ruiny łaźni z czasów rzymskich (starożytne Hierapolis).

patrz mapa str. **134-135**

99

Wielka Brytania i Irlandia

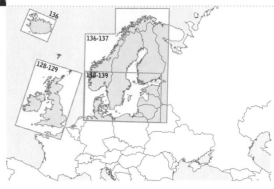

Wyspiarskie położenie spowodowało, że Wielka Brytania znacznie różni się od kontynentu europejskiego, zwłaszcza pod względem kulturowym. Przede wszystkim jednak o specyfice i pozycji Zjednoczonego Królestwa Wielkiej Brytanii i Północnej Irlandii zadecydowało to, że w ciągu ostatnich 200 lat było ono metropolią dla licznych zamorskich kolonii. Język angielski stał się językiem światowym. Do dzisiaj istnieje Wspólnota Narodów, która formalnie zrzesza m.in. pobliską Irlandię, ale i bardziej odległe kraje, jak Kanada, Australia i Indie. Wielka Brytania pozostaje wielkim mocarstwem politycznym i gospodarczym, choć czasy, kiedy Imperium Brytyjskie było główną potęgą światową (koniec XIX w.) minęły raczej bezpowrotnie.

Inna specyfika Wielkiej Brytanii wynika z uwarunkowań prawnych. Na przykład formalnie państwo nie ma konstytucji, a do dziś obowiązuje Wielka Karta Swobód z 1215 r. Nie oznacza to wcale, że anglosaskie prawo (common law), jest przestarzałe, gdyż jest wręcz przeciwnie (opiera się na nim m.in. system prawny Stanów Zjednoczonych). Po trzecie wreszcie, zachował się wyraźny podział kulturowy i – w wielu dziedzinach – administracyjno--prawny na odrębne regiony: Anglię (z Walią), Szkocję i Irlandię Północną. Mają one np. swoje własne drużyny narodowe, uznawane przez Międzynarodowy Komitet Olimpijski i inne branżowe organizacje sportowe.

Niegdyś zacofana gospodarczo Irlandia, drugi kraj leżący na Wyspach Brytyjskich, osiągnęła poziom ekonomiczny wysoko rozwiniętych krajów europejskich, zaś jej przyrost dochodu narodowego w latach 80. i 90. XX w. był najwyższy w Europie. Dzięki korzystnym rozwiązaniom prawnym i niskim podatkom chętnie inwestują tu firmy zagraniczne. W ciągu pięciu lat (1998–2002) saldo inwestycji zagranicznych Irlandii wyniosło 87 mld dolarów (w tym samym czasie w Polsce 33 mld). W ostatnich latach szczególnie rozwija się przemysł wysokich technologii, np. elektroniczny oraz rynek usług komputerowych.

Szkocja jest częścią Zjednoczonego Królestwa Wielkiej Brytanii i Irlandii Północnej. Jest to region górzysty, słabo zaludniony, a w krajobrazie charakterystyczne są rozległe wrzosowiska. W górach z daleka widoczne są majestatyczne średniowieczne zamki, jak prezentowany na zdjęciu gotycki Eilean Donan nad jeziorem Loch Duich.

Krajobraz Irlandii – Zielonej Wyspy – swą różnorodność zawdzięcza bogatej przeszłości geologicznej, w tym działalności wulkanicznej. Droga Gigantów w Irlandii Północnej powstała wskutek szybkiego krzepnięcia i krystalizacji płynącej lawy. Według legend została zbudowana przez mieszkających tu niegdyś olbrzymów.

Rolę światowej metropolii pełni Londyn, który jest uważany za jedno z trzech tzw. miast globalnych (obok Nowego Jorku i Tokio). Aglomeracja Londynu liczy ponad 14 mln mieszkańców. Wielkie znaczenie ma największe w Europie lotnisko Heathrow oraz giełda.

patrz mapa str. **128-129**

Kraje skandynawskie

W Skamdynawii mozna zobaczyć charakterystyczne wybrzeza, powstałe wskutek transgresji morskiej, czyli podniesienia się poziomu oceanu i zalania lądu: w Szwecji szkierowe (na zdjęciu), a w Norwegii – fiordowe. W południowej części Norwegii znajduje się najdłuższy na świecie fiord – Sognefjorden (214 km).

Ze względu na przeszłość historyczną i więzi gospodarcze krajami skandynawskimi początkowo nazywano tylko Norwegię i Szwecję. Obecnie w skład tej grupy wchodzi leżąca na tym samym półwyspie Finlandia, a także Dania (wraz z Grenlandią i Wyspami Owczymi, mającymi bardzo szeroką autonomię) oraz Islandia. Skandynawia jest regionem silnie zróżnicowanym pod względem krajobrazowym. Znajdują się tu Góry Skandynawskie z lodowcami, wybrzeża fiordowe i szkierowe, niziny i liczne pojezierza, z największym w Europie – Pojezierzem Fińskim.

Chłodny klimat sprawia, że jest to region słabo zaludniony (łącznie około 25 mln mieszkańców), o dość trudnych warunkach rozwoju. W przeszłości jednak Duńczycy i Szwedzi stanowili potęgę militarną zdolną podbić znaczną część Europy.

Obecnie wszystkie kraje skandynawskie są zaliczane do grupy państw wysoko rozwiniętych pod względem społeczno--gospodarczym. Norwegia ma jeden z najwyższych na świecie wskaźników dochodu narodowego w przeliczeniu na 1 mieszkańca. Źródłem zamożności są w dużej mierze bogate złoża ropy naftowej i gazu ziemnego na Morzu Północnym i Norweskim oraz złoża rud metali kolorowych. Nadmorskie położenie sprawia, że w krajach skandynawskich rozwinęło się rybołówstwo. Jedne z największych połowów ryb na świecie w przeliczeniu na 1 mieszkańca ma Islandia (powyżej 5 t), a następnie Norwegia – choć jest to wskaźnik dziesięciokrotnie niższy (0,5 t). Natomiast Finlandia i Szwecja szybki wzrost gospodarczy po II wojnie światowej osiągnęły dzięki rozwojowi wysoko zaawansowanych technologii i przemysłu, zwłaszcza elektronicznego (produkcja telefonów komórkowych). Szwecja słynie ponadto z największych w Europie złóż żelaza (Kiruna, Gällivare) oraz znacznych zasobów metali kolorowych. Wysoka lesistość sprawiła, że w Finlandii i Szwecji rozwinął się przemysł drzewno--papierniczy, a kraje te są światowymi potentatami w produkcji celulozy, papieru oraz tektury na 1 mieszkańca.

patrz mapa str. **136-137**

Skandynawia – część południowa

Kopenhaga – stolica Danii – to stolica dość szczególna. W układzie urbanistycznym i fizjonomii miasta zaznacza się brak dzielnicy *city* z wysokimi biurowcami. Większość dzielnic ma niską, kilkupiętrową zabudowę, utrzymaną w duchu niderlandzkiego manieryzmu, baroku i klasycyzmu.

Południowa część Skandynawii leży nad Morzem Bałtyckim. Sprawia to, że coraz ważniejsza staje się współpraca regionalna krajów nadbałtyckich. W portach morskich regionu koncentruje się około 10% tonażu światowej floty rybackiej. Najważniejsze porty to fińskie Helsinki, szwedzki Sztokholm i duńska Kopenhaga, a poza krajami skandynawskimi Petersburg, Tallinn, Ryga, Kłajpeda, Gdańsk, Gdynia, Szczecin i Rostock. Znajdują się tu ważne łowiska łososia, dorsza, śledzia, szprota i węgorza.

Od 2000 r. Danię (wyspę Zelandię) i Półwysep Skandynawski łączy długi most z Kopenhagi do Malmö (na pewnym odcinku przechodzący w podwodny tunel). Dłuższy jest jednak most łączący duńskie wyspy Fionię i Zelandię – z Nyborg do Korsør nad cieśniną Wielki Bełt, jeden z najdłuższych na świecie (18 km). Jest położony tak wysoko, że niekiedy w czasie bardzo silnych wiatrów bywa zamykany ze względów bezpieczeństwa.

Morze Bałtyckie, które jest częścią Oceanu Atlantyckiego, z geologicznego punktu widzenia jest bardzo młode, gdyż ostatecznie powstało po ustąpieniu ostatniego zlodowacenia, a więc zaledwie nieco ponad 10 tys. lat temu. W jego południowej części leżą największe wyspy – Gotlandia, Olandia i Bornholm. Na zachód od tej pierwszej znajduje się największa bałtycka głębia (Landsort, 459 m p.p.m.). W południowej części akwenu pod dnem morskim znajdują się złoża ropy naftowej i gazu ziemnego; ropa jest eksploatowana przez polskie przedsiębiorstwo Petrobaltic. W południowej części Skandynawii koncentruje się większa część ludności i potencjału gospodarczego, natomiast życie i gospodarkę na północy półwyspu znacznie utrudniają surowe warunki klimatyczne.

W południowej części Szwecji po ustąpieniu lądolodu pozostały wielkie jeziora; największe z nich, Wener, liczy 5,5 tys. km² i jest trzecim pod względem wielkości jeziorem w Europie.

patrz mapa str. **138-139**

Estonia, Łotwa, Litwa, Białoruś

W Wilnie koncentruje się znaczna część mniejszości polskiej na Litwie. Znajduje się tu wiele pamiątek historycznych. Szczególnym miejscem dla polskiej świadomości narodowej jest widoczny na zdjęciu cmentarz na Rossie. Są tu groby m.in. Joachima Lelewela, Euzebiusza Słowackiego, Władysława Syrokomli.

Obszar Litwy, Łotwy, Estonii i Białorusi cechuje ukształtowanie nizinne, a najwyższe wzniesienie – Góra Dzierżyńska koło Mińska – osiąga zaledwie 345 m n.p.m. Kraje te jeszcze niedawno były republikami radzieckimi, i kiedy trzy państwa nadbałtyckie w 1991 r. odzyskały niepodległość, zapewne nikt nie przypuszczał, że już za 13 lat będą członkami Unii Europejskiej (wówczas jeszcze EWG). Państwa te w ciągu okresu transformacji dokonały ogromnego postępu społeczno-gospodarczego. Poziom życia, mierzony wielkością dochodu narodowego na 1 mieszkańca, jest porównywalny z warunkami istniejącymi w Polsce czy Słowacji. Najszybszy wzrost notowano w Estonii, do której napłynęły liczne inwestycje zagraniczne, zwłaszcza z bliskiej kulturowo i geograficznie Finlandii.

Odmienną drogą podążała Białoruś. Choć niepodległość uzyskała w tym samym czasie, co republiki nadbałtyckie, szybko utworzyła – wraz z Rosją i Ukrainą – Wspólnotę Niepodległych Państw. Dzisiaj Białoruś praktycznie jest uzależniona od Rosji. Sprzyja temu dość niska świadomość narodowa, zwłaszcza na wsi, uwarunkowana słabym wykształceniem społeczeństwa w przeszłości i długotrwałym pozostawaniem w strefie wpływów Rosji i Rzeczypospolitej. Jeszcze przed II wojną światową zachodnia Białoruś i południowa Litwa z Wilnem wchodziły w skład Polski, a Kresy w świadomości Polaków nadal mają duże znaczenie. Ci Polacy, których na mocy ustaleń jałtańskich i umów międzynarodowych nie wysiedlono, stanowią w tych krajach dość liczne mniejszości.

Załamanie gospodarcze związane z upadkiem ZSRR i zerwaniem dotychczasowych więzi ekonomicznych, z którym poradziły sobie dawne republiki nadbałtyckie, dla Białorusi okazało się dotychczas niemożliwe do pokonania. Rozwojowi społeczno-gospodarczemu nie sprzyja autorytarna polityka rządu i zamknięcie się na świat.

Enklawą Rosji pozostaje obwód kaliningradzki. Ma on znaczenie strategiczne i na zaledwie 15 tys. km^2 utworzono wiele baz wojskowych, a Bałtyjsk jest ważnym portem rosyjskiej marynarki wojennej.

patrz mapa str. **140-141**

Ukraina i Mołdawia

Kijów to jedno z najstarszych miast wschodniej Słowiańszczyzny. Początkowo był stolicą Rusi Kijowskiej, a w XIV–XVII w. znajdował się pod panowaniem Wielkiego Księstwa Litewskiego i Rzeczypospolitej. Pomimo burzliwej historii w mieście zachowało się sporo zabytków, jak np. odnowiony w latach 90. XX w. monastyr św. Michała Archanioła.

Do niedawna radzieckie republiki, dziś stanowią samodzielne państwa, jednak ich sytuacja społeczno-gospodarcza jest bardzo zła. Upadek ZSRR spowodował rozpad dotychczasowych rynków i powiązań gospodarczych, a w następstwie dotkliwy kryzys ekonomiczny. Obecne problemy tych krajów wynikają m.in. z braku konsekwencji w przeprowadzaniu reform gospodarczych i niestabilnej sytuacji wewnętrznej.

Mołdawia pozostaje w silnym uzależnieniu od Rosji. Specyficzna sytuacja występuje w mołdawskim Naddniestrzu, zbuntowanej enklawie, która nie podporządkowuje się rządowi w Kiszyniowie, a raczej ciąży ku Rosji. Dla Mołdawii natomiast ten obszar ma duże znaczenie, gdyż koncentruje się na nim większość strategicznych sektorów gospodarki, w tym energetyka. Ukraina jest krajem bardzo zróżnicowanym – zarówno pod względem przyrodniczym, jak i społeczno-gospodarczym. Większość kraju leży na częściowo stepowych nizinach. Góry wznoszą się tylko na krańcach zachodnich (Karpaty Wschodnie) i południowych (Góry Krymskie). Zachodnia część Ukrainy to Podole, jeszcze przed II wojną światową należące w większości do Polski.

Sewastopol na Krymie to ważny port morski. Od XIX w. był główną bazą floty czarnomorskiej, najpierw Rosji, potem Związku Radzieckiego. Po 1991 r. znalazł się w granicach Ukrainy, jednak Rosja rości sobie do niego pretensje.

Położenie nad Morzem Czarnym warunkuje rozwój funkcji portowych (z Odessą na czele). Turystyka najlepiej rozwinęła się na Krymie. Wschodnia część Ukrainy to region przemysłowy, z dużym udziałem górnictwa węgla kamiennego i bogatych rud żelaza oraz hutnictwa (Zagłębie Donieckie). Z tego powodu jest to obszar silnie przekształcony i bardzo zdegradowany. Na przykład zabudowa hydrotechniczna Dniepru zapewniła Ukrainie bezpieczeństwo energetyczne, ale środowisko przyrodnicze rzeki i sztucznych zbiorników jest w tragicznym stanie. Wielką katastrofą była awaria reaktora jądrowego elektrowni pod Czarnobylem w 1986 r. Napromieniowane zostały setki tysięcy ludzi, głównie na Białorusi, wskutek wiatrów wiejących z południa na północ. Elektrownię ostatecznie zamknięto dopiero w 2000 r.

patrz mapa str. **142-143**

Rosja – część zachodnia

Petersburg to drugi po Moskwie ośrodek gospodarczy i kulturalny Rosji. Założony w 1703 r. przez cara Piotra I, budowany z wielkim rozmachem, miał być wizytówką nowego imperium rosyjskiego. Był jego stolicą w latach 1712–1918. Na zdjęciu twierdza Pietropawłowska na wyspie na rzece Newie.

Moskwa wraz z aglomeracją to jedno z największych miast Europy, stolica Rosji. Na tle kraju wyróżnia się względną zamożnością samego miasta i jego mieszkańców oraz zadbaną architekturą, zwłaszcza w części śródmiejskiej. Na zdjęciu Kreml i cerkiew Wasyla Błogosławionego.

Wschodnią część Europy zajmuje Rosja, jedynie południowo--zachodnie krańce kontynentu leżą w granicach Kazachstanu. To bardzo rozległy obszar (około 5 mln km^2), w przeważającej części nizinny (Nizina Wschodnioeuropejska), ciągnący się aż do Uralu na wschodzie i Kaukazu na południu. Region z północy na południe przecina Wołga – najdłuższa rzeka Europy (3530 km), która wpada do największego bezodpływowego jeziora świata, ze względu na wielkość nazywanego Morzem Kaspijskim.

Na zachodzie leży aglomeracja Moskwy – 13-milionowa metropolia i stolica największego pod względem powierzchni państwa na świecie. Zachodnia część tego obszaru to najlepiej rozwinięty gospodarczo region Rosji. Koncentruje się tutaj większość produkcji przemysłowej Rosji, zwłaszcza branż przetwórczych.

Z południowego Uralu pochodzi połowa wytopionej surówki i stali, z Okręgu Centralnego (m.in. Moskwa, Iwanowo) – większość produktów włókienniczych. Bogate (choć mniejsze niż syberyjskie) są złoża surowców mineralnych, w tym węgla kamiennego (Kamieńsk Szachtyński przy granicy z Ukrainą, Zagłębie Peczorskie), brunatnego (Zagłębie Podmoskiewskie), gazu ziemnego i ropy naftowej (Zagłębie Wołżańsko-Uralskie, region nadkaspijski), rud żelaza i metali kolorowych (m.in. Kurska Anomalia Magnetyczna – obszar zalegania największych na świecie złóż żelaza, o powierzchni 120 tys. km^2, których zasoby są szacowane na 55 mld t, oraz Ural), surowców chemicznych (Półwysep Kolski, Solikamsk). Odkrywane są nowe złoża, np. ropy naftowej pod dnem Morza Barentsa.

Ze względu na wielką rozciągłość południkową zachodnia część Rosji leży w kilku strefach klimatycznych – od okołobiegunowej (Nowa Ziemia), przez umiarkowaną po zwrotnikową. Warunkuje to wielką różnorodność krajobrazowo-roślinną. Występują tutaj niemal wszystkie formacje roślinne, od tundry, tajgi, lasów mieszanych i liściastych strefy umiarkowanej aż do stepów i półpustyń.

patrz mapa str. **144-145**

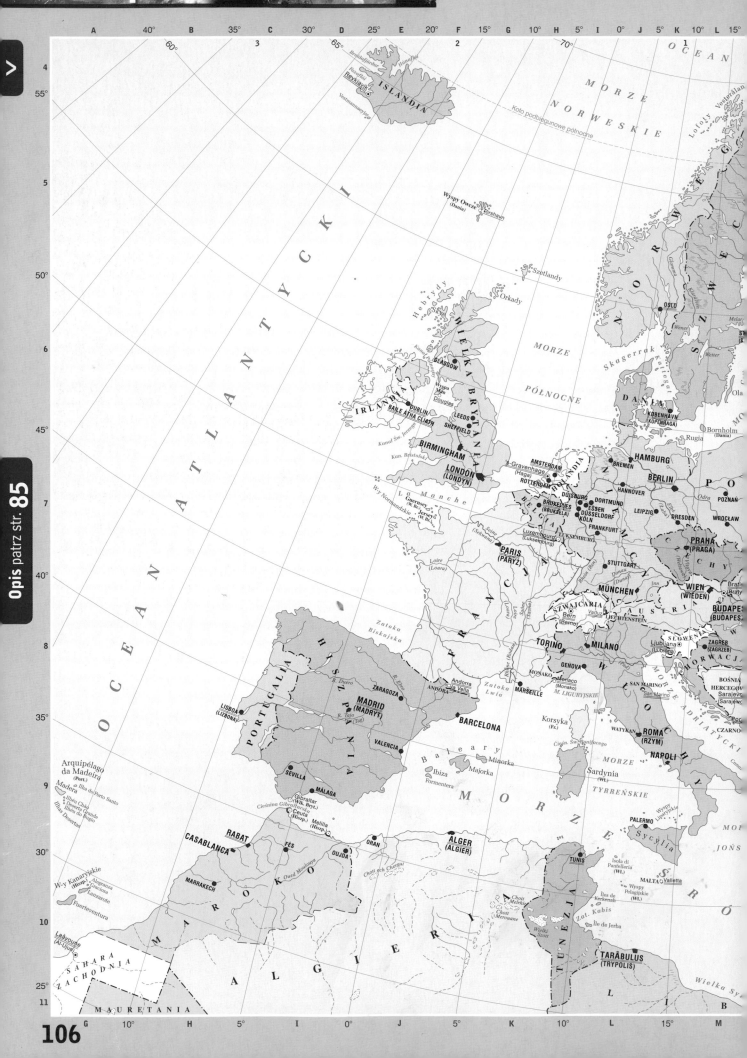

Opis patrz str. 85

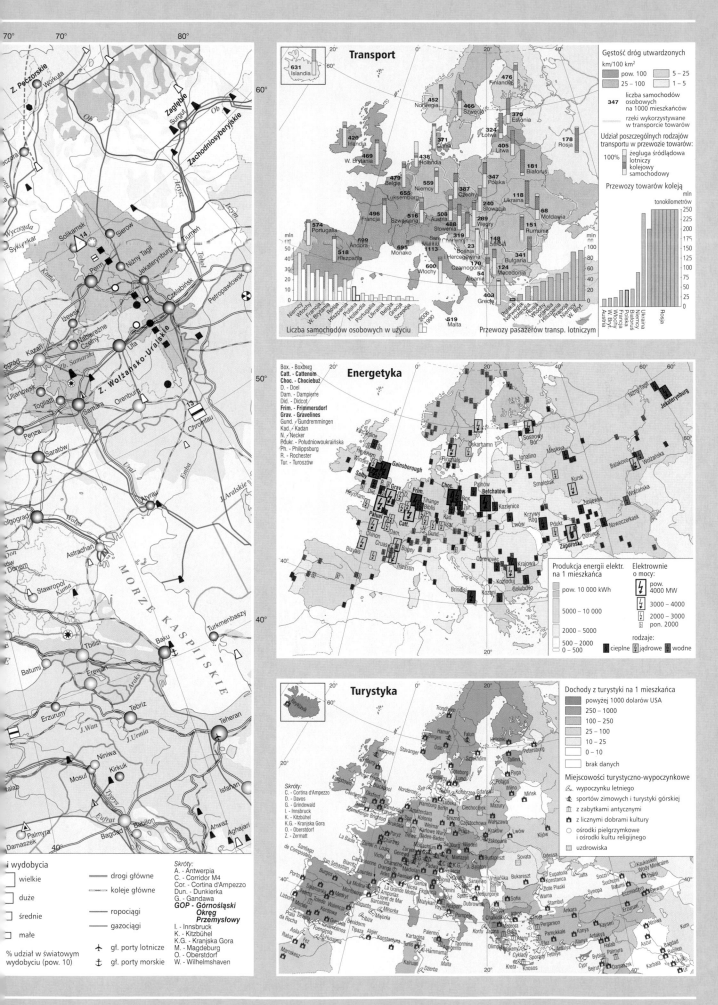

Typy gospodarki rolnej

rolnictwo mieszane zmechanizowane
(miejscami wysoko rozwinięte)

gospodarka zbożowa wielkoobszarowa

rolnictwo mieszane intensywne
(miejscami nawadniane)

rolnictwo śródziemnomorskie

rolnictwo w oazach, wyspecjalizowane

gospodarka hodowlana mleczna

hodowla pastwiskowa

pasterstwo koczownicze

lasy (leśnictwo,
łowiectwo, zbieractwo)

obszary słabo
lub niewykorzystane rolniczo

obszary łowiskowe

Uprawy

pszenica

kukurydza

ryż

żyto

ziemniaki

buraki cukrowe

rzepak i rzepik

słonecznik

oliwki

palma daktylowa

owoce i warzywa

owoce cytrusowe

winorośl

herbata

tytoń

chmiel

bawełna

len

dąb korkowy

Hodowla

bydło

trzoda chlewna

owce

kozy

wielbłądy

renifery

1 : 20 500 000   0 100 200 300 400 500 km

1 : 47 000 000   0 500 1000 1500 km

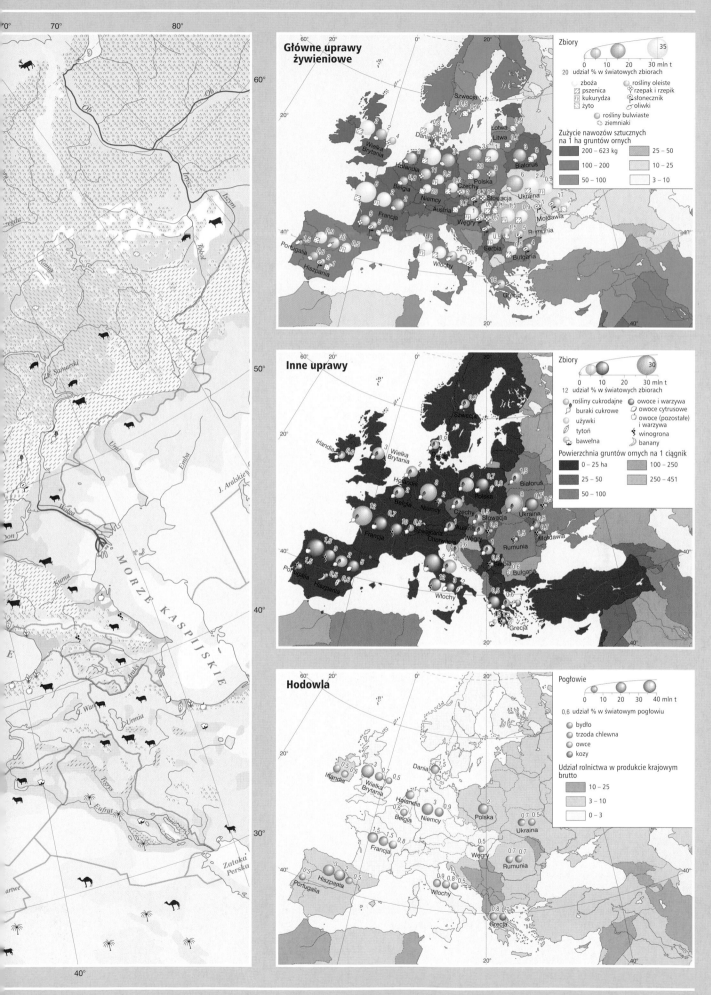

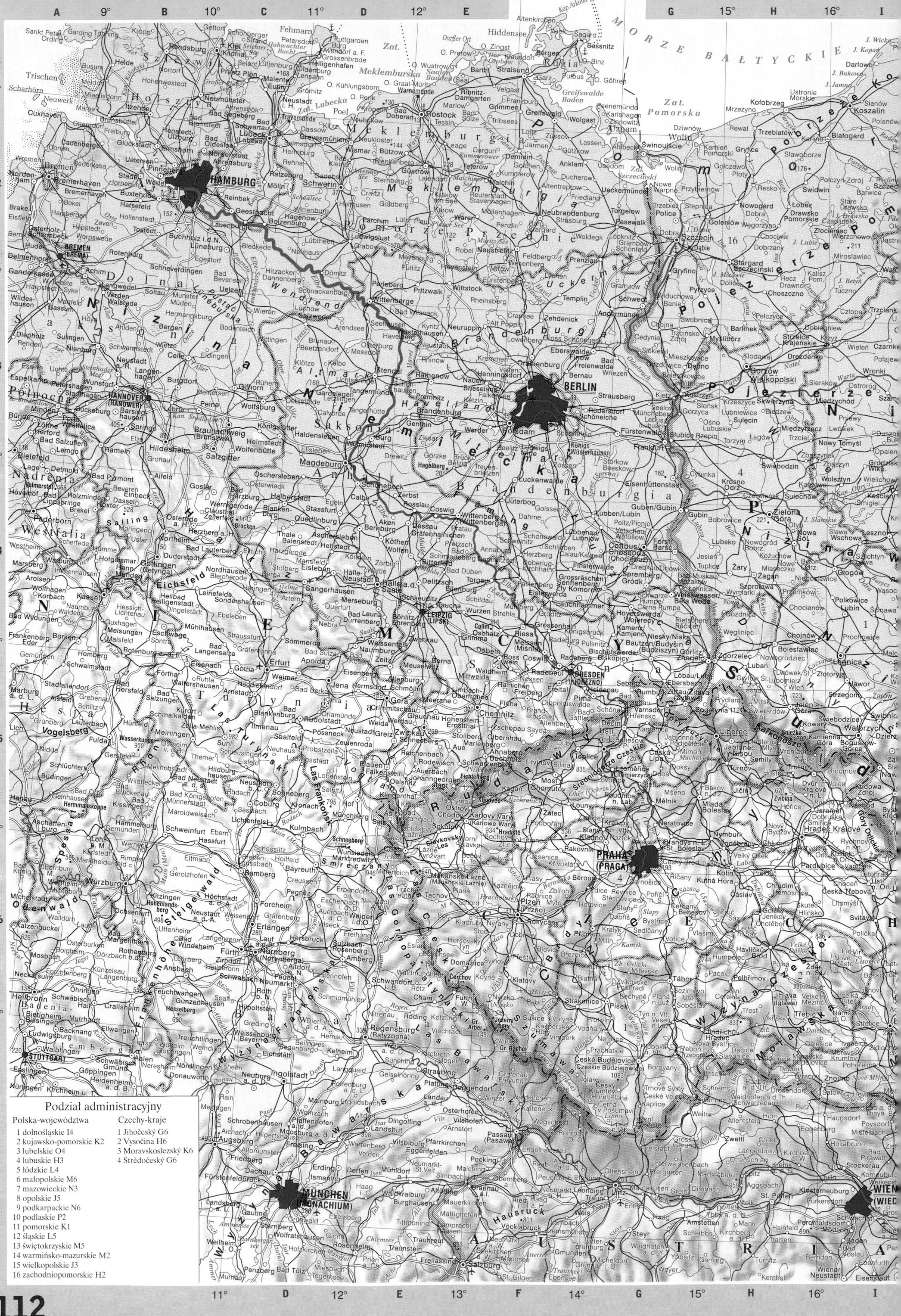
MORZE BAŁTYCKIE
HAMBURG
BERLIN
PRAHA (PRAGA)
LEIPZIG (LIPSK)
DRESDEN (DREZNO)
MÜNCHEN (MONACHIUM)
WIEN (WIEDEŃ)
Podział administracyjny
Polska-województwa
1 dolnośląskie I4
2 kujawsko-pomorskie K2
3 lubelskie O4
4 lubuskie H3
5 łódzkie L4
6 małopolskie M6
7 mazowieckie N3
8 opolskie J5
9 podkarpackie N6
10 podlaskie P2
11 pomorskie K1
12 śląskie L5
13 świętokrzyskie M5
14 warmińsko-mazurskie M2
15 wielkopolskie J3
16 zachodniopomorskie H2
Czechy-kraje
1 Jihočeský G6
2 Vysočina H6
3 Moravskoslezský K6
4 Středočeský G6

Opis patrz str. 86

Opis patrz str. **87**

1 : 2 950 000

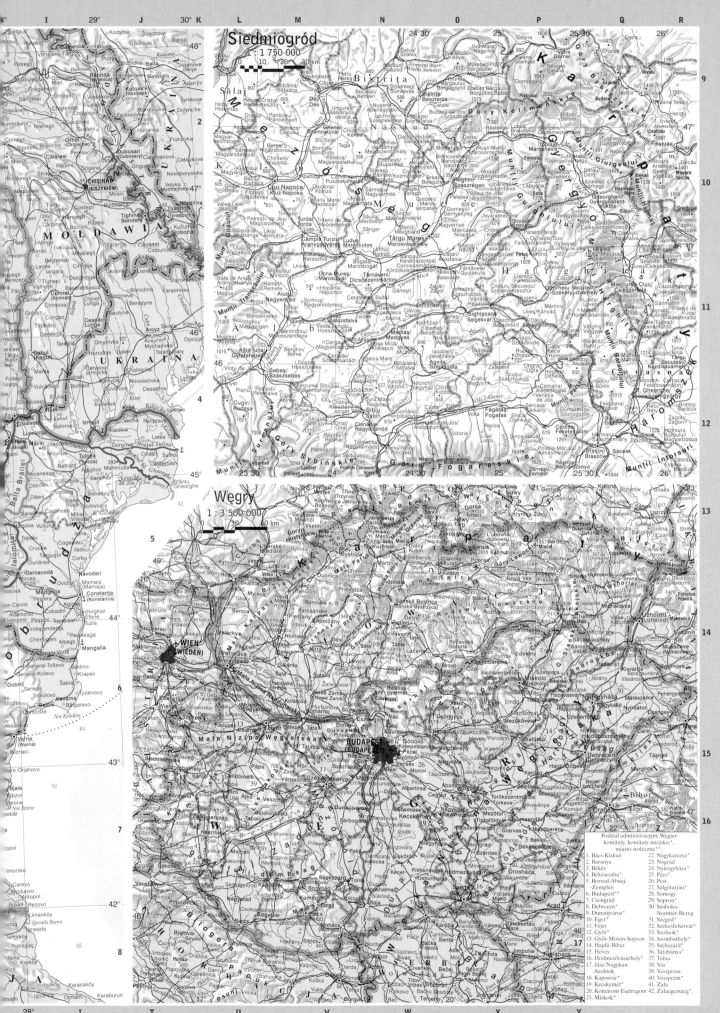

Siedmiogród
1 : 1 750 000

Węgry
1 : 3 500 000

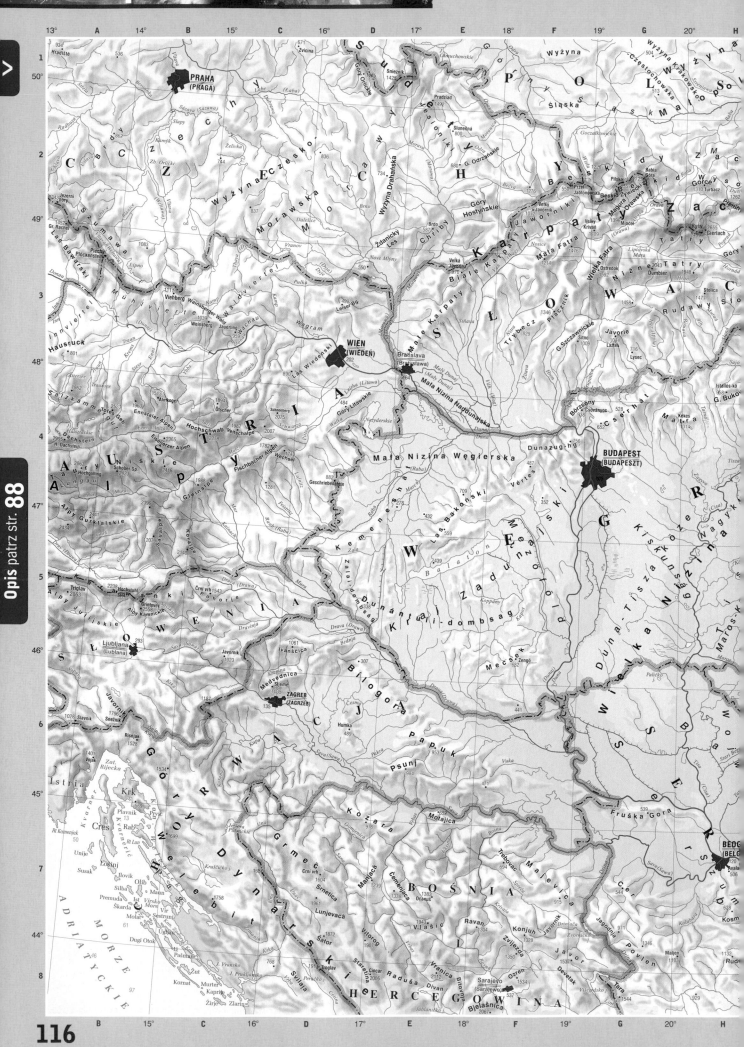

Opis patrz str. **88**

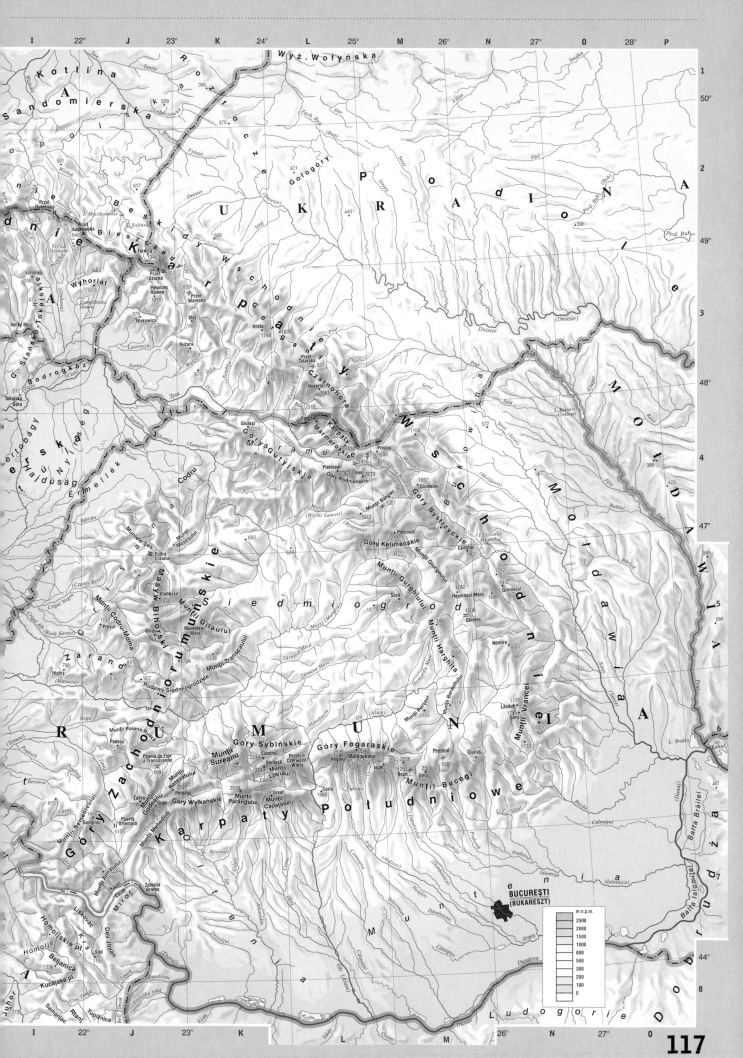

Istria

1 : 1 175 000

0   10   20   30 km

Dalmacja

1 : 1 175 000

0   10   20   30 km

MORZE ADRIATYCKIE

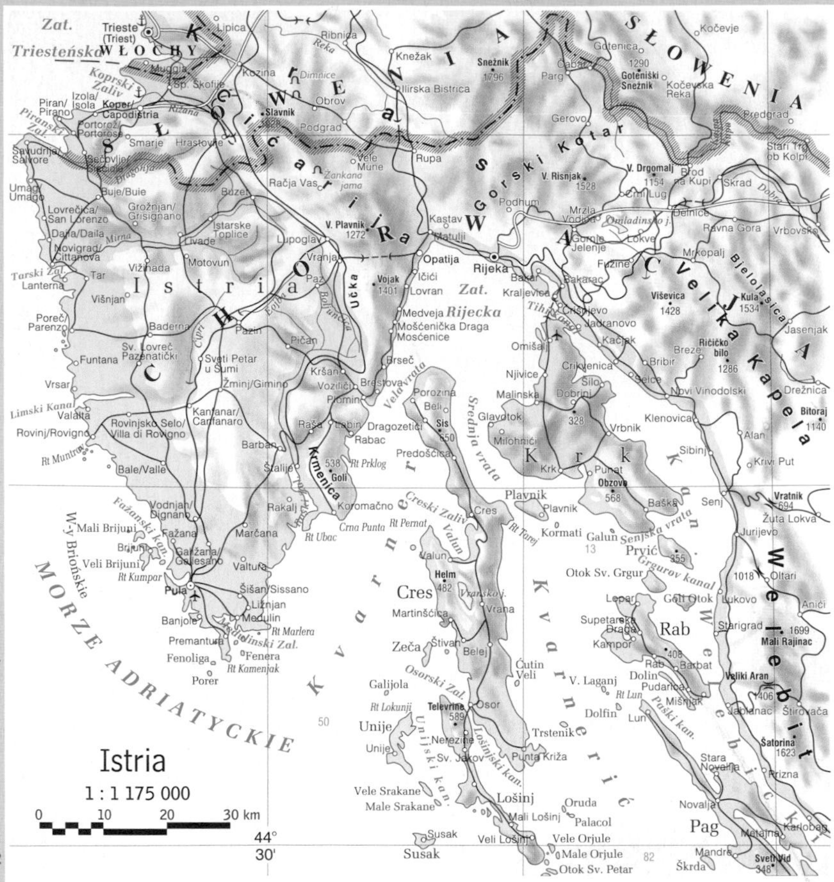

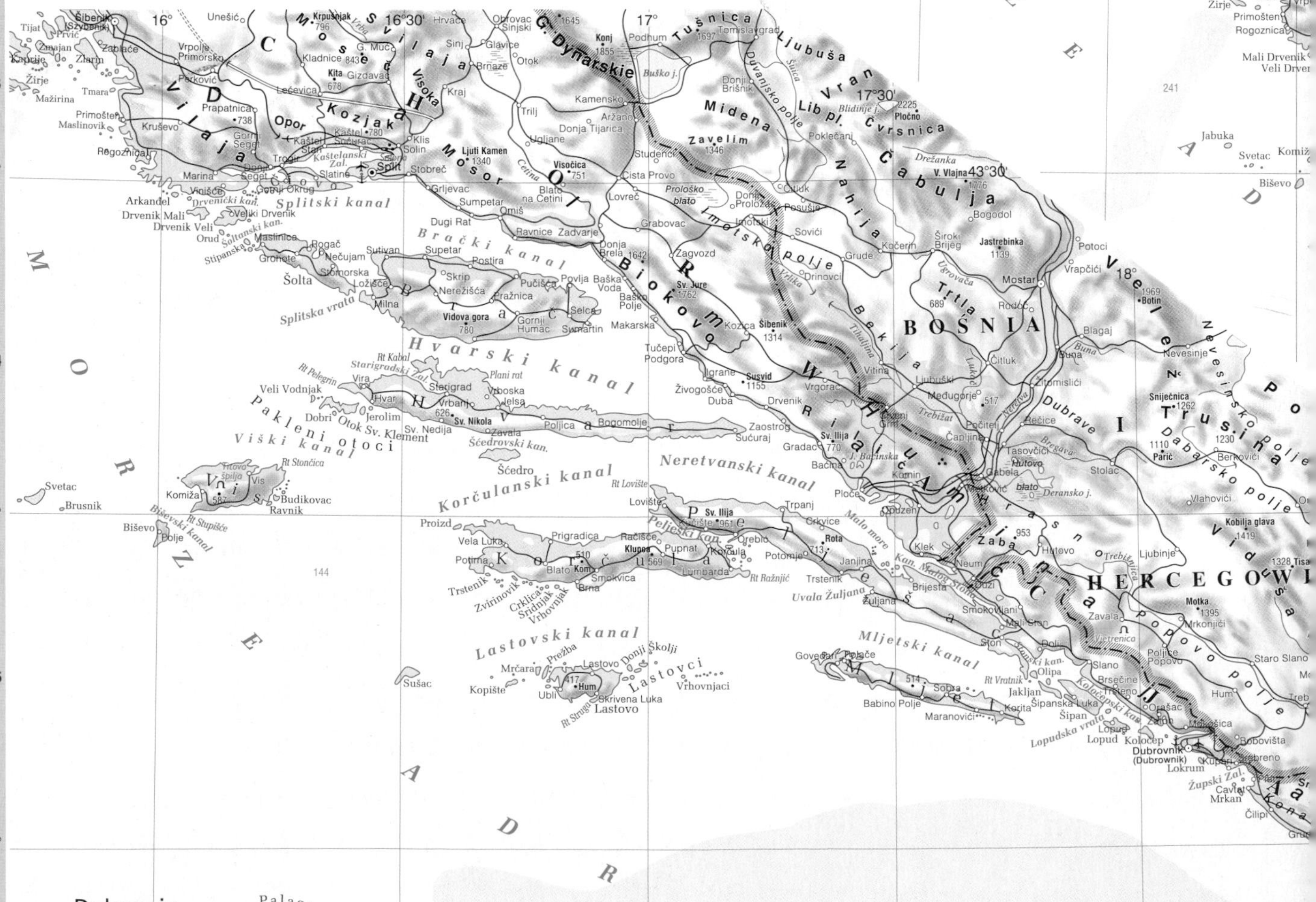

Opis patrz str. **89**

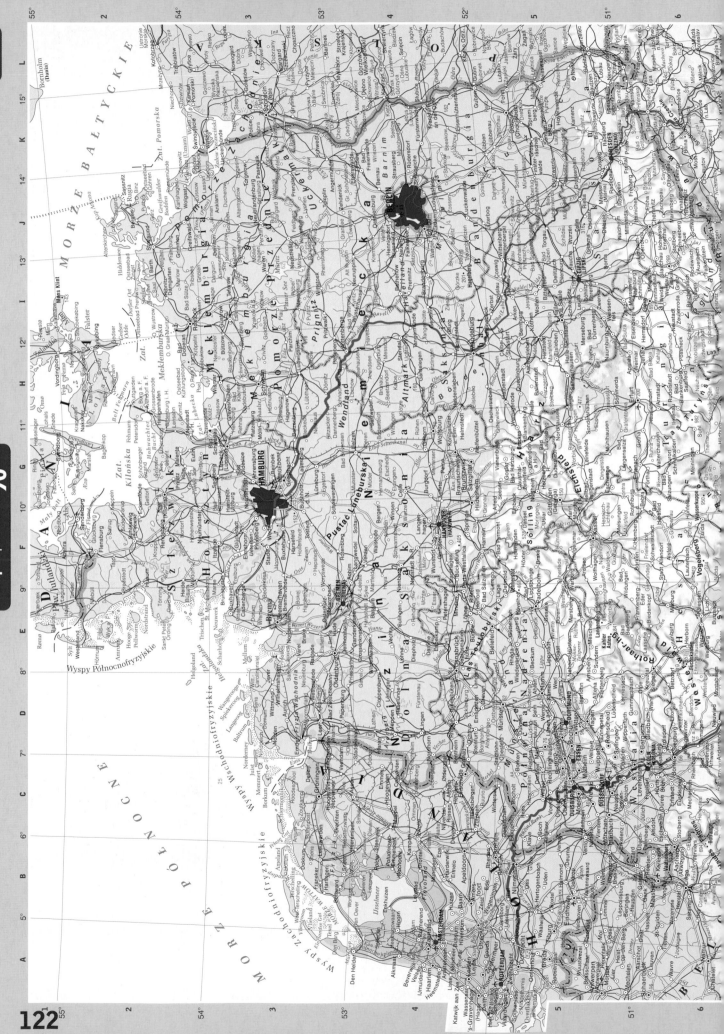

Opis patrz str. **90**

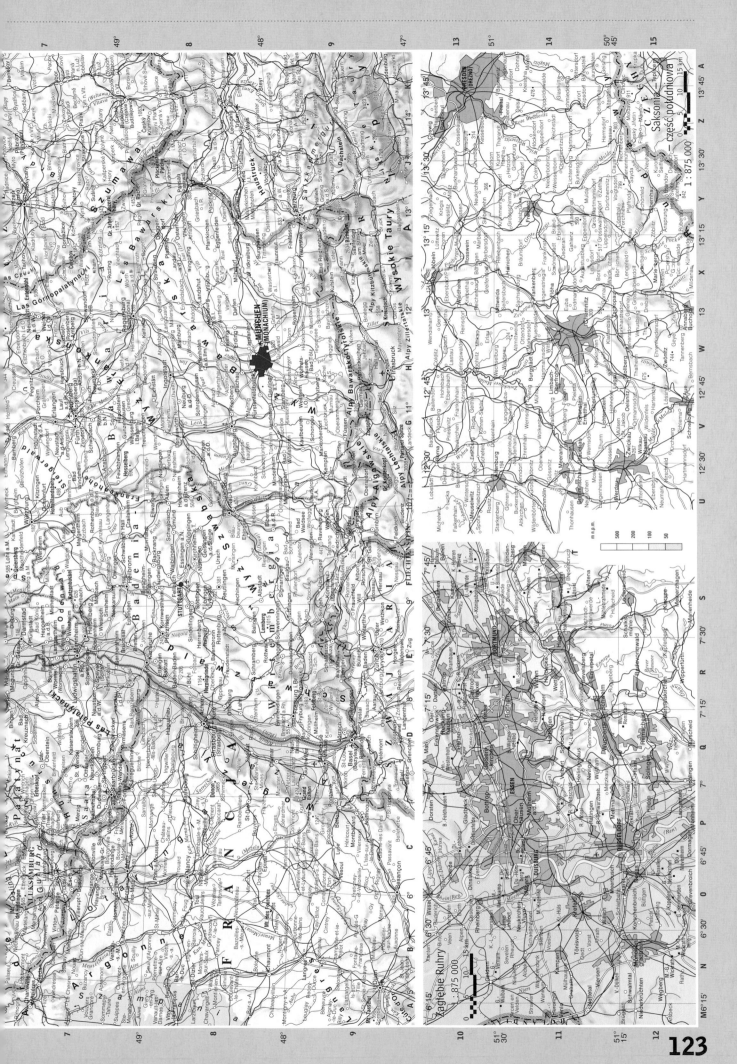

Jednostki administracyjne Francji:
1 Alzacja N3
2 Akwitania G7
3 Auvergne J6
4 Basse-Normandie F3
5 Burgundia K4
6 Bretania D3
7 Centre H4
8 Champagne-Ardenne K3
9 Korsyka Y13
10 Franche-Comté M4
11 Haute-Normandie H2
12 Île-de-France I3, U11
13 Languedoc-Roussillon J8
14 Limousin H6
15 Lotaryngia M3
16 Midi-Pyrénées H8
17 Nord I1
18 Pays de la Loire E4
19 Pikardia I2, V10
20 Poitou-Charentes F6
21 Provence-Alpes-Côte d´Azur M7
22 Rhône-Alpes L6

Okolice Paryża

PARIS (PARYŻ)

1 : 1 750 000
0   10   20 km

Opis patrz str. 91

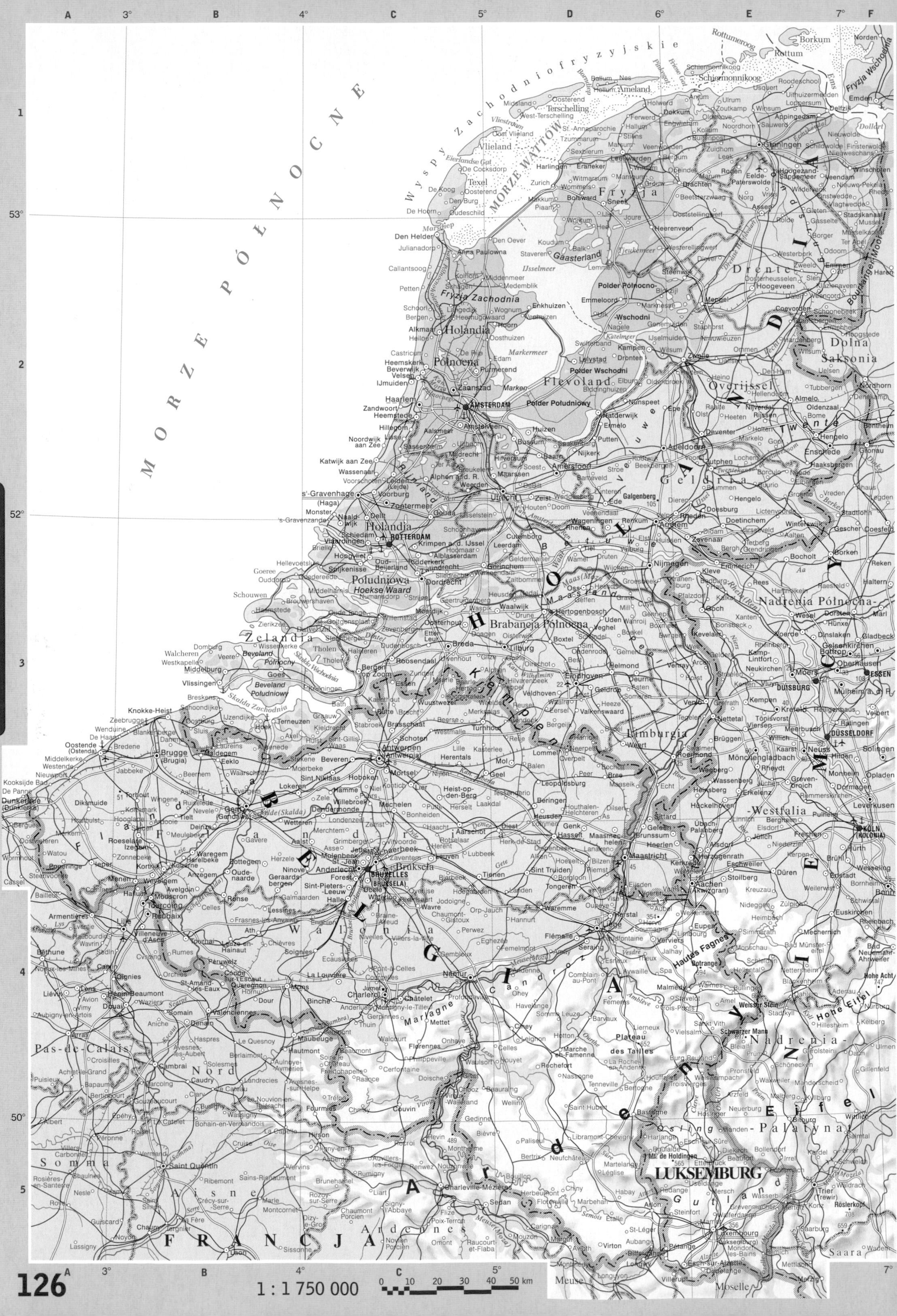

Opis patrz str. 94-95

MORZE PÓŁNOCNE

Wyspy Zachodniofryzyjskie

MORZE WATTÓW

HOLANDIA

Fryzja

Drenthe

Overijssel

Gelderia

Zelandia

Brabancja Północna

Kempen

BELGIA

Walonia

Limburgia

Nadrenia Północna-Westfalia

Ardeny

FRANCJA

Pas-de-Calais

Nord

Somme

Aisne

Nadrenia-Palatynat

Eifel

LUKSEMBURG

Gutland

AMSTERDAM

ROTTERDAM

's-Gravenhage (Haga)

Utrecht

BRUKSELA / BRUXELLES (BRUSSELA)

LUKSEMBURG

KÖLN (KOLONIA)

DÜSSELDORF

DUISBURG

ESSEN

Maastricht

Antwerpia

Gandawa / Gent

1 : 1 750 000

0 10 20 30 40 50 km

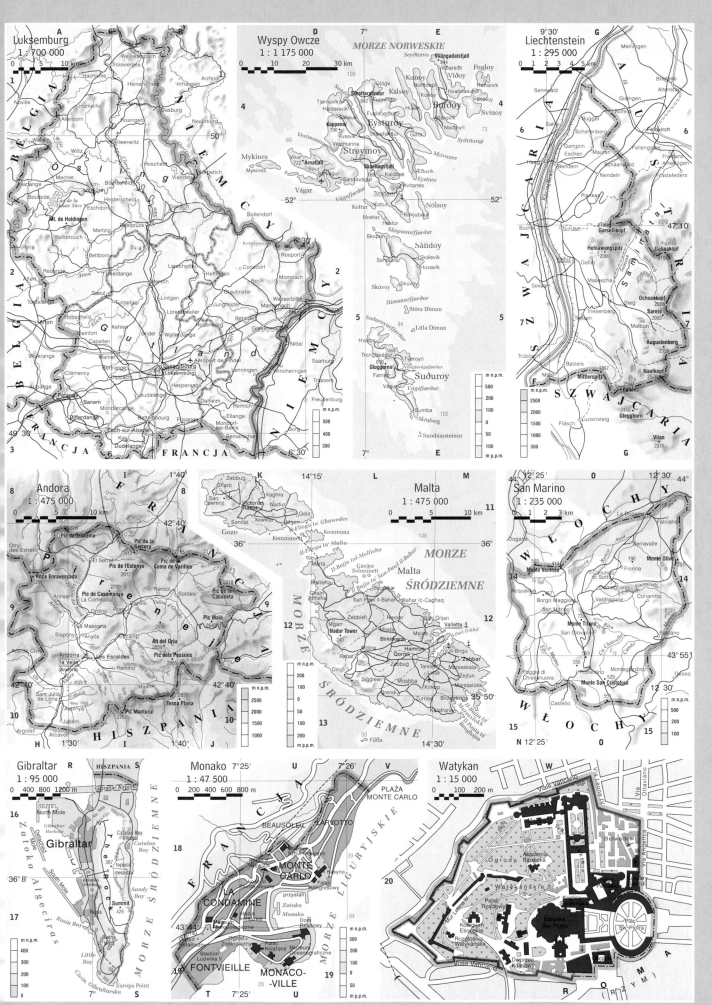

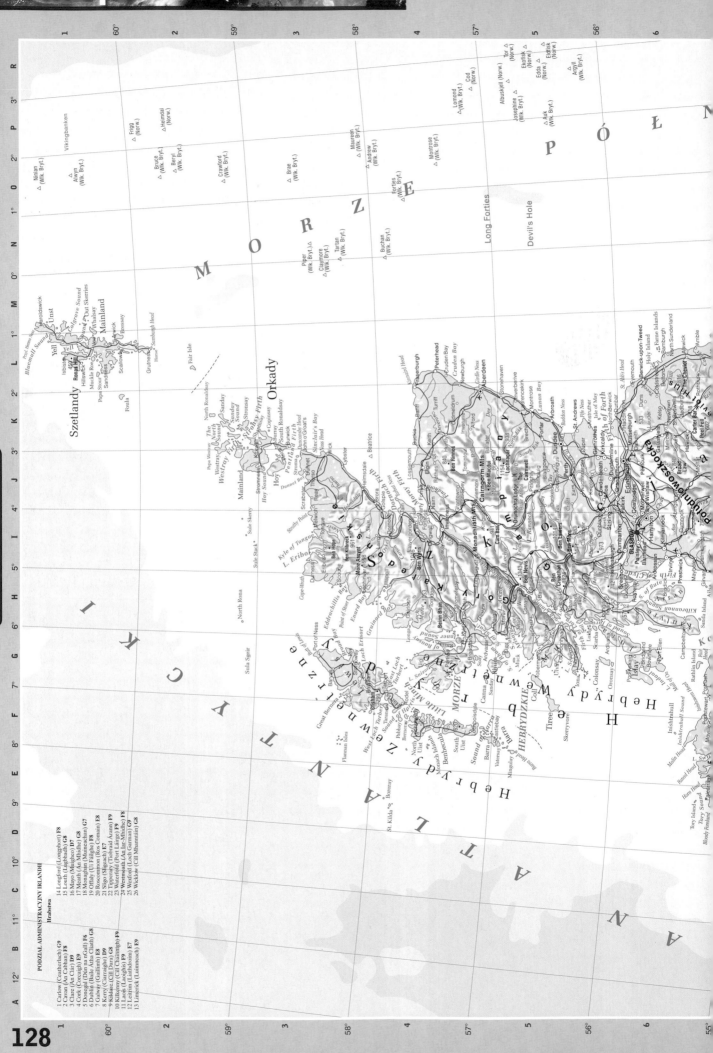

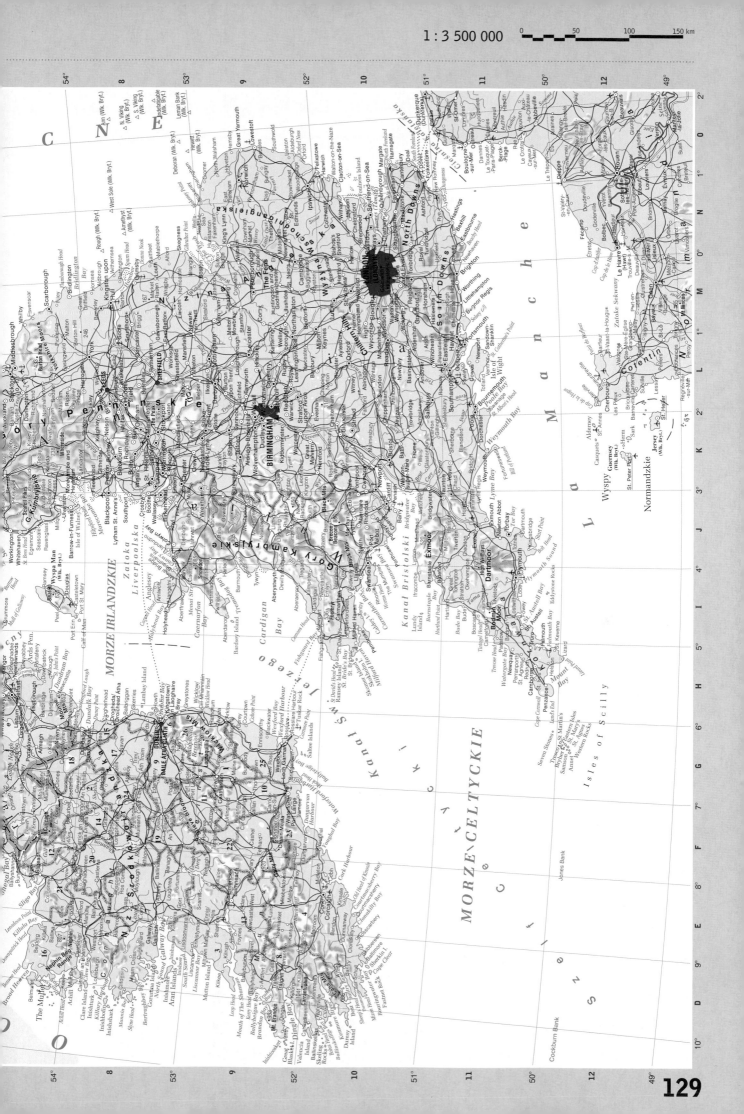

Opis patrz str. 96

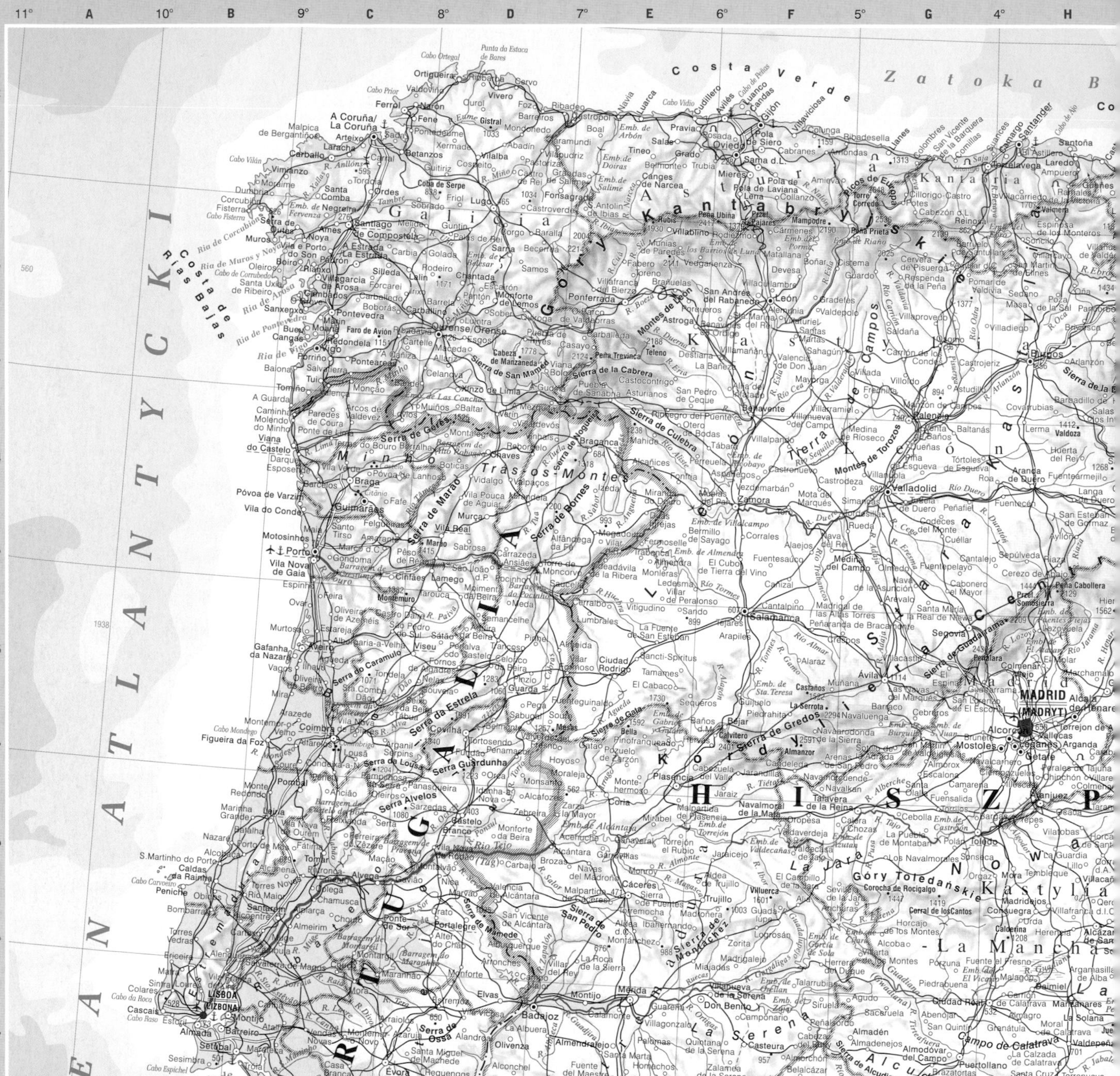

OCEAN ATLANTYCKI

Costa Verde · Zatoka B...

Góry Kantabryjskie · Kantabria

GALICJA

PORTUGALIA

HISZPANIA

Nizina Andaluzyjska

Zatoka Kadyksu

Kastylia · La Mancha

Stara Kastylia

MADRID (MADRYT)

LIZBONA

SEWILLA (SEVILLA)

Gibraltar (Wlk. Bryt.)

Cieśnina Gibraltarska

MAROKO · Tanger · Ceuta

MORZE ALBORAŃSKIE

Costa del Sol

Opis patrz str. **97**

1 : 3 500 000

Opis patrz str. 99

Islandia
1 : 5 900 000

Opis patrz str. 100-101

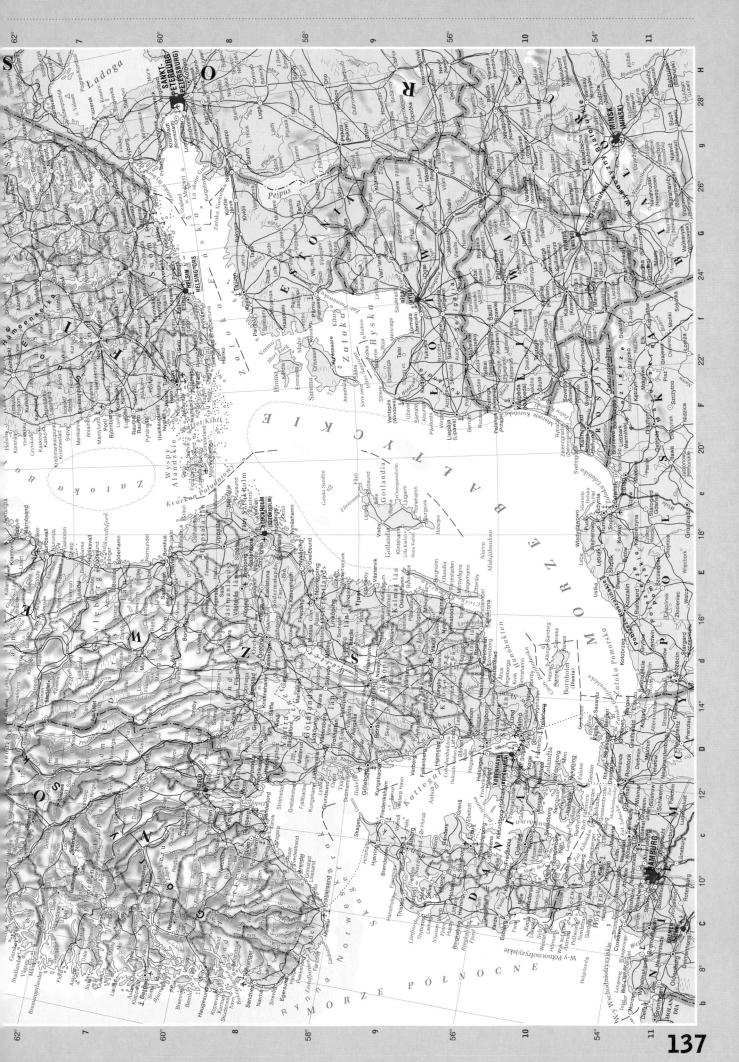

Opis patrz str. **101**

Opis patrz str. 102

SANKT-PETERBURG (PETERSBURG)

Novgorod (Nowogród)

Ilmen

Tallinn (Tallin)

ESTONIA

RIGA (RYGA)

Zatoka Ryska

Zatoka Botnicka

Zatoka Fińska

FINLANDIA

HELSINKI

Peipus

Jez. Pskowskie

NIZINA

Kurlandzka Wysoczyzna

Łotwa

Litwa

MORZE BAŁTYCKIE

Ładoga

Ukształtowanie powierzchni

Mount Everest (8848 m n.p.m) leży w najwyższych górach świata,
Himalajach. Od pierwszego zdobycia w 1953 r. przez Edmunda Hillary'ego
na szczycie stanęło ponad 1650 osób. Polacy Leszek Cichy
i Krzysztof Wielicki w 1980 r. jako pierwsi w historii zdobyli tę górę zimą.
Po nich zimowe wejście udało się tylko pięciu alpinistom.

Wyżyna Tybetańska leżąca w zachodnich Chinach to górzysto-wyżynna
kraina ograniczona przez pasma gór wysokich, m.in. Karakorum,
Kunlun, Himalaje. Przeciętne wysokości sięgają tu 4000–5000 m n.p.m.
Ludność, głównie Tybetańczycy, zamieszkuje jej południową część,
skupiając się wokół klasztorów lamaickich.

Nizina Zachodniosyberyjska ma 2,5 mln km² i ciągnie się od Uralu
po Wyżynę Środkowosyberyjską. Krajobraz jest monotonny,
a słabe nachylenie terenu powoduje, że wielkie rzeki, Ob i Jenisej,
szeroko rozlewają swe wody. Zabagniony teren na północny
porasta tundra, a na południu tajga.

Azja zajmuje 44 mln km² powierzchni i jest największym
i najbardziej zróżnicowanym kontynentem. Żyje tu przeszło
połowa ludności, tu też rozwinęło się kilka najstarszych kultur
(chińska, indyjska, babilońska, asyryjska i inne). Wielu badaczy
uważa Azję za kolebkę ludzkości.

Azja jest kontynentem o bardzo zróżnicowanych wysokościach,
złożonej budowie geologicznej oraz o strefowym układzie klimatów,
roślinności i gleb. Graniczą ze sobą regiony o zupełnie odmiennych
cechach fizycznogeograficznych, np. najwyższe góry Himalaje
– z Niziną Gangesu i Niziną Indusu, u stóp gór Tien-szan
(5445 m n.p.m.) leży Kotlina Turfańska (154 m p.p.m.), a w wilgotnej
strefie podzwrotnikowo-monsunowej, nad Indusem – pustynia Thar.

Ukształtowanie powierzchni jest ściśle związane z rozwojem
kontynentu i jego budową geologiczną. Średnia wysokość Azji
wynosi 990 m n.p.m., punktem kulminacyjnym jest Mount Everest
(Czomolungma, 8848 m n.p.m.), a najniżej leży depresja
Morza Martwego (405 m. p.p.m.)

Obszary wyżynne i górzyste zajmują 68,8% powierzchni
i w przeważającej części powstały w wyniku najmłodszych,
alpejskich ruchów górotwórczych. Ruchy te były przyczyną
spękania usztywnionego i zrównanego w ciągu milionów lat lądu,
wypiętrzenia całej jego centralnej części oraz powstania wielu
nowych pasm górskich.

Najwyższe góry występują w centralnej części kontynentu.
Są to między innymi: Himalaje, Pamir, Ałtaj, Tien-szan, Hindukusz
oraz wyżyny: Tybetańska i Gobi.

O niecałkowitym wygaśnięciu procesów górotwórczych
świadczą trzęsienia ziemi i aktywny wulkanizm, zwłaszcza
na wschodnim obrzeżu kontynentu, od Kamczatki przez
Wyspy Japońskie po Filipiny i Borneo.

Odcięcie wnętrza kontynentu od oceanów przez wysokie góry
i związana z tym suchość kotlin wewnętrznych powodują,
że 35% powierzchni Azji nie ma odpływu. Wielkie rzeki, Wołga
i Ural, wpadają do bezodpływowego Morza Kaspijskiego,
a Syr-daria i Amu-daria do Jeziora Aralskiego.
Duże obszary pustynne występują na Półwyspie Arabskim,
Wyżynie Irańskiej oraz w centralnej części kontynentu.

patrz mapa str. **166-167**

Podział polityczny

Kuwejt jest nowoczesnym miastem zbudowanym na pustynnym wybrzeżu Zatoki Perskiej, jest też dużym centrum finansowym i gospodarczym Bliskiego Wschodu. Symbolem tego maleńkiego emiratu, którego źródłem bogactwa jest wydobycie ropy naftowej oraz operacje finansowe, są nowoczesne budowle wzniesione nad brzegiem morza.

New Delhi – miasto ogród – zbudowano w 1. połowie XX w. Klasycystyczne budowle uzupełniono indyjskimi detalami. Oryginalnym rozwiązaniem architektonicznym przy Drodze Królewskiej są bliźniacze gmachy Secretariat Buildings: North Block mieści obecnie Ministerstwo Finansów, South Block – MSZ.

Państwa azjatyckie należą do najludniejszych na świecie. Przeszło miliardowe Chiny kierowane przez partię komunistyczną, oraz Indie, zwane „największą demokracją świata", są przykładem wielkiej siły politycznej i militarnej.

W Azji znajduje się jeszcze kilka państw, których ludność przekracza 100 mln: Japonia, Indonezja, Bangladesz, Pakistan oraz kilka takich, które w niedługim czasie mogą tę liczebność osiągnąć, np. Filipiny. Duża liczba obywateli w większości przypadków (poza Japonią) wpływa na ubóstwo tych państw. Kraje te mają wprawdzie wielkie aspiracje polityczne i militarne, jednak przeważnie nie poparte silną gospodarką.

Azja jest kolebką największych religii świata: judaizmu, chrześcijaństwa, islamu, buddyzmu i hinduizmu. Źródłem wielu wewnętrznych konfliktów jest narodowość lub wyznawana religia. Separatyści islamscy działają na Filipinach, w Indiach oraz w Azji Środkowej, w państwach powstałych po rozpadzie Związku Radzieckiego. Od religijnych konfliktów nie są wolne także Chiny, tłumiące niepodległościowe dążenia Tybetańczyków i muzułmańskich Ujgurów. Muzułmanie zamieszkują południową część kontynentu od Turcji i krajów Bliskiego Wschodu po Indonezję (najludniejszy islamski kraj na świecie). Islamska jest także Azja Środkowa i część Kaukazu. W Indiach dominują wyznawcy hinduizmu, na Dalekim Wschodzie – buddyści. Chrześcijanie zamieszkują krańce kontynentu: Filipiny (84%) i Koreę Południową (5%), Rosję, częściowo Kaukaz i Bliski Wschód.

W zachodniej Azji dwa państwa wyróżniają się spośród sąsiadów: Izrael – państwo żydowskie pozostające w stałym konflikcie na tle religijnym i etnicznym ze swymi arabskimi i muzułmańskimi sąsiadami oraz Cypr – wyspa podzielona pomiędzy Greków i Turków. Grecka część tego azjatyckiego państwa należy do Unii Europejskiej.

W Azji znajduje się najwięcej państw rządzonych przez partie komunistyczne: Chiny, Korea Północna oraz państwa Indochin.

Pałac Cesarski w Tokio jest jednym z nielicznych miejsc spotkań cesarza Akihito z poddanymi. Pałac zbudowano pod koniec lat 60. XX w. na miejscu starszego, zniszczonego w podczas II wojny światowej. Dawniej w tym miejscu wznosiła się wielka warownia szogunów japońskich.

patrz mapa str. **168-169**

Rosja

Buriaci przybyli nad południowy Bajkał z Mongolii. Do dziś zachowali swe tradycje i wierzenia. Są wyznawcami lamaizmu i praktykują szamanizm. Od wieków zajmują się hodowlą, a mięso i mleko stanowią podstawę ich pożywienia.

Rosja zajmuje zwarte terytorium obejmujące Europę Wschodnią, Azję Północną i zachodnią część Azji Środkowej. Na europejską część kraju przypada 25% powierzchni i 78% ludności, na azjatycką 75% powierzchni i tylko 22% ludności. Rozciągłość z zachodu na wschód wynosi około 10 tys. km, a z północy na południe 4,5 tys. km.

Terytorium Rosji liczy 17 045 tys. km^2, co stanowi prawie 1/6 wszystkich lądów. Na niziny przypada 60% całego obszaru. Ciągną się one od granicy zachodniej aż po ujście Kołymy na wschodzie. Te wielkie obszary równin ograniczone są przez pasma górskie rozciągające się w południowej i wschodniej części Rosji.

Bardzo duża rozciągłość południkowa i równoleżnikowa ma swe odbicie w zmienności warunków klimatycznych, roślinnych i glebowych oraz ich pasowym układzie, a także we wzrastającym z zachodu na wschód kontynentalizmie klimatu.

W europejskiej części Rosji klimat kontynentalny jest łagodzony przez wpływ Oceanu Atlantyckiego, a zwłaszcza odgałęzienie Prądu Zatokowego, które powoduje, że port w Murmańsku nie zamarza. Natomiast w rejonie osady Ojmiakon, położonej nad górnym biegiem Indygirki, zanotowano największą bezwzględną różnicę temperatur, aż 112°C (od +35°C do -77°C). Kontynentalizm przejawia się również w zmniejszaniu ilości opadów w kierunku wschodnim. W europejskiej części Rosji i na Syberii Zachodniej średnia roczna suma opadów wynosi 500–700 mm, na wschodzie Azji maleje do 200–300 mm. Najbardziej wilgotne są stoki Kaukazu (rejon Soczi, powyżej 1500 mm) oraz Kamczatka (do 1000 mm).

Na północy występuje tundra, zajmująca około 25% powierzchni kraju. Jest pozbawiona drzew, rosną tu głównie mchy, porosty, na południu karłowate zarośla. Tundra przechodzi stopniowo w lasotundrę, a następnie w tajgę, zajmującą około 60% powierzchni i stanowiącą około 80% wszystkich lasów kraju. Składa się głównie z drzew iglastych (85% powierzchni), z dominacją modrzewia, oraz drzew liściastych, z dominacją brzozy (15% powierzchni).

patrz mapa str. **174-175**

Rosja – część środkowa

Czysta woda Bajkału powoduje, iż jest on siedliskiem niezwykłej flory i fauny. Prawie 3/4 spośród 1800 żyjących tu gatunków to endemity. Występują tu m.in. olbrzymie gąbki, algi, krewetki czy słodkowodne foki. Pionierskie badania przyrody Bajkału prowadził w XIX w. polski uczony Benedykt Dybowski.

Część środkowa Rosji to rozległy obszar obejmujący Nizinę Zachodniosyberyjską oraz Wyżynę Środkowosyberyjską.

Zachodnia Syberia rozciąga się od Uralu do Jeniseju. Jest obszarem równinnym, lekko pochylonym ku północy. Znaczną jego część (około 70%) pokrywają bagna i mokradła. Nizina Zachodniosyberyjska w przeważającej części należy do zlewni dwóch wielkich rzek, Obu i Irtysza, które wypływają z Ałtaju.

Panuje tu klimat kontynentalny z małą ilością opadów, długą, surową zimą i krótkim, gorącym latem. Roślinność zmienia się pasowo ku południowi od tundry poprzez tajgę do stepu trawiastego, występującego na południe od 53° szerokości geograficznej.

Wyżyna Zachodniosyberyjska obejmuje obszar między Jenisejem na zachodzie i wielkimi łańcuchami górskimi na wschodzie i południu. Na północy opada w kierunku Niziny Północnosyberyjskiej, którą zamyka półwysep Tajmyr.

W południowej części Wyżyny, w głębokim rowie tektonicznym, długości przeszło 600 km, leży najgłębsze jezioro Ziemi – Bajkał.

W tajdze syberyjskiej las jest gęsty i cienisty, tworzą go głównie drzewa iglaste z przewagą świerka i modrzewia. Ludność żyje głównie nad rzekami, wykorzystywanymi jako szlaki komunikacyjne i dostarczającymi wielu gatunków ryb. Podstawowym źródłem utrzymania jest myśliwstwo.

Jego maksymalna głębokość wynosi 1620 m, a dno leży 1165 m p.p.m. (kryptodepresja). Jezioro jest największym zbiornikiem słodkiej wody na świecie (około 1/5 zasobów). Wpływa do niego 336 rzek, a wypływa tylko jedna – Angara. Flora i fauna Bajkału liczy około 1800 gatunków, z których 3/4 to endemity.

Klimat Wyżyny jest chłodny i surowy, skrajnie kontynentalny. Niewielkie opady występują głównie latem. Ogromne obszary zajmuje wieczna zmarzlina. Prawie cały obszar Wyżyny należy do strefy tajgi modrzewiowej.

Obszar środkowej Rosji jest słabo zaludniony – średnio na 1 km^2 przypada mniej niż 1 osoba – za wyjątkiem osadnictwa wzdłuż wybudowanej w latach 1891–1916, najdłuższej na świecie (9000 km) Kolei Transsyberyjskiej oraz obszarów, na których wydobywa się wiele cennych bogactw naturalnych, np. Jamalsko-Nienieckiego Okręgu Autonomicznego na Uralu, z bogatymi złożami ropy i gazu, czy Jakucji, skąd pochodzi 98% rosyjskich diamentów.

patrz mapa str. **176-177**

Rosja – część wschodnia

Rosja jest jednym z najzasobniejszych w surowce naturalne państw świata. Na Syberii eksploatuje się m.in: gaz ziemny i ropę naftową, złoto, cynę oraz wolfram. Znaleziono tu również diamenty, dzięki czemu Jakucja należy do ich największych producentów.

Na Kamczatce oprócz wulkanów, gejzerów i gorących źródeł znajduje się 400 lodowców, a na żyznej, bogatej w składniki mineralne glebie rosną gęste lasy brzozowe i modrzewiowe. Niezagospodarowane wnętrze Półwyspu pozostaje dzikie i dziewicze.

Wschodnia część Rosji to głównie północno-wschodnia Syberia, obejmująca obszary gór, płaskowyżów i kotlin rozciągających się od rzeki Leny po Półwysep Czukocki. Główne pasma to Góry Wierchojańskie, Czerskiego, Kołymskie i Anadyrskie. Najwyższym szczytem jest Pobeda (3147 m n.p.m.) w Górach Czerskiego. W rzeźbie gór dominują skaliste granie, ostre szczyty i strome stoki typu alpejskiego, a w wysokich partiach utrzymują się lodowce górskie.

Na obszernym szelfie otaczającym północno-wschodnią Syberię leżą dwie grupy wysp: Wyspy Nowosyberyjskie i Wyspy Wrangla, a na Dalekim Wschodzie półwysep Kamczatka, wyspa Sachalin i archipelag Wysp Kurylskich oraz Kraj Nadmorski. Półwysep Kamczatka ma długość 1200 km. Początkowo była to wyspa szelfowa, lecz w wyniku działalności wulkanicznej i lodowcowej między lądem a północnym krańcem wyspy powstał wąski przesmyk, który je połączył. Wnętrze półwyspu wypełniają góry, a wysokość pasm wynosi 1000–1600 m. Wschodnie pasmo ma charakter wulkaniczny, powierzchnia gór jest pokryta lawą i popiołem. Na Kamczatce jest około 160 wulkanów, w tym 28 czynnych. Najwyższy z nich to Kluczewska Sopka, 4688 m n.p.m. Kamczatka należy do wielkiej strefy sejsmicznej okalającej Ocean Spokojny, a wulkaniczny charakter regionu najlepiej widać na słabo zaludnionych Wyspach Kurylskich, gdzie jest aż 39 czynnych wulkanów.

W sąsiedztwie wybrzeża, między Morzem Ochockim i Morzem Japońskim, leży wąska i długa (około 1200 km) wyspa Sachalin. Wzdłuż ciągną się dwa łańcuchy górskie, których wysokość dochodzi do 1609 m n.p.m.

Główną rzeką Dalekiego Wschodu jest Amur (4440 km), wpadający do Morza Ochockiego. Jest on ważną drogą wodną, lecz zimą zamarza i jest niedostępny dla żeglugi.

Wśród mieszkańców wschodniej Rosji najliczniejsze są ludy tubylcze: Jakuci, Ewenkowie, Koriaci, Czukcze, czy Eskimosi na dalekiej Północy. Występuje tu 36 różnych narodowości, gdyż Syberia, od czasów kolonizacji w XVI w., była również miejscem zsyłki.

patrz mapa str. **178-179**

Kraje kaukaskie

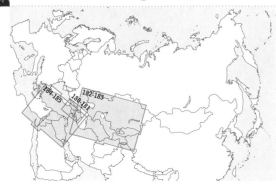

Masyw wulkaniczny zbudowany z trzeciorzędowych bazaltów obejmuje dwa wygasłe wulkany: Wielki Ararat (5122 m n.p.m.) i Mały Ararat (3896 m n.p.m.). Jest położony we wschodniej Turcji, w pobliżu granicy z Armenią i Iranem. Stożek Wielkiego Araratu od wysokości 4250 m n.p.m. pokrywają wieczne śniegi i lodowce.

Kaukaz jest regionem we wschodniej Europie i zachodniej Azji, pomiędzy Morzem Czarnym i Morzem Kaspijskim, w skład którego wchodzi: Przedkaukazie, pasmo górskie Wielki Kaukaz, Zakaukazie i Mały Kaukaz. Zajmuje powierzchnię 440 tys. km².

Kaukaz to młode góry fałdowe, o zwartym, prostolinijnym przebiegu z północnego zachodu na południowy wschód. Jego najwyższy szczyt Elbrus sięga 5621 m n.p.m.

Przy długości 1200 km i szerokości 60–120 km oraz przeciętnej wysokości 3000 m n.p.m. pasmo Kaukazu stanowi wyraźną barierę klimatyczną. Jego zachodnia część, w dolinie rzeki Rioni, obfituje w opady, a na słynącej w przeszłości z malarii Nizinie Kolchidzkiej panuje klimat podzwrotnikowy. Wschodnia część Kaukazu jest wybitnie sucha, cierpi na niedostatek wody, a ziemie uprawne wymagają nawadniania.

Kaukaz jest jednym z najbardziej zróżnicowanych kulturowo i etnicznie regionów świata. Na tym stosunkowo małym obszarze mieszka przeszło 40 różnych narodowości i plemion, należących do kilku grup językowych: Azerowie, Osetyjczycy, Dagestańczycy, Ormianie, Gruzini i inni.

Ludy żyjące na południu Kaukazu, przy traktach łączących świat śródziemnomorski ze światem Azji, przez pokolenia były narażone na ciągłe najazdy i z konieczności brały udział w rywalizacji pomiędzy mocarstwami dominującymi w tej części świata. Wiele ludów wyginęło całkowicie, jedynie Ormianie i Gruzini osiągnęli tę jedność narodową i kulturową, która pozwoliła im przetrwać stulecia obcego panowania i barbarzyńskie eksterminacje.

Po rozpadzie Związku Radzieckiego w 1991 r. Kaukaz został podzielony pomiędzy: Rosję, Gruzję, Armenię i Azerbejdżan. W 1992 r. został proklamowany również Górski Karabach i Abchazja, republiki nieuznawane na arenie międzynarodowej. Teren ten zamieszkują także narody niemające niezależnych państw, między innymi: Czeczeni i narody Dagestanu.

Armenia, nazywana kolebką cywilizacji, na początku IV w. była pierwszym państwem na świecie, w którym chrześcijaństwo stało się religią państwową.

patrz mapa str. 180-181

Kraje Azji Środkowej

Samarkanda należy do najstarszych miast świata – istniała już w IV tysiącleciu p.n.e. Rozwój zawdzięcza korzystnemu położeniu przy jedwabnym szlaku – głównej drodze handlowej z Bliskiego Wschodu do Chin. Największy rozkwit przeżyła za rządów Tamerlana (XIV w.) stając się największym ośrodkiem kultury muzułmańskiej w Azji Środkowej.

Azja Środkowa obejmuje obszary przeważnie suche i bezodpływowe, które wykazują znaczne zróżnicowanie rzeźby terenu. Granicę północną stanowi Pogórze Kazaskie i południowosyberyjskie góry brzeżne, na wschodzie Wielki Chingan i góry na granicy Tybetu i Chin, na południu sięga aż po góry na granicy Tybetu i Indii oraz Rosji i Iranu, natomiast granica zachodnia prowadzi wzdłuż Morza Kaspijskiego i rzeki Ural. Większa część tego obszaru leży na znacznych wysokościach. Znacznymi obniżeniami są: Nizina Nadkaspijska z depresją -132 m n.p.m. oraz Nizina Turańska, które rozciągają się na wschód od Morza Kaspijskiego, największego bezodpływowego jeziora śródlądowego świata. W jej południowej części występują pustynie Kara-Kum i Kyzył-Kum. Pośrodku Niziny leży słone, bezodpływowe Jezioro Aralskie. Uchodzą do niego dwie wielkie rzeki: Syr-daria i Amu-daria. W ciągu ostatnich kilkudziesięciu lat był to region postępującej katastrofy ekologicznej, związanej z nadmiernym poborem wody tych rzek do celów gospodarczych. Spowodowało to kurczenie się jeziora (o blisko 40%), jego spłycenie i wzrost zasolenia, a klęska dotknęła rolnictwo w deltach rzek i rybołówstwo.

Statki widma cumują dzisiaj w pustynnych piaskach dawnego wybrzeża Jeziora Aralskiego. Nadmierne wykorzystanie do nawadniania pól wód wpływających do jeziora spowodowało cofnięcie się jego linii brzegowej. Powolnie zamierało tu rolnictwo i rybołówstwo. Obecnie realizowany jest program przywracania nad Jeziorem Aralskim równowagi ekologicznej.

Na południowo-wschodnich obrzeżach Niziny leżą główne obszary osadnicze, w których rozwinęły się w przeszłości znaczne ośrodki kulturalne: Samarkanda, Buchara, Taszkent i inne. Tędy też przebiegają najważniejsze, stare i nowe, szlaki komunikacyjne.

Obramowanie wschodnie Niziny Turańskiej tworzą góry: Hindukusz, Pamir i Ałtaj. Potężne masywy i wysokie szczyty są pokryte wiecznymi śniegami i lodowcami. Skalisty obszar gór rozcinają dwa typy dolin: wąskie i głęboko wcięte, oraz szerokie, powstałe wzdłuż uskoków tektonicznych.

Na północy Ałtaj opada w kierunku Pogórza Kazaskiego. Suchy, kontynentalny klimat powoduje, ze obszar ten ma ubogą sieć rzeczną. Przeważają stepy i półpustynie. Na południe od Pogórza leży jezioro Bałchasz, pochodzenia tektonicznego, zasilane przez rzekę Ilé, wysładzającą jego wody w części zachodniej (wschodnia część jeziora ma wody słone).

patrz mapa str. **182-183**

Bliski Wschód

Bliski Wschód jest tradycyjną, również współcześnie stosowaną nazwą obszaru, położonego na styku trzech kontynentów: Europy, Azji i Afryki. Tu, w Egipcie i Mezopotamii, bardzo wcześnie powstały rozwinięte ośrodki cywilizacji i przez dłuższy czas z najdowało się centrum starożytnego świata. W ciągu wielu wieków był to obszar rywalizacji ówczesnych potęg państwowych, różnych kultur i ludów napływających z innych terenów. Tu również zrodziły się wielkie religie: judaizm, chrześcijaństwo i islam (który obecnie dominuje w regionie).

Deficyt wody zawsze zmuszał mieszkańców tego regionu do tworzenia systemów irygacyjnych umożliwiających uprawę roślin. Najstarsze powstały w Mezopotamii oraz Egipcie.

W większości krajów Bliskiego Wschodu, zwłaszcza położonych nad Zatoką Perską, w 2. połowie XX w. nastąpiły wielkie przeobrażenia gospodarcze i cywilizacyjne dzięki odkryciu złóż ropy naftowej.

W regionie tym leży 17 państw: Afganistan, Arabia Saudyjska, Bahrajn, Cypr, Egipt, Irak, Iran, Izrael, Jemen, Jordania, Katar, Kuwejt, Liban, Oman, Syria, Turcja i Zjednoczone Emiraty Arabskie. Najbardziej uprzemysłowionym krajem jest Izrael.

W wyniku aktywności wulkanów obszar Kapadocji (Azja Mniejsza) został pokryty przed tysiącami lat grubą warstwą popiołów. Później woda, wiatr, deszcz i śnieg wyrzeźbiły w miękkiej skale – tufie – charakterystyczne formy. Już w zamierzchłych czasach ludzie zamieszkiwali w wydrążonych w skałach pomieszczeniach.

patrz mapa str. **184-185**

Izrael, Liban, Palestyna

Przez środkową część obszaru ciągnie się południkowo pas rowów tektonicznych z jeziorami: Tyberiadzkim i Morzem Martwym, usytuowanymi w zagłębieniach na ich dnie, będących pozostałością po wkroczeniu na ten teren morza. Nad krawędziami rowów występują góry zrębowe Libanu i Antylibanu, oddzielone Doliną Bekaa.

W czasach historycznych zanotowano w górskiej strefie azjatyckiego wybrzeża Morza Śródziemnego ponad 200 bardzo silnych trzęsień ziemi, podczas których legły w gruzach między innymi takie starożytne miasta jak Balbek i Tyr w Libanie, Antiochia i Aleppo w Syrii.

Zapadlisko znajduje swe przedłużenie ku południowi przez bagna doliny Jordanu do zatoki Akaba. Oddziela ono półwysep Synaj położony między zatoką Akaba a Zatoką Sueską.

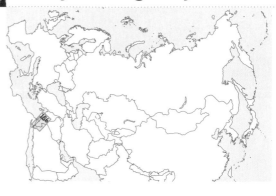

Klimat tego obszaru jest zróżnicowany – nad morzem zimy są chłodne i deszczowe, a lata gorące i suche. Ku wschodowi wzrasta kontynentalizm, przejawiający się w zmniejszonej ilości opadów i wzroście dobowych wahań temperatury powietrza.

W suchym klimacie sieć rzeczna jest uboga. Obszary górskie odwadniają krótkie rzeki spływające do Morza Śródziemnego. Z gór Antylibanu wypływa rzeka Jordan długości 260 km, która po przepłynięciu przez Jezioro Tyberiadzkie uchodzi do Morza Martwego, położonego w najgłębszej depresji na Ziemi. Jego lustro wody znajduje się na poziomie -405 m, a zasolenie wynosi do 26%, co uniemożliwia rozwój życia biologicznego w wodzie, pozwala natomiast na przemysłową eksploatację soli.

Roślinność tego regionu to zarośla typu makii na wybrzeżu, suche trawy stepów i pustyń oraz lasy górskie, a wyżej roślinność typu alpejskiego. Zachodnie skłony wzniesień otrzymują więcej opadów, co pozwala na uprawę w dolinach winorośli, owoców cytrusowych, oliwek. Im dalej na południe, uprawa roli jest możliwa tylko przy zastosowaniu sztucznego nawadniania, a na suchych stepach wyżyny, na której leży Jerozolima, możliwa jest hodowla owiec i kóz. Dalej na południe jedyną roślinnością są suche trawy i krzewy.

Żydzi (osobno mężczyźni i kobiety) modlą się pod zbudowaną z potężnych głazów Ścianą Płaczu. Pobożni wtykają kartki z modlitwami i prośbami do Boga między głazy starożytnego muru wierząc, że jest to miejsce najbardziej do Niego zbliżone. Od kilku lat przyjmowane są przesyłki pod Ścianę Płaczu za pośrednictwem faksu lub internetu.

W 2002 r. premier Izraela Ariel Szaron rozpoczął budowę „muru bezpieczeństwa" oddzielającego Zachodni Brzeg od Izraela, żeby chronić Izraelczyków przed palestyńskimi zamachami terrorystycznymi. Docelowo mur miał mieć 600 km. Zgromadzenie Ogólne NZ uznało tę budowę za nielegalną, ale władze Izaraela nie chcą odstąpić od projektu i prace nadal trwają.

Morze Martwe, które w rzeczywistości jest jeziorem tektonicznym, jest zbiornikiem niezwykłym. Dzięki unikatowemu klimatowi panującemu nad tym gigantycznym basenem, dużej zawartości tlenu i bromu w powietrzu, przesyconej solami mineralnymi wodzie i bogatemu w związki mineralne mułowi zalegającemu na dnie zbiornika, możliwe jest leczenie wielu chorób, a miejscowe minerały wykorzystuje się do produkcji poszukiwanych kosmetyków.

Zatoka Perska

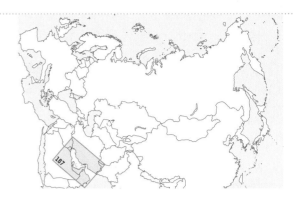

Na Półwyspie Arabskim religią dominującą jest islam, czego wyrazem są wspaniałe – stare i nowe – meczety. Z minaretu, wieży stojącej obok meczetu, muezzin pięć razy dziennie wzywa wiernych na modlitwę. Wszyscy wyznawcy islamu modlą się mając twarz zwróconą w stronę Mekki. W Bahrajnie islam jest religią państwową: 40–45% społeczeństwa stanowią sunnici, 60–55% szyici. Na zdjęciu meczet Al-Fateh w Al-Manama, stolicy Bahrajnu.

Zatoka Perska jest częścią Oceanu Indyjskiego, usytuowaną między południowo-zachodnią Azją a Półwyspem Arabskim. Poprzez cieśninę Ormuz łączy się z Zatoką Omańską i Morzem Arabskim. Od północy osłaniają ją góry Zagros będące częścią Wyżyny Irańskiej. Jest to pasmo o długości około 1600 km i szerokości 200–300 km. Góry składają się z kilkunastu równoległych grzbietów oddzielonych obniżeniami pochodzenia tektonicznego i krasowego. Grzbiety górskie mają na ogół płaskie wierzchołki, lecz stromo opadające stoki. W wyższych partiach powyżej 4000 m n.p.m. leżą wieczne śniegi. W podłużnych kotlinach występują słone jeziora i bagna.

Od strony południowej Zatoka Perska jest ograniczona przez Półwysep Arabski. W niewielkiej odległości od brzegów Zatoki znajdują się obszary pustynne (m. in. pustynia Mały Nefud). Nad Zatoką Perską panuje klimat suchy i gorący. Brak tu stałych rzek, a suche doliny – uedy – są wypełnione wodą tylko w czasie ulewnych, epizodycznych opadów deszczu.

Nazwa Zatoka Perska pojawiła się już w starożytności. Została nadana przez Greków i nawiązywała do starożytnej Persji (obecnego Iranu). W czasach rzymskich Zatoka nazywana była Arabską, i takiej nazwy nadal używa się właśnie w Iranie. Ze względu na powierzchnię – około 240 tys. km², Zatokę, można uznać za śródlądowe morze. Średnia głębokość Zatoki wynosi 42 m. Na jej wodach rozwinęło się rybołówstwo (występuje tu około 40 gatunków ryb) oraz połów perłopławów. Powstała z połączenia Tygrysu i Eufratu rzeka Satt al-'Arab uchodzi do Zatoki rozległą deltą. Zasolenie akwenu jest dość duże i wynosi średnio 35–40‰, a miejscami sięga nawet 60‰.

Nad Zatoką Perską położone są następujące kraje: Z.E.A., Arabia Saudyjska, Katar, Bahrajn, Kuwejt, Irak oraz Iran. Pod jej dnem i w rejonach nadbrzeżnych znajdują się największe na świecie złoża ropy naftowej, na bazie których rozwinął się na dużą skalę przemysł przetwórstwa ropy naftowej. Konieczność transportu ropy naftowej do krajów przeznaczenia, spowodowała duże natężenie ruchu tankowców na strategicznej drodze wodnej, jaką jest Zatoka Perska.

Mimo że społeczeństwa krajów Półwyspu Arabskiego są mocno związane z tradycją islamu, coraz częściej otwierają się na kulturę Zachodu. Powstają nowoczesne centra finansowe, kluby sportowe i domy handlowe, gdzie kobiety, często od stóp do głów spowite w czarne abaje, mogą bez obawy o naruszenie zakazów religijnych pracować i spędzać wolny czas.

Arabia Saudyjska jest krajem dążącym do zapewnienia sobie samowystarczalności żywnościowej poprzez stosowanie nowoczesnych metod produkcji, m.in. wielkich zautomatyzowanych szklarni i wyspecjalizowanych farm hodowlanych. Ponieważ obszary uprawne zajmują jedynie 0,6% powierzchni kraju, do nawadniania gruntów oprócz wód podziemnych wykorzystuje się wodę morską. Na zdjęciu instalacja do odsalania wody.

patrz mapa str. 187

Kraje Azji Zachodniej

Hadż, największa doroczna pielgrzymka muzułmanów, sprowadza do Mekki ponad 2 mln wyznawców. Po przybyciu do Świętego Miasta pielgrzymujący mężczyźni owijają się w dwa kawałki białego płótna symbolizujące czystość i odbywają rytualną procesję wokół kamiennego relikwiarza – Al-Kaby, w który jest wmurowany Czarny Kamień.

Azja Zachodnia stanowi pomost pomiędzy Europą, Afryką Północną i pozostałą częścią Azji. Najdalej na zachód sięga Azja Mniejsza, granica północna biegnie u stóp Kaukazu, wzdłuż południowych wybrzeży Morza Kaspijskiego i północnoirańskich gór brzeżnych. Na wschodzie granica regionu biegnie przez góry Afganistanu i Beludżystanu.

Region nie jest jednolity geologicznie. Występują tu zarówno trzeciorzędowe góry fałdowe obramowujące Azję Mniejszą, budujące Kaukaz i obrzeżenie Wyżyny Irańskiej, jak i stare płyty krystaliczne na Półwyspie Arabskim. Otaczające morza: Śródziemne, Czarne, Kaspijskie i Czerwone wdzierają się głęboko w kontynent, podkreślając pomostowe położenie jakie zajmuje ten obszar.

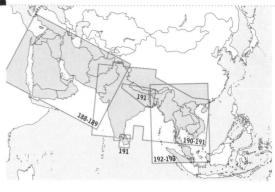

W Azji Mniejszej oraz na Wyżynie Armeńskiej w przeszłości miała miejsce intensywna działalność wulkaniczna. Świadczą o tym liczne ciepłe źródła, a także stożki wygasłych wulkanów (np. Ararat – 5122 m n.p.m.).

Półwysep Arabski stanowi rozległą płytę wyniesioną średnio na wysokość 500–1000 m n.p.m. Oddzielony w przeszłości od Afryki, ma budowę podobną do kontynentu afrykańskiego. Panujący na Półwyspie skrajnie suchy i gorący klimat spowodował powstanie pustyń. Niewielkie opady deszczu zatrzymywane są przez góry nadbrzeżne, dlatego też przepływy rzek wykazują silne roczne wahania stanu wody, a ich koryta przez długie miesiące mogą pozostawać zupełnie suche. W północnej części leży piaszczysta pustynia Wielki Nefud, pokryta potężnymi wydmami zwanymi barchanami, których wysokość dochodzi nawet do 100 m. Na południu, w obniżeniu tektonicznym, leży pustynia Ar-Rub' al-Hali, zaliczana do największych pustyń świata.

Rozległe pustynie występują też na Wyżynie Irańskiej, chociaż zimą panują tam bardzo niskie temperatury powietrza. W otaczających je górach co roku leży śnieg.

Tradycyjnym zajęciem mieszkańców Azji Zachodniej było i nadal jest koczownicze pasterstwo (nomadyzm). Uprawa roślin w zasadzie jest możliwa jedynie dzięki sztucznemu nawadnianiu.

patrz mapa str. 188-189

Kraje Azji Południowej

Indie są jednym z dwóch największych producentów herbaty na świecie. Krzewy herbaciane potrzebują dużo słońca, obfitych, regularnych deszczów, a plony są najwyższe w rejonach podgórskich i górzystych (stoki w dolinie Brahmaputry). Plantacje zakłada się na 30 do 50 lat. Najlepszy surowiec stanowią pączki i pierwsze listki.

W Azji Południowej leżą: Indie, Pakistan, Bangladesz, Sri Lanka, Nepal i Bhutan. Zajmują prawie 1/10 powierzchni całego kontynentu.

Półwysep Indyjski (2 mln km^2) od północy ograniczony jest przez wysokie systemy górskie Himalajów, Karakorum i Hindukuszu. Centralną jego część zajmuje wyżyna Dekan (1 mln km^2), od wschodu i zachodu obramowana pasmami górskimi Ghatów Wschodnich i Zachodnich, zbudowana z prekambryjskich skał krystalicznych. Od północy z wyżyną sąsiadują dwie wielkie niziny: Indusu i Gangesu.

Największa rzeka Pakistanu, Indus (3180 km), bierze początek w Transhimalajach, w paśmie Kajlas, a następnie przepływa przełomem o głębokości 4–5 tys. m między Hindukuszem i Himalajami, następnie skrajem piaszczysto-żwirowej pustyni Thar, z licznymi zagłębieniami wypełnionymi słonymi jeziorami. Źródła Gangesu (2700 km długości) leżą na wysokości 4600 m n.p.m. u stóp Nanda Devi. W odległości kilkuset kilometrów od ujścia do Zatoki Bengalskiej przyjmuje on największy swój dopływ – Brahmaputrę. Potężna delta obu rzek, o powierzchni około 80 tys. km^2, składa się z licznych wysp, a jej kształt i zasięg ulega zmianie w wyniku ciągłego osadzania mułów rzecznych i działalności pływów morskich.

Lhotse (8516 m n.p.m.) jest czwartym pod względem wysokości szczytem Ziemi. Polacy są rekordzistami w zimowych wejściach na himalajskie ośmiotysięczniki. Należy do nich siedem pierwszych takich wejść m.in. na: Mt. Everest, Kanchenjungę i Lhotse.

Przez Hindusów Ganges jest uważany za rzekę świętą, a leżące nad nim Varanasi (Benares) to najważniejsze centrum religijne hinduizmu. Do Varanasi przybywają pielgrzymi, by dokonać rytualnych, oczyszczających kąpieli. W tym mieście skremowane prochy pielgrzymów zostają powierzone rzece.

Na Półwyspie Indyjskim panuje klimat zwrotnikowy monsunowy (w części środkowej suchy). Bardzo obfite opady, przekraczające na zachodnim wybrzeżu nawet 3000 mm rocznie, występują głównie w porze letniej. Z okresem przejściowym w cyrkulacji monsunów wiąże się nawiedzanie obszaru Półwyspu przez powodujące wielkie zniszczenia cyklony, szczególnie na nizinnych wybrzeżach morskich. W tym okresie rzeki wylewają i zmieniają koryta, a wielu ludzi ginie w powodziach lub traci dach nad głową.

patrz mapa str. **190-191**

Półwysep Indochiński

Półwysep Indochiński leży w Azji Południowo-wschodniej, pomiędzy Zatoką Bengalską i Morzem Andamańskim od zachodu, a Morzem Południowochińskim. Jego południową część stanowi Półwysep Malajski o wydłużonym kształcie.

Angkor był stolicą państwa Khmerów od IX w. Leży w środkowej Kambodży, na północ od jeziora Tônlé Sab. W okresie rozkwitu istniało tu ponad 100 hinduistycznych i buddyjskich świątyń. Ruiny Angkor (odkryte w 1861 r. przez francuskiego przyrodnika H. Mouhota) obejmują rezydencje władców, świątynie, sztuczne jeziora i systemy melioracyjne.

Pomiędzy pasmami górskimi północnej części Półwyspu leżą rozległe niziny nadrzeczne z równinami deltowymi. Największe z nich rozciągają się wzdłuż Irawadi (2150 km) i Mekongu (4500 km). Mekong wypływa z Wyżyny Tybetańskiej, charakteryzuje się dużymi rocznymi wahaniami przepływu wód. W okresie deszczów monsunowych przepływ zwiększa się aż 10–20-krotnie. Delta wciąż się powiększa – jej najdalej wysunięty punkt przesuwa się rocznie o około 60 m.

Na północny wschód od Gór Kardamonowych znajduje się jezioro Tônlé Sab. Jest ono pozostałością po dawnej zatoce morskiej, która została zasypana przez osady naniesione przez Mekong. Latem podczas deszczów monsunowych jego powierzchnia wzrasta z 3000 km² aż cztero-pięciokrotnie, a głębokość powiększa się z 2 do 8–10 m.

Gorący i wilgotny klimat Półwyspu Indochińskiego sprawia, że najniższe opady atmosferyczne wynoszą około 1000 mm rocznie, a w niektórych rejonach przekraczają nawet 6000 mm. W klimacie monsunowym rosną wilgotne lasy równikowe z cennym drzewem tekowym – poszukiwanym surowcem budowlanym. Drzewo to uprawia się również na plantacjach, podobnie jak pochodzący z Amazonii kauczukowiec.

Region ten cieszy się obecnie złą, narkotykową sławą, gdyż w tzw. Złotym Trójkącie (Tajlandia, Birma, Laos) na szeroką skalę uprawia się mak, z którego wytwarzane jest opium.

Dzięki swemu położeniu Indochiny – jak sama nazwa wskazuje – podlegały wpływom kultury chińskiej i indyjskiej. Duże piętno wywarł tam również islam, a od XIX w. zaczął się zaznaczać wpływ europejskich mocartsw kolonialnych.

Pozostałością po minionych epokach są m.in. imponujące budowle świątyń: kmerskiej Angkor Wat w Kambodży i buddyjskiej złotej świątyni Shwe Dagon w Rangunie, w Birmie.

patrz mapa str. **192-193**

Małe państwa

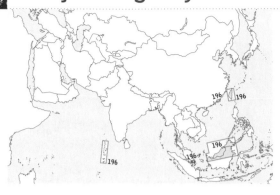

Na kontynencie azjatyckim obok wielkich krajów zupełnie nieźle radzą sobie państwa mniejsze, najczęściej mające kolonialną przeszłość. Do II wojny światowej poddanymi Korony Brytyjskiej byli mieszkańcy Hongkongu, Singapuru, Malezji, Brunei i Malediwów, natomiast Tajwan był zależny od Japonii. W latach 60. XX w. niepodległymi państwami stały się Singapur, Malediwy i Malezja. W 1984 r. niezależność uzyskało Brunei. Zgoła inaczej potoczyły się losy Tajwanu i Hongkongu. Chiny nadal uważają Tajwan za swą zbuntowaną prowincję, mimo iż od 1949 r. kraj ten prowadzi własną politykę, uwieńczoną sukcesami, zwłaszcza gospodarczymi.

Singapur to jedno z najlepiej rozwiniętych państw świata i jedno z najbogatszych w Azji. Słynie z przemysłu elektrotechnicznego i elektrycznego. Od lat pozostaje ekskluzywnym i tanim „domem towarowym", m.in. dla turystów podróżujących między Europą a Australią. Nazywany jest często Miastem Kar (Fine City), gdyż za rzucanie na ziemię niedopałków lub jedzenie w metrze można zapłacić wysoką karę.

Nie jest jednak oficjalnie uznawany na forum ONZ, gdyż Chiny w przypadku ogłoszenia przez Tajwan niepodległości grożą interwencją. Od 1993 r. prowadzone są rozmowy na temat zjednoczenia. Natomiast Hongkong w 1997 r., po latach panowania Brytyjczyków, wrócił do Chin i obecnie jest ich regionem o dużej autonomii.

Możliwości rozwoju gospodarczego omawianych terytoriów były i są ściśle uzależnione od umiejętności wykorzystania położenia geograficznego, sytuacji społeczno-politycznej, a także, jak w przypadku Brunei, zasobów ropy naftowej i gazu ziemnego.

Singapur i Hongkong to jedne z największych portów na świecie. Wraz z Tajwanem są wielkimi ośrodkami handlu, finansów i przemysłu. Począwszy od lat 70. XX w., dzięki nawiązaniu bliskiej współpracy z Japonią, ich dynamika wzrostu gospodarczego była tak wysoka, że ekonomiści prognozowali, iż XXI w. będzie gospodarczo zdominowany przez kraje zwane „azjatyckimi tygrysami". Dzięki taniej sile roboczej i wprowadzeniu stref wolnego handlu wiele firm tu właśnie lokowało swe inwestycje, by taniej produkować i więcej sprzedawać. Dodatkowo położony w sąsiedztwie Chin Hongkong, wykorzystywał ich protekcjonalizm polityczny i czerpał korzyści płynące z reeksportu towarów.

Zasobność Singapuru, Hongkongu czy Brunei znajduje odbicie w produkcie krajowym brutto przeliczanym na jednego mieszkańca, przekraczającym 20 tys. dolarów, co plasuje te kraje w gronie najbogatszych na świecie.

Meczet sułtana Omara Alego wybudowano z wielkim rozmachem i przepychem. Ta ogromna, kryta złotą kopułą budowla z 1958 r. stoi pośrodku sztucznego jeziora, utworzonego na rzece Brunei. Na jeziorze znajduje się również marmurowa wyspa w kształcie statku mającego symbolizować pielgrzymki do Mekki. Wnętrze świątyni wyłożone jest włoskim marmurem, a jej wewnętrzne krużganki łączą bezszelestne windy.

Hongkong znaczy po chińsku Wonny Port. To niewielkie terytorium
w latach 1842–1997 było dzierżawione od Chin przez Wielką Brytanię.
Po II wojnie światowej Hongkong zaczął bardzo szybko się rozwijać
i w latach 80. XX w. stał się jednym z najbogatszych krajów azjatyckich.
Ziemia jest tam bardzo droga, więc w zabudowie dominują drapacze chmur
– miasto rozrasta się do góry.

Tygrys w odwrocie

Przeszłość Singapuru i Hongkongu wykazuje wiele
podobieństw. Strategiczne położenie Singapuru na przedłużeniu
Półwyspu Malajskiego, przy szlaku morskim prowadzącym
z Oceanu Indyjskiego na Ocean Spokojny spowodowało,
iż w 1819 r., stał się on punktem handlowym Brytyjskiej Kompanii
Wschodnioindyjskiej, a następnie, po odkupieniu go
od sułtanatu Johor, kolonią brytyjską (1867 r.). Brytyjczycy
zlokalizowali tu później bazę marynarki brytyjskiej
na Dalekim Wschodzie. W 1965 r. Singapur po blisko 150 latach
brytyjskiego panowania odzyskał niepodległość i dzięki swemu
położeniu geograficznemu wyrósł na centrum komunikacyjne
i handlowe Azji Południowo-wschodniej.

Hongkong, w podobnym czasie jak Singapur, bo w 1841 r.,
stał się kolonią brytyjską. W skład jego terytorium weszły
brytyjskie zdobycze po trzech tzw. wojach opiumowych z Chinami
oraz tzw. Nowe Terytoria, wydzierżawione w 1898 r. od Chin
na 99 lat. Dzięki korzystnemu położeniu komunikacyjnemu
Hongkong stał się głównym brytyjskim portem u wybrzeży Chin,
a z czasem jednym z największych portów morskich
Dalekiego Wschodu.

1 lipca 1997 roku Hongkong – Wonny Port – perła Korony
Brytyjskiej, został przekazany władzom chińskim, które
zobowiązały się przez następne 50 lat zachować dotychczasowy
system gospodarczy, społeczny i prawny oraz wewnętrzną
autonomię Hongkongu.

I choć Hongkong nadal jest piękny i bogaty, to przez ostatnie lata
trudno mówić o jego rozkwicie. Choć władze chińskie pozornie
dotrzymują słowa, dla wielu mieszkańców Hongkongu
prowadzona obecnie polityka społeczna i gospodarcza pozostawia
wiele do życzenia. Pierwszym bolesnym zgrzytem było wzniesienie
przez Chińczyków budynku Bank of China. Kontrowersyjna,
na wskroś nowoczesna budowla, posadowiona została w złym miejscu,
niezgodnie z zasadami Feng Shui. Dla Chińczyka te zasady
to świętość. Bank wybudowany w mieście, w którym wszystkie
budowle harmonizują ze sobą, skazuje je na powolną śmierć.

I trudno nie zauważyć, że podczas gdy w Hongkongu
szybko rośnie bezrobocie i bankrutują firmy, odwiecznie z nim
konkurujące miasta – Kanton i Szanghaj – rozkwitają,
jak gdyby w Azji wcale nie było recesji. To w nich buduje się
nowoczesne wieżowce, autostrady, fabryki czy centra handlowe,
gdyż w przeciwieństwie do Hongkongu jest tu jeszcze wiele
wolnej przestrzeni do zabudowania. Kapitał z Hongkongu
ucieka tymczasem tam, gdzie można go szybciej pomnożyć.

W latach chińskiej izolacji przez wąską furtkę Hongkongu
przelewały się w obie strony ogromne strumienie pieniędzy
i towarów. Tędy docierały do Państwa Środka nowoczesne
technologie i informacje. W przeciwną stronę płynęły
ogromne ilości ubrań i tekstyliów, a potem sprzęt radiowy
i elektroniczne gadżety. Tak rosły fortuny chińskich milionerów
i dobrobyt pozostałych mieszkańców byłej kolonii.
Odkąd Chiny otworzyły się na świat i weszły nawet do Światowej
Organizacji Handlu, ta furtka przestała być potrzebna.
Znów, jak przez trzy minione stulecia, droga do Chin wiedzie
przez dwie wygodne bramy: Szanghaj i Kanton, a „azjatycki tygrys"
oddaje swe wpływy na rzecz leżącego w tym regionie,
prężnie rozwijającego się Singapuru.

Singapur, kraj zupełnie pozbawiony bogactw naturalnych,
gdyż nawet wodę sprowadza z Malezji, cechuje bardzo wysoka
dynamika wzrostu gospodarczego. Lee Kuan Yew,
który stanął na czele rządu w 1965 r., zdecydował o rozwoju
gospodarczym przy wykorzystaniu potencjału finansowego
własnego narodu. Postawił też na rodzimą kadrę.
Początkowo Singapur był atrakcyjnym partnerem dla Japonii,
potem również dla reszty świata. Miasto Lwa to obecnie
największy w regionie ośrodek finansowy, bankowy i handlowy,
centrum wolnocłowego handlu, siedziba największych na świecie
giełd kauczuku, cyny i przypraw korzennych. Rozwój gospodarki
związany jest z dużym napływem kapitału zagranicznego
i z ciągłą modernizacją przemysłu, szczególnie elektronicznego,
oraz transportu.

patrz mapa str. **196**

Filipiny

Filipiny, państwo wyspiarskie w południowo-zachodniej części Oceanu Spokojnego, obejmuje około 7100 wysp i atoli koralowych, z których tylko 860 jest zamieszkanych. Największe to Luzon, Mindanao, Mindoro, Samar, Negros, Palawan, Panay.

Wyspy archipelagu Filipin zbudowane są głównie z wapieni, piaskowców, łupków oraz młodszych law andezytowych i bazaltowych. Miejscami można spotkać wychodnie skał starszych, m.in. granitów, gnejsów, łupków krystalicznych, którym towarzyszą złoża cennych minerałów, złota i miedzi.

Grzbiety pasm górskich ciągną się wzdłuż wybrzeży wysp. Nizinny pas nadbrzeżny jest przeważnie wąski, w zatokach rosną lasy namorzynowe, a skaliste części wybrzeża otaczają rafy koralowe.

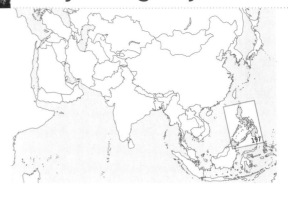

Wulkan Pinatubo (1759 m n.p.m.) znajduje się na Filipinach, około 120 km na północny zachód od Manili. W 1991 r. miała miejsce największa erupcja tego wulkanu w XX w. Na zboczach pojawiły się potoki lawy, a popiół wulkaniczny, rozmywany przez spływające wody, pokrył okoliczne wioski. Spływy błotne niszczyły domy i mosty.

Filipiny leżą w nieustabilizowanej, aktywnej sejsmicznie strefie brzeżnej Oceanu Spokojnego, związanej m.in. z Rowem Filipińskim (10 497 m p.p.m.). Największe czynne wulkany to: Mt. Mayon (2462 m n.p.m.) na wyspie Luzon i Mt. Apo (2954 m n.p.m.) na Mindanao.

Wyspy leżą w strefie klimatu morskiego, typowo monsunowego, odznaczającego się wyraźną sezonową zmiennością cyrkulacji powietrza. Również rozkład opadów (średnia roczna 2370 mm) uwarunkowany jest sezonową cyrkulacją mas powietrza. Obfite opady powodują, że sieć rzeczna jest dobrze rozwinięta, jednak krótkie rzeki o słabo rozwiniętych dorzeczach są niedostępne dla żeglugi.

Roślinność Filipin jest bardzo różnorodna, a 40% gatunków stanowią endemity. Obszary górskie porastają bujne lasy równikowe, w których ważną gospodarczo rolę odgrywają cenne gatunki drzew, stanowiące jedno z najważniejszych bogactw naturalnych kraju. Filipiny są jednym z czołowych państw w uprawie palm kokosowych i konopii manilskich (abaki).

Państwo filipińskie uzyskało niepodległość w 1946 r. Archipelag w przeważającej części jest zamieszkany przez Filipińczyków (80% ludności), ale stanowi mozaikę plemion i kultur. Na wyspach używa się około 70 dialektów, a wiele plemion ma swoje odrębne zwyczaje. Od 1946 r. obok narodowego języka tagalog językiem urzędowym jest także angielski.

Filipińczycy to ludzie wyjątkowo mili, przyjaźni i gościnni, otwarci na cudzoziemców. Poza dużymi skupiskami miejskimi ich życie biegnie jak przed wiekami, w zgodzie z naturą. Mieszkają w wioskach, w maleńkich domkach zbudowanych na lądzie stałym, lub wprost na wodzie, ciężko pracując aby przetrwać i wyżywić swoje liczne rodziny.

Czekoladowe Wzgórza (Chocolate Hills) są atrakcją wyspy Bohol
(leżącej na morzu Bohol, na wschód od wyspy Cebu).
Są to intrygujące kopuły przypominające ogromne mrowiska.
Jest ich w sumie 1268. W porze suchej, kiedy trawy brązowieją,
wzgórza wyglądają jak kulki czekoladowych lodów. Wiążą się z nimi
liczne legendy.

Tradycja i dzień dzisiejszy

Na Filipinach, jak we wszystkich krajach rozwijających się,
występują wielkie kontrasty pomiędzy biedą a bogactwem.
W nowoczesnym centrum Manili znajdują się wspaniałe biurowce,
nowoczesne hotele, ekskluzywne sklepy, parkują luksusowe
samochody, a na obrzeżach stolicy w slumsach mieszka biedota.
Tutaj bogaty biznesmen i żebrak spacerują po tej samej ulicy.
W supermarketach z klimatyzacją można kupić najnowszy
sprzęt elektroniczny, a parę ulic dalej, w niektórych domach
i rodzinach, brakuje wody pitnej lub podstawowych środków
do życia. Społeczeństwo Filipin tworzą w ogromnej większości
Filipińczycy (80% mieszkańców). Poza nimi jedyną liczniejszą grupą
są Chińczycy (10%). W zdecydowanej większości obywatele Filipin
są katolikami (83% społeczeństwa). Przeciętny Filipińczyk
jest otwarty na „kulturę zachodu" i nowoczesną cywilizację,
dobrze włada językiem angielskim i jest religijny, jak typowy
mieszkaniec Dalekiego Wschodu. W zespole miejskim ponad
10-milionowej Manilii symbole religijne, przedstawiające
postać Chrystusa czy Maryi, jak i komercyjne, np. reklamy
McDonald's lub bilboardy filmów amerykańskich ze sławnymi
aktorami, przeplatają się ze sobą na każdym kroku.

Długi pobyt na wyspach katolickich Hiszpanów, a także
Amerykanów, pozostawił wyraźne piętno.

Wyspy odkrył w 1521 r. Ferdynand Magellan i na cześć
króla Hiszpanii Filipa nazwał Filipinami. W ślad za nim napłynęli
misjonarze katoliccy. Hiszpanie podbili wyspy ostatecznie
dopiero w XIX w. Amerykanie pojawili się na wyspach w 1898 r.
Po wojnie hiszpańsko-amerykańskiej, związanej z ruchami
niepodległościowymi na Filipinach, przejęli kontrolę nad krajem
aż do wybuchu II wojny światowej.

Europejczyków szczególnie szokują niezwykłe obyczaje religijne
i kulturowe mieszkańców Filipin. Gorliwy katolicyzm przejawia się
w najbardziej wyrazisty sposób w okresie Wielkanocy.
W Wielkim Tygodniu odbywają się procesje, w czasie których
kilku ochotników pozwala się ukrzyżować, składając w ten sposób
ofiarę dla Chrystusa. Szokujący i jednocześnie przejmujący spektakl
trwa zaledwie kilka minut, trudno jednak zrozumieć,
dlaczego zwykli ludzie dobrowolnie decydują się na tak straszne
cierpienia. Mimo iż kościół katolicki oficjalnie odcina się
od tego typu praktyk, uznając je za okrutne i pogańskie,
a ukrzyżowanym nie towarzyszy żaden ksiądz, są one wciąż spotykane
w kilku miastach i miasteczkach na wyspie Luzon. W procesjach
uczestniczą także biczownicy, kaleczący w akcie umartwienia
swe plecy ostrymi pejczami.

Filipiny słyną też z uzdrowicieli. Z całego świata przyjeżdżają tu
chorzy pragnący za odpowiednio wysoką opłatą poddać się
bezkrwawej operacji. Zabiegi te nie są akceptowane i uznawane
przez współczesną medycynę.

Jedną z najbardziej niezwykłych części Manili jest chiński
cmentarz. W dzielnicy umarłych, z olbrzymimi grobowcami
i rzeźbionymi mauzoleami, są wznoszone piętrowe apartamenty
wyposażone w toalety, kuchnie z lodówkami, klimatyzację, balkony
czy nawet zarybione stawy. Oczywiście te urządzenia
nie służą zmarłym, lecz odwiedzającej groby rodzinie.
Budynki różnią się od siebie w zależności od religii i zamożności
właścicieli. Dla biedniejszych czynne jest krematorium
i dostępne miejsce na urnę z prochami w specjalnej ścianie.

Elementem krajobrazu, który stał się symbolem narodowym,
są tarasowate pola ryżowe położone 330 km na północ od Manili,
zajmujące powierzchnię 20 tys. ha. Ułożone obok siebie
zajęłyby połowę obwodu kuli ziemskiej. Zostały wpisane
na Listę Światowego Dziedzictwa Kulturalnego i Przyrodniczego
UNESCO. Dzisiaj eksperci UNESCO wpisują je także na listę
miejsc zagrożonych, a według niektórych ocen połowa słynnych
ryżowych tarasów praktycznie już zniknęła. „Niebiańskie schody",
przez tysiąclecia tworzone rękami plemienia Ifugao,
są w niebezpieczeństwie w wyniku wytrzebienia lasów, co w efekcie
spowodowało osuwanie się gruntu na zboczach i zakłóciło
skomplikowany system nawadniania ryżowisk. Tarasy zanikają
też dlatego, że pola ryżowe nie są w stanie wyżywić mieszkańców
regionu. Brak więc następców do kultywowania tradycji.
Młode pokolenia uciekają z ziemi przodków w poszukiwaniu pracy
i łatwiejszego życia.

patrz mapa str. **197**

161

Kraje Azji Południowo-wschodniej

We wschodniej części Jawy, na terenie Parku Narodowego Bromo, wznosi się czynny wulkan Bromo o wysokości 2392 m n.p.m. Wulkan leży wewnątrz rozległej kaldery Tengger o średnicy około 20 km, zbudowanej z bazaltów i andezytów. Stanowi wielką atrakcję turystyczną.

Obszar Azji Południowo-wschodniej obejmuje Filipiny, Półwysep Indochiński i Archipelag Malajski, na który składają się Wielkie Wyspy Sundajskie, Małe Wyspy Sundajskie i Moluki. Obszar ten cechuje urozmaicona linia brzegowa oraz duże zróżnicowanie krain geograficznych.

Półwysep Indochiński oddziela od Archipelagu Malajskiego jedna z najdłuższych cieśnin świata – Malakka. Tą ważną trasą morską płynął w 2. połowie XIII w. włoski żeglarz i odkrywca Marco Polo w czasie powrotu z Chin do Wenecji.

Archipelag Malajski i Filipiny składają się z około 21 tys. wysp obejmujących obszar 2 mln km², z czego 6 największych wysp (Borneo, Sumatra, Celebes, Jawa, Luzon i Mindanao) zajmuje 1,7 mln km².

W przeszłości Archipelag był całkowicie podzielony pomiędzy państwa kolonialne. Obecnie jego największa część należy do Indonezji, północno-zachodnia część Borneo wchodzi w skład Malezji, a na północnym wybrzeżu tej wyspy leży sułtanat Brunei.

W sensie geologicznym wyspy w tej części Azji są młode. Na Sumatrze i Borneo znajdują się rozległe, utworzone przez rzeki, silnie zabagnione niziny. Jest to też obszar bardzo aktywny sejsmicznie.

Na wyspach występuje około 330 wulkanów, w tym 128 czynnych. Najwyższe z nich to Kerinci (3805 m n.p.m.) na Sumatrze i Semeru (3678 m n.p.m.) na Jawie. U wschodnich wybrzeży Jawy leży wulkan Krakatau, którego wybuch w 1883 r. był słyszany w promieniu 3 tys. km, i spowodował olbrzymią, wysoką na 36 m falę morską – tsunami, która obiegła połowę kuli ziemskiej.

Wzdłuż Archipelagu Malajskiego ciągną się głębokie rowy oceaniczne – Jawajski i Webera – a u wschodnich wybrzeży Filipin – Rów Filipiński.

Na wyspach panuje klimat równikowy wybitnie wilgotny. Na dużym obszarze rosną więc wilgotne lasy równikowe, a w zachodniej części Półwyspu Indochińskiego – lasy monsunowe. Na najwyższych szczytach gór północnego Borneo śnieg leży przez większą część roku.

patrz mapa str. 194-195

Chiny i Mongolia

Lhasa – stolica Tybetu – leży na wysokości 3630 m n.p.m. Jest odizolowana od reszty świata zarówno fizycznie jak i duchowo. Jej sercem jest wznoszący się na wzgórzu zamek Potala z tzw. Czerwonym Pałacem. Pałac o złotym dachu do 1953 r. był zimową siedzibą duchowego przywódcy Tybetu – dalajlamy. Obecnie Chińczycy przekształcili pałac w muzeum.

Chiny są drugim pod względem obszaru krajem świata, a ich terytorium odpowiada powierzchni Europy. Istnieje duży kontrast między częścią wschodnią Chin, w której przeważają niziny (stanowiące około 12% powierzchni kraju), a wyżynno-górzystą częścią środkową i zachodnią. Tutaj leży Wyżyna Tybetańska, zwana Dachem Świata, o średniej wysokości 4500 m n.p.m., otoczona od południa przez najwyższe góry świata, Himalaje, w których wznosi się 10 szczytów przekraczających wysokość 8000 m n.p.m., z najwyższym Mount Everestem (8848 m n.p.m.). Historię zdobywania najwyższych szczytów rozpoczął jako pierwszy Europejczyk, W. W. Graham. W 1883 r. próbował zdobyć Dunagiri (7066 m n.p.m.) i Changabang (6864 m n.p.m.). Mount Everest, którego nazwa pochodzi od nazwiska geodety G. Everesta, który po raz pierwszy dokonał pomiaru góry, został zdobyty przez nowozelandczyka Edmunda P. Hillarego i Szerpę Norgaya Tenzinga dopiero w 1953 r.

Obok Mezopotamii Chiny są kolebką najstarszej, do dziś istniejącej cywilizacji. Chińczycy wynaleźli druk, proch, zbudowali kompas magnetyczny, opracowali metodę produkcji porcelany. Chiny mają wielowiekowe tradycje handlowe i rzemieślnicze. Są krajem o wielkim potencjale gospodarczym.

Wielki Mur Chiński to największa budowla obronna świata. Jego budowę rozpoczęto w VI w. p.n.e. W okresie świetności liczył ponad 7600 km długości, do dziś zachowało się około 2400 km. Wpisany na Listę Światowego Dziedzictwa Kulturalnego i Przyrodniczego UNESCO.

Chiny – część wschodnia

Północną część Chin wschodnich można scharakteryzować trzema chińskimi słowami: Huang He – Rzeka Żółta, huang tu – żółta ziemia i Huang Hai – Morze Żółte.

Izolowane, wapienne wzgórza, niekiedy o bardzo stromych zboczach, nazywane mogotami, wyrastają z dna płaskodennego polja zajętego pod uprawy ryżu. Mogoty są formą typową dla krasu rozwijającego się w klimacie tropikalnym wilgotnym, m.in. w okolicach Guilin na południu Chin.

W centrum Pekinu, stolicy Chin, za 11-metrowymi murami wznoszą się złote dachy pałaców cesarskich tworzących tzw. Zakazane Miasto. Jego większa część powstała w latach 1368–1644, za czasów dynastii Ming. Obecnie budynki, będące od XV do początków XX w. siedzibą cesarzy chińskich, zostały przekształcone w muzeum.

Począwszy od lat 80. XX w. w Chinach pojawiły się elementy gospodarki rynkowej, zezwolono też na działalność zagranicznych inwestorów, co spowodowało szybki rozwój kraju. W efekcie różnorodne produkty z napisem made in China znalazły się na rynkach wielu krajów świata.

Od północy Chiny graniczą z Mongolią. 80% powierzchni tego wyżynno-górzystego kraju leży powyżej 1000 m. Najwyższe szczyty znajdują się w Ałtaju Mongolskim (Nayramadlin Orgil, 4374 m n.p.m.). Pomiędzy pasmami górskimi występują tu bezodpływowe kotliny, wypełnione słonymi jeziorami (największe to: Uvs nuur i Hjargas nuur).

4/5 powierzchni Mongolii zajmują suche, trawiaste stepy, pozostałą – pustynie. Kraj ma jedną z najniższych na świecie gęstość zaludnienia (1,5 osoby/1 km^2), a mieszkańcy w znacznej części prowadzą koczowniczy tryb życia.

patrz mapa str. **198-199**

Nizina Chińska to kraina lessu, z której rzeki transportują muł do morza, zabarwiając wodę na kolor żółty. Huang He ma długość 5464 km, uchodzi do Morza Żółtego i niesie największą na świecie ilość materiału skalnego.

Podczas panowania dynastii Cin, około VI w. p.n.e., rozpoczęto tu budowę jednej z najpotężniejszych budowli wszech czasów – Wielkiego Muru Chińskiego, który spełniał rolę systemu obronnego przeciwko najazdom koczowników. Na długości 2400 km podkreśla on naturalną granicę między obszarem stepowym zamieszkanym przez koczowniczy szczep mongolskich Ordosów, a żyznym, pokrytym lessem terenem, zamieszkanym przez chińskich rolników.

W południowej części regionu wznoszą się liczne równoległe łańcuchy górskie, z których największy obszar zajmują silnie zerodowane Góry Południowochińskie (2158 m n.p.m.). Na północ od nich leżą: środkowochińskie obniżenie nadrzeczne i niziny akumulacyjne rzeki Jangcy z wieloma jeziorami. Najdłuższą i najzasobniejszą w wodę rzeką Chin jest właśnie Jangcy (6300 km). Jej dorzecze zajmuje aż 1/5 powierzchni kraju i ma przeważnie rolniczy charakter. Uprawy ryżu i bawełny dostarczają 50% chińskich plonów tych roślin.

We wschodnich Chinach znajduje się rozbudowana sieć kanałów, w tym wybudowany już w VII w. Wielki Kanał – najdłuższy kanał żeglowny na świecie (1782 km), łączący Pekin z portem w Hangzhou.

U chińskich wybrzeży leży wiele wysp. Największe z nich to należąca do Chin wyspa Hainan oraz Tajwan, niezależne państwo, chociaż oficjalnie nieuznawane przez ONZ.

Chiny są krajem o największej liczbie ludności na świecie. Dominują Chińczycy – około 92% ludności. Mniejszości narodowe liczą w sumie ponad 100 mln osób (Tybetańczycy, Mandżurowie, Dunganowie, Ujgurzy i in.). Wschodnia część Chin jest najgęściej zaludniona. Na 1/3 terytorium kraju żyje 95% jego mieszkańców, a 44 chińskich miasta, m.in. Pekin, Szanghaj, Nankin przekroczyły liczbę 1 mln mieszkańców.

patrz mapa str. **200-201**

Chiny – część północno-wschodnia, Korea, Japonia

Strefa zdemilitaryzowana powstała w 1953 r. jako liczaca 238 km bariera pomiędzy komunistyczną Koreą Północną i Koreą Południową. Wzdłuż niej ciągną się zasieki z drutu kolczastego wysokości 3 m, a armie po obu stronach strefy dysponują siłą ognia mogącą zrównać z ziemią cały półwysep. Wojska utrzymują ciągły stan gotowości bojowej.

Fudżi (3776 m n.p.m.), najwyższa góra Japonii, o doskonałej niemal symetrii, jest powszechnie uznawana za świętą. Dla szintoistów ten uśpiony wulkan, nieczynny od 1707 r., jest wcieleniem ducha Natury. Wyznawcy Bractwa Fudżi twierdzą, że jest świętą istotą obdarzoną duszą. Buddyści nadali górze nazwę wierząc, iż stanowi wrota do innego świata.

Szanghaj (co dosłownie oznacza „idący do morza") leży w połowie długości wschodniego wybrzeża Chin. Czyni to zeń naturalny port i ośrodek handlowy, śmiało konkurujący w rozwoju gospodarczym i inwestycyjnym z największymi miastami tego rejonu Azji.

Na obszarze północno-wschodnich Chin, obydwu państw koreańskich oraz Japonii występuje znaczne zróżnicowanie krain fizycznogeograficznych. W północno-wschodniej części Chin, w dorzeczu rzek Liao He i Sungari leży Nizina Mandżurska, w południowej części zabagniona, pokryta solniskami i skupiskami lotnych piasków. Od zachodu otaczają ją góry zrębowe – Wielki Chingan, a od wschodu liczne mniejsze pasma górskie. Wybrzeża Zatoki Liaotuńskiej i zatoki Bo Hai łączą Nizinę Mandżurską z wielką Niziną Chińską.

Między Morzem Żółtym a Morzem Japońskim leży Półwysep Koreański. Jego skaliste wybrzeża zachodnie i południowe uległy częściowemu obniżeniu, w wyniku czego powstało charakterystyczne wybrzeże riasowe składające się z wąskich półwyspów, zatok i około 3500 niewielkich wysp. We wschodniej części Półwyspu stromo opadają ku wybrzeżu Góry Wschodniokoreańskie z kulminacją Sorak-san, 1708 m n.p.m. Najbliższa japońska wyspa Cuszima jest oddalona od Półwyspu Koreańskiego o zaledwie 55 km.

W 1948 r. Półwysep Koreański został podzielony między Koreę Południową i Koreę Północną, a granicę poprowadzono w pobliżu 38 równoleżnika. Korea Południowa jest jednym z najwyżej rozwiniętych krajów Azji, a Korea Północna to kraj o centralnym systemie zarządzania, przeżywający głęboki kryzys gospodarczy. W 1992 r. wprowadzono racjonowanie żywności, a w ostatnich latach, po suszach i nieudanych zbiorach, w Korei Północnej panuje wręcz głód.

W sąsiedztwie wschodnich wybrzeży kontynentu azjatyckiego, na cokole kontynentalnym ograniczonym głębokim rowem oceanicznym, leżą Wyspy Japońskie. Stanowią archipelag składający się z ponad 3000 wysp, z których największe to: Honsiu, Hokkaido, Kiusiu i Sikoku. Ich przedłużeniem na południu są wulkaniczne wyspy Riukiu. Wyspy są obszarem silnej działalności sejsmicznej i wulkanicznej. Główne strefy trzęsień ziemi ciągną się wzdłuż wybrzeży Morza Japońskiego i wschodnich wybrzeży wyspy Honsiu. Łącznie na wyspach znajduje się 196 wulkanów, w tym 30 czynnych.

patrz mapa str. **202-203**

Japonia - Honsiu

Archipelag japoński, leżący u wschodnich wybrzeży kontynentu azjatyckiego, rozciąga się łukiem o długości 3800 km. Największą wyspą archipelagu jest Honsiu, dorównująca obszarem Wielkiej Brytanii. Zajmuje ponad 60% ogólnej powierzchni Japonii.

Przez północną część Honsiu, zwaną Tohoku, z północy na południe biegną trzy łańcuchy górskie. Najwyższy z nich, środkowy, to góry Ou-Sanmyaku o kulminacji 2041 m n.p.m. W części zachodniej wyspa zwęża się i dzieli na dwa górzyste półwyspy: Chugoku-sanchi i Kii-sanchi.

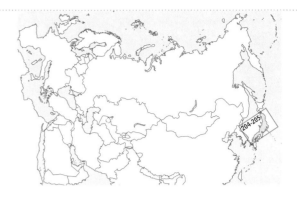

Najsłynniejsze wrota Japonii i jedne z najpiękniejszych na świecie to torii – portal z czerwonego drewna w świątyni Itsukusima na wyspie Miya-jima, zbudowane w 1875 r. Jego dwa 16-metrowe filary podpierają zakrzywione nadproże długości 23 m. Wrota tego typu są charakterystyczne dla świątyń szintoistycznych i oznaczają wejście do świętego obszaru.

W tym zwężeniu, stanowiącym obniżenie tektoniczne, leży największe w Japonii jezioro, Biwa-ko. Cała środkowa część wyspy jest podzielona na odrębne kotliny oddzielone pagórkowatymi zrębami. Jest to równocześnie najbardziej aktywny sejsmicznie obszar w całej Japonii. Znajdują się tu liczne aktywne i wygasłe wulkany, m.in. najwyższa góra Japonii, Fudżi (3776 m n.p.m.). W Japonii notuje się około 1–3 tys. wstrząsów sejsmicznych rocznie. Główne epicentra trzęsień ziemi znajdują się między północno-wschodnim wybrzeżem Honsiu i głębią Rowu Japońskiego. Z tego powodu dawniej w Japonii budowano drewniane domy z papierowymi ścianami. Obecnie budynki projektuje się tak, aby były odporne na wstrząsy. Specjalne fundamenty pozwalają na łagodne kołysanie się budynków, dzięki czemu znacznie rzadziej ulegają one zniszczeniu.

Rzeki na wyspie mają charakter górski, są krótkie, o dużym spadku wód i znacznym potencjale energetycznym. Najdłuższa rzeka na wyspie i w całej w Japonii, Shinano-gawa, liczy tylko 367 km długości.

Przeważająca część Japonii jest górzysta, co nie sprzyja osadnictwu. Ludność (prawie 130 mln) skupia się na nizinach. Średnia gęstość zaludnienia w całej Japonii jest wysoka, wynosi 337 osób/km^2, a na Honsiu 409 osób/km^2. Prawie 80% Japończyków mieszka w miastach. Na Honsiu znajdują się japońskie aglomeracje: Tokio, Jokohama, Osaka, Nagoja, Kioto, Kobe. Głód ziemi w Japonii jest tak wielki, że pomimo olbrzymich kosztów podejmuje się próby uzyskiwania ziemi z przybrzeżnych części zatok morskich.

Most Perłowy jest jednym z najdłuższych mostów świata, łączącym Kobe z wyspą Awaji-shima. Ma 3,91 km długości i jest poprowadzony na wysokości 297 m. Aby zapewnić bezpieczeństwo i ustrzec most od burzycielskiej siły trzęsień ziemi i fal tsunami budowano go niezwykle starannie, a jego budowa trwała prawie 10 lat.

Zamek Himeji jest też nazywany zamkiem Białej Czapli. Jest przykładem dostojnej i wyrafinowanej średniowiecznej architektury Japonii. Jego główne zabudowania sprawiają wrażenie lekkości mimo kamiennego obwarowania, które w przeszłości miało odstraszać napastników.

patrz mapa str. **204-205**

Opis patrz str. **148**

O C E A N   S P O K O J N Y

AUSTRALIA

0   500   1000 km

80°   2   70°   3   60°   4   50°   5   40°   6   7   20°   8

X

STANY ZJEDNOCZONE

160°   W

Linia zmiany daty

MORZE
BERINGA

Wyspa Świętego
Wawrzyńca
(St. Zj)

170°

MORZE
CZUKOCKIE

Cieśnina
Beringa

MORZE
WSCHODNIOSYBERYJSKIE

Wyspy de Longa

Wyspy Lachowskie

Midway
(St. Zj)

Pearland Hermes Reef
Wyspa Lisiańskiego

H

Laysan
(2)

Gardner Pinnacles

Necker Island

Nihoa
Oahu
Niihau

Kauai
Molokai
Maui
Hawaje
Hawaii

V

180°

MORZE
LAPTIEWÓW

Indygirka (Indygirka)

Kolyma
(Kolyma)

Swietłochowo

MORZE
OCHOCKIE

Sachalin

Wyspy Kurylskie

10°

Bajkał

Lena

Amur

CHABAROVSK

Wobe
(St. Zj)

Wyspy
Komandorskie

9

MONGOLIA

ULAANBAATAR
(UŁAN BATOR)

BEIYAN   YICHUN

QIQIHAR
HARBIN
MUDANJIANG

JIAMUSI

VLADIVOSTOK
(WŁADYWOSTOK)

CH'ŎNGJIN

Hokkaido

SAPPORO

SENDAI

TOKYO
(TOKIO)

CHIBA

Minami Tori-shima
(Japonia)

WYSPY MARSHALLA

Wyspy Marshalla

Mejit

Maloelap

170°

0°

CHANGCHUN
JILIN
FUXIN
SHENYANG
FUSHUN
ANSHAN
JINZHOU
DANDONG

KOREA
PÓŁNOCNA

P'YONGYANG (PHENIAN)

HAMHŬNG

NAGOYA
(NAGOJA)

KYOTO
KOBE   OSAKA

Honsiu

Ogasawara-shotō
(Japonia)

Kazan-rettō
(Japonia)

Bikini
Atoll

Eniwetok
Atoll

KIRIBATI   U

BAOTOU
ZHANGJIAKOU
BEIJING
(PEKIN)
HOHHOT
DATONG
TIANJIN
TANGSHAN
DALIAN
INCH'ŎN   SŎUL (SEUL)

QINGDAO
ZIBO

TAEGU

KWANGJU   PUSAN

FUKUOKA
KITAKYŪSHŪ
HIROSHIMA

KUMAMOTO

Kiusiu

KAGOSHIMA

Tane-shima
(Japonia)

MORZE
ŻÓŁTE

Cheju-do

KOREA
POŁUDNIOWA

MORZE
WSCHODNIO-

10°

YINCHUAN
TAIYUAN
SHIJIAZHUANG
HANDAN
LUOYANG
ZHENGZHOU
ZIBO
ZAOZHUANG
JINAN
KAIFENG
XUZHOU
HUAINAN
NANJING   HEFEI

ZHENJIANG
SUZHOU
SHANGHAI
(SZANGHAJ)
WUHU   HANGGZHOU
(HANGGZHOU)

Datto-shotō
(Japonia)

Riukiu

MORZE
WSCHODNIO-
CHIŃSKIE

170°

NAURU

Palikir

NANZHOU   N

XI'AN

Huang He

CHENGDU

WUHAN   HEFEI

NINGBO
WENZHOU

Riukiu

MORZE

Saipan
Tinian
Rota

Mariany Północne
(Stany Zjednoczone)

Saipan
(St.Zj)

Palau Islands

MORZE
FILIPIŃSKIE

P   A   L   A   U

MIKRONEZJA

10°

CHANGSHA

Dongting Hu

Poyang Hu

NANCHANG

FUZHOU

TAIBEI
(TAJPEJ)

TAIZHONG

Kapingamarangi
Atoll

ZIGONG
CHONGQING

PINGXIANG

XIAMEN

TAINAN
TAIWAN

GAOXIONG

Bashi Ilaixia

Melekeok

Yap Islands

GUIYANG

HENGYANG

LIUZHOU   SHANTOU

NEW KOWLOON

NANNING

GUANGZHOU

Macao (Aomen)

HONG KONG
XIANGGANG
(HONGKONG)

ZHANJIANG

Luzon

MANILA   QUEZON
CITY

CEBU

WYSPY SALOMONA

11

KUNMING

HA NOI
(HANOI)

HAI PHONG
(HAJFONG)

Hajnan

Wyspy
Paracelskie

DAVAO

Mindanao

Wyspy Admiralicji

Archipelag
Bismarcka

Guadalcanal

Honiara

MORZE
SALOMONA

20°

VIENCHAN
(WIENTIAN)

KRUNG THEP
(BANGKOK)

PHNUM PENH
(PHNOM PENH)

THANH PHO HO CHI MINH
(MIASTO HO CHI MINHA)

Wyspy
Spratly

MORZE
SULU

Basilan

MORZE CELEBES

Halmahera

Biak

Sepik

Nowa
Gwinea

Port Moresby

Gulf of
Papua

PAPUA-NOWA GWINEA

Nowa Kaledonia
(Francja)

VANUATU

12

KUALA LUMPUR

Kep. Natuna

Bandar Seri Begawan
BRUNEI

Borneo

Kapuas

Celebes

MORZE MOLUCKIE

Seram

Buru

MORZE BANDA

Kep. Aru

MORZE ARAFURA

Seran

Kep. Tanimbar

MORZE KORALOWE
(Australia)

MORZE
KORALOWE

30°

SINGAPUR

Bangka

Belitung

Jawa

UJUNGPANDANG
(MAKASSAR)

Dili

TIMOR
WSCHODNI

Timor

Wyspy
Małe

Wyspy Ashmore
i Cartiera (Australia)

Coeker Island

Groote Eylandt

Zatoka
Karpentaria

Terytorium
Północne

1 ABCHAZJA H5
2 ARMENIA H5
3 AZERBEJDŻAN H6
4 BELGIA D4
5 BOŚNIA I HERCEGOWINA E5
6 CHORWACJA E5
7 CZARNOGÓRA E5
8 GÓRSKI KARABACH H5
9 HOLANDIA D4
10 KOSOWO F5
11 LIECHTENSTEIN D5
12 LUKSEMBURG D5
13 MACEDONIA F5
14 MOŁDAWIA F5
15 NADDNIESTRZE F5
16 SERBIA F5
17 SLOWENIA E5
18 SZWAJCARIA D5

PALEMBANG

JAKARTA
(DŻAKARTA)

SEMARANG

BANDUNG
SURAKARTA
MALANG
SURABAYA

Sumba

Morze Małych Wysp Sundajskich

Wessel Islands

Queensland

AUSTRALIA

BRISBANE

13

PADANG

100°   N   110°   O   120°   P   130°   Q   140°   R   150°   S   160°   T

169

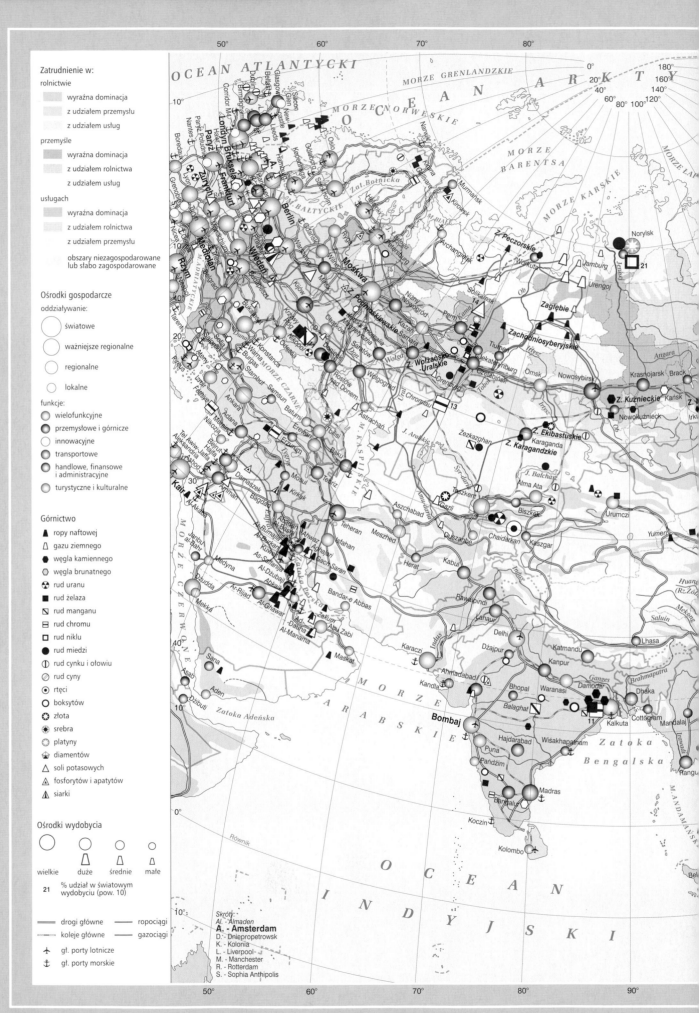

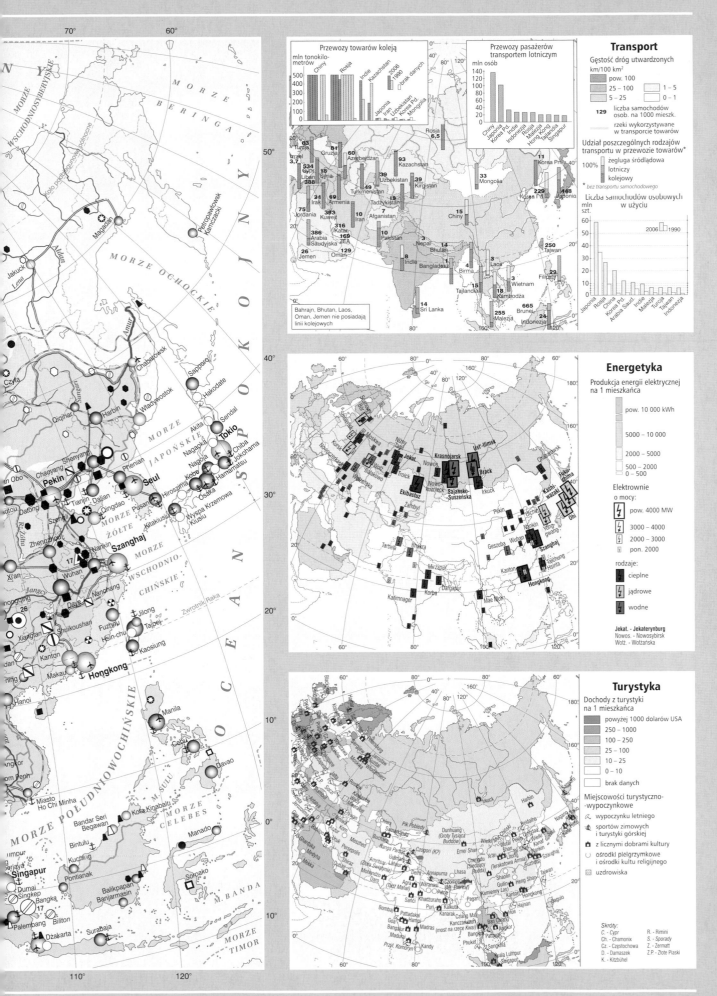

1 : 41 000 000   0   500   1000 km

1 : 117 500 000   0   1000   2000   3000 km

Transport

Gęstość dróg utwardzonych
km/100 km²

pow. 100
25 – 100
5 – 25
1 – 5
0 – 1

129 liczba samochodów
osob. na 1000 mieszk.

rzeki wykorzystywane
w transporcie towarów

Udział poszczególnych rodzajów
transportu w przewozie towarów*

100%
żegluga śródlądowa
lotniczy
kolejowy

* bez transportu samochodowego

Liczba samochodów osobowych
w użyciu
mln
szt.

2006   1990

Przewozy towarów koleją
mln tonokilo-
metrów

Chiny   Rosja   Indie   Kazachstan   2006   1990
brak danych

Japonia   Iran   Uzbekistan   Korea Pd.   Mongolia

Przewozy pasażerów
transportem lotniczym
mln osób

Chiny   Japonia   Korea Pd.   Indie   Indonezja   Rosja   Malezja   Hong Kong   Tajlandia   Singapur

Bahrajn, Bhutan, Laos,
Oman, Jemen nie posiadają
linii kolejowych

Energetyka

Produkcja energii elektrycznej
na 1 mieszkańca

pow. 10 000 kWh
5000 – 10 000
2000 – 5000
500 – 2000
0 – 500

Elektrownie
o mocy:

pow. 4000 MW
3000 – 4000
2000 – 3000
pon. 2000

rodzaje:

cieplne
jądrowe
wodne

Jekat. - Jekaterynburg
Nowos. - Nowosybirsk
Wołż. - Wołżańska

Turystyka

Dochody z turystyki
na 1 mieszkańca

powyżej 1000 dolarów USA
250 – 1000
100 – 250
25 – 100
10 – 25
0 – 10
brak danych

Miejscowości turystyczno-
-wypoczynkowe

wypoczynku letniego
sportów zimowych
i turystyki górskiej
z licznymi dobrami kultury
ośrodki pielgrzymkowe
i ośrodki kultu religijnego
uzdrowiska

Skróty:
C. - Cypr
Ch. - Chamonix
Cz. - Częstochowa
D. - Damaszek
K. - Kitzbühel
R. - Rimini
S. - Sporady
Z. - Zermatt
Z.P - Złote Piaski

171

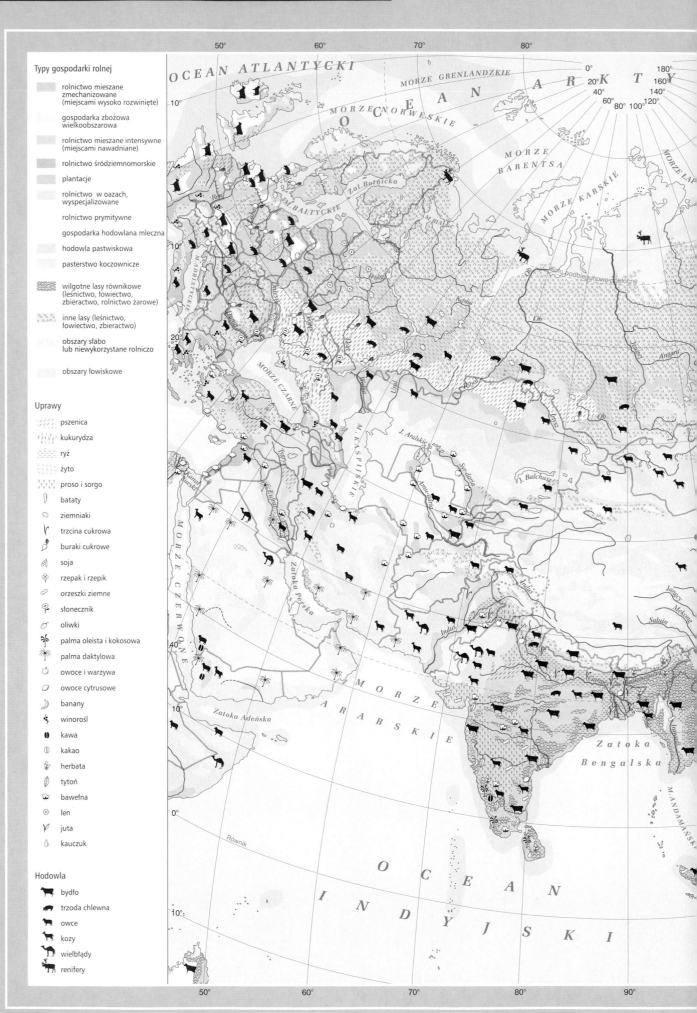

Typy gospodarki rolnej

- rolnictwo mieszane zmechanizowane (miejscami wysoko rozwinięte)
- gospodarka zbożowa wielkoobszarowa
- rolnictwo mieszane intensywne (miejscami nawadniane)
- rolnictwo śródziemnomorskie
- plantacje
- rolnictwo w oazach, wyspecjalizowane
- rolnictwo prymitywne
- gospodarka hodowlana mleczna
- hodowla pastwiskowa
- pasterstwo koczownicze
- wilgotne lasy równikowe (leśnictwo, łowiectwo, zbieractwo, rolnictwo żarowe)
- inne lasy (leśnictwo, łowiectwo, zbieractwo)
- obszary słabo lub niewykorzystane rolniczo
- obszary łowiskowe

Uprawy

- pszenica
- kukurydza
- ryż
- żyto
- proso i sorgo
- bataty
- ziemniaki
- trzcina cukrowa
- buraki cukrowe
- soja
- rzepak i rzepik
- orzeszki ziemne
- słonecznik
- oliwki
- palma oleista i kokosowa
- palma daktylowa
- owoce i warzywa
- owoce cytrusowe
- banany
- winorośl
- kawa
- kakao
- herbata
- tytoń
- bawełna
- len
- juta
- kauczuk

Hodowla

- bydło
- trzoda chlewna
- owce
- kozy
- wielbłądy
- renifery

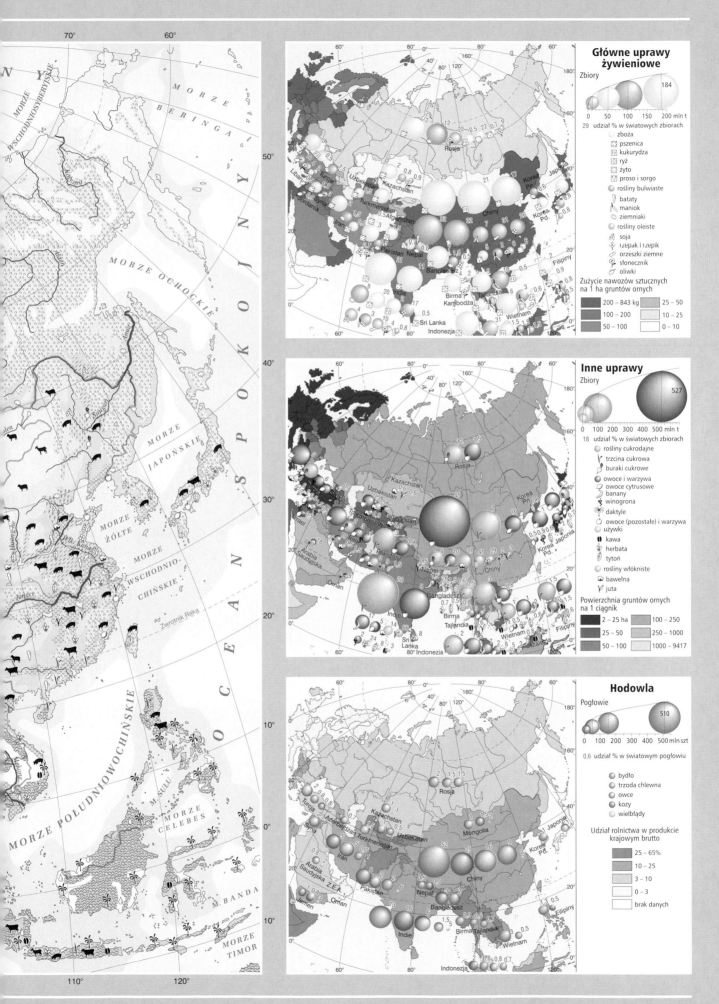

Opis patrz str. **150**

Opis patrz str. **150-151**

Opis patrz str. 151

MORZE BERINGA

Basen Aleucki

Zatoka Anadyrska

STANY ZJEDNOCZONE (Alaska)

Cieśnina Beringa

Nizina Anadyrska

Góry Koriackie

Koriacki Okręg Autonomiczny

MORZE CZUKOCKIE

Góry Czukockie

Czukocki Okręg Autonomiczny

chr. Pekul'nej

Płaskowyż Anadyrski

Góry Anadyrskie

Góry Kołymskie

Wyspa Wrangla

Cieśnina De Longa

Płaskowyż Jukagirski

Nizina Kołymska

OCEAN ARKTYCZNY

MORZE WSCHODNIOSYBERYJSKIE

Wyspy Nowosyberyjskie

Wyspy De Longa

Nowa Syberia

Wyspa Anjou

Wyspy Lachowskie

Góry Momskie

Góry Czerskiego

wyżyna Ojmiakońska

chrebet Kular

chrebet Ułachan-Czystaj

Nizina Indygirsko-kołymska

Góry Wierchojańskie

MORZE ŁAPTIEWÓW

Basen Amundsena

Grzbiet Łomonosowa

Kotlovina Podvodnikov

Lena

1 : 11 750 000

0 100 200 300 400 500 km

O C E A N   S P O K Ó J N Y

Rów Japoński

Rów Kurylsko-Kamczacki

W y s p y   K u r y l s k i e

Basen Kurylski

M O R Z E   O C H O C K I E

vpadina Deriugina

S a c h a l i n

Cieśnina Tatarska

zal. Terpenija

M O R Z E   J A P O Ń S K I E

HOKKAIDO

SAPPORO

HONSIU

J A P O N I A

Basen Japoński

S i c h ó t e - A l i n

Nizina Zejsko-Bureinska

G. Bureiskie

Góry Bureiskie

Równina Turana

chrebet Tukuringra

Amursko-Zejska

M a n d ż u r i a

M a ł y   C h i n g a n

HARBIN

CHANGCHUN

JILIN

KOREA PÓŁNOCNA

Zat. Piotra Wielkiego

Szantarskie Wyspy

Zat. Elżbiety

chrebet Dżug-Dżur

Ałdano-ujurski chrebet

chrebet Ker-Kap

P a s m o   S t a n o w e

Góry Jabłonowe

Góry Olekmiński Stanowik

Wyżyna Patomska

Płaskowyż Nadpiński

Płaskowyż Wilujski

Chriebet Ułachan-Bom

Środkowosybirski

W i e l k i   C h i n g a n

M O N G O L I A

Góry Mongolsko-Dauryjskie

Góry borszczowoczne

179

0 25 50 75 100 km

M O R Z E

K A S P I J S K I E

A Z E R B E J D Ż A N

AZERBEJDŻAN

GÓRSKI

KARABACH

Nizina Kurańska

Step Milski

Nizina

Mugańska

Salyan düzü

Qobustan

əlat fırası

Şirvan düzü

BAKI (BAKU)

Plw. Apszeroński

Qara Dāğ

Góry Talyskie

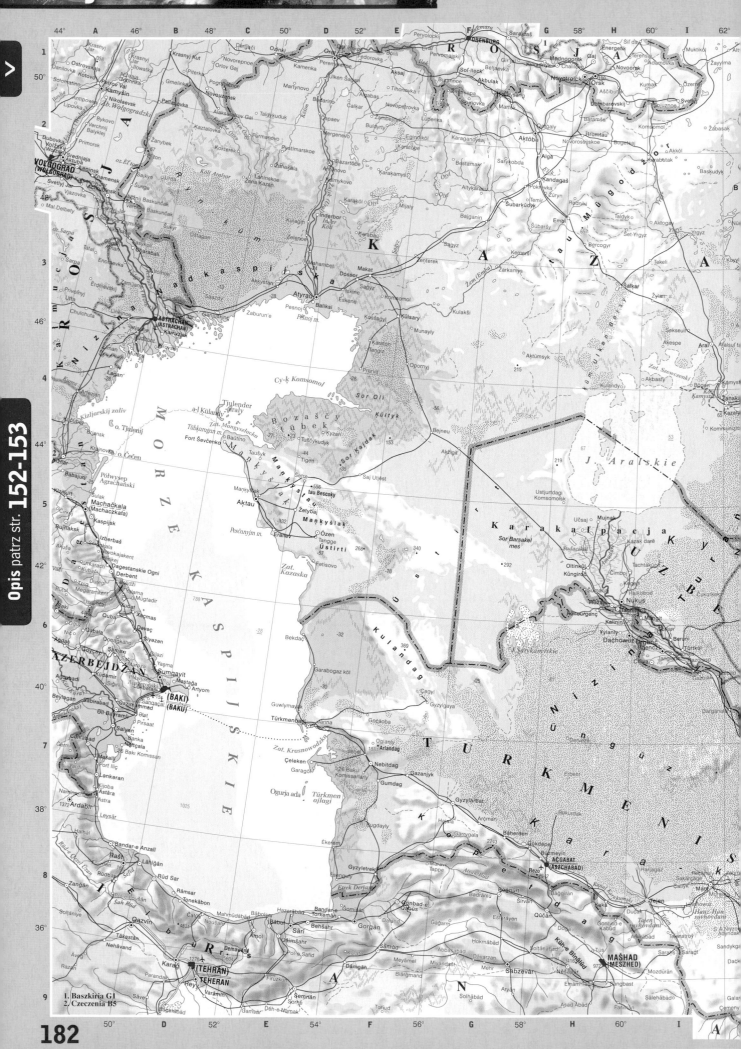

Opis patrz str. 152-153

1. Baszkiria G1
2. Czeczenia B5

MORZE CZARNE

MORZE TRACKIE

MORZE MARMARA

İSTANBUL (STAMBUŁ)

ANKARA

BURSA

İZMIR

KONYA

Anatolia

A N A T O L I A

Nizina Konijska

Taurus Zachodni

ADANA

GAZIANTEP

HAŁAB (ALEPPO)

SYRIA

CYPR PÓŁNOCNY

Lefkoşa/Leukōsía (Nikozja)

Magusa/Ammóchōstos (Famagusta)

Lárnaka

Lemesós (Limassol)

CYPR

MORZE ŚRÓDZIEMNE

Basen Lewantyński

BAYRŪT (BEJRUT)

DIMASQ (DAMASZEK)

Tel Aviv-Yafo (Tel Awiw-Jafa)

YERUSHALAYIM/AL-QUDS (JEROZOLIMA)

AMMAN (AMMAN)

L I B A N

S Y R I A

I Z R A E L

J O R D A N I A

Marsā Matrūh

Wyżyna Libijska

AL-ISKANDARIYA (ALEKSANDRIA)

Pustynia Zachodnia

SUBRĀ AL-HAIMA

AL-GĪZA (GIZA)

AL-QĀHIRA (KAIR)

MISR AL-ĞADĪDA (HELIOPOLIS)

E G I P T

Pustynia Arabska

S y n a j

Wyżyna Synajska

Aqaba

1 PALESTYNA F6

Opis patrz str. 153

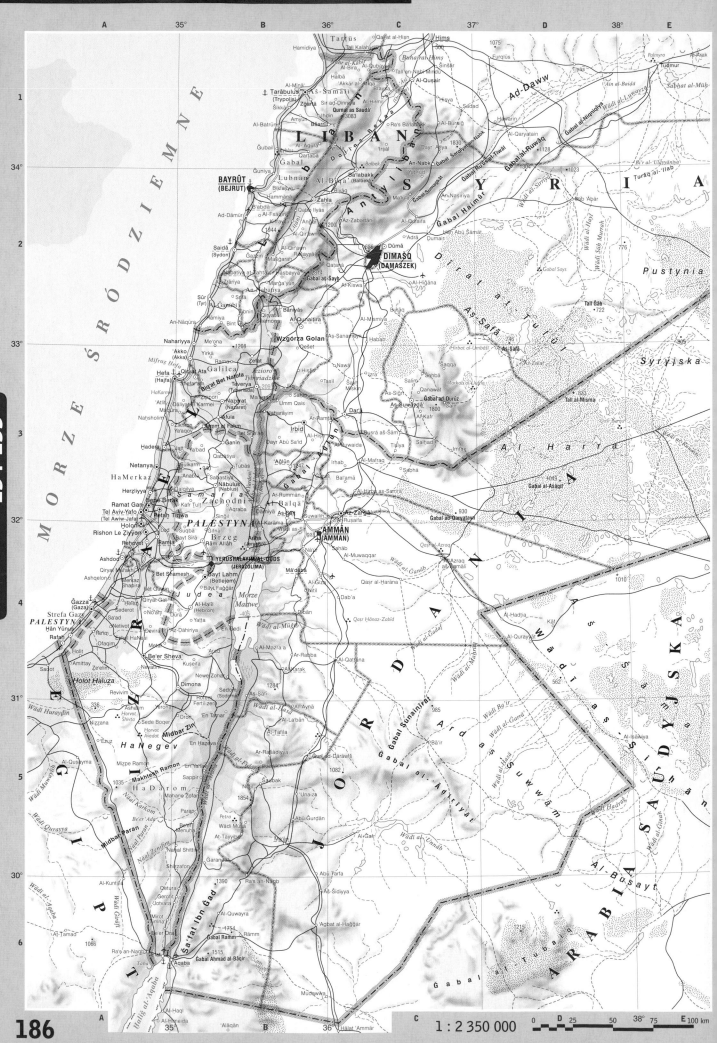

Opis patrz str. **154-155**

1 : 2 350 000

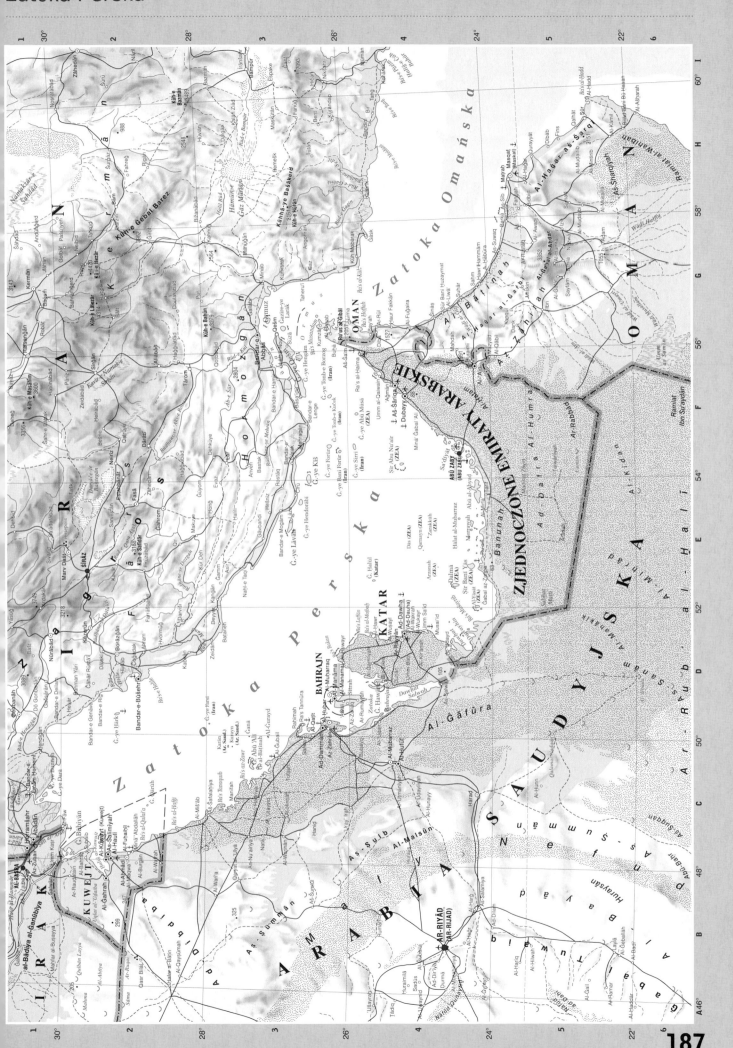

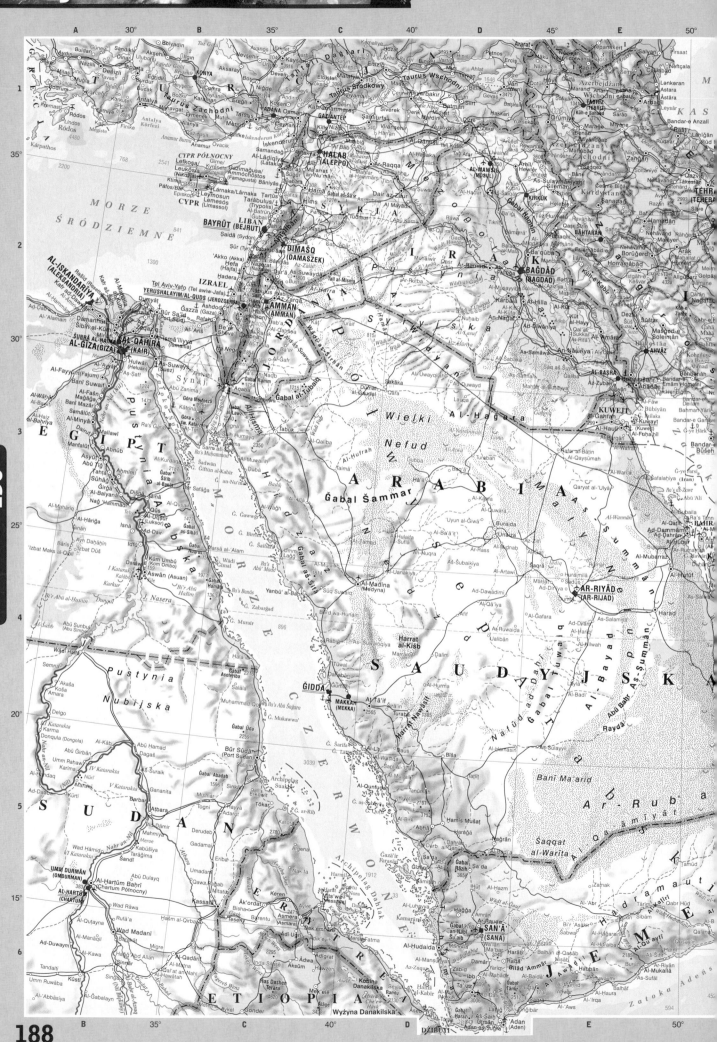

Opis patrz str. 156

Opis patrz str. **156-157**

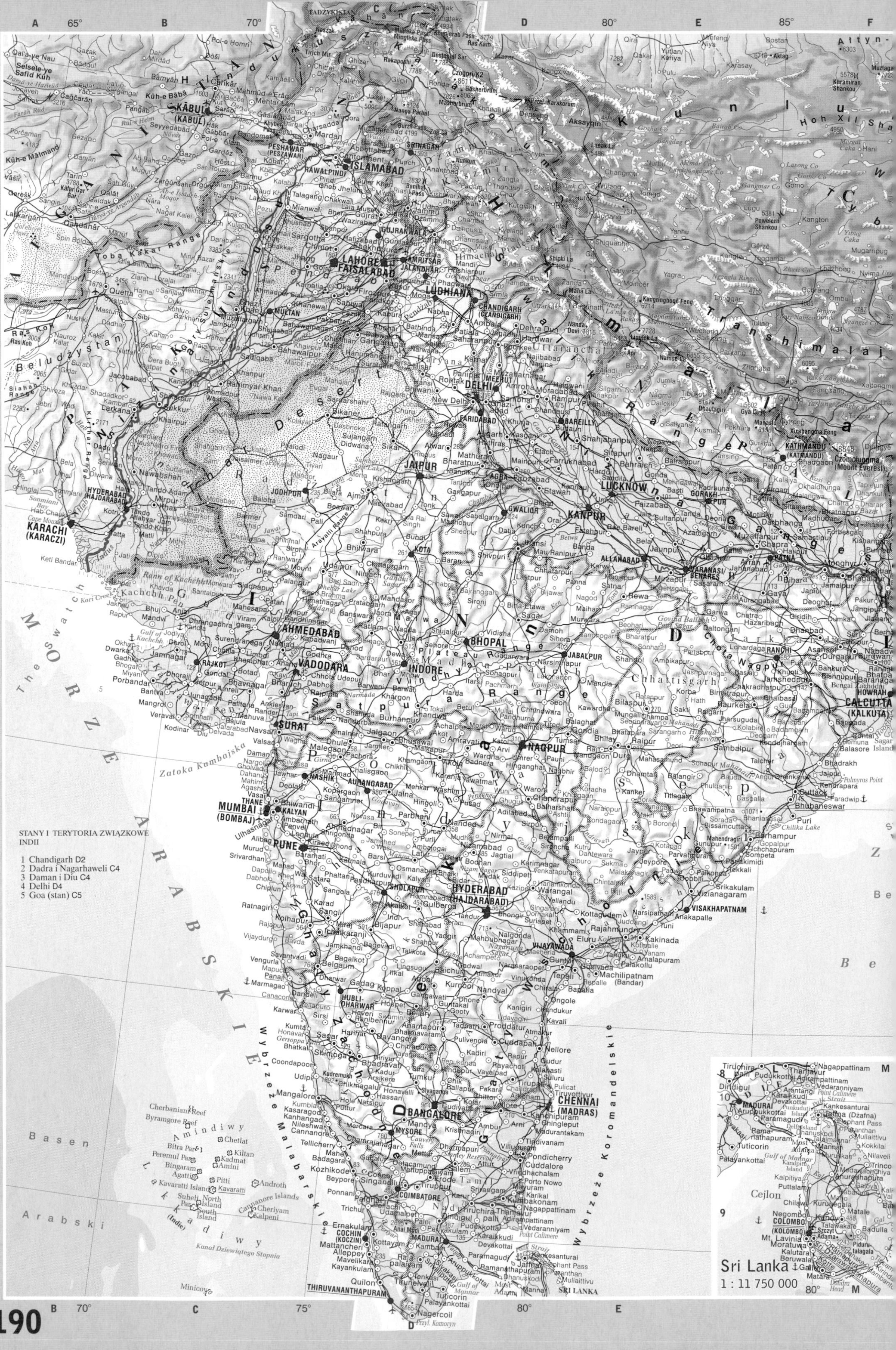

STANY I TERYTORIA ZWIĄZKOWE
INDII

1 Chandigarh D2
2 Dadra i Nagarhaweli C4
3 Daman i Diu C4
4 Delhi D4
5 Goa (stan) C5

Sri Lanka
1 : 11 750 000

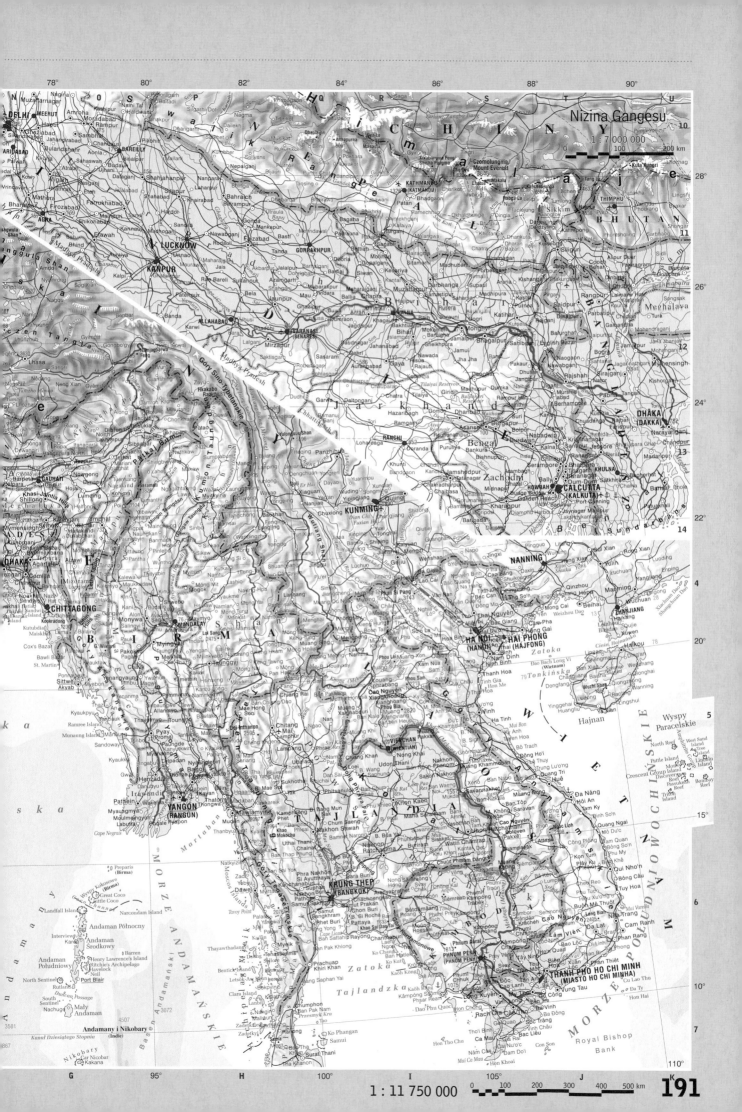

Opis patrz str. **157**

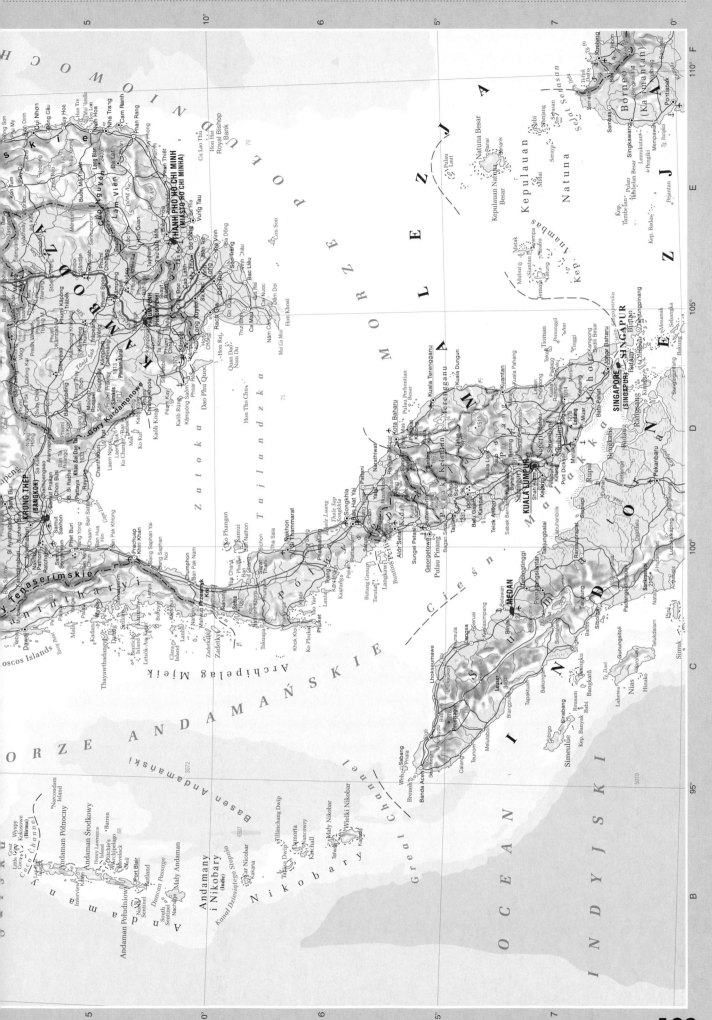

0   100   200   300 km

Opis patrz str. **162**

Stany i Terytoria Federalne Malezji

1 Johor C5
2 Kedah C4
3 Kelantan C4
4 Kuala Lumpur (Ter. Federal.) C5
5 Negeri Sembilan C5
6 Pahang C5
7 Perak C5
8 Perlis C4
9 Selangor C5
10 Terengganu C4
11 Pulau Pinang C4
12 Melaka C5

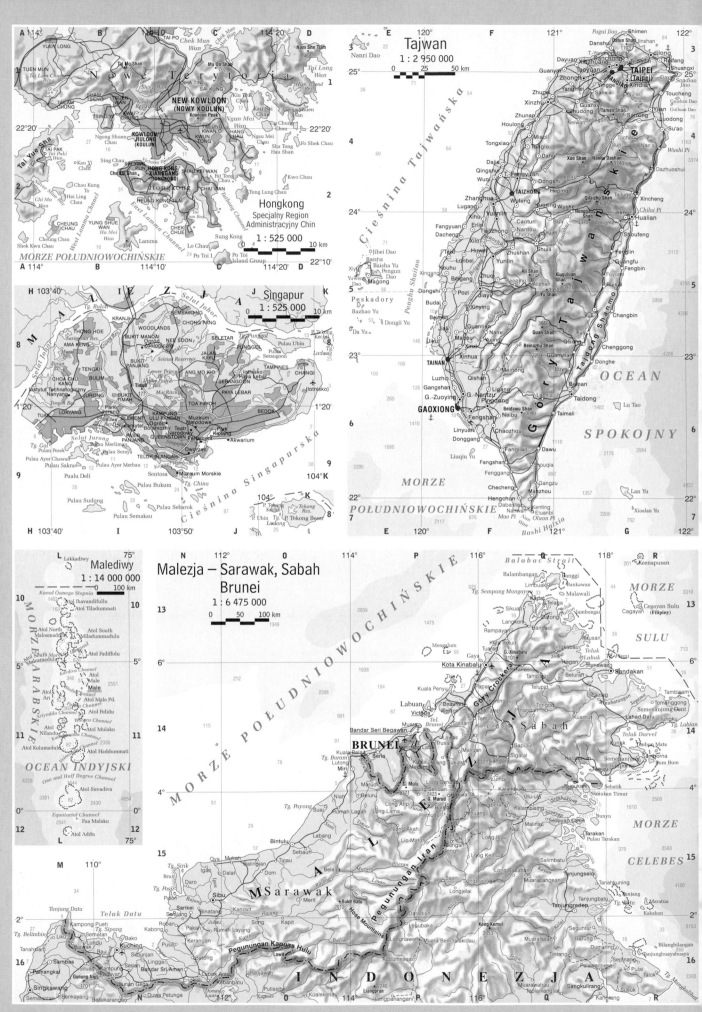

Filipiny

1 : 7 000 000

0   100   200   300 km

Opis patrz str. 162-163

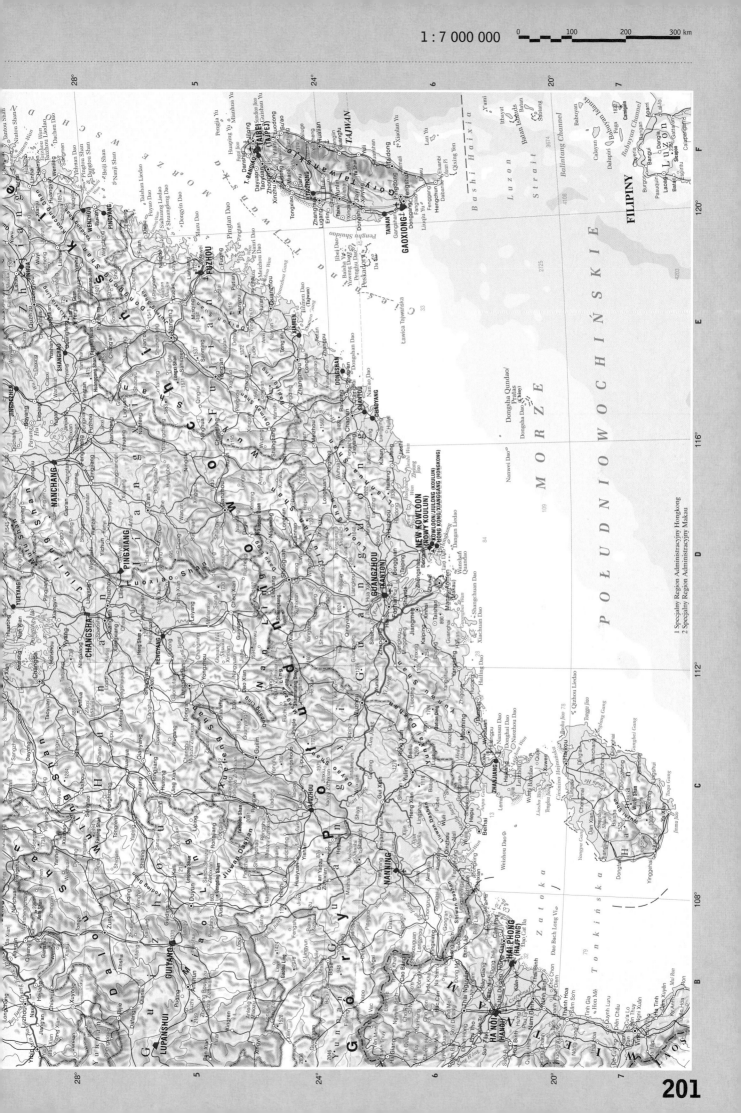

Opis patrz str. 164

Jednostki Administracyjne

Korea Pd.	Korea Pn.
1 Cheju-do	1 Chagang-do
2 Ch'ungch'ongnam-do	2 Hamgyòng-
3 Chòllanam-do	3 Hwanghaem
4 Kyòngsangnam-do	4 Pyòng-anna
5 Ch'ungch'ongbuk-do	5 Hamgyòngb
6 Chòllabuk-do	6 Hwanghaeb
7 Kyòngsangbuk-do	7 Pyòng-anbu
8 Inch'on*	8 Kangwon-de
9 Kangwon-do	9 Kaesòng*
10 Kyònggi-do	10 Najin Sonbe
11 Kwangju*	11 Namp'o*
12 Pusan*	12 P'yòngyang
13 Seoul*	13 Yanggang-d
14 Taejon*	
15 Taegu*	
16 Ulsan*	
	* Miasta wydzi

Opis patrz str. **165**

Afryka

Ukształtowanie powierzchni

Kontynent afrykański sąsiaduje z Europą i Azją. Od Europy oddziela go Morze Śródziemne, a od Azji – Morze Czerwone i Kanał Sueski, który został przekopany na Przesmyku Sueskim. Od zachodu Afrykę oblewa Ocean Atlantycki, od wschodu Ocean Indyjski, przy czym oba oceany stykają się ze sobą na wysokości Przylądka Igielnego. Afryka ma niewiele zatok, półwyspów i wysp, czyli słabo rozwiniętą linię brzegową (około 26 tys. km).

Nazwa lądu, początkowo utożsamiana z Libią, pochodzi od plemienia Afarów, zamieszkującego obecnie państwo Dżibuti. Pierwszy raz została użyta przez rzymskiego historyka Pomponiusza Melę w 41 r.

Nil, najdłuższa w Afryce, jedyna stała rzeka Sahary. Dolina rzeki jest wąska, jedynie w dolnym biegu poszerza się. Po obu stronach Nilu ciągną się tereny uprawne, gwałtownie przechodzące w pustynię. Jego wody są wykorzystywane do nawadniania i produkcji energii.

Kotlinę Czadu od zachodu, wschodu i południa otaczają wyżyny. W południowej jej części leży równina zbudowana z osadów rzecznych oraz jezioro Czad. Występują tu bagna i tereny okresowo nawadniane przez rzeki. Największymi rzekami zasilającymi Czad są: Chari i Komadougon Yobe.

Afryka jest najbardziej wyżynna spośród kontynentów. Jej średnia wysokość wynosi 660 m n.p.m. Obszarami nisko położonymi są: największa na kuli ziemskiej pustynia – Sahara, obszary pustynne Egiptu i Libii, tereny kotlin: Kalahari, Konga i Czadu. Ponad kotliny i wyżyny wznoszą się górskie łańcuchy i masywy. Na północy: Atlas, Tibesti i Ahaggar, na południu – Góry Smocze. Jednak najwyższy łańcuch górski ciągnie się na wschodzie Afryki, od Etiopii, przez Kenię (szczyt Mt. Kenya – 5199 m n.p.m.) i Tanzanię, gdzie w masywie Kilimandżaro znajduje się najwyższy szczyt Afryki – Kibo (5895 m n.p.m.). Na zachód od nich, w masywie Ruwenzori, leży Szczyt Małgorzaty (5109 m n.p.m.) – trzeci pod względem wysokości. Szczyty Kilimandżaro, Ruwenzori i Mt. Kenya, mimo małej odległości od równika, są pokryte wiecznym śniegiem. Kilimandżaro – w języku suahili „połyskująca góra" – od dawna budzi duże zainteresowanie nie tylko wśród miejscowej ludności, ale również wśród podróżników i pisarzy. Masyw ten stał się tematem i tłem akcji znanego opowiadania Ernesta Hemingwaya „Śniegi Kilimandżaro". Łańcuchy górskie sąsiadują z wielkimi zagłębieniami, zwanymi rowami, które powstały na skutek pęknięcia bloku afrykańskiego około 50 mln lat temu. Dna rowów, w niektórych miejscach, zostały wypełnione wodą, tworząc bardzo malownicze jeziora: Turkana, Alberta, Edwarda, Tanganika, Niasa.

Kilimandżaro jest masywem wulkanicznym położonym w Tanzanii tuż przy granicy z Kenią. W skład masywu wchodzą trzy wulkany: Kibo (5895 m n.p.m.) – najwyższy szczyt Afryki, Mawenzi (5150 m n.p.m.) i Szira (3943 m n.p.m.). Pierwszym Polakiem, który zdobył Kilimandżaro, był A.W. Jakubowski (1910 r.).

Wielkie, osobliwe zwierzęta

Rozległe obszary sawann zamieszkuje bogaty świat zwierząt roślinożernych i drapieżnych. Bardzo ważnym elementem w ich życiu jest woda. W porze deszczowej sawannę porastają jaskrawo-zielone trawy i kwiaty, jest to okres obfitości pożywienia, ale kiedy nadchodzi susza i ziemia wysycha, twardnieje i pęka, zwierzęta są zmuszone do wielkich wędrówek w poszukiwaniu pożywienia, a te, które zostają, cierpią z pragnienia i głodu. Na sawannach żyje osobliwa rodzina dużych kotów, a wśród nich lamparty – doskonale wspinające się na drzewa i stamtąd atakujące upatrzone ofiary; gepardy – najszybsze zwierzęta lądowe, które w czasie polowania biegają z prędkością nawet do 100 km/h. Największym przedstawicielem rodziny kotów jest lew. Tylko lwy przejawiają instynkt społeczny i są jedynymi kotami żyjącymi w stadach. Najważniejsze miejsce w stadzie zajmuje najsilniejszy samiec, osiągający 200–250 kg wagi. Samice są znacznie lżejsze, bardziej zwinne i głównie one polują. Obserwując polowanie lwów można dojść do zaskakujących wniosków. Zawsze dysponują, w zależności od sytuacji, określoną taktyką i prawie zawsze polują zespołowo.

Po udanym polowaniu najpierw jedzą samce, później samice, a na końcu młode. Ofiarami drapieżników padają najczęściej antylopy i gazele, rzadziej – bardzo niebezpieczne bawoły afrykańskie, czy też takie olbrzymy jak słonie. W czasie polowań na bawoły i słonie lwicom pomagają samce. Przypadki polowań stada lwów na słonie zaobserwowano w Parku Narodowym Chobe w Botswanie. W porze suchej, kiedy było mało pożywienia i wody, lwy zaczęły się interesować największymi zwierzętami lądowymi. Początkowo ich ofiarami padały młode słonie, później również dorosłe osobniki. Inną taktykę polowania stosowała grupa lwów z sawann Ugandy, które podobnie jak lamparty wspinały się na drzewa i stamtąd atakowały swoje ofiary.

Największym zwierzęciem lądowym jest słoń afrykański. Jego ciężar dochodzi do 6,5 t, wysokość w kłębie do 4 m, ciosy mogą mieć do 3 m długości i ważą do 100 kg. Słoń, podobnie jak lew, jest zwierzęciem inteligentnym. W odróżnieniu od słoni indyjskich ma wielkie wachlarzowate uszy. Na 400–500 kg zjadanego dziennie pożywienia składa się trawa oraz kora i liście drzew i krzewów. Słoń wypija 200 l wody dziennie, musi więc egzystować w pobliżu dużych zbiorników wodnych.

Często stado słoni przejawia większy instynkt społeczny niż lwy. Przykładem może być opieka, jaką stado roztacza nie tylko nad młodymi, ale również nad starymi i schorowanymi osobnikami.

Drugim pod względem wielkości ssakiem lądowym jest nosorożec. Jego największa odmiana – nosorożec biały – może osiągnąć 2 m wzrostu, 5 m długości i czasem ponad 2 t wagi. Podobnie jak słoń jest obdarzony słabym wzrokiem, lecz doskonałym słuchem i węchem. Prowadzi samotniczy tryb życia. Pierwszą trójkę największych zwierząt zamyka hipopotam, cięższy od nosorożca (3 t), ale krótszy (4 m) i niższy (1,5 m). Zamieszkuje rzeki, jeziora i płytkie rozlewiska, a w wodzie spędza połowę życia. Matriarchalne stado składa się głównie z samic i młodych. Starsze samce żyją na obrzeżach stada, a pozostałe osobniki poza nim. Hipopotamy i nosorożce są roślinożerne, podobnie jak żyrafy – najwyższe zwierzęta lądowe, o wysokości przekraczającej czasami 6 m. Żyrafy, ważące do 1,5 t, są atakowane przez stada lwów tylko przy wodopoju, gdy schylą się, by dosięgnąć wody.

Fenomenem przyrodniczym Afryki są coroczne wędrówki milionów zwierząt (głównie antylop gnu) na stepach i sawannach Serengeti, a także w innych częściach kontynentu. W poszukiwaniu nowych pastwisk przebywają one drogę do 3000 km. Nierzadko wędrujące stada antylop gnu liczą około 1,5 mln sztuk. Mniejszymi stadami migrują zebry i bawoły afrykańskie. Za bawołami podążają nierozłączne bąkojady, ptaki oczyszczające ich skórę z pasożytów oraz sygnalizujące wszelkie zagrożenia. Najsłynniejszymi parkami narodowymi Afryki są: Tsavo, Serengeti, Alberta, Krugera.

patrz mapa str. **216**

Afryka

Podział polityczny

Afryka stanowi wielką mozaikę ludnościową, językową i religijną. Wyodrębnić można dwa wielkie regiony kontynentu: Afrykę arabską – północną oraz tzw. Czarną Afrykę na południe od Sahary. Północna część kontynentu – od Maroka i Mauretanii na zachodzie po Egipt i Sudan na wschodzie – jest zasiedlona przez ludność arabską, berberyjską lub mieszaną, w większości muzułmańską. W Egipcie chrześcijanie obrządku koptyjskiego stanowią około 40% ludności, a muzułmanie około 45%. Afrykańskie kraje arabskie należą do wielu muzułmańskich organizacji politycznych, np. Ligi Państw Arabskich. Bardzo duże wymieszanie ludności pod względem religijnym i etnicznym występuje w tzw. rogu Afryki.

Nazwa Rabatu, średniowiecznego marokańskiego miasta leżącego nad Atlantykiem, pochodzi od arabskich słów Ribat el Fath – „obóz zwycięzców". Przez kilka wieków Rabat oraz sąsiednie Salé były portami piratów napadających na europejskie statki. Pozostałością tych czasów są umocnienia okalające ścisłe centrum Rabatu.

Pretoria przyjęła nazwę od nazwiska Martinusa Pretoriusa, który założył miasto w 1855 r. Centralnym miejscem Pretorii jest Church Square. Na środku placu stoi pomnik prezydenta Transwalu Paulusa Krugera, a wokół niego stoją m.in. gmach Readsaal (Parlament Transwalu) oraz Pałac Sprawiedliwości.

Somalia, Dżibuti oraz w większości Erytrea są zamieszkane przez muzułmanów. Chrześcijaństwo wyznaje natomiast większość ludności Etiopii. Dominuje tu Kościół etiopski. Państwa Czarnej Afryki są zamieszkane przez ludność rasy czarnej. Tylko na południu i wschodzie kontynentu znajdują się kraje w znacznym stopniu zamieszkane przez ludność pochodzenia europejskiego (RPA, Zimbabwe, Namibia), azjatyckiego (RPA, Mauritius, Madagaskar – Malgasze) oraz przez tzw. Afrykanerów (RPA). W zachodniej Afryce, zwłaszcza w Nigerii, na wybrzeżu Oceanu Indyjskiego, od Somalii do Mozambiku, oraz na Seszelach i Komorach ludność przeważnie wyznaje islam. W pozostałej części Czarnej Afryki mieszkańcy to chrześcijanie (w byłych koloniach francuskich, belgijskich, portugalskich i hiszpańskich – katolicy, w byłych koloniach brytyjskich – protestanci) lub wyznawcy rodzimych religii. U wybrzeży północno-zachodniej części Afryki leżą Wyspy Kanaryjskie należące do Hiszpanii oraz Madera należąca do Portugalii, stanowiące ich integralną część. Podobnie jest z hiszpańskim enklawami w Maroku: Ceutą i Melillą. Obszary te są zasiedlone przez Hiszpanów i Portugalczyków. Na Oceanie Indyjskim pozostały posiadłości francuskie: Reunion (departament zamorski) oraz Majotta. Państwa kontynentu afrykańskiego należą do Unii Afrykańskiej (AU) oraz wielu organizacji regionalnych.

Dekolonizacja

Pod koniec XIX w. kraje europejskie podzieliły między siebie kontynent afrykański. Pod ich panowaniem nie znalazły się tylko: Liberia w Afryce zachodniej, założona przez wyzwolonych niewolników amerykańskich, Abisynia w Afryce północno-wschodniej oraz republiki burskie na południu kontynentu. Te ostatnie zostały niebawem zajęte przez Wielką Brytanię, a w 1910 r. utworzyły Unię Południowej Afryki, będącą dominium brytyjskim. Zmiany polityczne po II wojnie światowej doprowadziły do wycofania się z Afryki państw kolonialnych. Najwcześniej dążenia niepodległościowe pojawiły się w krajach arabskich. Część państw odzyskała niepodległość na drodze pokojowej: Maroko, Tunezja, Libia, Sudan. W Algierii natomiast, zasiedlonej przez milionową mniejszość europejską, doszło do wojny, w wyniku której państwo to uzyskało niepodległość dopiero w 1962 r. Ludność europejska, uważająca ten kraj za część Francji, opuściła Afrykę. Dekolonizacja Czarnej Afryki rozpoczęła się pod koniec lat 50., po uzyskaniu niepodległości przez Ghanę i Gwineę. Najwięcej krajów Afryki uzyskało niepodległość w 1960 r. w wyniku rozpadu dwóch imperiów kolonialnych, Francji i Wielkiej Brytanii. W 1960 r. niepodległość uzyskało także Kongo Belgijskie. W niektórych nowo powstałych krajach miały miejsce krwawe konflikty: w Kongu Belgijskim doszło do secesji najbogatszej prowincji Katangi oraz wschodnich prowincji kraju (1960–1964), w Nigerii nastąpiła secesja Biafry, której mieszkańcy z plemienia Ibo w latach 1967–1970 walczyli z armią federalną. Do konfliktu kongijskiego włączyła się Organizacja Narodów Zjednoczonych, a jej sekretarz generalny Dag Hjalmar Hammarskjöld zginął w Kongu w wypadku lotniczym. W walkach w Kongu uczestniczyły oddziały białych najemników wspierające secesjonistów, zwłaszcza z Katangi, oraz siły ONZ wspomagające rząd centralny. Do konfliktów terytorialnych dochodziło także pomiędzy Etiopią a Somalią oraz Libią a Czadem.

Najdłużej w Afryce utrzymały się kolonie portugalskie i hiszpańskie. Hiszpania opuściła Gwineę Równikową w 1968 r., a Saharę Hiszpańską w 1976 r., po śmierci generała Franco. Po wycofaniu się Hiszpanów Sahara została zajęta przez Maroko i Mauretanię. Obecnie nadal toczy się spór pomiędzy Marokiem a Frontem POLISARIO, reprezentującym dążenia niepodległościowe Sahary Zachodniej. Portugalia utraciła swoje kolonie w wyniku wewnętrznych zmian politycznych. Tzw. rewolucja goździków w 1974 r. doprowadziła do uzyskania niepodległości przez Angolę, Mozambik, Gwineę Bissau, Wyspy Zielonego Przylądka oraz Wyspy Świętego Tomasza i Książęcą. Niechętny stosunek nowych władz do ludności portugalskiej doprowadził do exodusu kilkuset tysięcy osadników europejskich z Afryki. Lata 70. XX w. to okres największych wpływów „obozu socjalistycznego" w Afryce. Do ideologii tego obozu przyznawało się wiele krajów afrykańskich: Etiopia, Somalia, Mozambik, Angola, Egipt. Z uzyskaniem niepodległości wiązało się także szerzenie haseł panafrykańskich i tzw. afrykanizacja życia społecznego, polegająca np. na zmianie nazw geograficznych, nazwisk i imion.

W latach 80. i 90. XX w. niepodległość uzyskały ostatnie państwa afrykańskie: Zimbabwe (d. Rodezja) w 1980 r., po 15-letniej wojnie domowej z białymi osadnikami, Namibia w 1990 r. po wycofaniu się RPA oraz Erytrea w 1993 r. po długotrwałej wojnie o niepodległość z Etiopią.

W większości krajów Afryki bardzo silne są dążenia separatystyczne mniejszości etnicznych lub religijnych. Sytuacja w Nigerii, Sudanie, Kongu (d. Belgijskim), Liberii grozi wręcz rozpadem tych państw. Somalia już się de facto podzieliła na dwie części – Somalię i Somaliland. Krajom Afryki nie udało się stworzyć podstawowych więzów narodowych (poza krajami arabskimi i „białym" narodem Afrykanerów, oraz w pewnej mierze Zulusami w RPA). Dominującą rolę odgrywają nadal więzy plemienne, a nie państwowe.

Dakar został założony w połowie XIX w. przez Francuzów. Dobrze rozwinięte i bogate w okresie francuskim miasto ma wiele reprezentacyjnych budynków w stylu kolonialnym. Przykładem takiej architektury jest Pałac Prezydencki zbudowany nad brzegiem Oceanu Atlantyckiego.

patrz mapa str. **217**

Część północno-zachodnia

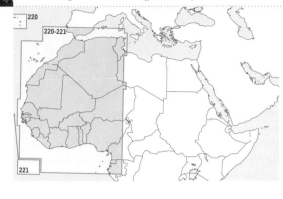

Atlas Średni jest jednym z kilku pasm górskich, wchodzących w skład gór Atlas. Jego najwyższym szczytem jest Jbel Bou Naceur (3340 m n.p.m.). Od południa sąsiaduje z Atlasem Wysokim, w którym leży najwyższy szczyt gór Atlas – Jbel Toubkal (4165 m n.p.m.).

Niger jest trzecią pod względem długości rzeką Afryki. Jego źródła leżą w masywie Loma Mansa w Gwinei, tuż przy granicy z Sierra Leone. W środkowym biegu Niger przepływa przez Saharę, a jego wody są wykorzystywane do nawadniana obszarów pustynnych i Sahelu. W dolnym biegu wybudowano dwie hydroelektrownie.

Tanger jest marokańskim miastem portowym nad Cieśniną Gibraltarską. Jego historia sięga okresu fenickiego. Najważniejszymi zabytkami są: kazba z pałacem, medyna z meczetem i medresą. Od XV w. był przedmiotem zainteresowania państw europejskich, a od XVII w. sułtanów Maroka.

Dominującą jednostką fizycznogeograficzną Afryki jest pustynia Sahara, obszarowo zbliżona do powierzchni Europy. Nie należy jej utożsamiać tylko z morzem piasku, ponieważ składa się zarówno z pustyń piaszczystych jak i żwirowych (serir) i kamienistych (hamada). I te ostatnie, zbudowane najczęściej ze skał kredowych i wapiennych, przyjmujących różnorodne kształty, zajmują jej znaczną część. Powierzchnia Sahary jest porozcinana korytami rzek okresowych, które powstają podczas gwałtownych, lecz rzadko występujących opadów deszczu.
Mają one znaczną siłę niszczenia, ponieważ transportują duże ilości piasku, żwiru i kamieni. Dla człowieka najważniejszym elementem krajobrazu są oazy, czyli miejsca, w których wody gruntowe leżą na małych głębokościach i niekiedy następuje ich samoistny wypływ na powierzchnię. Obszarów takich jest jednak niewiele, dlatego też człowiek dąży do tworzenia sztucznych oaz, które powstają w miejscach odkrycia – przy okazji poszukiwania ropy naftowej – podziemnych zbiorników wody. Duży zbiornik wody podziemnej, o powierzchni około 200 tys. km², odkryto w pobliżu oazy Kufra (Pustynia Libijska), na głębokości 40 m, inny – w pobliżu oazy Kharga w Egipcie.

Znaczącym impulsem aktywizującym gospodarki krajów pustynnych było odkrycie złóż ropy naftowej (2 połowa XX w.) w Algierii, Libii, Egipcie i Tunezji. Zyski ze sprzedaży ropy wykorzystano między innymi do rozbudowy systemów nawadniania i powiększenia obszarów uprawnych i leśnych. Zagospodarowaniu Sahary służy również budowa zapór na rzekach okresowych, wypływających z gór Atlas, a zasilanych wiosennymi roztopami. Budowa zapór wraz z systemem kanałów nawadniających powiększyła znacznie powierzchnię użytków rolnych w Algierii i Tunezji. Największym problemem Afryki jest nierównomierny rozkład opadów, czyli np. niedostatek wody na Saharze i w Sahelu, przy równoczesnym jej nadmiarze w strefie równikowej. I tak np. rzeki wpadające do Zatoki Gwinejskiej niosą znaczne ilości wody, która jest magazynowana w dużych zbiornikach retencyjnych. Największy z nich powstał na rzece Wolcie.

Część północno-wschodnia

Największą, naturalną oazą Sahary jest dolina Nilu.
Po obu stronach rzeki ciągną się pasy ziemi uprawnej ograniczone
pustynią, które największą szerokość – około 15 km – osiągają
w delcie. Powstała tu duża, żyzna równina, będąca spichlerzem
Egiptu. Tereny uprawne zawdzięczają istnienie corocznym
wylewom Nilu. Woda wraz z żyznym mułem rozprowadzana jest
przez system kanałów zbudowanych wzdłuż rzeki.
Regularne wylewy rzeki powtarzają się już od kilku tysięcy lat
i miały decydujący wpływ na powstanie jednej z najstarszych
cywilizacji świata – starożytnego Egiptu.

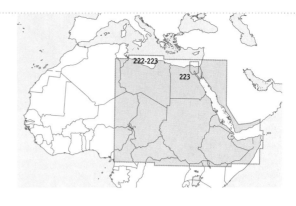

Cywilizacja ta pozostawiła w dolinie rzeki wiele budowli,
chociażby słynne piramidy w Gizie, czy kompleksy świątynne
w Luksorze, Tebach, Abu Simbel i File. Z doliną Nilu związana jest
budowa wielkiej zapory w Asuanie oraz niezwykły przykład
ratowania przed zalaniem świątyni w Abu Simbel.
Starożytna budowla została pocięta na duże bloki i przeniesiona
w inne miejsce, powyżej lustra nowo utworzonego, sztucznego
Jeziora Nasera.

Ważnym dla Afryki wydarzeniem historycznym było przekopanie
w latach 1859–1869 Kanału Sueskiego, który połączył Morze
Śródziemne z Morzem Czerwonym.

Interesującym elementem afrykańskiego krajobrazu
jest jezioro Czad, leżące w Kotlinie Czadu, na pograniczu
czterech państw: Czadu, Nigru, Nigerii i Kamerunu.
Położenie w klimacie podrównikowym suchym ma znaczny
wpływ na zmianę wielkości powierzchni zbiornika wodnego
od około 10 tys. km² do około 26 tys. km². W porze suchej jezioro
dzieli się na kilka większych i kilkadziesiąt mniejszych
zbiorników wodnych, a odległość niektórych miejscowości
do wody zmienia się z kilku metrów w porze deszczowej
do 20 km w porze suchej. Okolice jeziora zamieszkują ludy Buduma,
które używają cibory papirusowej, rośliny bagiennej zwanej
inaczej papirusem, do budowy łodzi, tratw i domów.
Buduma używają łodzi do przewozu ludzi i połowu ryb,
natomiast tratw do transportu bydła. Pomysł konstrukcji
wrzecionowatych łodzi z papirusa sięga prawdopodobnie czasów
antycznego Egiptu i państwa Sumerów.

Piramidy w Gizie są monumentalnymi grobowcami faraonów – władców
starożytnego Egiptu. W skład nekropolii wchodzą 3 piramidy o różnych
wysokościach: Cheopsa (137 m), Chefrena (136 m, ta ze sfinksem),
Mykerinosa (66 m).

Zapora na Nilu w Asuanie została zbudowana w latach 1960–70
przez ZSRR. Wody Nilu uległy spiętrzeniu, tworząc wielkie Jezioro Nasera
o długości 300 km i pojemności około 170 mld m³. Przy zaporze
zbudowano elektrownię o mocy 2400 MW. Przez tamę długości 3820 m
i wysokości 111 m wiedzie droga.

Kanał Sueski jest jedną z najważniejszych dróg wodnych świata.
O jego budowie myśleli już władcy starożytnego Egiptu.
Długość kanału wynosi 180 km, a szerokość w najwęższym miejscu 60 m.
Najważniejszymi portami są: Port Said, Ismailia i Suez.

patrz mapa str. **222-223**

Część środkowa

Sawanna jest złożonym zbiorowiskiem trawiastym z domieszką drzew i krzewów. Duży wpływ na rozwój roślinności mają stosunki wilgotnościowe oraz cykliczne pożary w porze suchej. W czasie pory wilgotnej sawanna ożywa, natomiast w okresie suszy obumiera.

Rzeka Kongo jest drugim po Amazonce systemem rzecznym na świecie. Ma ogromną liczbę dopływów, którymi płyną znaczne ilości wody. Największymi dopływami są: Ubangi i Kasai. Dorzecze Konga leży w Kotlinie Konga, otoczonej ze wszystkich stron wyżynami.

Baobaby są drzewami typowymi afrykańskiej sawanny. Są długowieczne, mają olbrzymie rozmiary; nierzadko obwód pnia dochodzi do 45 m. Najczęściej występują w strefie suchych sawann i suchych lasów. Owoce baobabu są jadalne i osiągają 45 cm długości.

Największe skupisko leśne Afryki – wilgotny las równikowy – leży w środkowo-zachodniej części kontynentu i częściowo nad Zatoką Gwinejską. Jest to obszar trudno dostępny dla człowieka ze względu na liczne bagna i trzęsawiska oraz gąszcz krzewów, paproci i mchów. Gęste korony drzew hamują dopływ światła, a codzienne opady deszczu (1500–3000 mm rocznie) oraz stale wysoka temperatura (25–28°C), utrzymują wilgotność powietrza na poziomie bliskim 100%. Ponad zwarty parasol koron wyrastają drzewa olbrzymy o wysokości do 60 m. W tym środowisku rozwinęły się bardzo niebezpieczne choroby, takie jak śpiączka, najbardziej złośliwy rodzaj malarii – malaria mózgowa, wirusowe zapalenie oczu, żółta febra, wirus Ebola, ameboza oraz choroby wywoływane przez robaki. W wilgotnym lesie równikowym występuje wielkie bogactwo drzew. Na obszarze 1 km^2 można wyróżnić 100 różnych gatunków, w tym najbardziej cenne, jak heban, mahoń, okoga – drzewo żelazne, okume i obecze. W lasach tych, w trudnych warunkach bytowych egzystują wymierające grupy Pigmejów, a najliczniejszymi przedstawicielami zwierząt są owady, pajęczaki, płazy, gady i ptaki. Żyją tu też większe zwierzęta, jak: goryle, okapi, antylopy bongo, natomiast pozostałe większe afrykańskie zwierzęta wolą rozległe sawanny. Bardziej przyjazny klimat występuje na wschód od Kotliny Konga. Krajobraz zmienia się tu na wyżynny i górzysty. W otoczeniu łańcuchów górskich, porozcinanych rowami tektonicznymi, na płaskowyżu, leży Jezioro Wiktorii. W tych okolicach szukano niegdyś źródłowego odcinka Nilu. Później okazała się nim rzeka Kagera. Europie niegościnne tereny Afryki przybliżył swymi opisami podróży anglikański misjonarz i podróżnik, doktor David Livingstone, który spędził na tym kontynencie 20 lat. Kolejne ekspedycje finansował z funduszy uzyskanych ze sprzedaży książek własnego autorstwa. Jego imieniem nazwano wodospady na rzece Kongo i pasmo górskie nad jeziorem Niasa.

patrz mapa str. **224-225**

Część południowa

Wodospady Wiktorii, usytuowane na rzece Zambezi, na granicy
Zimbabwe i Zambii, składają się z wielu progów skalnych, które powstały
w płytach zbudowanych ze skał magmowych, rozciętych przez rzekę.
Największy wodospad o wysokości 120 m i szerokości 1800 m,
dzieli się na Główny, Tęczowy i Wschodni.

Kapsztad jest drugim, pod względem liczby mieszkańców, miastem RPA.
Leży u nasady Przylądka Dobrej Nadziei, nad Zatoką Stołową.
Nad Kapsztadem wznosi się Góra Stołowa, forma rzeźby charakterystyczna
dla południowych nizin nadmorskich.

Pustynia Namib leży w Namibii, nad Oceanem Atlantyckim.
Swoje powstanie zawdzięcza zimnemu Prądowi Benguelskiemu. Ze względu
na duże złoża diamentów bywa nazywana „Pustynią Diamentową".
Diamenty występują w piaszczystych osadach plaż podobnie
jak bursztyny nad Bałtykiem.

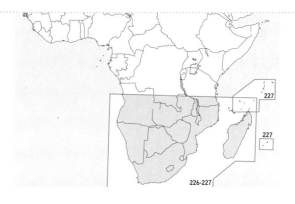

Zachodnie wybrzeże południowej części Afryki,
między rzekami Kunene i Orange, zajmuje pustynia Namib,
często nazywana pustynią mgielną. Cechą charakterystyczną
tego obszaru są rzadko występujące deszcze, natomiast
bardzo częste mgły i rosa. Obfite mgły znacznie zmniejszają
dobowe wahania temperatury. Główną przyczyną powstawania mgieł
jest zimny Prąd Benguelski, płynący u wybrzeży Afryki z południa
na północ. W jego żyznych wodach znajduje pożywienie jedyny
osiadły pingwin afrykański, zwany pingwinem przylądkowym
lub tońcem, który gniazduje w norach lub pod skałami
południowego wybrzeża. Od dawna plaże pustyni Namib
cieszą się znacznym zainteresowaniem człowieka.
W piaskach plaży odkryto duże złoża diamentów,
stąd nazwy: Wybrzeże Diamentowe i „Pustynia Diamentowa".
Obecnie diamenty eksploatowane są w Namibii, RPA
i Demokratycznej Republice Konga przez wyspecjalizowane firmy,
które zmonopolizowały górnictwo diamentów i czerpią z niego
krociowe zyski. Państwa te są największymi producentami
tego minerału na świecie.

Na wschód od pustyni Namib rozpościerają się wyżyny
i niewielkie góry, a dalej – Kotlina Kalahari, mylnie utożsamiana
z pustynią. Obszar jej pokrywa sawanna, z bujną roślinnością
na północy i suchą na południu. Jedyną stałą rzeką Kalahari
jest Okawango, tworząca rozległe bagna o tej samej nazwie.

Na samym południu Afryki leży najbogatsze państwo kontynentu,
RPA, o bardzo urozmaiconym ukształtowaniu powierzchni.
Teren jest górzysty (Góry Smocze), poorcinany licznymi
rzekami, a wybrzeże urozmaicone naturalnymi zatokami,
gdzie powstały duże porty: Kapsztad, Port Elizabeth, Durban i inne.

Najwięcej terenów nizinnych znajduje się w Mozambiku.
Są one odwadniane przez rzeki, spływające z wyżyn położonych
między Kalahari i Mozambikiem. Wody rzek, pokonując
skalne progi, tworzą malownicze wodospady.
Najbardziej znane są Wodospady Wiktorii na rzece Zambezi.
Wodospady są charakterystycznym elementem sieci rzecznej Afryki.
Istotny wpływ na ich powstanie miała budowa geologiczna.

patrz mapa str. **226-227**

215

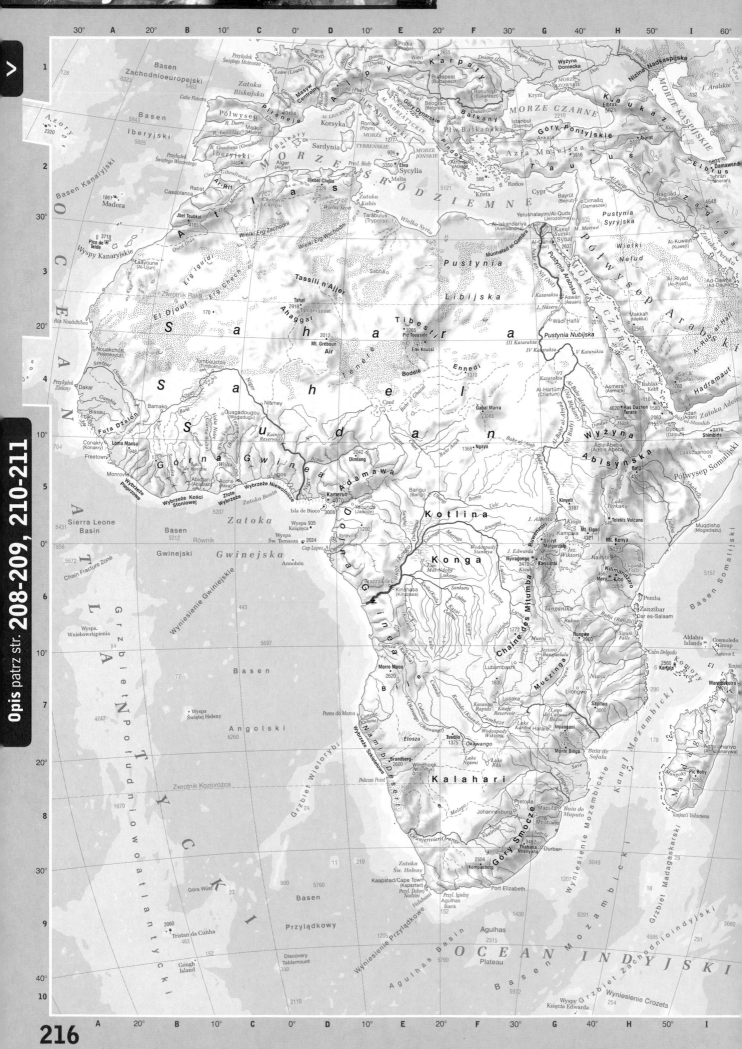

Opis patrz str. 208-209, 210-211

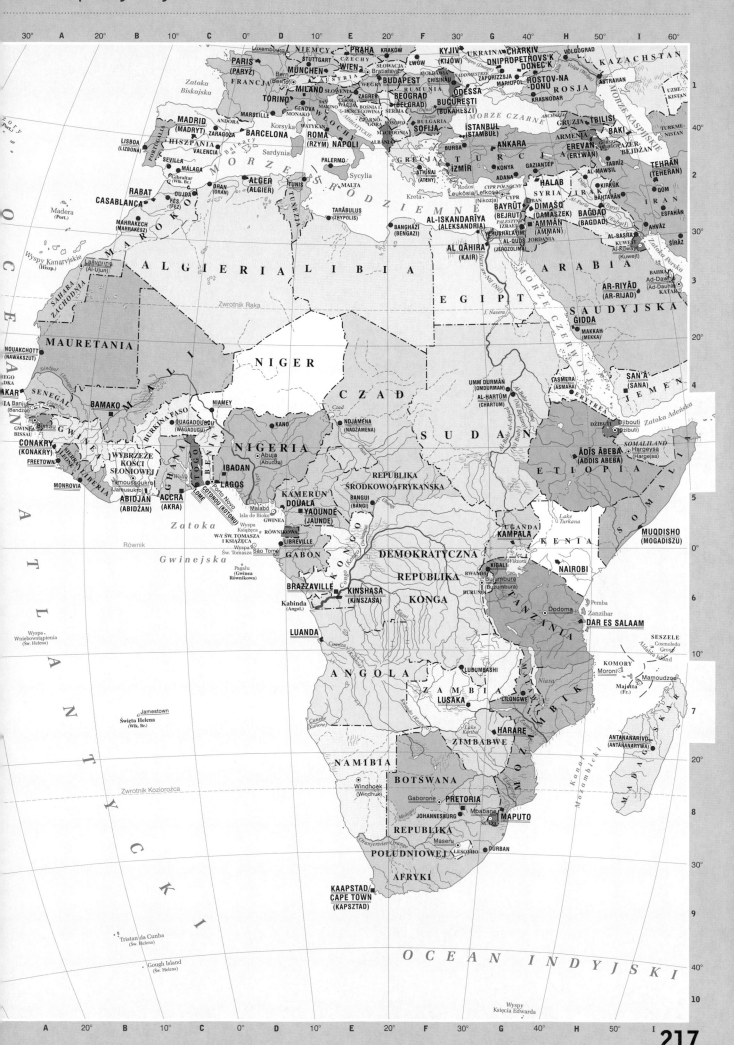

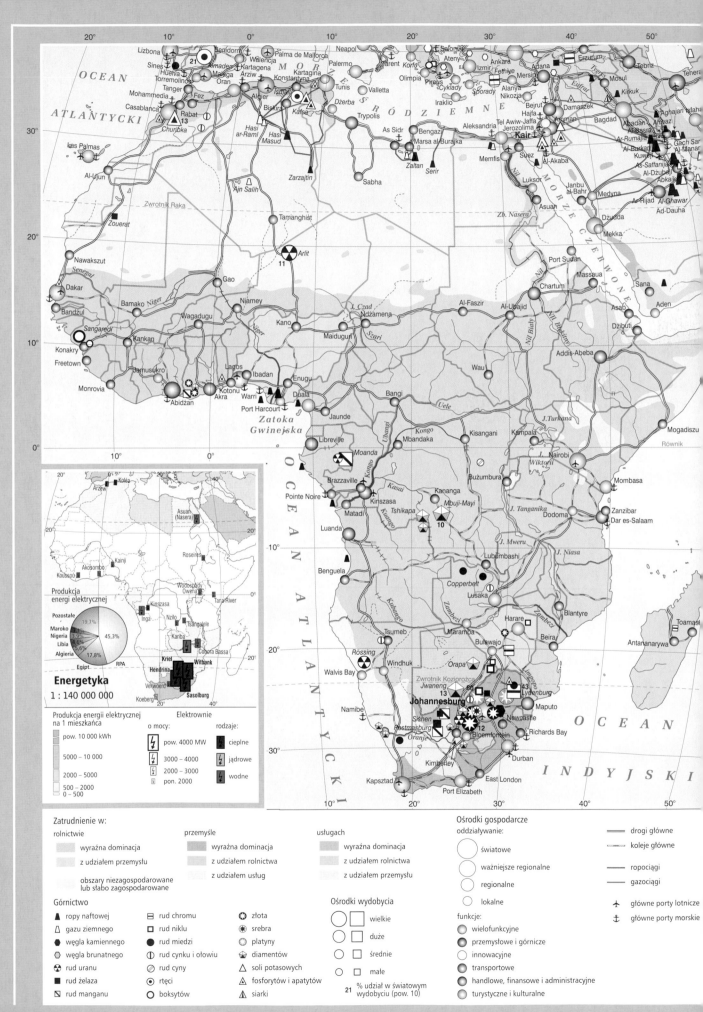

1 : 41 000 000

0   500   1000 km

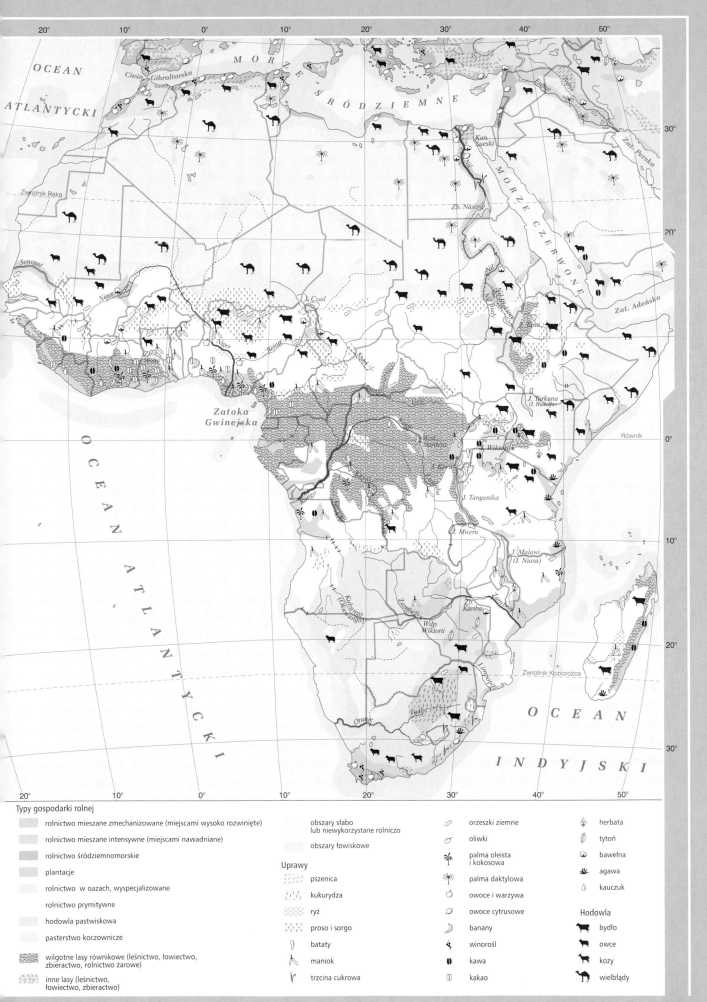

Typy gospodarki rolnej

- rolnictwo mieszane zmechanizowane (miejscami wysoko rozwinięte)
- rolnictwo mieszane intensywne (miejscami nawadniane)
- rolnictwo śródziemnomorskie
- plantacje
- rolnictwo w oazach, wyspecjalizowane
- rolnictwo prymitywne
- hodowla pastwiskowa
- pasterstwo koczownicze
- wilgotne lasy równikowe (leśnictwo, łowiectwo, zbieractwo, rolnictwo żarowe)
- inne lasy (leśnictwo, łowiectwo, zbieractwo)

- obszary słabo lub niewykorzystane rolniczo
- obszary łowiskowe

Uprawy

- pszenica
- kukurydza
- ryż
- proso i sorgo
- bataty
- maniok
- trzcina cukrowa

- orzeszki ziemne
- oliwki
- palma oleista i kokosowa
- palma daktylowa
- owoce i warzywa
- owoce cytrusowe
- banany
- winorośl
- kawa
- kakao

- herbata
- tytoń
- bawełna
- agawa
- kauczuk

Hodowla

- bydło
- owce
- kozy
- wielbłądy

Opis patrz str. 212

1 : 11 750 000

0 100 200 300 400 500 km

15° 10° 5° 0° 5°

**Jednostki
Administracyjne - Nigeria:**
1. Akwa Ibom G8
2. Osun F7

**Republika Zielonego
Przylądka**

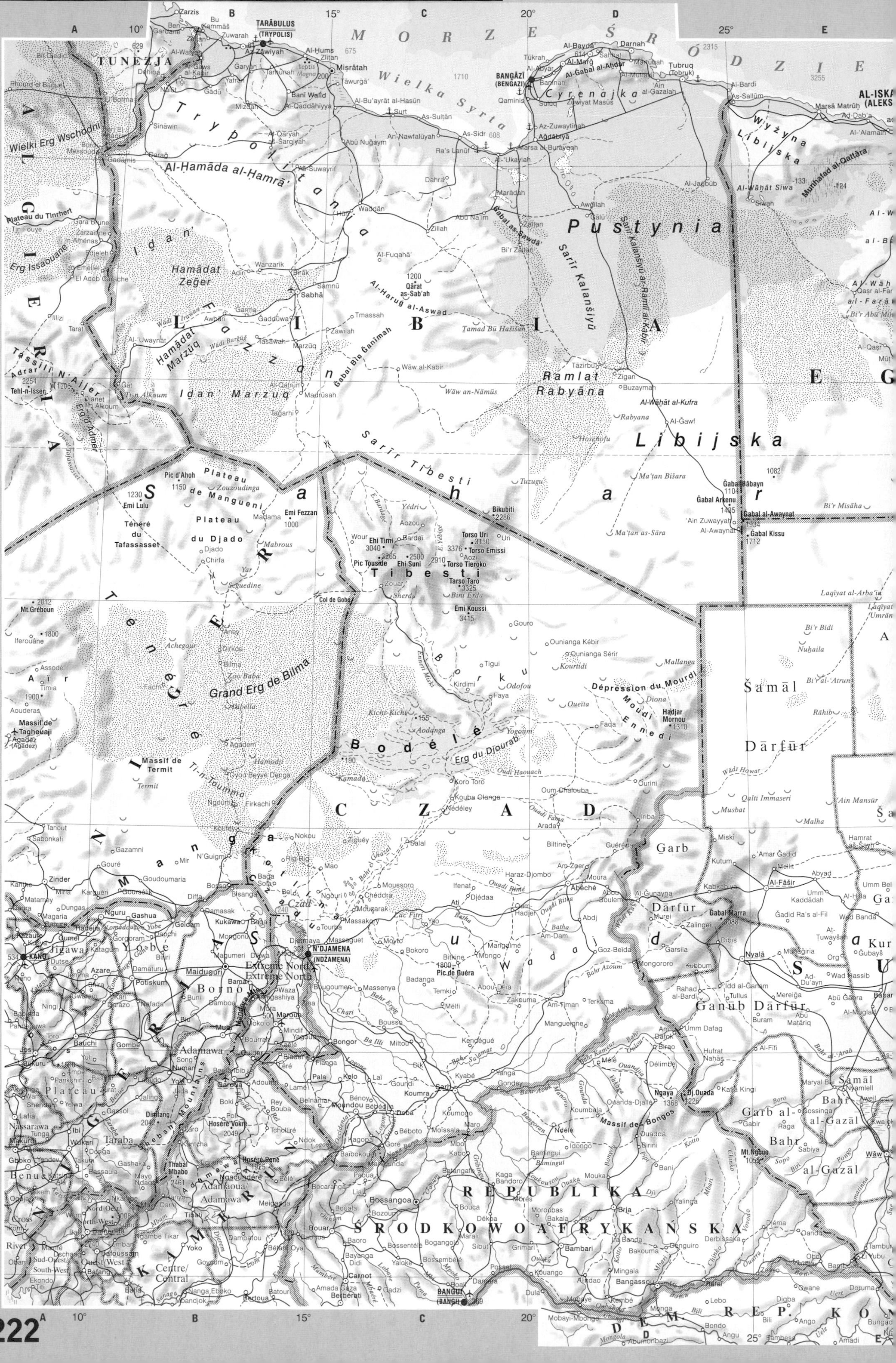

Opis patrz str. **213**

MORZE ŚRÓDZIEMNE

TUNEZJA

TARĀBULUS (TRYPOLIS)

BANGĀZĪ (BENGAZI)

Wielka Syrta

Cyrenajka

AL-ISKA (ALEKS

Wyżyna Libijska

Tripolitania

Al-Hamāda al-Hamrā'

A L G I E R I A

Pustynia

L I B I A

Fazzan

Hamādat Zeğer

Idan' Marzuq

Sarīr Kalanšiyū

Ramlat Rabyāna

Libijska

S A H A R A

Ténéré

Plateau de Mangueni

Plateau du Djado

Tibesti

Sarīr Tibesti

Emi Koussi 3415

Borku

Grand Erg de Bilma

Aïr

Massif de Taghouaji

Agadez (Agadez)

N I G E R

Bodélé

Erg du Djourab

Dépression du Mourdi

Ennedi

Šamāl Dārfūr

Dārfūr

C Z A D

Wadai

N'DJAMENA (NDZAMENA)

Ganūb Dārfūr

N I G E R I A

Extrême Nord / Extreme North

KANO

Borno

Massif des Bongos

K A M E R U N

Adamawa

REPUBLIKA ŚRODKOWOAFRYKAŃSKA

BANGUI (BANGI)

DEM. REP. KO

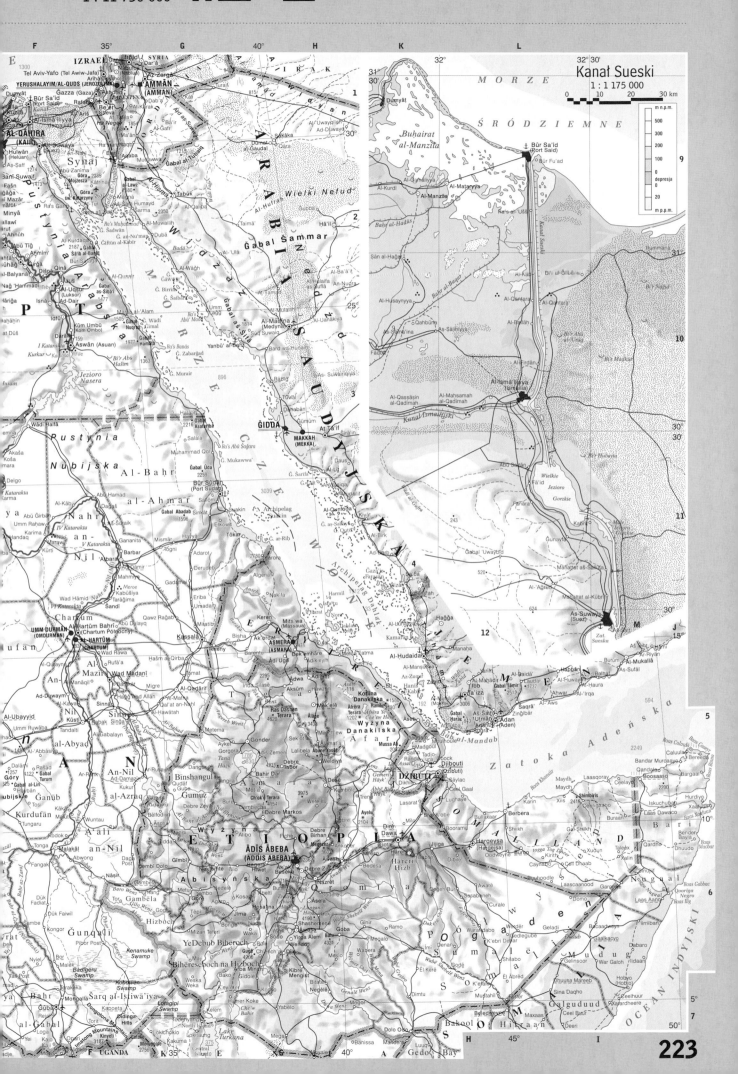

Opis patrz str. 215

OCEAN ATLANTYCKI

ANGOLA

NAMIBIA

BOTSWANA

ZAMBIA

ZIMBABWE

DEMOKRATYCZNA REPUBLIKA KONGA

REPUBLIKA POŁUDNIOWEJ AFRYKI

LESOTHO

Kalahari

Great Namaqualand

Damaraland

Ovamboland

Cuando-Cubango

Windhoek (Windhuk)

Walvis Bay

Swakopmund

Lüderitz

KAAPSTAD/CAPE TOWN (KAPSZTAD)

Pretoria

JOHANNESBURG

Port Elizabeth

Bloemfontein

Maseru

Gaborone

LUSAKA

LUBUMBASHI

Benguela

Lobito

Namibe

Wybrzeże Szkieletowe

Wybrzeże Diamentowe

Basen Angolski

Grzbiet Wielorybi

Basen Przylądkowy

Agulhas Bank

Agulhas Plateau

Vema Seamount

Natal Seamount

Kraj Buszmenów

Karru Małe

Karru Wielkie

Zat. Św. Heleny

Zat. Stołowa

Prowincje RPA
1. Northern Cape D5
2. Limpopo E4
3. North-West E5
4. Gauteng E5
5. Eastern Cape E6
6. KwaZulu-Natal F5
7. Mpumalanga F5
8. Western Cape C6
9. Orania E5

Ameryka Północna

Ukształtowanie powierzchni

Ameryka Północna – trzeci co do wielkości kontynent świata, zajmujący powierzchnię 24,2 mln km² – charakteryzuje się stosunkowo regularnym, południkowym układem form rzeźby terenu. Bezpośrednio z Pacyfikiem sąsiaduje pasmo Gór Nadbrzeżnych, następnie ciągnące się praktycznie przez cały kontynent młode i wysokie Góry Skaliste. Dalej leży szeroki pas Wielkich Równin, ograniczony od wschodu starymi i niewysokimi Appalachami. Za nimi rozciągają się niziny graniczące z Oceanem Atlantyckim. Najwyższym szczytem tego kontynentu jest Mount McKinley na Alasce, mierzący 6194 m n.p.m. Najniżej położonym miejscem jest natomiast depresja w Dolinie Śmierci, 86 m p.p.m.

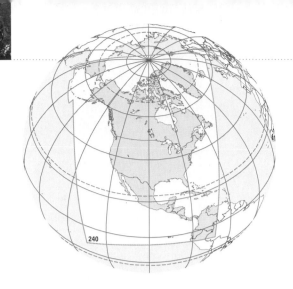

Mount McKinley (6194 m n.p.m.), to najwyższy szczyt Alaski i całej Ameryki Północnej, wznoszący się 5000 m ponad otoczenie. Pierwotna nazwa, używana przez zamieszkujących ten region Indian brzmiała Denali, co w ich języku znaczyło Wielka albo Wysoka. Obecnie tę nazwę nosi Park Narodowy Denali, chroniący ponad 19 tys. km² tundry i lodowców. Rosjanie nazywali tę górę Wielką, a Amerykanie – Górą Densmore'a, na cześć słynnego odkrywcy. Współczesna nazwa została nadana dla uczczenia Williama McKinleya, prezydenta Stanów Zjednoczonych.

Everglades to położony w południowej części Florydy rozległy obszar bagienny o powierzchni około 10 tys. km², którego znaczna część stanowi park narodowy. Charakterystyczną roślinnością są turzyce porastające bagna, dorastające do 3–5 m. Podmokłe środowisko oraz tropikalny klimat warunkują występowanie na tym terenie bardzo bogatego świata zwierzęcego z licznymi gatunkami ptaków, żółwi, węży. Żyje tu także największy gad Ameryki – aligator. Bagna Everglades łączą się z wielkim obszarem porośniętym podmokłymi lasami cypryśników błotnych.

Ameryka Północna jest kontynentem o najbardziej urozmaiconej linii brzegowej. Aż 16,7% tego kontynentu zajmują wyspy. Należący do Kanady Archipelag Arktyczny ma powierzchnię 1,37 mln km². Do kontynentu północnoamerykańskiego zaliczana jest też największa wyspa świata – Grenlandia, o powierzchni 2176 tys. km².

Klimat Ameryki Północnej jest bardzo urozmaicony: od polarnego na północy do tropikalnego na południu. Południkowy układ pasm górskich powoduje, że masy powietrza polarnego z łatwością przemieszczają się z północy na południe, a powietrza tropikalnego w przeciwnym kierunku. Powoduje to częste i nagłe zmiany pogody. Np. zimą, w ciągu zaledwie kilkunastu godzin, pogoda może zmienić się diametralnie: od śnieżnej i mroźnej, utrudniającej życie mieszkańcom wschodniej części Stanów Zjednoczonych, do iście wiosennej, czego efektem jest gwałtowne topnienie śniegu i zagrożenie powodziowe. Latem Wielkie Równiny nawiedzają liczne tornada, nierzadko katastrofalne w skutkach – niszczące małe miasta i powodujące ofiary śmiertelne. Równie niebezpieczne są huragany nawiedzające latem atlantyckie wybrzeża kontynentu, wyrządzające często znacznie większe szkody niż tornada, gdyż trwają znacznie dłużej i mają znacznie większy zasięg.

Kontynent kontrastów

Amerykę Północną można nazwać kontynentem wielkich kontrastów, i to nie tylko geograficznych, ale też cywilizacyjnych. Oprócz 6-tysięczników oraz depresji, bogactwo sąsiaduje tutaj z biedą, najnowocześniejsza technika ze stylem życia rodem z XIX w., a wyrafinowanie intelektualne ze skrajną ignorancją.

Historia obecności ludzi na tym kontynencie jest stosunkowo krótka. Zaczęła się 65 mln lat temu, kiedy w płytkie morze w okolicy, która teraz jest północną częścią Jukatanu, uderzyła kometa lub planetoida. Efektem tego zderzenia było drastyczne i długotrwałe ochłodzenie, którego skutkiem było zakończenie trwającej 160 mln lat ery dinozaurów. Umożliwiło to rozwój ssaków i w konsekwencji ewolucję człowieka. Współcześnie dominuje pogląd, że pierwsi ludzie pojawili się w Ameryce w plejstocenie, prawdopodobnie około 30 tys. lat temu. Gdy 12 tys. lat temu doszło do kolejnego obniżenia się poziomu oceanu, powstało połączenie lądowe w miejscu obecnej Cieśniny Beringa, przez które przeszły azjatyckie plemiona myśliwych. Pochód tych przybyszów przez Amerykę Północną odbył się w błyskawicznym tempie. W równie szybkim tempie (1000–2000 lat) z Ameryki Północnej zniknęli przedstawiciele 33 rodzajów dużych ssaków zamieszkujących ten kontynent, jak mastodonty, mamuty czy tygrysy szablastozębne. Większość uczonych uważa, że stało się to za sprawą intensywnych polowań azjatyckich przybyszów, doskonale znających zarówno myśliwskie rzemiosło jak i potencjalne ofiary. W ciągu kolejnych 10 tys. lat plemiona te nie osiągnęły znacznie wyższego stopnia rozwoju, niż ten, jaki miały wkraczając na nieznane nowe tereny. Bardziej zaawansowana forma cywilizacji na tym kontynencie rozwinęła się jedynie na terenie dzisiejszego Meksyku oraz Gwatemali i Belize, gdzie swoje państwa stworzyli Majowie i Aztekowie.

Po raz kolejny Amerykę Północną odkryli Wikingowie, którzy pod koniec X w. dotarli i na krótki czas zasiedlili wybrzeże Atlantyku na dzisiejszym pograniczu Kanady i Stanów Zjednoczonych. W końcu XV w. Ameryka została odkryta po raz kolejny, tym razem ostateczny. Największe konsekwencje dla tego kontynentu miało dotarcie do niego żeglarzy pod wodzą Krzysztofa Kolumba. Zaczęła się kolejna kolonizacja, tym razem udana. 300 lat po odkryciu i podporządkowaniu kontynentu przez Hiszpanię (na południu), a potem Anglię i Francję (na północy), w wyniku rewolucji powstało w 1776 r. pierwsze niezależne państwo amerykańskie: Stany Zjednoczone Ameryki. Kanada status niepodległego państwa, członka brytyjskiej Wspólnoty Narodów, uzyskała znacznie później – dopiero w 1931 r. Jednak już wcześniej, jako kolonia angielska tworzyła państwo federalne, w 1867 r. uzyskując status dominium. Pozostałe kraje uzyskały niepodległość w 1821 r., z wyjątkiem Panamy (1903) i Belize (1981).

Stany Zjednoczone od początku istnienia powiększały swoje terytorium. W 1803 r. kupiły Luizjanę od Francji, w 1819 r. Florydę od Hiszpanii, a w 1867 r. Alaskę od Rosji. Następnie, po wojnach z Meksykiem, anektowały Teksas oraz Kalifornię i Arizonę. Zasiedlanie Wielkich Równin odbyło się kosztem żyjących tu miejscowych plemion indiańskich. Warto wspomnieć, że nawet wybitni prezydenci tego państwa uznawali Indian jedynie za przeszkodę na drodze do rozwoju. Obecnie, po latach eksterminacji, w zasadzie jedynie plemię Nawaho jest na tyle liczne i prężne, że jego istnienie nie jest zagrożone.

Szybki rozwój rolnictwa, jaki nastąpił w tym czasie, spowodował niedobór siły roboczej. Dlatego do Ameryki Północnej zaczęto sprowadzać niewolników z Afryki. W sumie trafiło tutaj kilkanaście milionów Murzynów. Niewolnictwo zaczęto znosić stopniowo w XIX w., a jako ostatnie, w 1865 r. uczyniły to Stany Zjednoczone.

Dolina Pomników to grupa bardzo charakterystycznych i powszechnie znanych ostańców skalnych na pograniczu stanu Utah i Arizony. W tej wyjątkowej scenerii rozgrywała się akcja licznych westernów. Dolina znajduje się na terenie rezerwatu Indian Nawaho i jest chroniona jako pomnik przyrody. Indianie Nawaho to obecnie, po latach zmagań o przetrwanie, najliczniejszy (około 170 tys.) i najprężniej działający szczep indiański Stanów Zjednoczonych. Zamieszkiwane przez nich rezerwaty zajmują około 64 tys. km².

patrz mapa str. **240**

Podział polityczny

Na kontynencie północnoamerykańskim leżą dwa, należące do najbogatszych, państwa świata: Stany Zjednoczone i Kanada. Obydwa kraje zostały zasiedlone głównie przez ludność pochodzenia europejskiego. W Kanadzie istnieje bardzo silny separatyzm wśród francuskojęzycznych mieszkańców Quebecu. W 1995 r. przeprowadzono referendum w sprawie uzyskania przez tę prowincję niepodległości, jednak zwolennicy oderwania się od Kanady nie uzyskali większości.

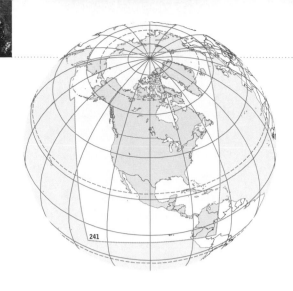

Ottawa została założona przez Brytyjczyków w 1826 r. nad rzeką Ottawą, a w 1855 r. została stolicą kolonii Kanada, co pozwoliło uniknąć konfliktu pomiędzy społecznościami Kanady: anglojęzyczną, promującą jako stolicę Toronto, i francuskojęzyczną, wskazującą na Montreal. Na wzgórzu u ujścia do Ottawy rzeki Rideau w 1860 r. zbudowano gmach Parlamentu. Neogotycka budowla nawiązuje do wiktoriańskiego gmachu Parlamentu w Londynie. Budynek był częściowo zniszczony podczas pożaru w 1916 r. Przed gmachem stoi Wieża Pokoju (Peace Tower).

W Stanach Zjednoczonych występują duże skupiska ludności pochodzenia afrykańskiego, azjatyckiego, a także coraz liczniejsza grupa ludności latynoskiej wywodzącej się z Ameryki Łacińskiej.

Kraje Ameryki Łacińskiej to w większości dawne kolonie hiszpańskie, które uzyskały niepodległość w XIX w. Są one zasiedlone głównie przez Metysów i ludność indiańską. Państwa leżące na wyspach archipelagu Wielkich i Małych Antyli zostały zasiedlone głównie przez ludność pochodzenia afrykańskiego, potomków niewolników. Z Afryki kolonizatorzy europejscy przywozili niewolników po wyniszczeniu w XVI w. Indian.

Na jednej z wysp należących do Wielkich Antyli znajduje się Kuba – jedyne na półkuli zachodniej państwo rządzone przez partię komunistyczną. Do kontynentu północnoamerykańskiego zaliczana jest także Grenlandia – terytorium autonomiczne należące do Danii. We wschodniej i południowej części regionu leżą wyspiarskie terytoria zależne od Wielkiej Brytanii (Wyspy Dziewicze, Montserrat, Anguilla, Kajmany), Francji (departamenty zamorskie – Gwadelupa, Martynika), Holandii (Aruba, Antyle Holenderskie) oraz Stanów Zjednoczonych (Wyspy Dziewicze i Portoryko).

Założony pod koniec XVIII w. Waszyngton otrzymał nazwę na cześć prezydenta Jerzego Washingtona. Na przedmieściu miasta, w Arlington, znajduje się Pentagon – siedziba politycznego i wojskowego kierownictwa amerykańskich sił zbrojnych. Nazwa budynku pochodzi od kształtu gmachu, mającego 5 boków.

Pod względem wyznaniowym w krajach Ameryki Łacińskiej większość ludności stanowią katolicy, natomiast w Stanach Zjednoczonych, Kanadzie i części Wielkich Antyli dominują protestanci.

Państwa Ameryki Północnej są zrzeszone w Organizacji Państw Amerykańskich (OPA). Kanada, USA i Meksyk tworzą Północnoamerykańskie Stowarzyszenie Wolnego Handlu (NAFTA).

W 1999 r. w północnej Kanadzie powołano do życia region autonomiczny Nunavut, zamieszkany głównie przez Eskimosów. Obejmuje on większość wysp Archipelagu arktycznego i zajmuje powierzchnię ponad 2 mln² W 25 rozproszonych na jego obszarze osadach mieszka około 21 tys. mieszkańców. Głównymi celami nowo utworzonego regionu było zapewnienie Eskimosom większych praw do ziemi, udziału w zyskach z eksploatowanych zasobów naturalnych, wpływu na ochronę środowiska i większych praw politycznych, a także zachowanie tradycji i odrębności kulturowej.

Kanał Panamski to jedna z głównych arterii transportowych świata, łącząca Ocean Atlantycki (przez Morze Karaibskie) z Oceanem Spokojnym. Jest usytuowany w najwęższym miejscu Ameryki, w Przesmyku Panamskim. Ma długość 81,6 km. Budowę kanału rozpoczęto w 1881 r., a w 1889 r. przerwano. W 1903 r. po uregulowaniu statusu prawnego kanału oraz zawarciu przez Stany Zjednoczone tarktau z Panamą o wieczystej dzierżawie Strefy Kanału Panamskiego, Amerykanie, wznowili budowę, którą zakończono w 1914 r. Dopiero w 1999 r. Kanał Panamski stał się integralną częścią Panamy.

Hawana, założona w pierwszej połowie XVI w. przez Hiszpanów, słynie z bogatej kolonialnej architektury. Po rewolucji wprowadzono nowy, socrealistyczny kierunek w architekturze... Przykładem jest budynek kubańskiego MSZ ozdobiony symbolami rewolucji: flagą oraz wizerunkiem Che Guevary, bohatera rewolucji kubańskiej.

Vancouver to pięknie położone, pełne nowoczesnej architektury miasto i port na kanadyjskim wybrzeżu Oceanu Spokojnego. Z trzech stron otoczone wodami, od północy graniczy z Górami Nadbrzeżnymi, osiągającymi w pobliżu miasta wysokość ponad 2000 m n.p.m.

patrz mapa str. **241**

Kanada

Niagara to największy wodospad Ameryki Północnej, położony na granicy Kanady i Stanów Zjednoczonych. Składa się z dwóch części: węższej amerykańskiej (około 320 m) i szerszej kanadyjskiej (niespełna 800 m). W ciągu sekundy spada prawie 3 mln litrów wody.

Kanada jest największym krajem Ameryki Północnej, zajmującym obszar 9 984 670 km^2. Tak wielkie przestrzenie zamieszkuje jednak niewiele ponad 30 mln mieszkańców. Wynika to z faktu, że większość ludności tego kraju zamieszkuje na południu, w wąskim pasie przy granicy ze Stanami Zjednoczonymi, a zwłaszcza w okolicy Wielkich Jezior i Rzeki Świętego Wawrzyńca, oraz na wybrzeżu Pacyfiku, zwłaszcza w pobliżu Vancouver, gdzie panuje łagodniejszy klimat. Dalej na północ jest on już zdecydowanie bardziej surowy i życie w nim jest bardzo trudne, a działalność rolnicza wręcz niemożliwa. Tę część Kanady zajmują bardzo rozległe lasy iglaste oraz olbrzymie połacie tundry, a mieszkają tam przede wszystkim tubylcze plemiona Indian i Eskimosów.

Ponieważ w Kanadzie niewolnictwo zniesiono 30 lat wcześniej niż w Stanach Zjednoczonych, wielu niewolników przemycano do Kanady przez granicę w okolicach Wielkich Jezior. W Stanach Zjednoczonych przyjęło to postać swoistego podziemia, a w tę nielegalną działalność zaangażowanych było wielu światłych obywateli tego kraju.

Obecni Kanadyjczycy to potomkowie kolonistów angielskich i francuskich. Oprócz rdzennych mieszkańców żyją tutaj także emigranci, praktycznie z całego świata. Postawa rządu wobec emigrantów wciąż osiedlających się w Kanadzie jest całkowicie odmienna od tej, jaką przyjął jej sąsiad z południa. W odróżnieniu od koncepcji melting pot, czyli kotła, w którym inne narody stapiają się w jeden naród amerykański, w Kanadzie zachęca się do pielęgnacji tradycji typowych dla krajów, z jakich dana grupa imigrantów się wywodzi. Mimo zdecydowanej dominacji gospodarczej Stanów Zjednoczonych nad Kanadą (40% kanadyjskiego przemysłu znajduje się w rękach amerykańskich) kraj ten prowadzi niezależną politykę nie tylko wewnętrzną, ale i zagraniczną oraz gospodarczą.

patrz mapa str. 244-245

Stany Zjednoczone

Statua Wolności to jeden z największych posągów na świecie. Został podarowany Stanom Zjednoczonym Ameryki Północnej przez Francję z okazji setnej rocznicy deklaracji niepodległości. Statuę zbudowano w Paryżu, a w Nowym Jorku zmontowano ją na portowej wyspie w pobliżu Manhattanu.

Stany Zjednoczone Ameryki Północnej ogłosiły niepodległość w 1776 r. Liczyły wtedy niespełna 4 mln obywateli i zajmowały powierzchnię około 2 mln km^2. 230 lat później są prawie 5 razy większe i liczą ponad 70 razy więcej ludności. Obie wojny światowe, które praktycznie zrujnowały większość Europy, oszczędziły terytorium Stanów Zjednoczonych. Te sprzyjające okoliczności zostały należycie wykorzystane i od tej pory kraj ten jest światowym mocarstwem, wyznaczającym kierunki rozwoju ludzkości oraz odgrywającym dominującą rolę we współczesnej nauce, gospodarce, technice oraz wielu innych dziedzinach życia. Oferując doskonałe warunki pracy, Stany Zjednoczone przyciągają corocznie tysiące specjalistów z całego świata, którzy przyczyniają się do wzmocnienia potęgi swojej nowej ojczyzny. Podstawą dobrobytu i pozycji Stanów Zjednoczonych w świecie są wartości uznane jako nienaruszalne już podczas tworzenia konstytucji uchwalonej w 1787 r.: kierowanie się w gospodarce zasadami wolnego rynku, w życiu publicznym zasadą wolności słowa oraz bezwzględnym poszanowaniem własności prywatnej.

Wielki Kanion rzeki Kolorado to jedna z najwspanialszych osobliwości geologicznych świata: wyrzeźbiony w końcu trzeciorzędu i na początku czwartorzędu wąwóz ma ponad 350 km długości, do 25 km szerokości i 1800 m głębokości.

Dzięki temu ingerencja państwa w gospodarkę wciąż jest znacznie mniejsza niż w Europie, podobnie jak i płacone przez obywateli tego kraju podatki. W efekcie Stany Zjednoczone rozwijają się szybciej niż Europa. Jednak nie wszystkie skutki intensywnego rozwoju są korzystne. Zmiana trybu życia przeciętnego Amerykanina, jaka dokonała się w ciągu ostatnich kilkudziesięciu lat, sprowadzająca się do siedzącego trybu życia (przed odbiornikiem telewizyjnym lub komputerem) i odżywiania się wysokokaloryczną żywnością (fast-food, chipsy, słodycze) spowodowała pojawienie się problemu ludzi nadmiernie, a niekiedy wręcz gigantycznie otyłych. Z każdym rokiem jest ich coraz więcej i dzisiaj już stanowią ponad 1/4 społeczeństwa. Schorzenia związane z tą przypadłością stały się ostatnio główną przyczyną śmiertelności Amerykanów. Jednakże występują też tendencje przeciwne: moda na uprawianie sportów, kult ciała i młodości, moda na odchudzanie.

patrz mapa str. **246-247**

Alaska, Hawaje

Alaska słynie z licznej populacji niedźwiedzi brunatnych, które co roku w porze migracji łososi gromadzą się nad rzekami, którymi te ryby płyną na tarło. Dla niedźwiedzi jest to bardzo smakowita i łatwa zdobycz.

Alaska i Hawaje to dwa najmłodsze, bo przyłączone dopiero w 1959 r. stany, leżące poza tak zwanymi kontynentalnymi Stanami Zjednoczonymi. Alaska jest stanem największym, leżącym najdalej na północ, zaś Hawaje jednym z najmniejszych i położonym najdalej na południe. Obydwa mają odmienną historię. Alaska do 1867 r., kiedy to została zakupiona, znajdowała się we władaniu Rosji. Odkrył ją w 1741 r. Vitus Bering, wysłany tam przez cara Piotra Wielkiego. Przez długie lata służyła rosyjskim myśliwym jako tereny łowieckie, gdzie pozyskiwano skóry zwierząt wielu gatunków, przede wszystkim wydr morskich. Oczywiście nie obyło się bez konfliktów z miejscowymi plemionami, zwłaszcza Aleutami, którzy byli przez myśliwych zabijani lub wykorzystywani jako niewolnicy. W miarę zmniejszania się populacji wydr zainteresowanie Rosji tą częścią imperium malało. Kłopoty gospodarcze, związane z prowadzeniem wojen, spowodowały próby zainteresowania Stanów Zjednoczonych zakupem Alaski, uznanej przez Rosję za bezwartościową. Transakcję sfinalizowano w Waszyngtonie 30 marca 1867 r., a cena wyniosła 7,2 mln dolarów. Przez ponad 30 lat Amerykanie uznawali ten zakup za chybiony. Sytuacja zmieniła się po odkryciu złota. W 1902 r. założono na Alasce pierwsze miasto – Fairbanks, a w 1912 r. Alaska otrzymała status terytorium. Jej wartość wzrosła dodatkowo po odkryciu złóż ropy naftowej.

Wielkim bogactwem Alaski jest także przepiękna i w wielu miejscach zupełnie nietknięta przyroda, chroniona w licznych i bardzo rozległych parkach narodowych.

Na Hawajach pierwsi ludzie – Polinezyjczycy – pojawili się między IV a VI w. naszej ery. W 1555 r. archipelag został odkryty przez Hiszpanów. Praktycznie przez cały XIX w., po zjednoczeniu ich przez króla Kamahameha, Hawaje były królestwem. Od końca tego wieku zaczęło wzrastać na tym terenie zaangażowanie gospodarcze (uprawa trzciny cukrowej i ananasów) oraz militarne Stanów Zjednoczonych. Ostatecznie, w 1898 r. Hawaje zostały anektowane.

Park Narodowy Denali o powierzchni 24 419 km² chroni bardzo zróżnicowane środowisko przyrodnicze Alaski. Występuje tu roślinność typu tundrowego, rosnąca na cienkiej warstwie gleby, pod którą zalega wieczna zmarzlina. Na terenie parku wznosi się najwyższa góra Ameryki Północnej, Mount McKinley (6194 m n.p.m.).

patrz mapa str. **254-255**

Stany Zjednoczone – część wschodnia

Giełda w Nowym Jorku to największe centrum finansowe współczesnego świata. Mieści się na Wall Street na Manhattanie, a powstała już w 1792 r. Obecnie w obrocie znajduje się na niej ponad 2 mld akcji, a rekord padł 24 lipca 2005 r., kiedy to w obrocie było 3,116 mld akcji.

Wschodnia część Stanów Zjednoczonych, wraz z południowo--wschodnią częścią Kanady, to najbardziej zaludniony i uprzemysłowiony rejon Ameryki Północnej. Mieszka tu większość obywateli tych państw i tu znajduje się większość zakładów przemysłowych, a także najlepsze oraz najstarsze amerykańskie uniwersytety. W tej części Ameryki Północnej panuje najbardziej przyjazny dla ludzi klimat. Tutaj dotarli pierwsi Europejczycy, którzy potem stanowili zaczątek społeczeństwa Stanów Zjednoczonych i Kanady. Stało się to ponad 100 lat po wyprawie Kolumba. W 1607 r. na wyspę leżącą na terenie obecnego stanu Wirginia przybyli osadnicy, którzy założyli dzisiejsze Jamestown – pierwsze osiedle na północnym wybrzeżu Atlantyku.

Kolejna grupa osiedliła się w dzisiejszym stanie Massachusetts w 1620 r. Byli to purytanie, wypędzeni z Anglii zwolennicy oczyszczenia anglikanizmu z katolickich naleciałości. To oni założyli dzisiejszy Boston oraz Cambridge, z pierwszym uniwersytetem na tych ziemiach (1636 r.), istniejącym do dzisiaj pod nazwą Uniwersytetu Harwarda i będącym jedną z najlepszych uczelni amerykańskich. Kolejnymi przybyszami byli Francuzi, który osiedlili się przy ujściu rzeki Hudson oraz Holendrzy, którzy w 1625 r. założyli na wyspie Manhattan Nowy Amsterdam – dzisiejszy Nowy Jork. Jednak już w 1664 r. tereny te zostały zdobyte przez Anglików. Po serii wojen z Anglią w 1763 r. Francuzi wycofali się z tej części Ameryki Północnej. Dominacja angielska nie trwała jednak długo i w 1773 r., w okolicy Bostonu, rozpoczęła się przeciwko Anglikom rewolucja, która doprowadziła do powstania Stanów Zjednoczonych.

We wschodniej części Stanów Zjednoczonych i Kanady mieszka dzisiaj także najliczniejsza grupa Amerykanów polskiego pochodzenia. Jest ich obecnie na tym kontynencie ponad 8 mln, a największymi skupiskami Polonii są Chicago, Nowy Jork oraz Detroit i Toronto.

patrz mapa str. 248-249

Stany Zjednoczone – część środkowa

Góra Rushmore (1829 m n.p.m.), położona w paśmie Black Hills w południowo-zachodniej Dakocie, słynie z wielkich, wyrzeźbionych w skale głów prezydentów Stanów Zjednoczonych: Jerzego Waszyngtona, Tomasza Jeffersona, Abrahama Lincolna i Teodora Roosevelta.

Część środkową Stanów Zjednoczonych zajmuje bardzo rozległy obszar trawiastych formacji roślinnych zwanych prerią, położony między Górami Skalistymi na zachodzie a Appalachami na wschodzie. W przeszłości tereny te zamieszkiwały liczne plemiona indiańskie oraz jeszcze liczniejsze stada bizonów. Po wkroczeniu przedstawicieli cywilizacji europejskiej – środowisko prerii zmieniło się nie do poznania, a prawowici gospodarze zostali praktycznie wybici. Eksterminację rozpoczęto od bizonów. Wiązało się to z przekonaniem, że gdy zwierzęta te zostaną wytępione, Indianie, dla których były one podstawą wyżywienia, będą musieli opuścić prerię i dzięki temu przestaną być zagrożeniem dla osadników, którzy bez przeszkód zasiedlą te tereny. Plan wykonano do tego stopnia perfekcyjnie, że ze stad bizonów szacowanych w 1860 r. na około 13 mln sztuk po 23 latach zostało jedynie 200 osobników. W efekcie gatunek znalazł się na krawędzi wymarcia. A że w ten sposób nie zmuszono jednak Indian do opuszczenia prerii, pokazała historia kolejnych lat ich walki o przetrwanie. Skolonizowane tereny zamieniono na pastwiska i pola uprawne. Dzisiaj są spichlerzem Ameryki, a znaczna część zbiorów jest eksportowana na rynki całego świata.

Preria to rozległe obszary porośnięte trawami, położone między Górami Skalistymi a Appalachami. Obecnie prerie w większości zamieniono na pola uprawne i pastwiska. Uratowane od zagłady bizony można dzisiaj spotkać na zachowanych w stanie naturalnym fragmentach prerii.

Środkowy wschód, bo tak Amerykanie nazywają tę część swojego kraju, charakteryzuje się swoistą kulturą, odrębną od tej, jaka panuje na obu wybrzeżach Stanów Zjednoczonych. Mieszkańcy środkowego wschodu są bardziej przywiązani do tradycji, bardziej religijni, i nieufni wobec coraz bardziej liberalnych poglądów ich sąsiadów z zachodu i wschodu. Można by rzec, że są solą swojego narodu. Tego typu postawy nie są w dzisiejszych czasach modne i mieszkańcy bardziej „nowoczesnych" stanów patrzą na nich z pobłażliwością niepozbawioną sporej dozy wyższości, nazywając ich niezbyt pochlebnym określeniem red necks, czyli czerwone szyje. Nazwa ta pochodzi od opalonych karków farmerów.

patrz mapa str. **250-251**

Stany Zjednoczone
– część zachodnia

Park Narodowy Yellowstone został utworzony 1 marca 1872 r. jako pierwszy na świecie. Na powierzchni ponad 8900 km² występują bardzo zróżnicowane typy środowiska. W parku można podziwiać liczne gejzery, z których Yellowstone słynie. Ciekawostką jest jedyne w Stanach Zjednoczonych stado wilków, reintrodukowanych w 1995 r.

Zachód Stanów Zjednoczonych kojarzy nam się z opowieściami z Dzikiego Zachodu oraz największą wytwórnią filmową świata – Hollywood. Notabene nasza wiedza o Dzikim Zachodnie pochodzi głównie z produkcji filmowych właśnie ze światowej stolicy kina. I niewiele ma ona wspólnego z prawdą o tym, czym był i jak wyglądał Dziki Zachód. Były to olbrzymie przestrzenie przemierzane przez stada bydła, nad którymi pieczę sprawowali tamtejsi pasterze, czyli kowboje.

Miasta na tych terenach były nieliczne, a ich podstawową funkcją był handel bydłem, które do nich spędzano, a potem sprzedawano i transportowano na wschód. Dziki Zachód nie był tak dziki i niespokojny, ani tak pełen saloonów z tańczącymi kankana tancerkami, jak chcieliby reżyserzy westernów. Kowboje prowadzili dosyć spokojny i praworządny tryb życia. Atmosfera znacznie bardziej podobna do westernowej panowała natomiast w okolicach, gdzie poszukiwano i wydobywano mniej lub bardziej szlachetne metale, począwszy od miedzi, na złocie skończywszy. Tam stróże prawa mieli znacznie więcej pracy. Dzisiaj z Dzikiego Zachodu pozostała jedynie filmowa sława i znacznie już mniej liczne stada krów, pasące się na rozległych pastwiskach, oraz zajmujący się nimi kowboje prowadzący osiadły tryb życia. Owszem, konie są wciąż wykorzystywane do przepędzania bydła, ale na pastwisko dowożone są samochodami. Kowboje nadal noszą charakterystyczne kapelusze z wywiniętym rondem, dżinsy oraz typowe buty z wysoką cholewką i ściętym obcasem, ale do pasa nie mają już przytroczonej broni.

Hodowla bydła na tych terenach nie jest już opłacalna, a utrzymują ją wysokie dotacje rządowe. Efektem wypasania bydła na zachodzie Stanów Zjednoczonych są dzisiaj nie tylko westerny, ale przede wszystkim zniszczone nadmiernym wypasem środowisko. Dawne formacje trawiaste zastąpiły wyjałowione półpustynie, pozbawione wartościowych gatunków roślin i zwierząt, kiedyś tak licznie je zamieszkujących.

Dolina Śmierci, leżąca w południowo-zachodniej Kalifornii, to najgorętsze miejsce, i najniżej położony punkt na kontynencie północnoamerykańskim (- 86 m n.p.m.). Wyrazistość form rzeźby podkreśla występowanie w otoczeniu doliny wysokich gór (ponad 3300 m n.p.m.).

patrz mapa str. **252-253**

Kraje Ameryki Środkowej

Chichen Itza to jedno z najokazalszych i najlepiej zachowanych
do naszych czasów miast Majów. Położone w północnej części
półwyspu Jukatan, w czasach swojej świetności było miejscem
licznych ceremonii religijnych, w tym także składania ofiar z ludzi.

Ameryka Środkowa to umowna nazwa grupy państw
Ameryki Północnej, położonych na południe od Stanów
Zjednoczonych: od Meksyku na północy do Panamy na południu.
Do tej grupy zalicza się również państwa leżące na Antylach
oraz Bahamy. Łączy je wspólna historia, zwłaszcza od chwili
dotarcia tutaj hiszpańskich kolonizatorów. Po podbiciu przez Cortésa
Azteków, zamieszkujących obecny środkowy Meksyk i mających
olbrzymią przewagę liczebną nad Hiszpanami, tereny te stały się
wicekrólestwem Nowej Hiszpanii.

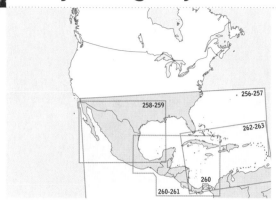

Na przełomie XVIII i XIX w., za przykładem Stanów Zjednoczonych, ruch niepodległościowy ogarnął także Amerykę Środkową.
W wyniku wojen o niepodległość trwających od początku XIX w.
wyłoniły się istniejące do dzisiaj niepodległe państwa.
Większość z nich deklarowała swoją niepodległość w 1821 r.,
z wyjątkiem Belize, które do 1981 r. były kolonią brytyjską,
oraz Panamy, która od 1821 r. była częścią niepodległej Wielkiej
Kolumbii, od której odłączyła się jako samodzielne państwo w 1903 r.

Mimo uzyskania niepodległości oraz uchwalenia liberalnych
konstytucji sytuacja w państwach Ameryki Środkowej była i nadal jest
daleka od stabilizacji. Typowe są częste zamachy stanu
i władza dyktatorska. Nie sprzyja to rozwojowi gospodarczemu
oraz cywilizacyjnemu, stąd do dnia dzisiejszego kraje tej strefy
są stosunkowo biedne. We wszystkich typowe są bardzo wyraźne
różnice w zamożności obywateli.

patrz mapa str. **256-257**

Meksyk – część północna i środkowa

Meksyk to trzeci co do wielkości kraj Ameryki Północnej,
zajmujący 1 964 tys. km^2 powierzchni. Jego znaczna
rozciągłość południkowa – ponad 2000 km – powoduje, że zarówno
klimat jak i świat roślinny i zwierzęcy są bardzo zróżnicowane.
Na północy jest to suchy i gorący klimat zwrotnikowy,
w strefie którego leżą dwie pustynie: Sonora i Chihuahua,
z opadami w granicach 50–100 mm rocznie.

Flamingi, zwane także czerwonakami, to urokliwe ptaki, które preferują
spokojne zatoki, jak ta w okolicy Celestún na zachodzie półwyspu Jukatan.
Brodząc w płytkiej wodzie, za pomocą specjalnie zbudowanego
dzioba odcedzają pokarm – przeważnie drobne bezkręgowce.

Natomiast na południu panuje klimat tropikalny wilgotny
z opadami sięgającymi 4000 mm rocznie, co powoduje,
że typową formacją roślinną jest tutaj las równikowy.
Meksyk jest krajem wyżynno-górzystym, którego 50% powierzchni
leży powyżej 1000 m n.p.m. Charakterystyczne dla Meksyku
są wysokie i wciąż czynne wulkany, z najwyższym – Orizabą,
sięgającym 5700 m n.p.m, będącym jednocześnie najwyższym
wzniesieniem kraju.

55% mieszkańców Meksyku stanowią Metysi, 29% Indianie,
a jedynie 15% potomkowie białych kolonizatorów i 0,5% Murzyni.
Ludność tego kraju przyrasta w bardzo szybkim tempie
(1,7% rocznie) i obecnie liczy już około 100 mln. Największe miasto
i jednocześnie stolica kraju – Meksyk, zbudowany na ruinach
Tenochtitlán – stolicy państwa Azteków, jest – obok Nowego Jorku
– największym miastem Ameryki Północnej. Na obszarze aglomeracji
mieszka ponad 20 mln osób, przy czym liczba ta jest prawdopodobnie znacznie zaniżona, gdyż nie są w niej zawarte miliony osób
mieszkających w tym mieście, a oficjalnie nigdzie nie zarejestrowanych.

Południe kraju zamieszkują licznie Indianie, których interesy
były i są ignorowane przez oficjalne władze. Od wielu lat
w stanie Chiapas trwa pokojowy protest tamtejszych Indian,
domagających się należnych im praw, a zwłaszcza zwrotu ziemi.
Jego przywódcą jest Emiliano Zapato, traktowany z podziwem
i szacunkiem, będący symbolem walki o prawa Indian.
Niestety, pokojowe protesty jak dotychczas nie skłoniły
władz Meksyku do jakichkolwiek ustępstw.

patrz mapa str. **258-259**

Część południowa

Mieszkańcy krajów Ameryki Środkowej słyną z bardzo głębokiej religijności. Barwne obrzędy, jakie każdego roku we wszystkie niedziele Wielkiego Postu odbywają się w dawnej stolicy Gwatemali – Antigui – są tego najlepszym przykładem.

Południowa cześć Ameryki Północnej to wąski pas lądu położony między Oceanem Atlantyckim a Oceanem Spokojnym. Panujące warunki klimatyczne (wysoka wilgotność powietrza, duże opady, niewielkie wahania temperatury w ciągu roku) stwarzają bardzo dogodne warunki rozwoju i egzystencji wszelkich form życia. Najbogatsze pod względem różnorodności biologicznej są górskie lasy mgliste Kostaryki.

Kraj ten, będący oazą spokoju pośród nękanych przewrotami i wojnami partyzanckimi sąsiadów (graniczy z Nikaraguą i Panamą), wybrał zupełnie nietypową dla tego regionu drogę rozwoju. Przede wszystkim, decydując się na pokojowe współżycie z sąsiadami, zlikwidował armię. Dodatkowo, dostrzegając szansę rozwoju gospodarczego w turystyce, postawił na inwestowanie w tę gałąź gospodarki oraz ochronę najwartościowszych obszarów przyciągających rzesze turystów, zainteresowanych pięknem i egzotyką tropikalnej przyrody. Ze względu na jej bogactwo Kostaryka nazywana jest „ogrodem zoologicznym bez krat". Na jej terytorium występują reprezentanci gatunków roślin i zwierząt z obu Ameryk, oraz gatunki typowo endemiczne: 160 gatunków płazów, 215 gatunków gadów, 848 gatunków ptaków, 237 gatunków ssaków, 130 gatunków ryb i 35 tys. gatunków owadów.

Ponadto rozpoznano ponad 10 tys. gatunków roślin, co stanowi 4% wszystkich gatunków roślin na świecie. Liczbę gatunków samych storczyków szacuje się na 1200. Poza tym wyróżnia się 800 gatunków paproci i 1400 gatunków drzew. Pierwsze kroki w dziedzinie ochrony przyrody podjęto w 1955 r., kiedy wydano ustawę o objęciu każdego wulkanu dwukilometrową otuliną. Pierwszy rezerwat narodowy powstał w 1963 r. (Cabo Blanco). Pierwszy park utworzono w 1972 r. (Santa Rosa). Tereny chronione zajmują 23% terytorium kraju. W granicach Kostaryki znajduje się więcej ptaków niż w Ameryce Północnej, Europie i Australii (licząc oddzielnie), a kraj ten zajmuje powierzchnię zaledwie 51,1 tys. km².

patrz mapa str. **260-261**

Antyle

Antyle to grupa wysp ciągnących się łukiem na długości 4500 km od półwyspu Jukatan do wybrzeży Wenezueli. Dzielą się na Wielkie Antyle, będące dużymi wyspami pochodzenia kontynentalnego, i Małe Antyle, w większości niewielkie i o pochodzeniu wulkanicznym lub koralowym. Leży na nich 12 państw i 10 terytoriów zależnych. Ich całkowita powierzchnia to niewiele ponad 220 tys. km², a zamieszkane są przez 35 mln mieszkańców.

Karaiby to potoczna nazwa archipelagu wysp, odgradzających chłodny i nieprzyjazny Atlantyk od ciepłego Morza Karaibskiego. Szerokie, białe plaże, bajecznie błękitne, wręcz szmaragdowe morze, rafy koralowe oraz palmy tworzą niepowtarzalny urok tych wysp, będących rajem dla turystów.

Antyle zostały odkryte przez Krzysztofa Kolumba podczas jego pierwszej wyprawy i nazwane Indiami Zachodnimi. Ich obecna nazwa zaczęła być używana w XVI w., a wywodzi się z czasów poprzedzających odkrycie Nowego Świata. W średniowieczu nazwą Antilia określano mityczne lądy położone na zachód od Europy, po przeciwległej stronie Oceanu Atlantyckiego. Zachowały się ryciny i średniowieczne mapy przedstawiające Antyle jako kontynent lub wielką wyspę, czasem archipelag. Przed przybyciem Europejczyków Antyle były zamieszkane przez plemiona Arawaków i Karaibów. W XVII–XVIII w. stanowiły przedmiot sporów między mocarstwami kolonialnymi, zwłaszcza Anglią, Francją, Danią i Holandią. Źródłem bogactwa Antyli był od XVI w. handel niewolnikami sprowadzanymi z Afryki, a dwa wieki później – uprawa i przetwórstwo trzciny cukrowej. W XVII–XVIII w. Antyle były ważnym punktem na szlaku handlowym z Europy do Ameryki. Od końca XVIII w. stopniowo traciły na znaczeniu.

Na początku XIX w. powstały na tym obszarze pierwsze niepodległe państwa, między innymi Haiti (1804) i Dominikana (1844). Nastąpił również ponowny rozwój ekonomiczny hiszpańskich Antyli, zwłaszcza Kuby (niepodległej od 1902 r.), na skutek uzyskania dostępu do nowych rynków zbytu w Stanach Zjednoczonych. Od końca XIX w. przeważająca część regionu znalazła się pod wpływem Stanów Zjednoczonych, które w kolejnych latach kilkakrotnie podejmowały zbrojne interwencje (między innymi na Haiti, Kubie, Dominikanie i Grenadzie), w celu utrzymania hegemonii na tym obszarze.

patrz mapa str. **262-263**

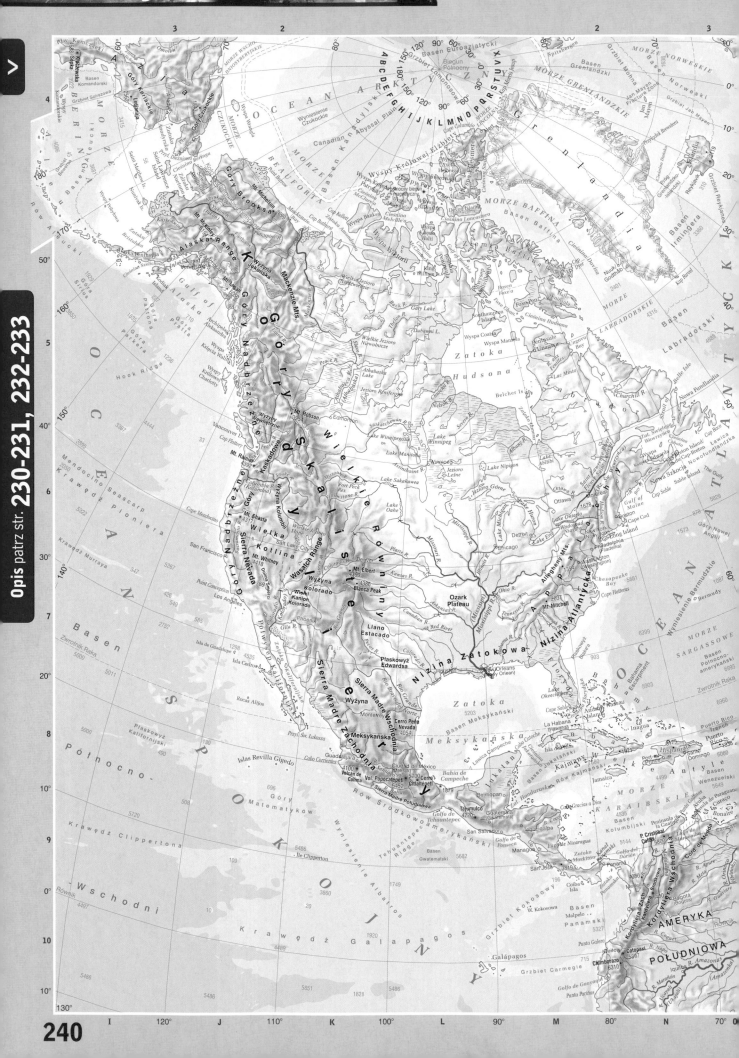

Opis patrz str. 230-231, 232-233

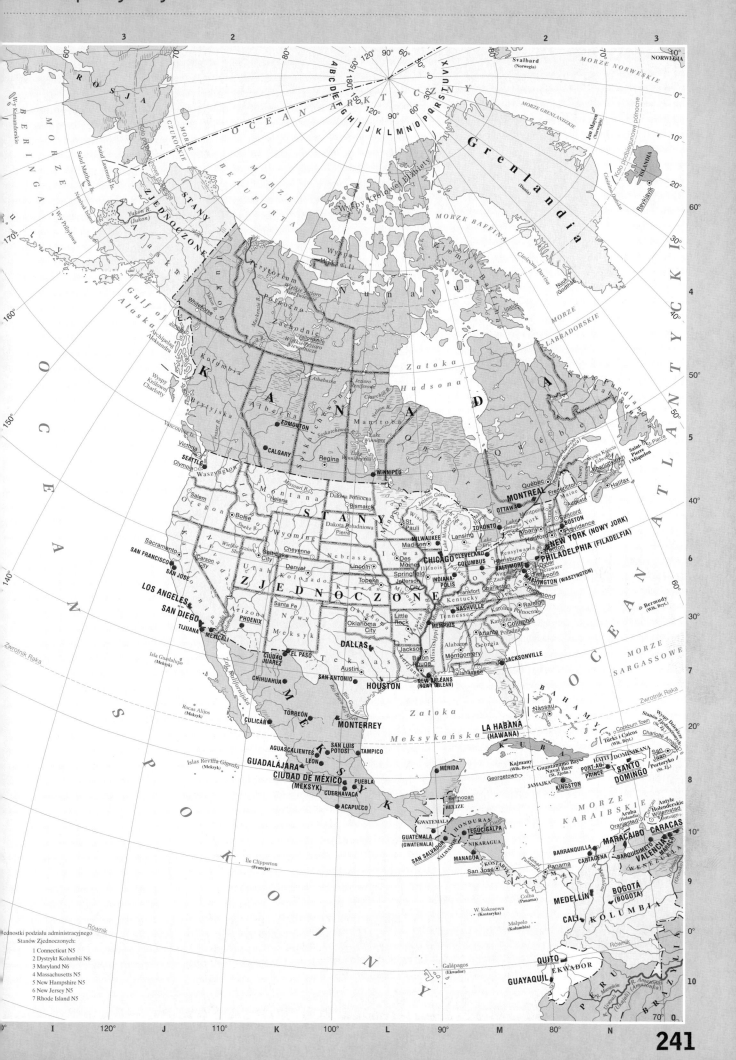

Podział polityczny

1 : 41 000 000

0   500   1000 km

Jednostki podziału administracyjnego
Stanów Zjednoczonych:

1 Connecticut N5
2 Dystrykt Kolumbii N6
3 Maryland N6
4 Massachusetts N5
5 New Hampshire N5
6 New Jersey N5
7 Rhode Island N5

241

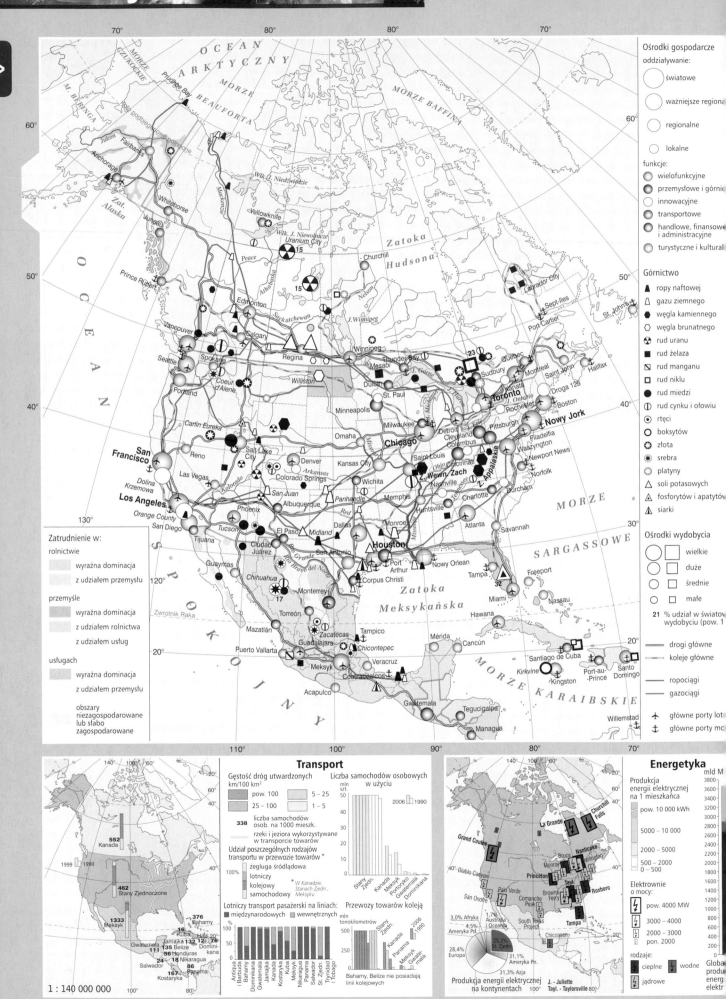

Ośrodki gospodarcze

oddziaływanie:
- światowe
- ważniejsze regiona
- regionalne
- lokalne

funkcje:
- wielofunkcyjne
- przemysłowe i górnic
- innowacyjne
- transportowe
- handlowe, finansow i administracyjne
- turystyczne i kultural

Górnictwo
- ropy naftowej
- gazu ziemnego
- węgla kamiennego
- węgla brunatnego
- rud uranu
- rud żelaza
- rud manganu
- rud niklu
- rud miedzi
- rud cynku i ołowiu
- rtęci
- boksytów
- złota
- srebra
- platyny
- soli potasowych
- fosforytów i apatytó
- siarki

Ośrodki wydobycia
- wielkie
- duże
- średnie
- małe

21 % udział w świato wydobyciu (pow. 1

- drogi główne
- koleje główne
- ropociągi
- gazociągi
- główne porty lot
- główne porty mc

Zatrudnienie w:

rolnictwie
- wyraźna dominacja
- z udziałem przemysłu

przemyśle
- wyraźna dominacja
- z udziałem rolnictwa
- z udziałem usług

usługach
- wyraźna dominacja
- z udziałem przemysłu

obszary niezagospodarowane lub słabo zagospodarowane

Transport

Gęstość dróg utwardzonych km/100 km²
- pow. 100
- 25 – 100
- 5 – 25
- 1 – 5

338 liczba samochodów osob. na 1000 mieszk.

rzeki i jeziora wykorzystywane w transporcie towarów

Udział poszczególnych rodzajów transportu w przewozie towarów *
- żegluga śródlądowa
- lotniczy
- kolejowy
- samochodowy

* W Kanadzie, Stanach Zjedn. Meksyku

Liczba samochodów osobowych w użyciu
2006 1990

Lotniczy transport pasażerski na liniach:
- międzynarodowych
- wewnętrznych

Przewozy towarów koleją
mln tonokilometrów
2006 1990

Bahamy, Belize nie posiadają linii kolejowych

1 : 140 000 000

Energetyka
mld M

Produkcja energii elektrycznej na 1 mieszkańca
- pow. 10 000 kWh
- 5000 – 10 000
- 2000 – 5000
- 500 – 2000
- 0 – 500

Elektrownie o mocy:
- pow. 4000 MW
- 3000 – 4000
- 2000 – 3000
- pon. 2000

rodzaje:
- cieplne
- wodne
- jądrowe

Produkcja energii elektrycznej na kontynentach

J. - Juliette
Tayl. - Taylorsville

Rolnictwo

1 : 41 000 000

0 500 1000 km

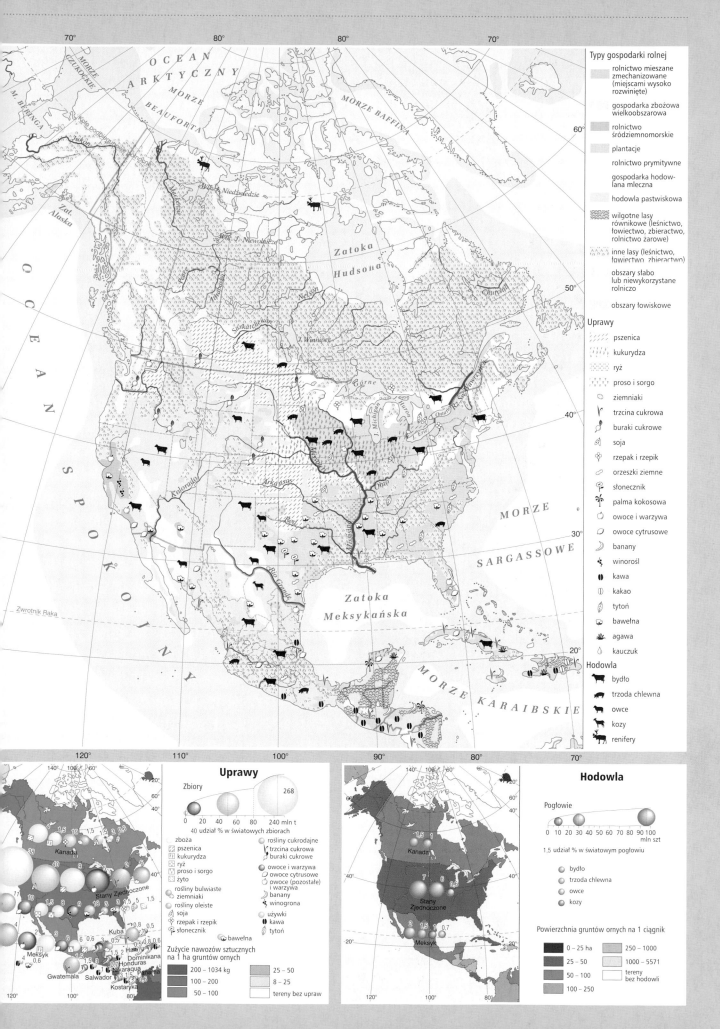

Typy gospodarki rolnej

rolnictwo mieszane zmechanizowane (miejscami wysoko rozwinięte)

gospodarka zbożowa wielkoobszarowa

rolnictwo śródziemnomorskie

plantacje

rolnictwo prymitywne

gospodarka hodowlana mleczna

hodowla pastwiskowa

wilgotne lasy równikowe (leśnictwo, łowiectwo, zbieractwo, rolnictwo żarowe)

inne lasy (leśnictwo, łowiectwo, zbieractwo)

obszary słabo lub niewykorzystane rolniczo

obszary łowiskowe

Uprawy

pszenica

kukurydza

ryż

proso i sorgo

ziemniaki

trzcina cukrowa

buraki cukrowe

soja

rzepak i rzepik

orzeszki ziemne

słonecznik

palma kokosowa

owoce i warzywa

owoce cytrusowe

banany

winorośl

kawa

kakao

tytoń

bawełna

agawa

kauczuk

Hodowla

bydło

trzoda chlewna

owce

kozy

renifery

Uprawy

Zbiory

268

0 20 40 60 80 240 mln t

40 udział % w światowych zbiorach

zboża
- pszenica
- kukurydza
- ryż
- proso i sorgo
- żyto

rośliny bulwiaste
- ziemniaki

rośliny oleiste
- soja
- rzepak i rzepik
- słonecznik

rośliny cukrodajne
- trzcina cukrowa
- buraki cukrowe

- owoce i warzywa
- owoce cytrusowe
- owoce (pozostałe) i warzywa
- banany
- winogrona

- używki
- kawa
- tytoń

- bawełna

Zużycie nawozów sztucznych na 1 ha gruntów ornych

200 – 1034 kg

100 – 200

50 – 100

25 – 50

8 – 25

tereny bez upraw

Hodowla

Pogłowie

0 10 20 30 40 50 60 70 80 90 100 mln szt

1,5 udział % w światowym pogłowiu

- bydło
- trzoda chlewna
- owce
- kozy

Powierzchnia gruntów ornych na 1 ciągnik

0 – 25 ha

25 – 50

50 – 100

100 – 250

250 – 1000

1000 – 5571

tereny bez hodowli

243

Opis patrz str. 234

Opis patrz str. 234-235

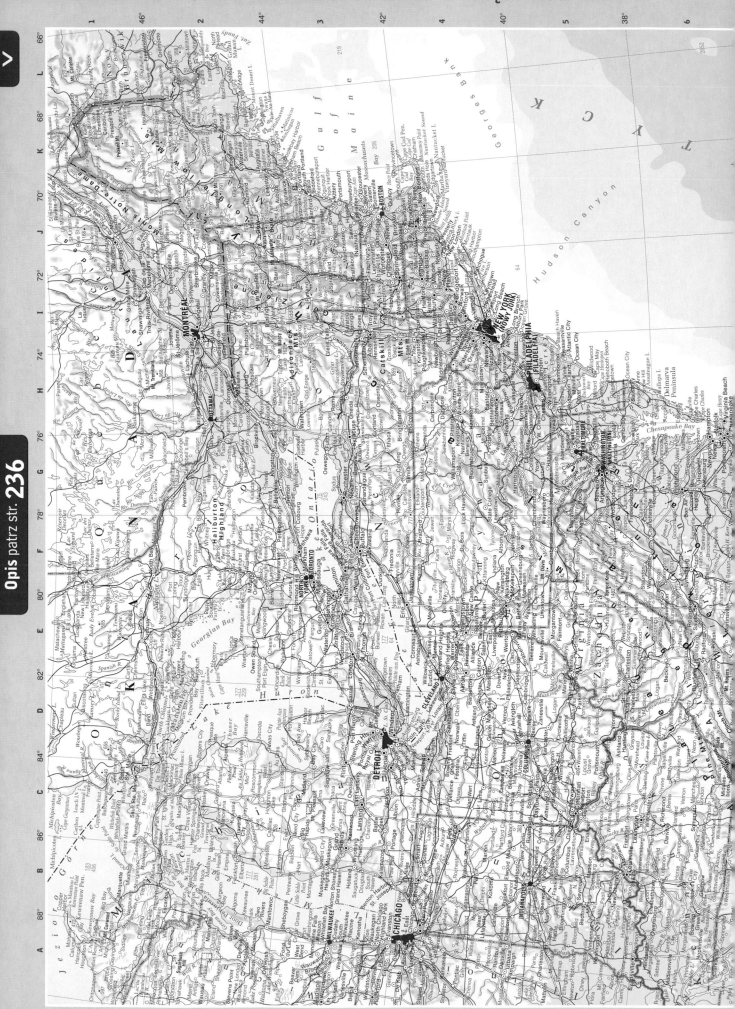

Opis patrz str. 236

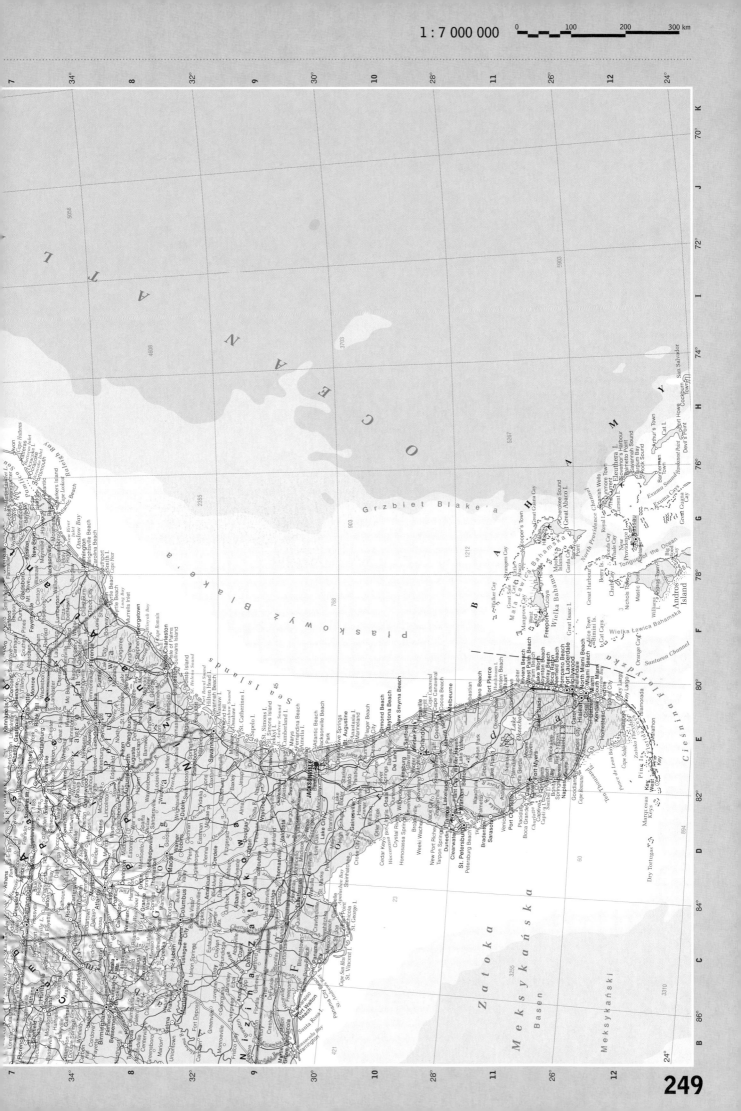

1 : 7 000 000

0   100   200   300 km

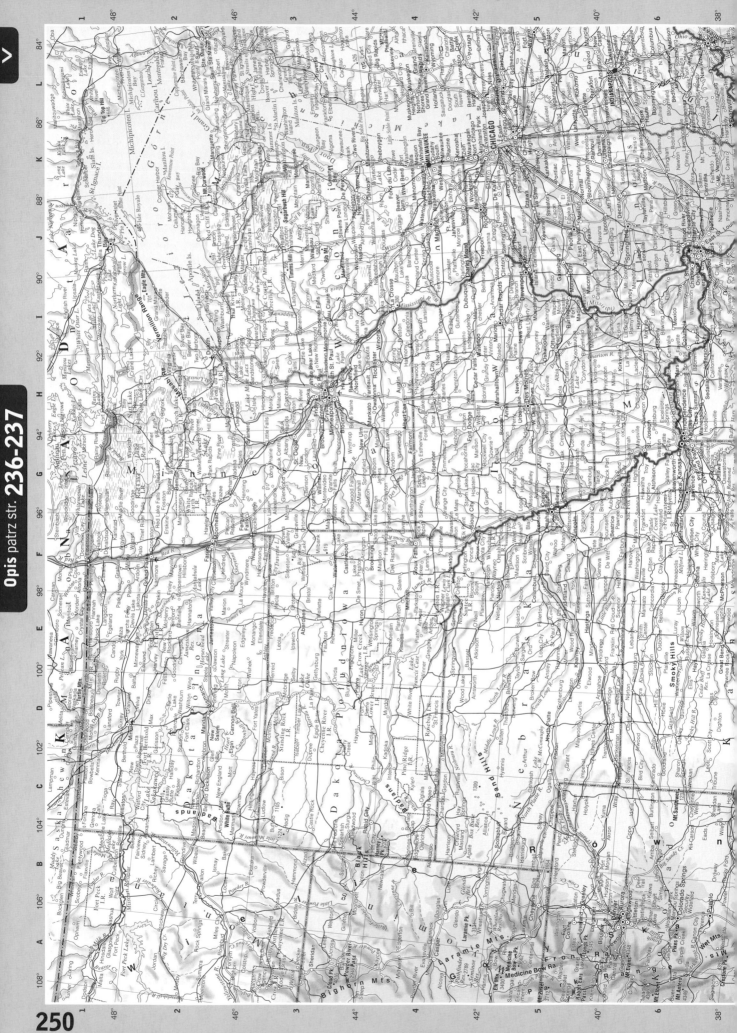

Opis patrz str. 236-237

0   100   200   300 km

NASHVILLE

MEMPHIS

NEW ORLEANS

HOUSTON

DALLAS

Fort Worth

SAN ANTONIO

MONTERREY

Zatoka Meksykańska

Basen Meksykański

Stożek Missisipi

Llano Estacado

Edwards Plateau

Płaskowyż Edwardsa

Wyżyna Meksykańska

Sierra Madre Wschodnia

Bolsón de Mapimí

Chihuahua

Durango

Tamaulipas

Nuevo León

Coahuila

Guadalupe Mts.

Sacramento Mts.

Ouachita Mts.

Opis patrz str. 237

Opis patrz str. **235**

Hawaje

1 : 7 000 000

0 100 200 km

Opis patrz str. 238

A 115° B 110° C 105° D 100° E 95° F 90°

STANY ZJEDNOCZONE

Arizona · Nowy Meksyk · Teksas · Oklahoma · Luizjana · Missisipi · Arkansas · Missouri

Kalifornia · Sonora · Chihuahua · Coahuila · Nuevo León · Tamaulipas

MEKSYK
Wyżyna Meksykańska
Sierra Madre Zachodnia · Sierra Madre Wschodnia · Sierra Madre Południowa

Kalifornia Dolna · Kalifornia Południowa

SAN DIEGO · TIJUANA · MEXICALI · PHOENIX · Scottsdale · Mesa · Tucson · Nogales · CIUDAD JUÁREZ · EL PASO · Albuquerque · Las Vegas · Santa Fe · Amarillo · DALLAS · Fort Worth · Arlington · HOUSTON · Pasadena · San Antonio · Austin · Waco · NEW ORLEANS · MEMPHIS

CHIHUAHUA · Ciudad Obregón · Guaymas · Hermosillo · Los Mochis · CULIACÁN · Mazatlán · Durango · TORREÓN · Gómez Palacio · MONTERREY · Saltillo · Nuevo Laredo · Matamoros · Reynosa · Ciudad Victoria · TAMPICO · Ciudad Madero

Zacatecas · AGUASCALIENTES · LEÓN · GUADALAJARA · Guanajuato · Querétaro · San Luis Potosí · MORELIA · Toluca · CIUDAD DE MÉXICO (MEKSYK) · PUEBLA · CUERNAVACA · Pachuca · Veracruz · Jalapa · Córdoba · Orizaba · ACAPULCO · Chilpancingo · Oaxaca de Juárez · Tehuantepec · Tuxtla Gutiérrez · Villahermosa · Coatzacoalcos

Jukatan · MÉRIDA · Campeche · Chetumal · Quintana Roo

GWATEMALA · BELIZE · Belmopán · SALVADOR · SAN SALVADOR · Santa Ana · Quezaltenango

Zatoka Meksykańska · Basen Meksykański · Bahía de Campeche

OCEAN SPOKOJNY · Basen Gwatemalski · Wzniesienie Albatrosów · Tehuantepec Fracture Zone

Islas Revilla Gigedo (Meksyk – stan Colima) · Isla Socorro · Île Clipperton (Fr.) · Mathematicians Seamounts

0 100 200 300 km

OCEAN ATLANTYCKI

MORZE SARGASSOWE

Basen Północnoamerykański

Bermudy
(Wlk. Bryt.)

Wyniesienie Bermudzkie

Wielka
Bahama

B A H A M Y

Neres

Abyssal Plain

LA HABANA
(HAWANA)

KUBA

Turks i Caicos
(Wlk. Bryt.)

HAITI

DOMINIKANA
SANTO
DOMINGO

Puerto Rico Trench

Brytyjskie
Wyspy Dziewicze

Wyspy Podwietrzne

Portoryko
(St. Zjedn.)

ANTIGUA
I BARBUDA

SAINT KITTS
I NEVIS

JAMAJKA

PORT-AU-
PRINCE

Hispaniola

Antyle

Wielkie

Wyspy Dziewicze
Stanów Zjednoczonych

Antyle
Holenderskie

Montserrat
(Wlk. Bryt.)

Gwadelupa (Fr.)

DOMINIKA

Martynika (Fr.)

MORZE KARAIBSKIE

Basen Wenezuelski

Małe

SAINT LUCIA

Kingstown

SAINT VINCENT
I GRENADYNY

Barbados

GRENADA

Wyspy Nawietrzne

Basen Kolumbijski

San Andrés i Providencia
(Kol.)

Antyle Holenderskie

Antyle

TRYNIDAD I TOBAGO

Port of Spain

Zatoka
Wenezuelska

CARACAS

BARRANQUILLA

MARACAIBO
VALENCIA

BARQUISIMETO

CARTAGENA

W E N E Z U E L A

MEDELLÍN

BOGOTÁ
(BOGOTÁ)

K O L U M B I A

BRAZYLIA

Basen Panamski

CALI

Opis patrz str. **238**

Opis patrz str. **239**

Kanał Panamski

1 : 590 000

0   10 km

Opis patrz str. **239**

0   100   200   300 km

H 70° I 68° J 66° K 64° L 62° M 60° N

Kuba - prowincje:
1 Ciudad de La Habana B2
2 Villa Clara C2
Panama - parki narodowe:
3 Cahuita N.P. B9
4 La Libertad N.P. D9

1

Nares

24°

Abyssal Plain

2

O C E A N   A T L A N T Y C K I

22°

Caicos

i Caicos

Cockburn Town
Wielki Turk
Salt Cay
Caicos

Mouchoir
Bank

3

6960

Silver
Bank

20°

Navidad
Bank

Cristi
Cordiliera Północna
Puerto Plata
Cabrera

Puerto Rico Trench

4

Santiago
Moca
San
Francisco
de Macorís
Sanchez
La Vega
Cotuí
Samaná
7617
Kordyliera
Azua
Bani
Bonao
Duarte
Cord. Oriental
El Macao
San Juan
SANTO DOMINGO
Higüey
Cabo Engaño
Anegada
Brytyjskie Wyspy
Dziewicze
Virgin Gorda
Sombrero

18°

La Romana
Bahia de
Yuma
Aguadilla
Arecibo Manati San Juan
Lares
Mayagüez
Cerro
de Punta
Caguas
Carolina
Fajardo
Charlotte
Amalie
Tortola
Road Town
Dog Island
Anguilla (Wlk.Bryt.)
The Valley
Martin/St.Maarten
(Gwad.)

Isla
Mona
Yauco
Guanica 1338
Ponce Salinas
Humacao
Guayama
Vieques Isabel Segunda
Wyspy Dziewicze
Stanów Zjednoczonych
St. Thomas
Culebra
St. John
Antyle
Holenderskie
(Gwad.)
St. Barthélemy
Saba
St. Eustatius
Barbuda
Codrington

5

Portoryko
(St.Zjedn.)
Frederiksted
St. Croix
Christiansted
Mt. Liamuiga
918
35
Basseterre
SAINT KITTS
I NEVIS
Nevis
Charlestown
Redonda
St. Christopher
ANTIGUA I BARBUDA
St. John's
Antigua
Falmouth

1317

Montserrat
(Wlk.Bryt.)
Plymouth
Gwadelupa (Fr.)
Les Abymes
La Désirade
Pointe-à-Pitre

762
6060

27
Sainte Rose
Pointe Noire
1467
Soufrière
La Moule
Basse-Terre
Grand
Bourg
Marie-Galante
16°

4470
Antyle
Podwietrzne
1733
Îles des Saintes
Dominica Passage
Portsmouth
1447
Morne Diablotins
Roseau
DOMINIKA
Martinique Passage

6

IBSKIE
Basen Wenezuelski
Montagne Pelée
1397
St. Pierre
Martynika (Fr.)
Sainte-Marie
Lamentin
Fort-de-France
Marin

4362
2957
St. Lucia Channel
Castries
950
SAINT LUCIA
Dennery

5649
Grzbiet Ptasi
421
Vieux Fort
14°

4788
Cieśnina Saint Vincent
3063
SAINT VINCENT
I GRENADYNY
Soufrière
Basen
Grenady
Speightstown
Mt. Hillaby
336
BARBADOS
Bridgetown
5089
Kingstown
2731
7

Małe
2478
Canouan
Mayreau
Union
Carriacou
1609
Wyspy
Zawietrzne
Wyspy
Grenadyny
Antyle
St. George's
GRENADA
12°

Islas Los Monjes
(Wenez.)
Oranjestad
Aruba
(Hol.)
Sint
Nicolaas
Antyle
Holenderskie
Curaçao
Bonaire
Willemstad
Klein
Curaçao
Kralendijk
Klein
Bonaire
(Wenez.)
Islas Los
Roques
(Wenez.)
Grenville
St. George's
4850

Cabo
San Román
Wyspy Ptasie
(Wenez.)
Isla Orchila
(Wenez.)
Isla La Blanquilla
(Wenez.)
Salines Point
8

853
Punta Espada
Puerto Estrella
Pen. de
Paraguaná
Adicora
Pueblo
Nuevo
Islas Los Hermanos
(Wenez.)
Los Testigos
Tobago
582
Charlotteville
Crown Point
Scarborough
Punto Fijo
Punta Cardón
Coro
Isla
La Sola
Isla La Tortuga
(Wenez.)
Isla de Margarita
(Wenez.)
Isla Cubagua
Isla Coche
La Asunción
Porlamar
Los Frailes
TRYNIDAD
I TOBAGO

Wenezuelska
San Félix
Mene de Mauroa
Dabajuro
Churuguara
Mitare
Siquisique
Tucacas
Golfo Triste
Puerto
Cabello
San Juan de los Cayos
Isla
Cabimas
Ciudad
Ojeda
Lagunillas
Carora
Siquisique
Aroa
Morón
Maiquetía
La Guaira
MARACAY
Baruta
CARACAS
Los Teques
Petare
Higuerote
Laguna de
Tacarigua
Chichiriviche
Fosa
de Cariaco
Cumaná
Carúpano
Pen. de Araya
El Pilar
Irapa
Güiria
Golfo de
Paria
Port of
Spain
Mt. Aripo
940
Arima
Pointe-à-
Pierre
Sangre Grande
St. Joseph
San
Fernando
Galeota Point
Guayaguayare

Cabimas
BARQUISIMETO
1787
San Felipe
VALENCIA
Chivacoa
Cordillera de la Costa
El Guapo
Barcelona
Puerto La Cruz
Guanta
Cariaco
Caripito
Cantaura
Maturín
Isla Mariusa

E N E Z U E L A

10°

El Tocuyo
Acarigua
Cord. de Mérida
Ospino
Guanare
Sierra de Baragua
Carora
Trujillo
Boconó
El Rastro
Embalse
de Guárico
San Juan
de los Morros
Valle
de la Pascua
Las Mercedes
Altagracia
de Orituco
El Calvario
El Sombrero
El Pao
Zaraza
El Chaparro
Aragua de
Barcelona
San Mateo
Anaco
Santa
Bárbara
El Tigre
San José
de Guanipa
Caicara
R. Tigre
Uracoa
El Tembladar
Barrancas

9

H 70° I 68° J 66° K 64° L 62° M

ryka

wa

Ameryka Południowa

Ukształtowanie powierzchni

Ameryka Południowa jest zwartym kontynentem o słabo rozwiniętej linii brzegowej (półwyspy stanowią 0,9% powierzchni, a wyspy około 1%). Głębiej wcięte zatoki tworzą jedynie ujścia rzek (m.in. La Platy, Amazonki). Najbardziej urozmaicona linia brzegowa występuje w południowej części Chile, gdzie znajdują się wybrzeża fiordowe z licznymi, choć niewielkimi zatokami, półwyspami i wyspami. Z dala od lądu położone są dwa archipelagi: Galapagos i Falklandy/Malwiny.

Pod względem ukształtowania powierzchni kontynent jest zróżnicowany. Przeważają niziny (prawie połowa obszaru leży na wysokości do 300 m n.p.m., natomiast do 500 m aż 68%), które usytuowane są w obrębie zapadliska przedandyjskiego i generalnie opadają w kierunku wschodnim.

Nizina Amazonki to największa na świecie nizina aluwialna, czyli utworzona przez rzekę. Niewielkie różnice wysokości sprawiają, że jest przeważnie płaska, monotonna i nisko położona (leżące 1,5 tys. km od ujścia Amazonki Manaus leży na wysokości zaledwie 21 m n.p.m., a położone 3,7 tys. km od ujścia Iquitos – na wysokości 106 m). Przepływające rzeki tworzą liczne zakola (menadry) i rozlewiska.

Wyróżnia się trzy wielkie niziny: Amazonki (ciągnącą się od Andów po Ocean Atlantycki), La Platy (najbardziej różnorodną, leżącą w dorzeczu Parany) i najmniejszą z nich, Nizinę Orinoko (położoną na północy kontynentu; przepływająca przez nią rzeka Orinoko tworzy przy ujściu potężną, szybko narastającą deltę). Na obszarze pomiędzy Niziną Amazonki i La Platy występują obszary bezodpływowe, z mokradłami, bagnami i jeziorami, natomiast Nizinę Orinoko od Niziny Amazonki oddziela Wyżyna Gujańska z charakterystycznymi płaskowyżami i górami stołowymi (zbudowanymi z piaskowców i kwarcytów), a najwyższy jej punkt – Pico da Neblina – osiąga 3014 m n.p.m. Podobny charakter ma nieco niższa, ale bardziej rozległa Wyżyna Brazylijska (Pico da Bandeira 2890 m n.p.m.). W południowej części kontynentu znajduje się Wyżyna Patagońska z licznymi śladami po zlodowaceniach plejstoceńskich, schodząca wysokim klifem ku Oceanowi Atlantyckiemu.

Obszary powyżej 2000 m n.p.m. zajmują 8,5% powierzchni kontynentu. Wzdłuż wybrzeża Oceanu Spokojnego rozciąga się łańcuch Andów długości 9 tys. km (Aconcagua 6960 m n.p.m.). Te młode góry powstały na granicy płyt litosfery: kontynentalnej południowoamerykańskiej, z oceanicznymi wschodniej części Oceanu Spokojnego.

W południowej części Andów strzelają w niebo iglice jednych z najtrudniej dostępnych ścian w Ameryce Południowej: Fitz Roy (3405 m n.p.m., na zdjęciu), Cerro Torre (3102 m n.p.m.) i Cerro Paine (3230 m n.p.m.). Większość z nich do lat 50. XX w. uchodziła za góry niemożliwe do zdobycia.

Znaczne obszary środkowej części Wyżyny Brazylijskiej opanowała roślinność sawannowa, którą tworzą kolczaste krzewy, niskie drzewa (akacje, mimozy itp.) i rośliny zielne (głównie trawy).

Życie na wysokości

Życie w najdłuższych i najwyższych górach obu Ameryk utrudniają: znaczne wyniesienie nad poziom morza, urozmaicona rzeźba i katastrofy przyrodnicze, z których największe znaczenie mają trzęsienia ziemi. Pomimo surowych warunków stwarzanych przez przyrodę, ludzie od wielu stuleci zamieszkują wysoko położone obszary. W Andach, głównie w rozległych kotlinach, na płaskowyżach, a także w szerszych dolinach znajduje się wiele dużych miast, a nawet stolice państw (Santiago, La Paz, Quito, Bogota). La Paz jest w ogóle najwyżej usytuowanym ośrodkiem władz państwowych na świecie – poszczególne części miasta (wraz z przedmieściami) wznoszą się pomiędzy 3600 a 4000 m n.p.m. Miasto liczy około 800 tys. mieszkańców (zespół miejski 1,6 mln). Na jego obszarze zbudowano najwyżej położone lotnisko międzynarodowe – El Alto, usytuowane na wysokości 4080 m n.p.m., co stanowi poważny problem dla podróżnych przylatujących, zwłaszcza z nizin. Kilka procent pasażerów zapada na chorobę górską, a niektórzy z nich muszą być hospitalizowani z powodu obrzęku mózgu.

Życie na takich wysokościach stanowi ciekawy temat badań naukowych. Na ich podstawie ustalono, że organizmy Indian żyjących na płaskowyżu Altiplano przystosowały się do życia na dużych wysokościach. Ich krew zawiera więcej czerwonych ciałek, a serca i płuca są większe niż u ludzi żyjących na nizinach. Indianie Keczua mieszkający na wysokości 4000 m n.p.m. wykazują niską dynamikę przemiany gazowej (tlenu i dwutlenku węgla), a ich organizmy produkują też mniej kwasu mlekowego. Przybysze z obszarów niżej położonych muszą się stopniowo aklimatyzować do funkcjonowania w wysokich górach, nie mają jednak żadnej gwarancji, że ich organizmy zdołają się przystosować. Nagłe przeniesienie się na wysokość ponad 3–4 tys. m n.p.m. może doprowadzić do choroby górskiej, a nawet do śmierci.

Choroba wysokogórska została odkryta i opisana po raz pierwszy właśnie w Andach, przez jezuitę José de Acosta w 2. połowie XVI w. Nazwano go ojcem medycyny górskiej, a opisaną przez niego chorobę soroche lub puna.

W przeciwieństwie do tubylców, przyjezdni z nizin mają również duże kłopoty ze zdrowiem podróżując np. trasą najwyżej leżącej linii kolejowej w Andach, gdyż w najwyższym punkcie kolej wspina się na wysokość 4769 m n.p.m. (dla pasażerów przygotowane są aparaty tlenowe). Transandyjska linia kolejowa biegnąca między miastami La Oroya i Huancayo jest wybitnym dziełem Polaka, Ernesta Malinowskiego, zaprojektowanym i zbudowanym w latach 1870–1876.

W Andach na wysokościach przekraczających 4000 m n.p.m. uprawia się warzywa i zboża. W Boliwii i Peru jęczmień można spotkać nawet na wysokości 4200 m n.p.m., a ziemniaki jeszcze o 100 m wyżej. Z kolei wypas owiec, lam i alpak może się odbywać na pastwiskach położonych maksymalnie na wysokości do 5300 m n.p.m. Natomiast jeszcze wyżej można odnaleźć w Andach osady stale zamieszkane przez ludzi.
Na wysokości 5335 m n.p.m. znajduje się najwyżej położona z nich – chilijska Aconquilcha. W pobliżu, na wysokości 6000 m n.p.m., działają najwyżej na świecie usytuowane kopalnie miedzi i surowców skalnych. Ale ślady ludzkiego przebywania można odnaleźć nawet na najwyższych wierzchołkach Andów. Na stokach Llullailllaco, na wysokości 6600 m n.p.m. w 1961 r. odkryto ślady chaty z 1480 r. Na tych wysokościach odkrywano też grobowce Indian, a rekordem było odnalezienie grobu chłopca na wysokości 6900 m n.p.m., tuż pod wierzchołkiem Aconcagui! Okazało się, że na andyjskie kolosy wchodzili jako pierwsi Indianie, i to na długo przed współczesnymi wspinaczami.

patrz mapa str. **272**

Ameryka Południowa

Podział polityczny

Większość państw Ameryki Południowej uzyskała niepodległość w XIX w., w wyniku rozpadu imperiów kolonialnych Hiszpanii i Portugalii. Natomiast państwa leżące w północnej części kontynentu: Gujana, Surinam (dawna Gujana Holenderska) oraz wyspiarski Trynidad i Tobago uzyskały niepodległość w latach 60. i 70. XX w. Gujana Francuska stanowi nadal część dawnej metropolii – Francji (departament zamorski). Ze względu na pochodzenie ludności kontynent można podzielić na dwie wyraźnie odrębne części, tj. zasiedlone przez emigrantów z Europy południe: Chile, Argentynę, Urugwaj i dużą część Brazylii oraz kraje zamieszkane w większości przez ludność pochodzenia indiańskiego i Metysów – od Kolumbii i Wenezueli na północy po Paragwaj na południu. Indianie dominują zwłaszcza w Ekwadorze, Boliwii i Paragwaju.

La Paz zostało założone w połowie XV w. przez Hiszpanów.
Jest najwyżej położoną stolicą świata. Andyjska metropolia jest konstytucyjną stolicą Boliwii, natomiast siedzibą rządu jest położone w Andach Sucre, które również zostało założone przez Hiszpanów w połowie XVI w.

W Gujanie, Surinamie oraz na Trynidadzie i Tobago większość mieszkańców jest pochodzenia afrykańskiego. Są to potomkowie dawnych niewolników. Znaczny odsetek mieszkańców Trynidadu stanowi ludność pochodząca z Indii. Ludność pochodzenia afrykańskiego stanowi także znaczącą mniejszość w Brazylii.

W Ameryce Południowej przeważają katolicy, choć coraz liczniejsze grupy ludności należą do kościołów protestanckich. W Brazylii bardzo silne są także wpływy rodzimych religii afrykańskich. Na Trynidadzie większość mieszkańców stanowią chrześcijanie (1/3 katolicy, 1/3 protestanci), pozostała część ludności to wyznawcy hinduizmu.

U wybrzeży Argentyny leżą terytoria zależne od Wielkiej Brytanii: Falklandy/Malwiny, Georgia Południowa i Sandwich Południowy. Falklandy były przedmiotem wojny argentyńsko-brytyjskiej w 1982 r. W krajach andyjskich (Peru, Kolumbia, Boliwia) bardzo silne są zbrojne ugrupowania lewackie oraz walczące z nimi ugrupowania prawicowe. Destabilizują one sytuację wewnętrzną tych krajów. Poważne problemy polityczne i społeczne sprawia także produkcja i handel narkotykami.

Państwa kontynentu należą do Organizacji Państw Amerykańskich (OPA).

Brasília jest jedną z najmłodszych stolic świata. Zbudowana została z inicjatywy prezydenta Juscelino Kubitschka w latach 50. XX w. Stolicą państwa została w 1960 r. Brasília obejmuje Dystrykt Federalny. Jest przykładem nowoczesnej architektury i urbanistyki miejskiej. Ścisłe centrum stolicy ma z góry wygląd lecącego ptaka.

Centralnym miejscem Buenos Aires, stolicy Argentyny założonej przez Hiszpanów pod koniec XVI w., jest Plaza de Mayo. Nazwa placu nawiązuje do terminu ogłoszenia 25 maja 1810 r. deklaracji niepodległości. Na środku placu stoi Piramide de Mayo, obelisk upamiętniający uczestników walki o niepodległość.

Latynosi – społeczeństwo Nowego Świata

Przybycie hiszpańskich i portugalskich odkrywców do wybrzeży Ameryki rozpoczęło nowy etap w dziejach Nowego Świata. Za żądnymi bogactw konkwistadorami przybyli kupcy i misjonarze, którzy przynieśli ze sobą nową religię – chrześcijaństwo. Na tym podłożu ze spotkania Europejczyków z Półwyspu Iberyjskiego z rodzimą ludnością indiańską z czasem wykształciło się nowe społeczeństwo – Latynosi. Przez kilkaset lat koegzystencji trwale zrosły się ze sobą zwyczaje Indian z kulturą iberyjskich hidalgos i chłopów. Iberyjskie poczucie honoru, corrida, głęboka religijność stały się stałymi elementami nowej społeczności. W nurt tej społeczności wtopiły się także, silne zwłaszcza w Brazylii, zwyczaje przywiezione do Ameryki przez niewolników afrykańskich.

Nowe kolonialne społeczeństwo zaczęło już wkrótce zauważać różnice pomiędzy sobą a społecznością metropolii. Hiszpańscy potomkowie zdobywców do połowy XVIII w. uważali się za Hiszpanów. Od wojny siedmioletniej zaczęli się nazywać „Americanos". Hiszpanie natomiast nazywali ich Kreolami. Kreole coraz bardziej dążyli do uzyskania autonomii, a niebawem także niepodległości.

W coraz mniejszym stopniu uważali się za Hiszpanów lub Portugalczyków, coraz bardziej za Peruwiańczyków czy Brazylijczyków. Nie akceptowali już bezkrytycznie zachowania przybyszów z metropolii, zainteresowanych najczęściej szybkim wzbogaceniem się kosztem kolonii. Czuli się trwale związani ze swoją ziemią. Więzy kolonii z metropoliami zostały gwałtownie osłabione podczas wojen napoleońskich. Zajęcie Hiszpanii i Portugalii przez Francuzów postawiło zamorskie kolonie w nowej sytuacji. Kolonie nie akceptowały nowych władz profrancuskich. Także antyfrancuskie junty hiszpańskie nie miały w koloniach autorytetu. W Brazylii rezydowali królowie portugalscy, którzy uciekli z Europy. Kolonie hiszpańskie nie miały jednak takiej możliwości. Koloniści musieli zadbać o siebie, a niebawem sięgnęli po niepodległość. Wielkimi bohaterami tych czasów byli: Simón Bolívar, Juan de San Martin, Bernardo O'Higgins. Po latach wojen Hiszpanie ustąpili z kontynentu. Dawne wicekrólestwa stały się niepodległymi państwami, najczęściej republikami, ale także monarchiami, jak np. Cesarstwo Meksyku. Przez wiele lat nowe państwa toczyły zacięte walki o spuściznę po dawnym kolnialnym imperium. Wiek XIX to także walka Latynosów o zachowanie niepodległości. Mocarstwa europejskie: Wielka Brytania, Francja, Hiszpania, a także Stany Zjednoczone dążyły do zdominowania nowych krajów. Państwa latynoskie zachowały niepodległość, utraciły jednak wiele ziem na korzyść zwłaszcza Stanów Zjednoczonych. Z tego okresu pozostała bardzo silna wśród Latynosów niechęć do przybyszów z północy.

Z wielkiego imperium kolonialnego Hiszpanii po utracie kolonii na kontynencie pozostały tylko Kuba i Portoryko; w wyniku wojny w 1898 r. to ostatnie państwo dostało się pod zwierzchnictwo Stanów Zjednoczonych. Portugalia z kolei utraciła Brazylię w 1822 r., po ogłoszeniu przez przedstawiciela dynastii portugalskiej Pedra I niepodległości tego kraju. Dawne kolonie stały się samodzielne, w toku wewnętrznych walk i sporów umacniały się nowe więzy społeczne.

Na przełomie XIX i XX w. do społeczności latynoskiej przyłączyła się nowa fala ludności. Włosi, Hiszpanie, Polacy, Niemcy, wywodzący się w większości z łacińskiego kręgu kulturowego, bardzo szybko wrośli w kulturę latynoską. Z innych rejonów świata także napływali emigranci. W Brazylii i w Peru licznie osiedlali się Japończycy, a na południu kontynentu, zwłaszcza w Argentynie – arabscy emigranci z Bliskiego Wschodu. Wielu potomków nowych imigrantów piastowało wysokie stanowiska lub zyskało duży rozgłos w swoich nowych ojczyznach: prezydentem Peru był „Japończyk" Fujimori, prezydentem Argentyny „Syryjczyk" Menem, a sławnym piłkarzem – „Włoch" Maradona. Społeczeństwo latynoskie odgrywa coraz większą rolę także w innych krajach, zwłaszcza w Stanach Zjednoczonych. Według demografów niebawem Latynosi będą stanowić w tym kraju 1/5 ludności, a za 50 lat nawet 1/4.

patrz mapa str. **273**

Część północno-zachodnia

Peru jest jednym z chętniej odwiedzanych krajów w Ameryce Południowej.
Liczne zabytki, np. Machu Picchu (na zdjęciu), gigantyczne rysunki naziemne
na Płaskowyżu Nazca, jak też atrakcje przyrodnicze (kanion Colca,
jezioro Titicaca, najwyższe szczyty Andów) są znane na całym świecie.

Biegnące z północy na południe, wzdłuż Oceanu Spokojnego,
Andy, wraz z wybrzeżem są najgęściej zaludnionym obszarem
tej części kontynentu (w wielu kotlinach górskich gęstość zaludnienia
wynosi powyżej 100 osób na km^2). Największe miasta ulokowały się
na wybrzeżach (Lima, Caracas, Guayaquil), ale nie brakuje ich też
w wysokogórskich kotlinach (Bogota, Quito, La Paz).
Podstawą gospodarki i głównym źródłem dewiz dla wielu państw
jest wydobycie ropy naftowej (Wenezuela, Ekwador, Peru,
Kolumbia). Złoża rud cyny i wolframu występujące w Boliwii
stanowią prawie 1/4 zasobów światowych. Surinam i Gujana
eksploatują złoża boksytów.

Duże znaczenie ma też uprawa bananów, kawy, kakao.
Od lat, mimo zaostrzonej walki, powiększa się areał upraw roślin
wykorzystywanych do produkcji narkotyków (konopi indyjskich
w północnej Kolumbii oraz krzewu kokainowego w Peru, Boliwii
i południowo-wschodniej Kolumbii). Produkcja narkotyków
jest głównym źródłem dochodów ludności wiejskiej, a ich eksport
ma duże znaczenie w obrotach zagranicznych (głównie w Kolumbii
i Boliwii).

Liczne atrakcje turystyczne i folklor przyciągają turystów,
których wydatki stanowią rosnące źródło dochodów
(głównie Peru, Ekwador).

W Andach znajdują się źródła Amazonki i jej największych
dopływów. Dorzecze tej potężnej rzeki porasta wilgotny
las równikowy, nazywany potocznie puszczą amazońską.
To największy zwarty obszar lasów liściastych na świecie.
Jeszcze do niedawna był wykorzystywany w mniejszym stopniu,
ale obecnie stała ingerencja człowieka powoduje ogromne zmiany.
Powstała np. nowa trasa komunikacyjna, tak zwana Transamazônica.
Wzdłuż dróg budowane są osiedla, a obszary leśne
zamieniane są w grunty orne i pastwiska. Sieć dróg umożliwiła też
wkroczenie do puszczy wielkich przedsiębiorstw, głównie
z branży drzewnej i celulozowo-papierniczej. Dalsze wylesianie
w obecnym tempie może doprowadzić do nieodwracalnego
zniszczenia lasów.

patrz mapa str. **276-277**

Część wschodnia

Rio de Janeiro, jedno z największych miast świata, leży w miejscu,
gdzie Wyżyna Brazylijska opada do Oceanu Atlantyckiego. Słynna figura
Chrystusa stoi na szczycie Corcovado (787 m n.p.m.), skąd rozpościera się
widok na miasto i niepowtarzalną górę Pão de Açúcar (Głowa Cukru).

Zdecydowaną większość tej części kontynentu zajmuje
Wyżyna Brazylijska, która jest obszarem o największych
zasobach surowcowych w całej Ameryce Południowej,
dzięki czemu Brazylia jest ich czołowym producentem.
Surowce mineralne (m.in. rudy: żelaza, cyny, wolframu, niobu
i litu oraz boksyty) stanowiły podstawę rozwoju przemysłu Brazylii
– głównie hutnictwa, i przemysłu maszynowego.
Brakowało tu zawsze surowców energetycznych, dlatego też
w Brazylii już w 1. połowie XX w. zbudowano pierwsze
duże zapory i elektrownie wodne na Paranie i jej dopływach.
Efektem wielkich inwestycji w latach 80. XX w. było otwarcie
w 1984 r. elektrowni wodnej na Paranie, zbudowanej
wraz z Paragwajem. W chwili otwarcia miała ona największą moc
spośród wszystkich elektrowni świata. Rok później oddano
do użytku niewiele mniejszą elektrownię w Tucuruí na rzece
Tocantins, na skraju Wyżyny Brazylijskiej i Niziny Amazonki.

Wodospady Iguaçu, usytuowane na granicy argentyńsko-brazylijskiej, na rzece o tej samej nazwie, stanowią jedną z największych atrakcji turystycznych na kontynencie. Są chronione w parkach narodowych, wpisano je także na Listę Światowego Dziedzictwa Kulturowego i Przyrodniczego UNESCO. Odkrył je w 1541 r. A. Núñez Cabeza de Vaca.

Rolnictwo jest nadal ważnym działem gospodarki, choć jego udział w wytwarzaniu PKB systematycznie maleje. W Brazylii w rolnictwie pracuje nadal ponad 1/4 ludności zawodowo czynnej. Kraj ten jest ważnym producentem kawy (1 miejsce w świecie). Istotną przeszkodą w rozwoju rolnictwa są ograniczenia naturalne (duże powierzchnie leśne, mała odporność gleb na erozję i nieregularność opadów) oraz przestarzałe struktury własności ziemi. Niska wydajność rolnictwa wynika z ekstensywnego użytkowania ziemi. Rozwój rolnictwa utrudnia niedostępność wielu obszarów leżących w głębi kontynentu. Ma temu przeciwdziałać realizowany przez kilka dziesięcioleci program zagospodarowania obszarów leżących z dala od oceanu, czego efektem jest choćby wybudowanie od podstaw nowej stolicy – miasta Brasília.

Coraz większym problemem w Brazylii jest rosnące zadłużenie. Problemem społecznym jest nadmierne rozrastanie się slumsów, zwanych tutaj fawelami, powodujące przeludnienie wielkich miast. Brazylijskie São Paulo (10 mln mieszk., zespół miejski – 19 mln) i Rio de Janeiro (odpowiednio 6 i 12 mln) są jednymi z najludniejszych miast świata.

patrz mapa str. **278-279**

Część południowa

Rzeki Urugwaj i Parana uchodzą do zatoki La Plata, nad którą leżą stolice Argentyny (Buenos Aires) i Urugwaju (Montevideo). Obydwie rzeki mają duże znaczenie w żegludze śródlądowej, a transport morski obsługuje w obu krajach ponad 95% przewozów zagranicznych.

Największe lodowce w Andach Patagońskich (między innymi Uppsala o długości 60 km) spływają wprost do jezior, do których opadają wielkimi lodowymi ścianami.

Andy, młode góry fałdowe, są bardzo aktywne sejsmicznie. Do trzęsień ziemi dochodzi najczęściej w pobliżu wybrzeży, gdzie lżejsza płyta oceaniczna zagłębia się pod cięższą i grubszą płytę kontynentalną. Ich skutki najmocniej odczuwają mieszkańcy Chile i Peru (np. wielkie trzęsienie ziemi z 1960 r., które zniszczyło miasto Concepción). Konsekwencją aktywności sejsmicznej tego obszaru są również czynne wulkany (np. Antofalla, Llullaillaco). Od dawna nie notowano tu jednak wielkich erupcji (poza eksplozją wulkanu Nevado de Ruiz).

W wielu rejonach Andów występują surowce mineralne (miedź, srebro, cyna). Większość południowoamerykańskich złóż miedzi, stanowiących ponad 1/3 światowych zasobów znajduje się w Chile, a kraj ten jest czołowym producentem tego surowca na świecie. W Patagonii, głównie w Argentynie eksploatowana jest ropa naftowa i gaz ziemny. Duże znaczenie w gospodarce tych krajów ma rolnictwo (zwłaszcza uprawy zbóż i hodowla bydła w Argentynie oraz uprawa i eksport owoców, warzyw i kwiatów w Argentynie, Chile i Urugwaju). Coraz większe znaczenie ma turystyka. Turystów i alpinistów przyciągają andyjskie szczyty (między innymi Aconcagua, Ojos del Salado, góry Patagonii). Słynne są też południowoamerykańskie uzdrowiska i ośrodki narciarskie.

Dzięki modernizacji gospodarki od 1960 r. wiele państw dość szybko osiągnęło znaczny poziom rozwoju społeczno--gospodarczego, wzrosła też wartość PKB. Efektem tych zmian jest między innymi przyspieszona urbanizacja, której wskaźniki w wielu krajach należą do wyższych na świecie (Urugwaj – 92%, Argentyna – 90,1%, Chile – 87,6%). W Urugwaju aż połowa ludności mieszka w stolicy, Montevideo, a Buenos Aires – stolica Argentyny – zaliczane jest do większych miast na świecie (3 mln mieszkańców, zespół miejski 13 mln). Szybki rozwój nie odbył się bez kłopotów. Objawiają się one na przykład wieloletnim kryzysem w Urugwaju i Paragwaju i nagłym załamaniem się gospodarki Argentyny w 2001 r. Od wielu dziesięcioleci liderem przemian na kontynencie jest Chile (PKB – 8903 dolary na osobę).

patrz mapa str. **280-281**

Opis patrz str. 266-267, 268-269

1 : 41 000 000

0 — 500 — 1000 km

MORZE SARGASSOWE

1. Charlotte Amalie
2. Road Town
3. The Valley
4. Basseterre
5. St. John's
6. Plymouth
7. Bridgetown

O C E A N   A T L A N T Y C K I

Zwrotnik Raka

STANY ZJEDNOCZONE

Austin · Luizjana · Alabama · Georgia
Baton Rouge · Mississippi
NEW ORLEANS (NOWY ORLEAN) · Tallahassee · JACKSONVILLE
HOUSTON
SAN ANTONIO
Zatoka
Meksykańska
TAMPICO
B A H A M Y
Nassau
Floryda

LA HABANA (HAWANA)
K U B A
Turks i Caicos (Wlk. Bryt.)
Cockburn Town

Kajmany (Wlk. Bryt.)
Guantánamo Bay Naval Base (St. Zj.)
Georgetown
JAMAJKA · KINGSTON
HAITI · DOMINIKANA
PORT-AU-PRINCE · SANTO DOMINGO
San Juan
Wyspy Dziewicze St. Zj.
Brytyjskie Wyspy Dziewicze (Wlk. Bryt.)
Portoryko (St. Zj.) · Anguilla (Wlk. Bryt.)
Antyle Hol. · SAINT KITTS I NEVIS
Montserrat (Wlk. Bryt.) · ANTIGUA I BARBUDA
Basse-Terre · Gwadelupa (Fr.)
Roseau · DOMINIKA
Fort-de-France · Martynika (Fr.)
Castries · ST. LUCIA
Kingstown · BARBADOS
St. George's · SAINT VINCENT I GRENADYNY
GRENADA · TRYNIDAD I TOBAGO
Port of Spain

M E K S Y K
Belmopan
BELIZE
GUATEMALA (GWATEMALA) · HONDURAS · TEGUCIGALPA
SAN SALVADOR · NIKARAGUA
SALWADOR · MANAGUA
San José
KOSTARYKA
Coiba (Pan.)
Panamá
PANAMA

MORZE KARAIBSKIE
Aruba (Hol.) · Antyle Holenderskie · Willemstad
Oranjestad

BARRANQUILLA · MARACAIBO · VALENCIA · CARACAS
CARTAGENA · BARQUISIMETO · MARACAY · CIUDAD GUAYANA
Panamá · Georgetown
Rio Orinoco (Orinoko) · Paramaribo
MEDELLÍN · WENEZUELA · GUJANA · SURINAM · Cayenne (Kajenna)
BOGOTÁ (BOGOTA) · Gujana Francuska
Malpelo (Kol.)
CALI · KOLUMBIA · Boa Vista · Roraima · Amapá
W. Kokosowa (Kost.) · Macapá

Równik
Galápagos (Ekw.)
QUITO · MANAUS · BELÉM
GUAYAQUIL · EKWADOR · São Luis
Rio Amazonas (Amazonka) · Rio Solimões · Pará · FORTALEZA
Amazonas · Pará · Maranhão · TERESINA
Marañón · Ceará · NATAL
P E R U · B R A Z Y L I A · Rio Grande do Norte
TRUJILLO · Acre · João Pessoa
Porto Velho · Piauí · Pernambuco · RECIFE
Rio Branco · Rondônia · Rio Juruena · Tocantins · MACEIÓ
CALLAO · Aracaju
LIMA · B O L I W I A · Mato Grosso · SALVADOR
AREQUIPA · Cuiabá · Bahia
Lago Titicaca · LA PAZ · BRASÍLIA
SANTA CRUZ · GOIÂNIA · Minas Gerais
Sucré · CAMPO GRANDE · Vitória
Mato Grosso do Sul · BELO HORIZONTE
PARAGWAJ · São Paulo
ASUNCIÓN · Paraná · RIO DE JANEIRO
Rio do Janeiro
CURITIBA (KURYTYBA) · SÃO PAULO
SAN MIGUEL DE TUCUMAN · Santa Catarina · Florianópolis
CÓRDOBA · Rio Grande do Sul
A R G E N T Y N A · PORTO ALEGRE
SANTIAGO · MENDOZA · URUGWAJ
Juan Fernández (Chile)
ROSARIO · MONTEVIDEO
BUENOS AIRES · LA PLATA

W-y Desventurados (Chile)
San Félix · San Ambrosio
Zwrotnik Koziorożca

O C E A N   S P O K O J N Y

C H I L E

Golfo San Jorge
Lago Buenos Aires

Falklandy/Malwiny (Wlk. Bryt.)
Stanley

Cieśnina Drake'a

MORZE SCOTIA

Georgia Pd. (Wlk. Bryt.)
Szetlandy Pd. · Orkady Pd. · Sandwicz Pd. (Wlk. Bryt.)

W-y Świętego Piotra i Pawła (Braz.)
Fernando de Noronha (Braz.)
Martin Vaz
Trynidad Pd. (Braz.)

O C E A N   A T L A N T Y C K I

273

Energetyka

1 : 117 500 000

Produkcja energii elektrycznej na 1 mieszkańca kWh

- 5000 – 10 000
- 2000 – 5000
- 500 – 2000
- 0 – 500

Elektrownie

o mocy:
- pow. 4000 MW
- 3000 – 4000
- 2000 – 3000
- pon. 2000

rodzaje:
- cieplne
- jądrowe
- wodne

Zatrudnienie w:

rolnictwie
- wyraźna dominacja
- z udziałem przemysłu

przemyśle
- wyraźna dominacja
- z udziałem rolnictwa
- z udziałem usług

usługach
- wyraźna dominacja
- z udziałem przemysłu
- obszary niezagospodarowane lub słabo zagospodarowane

Górnictwo
- ropy naftowej
- gazu ziemnego
- węgla kamiennego
- rud żelaza
- rud manganu

- rud chromu
- rud niklu
- rud miedzi
- rud cynku i ołowiu
- rud cyny

- boksytów
- złota
- srebra
- diamentów
- soli potasowych

- fosforytów i apatytów
- siarki

Ośrodki wydobycia

wielkie
duże
średnie
małe

32 % udział w światowym wydobyciu (pow. 10)

- drogi główne
- koleje główne
- ropociągi
- gazociągi
- główne porty lotn
- główne porty mo

Ośrodki gospodarcze

oddziaływanie:
- światowe
- ważniejsze regionalne
- regionalne
- lokalne

funkcje:
- wielofunkcyjne
- przemysłowe i gór
- transportowe
- handlowe, finanso i administracyjne
- turystyczne i kultu

274

1 : 41 000 000

0 ───── 500 ───── 1000 km

Gleby
1 : 117 500 000

Typy gospodarki rolnej

- brunatne i płowe
- szare gleby leśne, czarnoziemy i gleby czarnoziemne
- kasztanowe
- brązowe i szarobrązowe (cynamonowe)
- buroziemy i szaroziemy
- inicjalne pustyń
- żółtoziemy i czerwonoziemy
- czerwonożółte gleby laterytowe
- czerwone gleby laterytowe
- brązowoczerwone (cynamonowoczerwone)
- inicjalne skaliste i słabo wykształcone
- mady rzeczne i morskie
- górskie

- rolnictwo mieszane zmechanizowane
- gospodarka zbożowa wielkoobszarowa
- rolnictwo mieszane intensywne (miejscami nawadniane)
- rolnictwo śródziemnomorskie
- plantacje
- rolnictwo prymitywne
- hodowla pastwiskowa
- wilgotne lasy równikowe (leśnictwo, łowiectwo, zbieractwo, rolnictwo żarowe)
- inne lasy (leśnictwo, łowiectwo, zbieractwo)
- obszary słabo lub niewykorzystane rolniczo
- obszary łowiskowe

Uprawy

- pszenica
- kukurydza
- ryż
- proso i sorgo
- maniok
- ziemniaki
- trzcina cukrowa
- soja
- orzeszki ziemne
- słonecznik
- palma oleista i kokosowa
- owoce i warzywa
- owoce cytrusowe
- banany
- winorośl
- kawa
- kakao
- herbata
- tytoń
- bawełna
- agawa
- kauczuk

Hodowla

- bydło
- trzoda chlewna
- owce
- kozy
- lamy

275

Opis patrz str. 270

Opis patrz str. **270-271**

Opis patrz str. 271

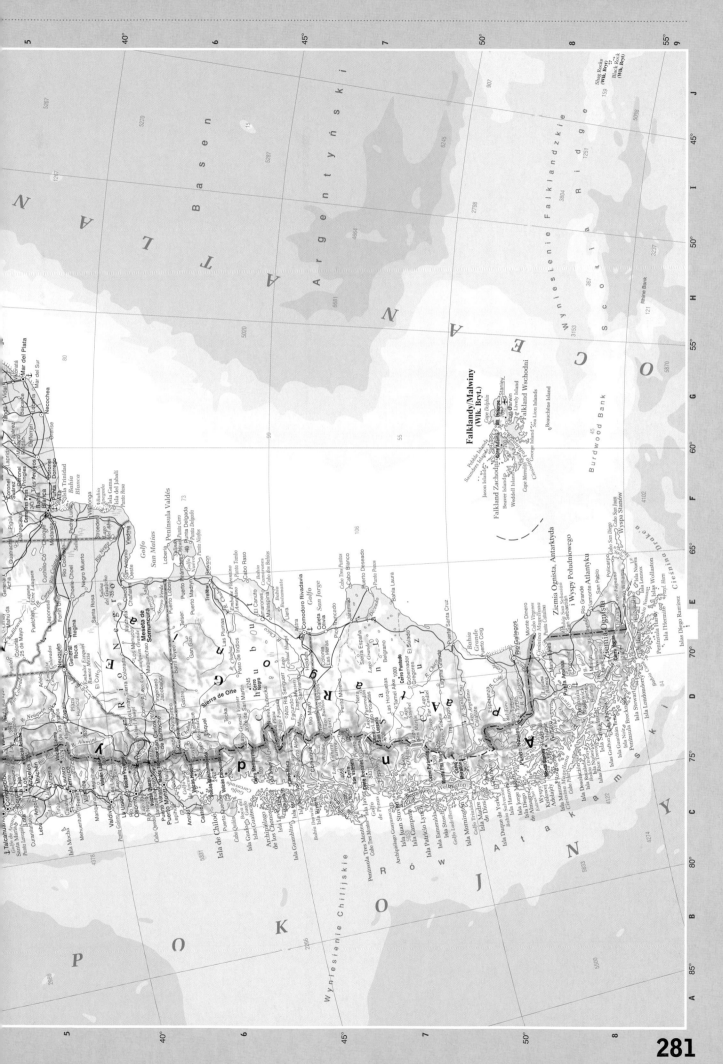

Australia i Oceania

Ukształtowanie powierzchni

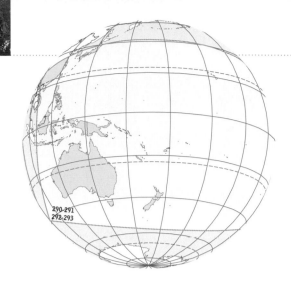

Największe jezioro Australii – Eyre – zajmuje położone poniżej poziomu morza dno jednego z basenów artezyjskich. Gorący i suchy klimat sprawia, że jest to jezioro słone, okresowo wysychające. W porze suchej zamienia się ono w pokrytą wykwitami solnymi równinę.

Najdłuższym pasmem górskim Australii są rozciągające się wzdłuż wschodniego wybrzeża Wielkie Góry Wododziałowe. Mimo iż wysokości szczytów rzadko przekraczają 1500 m n.p.m., góry te stanowią barierę dla przemieszczających się znad oceanu mas wilgotnego powietrza.

Bora Bora jest typową wyspą pochodzenia wulkanicznego. Wokół młodego wulkanu, wznoszącego się 727 m n.p.m., w ciepłych wodach rozwija się rafa koralowa. Otacza ona pierścieniem skalistą wyspę, chroniąc malownicze plaże przed sztormami.

Australia i Oceania, nazywana czasami „piątą częścią świata", obejmuje: kontynent australijski, wyspy Melanezji, Polinezji i Mikronezji oraz wyspy Nowej Zelandii (niekiedy zaliczane do Polinezji). Wyspy Oceanii zajmują powierzchnię 1,2 mln km², sama Australia 7,7 mln km². Kontynent australijski stanowi fragment potężnego lądu Gondwany, który ostatecznie rozpadł się na wiele części. W wyniku tego rozpadu powstały wyspy kontynentalne, np. Nowa Gwinea, Nowa Kaledonia, Wyspy Salomona, skupiające się w zachodniej części południowego Pacyfiku na płytkich morzach wokół Australii.
Pozostałe wyspy mają odmienną genezę: Karoliny, wyspy Tonga i Mariany są pochodzenia wulkanicznego i tym właśnie należy tłumaczyć ich nieznaczną wielkość oraz kształt stożków. Procesy wulkaniczne zachodzą także na wyspach pochodzenia kontynentalnego. W wielu miejscach działalność wulkaniczna i towarzyszące jej trzęsienia ziemi trwają nadal.
Niewielkie rozmiary są charakterystyczne również dla wysp pochodzenia organicznego (Wyspy Marshalla, Wyspy Gilberta). Zwykle wysokości atoli nie przekraczają 7 m n.p.m., często też są w wielu miejscach poprzerywane.
Tak jak działalność wulkaniczna może przeobrazić krajobrazy wysp koralowych, tak wyspy wulkaniczne czy kontynentalne mogą obrastać koralowcami.

Wielka Rafa Koralowa rozciąga się wzdłuż północno-wschodnich wybrzeży Australii (na północy dochodzi do Cieśniny Torresa, na południu nieznacznie przekracza Zwrotnik Koziorożca). Ten niezwykły system tysięcy raf, koralowych wysepek i lagun ma długość około 2000 km i zajmuje powierzchnię nieco większą od powierzchni Polski (350 tys. km²).

Wielka Rafa Koralowa stanowi unikalny, podwodny ekosystem, w którym żyje ponad 1500 gatunków ryb, 400 gatunków korali, 4000 gatunków mięczaków, a także inne organizmy morskie, takie jak gąbki, ukwiały, rozgwiazdy. W obrębie rafy mieszkają tysiące żółwi morskich, a na wyspach gniazdują ptaki wielu gatunków, m.in. fregaty, głuptaki, burzyki pacyficzne i mewy. W zimie do brzegów rafy przybywają z Antarktyki wieloryby – humbaki.

patrz mapa str. 290-291

Podział polityczny

Canberra, stolica Australii, została zbudowana na początku XX w. Jej nazwa wywodzi się z języka Aborygenów i oznacza „miejsce spotkań". W latach 80. XX w. zakończono budowę nowego gmachu parlamentu. Gmach wbudowano we wzgórze Capital Hill.

Port Vila, stolica Republiki Vanuatu, został założony w końcu XIX w. Zabudowa miasta nawiązuje do rodzimego (melanezyjskiego) stylu w architekturze. Przykładem tego stylu jest niski budynek parlamentu, z charakterystycznym dla regionu wejściem.

Australia jest najmniejszym zamieszkanym kontynentem. Cały jego obszar zajmuje jedno państwo, Związek Australijski, który należy do Wspólnoty Narodów, a oficjalną głową państwa jest królowa brytyjska. Do Wspólnoty Narodów należy także drugie wysoko rozwinięte państwo Oceanii – Nowa Zelandia. Australia i Nowa Zelandia są krajami zasiedlonymi w większości przez ludność pochodzenia europejskiego, czym wyróżniają się na tle całego regionu. W państwach tych pozostała także ludność rodzima: Aborygeni w Australii i Maorysi w Nowej Zelandii. Oba państwa utrzymują bardzo bliskie kontakty polityczne i militarne ze Stanami Zjednoczonymi.

Nowa Zelandia jest największym państwem Polinezji. W jej skład wchodzą także mniejsze wyspy tego regionu: Wyspy Cooka i Tokelau. W Polinezji obok kilku małych państw wyspiarskich leżą liczne terytoria należące do państw spoza regionu: Francji (Polinezja Francuska), Wielkiej Brytanii (Pitcairn) oraz Stanów Zjednoczonych (Samoa Amerykańskie).

W zachodniej części Oceanii, Mikronezji, znajdują się państwa powstałe pod koniec XX w. z terytoriów zależnych Stanów Zjednoczonych oraz wyspy nadal pozostające w posiadaniu tego państwa.

W południowo-zachodniej części Oceanii, Melanezji, większość wysp stanowią państwa, które uzyskały niepodległość po II wojnie światowej. Największa z nich jest Nowa Gwinea, podzielona pomiędzy dwa kraje: Indonezję i Papuę-Nową Gwineę. Wyspę zamieszkuje ludność rodzima – Papuasi. Obecnie na terytorium obydwu krajów trwają niepokoje na tle etnicznym i separatystycznym. Do Melanezji należy także Nowa Kaledonia – departament zamorski Francji. Pozostająca w mniejszości rodzima ludność Kaledonii dąży do uzyskania niepodległości wyspy.

Pod względem religijnym ludność Australii i Oceanii stanowią w większości chrześcijanie należący do różnych kościołów.

Wellington, stolicę Nowej Zelandii, założyli Brytyjczycy w 1840 r. i nadali jej nazwę na cześć lorda Wellingtona. Charakterystycznymi budynkami miasta są: parlament (1911–1912) oraz stojąca obok zwieńczona kopułą rotunda, zwana Beehive (Ul), która jest siedzibą rządu.

patrz mapa str. **292-293**

Australia

Największa rafa koralowa na Ziemi ciągnie się na długości ponad 2000 km wzdłuż północno-wschodniego wybrzeża Australii. Większa część rafy jest zanurzona płytko pod powierzchnią wody. Buduje ją co najmniej 350 twardych korali, a zamieszkuje wiele gatunków różnorodnych i wielobarwnych roślin i zwierząt.

Sydney, największe i najstarsze miasto Australii, jest jednym z bardziej malowniczych portów na świecie. Ta tętniąca życiem metropolia i stolica kulturalna kraju ma nowoczesną architekturę (m.in. charakterystyczny budynek Opery), ale także świetne warunki do plażowania, uprawiania surfingu czy żeglowania.

Australia to ostatni wielki ląd odkryty i zasiedlony przez Europejczyków. W sensie geologicznym – jeden z najstarszych i najbardziej stabilnych. Ponieważ od ponad 100 mln lat nie zachodziły tu procesy górotwórcze, dominują obszary o charakterze równinnym, z pojedynczymi wzniesieniami i niewysokimi starymi pasmami górskimi.
Średnia wysokość kontynentu nie przekracza 300 m n.p.m. Jedynym większym i wyższym pasmem górskim są ciągnące się wzdłuż wschodniego wybrzeża Wielkie Góry Wododziałowe. W ich paśmie – Alpach Australijskich, znajduje się najwyższy szczyt kontynentu – Góra Kościuszki (2228 m n.p.m.). W 1840 r. po raz pierwszy zdobył ją i zmierzył polski podróżnik i odkrywca – Paweł Edmund Strzelecki. Pomiędzy położoną na zachodzie Tarczą Australijską, a ciągle aktywnymi sejsmicznie Wielkimi Górami Wododziałowymi powstała szeroka strefa nizin wielokrotnie zalewanych przez morze. Osady morskie tworzą warstwę wodonośną wielkich basenów artezyjskich. Przeważającą część wnętrza kontynentu stanowią pustynie i półpustynie urozmaicone piaszczystymi wydmami, okresowymi rzekami i słonymi jeziorami.

Najsławniejszy i największy monolit skalny świata wyrasta czerwonym garbem ponad pustynną równinę na wysokość 340 m. Od niepamiętnych czasów ta gigantyczna bryła piaskowca, zwana przez Aborygenów Uluru, jest ich najważniejszą, świętą górą.

patrz mapa str. **296-297**

Nowa Zelandia

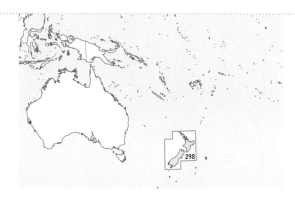

Pełna swoistego uroku jest kraina wulkaniczna Wyspy Północnej, przez którą ciągnie się łańcuch potężnych stożków wulkanicznych. Wyspa ta w całości jest pokryta popiołami wulkanicznymi z domieszką tufów i pumeksu. Wierzchołki niektórych wulkanów były wielokrotnie niszczone i mają kratery pasożytnicze.

Najdalej na południe wysuniętą częścią Oceanii jest Nowa Zelandia. Jej terytorium jest nieco mniejsze od Polski i obejmuje dwie duże wyspy, Północną i Południową, znacznie mniejszą wyspę Stewart oraz wiele bardzo małych wysepek rozrzuconych na oceanie. Kraj jest górzysty; tereny nizinne położone wzdłuż wybrzeży stanowią tylko 1/4 powierzchni. Na Wyspie Południowej, której osią są Alpy Południowe, szczyty sięgają prawie 4000 m n.p.m. W wyższych partiach gór występują lodowce, a na wybrzeżach największe na świecie fiordy, które powstały przez zatopienie starych dolin polodowcowych. Jedynie na południu i wschodzie ciągną się szerokie, zielone równiny, na których rozwinęło się osadnictwo. Wnętrze Wyspy Północnej zajmuje rozległy, ciągle aktywny wulkaniczny płaskowyż.

Księżycowy krajobraz interioru, niemal pozbawionego roślinności, urozmaicają strzeliste stożki wulkaniczne, jeziora o zakwaszonej wodzie i gorące źródła. Tropikalna roślinność bujnie porasta obrzeża wysp, a krajobrazy są tu niezwykle piękne i różnorodne.

Zjawiska wulkaniczne sprzyjają występowaniu na Wyspie Północnej Nowej Zelandii, zwłaszcza w okolicach Rotorua, gorących źródeł, których temperatura sięga 80°C, i gejzerów wytryskujących w górę na wysokość 20–30 m. Tworzą one wielobarwne tarasy naciekowe podobne do tych, jakie występują w Parku Narodowym Yellowstone w USA.

Jezioro Wanaka leży na nowozelandzkiej Wyspie Południowej, u wschodnich podnóży Alp Południowych. Ma powierzchnię 193 km². W jego krystalicznie czystych wodach odbijają się szczyty gór Parku Narodowego Mount Aspring.

patrz mapa str. **299**

Wybrane kraje Oceanii

Pierwsi Europejczycy – Hiszpanie i Portugalczycy – pojawili się w Oceanii na początku XVI w. W XVII w. przypłynęli Holendrzy, Francuzi i Anglicy. Przyciągały ich tu bogactwa naturalne. W tym czasie pojawili się także misjonarze. Rozpoczęła się kolonizacja obszaru Oceanii, która zakończyła się dopiero w 1906 r. Miejscowa ludność wzniecała powstania przeciwko kolonizatorom, jednakże dopiero po II wojnie światowej, na fali ruchów niepodległościowych, największe i najludniejsze wyspy zdobyły niepodległość.

Gałęzią gospodarki o wielkim znaczeniu dla krajów Oceanii jest turystyka. Wprowadzenie do komunikacji samolotów zabierających jednorazowo duże grupy ludzi umożliwia wzrost napływu turystów na wyspy. Duże znaczenie ma także powstanie bazy turystycznej na odpowiednio wysokim poziomie.

Wpływy z turystyki stanowią znaczny udział w budżecie wielu krajów Oceanii, dlatego zagrożeniem dla ich gospodarki mogą być kryzysy społeczno-gospodarcze i konflikty polityczne. Ruch turystyczny w Polinezji Francuskiej wyraźnie zmalał po próbach jądrowych na atolu Mururoa, a na Fidżi po zamachu stanu w 1987 r. Czynnikami zakłócającymi rozwój turystyki są również częste w tym regionie klęski żywiołowe.

Choć ustrój społeczno-polityczny państw Oceanii kształtuje się pod silnym wpływem tradycji, formy sprawowania rządów opierają się głównie na wzorach z czasów kolonialnych. Przeważają systemy demokratyczne wzorowane na parlamentaryzmie angielskim lub amerykańskim (np. Vanuatu, Nauru, Samoa), bądź też zachowujące ustrój monarchii parlamentarnej z królową angielską jako głową państwa (np. Fidżi, Wyspy Salomona, Papua-Nowa Gwinea).

Niektóre obszary są w dalszym ciągu zależne, przede wszystkim od Francji, Stanów Zjednoczonych i Nowej Zelandii.

Ludność wysp Pacyfiku w dużym stopniu uległa chrystianizacji. Kościoły chrześcijańskie rozwijają w tym regionie różnorodną działalność socjalną, prowadzą szkoły, szpitale itp.

Vanuatu, wyspiarski kraj w archipelagu Nowych Hebrydów, leży w strefie sejsmicznej, na wulkanicznych wyspach otoczonych rafą koralową, gdzie występują takie osobliwości przyrody jak kwaśne jeziora.

Moorea, jedna z Wysp Na Wietrze w archipelagu Wysp Towarzystwa, bywa nazywana ogrodem. Jej wulkaniczne wzgórza są pokryte puszczą zwrotnikową, w której człowiek założył plantacje kawy i ananasów, a okalają ją liczne zatoki wypełnione krystalicznie czystą wodą i szerokie, piaszczyste plaże.

Powstanie Centrum Tjibaou ma na celu pokazanie i zachowanie kultury Kanaków – rdzennej ludności Nowej Kaledonii, która poprzez pracę misjonarzy i system polityczny została całkowicie zniszczona. Budynki Centrum, sięgające 28 m wysokości, zaprojektowane przez Renzo Piano, stanowią harmonijne połączenie tradycji z nowoczesną wizją ich autora.

Tahiti – rajska wyspa?

James Cook przybył na Tahiti na okręcie „Endeavour" w 1769 r. Chociaż nie był pierwszym odkrywcą wysp tego regionu, to właśnie nadana przez niego nazwa – Wyspy Towarzystwa – przyjęła się i obowiązuje do dziś. Miała ona upamiętniać Towarzystwo Królewskie w Londynie (Royal Society of London), pod którego patronatem Cook dokonał na Tahiti obserwacji Wenus na tle tarczy słonecznej.

Tahiti to największa z Wysp Towarzystwa – ma ponad 1000 km² powierzchni. Mieszka tu 2/3 obywateli całej Polinezji Francuskiej – terytorium zależnego od Francji od 1957 r.

Wielu turystów uważa, że właśnie tu, wśród gór dochodzących do 2000 m n.p.m., znajdują się jedne z najpiękniejszych na świecie górskich wodospadów i plaż. Powietrze przesiąknięte jest wonią kopry i wanilii, oraz uderzającym zapachem tahitańskich jaśminów, z których wije się girlandy.

Czar Tahiti od dawna przyciągał cudzoziemców. W 1787 r. na fregacie „Bounty" pod dowództwem kapitana Bligha przybyli tu Anglicy. Ich zadaniem było zebranie sadzonek drzewa chlebowego. Członkowie załogi z żalem opuszczali rajską krainę, lecz po konflikcie, jaki nastąpił na statku, kapitana i kilku ludzi wysadzono na morzu w szalupie, a reszta marynarzy wróciła na Tahiti. Przyczyną buntu była uroda Tahitanek, które mają jasną cerę, aksamitne ciało, wdzięk i nieprawdopodobne poczucie rytmu. Potrafią znakomicie tańczyć hula-hula w opasujących biodra, szeleszczących spódniczkach, skrywając resztę nagiego ciała pod girlandami kwiatów.

Nie ma się co dziwić żeglarzom i artystom, że po dotarciu na wyspę postanawiali spędzić tu resztę życia. Jednym z nich był znakomity francuski malarz, Paul Gauguin, który przybył na Tahiti w poszukiwaniu inspiracji. I niewątpliwie ją znalazł, bo właśnie podczas pobytu na wyspie powstały jego najlepsze obrazy. Gauguin nazwał wyspę Noa Noa, co oznacza „pachnąca i wonna". W Europie, do której nigdy nie wrócił, pozostawił żonę i szóstkę dzieci...

Obecnie na Tahiti zawija rocznie kilkadziesiąt statków z tysiącami pasażerów, którzy pozostawiają po sobie miliony dolarów także dlatego, że Polinezja Francuska słynie na cały świat z czarnych pereł.

I chociaż sprzedawane tu perły pochodzą najczęściej z jednej z 1000 ferm perłopławów, w dalszym ciągu wielu Polinezyjczyków pracuje jako poławiacze pereł naturalnych. Potrafią bez butli tlenowych zejść na głębokość ponad 30 m, by w jednej muszli na tysiąc znaleźć czarną perłę. Jej cena znacznie przekracza wartość pereł hodowlanych.

Mimo dochodów osiąganych z turystyki Polinezja Francuska jest nadal silnie związana z Francją, która pokrywa około 40% jej budżetu. Reszta wpływów Polinezji pochodzi głównie z opłat celnych. Wyjąwszy artykuły żywnościowe pierwszej potrzeby (ryż, olej, mąka, cukier itp.), wszystkie sprowadzane na wyspy towary obłożone są niezmiernie wysokimi opłatami celnymi sięgającym 100% ceny artykułu. Ma to znaczny wpływ na kształtowanie się cen w Polinezji Francuskiej, która jest krajem wyjątkowo drogim.

Na Tahiti sporo jest Francuzów, a osiedla, które od dawna zamieszkują, stanowią wierne odbicie prowincjonalnych francuskich miasteczek. Francuzi i krajowcy żyją obok siebie bez żadnych uprzedzeń rasowych, a ich życie płynie dość spokojnie. PKB sięgający 12 tys. dolarów na mieszkańca, jest tu co prawda o połowę niższy niż we Francji, ale mimo to dużo wyższy niż np. w Polsce.

Kraj, choć jest zależny, posiada dość dużą autonomię. Lokalny sejm liczy 40 przedstawicieli obieranych przez ludność w wolnych i demokratycznych wyborach. Tahitańczycy nie posiadają jednak armii, własnej monety, nie prowadzą własnej polityki zagranicznej. W kraju obowiązuje konstytucja francuska, co gwarantuje demokrację i sprawiedliwość, chroni ludność przed politycznym chaosem, częstym w małych krajach postkolonialnych. Chociaż są zwolennicy zerwania więzów z Francją i ogłoszenia przez Polinezję Francuską niepodległości, istnieje także przekonanie, że jedynie dobre stosunki z Francją mogą stanowić o dobrobycie kraju.

patrz mapa str. 299

Opis patrz str. **284**

Opis patrz str. 285

170° L 160° M 150° N 140° O 130° P 120° R 110° S 100° T 90° U

STANY ZJEDNOCZONE

LOS ANGELES
SAN DIEGO
TIJUANA   MEXICALI
PHOENIX
CIUDAD
JUAREZ
SAN
ANTONIO
HOUSTON
30°

2

CHIHUAHUA

Zatoka
Meksykańska

Isla Guadalupe
(Meksyk)   Isla Cedros

Rocas Alijos
(Meksyk)

MONTERREY

LEÓN

20°

Ilas Revilla Gigedo
(Meksyk)

GUADALAJARA
CIUDAD DE MÉXICO
(MEKSYK)
PUEBLA
DE ZARAGOZA
ACAPULCO
DE JUAREZ

3

O   C   E   A   N

Gardner
Pinnacles

La Pérouse
Pinnacle   Necker Island
Nihoa

Kauai
Oahu   Molokai
Honolulu   Lanai   Maui
Kahoolawe

Hawaii

Hawaje
(Stany Zjednoczone)

Johnston
(St. Zj.)

Île Clipperton
(Francja)

10°

Kingman
(St. Zj.)
Palmyra
(St. Zj.)
Teraina

Tabuaeran

Wyspa Bożego
Narodzenia

Jarvis
(St. Zj.)

0°

Enderbury Island

Phoenix Island

Hull Island

Malden Island

Starbuck Island

5

Tokelau
(Nowa Zelandia)

Nukunonu Atoll
Faipule

Penrhyn Atoll/
Tongareva
Caroline Island

Île Nuku Hiva
Île Hiva Oa
Île Fatu Hiva

Pakapuka Atoll

Nassau

Vostoc Island
Flint Island

Samoa
Apia
Pago Pago
Tutuila
Amerykańskie

Wyspy Pod Wiatrem
Moorea
Papeete
Tahiti

Rangiroa   Takaroa

Takumé
Katiu
Raroia

Amanu
Hao

10°

Alofi

Niue
(Nowa Zelandia)

Aitutaki Atoll

Mitiaro

Avarua
Rarotonga

Mangaia

Îles du Duc de Gloucester

Groupe
Actéon
Maruroa

20°

Îles Tubuai/ Îles Australes   Tubuai

Wyspy Gambiera

Pitcairn
(Wielka Brytania)
Adamstown
Pitcairn Island

Rapa
Îles Marotiri

Wyspa Wielkanocna
(Chile)

Isla Sala y Gómez
(Chile)

7

CHILE
Concepción
Talcahuano

Greenwich

160° M 150° N 140° O 130° P 120° R 110° S 100° T 90° 80° V

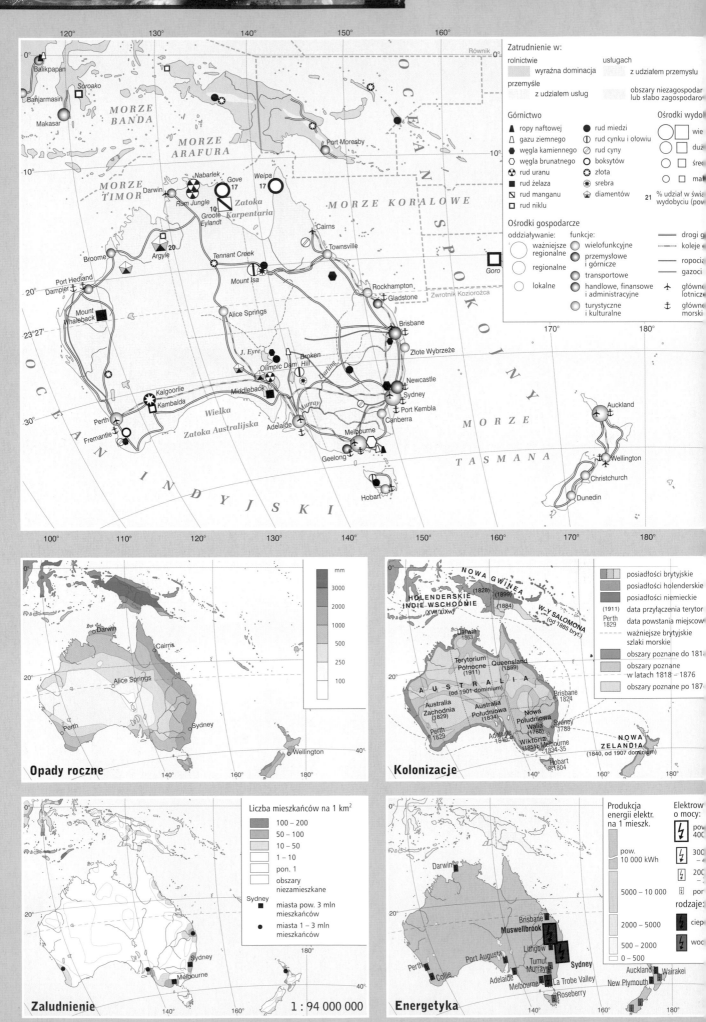

Zatrudnienie w:

rolnictwie — wyraźna dominacja
usługach — z udziałem przemysłu
przemyśle — z udziałem usług
obszary niezagospodar... lub słabo zagospodaro...

Górnictwo

- ropy naftowej
- gazu ziemnego
- węgla kamiennego
- węgla brunatnego
- rud uranu
- rud żelaza
- rud manganu
- rud niklu
- rud miedzi
- rud cynku i ołowiu
- rud cyny
- boksytów
- złota
- srebra
- diamentów

21 % udział w świa... wydobyciu (pow...

Ośrodki wydo...

wie... duż... śre... ma...

Ośrodki gospodarcze

oddziaływanie:
- ważniejsze regionalne
- regionalne
- lokalne

funkcje:
- wielofunkcyjne
- przemysłowe i górnicze
- transportowe
- handlowe, finansowe i administracyjne
- turystyczne i kulturalne

- drogi g...
- koleje
- ropocia...
- gazoci...
- główne lotnicze
- główne morskie

Opady roczne

mm: 3000, 2000, 1000, 500, 250, 100

Kolonizacje

- posiadłości brytyjskie
- posiadłości holenderskie
- posiadłości niemieckie
- (1911) data przyłączenia terytor...
- Perth 1829 data powstania miejscow...
- ważniejsze brytyjskie szlaki morskie
- obszary poznane do 181...
- obszary poznane w latach 1818 – 1876
- obszary poznane po 187...

Zaludnienie

Liczba mieszkańców na 1 km²
- 100 – 200
- 50 – 100
- 10 – 50
- 1 – 10
- pon. 1
- obszary niezamieszkane
- miasta pow. 3 mln mieszkańców
- miasta 1 – 3 mln mieszkańców

1 : 94 000 000

Energetyka

Produkcja energii elektr. na 1 mieszk.
- pow. 10 000 kWh
- 5000 – 10 000
- 2000 – 5000
- 500 – 2000
- 0 – 500

Elektrow... o mocy:
- pow. 400...
- 300...
- 200...
- po...

rodzaje:
- ciep...
- wod...

Rolnictwo

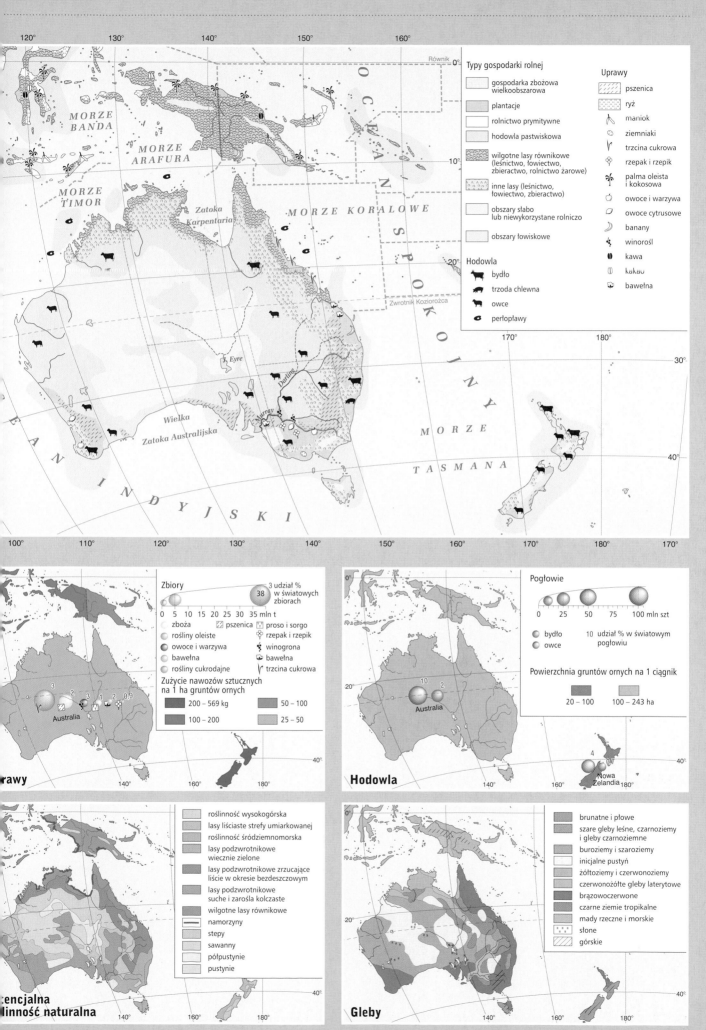

Typy gospodarki rolnej

- gospodarka zbożowa wielkoobszarowa
- plantacje
- rolnictwo prymitywne
- hodowla pastwiskowa
- wilgotne lasy równikowe (leśnictwo, łowiectwo, zbieractwo, rolnictwo żarowe)
- inne lasy (leśnictwo, łowiectwo, zbieractwo)
- obszary słabo lub niewykorzystane rolniczo
- obszary łowiskowe

Hodowla

- bydło
- trzoda chlewna
- owce
- perłopławy

Uprawy

- pszenica
- ryż
- maniok
- ziemniaki
- trzcina cukrowa
- rzepak i rzepik
- palma oleista i kokosowa
- owoce i warzywa
- owoce cytrusowe
- banany
- winorośl
- kawa
- kakao
- bawełna

MORZE BANDA

MORZE ARAFURA

MORZE TIMOR

Zatoka Karpentaria

MORZE KORALOWE

Zwrotnik Koziorożca

J. Eyre

Darling

Wielka Zatoka Australijska

Murray

OCEAN INDYJSKI

OCEAN SPOKOJNY

MORZE TASMANA

Równik

Uprawy

Zbiory

3 udział % w światowych zbiorach — 38

0 5 10 15 20 25 30 35 mln t

- zboża
- pszenica
- proso i sorgo
- rośliny oleiste
- rzepak i rzepik
- owoce i warzywa
- winogrona
- bawełna
- bawełna
- rośliny cukrodajne
- trzcina cukrowa

Zużycie nawozów sztucznych na 1 ha gruntów ornych

- 200 – 569 kg
- 50 – 100
- 100 – 200
- 25 – 50

Australia

Hodowla

Pogłowie

0 25 50 75 100 mln szt

- bydło
- owce
- 10 udział % w światowym pogłowiu

Powierzchnia gruntów ornych na 1 ciągnik

- 20 – 100
- 100 – 243 ha

Australia

Nowa Zelandia

...encjalna ...linność naturalna

- roślinność wysokogórska
- lasy liściaste strefy umiarkowanej
- roślinność śródziemnomorska
- lasy podzwrotnikowe wiecznie zielone
- lasy podzwrotnikowe zrzucające liście w okresie bezdeszczowym
- lasy podzwrotnikowe suche i zarośla kolczaste
- wilgotne lasy równikowe
- namorzyny
- stepy
- sawanny
- półpustynie
- pustynie

Gleby

- brunatne i płowe
- szare gleby leśne, czarnoziemy i gleby czarnoziemne
- buroziemy i szaroziemy
- inicjalne pustyń
- żółtoziemy i czerwonoziemy
- czerwonożółte gleby laterytowe
- brązowoczerwone
- czarne ziemie tropikalne
- mady rzeczne i morskie
- słone
- górskie

A 115° B 120° C 125° D E

MORZE TIMOR

MORZE

Shelf

Ashmore Reef
Ashmore and Cartier Islands (Austr.) Cartier I.
Seringapatam Reef
Scot Reef
Browse I.
Bonaparte Archipelago
Meret Island
Admiralty
Beagle Reef
Lynher Reef
Adele I.
Buccaneer Archipelago
Lombardina
Cape Leveque
Ziemia Dampiera
Beagle Bay
Lecepte Islands
Mermaid Reef
Rowley Shoals
Clerke Reef
Imperieuse Reef
Broome
Roebuck Bay
Cape Latouche Treville
Lagrange
Eighty Mile Beach
Bedout I.
North Turtle Island
Little Turtle Islet
Cape Keraudren
Port Hedland
Archipelag Dampiera
Point Samson
Whim Creek
Roebourne
Bamboo
Marble Bar
Nullagine
Hamersley Range Mt. Bruce 1227
Mt. Meharry 1251
Roy Hill
Newman

Mt. Hann 779
KIMBERLEY PLATEAU
Góra Króla Leopolda
Mt. Ord 936
Mt. Wells 914
Derby
Fitzroy
Fitzroy Crossing
Halls Creek
Nicholson
Bohemia Downs

Darwin
Point Blaze
Peron Islands
Port Keats
Wingate Mountains
Kununurra
Wyndham
Newry
Timber Creek
Lake Argyle
Mistake Creek
Inverway
Hooker Creek
Lajamanu
Wave Hill

TERYTO
Tanami Desert
Tanami
Balgo

WIELKA PUSTYNIA PIASZCZYSTA
Canning Basin
Pustynia Gibsona
Mt. Madley 533
Warburton Range
Warburton
Tomkinson Ranges
Mt. Aloysius
Musgrave Ranges
Everard Ranges

Petermann Ranges
Mt. Deering 1219
Giles
Mt. Olga 1070
Ayers Rock
Curtin Springs

Góry Macd
Mt. Zeil
Mt. Leisler 901
Hermannsburg

Pustynia Wiktorii
Austra

Wielka Pustynia Piaszczysta
AUSTRALIA ZACHODNIA

Wiluna
Lake Wells
Lake Carnegie
Lake Throssel
Yeo Lake
Cosmo Newbery
Laverton
Leonora
Gwalia
Malcolm
Menzies
Lake Carey
Jubilee Lake
Lake Minigwal
Rawlinna
Cook
Deakin
Forrest
Nullarbor Plain
Haig
Cundeelee
Kitchener
Cocklebiddy Motel
Madura
Eucla Motel
Eyre
Balladonia

Kalgoorlie Boulder
Coolgardie
Kambalda
Norseman
Lake Cowan
Lake Dundas
Salmon Gums

Mt. Ragged 585
Cape Arid
Mt. Arid 561
Cape Pasley
Point Culver

WIELKA ZATOKA AUSTRALIJSKA

Geraldton
Northampton
Mullewa
Morawa
Three Springs
Eneabba
Dongara
Dandaragan
Moora
Gingin
PERTH
Fremantle
Rottnest I.
Rockingham
Mandurah
Pinjarra
Bunbury
Busselton
Margaret River
Augusta
Cape Leeuwin
Nannup
Bridgetown
Collie
Harvey
Williams
Narrogin
Katanning
Kojonup
Mt. Barker
Cranbrook
Albany
Walpole
Denmark
Northcliffe
Bluff Knoll
Ravensthorpe
Hopetoun
Esperance
Archipelago of the Recherche
Salisbury I.
Cape Leeuwin

OCEAN INDYJSKI

Naturaliste Plateau

Eclipse I.

Base Południowoaustralijski

rezerwaty Aborygenów

Opis patrz str. **286**

1 : 11 750 000

0 100 200 300 400 500 km

F 140° G 145° H 150° I

PAPUA - NOWA GWINEA

AFURA

Zatoka **Karpentaria**

MORZE

Basen

KORALOWE

Wyspy Morza

Koralowego (Australia)

Barkly Tableland

Mount Isa

Queensland

Selwyn Range

Wielki Basen Artezyjski

Pustynia Simpsona

Lake Eyre Basin

Południowa

Flinders Ranges

Greys Range

Murray River Basin

ADELAIDE

Nowa Południowa Walia

Darling Downs

BRISBANE

Gold Coast

Coffs Harbour

Port Macquarie

Newcastle

SYDNEY

Canberra

Wollongong

MELBOURNE

Geelong

Wielkie Góry Wododziałowe

Wiktoria

Alpy Australijskie

Gippsland

Tasmania

Cieśnina Bassa

MORZE TASMANA

Basen Tasmana

MT. OSSA

Hobart

155°

Nauru
1 : 350 000

0   3   6 km

OCEAN SPOKOJNY

166°55' E

Nowa Zelandia
1 : 5 900 000

0   50   100 km

MORZE TASMANA

Challenger Plateau

Wyspa Północna

Wyspa Południowa

Samoa, Samoa Amery

1 : 3 500 000

0   30   60

Opis patrz str. 287, 288-289

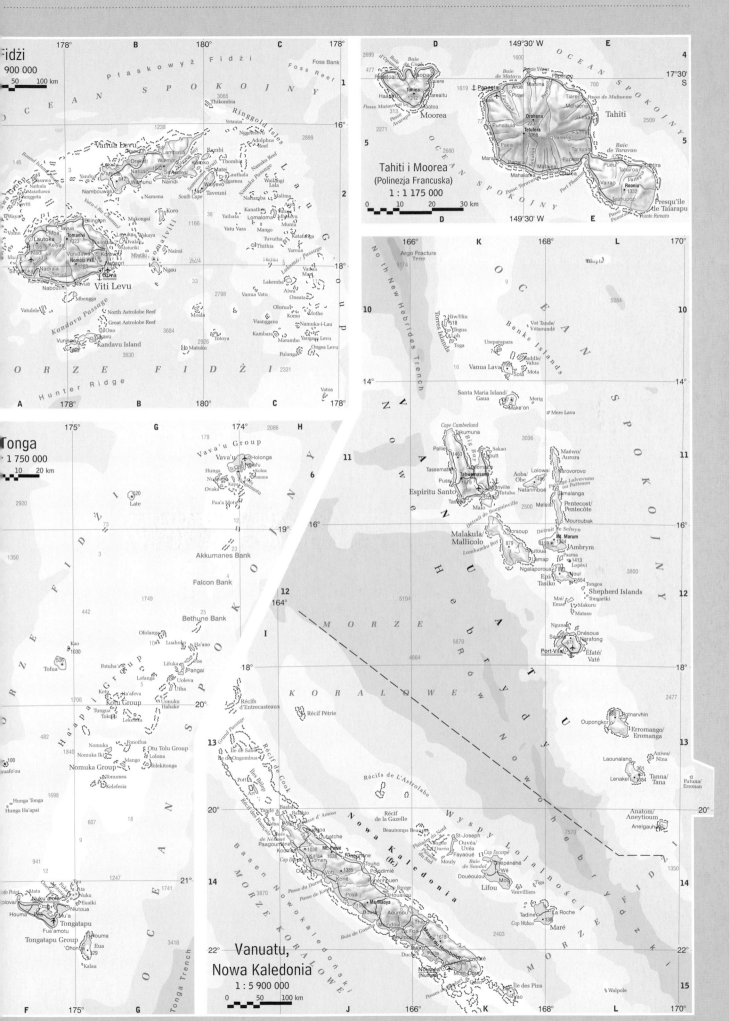

Fidżi
1 : 9 000 000

50   100 km

OCEAN SPOKOJNY

Płaskowyż Fidżi
Fidżi

Foss Bank
Foss Reef

Thikombia
3065

Ringgold Isles
Vetauua
1238

Adolphus Reef
Nggelelevu
2899

Vanua Levu
Lampasa
Rambi

Yandua
Mbua
Naweni Bay
Namuka Reef
Mango
Waikava

Nambouwalu
Natuva
Savusavu
Thakumbau
Nggamea
Waiyevo
Wailangi Lala

Somosomo Strait
Matei
Naindi
Lala

Namena
Taveuni

Koro
Nathamba
Malima

Makongai
Yathata
Kanathea

Wakaya
Lomaloma
Munia

Bellington
Levuka Ovalai
Vatu Vara
Yaroua

Lautoka
Tomanii
1023
Wailotua
Moturiki
Thithia
Katafanga

Nadi
Vunidawa
Mbau
Nairai
Tuvutha

Singatoka
Nadrala
Nomosi Pks.
1203
Nangeori
Mbenggui
Hiuu
Vatia
Wanggava

Rorotovu
Navua
SUVA
Ngau
Vanua Vatu

Naboutini
Viti Levu
2624
Lakemba

Vatulelo
North Astrolabe Reef
Olorua
Komo
Namuka-i-Lau

Vunisea
Ono
Great Astrolobe Reef
Moala
Vuanggava
Yangasa Levu

Kandavu Island
3684
Totoya
Kambara
Marambo
Ongea Levu

3630
Matuku
2926
Fulanga

ORZE FIDŻI
2798
Vanua Vatu
Aiwa
Oneata
2331

Hunter Ridge
3684
Vatoa

Tahiti i Moorea
(Polinezja Francuska)
1 : 1 175 000

0   10   20   30 km

149°30' W

OCEAN SPOKOJNY

Baie d'Opunohu
Baie de Cook
Papetoai
Paopao
Vaiare
Punaauia
Mahina
Papenoo

Tohiea
1212
Fareaitu
Papeete
Arue
Pirae
Tiarei
Passe de Mahaena

Moorea
Maatoa
Orohena
2237
Mahaena

Passe Matavai
Punaauia
Teivi
2066
Faaone
Tahiti
2509

Paea
Maraa
Papara
Mataiea
Papeari
Pueu
Tautira

Mahaiatea
Vairao
Rooniu
1332
Teahupoo

Presqu'île de Taiarapu

Pointe Fareara
149°30' W

Tonga
1 : 1 750 000

10   20 km

Vava'u Group
Vava'u
Holonga
Neiafu
Hunga
Koloa
Ovaka
Kapa
Pangaimotu

Late
520
Fua'a Motu

Akkumanes Bank

Falcon Bank

Bethune Bank

Ofolanga
Luahoko
Ha'ano
Fotuha'a
Kao
1030
Lifuka
Foa
Tofua
Lofanga
Uoleva
Kotu
Ha'afeva
Uiha
Tungua
Uonuku
Hahake
Tokulu
Lekeleka

Nomuka
Fonoifua
Otu Tolu Group
Nomuka Iki
Lolona
Telekitonga
Nomuka Group
Mango
Tonumea
Kelefesia

Hunga Tonga
Hunga Ha'apai

Ha'apai Group
Kotu Group

Nuku'alofa
Nuku
Euaiki
Niutoua
Mu'a
Houma
Tongatapu
Nukunuku
Eua
Tongatapu Group
'Ohonua
Kalau

OCEAN SPOKOJNY
ORZE FIDŻI

Tonga Trench

Vanuatu,
Nowa Kaledonia
1 : 5 900 000

0   50   100 km

Argo Fracture Zone

OCEAN SPOKOJNY

North New Hebrides Trench

Torres Islands
Hiw/Hiu
518
Tegua
Loh
Toga

Ureparapara

Banks Islands
Vot Tande/
Vétaoundé

Vanua Lava
Saddle/
Valua
Sola
Mota

Santa Maria Island/
Gaua
Merig
Make'on
Mere Lava

Cape Cumberland
Takumuna
Maéwo/
Aurora

Pallie
Big Bay
Sakao
Marovorovo

Espiritu Santo
Tassematu
Putt
Aoba/
Obe
Lolowai
Lolvavana
ou Patteson

Tabwemasana
1879
Tutuba
Natarimboe
Umalanga

Malo
Melsisi
Pentecost/
Pentecôte

Détroit de Bougainville
2500
Mourouback

Malakula/
Mallicolo
Norsoup
Détroit de Selwyn
Ambrym

Mt. Marum
1159
1334
Paama
1413

Lambumbu Bay
Autoua
Lamap
Lopévi
554

Ngalaporquau
Tongoa
Youl

Epi/
Tasiko
Shepherd Islands

Mai/
Emae
Tongariki
Makura

Ngunia
Mataso

Onésoua
Saama
Narofong

Port-Vila
Éfaté/
Vaté

MORZE

HEBRYDY

Récifs
d'Entrecasteaux
Récif Pétrie

Oupongkor
Erromango/
Eromanga

Laounalang
Aniwa/
Nina

KORALOWE
Grand Passage
Lenakel
1084
Tanna/
Tana

Futuna/
Erronan

Récifs de L'Astrolabe

Anatom/
Aneytioum
Anelgauhat

Yanda
Baaba
Pott
Ile Belep
Balabio
Passe d'Amoss
Récif
de la Gazelle

Poum
Ouégoa
Oubatche
Beautemps Beaupré

Koumac
Kaala
Gomen
Touho
Ouvéa/
Uvéa
St-Joseph

Ile des
Français
Voh
Koné
Poindimié
Fayaoué
Mouly
Cap Escarpé

Poya
Mé Maoya
1618
Houailou

Bourail
La Foa
Thio
Tadine
Cap Wabao
Maré
138

Boulouparis
Dumbéa
Mt Koghi
Yaté

Nouméa
(Numea)
Ile des Pins
Walpole

Nowa Kaledonia
(fr.)

Wyspy Lojalności

Lifou

MORZE KORALOWE

Basen Nowokaledoński

Wyspy
Nowe
Hebrydy
Nowej
Fidżi

299

Ocean Spokojny

Ocean Spokojny ma największą powierzchnię i objętość oraz jest najgłębszym zbiornikiem wodnym na Ziemi. Rozciąga się pomiędzy Ameryką Północną i Południową na wschodzie a Azją i Australią na zachodzie. Najbardziej urozmaicona linia brzegowa występuje w części zachodniej, gdzie znajdują się liczne archipelagi (Malajski, Filipiński, Wyspy Japońskie), morza i zatoki. Na zachód od Australii i południowo-wschodniej Azji porozrzucane są niewielkie wysepki (najczęściej pochodzenia wulkanicznego), często tworzące archipelagi, składające się na Oceanię.

Ukształtowanie dna oceanicznego jest bardzo urozmaicone. Charakterystyczne są najbardziej rozległe na świecie baseny oceaniczne i najgłębsze rowy: Mariański (maksymalna głębokość 11 034 m), Tonga (10 882 m), Kurylsko-Kamczacki (10 542 m), Filipiński (10 497 m). Centralną część Oceanu Spokojnego

Największe zaobserwowane na Oceanie Spokojnym fale miały wysokość ponad 25 m i długość około 350 m. W wyniku trzęsień ziemi i wybuchów wulkanów powstają tsunami – fale o wysokości 1–5 metrów, poruszające się z prędkością nawet do 1000 km/godz. i spiętrzające się u wybrzeży do kilkudziesięciu metrów. Powodują one ogromne zniszczenia na lądzie.

stanowi oceaniczna skorupa ziemska zbudowana ze skał magmowych, pokrytych skałami osadowymi. Miąższość tych osadów wynosi średnio 300–400 m, a w rowach oceanicznych dochodzi do 2–3 km.

Wody Oceanu Spokojnego są w stałym ruchu. Występują tu: pływy, falowanie i prądy morskie. Pływy mają charakter głównie półdobowy. Jedynie na morzach: Ochockim, Japońskim i Południowochińskim, a także wokół Aleutów, Archipelagu Bismarcka oraz Wysp Salomona występują pływy dobowe. Największe wysokości pływów odnotowuje się w zatokach: Penżyńskiej (Morze Ochockie) do 13,2 m, Cooka (w części zatoki Alaska) do 12,0 m, Bristolskiej (Morze Beringa) 8,3 m. Najsilniejsze falowanie wiatrowe występuje na obu półkulach na szerokościach wyższych niż 40° (określane przez marynarzy ryczącymi czterdziestkami lub wyjącymi pięćdziesiątkami). Wysokość fal przekracza 15 m, długość 300 m.

Największe zasolenie występuje w strefach zwrotnikowych (powyżej 35‰), w wysokich szer. geogr. spada do 33,5‰ na półkuli południowej i 32‰ na północnej. Najmniejszym zasoleniem (30–31‰) charakteryzują się wody akwenów przybrzeżnych i w umiarkowanych szerokościach geograficznych.

patrz mapa str. **306-307**

Ocean Atlantycki

Już od kilku lat naukowcy wyróżniają Ocean Arktyczny, uznawany wcześniej za północną, okołobiegunową część Oceanu Atlantyckiego. Po uwzględnieniu tych zmian Ocean Atlantycki ma powierzchnię 91,7 mln km², co stanowi 25% powierzchni oceanu światowego i plasuje go pod tym względem na drugim miejscu pośród oceanów. Atlantyk leży pomiędzy Europą i Afryką na wschodzie, Ameryką Północną i Południową na zachodzie, a na południu dochodzi do Antarktydy. Na północy umowną granicę pomiędzy nim a Oceanem Arktycznym prowadzi się od półwyspu Stadlandet w południowej Norwegii, przez Szetlandy, Wyspy Owcze, Islandię, Grenlandię i Ziemię Baffina, aż do przylądka Chidley Cap na półwyspie Labrador.

Nazwy Atlantyku (grecka – *Atlantis* i łacińska – *Mare Atlanticum*) oznaczały w starożytności morze między Cieśniną Gibraltarską a Wyspami Kanaryjskimi. Pochodzą one od legendarnej wyspy opisanej przez Platona – Atlantydy.

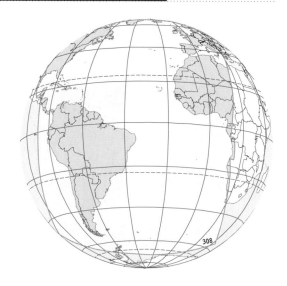

Ocean Atlantycki jest najbardziej zasolony ze wszystkich oceanów (średnio 35,4‰). Największe zasolenie występuje w strefie międzyzwrotnikowej (oddziaływanie pasatów) – do 38‰,

W żegludze transatlantyckiej szczególne miejsce zajmują wielkie jednostki. Obecnie największym statkiem pasażerskim jest Queen Mary II ważący 150 tys. ton i mający długość 345 m. Pod koniec 2003 r. opuścił on stocznię w Saint-Nazaire, a od 2004 r. obsługuje połączenie z Southampton do Nowego Jorku. Jednorazowo na pokład może przyjąć 2600 pasażerów i 1250 członków załogi. Rejsy trwające 6 dni odbywają się 30 razy w ciągu roku.

podczas gdy w umiarkowanych szerokościach geograficznych obniża się do 35‰, a w szerokościach okołobiegunowych spada do 32‰. Zdecydowanie niższe zasolenie występuje w morzach zamkniętych i półzamkniętych w umiarkowanych szerokościach geograficznych (np. Morze Bałtyckie tylko 7–8‰). Z kolei w morzach zamkniętych strefy zwrotnikowej zasolenie wzrasta – nawet do 39‰ w Morzu Śródziemnym.

Pływy na oceanie mają charakter półdobowy (za wyjątkiem Zatoki Meksykańskiej, gdzie występują pływy dobowe). Średnia różnica wysokości pływów waha się od 20 cm na otwartym oceanie do 1,5 m przy brzegach. Najwyższe pływy obserwuje się w zatokach. Przy brzegach Francji – koło Hawru osiągają 7 m, przy brzegach Wielkiej Brytanii – koło Bristolu – 17 m, natomiast w Kanadzie, w zatoce Fundy maksymalnie 20 m.

patrz mapa str. **308**

Ocean Indyjski

Ocean Indyjski znajduje się w większości na półkuli południowej, między Afryką, Azją, Australią i Antarktydą. Powstał w wyniku rozpadu lądu Gondwany i stopniowego odsuwania się od siebie jego fragmentów, które rozpoczęło się w mezozoiku, w jurze. Dno oceanu pokrywają głównie osady okresu kredowego oraz kenozoiczne.

Zasolenie wód powierzchniowych oceanu jest dość duże (średnio 34,8‰). Największym zasoleniem charakteryzują się obszary zwrotnikowe, a zwłaszcza morza zamknięte (Morze Czerwone – 42‰, Zatoka Perska – 40‰, Morze Arabskie do 36,5‰). W południowej części oceanu w średnich szerokościach geograficznych wynosi ono 35,5‰, a w wodach antarktycznych 33,5‰. Jednak najniższe stężenie soli notuje się latem w północnej części Zatoki Bengalskiej (25–26‰) i Morza Andamańskiego (20‰), co jest spowodowane ogromnym napływem słodkich wód pochodzących z opadów monsunowych i topniejących lodowców. Wody te spływają rzekami, między innymi Gangesem, Brahmaputrą i Indusem.

Na wielu wyspach leżących na Oceanie Indyjskim dominującą gałęzią gospodarki jest turystyka. Na Malediwach (na zdjęciu) w 2006 r. spędziło wakacje 500 tys. turystów, przybyłych głównie z krajów Europy Zachodniej oraz Japonii i Indii.

Średnia roczna temperatura wód powierzchniowych Oceanu Indyjskiego wynosi 17°C. W strefie równikowej jest ona stała i wynosi 28–29°C. Na otwartym Oceanie na północ od równika temperatura wód powierzchniowych wynosi 23–25°C, przekracza 30°C w Morzu Czerwonym, a maksimum – 35°C – osiąga w sierpniu w Zatoce Perskiej. Na półkuli południowej temperatury wód są niższe (w lecie 21–25°C w szerokościach około 30° oraz 5–9°C w szerokościach około 50°, w zimie wynoszą odpowiednio – 16–20°C i 3–5°C). U wybrzeży Antarktydy temperatura wód powierzchniowych oscyluje w granicach zera.

Prądy powierzchniowe oceanu tworzą dwa wielkie systemy cyrkulacji. W północnej części kierunek, prędkość, wielkość przepływu i temperatura wody prądów powierzchniowych zmieniają się sezonowo, głównie pod wpływem monsunów, natomiast w części południowej prądy wchodzą w skład stałej cyrkulacji podobnie jak w pozostałych oceanach na półkuli południowej.

patrz mapa str. **309**

Obszary polarne

Arktyka

Arktyka to obszar polarny o powierzchni 21 mln km², rozciągający się wokół bieguna północnego aż po koło podbiegunowe północne. W jej centralnej części znajduje się Ocean Arktyczny, którego głębokość na samym biegunie wynosi około 4100 m. Większość jego powierzchni pokrywa wieloletni lód morski o grubości 2 do 5 m.
Wielkie płyty dryfującego paku polarnego pod wpływem wiatru i silnych prądów morskich zderzają się ze sobą, tworząc wielometrowe wypiętrzenia tafli lodu – torosy. Natomiast góry lodowe pochodzą z „cielących się" lodowców, zsuwających się z górzystych fragmentów lądów leżących na obrzeżach Arktyki. Najrozleglejszy lądolód Arktyki znajduje się na Grenlandii.

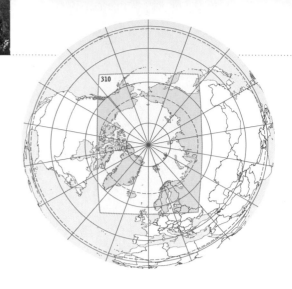

Tundra zajmuje powierzchnię około 3 mln km². Bezkresna, pozbawiona drzew przestrzeń, podczas zimy zasypana śniegiem i pogrążona w ciemności nocy polarnej, przez większą część roku sprawia wrażenie opustoszałego, jałowego terenu. Latem jednak pokrywa się wielokolorowym kobiercem roślin kwiatowych, z których najładniej wyglądają skupiska skalnic i lepnicy. Woda z topniejącego śniegu spływa licznymi strumykami i tworzy długo utrzymujące się z powodu wiecznej zmarzliny gleby płytkie rozlewiska, w których rozwijają się larwy bezkręgowców, zwłaszcza komarów i meszek. Stanowią one doskonałą bazę pokarmową dla większości gatunków ptaków powracających wiosną w te rejony dla odbycia lęgów. Długi dzień polarny pozwala zwierzętom zdobywać pokarm niemal przez całą dobę, co sprzyja wychowaniu potomstwa i gromadzeniu tłuszczu przed zimą lub wędrówką.

Tę największą na Ziemi wyspę pokrywa w 83% lodowa czapa, zajmująca 1,8 mln km², o maksymalnej grubości 3300 m.
Tu wznosi się też najwyższy szczyt Arktyki – Góra Gunnbjørna, o wysokości 3700 m n. p. m. Część lądowa Arktyki, zajmująca około 10 mln km² to, poza Grenlandią, północne skrajne części Europy, Syberii, Alaski i Kanady oraz wyspy: Archipelag Arktyczny, Nowa Ziemia, Spitsbergen i wiele innych.
Przeważa tu krajobraz nizinny z tundrą – bezleśnym zbiorowiskiem roślinności arktycznej, składającej się z porostów, mchów, traw, roślin zielnych, krzewinek i karłowatych drzewek.
Klimat tego obszaru cechuje się bardzo niskimi temperaturami utrzymującymi się przez wiele miesięcy. Najmroźniejsze jest centrum lądolodu Grenlandii ze średnią temperaturą roczną -30,2°C. W tym tak bardzo nieprzyjaznym środowisku egzystuje jednak (oprócz dominujących roślin zarodnikowych) ponad 1500 gatunków roślin naczyniowych i żyje wiele gatunków zwierząt morskich i lądowych. Najbardziej charakterystycznym z nich jest niedźwiedź polarny. Ponadto są tu także renifery, woły piżmowe, lisy polarne, leminigi, liczne ptaki, zwłaszcza morskie, zaś w zimnych wodach żyją foki, walenie, ryby i bezkręgowce.
Nieprzyjazny klimat nie odstraszył też ludzi. Od wielu tysięcy lat Arktykę zasiedlają jej rdzenni mieszkańcy: Eskimosi, Lapończycy, Nieńcy, Ewenkowie, Dołganie, Czukcze i inni.

Eskimosi, sami siebie określający jako Innuit (prawdziwi ludzie), to najliczniejszy, lecz zaledwie 130-tysięczny lud polarny, który dokonał nagłego skoku cywilizacyjnego. Nadal ich tradycyjnym zajęciem jest rybołówstwo oraz polowanie na renifery i ssaki morskie, lecz już przy użyciu nowoczesnego sprzętu.

Niedźwiedzie polarne są wszystkiego ciekawe. Często podchodzą do ludzi tylko obserwując ich. Jedynie bardzo głodne lub podrażnione atakują człowieka, niekiedy ze skutkiem śmiertelnym. Potrafią wyrządzić dużo szkód w domkach traperskich, a także dobierając się do magazynów żywności ekspedycji polarnych.

304

patrz mapa str. **310**

Antarktyka

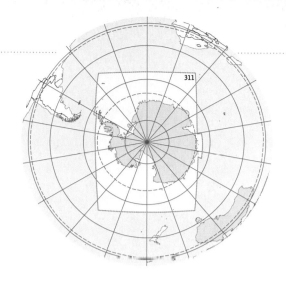

Góra lodowa jest olbrzymim zbiornikiem zamrożonej słodkiej wody. Proporcja pomiędzy jej częścią wynurzoną a podwodną wynosi 1:5,5, co oznacza, że 85% całej masy znajduje się pod wodą. Największe z nich, stołowe, powstają z pękających płyt lodowców szelfowych. Rekordzistka miała 335 km długości i 97 km szerokości.

Kryl jest podstawą pożywienia wielu zwierząt antarktycznych: pingwinów, niektórych fok i waleni fiszbinowych. Jego skład chemiczny oraz duże zasoby spowodowały, że przez człowieka jest eksploatowany na skalę przemysłową.

Antarktyka to obszar polarny obejmujący cały kontynent Antarktydy wraz z okolicznymi wyspami oraz wodami południowych krańców Atlantyku, Pacyfiku i Oceanu Indyjskiego. Linię brzegową Antarktydy w 95% tworzą krawędzie lądolodu i czoła lodowców szelfowych, a tylko w 5% skały. Prawie 99% kontynentu pokrywa lądolód o średniej grubości 2700 m. Pozostały 1% powierzchni zajmują oazy wolne od lodu, pasma górskie oraz nunataki – samotne skały wystające ponad powierzchnię otaczającego je lodowca lub lądolodu. Najwyższym szczytem jest Mount Vinson (5140 m n.p.m.) wznoszący się w Górach Ellswortha. Leżące naprzeciw siebie Morze Weddella i Morze Rossa głęboko wcinają się w kontynent, dzieląc go na część zachodnią – mniejszą, niższą i cieplejszą, oraz wschodnią – większą, wyższą i zimniejszą, której czapa lodowa osiąga maksymalną grubość około 4800 m. Ten gigantyczny lodowiec przemieszcza się od środka kontynentu ku jego brzegom z prędkością 200 m na rok. Ze zsuwającego się do morza lądolodu powstają lodowce szelfowe, których czoła tworzą bariery lodowe. Pełznięcie lodowej masy ku wybrzeżom dostarcza wciąż nowego materiału, z którego tworzą się góry lodowe. Na Antarktydzie panuje najsurowszy klimat na Ziemi. Najmroźniejszy jest sierpień: średnia temperatura miesiąca w głębi kontynentu wynosi -68°C. Najcieplejszy jest styczeń, ze średnią -28°C. W centralnej części Antarktydy Wschodniej zanotowano najniższą na Ziemi temperaturę powietrza: -89,6°C. W rejonach przybrzeżnych w lecie notuje się nawet temperatury dodatnie. Różnica temperatur pomiędzy cieplejszym obrzeżem i zimnym centrum oraz nachylenie powierzchni kontynentu ku morzu sprzyjają powstawaniu silnych wiatrów, wiejących w niektórych rejonach przez 340 dni w roku ze średnią prędkością powyżej 80 km/h, a w porywach przekraczającą często 300 km/h. Surowe warunki nie sprzyjają występowaniu roślinności, składającej się głównie z glonów, porostów i mchów. Żyje tu też niewiele gatunków zwierząt, tylko morskich. Oprócz pingwinów występują inne ptaki morskie, m.in. petrele, nawałniki, wydrzyki. W wodzie żyją foki, walenie, ryby i bezkręgowce, np. kryl.

Kolonia pingwinów Adeli, gatunku odkrytego w 1840 r. przez francuskiego żeglarza i polarnika, komandora Dumont d'Urville'a, który nazwał te pingwiny, jak i fragment wybrzeża kontynentu, imieniem swojej pięknej żony.

patrz mapa str. **311**

EUROPA

Syberia

Ural

Wołga (Wolga)

Ob

Jenisej (Jenisей)

Lena

Pogórze Kazaskie

Bałchasz

Ałtaj

Bielucha 4506

Sajany

Bajkał

Góry Jabłonowe

Góry Stanowe 2412

Amur

MORZE OCHOCKIE

Półwysep Kamczacki

Kluczewska Sopka

Basen Aleucki

Grzbiet Bowersa

Tien-szan

Gobi

Wielki Chingan

Góry BureJskie 2077

Sichote-Aliń

Hokkaido

Basen Kurylski

Basen

Takla Makan

Ałtyn-Tag

Muztag 7723

Qilian Shan

Huang He (Rzeka Żółta)

Nizina Chińska

Półwysep Koreański

MORZE JAPOŃSKIE

Wyspy Japońskie

Fudzi 3776

Północno-Zachodni

Shatsky Rise

Pamir

Kun

lun

Wyżyna Tybetańska

Karakorum

Czomolungma (Mount Everest) 8848

Gongga Shan 7590

Jangcy

Himalaje

Ganga (Ganges)

Brahmaputra

Góry Południowochińskie

Zhu Jiang (Rzeka Perłowa)

Zwrotnik Raka

MORZE WSCHODNIOCHIŃSKIE

Tajwan

Ryūkyū Trench

Kazan-rettō

Mapmaker Seamount

Minami Tori-shima

Grzbiet Środkowopacyficzny

Półwysep Indochiński

Góry Annamskie

Hajnan

Babuyan Islands

Basen Filipiński

Luzon

Basen Zachodniomariański

Row Mariański

Basen Wschodniomariański

Wyspy Marshalla

Bengal Fan

Zatoka Bengalska

Andamany

Nikobary

MORZE ANDAMAŃSKIE

Zatoka Tajlandzka

Cieśnina Malakka

Ngoc Linh 2598

Mindoro

Panay

Negros

Palawan

Samar

Mindanao

FILIPINY

FILIPIŃSKIE

MORZE SULU

Yap

Palau Islands

Euripik Atoll

Basen Zachodniokaroliński

Basen Wschodniokaroliński

Mikronezja

Marshall Seamount

Półwysep Malajski

Tahan 2190

Kinabalu 4101

Apo 2954

MORZE CELEBES

Borneo

Kapingamarangi Rise

Nauru

Banaba/Ocean

Basen Melanezyjski

Wyspy Gilberta

Równik

OCEAN

Kerinci 3805

Krakatau

Sumatra

Wielkie Wyspy Sundajskie

MORZE JAWAJSKIE

Jawa

MORZE FLORES

MORZE MOLUCKIE

Seram

Buru

Puncak Jaya 5030

Nowa Gwinea

Arch. Bismarcka

Nowa Brytania

MORZE BISMARCKA

Wyspy Salomona

Melanezja

Basen Kokosowy

Wyspa Bożego Narodzenia

Wyspy Kokosowe

Planet Death

Bali

Lombok

Sumbawa

Flores

Timor

MORZE SAWU

Sumba

MORZE BANDA

Sahul Shelf

MORZE ARAFURA

MORZE SALOMONA

Guadalcanal

Santa Cruz Islands

Basen Północno-fidżyjski

Basen Zachodnio-australijski

Male Wyspy Sundajskie

TIMOR

Basen Północno-australijski

Zatoka Karpentaria

Coral Sea Basin

MORZE KORALOWE

Zwrotnik Koziorożca

Exmouth Plateau

Rowley Shoals

Kimberley Plateau

Barkly Tableland

Mt. Bartle Frere 1612

Wielka Pustynia Piaszczysta

Góry Macdonnella Mt. Zeit

Selwyn Range

Wielkie Góry Wododziałowe

Nowa Kaledonia

MORZE Hunter

Basen Południowo-fidżyjski

FIDŻI

Hamersley Range 1227

AUSTRALIA

Pustynia Simpsona

Mt. Woodroffe 1515

Musgrave Ranges

Wielka Pustynia Wiktorii

Lake Eyre

Góry Flindersa

Middleton Reef

Elizabeth Reef

Lord Howe Island

Ball's Pyramid

Norfolk Island

Norfolk Ridge

Basen Południowo-fidżyjski

Lau Ridge

Broken Ridge

Ob' Trench

Naturaliste Plateau

Cape Leeuwin

Wielka Zatoka Australijska

Góra Kościuszki 2228

Challenger Plateau

Amsterdam

W. Św. Piotra

Diamantina Fracture Zone

Basen Południowoaustralijski

Tasmania

MORZE Tasmana

Basen

Tasmana

Góra Cooka 3764

Wyniesienie Australijsko-Antarktyczne

OCEAN INDYJSKI

Wyspy Kerguelena

Wyspy McDonalda

Heard

Wyniesienie Kergueleńskie

Banzare Seamounts

Basen Australijsko-Antarktyczny

Tasman Plateau

TASMANA

Auckland Islands

Campbell Plateau

Campbell Island

Macquarie Island

Macquarie Ridge

Linia zmiany daty

Opis patrz str. 302

0   500   1000   1500 km

160° J 150° j 140° K 130° k 120° L 110° l 100° M 90° m 80° N 70° n 60° O 50° o 40° P 30° p 20° Q 10° q

Mt. Logan
6050
Góry Nadbrzeżne
Gulf of
Alaska
Archipelag
Aleksandra
Alaska Pen.
Kodiak Island
710
227
Patton
Seamount
Wyspa
Księcia Walii
Seamounts
1535
Parker
Seamount
1236
1929
Sirius
Seamount
Ziemia Baffina   Grenlandia
Zatoka
Hudsona
Athabaska
J. Reniferowe
Lake
Winnipeg
Saskatchewan River
310
Reykjanes Ridge
Basen
Labradorski
4318
4685
Charles Cape
3130
5384
krawędź Gibbsa

Wielkie Jezioro
Niewolnicze
Wielkie Jeziora
AMERYKA
Nowa
Fundlandia
Cieśn. Cabota
Ława
Nowofundlandzka
Nowofundland Ridge
Zat. Św.
Wawrzyńca
Vancouver
Island
Mt. Rainier
4392
Góry Kaskadowe
Astoria
Canyon
Columbia River
(Kolumbia)
Wielka
Kotlina
Wielkie
Jezioro Słone
Mt. Elbert
4399
RÓWNINY
Missouri R.
Mississippi R.
(Missisipi)
Ohio River
Ozark
Plateau
Arkansas River
Mt. Mitchell
2037
Cape
Hatteras
The Gulf
Góry
Nowej Anglii
1677
878
OCEAN
1087
Wyspa Królowej
Charlotty

7183
5000
Mendocino Fracture Zone
5898
3995
Pioneer Fracture Zone
Mendocino Ridge
1126
Pioneer
Seamount
5322
6298
5267
PÓŁNOCNA
Sierra Nevada
Wielka
Sierra Nevada
Mt. Whitney
4418
Mt. Whitney
5203
Sierra Madre Wschodnia
Nizina Nadbrzeżna
Płaskowyż
Bermudy
6309
ATLANTYCKI
Wyniesienie
Bermudzkie

Krawędź Murraya
347
Erben
Tablemount
549
Jasper
Seamount
Guadalupe
1298
4535
Sierra Madre Zachodnia
3150
4054
Rio Grande
903
Blake'a
Zatoka
Basen Meksykański
Cieśnina
Florydzka
Bahama
Escarpment
6995
Zwrotnik Raka
6660
Mathematicians Seamounts
5780
Pinnacle
1755
Seamounts
6896
5000
Erben
Tablemount
5000
5011
Cabo Falso
California
Seamount
490
Islas Revillagigedo
1235
130
Colima
4100
5700
Citlaltépetl
Juatan
Jukatan
Basen
Jukatański
4901
Kuba
Morze Kalmaskie
1680
Hispaniola
Jamajka
4499
Puerto Rico
Trench
8219
Puerto
Rico
6060

Północno-
7022
5000
Clarion Fracture Zone
5647
508
Île Clipperton
1749
Basen
Gwatemalski 5682
Tajumulco
4220
6662
MORZE KARAIBSKIE
Grzbiet Beaty
4535
Basen
Kolumbijski
Basen
Wenezuelski
5144
Pico Cristóbal
Colón
5800

OCEAN
Wschodni
5303
5000
5000
Krawędź Clippertona
5064
109
3730
5780
20
Galápagos Rift
4497
5485
Wyspa Kokosowa
Kanał Panamski
196
Basen
Panamski
5327
Rio Magdalena
3901
5400

Palmyra Atoll
2708
1830
Gagarin
Seamount
1595
Wyspa Bożego
Narodzenia
Malden Island
5000
5000
5000
5486
5851
1828
Galápagos
1707
Carnegie Ridge
715
Chimborazo
6310
Punta Pariñas
Równik
R. Amazonas
(Amazonka)
Starbuck Island
6581
Penrhyn Atoll
(Tongareva)
Vostok Island
Manihiki Atoll
Markizy
5486
Basen
Huascarán
6768

Wyspy Cooka
5000
Îles Tuamotu
Tuamotu
Archipelago
1592
1929
Peruwiański
5660
Ancohuma
6550
Lago
Titicaca
Tahiti
2237
300
Wyspy Towarzystwa
Wyspy Gambiera
5469
AMERYKA

Rarotonga
652
Îles Tubuai/
Îles Australes
Henderson Island
2726
329
Nazca Ridge
8066
Zwrotnik Koziorożca
Ojos
del Salado
6885

29°
Orne
Seamount
Pitcairn Island
Ducie Island
3000
Sala y Gomez Ridge
5537
423
478
Aconcagua
6960
Maipo
5290
5200
Wachusett
Seamount
100
Ernest
Legouvé Reef
630
1138
601
Isla Sala
y Gomez
5736
340
1790
Desventurados
Easter Fracture Zone
4296
Islas Juan
Fernández
1650
Basen
Chilijski
6801
POŁUDNIOWA

5000
3895
2068
5092
Tranador
3460
Cabo
San Antonio
Rio de la Plata
Basen
Argentyński
6681

Fracture Zone
658
6150
155
2266
5633
Wyniesienie Chilijskie
Southeast
5500
OCEAN ATLANTYCKI
15

5560
5000
5000
1509
3000
Pacific
4322
Cabo
San Diego
Burdwood
Bank
3753
Falklandy/
Malwiny
South Georgia
Rise
152

Grzbiet Pacyficzno-Antarktyczny
702
4250
3700
545
4750
Basin
123
Cieśnina Drake'a
West Scotia Basin
East Scotia Basin
Georgia Południowa
MORZE SCOTIA
Scotia Ridge

Ocean Indyjski

1 : 59 000 000

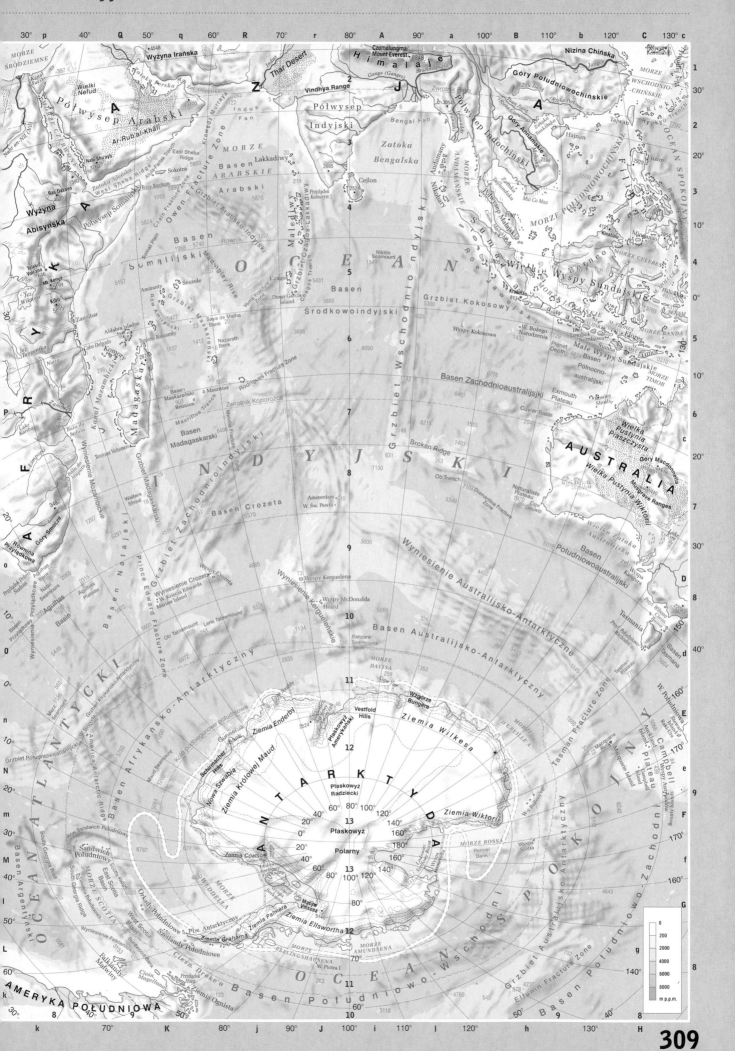

Opis patrz str. **304, 305**

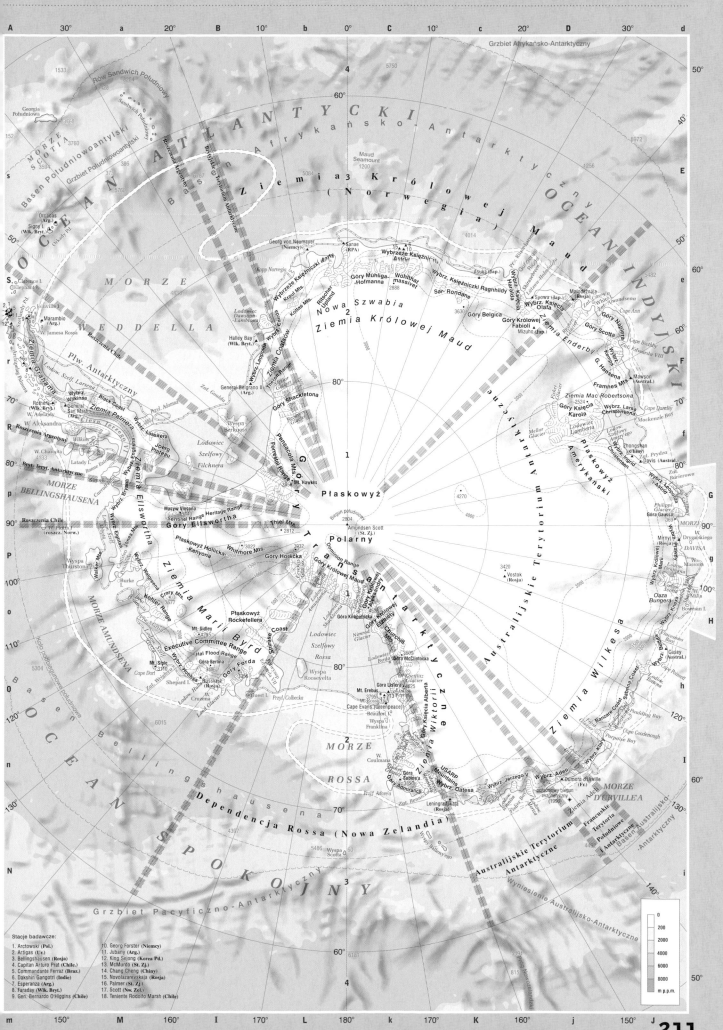

Antarktyka

0 — — — — 500 km

Państwa świata

Część encyklopedyczna **Wielkiego ilustrowanego atlasu świata** została podzielona na: **Państwa świata** i **Świat w liczbach**.

Wyróżniono cztery grupy państw i terytoriów zależnych:

1. Państwa niezależne uznawane przez ONZ. Ich nazwy zostały napisane wielkimi literami pogrubionym pismem, np. **ALBANIA**.

2. Państwa faktycznie niezależne, nieuznawane na arenie międzynarodowej, np. *TAJWAN*, oraz państwa, których status w chwili powstawania atlasu był nieokreślony, np. *SAHARA ZACHODNIA*. Ich nazwy podano wielkimi literami pismem pochyłym i pogrubionym.

3. Terytoria zależne. Ich nazwy zapisane są małymi literami tekstem pogrubionym, a w nawiasie podana jest przynależność, np. **Anguilla** (Wielka Brytania).

4. ANTARKTYKA została wyróżniona, gdyż jest jedynym terytorium, które oficjalnie ma status międzynarodowy.

W części **Państwa świata** znajdują się flagi, godła, krótki rys historyczny oraz dane statystyczne. Jeżeli jakieś państwo ma nazwę skróconą i rozwiniętą, podano obie — na pierwszym miejscu skróconą. Jeśli przy jakimś państwie lub terytorium zależnym nie przedstawiono godła, to znaczy, że godło nie występuje.

Dane statystyczne zawarte w tabelach pochodzą głównie z lat 2003-2007 i zostały pogrupowane na dwie części: informacje ogólne i zagadnienia społeczno-gospodarcze. Jeżeli wykorzystano dane z lat wcześniejszych, rok podano w nawiasie.

W rubryce **Przynależność do organizacji międzynarodowych** pominięto wszystkie organizacje działające pod egidą ONZ, w których członkostwo jest bardzo powszechne. Informacja ta miała na celu ukazanie, jakie są tendencje zrzeszania się w organizacjach regionalnych. Nie uwzględniano jej przy terytoriach zależnych, ze względu na duże zróżnicowanie stopnia zależności względem metropolii. Niektóre z terytoriów są oficjalnie częścią odległego o tysiące kilometrów państwa i należą do organizacji międzynarodowych związanych gospodarczo z zupełnie innym kontynentem. Natomiast rządy innych terytoriów w ramach bardzo dużej autonomii same stanowią o przynależności do stowarzyszeń. Przykładami mogą być Gujana Francuska, która należy do Unii Europejskiej, będąc oficjalnie integralną częścią Francji oraz duńska Grenlandia, która, w przeciwieństwie do Danii, do tej organizacji nie należy.

W tabelach znajdują się dwie pozycje dotyczące języków: **języki urzędowe** i **języki używane**. Do pierwszej kategorii zaliczono języki oficjalnie używane w administracji (państwowej bądź terytorialnej), do drugiej zaś faktycznie używane przez grupy etniczne zamieszkujące dane kraje. Języki używane podano w kolejności uwzględniającej liczbę użytkowników na terenie państwa. W przypadku państw, w których mieszka wiele grup etnicznych (w tym imigrantów) posługujących się licznymi językami, wymieniono wszystkie języki używane przez co najmniej 1% mieszkańców. W państwach o dużej liczbie narodowości wymieniono tylko te języki, którymi posługuje się minimum 1 mln ludzi. Jeżeli oprócz tych języków występuje wiele innych, podana jest ich przybliżona liczba. W niektórych państwach europejskich, w których dominuje jeden język, podano udział procentowy użytkowników tego języka, a ponadto wymieniono języki grup narodowościowych, stanowiących wprawdzie mniej niż 1% populacji, ale charakterystycznych dla poszczególnych regionów kraju. Dotyczy to np. języków łużyckich na Łużycach w Niemczech oraz języka litewskiego na Suwalszczyźnie w Polsce.

W drugiej części tabel znalazły się aktualne informacje społeczno-ekonomiczne. Przedstawiono m.in. informacje z raportu UNAIDS (programu ONZ ds. AIDS) przedstawiającego skalę epidemii AIDS. Ze względu na trudności w oszacowaniu liczby osób zainfekowanych wirusem HIV pokazano najniższe i najwyższe wskaźniki określane dla danego kraju. Dużą część tabel zajmują informacje o dochodach i wydatkach państwa. Znajdują się tutaj dane o wielkości PKB na mieszkańca, strukturze PKB, wydatkach na zbrojenia, dochodach z turystyki. W tabelach trzy pozycje dotyczą handlu zagranicznego. Przedstawiono dane o saldzie obrotów handlu zagranicznego oraz głównych towarach eksportowych i importowych. Na końcu tabel znalazły się informacje o poziomie komputeryzacji, dostępności Internetu oraz rozwoju telefonii komórkowej w poszczególnych krajach.

Tabele zamykają informacje z numerami **stron atlasu**, na których znajdują się mapy danego państwa.

W części atlasu **Świat w liczbach** zawarte są najważniejsze informacje dotyczące Słońca, planet Układu Słonecznego, a przede wszystkim Ziemi. Wymieniono wszelkie „naj", czyli najwyższe szczyty, najdłuższe rzeki itp. Dokonując wyboru, uwzględniono najistotniejsze dane dla każdego kontynentu. Na przykład w najwyższych pasmach Azji, jak Himalaje i Karakorum, pominięto szczyty niższe niż 8000 m n.p.m., ale wymieniono najważniejsze szczyty niższych pasm górskich np. Ałtaju. Podobnie wybór kanałów podyktowany był nie tyle ich rekordową długością, co znaczeniem.

Organizacje międzynarodowe, rok powstania:

ACP (African, Caribean and Pacific Countries) – Państwa Afryki, Karaibów i Pacyfiku, 1975.

AFESD (Arab Fund for Economic and Social Development) – Arabski Fundusz Rozwoju Ekonomicznego i Społecznego, 1968.

ALADI (Asociación Latinoamericana de Integración) – Latynoamerykańskie Stowarzyszenie Integracyjne, 1982.

APEC (Asia-Pacific Economic Co-operation) – Współpraca Ekonomiczna Azji i Pacyfiku, 1989.

ASEAN (Association of South-East Asian Nations) – Stowarzyszenie Narodów Azji Południowo-Wschodniej, 1967.

AU (African Union) – Unia Afrykańska, 2002.

Benelux Economic Union – Unia Ekonomiczna Beneluxu, 1968.

CARICOM (Caribbean Community and Common Market) – Wspólnota Karaibska, 1973.

CBSS (Council of Baltic See States) – Rada Państw Bałtyckich, 1992.

CEFTA (Central European Free Trade Association) – Środkowoeuropejskie Porozumienie o Wolnym Handlu, 1993.

ECO (Economic Co-operation Organisation) – Organizacja Współpracy Ekonomicznej, 1985.

ECOWAS (Economic Community of West Áfrican States) – Współpraca Gospodarcza Państw Afryki Zachodniej, 1975.

EFTA (European Free Trade Association) – Europejskie Stowarzyszenie Wolnego Handlu, 1960.

Forum Wysp Pacyfiku (Pacific Island Forum), 2000; Wcześniej South Pacific Forum, 1971.

ISE (Inicjatywa Środkowoeuropejska) – CEI (Central European Initiative), 1989.

LPA (Liga Państw Arabskich) – Arab League, 1945.

Mercosur (Mercado Común del Sur) – Wspólny Rynek Południa, 1995

NAM (National Association of Manufacturing)

NAFTA (North American Free Trade Agreement) – Północnoamerykański Układ o Wolnym Handlu, 1994.

NATO (North Atlantic Treaty Organisation) – Organizacja Paktu Północnoatlantyckiego, 1949.

OAPEC (Organisation of Arab Petroleum Exporting Countries) – Organizacja Arabskich Krajów Eksportujących Ropę Naftową, 1968.

OAS (Organisation of American States) – OPA (Organizacja Państw Ameryki), 1948.

OECD (Organisation for Economic Co-operation and Development) – Organizacja Współpracy Gospodarczej i Rozwoju, 1961.

OPEC (Organisation of the Petroleum Exporting Countries) – Organizacja Krajów Eksportujących Ropę Naftową, 1960.

Rada Europy - The Council of Europe, 1949.

SAARC (South Asian Accociation for Regional Co-operation) – Południowoazjatyckie Stowarzyszenie Współpracy Regionalnej, 1985.

SADC (Southern African Development Community) – Południowoafrykańska Wspólnota na Rzecz Rozwoju, 1992.

SICA (Sistema de la Integración Centroamericana), 1991.

UE (Unia Europejska) – EU (European Union), 1991.

WNP (Wspólnota Niepodległych Państw), 1991.

Wspólnota Andyjska – CAN (Comunidad Andina de Naciones), 1969.

Wspólnota Pacyfiku – SPC (Secretariat of the Pacific Community), 1998.

UNPO (Unrepresented Nations and Peoples Organisation) – Organizacja Narodów i Ludów Niereprezentowanych, 1991.

Konfederacja Narodów Kaukazu – Confederation of Caucasus Nations, 1992.

ABCHAZJA
REPUBLIKA ABCHAZJI

AFGANISTAN
ISLAMSKIE PAŃSTWO AFGANISTANU

ALBANIA
REPUBLIKA ALBANII

ALGIERIA
ALGIERSKA REP. LUDOWO-DEMOKRATYCZNA

ANDORA
KSIĘSTWO ANDORY

ANGOLA
REPUBLIKA ANGOLI

Anguilla (Wielka Brytania)

ANTARKTYKA

ANTIGUA I BARBUDA

Antyle Holenderskie (Holandia)

ARABIA SAUDYJSKA
KRÓLESTWO ARABII SAUDYJSKIEJ

ARGENTYNA
REPUBLIKA ARGENTYŃSKA

ARMENIA
REPUBLIKA ARMENII

Aruba (Holandia)

AUSTRALIA
ZWIĄZEK AUSTRALIJSKI

AUSTRIA
REPUBLIKA AUSTRII

AZERBEJDŻAN
REPUBLIKA AZERBEJDŻANU

BAHAMY
WSPÓLNOTA BAHAMÓW

BAHRAJN
KRÓLESTWO BAHRAJNU

Baker (Stany Zjednoczone)

BANGLADESZ
LUDOWA REPUBLIKA BANGLADESZU

BARBADOS

BELGIA
KRÓLESTWO BELGII

BELIZE

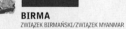 

BENIN
REPUBLIKA BENINU

Bermudy (Wielka Brytania)

BHUTAN
KRÓLESTWO BHUTANU

BIAŁORUŚ
REPUBLIKA BIAŁORUSI

BIRMA
ZWIĄZEK BIRMAŃSKI/ZWIĄZEK MYANMAR

BOLIWIA
REPUBLIKA BOLIWII

BOŚNIA I HERCEGOWINA

BOTSWANA
REPUBLIKA BOTSWANY

BRAZYLIA
FEDERACYJNA REPUBLIKA BRAZYLII

BRUNEI
PAŃSTWO BRUNEI DARUSSALAM

Brytyjskie Terytorium Oceanu Indyjskiego (Wielka Brytania)

Brytyjskie Wyspy Dziewicze (Wielka Brytania)

BUŁGARIA
REPUBLIKA BUŁGARII

BURKINA FASO

BURUNDI
REPUBLIKA BURUNDI

Ceuta i Melilla (Hiszpania)

CHILE
REPUBLIKA CHILE

CHINY
CHIŃSKA REPUBLIKA LUDOWA

CHORWACJA
REPUBLIKA CHORWACJI

CYPR
REPUBLIKA CYPRYJSKA

CYPR PÓŁNOCNY
TURECKA REPUBLIKA CYPRU PÓŁNOCNEGO

CZAD
REPUBLIKA CZADU

CZARNOGÓRA
REPUBLIKA CZARNOGÓRY

CZECHY
REPUBLIKA CZESKA

DANIA
KRÓLESTWO DANII

DEMOKRATYCZNA REPUBLIKA KONGA

DOMINIKA
WSPÓLNOTA DOMINIKI

DOMINIKANA
REPUBLIKA DOMINIKAŃSKA

DŻIBUTI
REPUBLIKA DŻIBUTI

EGIPT
ARABSKA REPUBLIKA EGIPTU

EKWADOR
REPUBLIKA EKWADORU

ERYTREA
PAŃSTWO ERYTREA

Państwa świata

  ESTONIA
REPUBLIKA ESTOŃSKA

  ETIOPIA
FEDERALNA DEMOKRATYCZNA
REPUBLIKA ETIOPII

  Falklandy/Malwiny
(Wielka Brytania)

  FIDŻI
REPUBLIKA WYSP FIDŻI

  FILIPINY
REPUBLIKA FILIPIN

  FINLANDIA
REPUBLIKA FINLANDII

FRANCJA
REPUBLIKA FRANCUSKA

**Francuskie Terytoria
Południowe i Antarktyczne**
(Francja)

  GABON
REPUBLIKA GABOŃSKA

 GAMBIA
REPUBLIKA GAMBII

 **Georgia Południowa
i Sandwich Południowy**
(Wielka Brytania)

 GHANA
REPUBLIKA GHANY

 Gibraltar
(Wielka Brytania)

 GÓRSKI KARABACH
REPUBLIKA GÓRSKIEGO KARABACHU

 GRECJA
REPUBLIKA GRECKA

GRENADA

  Grenlandia (Dania)

 GRUZJA

Guam (Stany Zjednoczone)
Terytorium Guamu

 Guernsey (Wielka Brytania)

  GUJANA
KOOPERACYJNA REPUBLIKA GUJANY

 Gujana Francuska
(Francja)

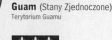 **Gwadelupa** (Francja)

 **GWATEMALA**
REPUBLIKA GWATEMALI

  GWINEA
REPUBLIKA GWINEI

 GWINEA BISSAU
REPUBLIKA GWINEI BISSAU

  GWINEA RÓWNIKOWA
REPUBLIKA GWINEI RÓWNIKOWEJ

 **HAITI**
REPUBLIKA HAITI

 HISZPANIA
KRÓLESTWO HISZPANII

  **HOLANDIA**
KRÓLESTWO NIDERLANDÓW

 HONDURAS
REPUBLIKA HONDURASU

 **Hongkong** (Chiny)
Specjalny Region Administracyjny Hongkong

  Howland
(Stany Zjednoczone)

Île Clipperton (Francja)

 INDIE
REPUBLIKA INDII

 **INDONEZJA**
REPUBLIKA INDONEZJI

 **IRAK**
REPUBLIKA IRAKU

 IRAN
ISLAMSKA REPUBLIKA IRANU

IRLANDIA

 ISLANDIA
REPUBLIKA ISLANDII

 **IZRAEL**
PAŃSTWO IZRAEL

 JAMAJKA

 **Jan Mayen** (Norwegia)

 **JAPONIA**

  Jarvis (Stany Zjednoczone)

 JEMEN
REPUBLIKA JEMEŃSKA

 **Jersey** (Wielka Brytania)

 Johnston (Stany Zjednoczone)

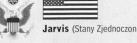  **JORDANIA**
JORDAŃSKIE KRÓLESTWO
HASZYMIDZKIE

 Kajmany
(Wielka Brytania)

  KAMBODŻA
KRÓLESTWO KAMBODŻY

 **KAMERUN**
REPUBLIKA KAMERUNU

  **KANADA**

  **KATAR**
PAŃSTWO KATAR

 KAZACHSTAN
REPUBLIKA KAZACHSTANU

 **KENIA**
REPUBLIKA KENII

Kingman (Stany Zjednoczone)

 KIRGISTAN
REPUBLIKA KIRGISKA

 KIRIBATI
REPUBLIKA KIRIBATI

 KOLUMBIA
REPUBLIKA KOLUMBII

 KOMORY
ZWIĄZEK KOMORÓW

 KONGO
REPUBLIKA KONGA

 KOREA POŁUDNIOWA
REPUBLIKA KOREI

 KOREA PÓŁNOCNA
KOREAŃSKA REPUBLIKA LUDOWO--DEMOKRATYCZNA

 KOSOWO

 KOSTARYKA
REPUBLIKA KOSTARYKI

 **KUBA**
REPUBLIKA KUBY

 **KUWEJT**
PAŃSTWO KUWEJT

LAOS
LAOTAŃSKA REPUBLIKA LUDOWO-DEMOKRATYCZNA

 LESOTHO
KRÓLESTWO LESOTHO

LIBAN
REPUBLIKA LIBAŃSKA

LIBERIA
REPUBLIKA LIBERII

 LIBIA
WIELKA ARABSKA LIBIJSKA DŻAMAHIRIJJA LUDOWO-SOCJALISTYCZNA

LIECHTENSTEIN
KSIĘSTWO LIECHTENSTEINU

LITWA
REPUBLIKA LITEWSKA

LUKSEMBURG
WIELKIE KSIĘSTWO LUKSEMBURGA

 ŁOTWA
REPUBLIKA ŁOTEWSKA

 **MACEDONIA**
REPUBLIKA MACEDONII

 MADAGASKAR
REPUBLIKA MADAGASKARU

 Majotta (Francja)

 Makau (Chiny)
Specjalny Region Administracyjny Makau

 MALAWI
REPUBLIKA MALAWI

 **MALEDIWY**
REPUBLIKA MALEDIWÓW

 **MALEZJA**

 MALI
REPUBLIKA MALI

 MALTA
REPUBLIKA MALTY

Mariany Północne (Stany Zjednoczone)
Wspólnota Marianów Północnych

 **MAROKO**
KRÓLESTWO MAROKAŃSKIE

 Martynika (Francja)

 MAURETANIA
ISLAMSKA MAURETAŃSKA REPUBLIKA

 MAURITIUS
REPUBLIKA MAURITIUSU

 **MEKSYK**
MEKSYKAŃSKIE STANY ZJEDNOCZONE

 Midway (Stany Zjednoczone)
Wyspy Midway

 MIKRONEZJA

 MOŁDAWIA
REPUBLIKA MOŁDAWII

 **MONAKO**
KSIĘSTWO MONAKO

 MONGOLIA

 Montserrat (Wielka Brytania)

 MOZAMBIK
REPUBLIKA MOZAMBIKU

 *NADDNIESTRZE*
MOŁDAWSKA REPUBLIKA NADDNIESTRZAŃSKA

 **NAMIBIA**
REPUBLIKA NAMIBII

 NAURU
REPUBLIKA NAURU

 Navassa (Stany Zjednoczone)

 **NEPAL**
KRÓLESTWO NEPALU

 **NIEMCY**
REPUBLIKA FEDERALNA NIEMIEC

 **NIGER**
REPUBLIKA NIGRU

 NIGERIA
FEDERALNA REPUBLIKA NIGERII

 **NIKARAGUA**
REPUBLIKA NIKARAGUI

 **Niue** (Nowa Zelandia)

 Norfolk (Australia)

 NORWEGIA
KRÓLESTWO NORWEGII

 Nowa Kaledonia (Francja)

Państwa świata

  NOWA ZELANDIA

 OMAN
SUŁTANAT OMANU

 PAKISTAN
ISLAMSKA REPUBLIKA PAKISTANU

 PALAU

 PALESTYNA
STREFA GAZY, ZACHODNI BRZEG JORDANU

 Palmyra
(Stany Zjednoczone)

 PANAMA
REPUBLIKA PANAMY

 **PAPUA-NOWA GWINEA**
NIEZALEŻNE PAŃSTWO
PAPUI-NOWEJ GWINEI

 PARAGWAJ
REPUBLIKA PARAGWAJU

 PERU
REPUBLIKA PERU

 **Pitcairn**
(Wielka Brytania)

 **Polinezja Francuska**
(Francja)
Terytorium Zamorskie Polinezja Francuska

 POLSKA
RZECZPOSPOLITA POLSKA

 Portoryko
(Stany Zjednoczone)
Wolne Stowarzyszone Państwo Portoryko

 PORTUGALIA
REPUBLIKA PORTUGALSKA

 REPUBLIKA POŁUDNIOWEJ AFRYKI

 REPUBLIKA ŚRODKOWOAFRYKAŃSKA

 REPUBLIKA ZIELONEGO PRZYLĄDKA

 Reunion (Francja)

 ROSJA
FEDERACJA ROSYJSKA

  RUMUNIA

 RWANDA
REPUBLIKA RWANDY

 SAHARA ZACHODNIA

 SAINT KITTS I NEVIS
FEDERACJA SAINT KITTS I NEVIS

 SAINT LUCIA

 SAINT VINCENT I GRENADYNY

 Saint-Pierre i Miquelon
(Francja)

 SALWADOR
REPUBLIKA SALWADORU

 SAMOA
NIEZALEŻNE PAŃSTWO SAMOA

 Samoa Amerykańskie
(Stany Zjednoczone)

 SAN MARINO
REPUBLIKA SAN MARINO

 SENEGAL
REPUBLIKA SENEGALU

 SERBIA
REPUBLIKA SERBII

 SESZELE
REPUBLIKA SESZELI

 SIERRA LEONE
REPUBLIKA SIERRA LEONE

 SINGAPUR
REPUBLIKA SINGAPURU

  SŁOWACJA
REPUBLIKA SŁOWACKA

 SŁOWENIA
REPUBLIKA SŁOWENII

 SOMALIA
REPUBLIKA SOMALIJSKA

 SOMALILAND
REPUBLIKA SOMALILANDU

 SRI LANKA
DEMOKRATYCZNO-SOCJALISTYCZNA
REPUBLIKA SRI LANKI

 STANY ZJEDNOCZONE
STANY ZJEDNOCZONE AMERYKI

 SUAZI
KRÓLESTWO SUAZI

 SUDAN
REPUBLIKA SUDANU

  SURINAM
REPUBLIKA SURINAMU

 Svalbard (Norwegia)

 SYRIA
ARABSKA REPUBLIKA SYRYJSKA

 SZWAJCARIA
KONFEDERACJA SZWAJCARSKA

 SZWECJA
KRÓLESTWO SZWECJI

 Święta Helena
(Wielka Brytania)

 TADŻYKISTAN
REPUBLIKA TADŻYKISTANU

 TAJLANDIA
KRÓLESTWO TAJLANDII

  TAJWAN
REPUBLIKA CHIŃSKA

 TANZANIA
ZJEDNOCZONA REPUBLIKA TANZANII

 TIMOR WSCHODNI
DEMOKRATYCZNA REPUBLIKA
TIMORU WSCHODNIEGO

 TOGO
REPUBLIKA TOGIJSKA

Tokelau (Nowa Zelandia)

 TONGA
KRÓLESTWO TONGA

 TRYNIDAD I TOBAGO
REPUBLIKA TRYNIDADU I TOBAGO

 TUNEZJA
REPUBLIKA TUNEZYJSKA

 TURCJA
REPUBLIKA TURCJI

 TURKMENISTAN

 Turks i Caicos
(Wielka Brytania)
Wyspy Turks i Caicos

 TUVALU

 UGANDA
REPUBLIKA UGANDY

 UKRAINA

 URUGWAJ
WSCHODNIA REPUBLIKA URUGWAJU

 UZBEKISTAN
REPUBLIKA UZBEKISTANU

 VANUATU
REPUBLIKA VANUATU

 Wake Island
(Stany Zjednoczone)

 Wallis i Futuna
(Francja)

 WATYKAN
STOLICA APOSTOLSKA/
PAŃSTWO WATYKAŃSKIE

 WENEZUELA
BOLIWARIAŃSKA REPUBLIKA
WENEZUELI

 WĘGRY
REPUBLIKA WĘGIERSKA

 WIELKA BRYTANIA
ZJEDNOCZONE KRÓLESTWO
WIELKIEJ BRYTANII I IRLANDII PÓŁNOCNEJ

 WIETNAM
SOCJALISTYCZNA REPUBLIKA
WIETNAMU

 WŁOCHY
REPUBLIKA WŁOSKA

 WYBRZEŻE KOŚCI SŁONIOWEJ
REPUBLIKA WYBRZEŻA KOŚCI SŁONIOWEJ

 **Wyspa Bouveta**
(Norwegia)

 Wyspa Bożego Narodzenia
(Australia)
Terytorium Wyspy Bożego Narodzenia

 Wyspa Man
(Wielka Brytania)

 Wyspa Ashmore i Cartiera (Australia)
Terytorium Wysp Ashmore i Cartiera

 Wyspy Cooka
(Nowa Zelandia)

 Wyspy Dziewicze Stanów Zjednoczonych
(Stany Zjednoczone)

 Wyspy Heard i McDonalda
(Australia)
Terytorium Wysp Heard i McDonalda

 Wyspy Kokosowe
(Australia)
Terytorium Wysp Kokosowych

 WYSPY MARSHALLA
REPUBLIKA WYSP MARSHALA

 Wyspy Morza Koralowego
(Australia)
Terytorium Wysp Morza Koralowego

 **Wyspy Owcze**
(Dania)

 WYSPY SALOMONA

 WYSPY ŚWIĘTEGO TOMASZA I KSIĄŻĘCA
DEMOKRATYCZNA REPUBLIKA WYSP
ŚWIĘTEGO TOMASZA I KSIĄŻĘCEJ

 ZAMBIA
REPUBLIKA ZAMBII

 ZIMBABWE
REPUBLIKA ZIMBABWE

 ZJEDNOCZONE EMIRATY ARABSKIE
PAŃSTWO ZJEDNOCZONYCH EMIRATÓW ARABSKICH

ABCHAZJA*

REPUBLIKA ABCHAZJI

Obszar Abchazji już w paleolicie był ośrodkiem rolnictwa i obróbki metali. W połowie I tysiąclecia p.n.e. stanowił część starożytnej Kolchidy, kolonizowanej przez Greków. Od IV w. związany był z państwami gruzińskimi, a w VI w. schrystianizowany. Między VIII a X w. istniało tu niezależne państwo abchaskie, które później stało się częścią Gruzji. Od XV do początku XIX w. Abchazja była księstwem zależnym od Turcji. W 1810 r. stała się zależna od Rosji, a w 1864 r. została włączona w jej granice. W latach 1917-1921 należała do niepodległej Gruzji. Po podboju przez Armię Czerwoną weszła w skład Gruzińskiej SRR. W 1931 r. utworzono w ramach tej republiki Abchaską Republikę Autonomiczną. Będąc od 1991 r. w granicach niepodległej Gruzji, w 1992 r. ogłosiła suwerenność i pozostawała z Gruzją w stanie wojny do czasu porozumienia w 1994 r. Pomimo formalnej przynależności do Gruzji pozostaje faktycznie poza kontrolą władz gruzińskich. Państwo nieuznawane na arenie międzynarodowej.

Informacje ogólne ABCHAZJA	* nieokreślony status polityczny
Powierzchnia	8550 km^2
Stolica (liczba mieszkańców)	Suchumi (120 tys.)
Liczba mieszkańców	531 tys.
Gęstość zaludnienia	62 os./km^2
Ustrój	republika
Podział administracyjny	7 okręgów
Przynależność do organizacji międzynarodowych	Konfederacja Narodów Kaukazu, UNPO
Waluta	1 rubel rosyjski = 100 kopiejek
Języki urzędowe	abchaski, rosyjski
Języki używane	abchaski, rosyjski, ormiański, gruziński
Zagadnienia społeczno-gospodarcze	
Religie (wyznawcy)	prawosławni, muzułmanie sunnici
Strona w atlasie	180

AFGANISTAN

ISLAMSKIE PAŃSTWO AFGANISTANU

Pierwotnie Afganowie zamieszkiwali Góry Sulejmańskie na pograniczu z Pakistanem. Początkowo obszar ten należał do państwa perskiego. W VII w. zajął go kalifat arabski. W IX w. Afganowie, uchodząc przed najazdem Turków seldżuckich, zasiedlili dolinę górnego Indusu. Spustoszenia gospodarcze i cywilizacyjne dokonane podczas najazdów mongolskich w XIII i XIV w. uniemożliwiły utworzenie niepodległego państwa. Dopiero w XVII w. miały miejsce walki o niezależność chanów afgańskich z perskimi Sefewidami i indyjskimi Wielkimi Mogołami. Założycielem zjednoczonego państwa Afganistanu był emir Ahmed Szach Durrani, rządzący w latach 1747-1773. Jego państwo objęło obszary zamieszkiwane przez Beludżów, Hazarów, Mongołów, Tadżyków, Turkmenów i Uzbeków. Rozpadło się w 1818 r. na cztery księstwa: Herat, Kabul, Kandahar i Peszawar. Pierwsze trzy zjednoczyły się ponownie w 1863 r. W XIX w. o wpływy w tym rejonie rywalizowały Wielka Brytania i Rosja. Pierwsza próba podboju Afganistanu przez Anglików (1838-1842) nie powiodła się, ale w latach 1878-1880 zajęto jego wschodnią część. Ustalona przez nich w 1893 r. granica z Pakistanem pozostawiła po jego stronie 2 mln Afgańczyków, co do dzisiaj jest źródłem konfliktów. W 1895 r. Afganistan otrzymał fragment Hindukuszu oddzielający rosyjski Pamir od Indii. W latach 1880-1919 kraj rozwijał się stanowiąc jednocześnie strefę buforową między Rosją a brytyjskimi Indiami. Proklamacja niepodległości w 1919 r. była przyczyną trzeciej wojny z Wielką Brytanią. Pomoc, jakiej Rosja udzieliła Afganistanowi zmusiła Anglików do uznania niepodległości i wycofania wojsk. Lata 70. XX w. przyniosły obalenie monarchii, przejęcie władzy przez komunistów w 1978 r. i rok później interwencję wojsk sowieckich trwającą dziesięć lat. Tocząca się od 1989 r. wojna domowa przyniosła zwycięstwo talibom, którzy w 1997 r. przejęli władzę i wprowadzili restrykcyjne prawo koraniczne. Kres ich władzy położyła jesienią 2001 r. interwencja amerykańska, mająca na celu likwidację baz terrorystów islamskich Osamy bin Ladena. Od tego czasu w Afganistanie stacjonują międzynarodowe siły stabilizacyjne nad którymi dowództwo w 2004 r. przejął Eurokorpus. Jesienią 2004 r. odbyły się pierwsze demokratyczne wybory prezydenckie, a posiedzenie inauguracyjne demokratycznie wybranego parlamentu odbyło się zimą 2005 r.

Informacje ogólne AFGANISTAN	
Powierzchnia	645 806 km^2
Stolica (liczba mieszkańców)	Kabul (2 536 tys.)
Liczba mieszkańców	31 057 tys.
Gęstość zaludnienia	48,1 os./km^2
Przyrost naturalny	26,3 os./1000 mieszk.
Saldo migracji	0,4 os./1000 mieszk.
Urbanizacja	22,9%
Ustrój	republika
Podział administracyjny	34 prowincje
Przynależność do organizacji międzynarodowych	ECO, NAM, SAARC
Waluta	1 afgani = 100 pul
Języki urzędowe	paszto, dari
Języki używane	paszto, dari, hazarski, tadżycki, uzbecki, turkmeński, beludżi, brahui, paszaj
Obszary chronione	0,3%

Zagadnienia społeczno-gospodarcze	
Religie (wyznawcy)	muzułmanie sunnici (84%), muzułmanie szyici (15%), pozostali 1%
Analfabetyzm	71,0%
Bezrobocie	40,0%
Przeciętna długość życia	44 – mężczyźni, 44,4 – kobiety (w latach)
Zainfekowani wirusem HIV	<2 tys. os.
PKB na 1 mieszkańca	309 USD
Struktura PKB	rolnictwo 38,0%, przemysł 24,0%, usługi 38,0%
Wydatki na zbrojenia	11 USD/mieszk. (1999)
Dług zagraniczny	39,5% PKB
Saldo obrotów handlu zagranicznego	−2450 mln USD
Główne towary eksportowe	suszone owoce i orzechy, ręcznie tkane dywany, wełna owcza, bawełna, skóry karakułowe, kamienie szlachetne
Główne towary importowe	żywność, ropa naftowa, produkty ropopochodne, energia
Produkcja energii elektrycznej	24 kWh/mieszk.
Samochody osobowe	7,0 szt./1000 mieszk.
Użytkownicy Internetu	1,0 os./1000 mieszk.
Telefony komórkowe	48,0 szt./1000 mieszk.
Strona w atlasie	189

ALBANIA

REPUBLIKA ALBANII

Pierwsze państwo na tym terenie powstało w XII w. W XIV w. zostało podbite przez Serbię. Po jej rozpadzie, pod koniec tego stulecia, odzyskało samodzielność. W latach 30. XV w. zostało zajęte przez Turcję i pozostawało w jej władaniu do 1913 r., z wyjątkiem lat 1443-1468, kiedy cieszyło się niezależnością pod władzą Jerzego Kastrioty zwanego Skanderbergiem. Pod rządami Turków większość Albańczyków przyjęła islam, dzięki czemu faworyzowani przez okupanta mogli zajmować tereny dotychczas zamieszkiwane przez Słowian. W ten sposób zasiedlili m.in. Kosowo, kolebkę serbskiej państwowości. W 1913 r. A. znów stała się niepodległa, ale w granicach które objęły tylko część terytorium zamieszkanego przez Albańczyków. Poza granicami pozostało Kosowo oraz tereny w zachodniej Macedonii i północnej Grecji. W latach 1939-1943 A. była pod okupacją włoską. Wprowadzone w 1944 r. rządy komunistyczne doprowadziły do całkowitego upadku gospodarki pod koniec lat 80. Od 1991 r. Albania jest demokratyczną republiką. W latach 90. sytuacja wewnętrzna była bardzo niestabilna, a kraj przeżywał zapaść gospodarczą. W 2005 r. nastąpiła pewna poprawa, demokratyczne wybory wygrali zwolennicy reform i naprawy kraju. Mimo wprowadzonych zmian Albania jest nadal jednym z najbiedniejszych państw w Europie.

Informacje ogólne ALBANIA	
Powierzchnia	28 747 km^2
Stolica (liczba mieszkańców)	Tirana (388 tys.)
Liczba mieszkańców	3582 tys.
Gęstość zaludnienia	124,6 os/km^2
Przyrost naturalny	9,9 os./1000 mieszk.
Saldo migracji	−4,7 os./1000 mieszk.
Urbanizacja	45,4%
Ustrój	republika parlamentarna
Podział administracyjny	12 prefektur (36 okręgów – rrethi)
Przynależność do organizacji międzynarodowych	ISE, Rada Europy
Waluta	1 lek = 100 quindarka
Języki urzędowe	albański
Języki używane	albański, grecki, arumuński, cygański, macedoński
Obszary chronione	2,9%
Zagadnienia społeczno-gospodarcze	
Religie (wyznawcy)	muzułmanie (70%), prawosławni (20%), katolicy (10%)
Analfabetyzm	13,5%
Bezrobocie	oficjalnie 13,8%, w rzeczywistości ponad 30%
Przeciętna długość życia	75,1 – mężczyźni, 80,7 – kobiety (w latach)
Zainfekowani wirusem HIV	<1 tys. os.
PKB na 1 mieszkańca	2903 USD
Struktura PKB	rolnictwo 21,2%, przemysł 20,1%, usługi 58,7%
Wydatki na zbrojenia	30 USD/mieszk.
Dług zagraniczny	17,4% PKB
Saldo obrotów handlu zagranicznego	−2258 mln USD
Główne towary eksportowe	asfalt, rudy metali, ropa naftowa, warzywa, owoce, tytoń
Główne towary importowe	maszyny, zboże, produkty wysoko przetworzone
Dochody z turystyki	142,9 USD/mieszk.
Produkcja energii elektrycznej	1522 kWh/mieszk.
Samochody osobowe	54 szt./1000 mieszk.
Komputery	11,7 szt./1000 mieszk.
Użytkownicy Internetu	23,5 os./1000 mieszk.
Telefony komórkowe	394,5 szt./1000 mieszk.
Strona w atlasie	119

ALGIERIA

ALGIERSKA REPUBLIKA LUDOWO-DEMOKRATYCZNA

Obszar dzisiejszej Algierii zamieszkiwali od starożytności plemiona berberyjskie. Od XII w. p.n.e. Fenicjanie zakładali na jej wybrzeżu faktorie, które w IX w. p.n.e. weszły w skład państwa kartagińskiego. Po podboju przez Rzym powstały tu prowincje Numidia (46 r. p.n.e.) i Mauretania (25 r. p.n.e.). W latach 429-534 na terenie obecnej Algierii istniało państwo Wandali, podbite przez cesarstwo bizantyjskie. Od 647 r. tereny te zajmowali Arabowie. Coraz silniejszy napływ ludności arabskiej powodował, że miejscowi Berberowie przyjmowali od nich islam. Osadnictwo arabskie trwało do końca XV w. – jego ostatnia fala to uchodźcy z Hiszpanii w 1492 r. Po 1519 r. kraj trafił pod zwierzchnictwo Turcji, od której uniezależnił się w XVIII w. Sukcesywnie zajmowany przez Francję od 1830 r., stał się jej kolonią w 1873 r., ale podbój Sahary trwał do pocz. XX w. Prowadzona od 1954 r. walka podziemnej organizacji bojowej (Front Wyzwolenia Narodowego – FNL) przyniosła w 1962 r. niepodległość. Po przewrocie wojskowym w 1992 r. fundamentaliści islamscy wszczęli wojnę domową, trwającą do dziś. Zginęło w niej ponad 120 tys. osób, a siły bezpieczeństwa ponoszą odpowiedzialność za zaginięcie ponad 6 tys. cywilów.

Informacje ogólne ALGIERIA	
Powierzchnia	2 381 741 km^2
Stolica (liczba mieszkańców)	Algier (1 791 tys.)
Liczba mieszkańców	32 930 tys.
Gęstość zaludnienia	13,8 os/km^2
Przyrost naturalny	12,5 os./1000 mieszk.
Saldo migracji	–0,4 os./1000 mieszk.
Urbanizacja	63,3%
Ustrój	republika
Podział administracyjny	48 wilai
Przynależność do organizacji międzynarodowych	AFESD, AU, LPA, NAM, OAPEC, OPEC
Waluta	1 dinar algierski = 100 centymów
Języki urzędowe	arabski
Języki używane	arabski, berberski, francuski
Obszary chronione	5,0%
Zagadnienia społeczno-gospodarcze	
Religie (wyznawcy)	muzułmanie (99%), katolicy i pozostali (1%)
Analfabetyzm	30,1%
Bezrobocie	15,7%
Przeciętna długość życia	72,1 – mężczyźni, 75,5 – kobiety (w latach)
Zainfekowani wirusem HIV	9 – 59 tys. os.
PKB na 1 mieszkańca	3400 USD
Struktura PKB	rolnictwo 8,2%, przemysł 61,4%, usługi 30,4%
Wydatki na zbrojenia	89 USD/mieszk.
Dług zagraniczny	32,0% PKB
Saldo obrotów handlu zagranicznego	31 817 mln USD
Główne towary eksportowe	ropa naftowa, gaz ziemny
Główne towary importowe	żywność, maszyny i urządzenia dla przemysłu, żelazo i stal, wyroby elektrotech., samochody, lekarstwa
Dochody z turystyki	3,2 USD/mieszk.
Produkcja energii elektrycznej	892 kWh/mieszk.
Samochody osobowe	59 szt./1000 mieszk.
Komputery	9 szt./1000 mieszk.
Użytkownicy Internetu	26,1 os./1000 mieszk.
Telefony komórkowe	415,8 szt./1000 mieszk.
Strona w atlasie	220

ANDORA

KSIĘSTWO ANDORY

Od IX w. była przedmiotem sporu między hiszpańskimi biskupami Urgelu a francuskimi hrabiami de Foix. Układ z 1278 r. ustanowił ich podwójne zwierzchnictwo nad Andorą. Prawa hrabiów de Foix przeszły w 1607 r. na królów Francji. Stan ten trwał do 1993 r. Obecnie Andora jest suwerenną republiką. Izolowana i zacofana ekonomicznie Andora zaczęła przeżywać okres prosperity po II wojnie światowej dzięki rozwojowi turystyki. Jest to państwo docelowych migracji (legalnych i nielegalnych) ze względu na brak podatku dochodowego.

Informacje ogólne ANDORA	
Powierzchnia	468 km^2
Stolica (liczba mieszkańców)	Andora (24 tys.)
Liczba mieszkańców	71 tys.
Gęstość zaludnienia	152,1 os/km^2
Przyrost naturalny	2,4 os./1000 mieszk.
Saldo migracji	6,5 os./1000 mieszk.
Urbanizacja	90,6%
Ustrój	monarchia konstytucyjna
Podział administracyjny	7 gmin
Przynależność do organizacji międzynarodowych	Rada Europy
Waluta	frank francuski, peseta hiszpańska
Języki urzędowe	kataloński
Języki używane	hiszpański, kataloński, francuski
Obszary chronione	7,2%
Zagadnienia społeczno-gospodarcze	
Religie (wyznawcy)	katolicy (94%), protestanci, wyznawcy judaizmu i pozostali (6%)
Analfabetyzm	0%
Bezrobocie	0%
Przeciętna długość życia	80,6 – mężczyźni, 86,6 – kobiety (w latach)
PKB na 1 mieszkańca	44 962 USD
Struktura PKB	usługi 80% (turystyka)
Główne towary eksportowe	odzież, żywność, produkty tytoniowe, sprzęt elektryczny
Główne towary importowe	sprzęt elektroniczny, fotograficzny i optyczny, produkty chemiczne, zegarki
Samochody osobowe	600 szt./1000 mieszk.
Użytkownicy Internetu	164,2 os./1000 mieszk.
Telefony komórkowe	963,6 szt./1000 mieszk.
	Podstawą gospodarki jest obsługa ruchu turystycznego (ok. 9 mln osób rocznie) i handel (strefa wolnocłowa)
Strona w atlasie	127

ANGOLA

REPUBLIKA ANGOLI

W XV w. istniało tu państwo Kongo, na teren którego przybyli w 1529 r. portugalscy osadnicy, kolonizując ujście rzeki Kongo. W latach 1640-1648 wybrzeże było w rękach Holendrów. Rządy Europejczyków zniszczyły miejscowe ośrodki polityczne i w XVII w. tereny te stały się miejscem handlu niewolnikami. Portugalczycy zbudowali kilka portów – m.in. Luandę i Benguelę. Zniesienie niewolnictwa zmusiło ich do penetracji terenów w głębi kraju, rozpoczęcia eksploatacji jego bogactw i wytyczenia granic w 1885 r. W 1955 r. Portugalia ogłosiła dotychczasową kolonię swoją prowincją zamorską. W 1961 r. wybuchło powstanie niepodległościowe, które w 1975 r. doprowadziło do ewakuacji wojsk portugalskich, a jednocześnie do wybuchu wojny domowej, wspomaganej przez wojska RPA. Zwycięska kontrofensywa lewicowej partyzantki wspieranej przez wojska kubańskie i dostawy radzieckiej broni, doprowadziła do proklamacji w 1976 r. Angolskiej Republiki Ludowej. Rozpoczęta wtedy wojna domowa trwała do 2002 r. i pochłonęła ponad 1,5 mln osób, a około 4 mln obywateli zostało przesiedlonych. Obecnie sytuacja w kraju zmierza do normalizacji, uchodźcy powracają na tereny, które zmuszeni byli opuścić z powodu działań wojennych. Infrastruktura kraju uległa zniszczeniu, a wg szacunków w ziemi tkwi około 6 mln aktywnych min. Kraj ciągle potrzebuje pomocy humanitarnej.

Informacje ogólne ANGOLA	
Powierzchnia	1 246 700 km^2
Stolica (liczba mieszkańców)	Luanda (2 644 tys.)
Liczba mieszkańców	12 127 tys.
Gęstość zaludnienia	9,7 os./km^2
Przyrost naturalny	20,9 os./1000 mieszk.
Saldo migracji	3,6 os./1000 mieszk.
Urbanizacja	53,3%
Ustrój	republika
Podział administracyjny	18 prowincji
Przynależność do organizacji międzynarodowych	ACP, AU, NAM, OPEC, SADC
Waluta	1 kwanza = 100 lwei
Języki urzędowe	portugalski
Języki używane	ponad 1 mln użytkowników: owimbundu, mbundu, kongo; ponadto około 40 innych
Obszary chronione	12,1%
Zagadnienia społeczno-gospodarcze	
Religie (wyznawcy)	katolicy (69%), protestanci (20%), wyznawcy religii tradycyjnych (9%), pozostali (2%)
Analfabetyzm	32,6% (2001)
Przeciętna długość życia	34,0 – mężczyźni, 38,9 – kobiety (w latach)
Zainfekowani wirusem HIV	200 – 450 tys. os.
PKB na 1 mieszkańca	2847 USD
Struktura PKB	rolnictwo 9,6%, przemysł 65,8%, usługi 24,6%
Wydatki na zbrojenia	65 USD/mieszk.
Dług zagraniczny	68,5% PKB
Saldo obrotów handlu zagranicznego	23 500 mln USD
Główne towary eksportowe	ropa i produkty naftowe, diamenty
Główne towary importowe	artykuły żywnościowe, środki transportu, urządzenia elektryczne
Dochody z turystyki	1,7 USD/mieszk.
Produkcja energii elektrycznej	181 kWh/mieszk.
Samochody osobowe	9 szt./1000 mieszk. (2002)

Komputery	1,9 szt./1000 mieszk.
Użytkownicy Internetu	12,2 os./1000 mieszk.
Telefony komórkowe	68,6 szt./1000 mieszk.
Strona w atlasie	224

Anguilla (Wielka Brytania)

Wyspa, odkryta w 1493 r. przez Krzysztofa Kolumba, od 1650 r. była posiadłością angielską. W 1882 r. została zjednoczona z Saint Kitts i Nevis. W 1967 r. proklamowała niepodległość, ale brytyjska interwencja zbrojna w 1971 r. przywróciła jej, utrzymany do dziś, status kolonii. Pozostałe dwie wyspy w 1983 r. uzyskały niepodległość.

Informacje ogólne **Anguilla** (Wielka Brytania)	
Powierzchnia	96 km²
Stolica (liczba mieszkańców)	The Valley (1,1 tys.)
Liczba mieszkańców	13 tys.
Gęstość zaludnienia	140,4 os./km²
Przyrost naturalny	8,9 os./1000 mieszk.
Saldo migracji	6,9 os./1000 mieszk.
Urbanizacja	100,0%
Ustrój	terytorium zamorskie Wielkiej Brytanii
Podział administracyjny	brak
Waluta	1 dolar wschodniokaraibski = 100 centów
Języki urzędowe	angielski
Języki używane	angielski-kreolski, angielski
Obszary chronione	0,1%
Zagadnienia społeczno-gospodarcze	
Religie (wyznawcy)	anglikanie (40%), metodyści (33%), adwentyści Dnia Siódmego (7%), baptyści (5%), katolicy (3%), pozostali (12%)
Analfabetyzm	5%
Bezrobocie	8,0% (2002)
Przeciętna długość życia	78,0 – mężczyźni, 83,1 – kobiety (w latach)
PKB na 1 mieszkańca	16 183 USD
Struktura PKB	rolnictwo 4,0%, przemysł 18,0%, usługi 78,0%
Dług zagraniczny	8,0% PKB
Saldo obrotów handlu zagranicznego	–115 mln USD
Główne towary eksportowe	ryby i owoce morza, sól morska
Główne towary importowe	maszyny i urządzenia, środki transportu, paliwa
Dochody z turystyki	5083,3 USD/mieszk.
Samochody osobowe	323,0 szt./1000 mieszk. (1996)
Użytkownicy Internetu	222,6 os./1000 mieszk. (2002)
Telefony komórkowe	133,6 szt./1000 mieszk. (2002)
	Podstawą gospodarki jest turystyka (ok. 100 tys. osób rocznie)
Strona w atlasie	263

ANTARKTYKA

Odkrywcami kontynentu Antarktydy byli w 1820 r. F. Bellingshausen i M. Łazariew, ale pierwszego lądowania dokonał w 1895 r. C. Borchgrevink. Biegun południowy zdobył w 1911 r. R. Amundsen. W 1942 r. wiele krajów zaczęło zakładać na Antarktydzie swoje stacje badawcze, uzasadniając w ten sposób roszczenia do różnych jej części. W 1959 r. dwanaście państw podpisało układ (tzw. antarktyczny), który przewiduje swobodne badania naukowe i wykorzystanie obszaru Antarktyki wyłącznie do celów pokojowych. Polska przystąpiła do tego układu w 1977 r. Roszczenia terytorialne poszczególnych państw w granicach wytyczonych traktatem:

Argentyna, Australia – Australijskie Terytorium Antarktyczne, Chile, Francja – Francuskie Terytoria Południowe i Antarktyczne (Ziemia Adeli), Norwegia – Wyspa Piotra I, Ziemia Królowej Maud, Wyspa Bouveta, Nowa Zelandia – Dependencja Rossa, Wielka Brytania – Brytyjskie Terytorium Antarktyczne (część Antarktydy, Orkady Pd., Szetlandy Pd.)

Informacje ogólne **ANTARKTYKA**	
Powierzchnia	ok. 50 000 000 km² (w tym Antarktyda 13 120 000 km²)
Liczba mieszkańców	brak stałych mieszkańców, sezonowo przebywa tam od 1 tys. do 4 tys. ludzi
	Traktat antarktyczny dotyczy obszaru na południe od równoleżnika 60° szerokości geograficznej południowej
Strona w atlasie	311

ANTIGUA I BARBUDA

Antiguę odkrył w 1493 r. Krzysztof Kolumb. Do 1632 r. była w posiadaniu Hiszpanii, później Anglii. Skolonizowali ją angielscy osadnicy. W 1860 r. została połączona z Barbudą. W 1940 r. część Antigui wydzierżawiły Stany Zjednoczone na bazę marynarki wojennej. Od 1981 r. Antigua i Barbuda są niepodległe, jako członek brytyjskiej Wspólnoty Narodów.

Informacje ogólne **ANTIGUA I BARBUDA**	
Powierzchnia	442 km²
Stolica (liczba mieszkańców)	Saint John's (24 tys.)

Liczba mieszkańców	69 tys.
Gęstość zaludnienia	156,4 os./km²
Przyrost naturalny	11,5 os./1000 mieszk.
Saldo migracji	–6,1 os./1000 mieszk.
Urbanizacja	39,1%
Ustrój	monarchia konstytucyjna w ramach Wspólnoty Narodów
Podział administracyjny	6 parafii
Przynależność do organizacji międzynarodowych	ACP, CARICOM, OAS
Waluta	1 dolar wschodniokaraibski = 100 centów
Języki urzędowe	angielski
Języki używane	kreolski-angielski, angielski
Obszary chronione	0,9%
Zagadnienia społeczno-gospodarcze	
Religie (wyznawcy)	protestanci (42%), anglikanie (32%), katolicy (22%), pozostali (4%)
Analfabetyzm	13,4% (2000)
Bezrobocie	11,0% (2001)
Przeciętna długość życia	70,3 – mężczyźni, 75,2 – kobiety (w latach)
PKB na 1 mieszkańca	12 205 USD
Struktura PKB	rolnictwo 3,8%, przemysł 22,0%, usługi 74,2% (2002)
Wydatki na zbrojenia	65 USD/mieszk.
Saldo obrotów handlu zagranicznego	–490 mln USD
Główne towary eksportowe	alkohole, cukier, elektronika, odzież, bawełna
Główne towary importowe	żywność
Dochody z turystyki	3777,8 USD/mieszk.
Produkcja energii elektrycznej	1522 kWh/mieszk.
Samochody osobowe	358 szt./1000 mieszk. (2000)
Użytkownicy Internetu	259,7 os./1000 mieszk.
Telefony komórkowe	701,3 szt./1000 mieszk.
	Podstawą gospodarki jest turystyka (ok. 400 tys. osób rocznie)
Strona w atlasie	263

Antyle Holenderskie (Holandia)

Wyspy, odkryte przez Krzysztofa Kolumba w latach 1492-1504, stały się posiadłością hiszpańską. W pierwszej połowie XVII w. rywalizowały o nie Hiszpania, Holandia i Wielka Brytania. Holenderska Kompania Zachodnioindyjska w 1634 r. zdobyła trzy wyspy: Arubę, Bonaire i Curaçao, w 1636 r. Sabę i Sint Eustatius, a w 1648 r., wraz z Francją, wyspę Sint Maarten. Po rozwiązaniu Kompanii wyspy, które do niej należały, stały się kolonią holenderską, będącą do XIX w. ośrodkiem handlu niewolnikami, przywożonymi z Afryki. W 1954 r. federacja wysp otrzymała autonomię. W 1986 r. Aruba, uzyskawszy odrębną autonomię, wystąpiła z federacji.

Informacje ogólne **Antyle Holenderskie**	
Powierzchnia	800 km²
Stolica (liczba mieszkańców)	Willemstad (94 tys.) 2001
Liczba mieszkańców	222 tys.
Gęstość zaludnienia	277,2 os./km²
Przyrost naturalny	8,3 os./1000 mieszk.
Saldo migracji	–0,4 os./1000 mieszk.
Urbanizacja	70,4%
Ustrój	terytorium autonomiczne Holandi
Podział administracyjny	brak
Waluta	1 gulden (floren) antylski = 100 centów
Języki urzędowe	holenderski
Języki używane	papiamento, holenderski
Obszary chronione	1,1%
Zagadnienia społeczno-gospodarcze	
Religie (wyznawcy)	katolicy (87%), protestanci (12%), wyznawcy judaizmu i pozostali (1%)
Analfabetyzm	3,2%
Bezrobocie	17,0% (2002)
Przeciętna długość życia	74,2 – mężczyźni, 78,9 – kobiety (w latach)
PKB na 1 mieszkańca	17 837 USD
Struktura PKB	rolnictwo 1,0%, przemysł 15,0%, usługi 84,0% (2000)
Dług zagraniczny	95,7% PKB
Saldo obrotów handlu zagranicznego	–2928 mln USD
Główne towary eksportowe	olej napędowy, paliwo do silników odrzutowych, gaz płynny
Główne towary importowe	ropa naftowa do przerobu, żywność, towary codziennego użytku
Produkcja energii elektrycznej	4527 kWh/mieszk.
Samochody osobowe	299 szt./1000 mieszk.
Użytkownicy Internetu	9 os./1000 mieszk.
Telefony komórkowe	900,9 szt./1000 mieszk.
Strona w atlasie	263

ARABIA SAUDYJSKA

KRÓLESTWO ARABII SAUDYJSKIEJ

Wysoko rozwinięte cywilizacyjnie i gospodarczo państwa stworzone przez Arabów istniały już w XV w. p.n.e. Na przełomie er kolejno podupadły przyćmione wielkością państwa Aleksandra Macedońskiego, Imperium Rzymskiego i państwa perskiego. Po śmierci Mahometa (632 r.), twórcy islamu, Arabowie do początku VIII w. podbili państwo perskie, północną Afrykę i Królestwo Wizygotów (dziś Hiszpania). W X w. plemiona arabskie zaczęły uwalniać się spod władzy kalifatu w Bagdadzie i tworzyć liczne księstwa (emiraty), które od XVI w. kontrolowane były przez sułtanów tureckich. Jednoczenie plemion arabskich zapoczątkował Muhammad Ibn Su'ud (zm. 1765 r.) – utworzył on państwo w Nadżdzie i stał się założycielem panującej do dziś dynastii saudyjskiej. Wybitnym kontynuatorem jego idei był Ibn Saud, który w 1902 r. odzyskał dawną stolicę Saudów Ar-Rijad, odbił Nadżd z rąk dynastii Raszydytów, ustalił granice z Irakiem i Kuwejtem, w 1927 r. przyłączył Al-Hidżaz, a w 1932 r. zmienił nazwę państwa na Królestwo Arabii Saudyjskiej. Od 1933 r. trwa wydobycie ropy naftowej, którym zajmują się amerykańskie koncerny. W 1945 r. powstały tu amerykańskie bazy wojskowe. W 1990 r. Arabia Saudyjska, zagrożona wojną z Irakiem, zezwoliła na koncentrację wojsk państw sprzymierzonych na swoim terytorium i wsparła je swymi żołnierzami, sprzętem i finansowo. Obce wojska stacjonowały na terytorium kraju do 2003 r.

Informacje ogólne **ARABIA SAUDYJSKA**

Powierzchnia	2 149 690 km²
Stolica (liczba mieszkańców)	Ar-Rijad (4 193 tys.), siedziba rządu – Ǧidda
Liczba mieszkańców	27 020 tys.
Gęstość zaludnienia	12,6 os./km²
Przyrost naturalny	26,7 os./1000 mieszk.
Saldo migracji	–4,9 os./1000 mieszk.
Urbanizacja	81,0%
Ustrój	dziedziczna monarchia absolutna
Podział administracyjny	13 prowincji
Przynależność do organizacji międzynarodowych	AFESD, LPA, NAM, OAPEC, OPEC
Waluta	1 rial saudyjski = 100 halala
Języki urzędowe	arabski
Języki używane	arabski, urdu, tagalog
Obszary chronione	37,1%

Zagadnienia społeczno-gospodarcze

Religie (wyznawcy)	muzułmanie sunnici (95%), muzułmanie szyici (3%), chrześcijanie i pozostali (2%)
Analfabetyzm	21,3%
Bezrobocie	13% (mężczyźni)
Przeciętna długość życia	74,0 – mężczyźni, 78,3 – kobiety (w latach)
PKB na 1 mieszkańca	14 733 USD
Struktura PKB	rolnictwo 3,0%, przemysł 65,9%, usługi 31,1%
Wydatki na zbrojenia	811 USD/mieszk.
Saldo obrotów handlu zagranicznego	143 872 mln USD
Główne towary eksportowe	ropa naftowa, produkty naftowe
Główne towary importowe	maszyny i urządzenia elektroniczne, produkty żywnościowe, samochody i inne środki transportu
Dochody z turystyki	162,6 USD/mieszk.
Produkcja energii elektrycznej	5744 kWh/mieszk.
Samochody osobowe	386 szt./1000 mieszk.
Komputery	340,1 szt./1000 mieszk.
Użytkownicy Internetu	63,6 os./1000 mieszk.
Telefony komórkowe	541,2 szt./1000 mieszk.
Strony w atlasie	188-189

ARGENTYNA

REPUBLIKA ARGENTYŃSKA

W czasach prekolumbijskich ziemie te zamieszkiwali indiańskie plemiona Araukanów, Guaranów i Patagończyków. Po odkryciu w 1515 r. ujścia rzeki La Plata, Hiszpanie rozpoczęli w 1536 r. regularny podbój kraju. Utworzone prowincje Buenos Aires, Asunción i Tucumán weszły w skład wicekrólestwa Peru, a od 1776 r. nowo utworzonego wicekrólestwa La Plata. Uzyskało ono niepodległość w wyniku walk prowadzonych w latach 1810-1816. Wkrótce wybuchła wojna domowa, w wyniku której oderwały się i uzyskały niepodległość Boliwia, Paragwaj oraz Urugwaj. Pozostałe prowincje utworzyły w 1826 r. skonfederowaną Republikę Argentyny. W latach 1852-1861 toczyła się kolejna wojna secesyjna, zakończona zwycięstwem centralistów. Granice z Chile ustalono w 1899 i 1902 r. Od 1930 r. na władzę w A. silny wpływ miała armia. Słabły one jedynie za rządów J.D. Peróna (1946-55 i 1973-74), polityka który starała się uniezależnić gospodarkę A. od obcego kapitału, poprawić egzystencję mas pracujących zachowując jednak główne przywileje burżuazji. Dominacja wojskowych zakończyła się po przegranej wojnie z Wielką Brytanią o Falklandy w 1982 r. W 1989 r. peroniści powrócili do władzy. Ich rządy doprowadziły do gwałtownego kryzysu gospodarczego w l. 2001-2002. Dzięki podjętym intensywnym reformom gospodarczym od 2003 r. sytuacja gospodarcza stopniowo normalizowała się.

Informacje ogólne **ARGENTYNA**

Powierzchnia	2 780 403 km²
Stolica (liczba mieszkańców)	Buenos Aires (2 776 tys.; 13 047 tys. aglomeracja) 2001
Liczba mieszkańców	39 922 tys.
Gęstość zaludnienia	14,4 os./km²
Przyrost naturalny	9,1 os./1000 mieszk.
Saldo migracji	0,4 os./1000 mieszk.
Urbanizacja	90,1%
Ustrój	republika federacyjna
Podział administracyjny	23 prowincje i dystrykt federalny (stołeczny)
Przynależność do organizacji międzynarodowych	ALADI, Mercosur, OAS
Waluta	1 peso argentyńskie = 100 centavos
Języki urzędowe	hiszpański
Języki używane	hiszpański, włoski, niemiecki, jidisz, polski
Obszary chronione	6,2%

Zagadnienia społeczno-gospodarcze

Religie (wyznawcy)	katolicy (93%), protestanci (2%), wyznawcy judaizmu (2%), pozostali (3%)
Analfabetyzm	3,0%
Bezrobocie	8,7%
Przeciętna długość życia	72,8 – mężczyźni, 80,4 – kobiety (w latach)
Zainfekowani wirusem HIV	80 – 220 tys. os.
PKB na 1 mieszkańca	5455 USD
Struktura PKB	rolnictwo 9,5%, przemysł 34,0%, usługi 56,5%
Wydatki na zbrojenia	41 USD/mieszk.
Dług zagraniczny	159,4% PKB
Saldo obrotów handlu zagranicznego	12 410 mln USD
Główne towary eksportowe	zboża, mięso i jego przetwory, warzywa i owoce
Główne towary importowe	maszyny i środki transportu, surowce i półfabrykaty
Dochody z turystyki	67,9 USD/mieszk.
Produkcja energii elektrycznej	2353 kWh/mieszk.
Samochody osobowe	132 szt./1000 mieszk. (2000)
Komputery	80 szt./1000 mieszk.
Użytkownicy Internetu	161,0 os./1000 mieszk.
Telefony komórkowe	572,7 szt./1000 mieszk.
Strony w atlasie	280-281

ARMENIA

REPUBLIKA ARMENII

Między IX a VI w. p.n.e. obszar dzisiejszej A. leżał częściowo w granicach Urartu. W tym czasie wtargnęli tu indoeuropejscy Hajowie, którzy po zmieszaniu się z miejscową ludnością dali początek Ormianom. W VI w. p.n.e. ziemie te stały się perską prowincją, a od 331 r. p.n.e. należały do państwa Aleksandra Wielkiego, później państwa Seleucydów (do II w. p.n.e.). W tym czasie podzieliła się na Armenię Wielką i Małą. Ta ostatnia stała się częścią rzymskiej prowincji Kapadocja. Niezależna Armenia Wielka rozkwitła w I w. p.n.e. pod rządami Tigranesa Wielkiego, wkrótce jednak stała się obiektem rywalizacji między Persją a Rzymem. Około 300 r. przyjęła chrześcijaństwo. Mimo podziału w 387 r. Armenii Wielkiej między Persję i państwo wschodniorzymskie, nastąpił silny rozwój kultury – m.in. wprowadzono własny alfabet. W VII w. Armenię Wielką podbili Arabowie, ale już w IX w. była niepodległa. Od X w. znajdowała się pod władzą Bizancjum. Po spustoszeniach, jakich w latach 1235--1243 dokonali Mongołowie, została zajęta w końcu XIV w. przez Turków osmańskich. Przez ponad czterysta lat podzielona była między Turcję i Persję. W 1828 r. Rosja zajęła perską część Armenii, a w 1878 r. północno-wschodni fragment A. tureckiej. Na terenach pozostałych przy Turcji Kurdowie i Turcy dokonali w latach 1895-1896 i 1915-1916 masowych rzezi Ormian (ok. 1 mln ofiar). W latach 1918-1921 próbę odzyskania niepodległości zdławiły Turcja i Rosja Sowiecka. Część A. utracona przez Turcję w 1878 r. powróciła w jej granice w 1921 r., a w 1922 r. rosyjska część Armenia została republiką radziecką. W 1991 r. A. ogłosiła niepodległość. Od 1990 r. jest w stanie wojny z Azerbejdżanem o Górski Karabach. W momencie przerwania walk w 1994 r. wojsko armeńskie zajmowało nie tylko Górski Karabach (zamieszkany w ok. 80% przez Ormian), ale także część ziem należących do Azerbejdżanu. W 2005 r., w wyniku światowej kampanii na rzecz uznania rzezi Ormian za ludobójstwo, rząd turecki zaproponował Armenii powołanie komisji, której celem byłoby zbadanie tych wydarzeń.

Informacje ogólne **ARMENIA**

Powierzchnia	29 743 km²
Stolica (liczba mieszkańców)	Erywań (1 104 tys.)
Liczba mieszkańców	2976 tys.
Gęstość zaludnienia	100,1 os./km²
Przyrost naturalny	3,9 os./1000 mieszk.
Saldo migracji	–5,7 os./1000 mieszk.
Urbanizacja	64,1%
Ustrój	republika
Podział administracyjny	11 obwodów (marz)
Przynależność do organizacji międzynarodowych	Rada Europy, WNP
Waluta	1 dram = 100 luma
Języki urzędowe	ormiański
Języki używane	ormiański, rosyjski, azerski, kurdyjski
Obszary chronione	10,0%

Zagadnienia społeczno-gospodarcze	
Religie (wyznawcy)	chrześcijanie Kościoła ormiańskiego (94%), prawosławni, protestanci i pozostali (6%)
Analfabetyzm	1,4%
Bezrobocie	7,4%
Przeciętna długość życia	68,8 – mężczyźni, 76,6 – kobiety (w latach)
Zainfekowani wirusem HIV	1,8 – 5,8 tys. os.
PKB na 1 mieszkańca	1882 USD
Struktura PKB	rolnictwo 17,2%, przemysł 36,4%, usługi 46,4%
Wydatki na zbrojenia	271 USD/mieszk.
Dług zagraniczny	49,9% PKB
Saldo obrotów handlu zagranicznego	–1190 mln USD
Główne towary eksportowe	wyroby jubilerskie, maszyny i urządzenia, wyroby metalowe
Główne towary importowe	ropa naftowa, zboża i inne artykuły żywnościowe
Dochody z turystyki	32,4 USD/mieszk.
Produkcja energii elektrycznej	2123 kWh/mieszk.
Samochody osobowe	69 szt./1000 mieszk. (1999)
Komputery	52,6 szt./1000 mieszk.
Użytkownicy Internetu	39,5 os./1000 mieszk.
Telefony komórkowe	84,2 szt./1000 mieszk.
Strony w atlasie	180-181

Aruba (Holandia)

Wyspa, odkryta przez Krzysztofa Kolumba w końcu XV w., została posiadłością hiszpańską. W wyniku rywalizacji Hiszpanii, Holandii i Wielkiej Brytanii holenderska Kompania Zachodnioindyjska w 1634 r. zdobyła tę wyspę wraz z innymi – nazwano je Antylami Holenderskimi. Po rozwiązaniu Kompanii, Aruba stała się kolonią holenderską, będącą do XIX w. ośrodkiem handlu niewolnikami przywożonymi z Afryki. W 1954 r. federacja wysp wraz z Arubą otrzymała autonomię. W 1986 r. Aruba, uzyskawszy odrębną autonomię, wystąpiła z federacji.

Informacje ogólne **Aruba** (Holandia)	
Powierzchnia	193 km^2
Stolica (liczba mieszkańców)	Oranjestad (29 tys.)
Liczba mieszkańców	72 tys.
Gęstość zaludnienia	372,5 os./km^2
Przyrost naturalny	4,3 os./1000 mieszk.
Saldo migracji	0 os./1000 mieszk.
Urbanizacja	46,6%
Ustrój	terytorium autonomiczne Holandii
Podział administracyjny	brak
Waluta	1 floren antylski = 100 centów
Języki urzędowe	holenderski
Języki używane	papiamento, holenderski, angielski
Obszary chronione	0,1%
Zagadnienia społeczno-gospodarcze	
Religie (wyznawcy)	katolicy (97%), protestanci, hinduiści, muzułmanie i wyznawcy judaizmu (3%)
Analfabetyzm	2,7% (2000)
Bezrobocie	6,9%
Przeciętna długość życia	72,0 – mężczyźni, 78,1 – kobiety (w latach)
PKB na 1 mieszkańca	22 934 USD
Struktura PKB	rolnictwo 0,4%, przemysł 33,3%, usługi 66,3% (2002)
Dług zagraniczny	21,3% PKB
Saldo obrotów handlu zagranicznego	–1074 mln USD
Główne towary eksportowe	olej napędowy, paliwa lotnicze, asfalt, papierosy, rum, aloes
Główne towary importowe	tytoń, żywność
Dochody z turystyki	9673,9 USD/mieszk.
Produkcja energii elektrycznej	10 694 kWh/mieszk.
Samochody osobowe	511 szt./1000 mieszk. (2002)
Użytkownicy Internetu	333,8 os./1000 mieszk. (2002)
Telefony komórkowe	894,4 szt./1000 mieszk.
	Podstawą gospodarki jest przetwórstwo i eksport ropy naftowej i produktów naftowych oraz turystyka
Strona w atlasie	263

AUSTRALIA

ZWIĄZEK AUSTRALIJSKI

Pierwotnie zamieszkana była przez około 600 grup plemiennych czarnoskórej ludności, przez Europejczyków nazywanej Aborygenami. Odkryta na początku XVII w. i nazwana Nową Holandią wydawała się niezdatna do kolonizacji. Dopiero dotarcie w 1770 r. do żyznego wschodniego wybrzeża przez Jamesa Cooka zmieniło ten pogląd. Obszar ów, zwany Nową Południową Walią, stał się brytyjską kolonią karną. Podstawą jej gospodarki była uprawa przydzielonej oficerom ziemi przez zsyłanych tu w latach 1788-1840 skazańców. W latach 20. XIX w. była największym producentem wełny na świecie. W 1849 r. kontynent nazwano oficjalnie Australią. Już w pierwszej połowie XIX w. rozpoczął się napływ wolnych osadników z innych krajów Europy, powodujący eksterminację Aborygenów. Postęp osadnictwa spowodował wydzielenie nowych kolonii: Australia Zachodnia (1829) i Australia Południowa (1834). Z Nowej Południowej Walii wydzielono: Tasmanię (1825), Wiktorię (1851) i Queensland (1859). W 1901 r. kolonie przekształciły się w dominium o nazwie Związek Australijski. Związek wziął udział w I i II wojnie światowej pod zwierzchnictwem Wielkiej Brytanii. Podczas II wojny światowej A. nawiązała współpracę z USA, w wyniku której stała się jedną z głównych amerykańskich baz wojskowych w południowo-zachodniej części Oceanu Spokojnego. Od tego momentu zacieśniły się jej stosunki gospodarcze i polityczne z USA. Koniunktura wojenna przyspieszyła rozwój gospodarczy kraju, czyniąc go wkrótce jednym z najbogatszych państw świata. A. uczestniczyła także w wojnach: koreańskiej i wietnamskiej. W 1967 r. przyznano Aborygenom pełne prawa obywatelskie i zwrócono im część ziemi.

Informacje ogólne **AUSTRALIA**	
Powierzchnia	7 703 557 km^2
Stolica (liczba mieszkańców)	Canberra (328 tys.)
Liczba mieszkańców	20 264 tys.
Gęstość zaludnienia	2,6 os./km^2
Przyrost naturalny	4,6 os./1000 mieszk.
Saldo migracji	3,9 os./1000 mieszk.
Urbanizacja	88,2%
Ustrój	federacyjna monarchia konstytucyjna
Podział administracyjny	6 stanów i 2 terytoria federalne
Przynależność do organizacji międzynarodowych	APEC, Forum Wysp Pacyfiku, OECD, Wspólnota Pacyfiku,
Waluta	1 dolar australijski = 100 centów
Języki urzędowe	angielski
Języki używane	angielski, włoski, grecki, serbski, chorwacki, chiński, arabski i inne, w tym pond 200 j. tubylczych
Obszary chronione	16,7%
Zagadnienia społeczno-gospodarcze	
Religie (wyznawcy)	katolicy (27%), anglikanie (22%), unitarianie (8%), prezbiterianie (4%), prawosławni (3%), ateiści i bezwyznaniowcy (17%), pozostali (19%)
Analfabetyzm	0%
Bezrobocie	4,9%
Przeciętna długość życia	77,9 – mężczyźni, 83,8 – kobiety (w latach)
Zainfekowani wirusem HIV	9,7 – 27 tys. os.
PKB na 1 mieszkańca	36 553 USD
Struktura PKB	rolnictwo 3,0%, przemysł 26,4%, usługi 70,6%
Wydatki na zbrojenia	719 USD/mieszk.
Saldo obrotów handlu zagranicznego	–16 305 mln USD
Główne towary eksportowe	wełna, węgiel kamienny, rudy cynku i ołowiu, żelaza, manganu, niklu
Główne towary importowe	artykuły przemysłowe, ropa naftowa, artykuły rolno-spożywcze
Dochody z turystyki	393,3 USD/mieszk.
Produkcja energii elektrycznej	11 118 kWh/mieszk.
Samochody osobowe	552 szt./1000 mieszk.
Komputery	689 szt./1000 mieszk.
Użytkownicy Internetu	652,8 os./1000 mieszk.
Telefony komórkowe	913,9 szt./1000 mieszk.
Strony w atlasie	296-297

AUSTRIA

REPUBLIKA AUSTRII

Starożytne Noricum stało się w 15 r. p.n.e. prowincją rzymską. W VI-VIII w. był to teren osadnictwa germańskiego i słowiańskiego. Na początku IX w. Karol Wielki utworzył tu Marchię Wschodnią, przekształconą w 1156 r. w dziedziczne księstwo Rzeszy, w 1192 r. połączone ze Styrią. Od 1282 r. we władaniu Habsburgów, którzy w XIV w. przyłączyli Karyntię, Krainę, Tyrol, Bryzgowię i Triest. Poprzez małżeństwa objęli swoim panowaniem m.in. Czechy ze Śląskiem oraz zachodnie Węgry (1526), a w 1699 r., po wojnie z Turcją, również pozostała część Węgier. W 1742 r. utracili Śląsk. Austria wzięła udział w dwóch rozbiorach Polski (1772 i 1795). W 1804 r. stała się cesarstwem, a w 1867 r. dualistyczną monarchią o nazwie Austro-Węgry. Wielonarodowa monarchia rozpadła się w 1918 r. Proklamowano republikę, która objęła tylko rdzenne ziemie dawnego księstwa. W 1938 r. została włączona do III Rzeszy. W 1945 r. przywrócono republikę demokratyczną (podzieloną na cztery strefy okupacyjne), która w 1955 r. odzyskała suwerenność. W tym samym roku parlament uchwalił ustawę o wieczystej neutralności.

Informacje ogólne **AUSTRIA**	
Powierzchnia	83 871 km^2
Stolica (liczba mieszkańców)	Wiedeń (1 651 tys.)
Liczba mieszkańców	8193 tys.
Gęstość zaludnienia	97,7 os./km^2
Przyrost naturalny	–1,1 os./1000 mieszk.
Saldo migracji	1,9 os./1000 mieszk.
Urbanizacja	66,0%
Ustrój	republika związkowa (federalna)

Podział administracyjny	9 krajów związkowych, 15 okręgów miejskich i 84 wiejskie
Przynależność do organizacji międzynarodowych	ISE, OECD, Rada Europy, UE
Waluta	1 euro = 100 eurocentów
Języki urzędowe	niemiecki
Języki używane	niemiecki, chorwacki, turecki, węgierski
Obszary chronione	28,0%
Zagadnienia społeczno-gospodarcze	
Religie (wyznawcy)	katolicy (85%), protestanci (5%), anglikanie, muzułmanie i pozostali (10%)
Analfabetyzm	0%
Bezrobocie	4,9%
Przeciętna długość życia	76,5 – mężczyźni, 82,4 – kobiety (w latach)
Zainfekowani wirusem HIV	7,2 – 20 tys. os.
PKB na 1 mieszkańca	39 190 USD
Struktura PKB	rolnictwo 1,6%, przemysł 30,4%, usługi 68,0%
Wydatki na zbrojenia	272 USD/mieszk.
Saldo obrotów handlu zagranicznego	−589 mln USD
Główne towary eksportowe	maszyny i urządzenia, pojazdy, chemikalia, farmaceutyki
Główne towary importowe	surowce (gł. paliwowe), wyroby przemysłowe, warzywa, owoce, używki
Dochody z turystyki	1253,0 USD/mieszk.
Produkcja energii elektrycznej	7921 kWh/mieszk.
Samochody osobowe	508 szt./1000 mieszk.
Komputery	576,3 szt./1000 mieszk.
Użytkownicy Internetu	475,2 os./1000 mieszk.
Telefony komórkowe	998,2 szt./1000 mieszk.
Strony w atlasie	120-121

AZERBEJDŻAN

REPUBLIKA AZERBEJDŻANU

W starożytności ziemie dzisiejszego Azerbejdżanu znajdowały się w granicach państwa perskiego. W VII w. zajęli je Arabowie, a w XI Turcy seldżuccy. W XIII i XIV w. zostały spustoszone przez Mongołów. W okresie od XV do XVIII w. ścierały się tu wpływy tureckie i perskie, później również rosyjskie. Po wojnie rosyjsko-perskiej w latach 1804-1813 północną część włączono do Rosji, a południową do Persji. Wytyczona wtedy granica istnieje do dziś. W latach 1918-1920 próbę odzyskania niepodległości z pomocą wojsk brytyjskich zdławiły Turcja i Rosja Sowiecka. Od 1922 r. Azerbejdżan był republiką radziecką. W 1991 r. ogłosił niepodległość. Od 1990 r. jest w stanie wojny z Armenią o Górski Karabach, zamieszkany w około 80% przez Ormian. Prowincje te Ormianie opanowali zbrojnie w 1992 r. W wyniku tego A. stracił około 16% swojego terytorium i został zmuszony do znalezienia domów dla ponad półmilionowej rzeszy uchodźców z terenów objętych konfliktem.

Informacje ogólne **AZERBEJDŻAN**	
Powierzchnia	86 600 km²
Stolica (liczba mieszkańców)	Baku (1 133 tys.)
Liczba mieszkańców	7962 tys.
Gęstość zaludnienia	91,9 os./km²
Przyrost naturalny	10,9 os./1000 mieszk.
Saldo migracji	−4,4 os./1000 mieszk.
Urbanizacja	51,5%
Ustrój	republika wielopartyjna
Podział administracyjny	65 rejonów (rayonlar)
Przynależność do organizacji międzynarodowych	ECO, Rada Europy, WNP
Waluta	1 manat = 100 gopik
Języki urzędowe	azerski
Języki używane	azerski, tałyski, lezgiński, rosyjski
Obszary chronione	7,3%
Zagadnienia społeczno-gospodarcze	
Religie (wyznawcy)	muzułmanie szyici (65%), muzułmanie sunnici (27%), prawosławni (4%), chrześcijanie kościoła ormiańskiego (3%), pozostali (1%)
Analfabetyzm	1,0%
Bezrobocie	1,2%
Przeciętna długość życia	62,2 – mężczyźni, 71,0 – kobiety (w latach)
Zainfekowani wirusem HIV	2,6 – 17 tys. os.
PKB na 1 mieszkańca	2336 USD
Struktura PKB	rolnictwo 6,2%, przemysł 63,3%, usługi 30,5%
Wydatki na zbrojenia	140 USD/mieszk.
Dług zagraniczny	23,2% PKB
Saldo obrotów handlu zagranicznego	847 mln USD
Główne towary eksportowe	ropa naftowa, bawełna, produkty chemiczne
Główne towary importowe	maszyny, energia elektryczna, stal
Dochody z turystyki	5,3 USD/mieszk.
Produkcja energii elektrycznej	2556 kWh/mieszk.

Samochody osobowe	60 szt./1000 mieszk.
Komputery	17,8 szt./1000 mieszk.
Użytkownicy Internetu	48,9 os./1000 mieszk.
Telefony komórkowe	266,6 szt./1000 mieszk.
Strona w atlasie	180-181

BAHAMY

WSPÓLNOTA BAHAMÓW

Tubylczą ludność wysiedlili Hiszpanie po odkryciu wysp przez Kolumba w 1492 r. Kolonizację wysp rozpoczęli w 1627 r. Anglicy, sprowadzając murzyńskich niewolników. W 1718 r. Bahamy stały się brytyjską kolonią. Od II wojny światowej istnieją tu amerykańskie i brytyjskie bazy wojskowe. W 1973 r. uzyskały niepodległość.

Informacje ogólne **BAHAMY**	
Powierzchnia	13 950 km²
Stolica (liczba mieszkańców)	Nassau (179 tys.) 2002
Liczba mieszkańców	304 tys.
Gęstość zaludnienia	21,8 os./km²
Przyrost naturalny	8,5 os./1000 mieszk.
Saldo migracji	−2,2 os./1000 mieszk.
Urbanizacja	90,4%
Ustrój	monarchia konstytucyjna
Podział administracyjny	21 dystryktów
Przynależność do organizacji międzynarodowych	ACP, CARICOM, NAM, OAS
Waluta	1 dolar bahamski = 100 centów
Języki urzędowe	angielski
Języki używane	angielski-kreolski, francuski-kreolski
Obszary chronione	1,0%
Zagadnienia społeczno-gospodarcze	
Religie (wyznawcy)	baptyści (32%), anglikanie (20%), katolicy (19%), metodyści (6%), inni protestanci (18%), bezwyznaniowcy i pozostali (5%)
Analfabetyzm	4,4%
Bezrobocie	10,2%
Przeciętna długość życia	62,5 – mężczyźni, 69,0 – kobiety (w latach)
Zainfekowani wirusem HIV	3,3 – 22 tys. os.
PKB na 1 mieszkańca	18 961 USD
Struktura PKB	rolnictwo 3,0%, przemysł 7,0%, usługi 90,0% (2001)
Wydatki na zbrojenia	100 USD/mieszk.
Dług zagraniczny	5,6% PKB
Saldo obrotów handlu zagranicznego	−1726 mln USD
Główne towary eksportowe	alkohole, cukier, skorupiaki, ryby, sól
Główne towary importowe	ropa naftowa, żywność, środki transportu, maszyny
Dochody z turystyki	5423,5 USD/mieszk.
Produkcja energii elektrycznej	5905 kWh/mieszk.
Samochody osobowe	376 szt./1000 mieszk.
Użytkownicy Internetu	293,4 os./1000 mieszk.
Telefony komórkowe	586,8 szt./1000 mieszk.
	Podstawowy dział gospodarki to turystyka (ok. 80% PKB)
Strony w atlasie	249, 262-263

BAHRAJN

KRÓLESTWO BAHRAJNU

Archipelag od starożytności pełnił ważną rolę w żegludze i handlu. W VII w. został zajęty przez Arabów. W 1521 r. znalazł się w posiadaniu Portugalczyków, a w 1602 r. Persów. W 1783 r. został opanowany przez arabski ród Al-Chalifa, który panuje tu do dziś. W XIX w. stał się protektoratem brytyjskim. W 1971 r. uzyskał niepodległość.

Informacje ogólne **BAHRAJN**	
Powierzchnia	694 km²
Stolica (liczba mieszkańców)	Al-Manama (139 tys.)
Liczba mieszkańców	699 tys.
Gęstość zaludnienia	1006,6 os./km²
Przyrost naturalny	13,7 os./1000 mieszk.
Saldo migracji	0,8 os./1000 mieszk.
Urbanizacja	96,5%
Ustrój	monarchia konstytucyjna
Podział administracyjny	brak
Przynależność do organizacji międzynarodowych	AFESD, LPA, NAM, OAPEC
Waluta	1 dinar Bahrajnu = 100 filsów
Języki urzędowe	arabski
Języki używane	arabski, perski, angielski, urdu, tagalog
Obszary chronione	1,3%

Zagadnienia społeczno-gospodarcze	
Religie (wyznawcy)	muzułmanie szyici (60%), muzułmanie sunnici (25%), chrześcijanie (7%), pozostali (8%)
Analfabetyzm	10,9%
Bezrobocie	15,0%
Przeciętna długość życia	72,4 – mężczyźni, 77,5 – kobiety (w latach)
Zainfekowani wirusem HIV	<2 tys. os.
PKB na 1 mieszkańca	20 497 USD
Struktura PKB	rolnictwo 0,3%, przemysł 43,6%, usługi 56,0%
Wydatki na zbrojenia	699 USD/mieszk.
Dług zagraniczny	43,0% PKB
Saldo obrotów handlu zagranicznego	3073 mln USD
Główne towary eksportowe	ropa naftowa, produkty ropopochodne, aluminium
Główne towary importowe	ropa naftowa, maszyny i urządzenia, żywność, odzież
Dochody z turystyki	961,8 USD/mieszk.
Produkcja energii elektrycznej	11 150 kWh/mieszk.
Samochody osobowe	351 szt./1000 mieszk.
Komputery	168,8 szt./1000 mieszk.
Użytkownicy Internetu	213,0 os./1000 mieszk.
Telefony komórkowe	1029,9 szt./1000 mieszk.
Strona w atlasie	187

Baker (Stany Zjednoczone)

Wyspa koralowa odkryta w 1832 r. przez Amerykanina M. Bakera, a w 1856 r. zajęta przez Stany Zjednoczone. W 1935 r. została skolonizowana przez Amerykanów z Hawajów, ale koloniści zostali ewakuowani w 1942 r. Do dziś pozostaje niezamieszkana.

Informacje ogólne **Baker** (Stany Zjednoczone)	
Powierzchnia	2,6 km²
Liczba mieszkańców	niezamieszkane
Ustrój	terytorium nieinkorporowane Stanów Zjednoczonych
Strony w atlasie	291, 293

BANGLADESZ
LUDOWA REPUBLIKA BANGLADESZU

Do 1947 r. był częścią Indii, a do 1971 r. należał do Pakistanu. W tym roku partyzantka bengalska wspomagana przez oddziały indyjskie zmusiła wojska pakistańskie do kapitulacji, a Bangladesz ogłosił niepodległość. Zaliczany do najludniejszych i najbiedniejszych krajów świata, pustoszony jest często przez katastrofalne powodzie.

Informacje ogólne **BANGLADESZ**	
Powierzchnia	146 568 km²
Stolica (liczba mieszkańców)	Dhaka (5 644 tys.; 12 430 tys. aglomeracja) 2001
Liczba mieszkańców	147 365 tys.
Gęstość zaludnienia	1005,4 os./km²
Przyrost naturalny	21,5 os./1000 mieszk.
Saldo migracji	−0,7 os./1000 mieszk.
Urbanizacja	25,1%
Ustrój	republika
Podział administracyjny	6 prowincji
Przynależność do organizacji międzynarodowych	NAM, SAARC
Waluta	1 taka = 100 poiska
Języki urzędowe	bengalski
Języki używane	bengalski, angielski i około 40 innych
Obszary chronione	1,3%

Zagadnienia społeczno-gospodarcze	
Religie (wyznawcy)	muzułmanie, gł. sunnici (83%), hinduiści (16%), buddyści i pozostali (1%)
Analfabetyzm	58,4%
Bezrobocie	2,5%
Przeciętna długość życia	63,1 – mężczyźni, 63,3 – kobiety (w latach)
Zainfekowani wirusem HIV	6,4 – 18 tys. os.
PKB na 1 mieszkańca	415 USD
Struktura PKB	rolnictwo 19,0%, przemysł 28,7%, usługi 52,3%
Wydatki na zbrojenia	6 USD/mieszk.
Dług zagraniczny	25,7% PKB
Saldo obrotów handlu zagranicznego	−4050 mln USD
Główne towary eksportowe	produkty przemysłu włókienniczego i odzieżowego, juta, wyroby skórzane, herbata, krewetki
Główne towary importowe	tekstylia, surowce energetyczne, maszyny i urządzenia, chemikalia, żywność
Dochody z turystyki	0,3 USD/mieszk.
Produkcja energii elektrycznej	123 kWh/mieszk.

Samochody osobowe	1 szt./1000 mieszk. (1999)
Komputery	12 szt./1000 mieszk.
Użytkownicy Internetu	2,2 os./1000 mieszk.
Telefony komórkowe	63,5 szt./1000 mieszk.
Strony w atlasie	190-191

BARBADOS

Wyspa, odkryta przez Portugalczyków na początku XVI w., stała się w 1652 r. posiadłością angielską. Od 1966 r. jest niepodległym państwem. W 1983 r. Barbados zaangażował się w interwencję zbrojną Stanów Zjednoczonych na Grenadzie. Od drugiej połowy lat 80. XX w. dąży do zacieśnienia związków z państwami karaibskimi.

Informacje ogólne **BARBADOS**	
Powierzchnia	430 km²
Stolica (liczba mieszkańców)	Bridgetown (6,1 tys.)
Liczba mieszkańców	280 tys.
Gęstość zaludnienia	651 os./km²
Przyrost naturalny	4,0 os./1000 mieszk.
Saldo migracji	−0,3 os./1000 mieszk.
Urbanizacja	52,7%
Ustrój	monarchia konstytucyjna
Podział administracyjny	11 okręgów
Przynależność do organizacji międzynarodowych	ACP, CARICOM, NAM, OAS
Waluta	1 dolar barbadoski = 100 centów
Języki urzędowe	angielski
Języki używane	kreolski-angielski, angielski
Obszary chronione	0,1%

Zagadnienia społeczno-gospodarcze	
Religie (wyznawcy)	anglikanie (33%), protestanci (30%), bezwyznaniowcy (17%), metodyści (7%), katolicy (4%), zielonoświątkowcy (3%), pozostali (6%)
Analfabetyzm	0,3%
Bezrobocie	10,7%
Przeciętna długość życia	71,2 – mężczyźni, 75,2 – kobiety (w latach)
Zainfekowani wirusem HIV	1,5 – 4,2 tys. os.
PKB na 1 mieszkańca	12 523 USD
Struktura PKB	rolnictwo 6,0%, przemysł 16,0%, usługi 78,0% (2000)
Wydatki na zbrojenia	47 USD/mieszk.
Dług zagraniczny	29,3% PKB
Saldo obrotów handlu zagranicznego	−1204 mln USD
Główne towary eksportowe	cukier, produkty przemysłu petrochemicznego, rum
Główne towary importowe	żywność, maszyny i urządzenia transportowe
Dochody z turystyki	2563,4 USD/mieszk.
Produkcja energii elektrycznej	3200 kWh/mieszk.
Samochody osobowe	332 szt./1000 mieszk.
Komputery	125,5 szt./1000 mieszk.
Użytkownicy Internetu	553,5 os./1000 mieszk.
Telefony komórkowe	738,5 szt./1000 mieszk.
Strona w atlasie	263

BELGIA
KRÓLESTWO BELGII

W starożytności obszar dzisiejszej Belgii zamieszkiwali celtyccy Belgowie, podbici w 57 r. p.n.e. przez Rzymian. Od drugiej połowy V w. ziemie te należały do państwa Franków. Po 843 r. Flandria (część zach.) przypadła Francji, natomiast Dolna Lotaryngia (część wsch.) Niemcom. W 1384 r. Flandria, a w 1451 częściowo Dolna Lotaryngia dostały się pod panowanie książąt burgundzkich. W 1477 r. niemal cały obszar dzisiejszej Belgii trafił w ręce Habsburgów, początkowo austriackich, a od 1556 r. hiszpańskich. W 1714 r. znów przypadła Austrii. Po powstaniu antyaustriackim utworzono w 1790 r. Zjednoczone Stany Belgii, które w latach 1795-1814 należały do Francji, a w latach 1815-1830 połączone były unią z Holandią. Po rewolucji 1830 r. Belgia uzyskała niepodległość, rok później uznano jej neutralność. W I i II wojnie światowej była zajęta przez Niemcy. Po 1988 r., ze względu na konflikty flamandzko-walońskie, rząd podjął działania które przekształciły Belgię w państwo federalne z regionami o dużej samodzielności. Obecnie Flandria i Walonia mają własne parlamenty. Od 1993 r. na tronie zasiada Albert II.

Informacje ogólne **BELGIA**	
Powierzchnia	30 528 km²
Stolica (liczba mieszkańców)	Bruksela (145 tys.; 1 910 tys. aglomeracja)
Liczba mieszkańców	10 379 tys.
Gęstość zaludnienia	340 os./km²
Przyrost naturalny	0,1 os./1000 mieszk.
Saldo migracji	1,2 os./1000 mieszk.
Urbanizacja	97,2%
Ustrój	monarchia konstytucyjna

Podział administracyjny	3 regiony (część Flandrii – enklawa na terytorium Holandii – Baarle-Hertog)
Przynależność do organizacji międzynarodowych	Benelux, NATO, OECD, Rada Europy, UE
Waluta	1 euro = 100 eurocentów
Języki urzędowe	flamandzki, francuski
Języki używane	flamandzki, francuski, włoski, arabski, niemiecki
Obszary chronione	3,3%

Zagadnienia społeczno-gospodarcze

Religie (wyznawcy)	katolicy (84%), muzułmanie (1%), protestanci (1%), wyznawcy judaizmu i pozostali (14%)
Analfabetyzm	0%
Bezrobocie	8,1%
Przeciętna długość życia	75,9 – mężczyźni, 82,4 – kobiety (w latach)
Zainfekowani wirusem HIV	8,1 – 22 tys. os.
PKB na 1 mieszkańca	37 301 USD
Struktura PKB	rolnictwo 1,1%, przemysł 24,5%, usługi 74,4%
Wydatki na zbrojenia	420 USD/mieszk.
Saldo obrotów handlu zagranicznego	16 034 mln USD
Główne towary eksportowe	wyroby metalowe, metale nieżelazne, maszyny i urządzenia przemysłowe, środki transportu, broń
Główne towary importowe	ropa naftowa, gaz ziemny, węgiel kamienny, rudy metali
Dochody z turystyki	673,3 USD/mieszk.
Produkcja energii elektrycznej	7729 kWh/mieszk.
Samochody osobowe	479 szt./1000 mieszk.
Komputery	350,8 szt./1000 mieszk.
Użytkownicy Internetu	406,2 os./1000 mieszk.
Telefony komórkowe	905,6 szt./1000 mieszk.
Strona w atlasie	126

BELIZE

Od XVI w. tereny te kontrolowane były przez angielskich piratów, którzy w 1638 r. założyli miasto portowe Belize. W 1763 r. Hiszpanie uznali prawa Wielkiej Brytanii do tego obszaru, która w 1862 r. utworzyła tu kolonię pod nazwą Honduras Brytyjski. Nazwę Belize przyjęto w 1973 r., a w 1981 r. kraj uzyskał niepodległość. Gwatemala, która od początku XIX w. rościła pretensje do całego terytorium Belize, w 1991 r. uznała jego niepodległość.

Informacje ogólne BELIZE

Powierzchnia	22 966 km^2
Stolica (liczba mieszkańców)	Belmopan (14 tys.)
Liczba mieszkańców	288 tys.
Gęstość zaludnienia	12,5 os./km^2
Przyrost naturalny	23,1 os./1000 mieszk.
Saldo migracji	0 os./1000 mieszk.
Urbanizacja	48,3%
Ustrój	monarchia konstytucyjna w ramach bryt. Wspólnoty Narodów
Podział administracyjny	6 dystryktów
Przynależność do organizacji międzynarodowych	ACP, CARICOM, NAM, OAS
Waluta	1 dolar Belize = 100 centów
Języki urzędowe	angielski
Języki używane	angielski-kreolski, hiszpański, angielski, garifuna
Obszary chronione	30,4%

Zagadnienia społeczno-gospodarcze

Religie (wyznawcy)	katolicy (58%), protestanci (27%), anglikanie (12%), bezwyznaniowcy i pozostali (3%)
Analfabetyzm	5,9%
Bezrobocie	9,4%
Przeciętna długość życia	66,4 – mężczyźni, 70,1 – kobiety (w latach)
Zainfekowani wirusem HIV	2 – 5,7 tys. os.
PKB na 1 mieszkańca	4059 USD
Struktura PKB	rolnictwo 21,3%, przemysł 13,7%, usługi 65,0%
Wydatki na zbrojenia	58 USD/mieszk.
Dług zagraniczny	109,4% PKB
Saldo obrotów handlu zagranicznego	–410 mln USD
Główne towary eksportowe	cukier, owoce cytrusowe, banany, ryby, drewno
Główne towary importowe	maszyny i środki transp., artykuły żywnościowe
Dochody z turystyki	470,8 USD/mieszk.
Produkcja energii elektrycznej	608 kWh/mieszk.
Samochody osobowe	135 szt./1000 mieszk. (2003)
Komputery	135,1 szt./1000 mieszk.
Użytkownicy Internetu	134,1 os./1000 mieszk.
Telefony komórkowe	344,8 szt./1000 mieszk.
Strona w atlasie	260

BENIN
REPUBLIKA BENINU

Już co najmniej od XIII w. istniały tu miasta-państwa Jorubów. W XVI w. przybyli na wybrzeże Portugalczycy, którzy zajęli się handlem. W tym czasie Jorubowie stworzyli w głębi lądu państwo Dahomej. W XVII w. Dahomej przejął kontrolę nad lokalnym handlem niewolnikami, a wybrzeże stało się ważnym ośrodkiem ich eksportu. Kraj, opanowany pod koniec XIX w. przez Francuzów, został w 1904 r. prowincją Francuskiej Afryki Zachodniej. Niepodległość uzyskał w 1960 r., a w 1975 r. nazwę Dahomej zmieniono na Benin. Trudności gospodarcze doprowadziły w latach 60. XX w. do wojskowych zamachów stanu. Władza dyktatorska konsekwentnie wprowadzała reformy społeczne i gospodarcze w myśl ideologii marksizmu. Pierwsze wolne wybory w 1991 r. doprowadziły do władzy przedstawiciela opozycji N. Soglo, jednak w latach 1996 i 2001 w wyborach zwyciężył były dyktator M. Kérékou.

Informacje ogólne BENIN

Powierzchnia	112 622 km^2
Stolica (liczba mieszkańców)	Porto Novo – oficjalna (244 tys.), Kotonu – siedziba władz (720 tys.) 1985
Liczba mieszkańców	7863 tys.
Gęstość zaludnienia	69,8 os./km^2
Przyrost naturalny	26,7 os./1000 mieszk.
Saldo migracji	0,7 os./1000 mieszk.
Urbanizacja	40,1%
Ustrój	republika
Podział administracyjny	6 prowincji
Przynależność do organizacji międzynarodowych	ACP, AU, ECOWAS
Waluta	1 frank CFA = 100 centymów
Języki urzędowe	francuski
Języki używane	fon, joruba, bariba, adża, gun, fulfulde (fulani), ayizo, nago, gen, ditammari, waci i około 40 innych
Obszary chronione	23,0%

Zagadnienia społeczno-gospodarcze

Religie (wyznawcy)	animiści (65%), katolicy (18%), muzułmanie (15%), pozostali (2%)
Analfabetyzm	59,1%
Przeciętna długość życia	52,7 – mężczyźni, 55,1 – kobiety (w latach)
Zainfekowani wirusem HIV	57 – 120 tys. os.
PKB na 1 mieszkańca	624 USD
Struktura PKB	rolnictwo 33,2%, przemysł 14,5%, usługi 52,3%
Wydatki na zbrojenia	9 USD/mieszk.
Dług zagraniczny	23,6% PKB
Saldo obrotów handlu zagranicznego	–420 mln USD
Główne towary eksportowe	bawełna i wyroby bawełniane, ropa naftowa, kawa, orzechy nanerczowe, olej palmowy
Główne towary importowe	odzież, maszyny, pojazdy
Dochody z turystyki	12,0 USD/mieszk.
Produkcja energii elektrycznej	10 kWh/mieszk.
Samochody osobowe	17 szt./1000 mieszk.
Komputery	4,1 szt./1000 mieszk.
Użytkownicy Internetu	13,8 os./1000 mieszk.
Telefony komórkowe	10,0 szt./1000 mieszk.
Strona w atlasie	221

Bermudy (Wielka Brytania)

Odkryte na początku XVI w. przez Hiszpana J. de Bermudeza, do końca tego stulecia były bezludne. Od początku XVII w. zasiedlane przez Anglików i sprowadzanych przez nich niewolników murzyńskich, stały się w 1684 r. angielską kolonią. W XVIII i XIX w. zsyłano tu skazańców. W czasie II wojny światowej powstały na Bermudach brytyjskie bazy morskie i lotnicze. Od 1941 r. dzierżawione są przez Stany Zjednoczone. W 1968 r. Bermudy uzyskały autonomię. W wyniku referendum w 1995 r. społeczeństwo odrzuciło możliwość uzyskania niepodległości, obecny rząd powrócił jednak do tej kwestii.

Informacje ogólne Bermudy (Wielka Brytania)

Powierzchnia	53 km^2
Stolica (liczba mieszkańców)	Hamilton (1,0 tys.) 2000
Liczba mieszkańców	66 tys.
Gęstość zaludnienia	1241 os./km^2
Przyrost naturalny	3,7 os./1000 mieszk.
Saldo migracji	2,4 os./1000 mieszk.
Urbanizacja	100,0%
Ustrój	terytorium zamorskie Wielkiej Brytanii
Podział administracyjny	9 obwodów i dwa miasta (Hamilton i Saint George)
Waluta	1 dolar bermudzki = 100 centów
Języki urzędowe	angielski
Języki używane	angielski, portugalski
Obszary chronione	5,2%

Zagadnienia społeczno-gospodarcze

Religie (wyznawcy)	anglikanie (37%), metodyści (16%), katolicy (14%), afrykański metodyści episkopalni (10%), adwentyści Dnia Siódmego (5%), pozostali (28%)
Analfabetyzm	2,0% (2002)
Bezrobocie	2,1%
Przeciętna długość życia	76,2 – mężczyźni, 80,5 – kobiety (w latach)
Zainfekowani wirusem HIV	<200 os.
PKB na 1 mieszkańca	80 676 USD
Struktura PKB	rolnictwo 1,0%, przemysł 10,0%, usługi 89,0% (2002)
Saldo obrotów handlu zagranicznego	−1075 mln USD
Główne towary eksportowe	wyroby perfumeryjne i farmaceutyczne, produkty naftowe, kwiaty i warzywa
Główne towary importowe	żywność, ropa naftowa, maszyny elektryczne i urządzenia, sprzęt transportowy
Dochody z turystyki	5661,3 USD/mieszk.
Produkcja energii elektrycznej	10 341 kWh/mieszk.
Samochody osobowe	338 szt./1000 mieszk.
Komputery	523,1 szt./1000 mieszk.
Użytkownicy Internetu	629,0 os./1000 mieszk.
Telefony komórkowe	790,3 szt./1000 mieszk.
Strona w atlasie	257

BHUTAN
KRÓLESTWO BHUTANU

Według najstarszych wzmianek z VII w. obszar ten zamieszkiwała ludność indyjska. W XI w. plemiona tybetańskie usunęły księcia indyjskiego i stworzyły na tym terenie własne państwo. W XVII w. zostało ono uzależnione od Tybetu. Koniec XVIII i XIX w. to okres konfliktów zbrojnych z Brytyjczykami, którzy w 1865 r. wzięli w dzierżawę 18 dolin z ważnymi szlakami handlowymi. W 1910 r. Bhutan został protektoratem brytyjskim, a w 1949 r. Indie przejęły zwierzchność nad jego polityką zagraniczną i obroną. Od 1970 r. rząd metodami pokojowymi dąży do jak największej samodzielności kraju. W 1990 przeprowadzono wolne wybory, jednak władze wojskowe do tej pory nie przekazały rządów opozycji, zaś przewodnicząca partii opozycyjnej – laureatka Pokojowej Nagrody Nobla z 1991 r., przetrzymywana jest w areszcie domowym od 1989 r. Opozycja nadal jest prześladowana, trwają aresztowania, a wszelkie rozmowy w sprawie demokratyzacji kraju nie dają żadnych rezultatów.

Informacje ogólne BHUTAN

Powierzchnia	46 673 km^2
Stolica (liczba mieszkańców)	Thimphu (30 tys.)
Liczba mieszkańców	2280 tys.
Gęstość zaludnienia	48,8 os./km^2
Przyrost naturalny	21,1 os./1000 mieszk.
Saldo migracji	0 os./1000 mieszk.
Urbanizacja	9,1%
Ustrój	monarchia konstytucyjna
Podział administracyjny	18 dystryktów
Przynależność do organizacji międzynarodowych	NAM, SAARC
Waluta	1 ngultrum = 100 chetrum, 1 rupia indyjska = 100 paise
Języki urzędowe	dzongkha
Języki używane	dzongkha, nepalski, czangla
Obszary chronione	26,4%

Zagadnienia społeczno-gospodarcze

Religie (wyznawcy)	lamaiści (75%), hinduiści (24%), pozostali (1%)
Analfabetyzm	52,7% (2000)
Przeciętna długość życia	64,8 – mężczyźni, 66,4 – kobiety (w latach)
Zainfekowani wirusem HIV	<2 tys. os.
PKB na 1 mieszkańca	1188 USD
Struktura PKB	rolnictwo 24,7%, przemysł 37,2%, usługi 38,1%
Wydatki na zbrojenia	25 USD/mieszk.
Dług zagraniczny	8,4% PKB (2002)
Saldo obrotów handlu zagranicznego	−150 mln USD
Główne towary eksportowe	drewno i wyroby z drewna, rzemiosło artystyczne
Główne towary importowe	ryż, środki trans., paliwa płynne, tkaniny, maszyny i urządzenia
Dochody z turystyki	14,3 USD/mieszk.
Produkcja energii elektrycznej	834 kWh/mieszk.
Samochody osobowe	14 szt./1000 mieszk. (2003)
Komputery	14,1 szt./1000 mieszk.
Użytkownicy Internetu	25,6 os./1000 mieszk.
Telefony komórkowe	48,5 szt./1000 mieszk.
Strony w atlasie	190-191, 192

BIAŁORUŚ
REPUBLIKA BIAŁORUSI

W X w. obszar Białorusi znalazł się w granicach Rusi Kijowskiej. Po jej podboju przez Mongołów ziemie Białorusi były w XIII i XIV w. stopniowo włączane do Wielkiego Księstwa Litewskiego. Po unii lubelskiej w 1569 r. zachodni skraj i południowa część dzisiejszej Białorusi znalazły się w granicach Korony. W latach 1772-1795 Białoruś została włączona do Rosji. Po I wojnie światowej część zachodnia przypadła Polsce (1921 r.), a część wschodnia, z Mińskiem, weszła w skład ZSRR jako republika radziecka. W 1945 r. niemal cały obszar Białorusi znalazł się w granicach ZSRR, jedynie jego zachodni skraj przypadł Polsce. W 1991 r. Białoruś ogłosiła niepodległość i w tym samym roku wraz z Rosją i Ukrainą stworzyła Wspólnotę Niepodległych Państw. Po 1994 r. priorytet w polityce zagranicznej zyskała integracja z Rosją. W 1998 r. podpisano deklarację o połączeniu Białorusi i Rosji w jedno państwo związkowe, jednak liczne spory między Mińskiem a Moskwą opóźniają integrację. Od połowy lat 90. autorytarne rządy sprawuje A. Łukaszenko.

Informacje ogólne BIAŁORUŚ

Powierzchnia	207 595 km^2
Stolica (liczba mieszkańców)	Mińsk (2 057 tys.) 2002
Liczba mieszkańców	10 293 tys.
Gęstość zaludnienia	49,6 os./km^2
Przyrost naturalny	−2,8 os./1000 mieszk.
Saldo migracji	2,3 os./1000 mieszk.
Urbanizacja	72,2%
Ustrój	republika prezydencka
Podział administracyjny	6 obwodów i miasto wydzielone Mińsk
Przynależność do organizacji międzynarodowych	ISE, WNP
Waluta	1 rubel białoruski = 100 kopiejek
Języki urzędowe	białoruski, rosyjski
Języki używane	białoruski, rosyjski, ukraiński, polski
Obszary chronione	6,3%

Zagadnienia społeczno-gospodarcze

Religie (wyznawcy)	prawosławni (60%), katolicy (10%), protestanci (10%), pozostali (20%)
Analfabetyzm	0,3%
Bezrobocie	oficjalnie 1,6%
Przeciętna długość życia	64,6 – mężczyźni, 76,4 – kobiety (w latach)
Zainfekowani wirusem HIV	11 – 47 tys. os.
PKB na 1 mieszkańca	3808 USD
Struktura PKB	rolnictwo 8,7%, przemysł 40,6%, usługi 50,6%
Wydatki na zbrojenia	262 USD/mieszk.
Dług zagraniczny	19,9% PKB
Saldo obrotów handlu zagranicznego	−2585 mln USD
Główne towary eksportowe	maszyny i urządzenia, środki transportu, produkty chemiczne
Główne towary importowe	ropa naftowa i gaz ziemny, wyroby hutnicze, elektrotechniczne i elektroniczne, żywność
Dochody z turystyki	8,2 USD/mieszk.
Produkcja energii elektrycznej	2850 kWh/mieszk.
Samochody osobowe	181 szt./1000 mieszk.
Użytkownicy Internetu	249,8 os./1000 mieszk.
Telefony komórkowe	420,0 szt./1000 mieszk.
Strona w atlasie	141

BIRMA
ZWIĄZEK BIRMAŃSKI/ZWIĄZEK MYANMAR

Pierwsze znane nam państewka w dolinie rzeki Irawadi utworzył w I w. lud Pju. Przybyłe w IX w. ze środkowej Azji szczepy birmańskie założyły tu państwo Pagan, które rozpadło się na księstwa w XIII w. w wyniku najazdów mongolskich. Wśród księstw największe znaczenie uzyskały Awa i Taungu, które w XVI i XVII w. rywalizowały ze sobą o dominację nad pozostałymi księstwami. W poł. XVIII w. ziemie birmańskie zjednoczył król Alaungpaj, a jego następcy przyłączyli Arakan, Asam i Manipur. Po wojnach z Wielką Brytanią została jej kolonią włączoną w 1886 r. do Indii. W 1937 r. stała się oddzielną kolonią z własnym parlamentem i rządem. Miejscowa partyzantka, po walkach z Japończykami, zmusiła w 1947 r. Wielką Brytanię do uznania niepodległości Birmy. Trudności gospodarcze oraz działania separatystów doprowadziły do przewrotu wojskowego w 1962 r. i wprowadzenia rządów socjalistycznych które nie zdołały poprawić stanu gospodarki. W kolejnych latach władzę sprawowały rządy cywilne. Od 1988 r. krajem rządzi junta uniemożliwiająca demokratyzację kraju. W 1990 przeprowadzono wolne wybory, jednak władze wojskowe do tej pory nie przekazały rządów opozycji, zaś przewodniczącą partii opozycyjnej – laureatka Pokojowej Nagrody Nobla z 1991 r., przetrzymywana jest w areszcie domowym od 1989 r. Opozycja nadal jest prześladowana, trwają aresztowania, a wszelkie rozmowy w sprawie demokratyzacji kraju nie dają żadnych rezultatów.

Informacje ogólne BIRMA

Powierzchnia	676 577 km^2
Stolica (liczba mieszkańców)	Rangun (4 107 tys.)
Liczba mieszkańców	47 383 tys.

Gęstość zaludnienia	70 os./km²
Przyrost naturalny	8,1 os./1000 mieszk.
Saldo migracji	0 os./1000 mieszk.
Urbanizacja	30,6%
Ustrój	republika federacyjna
Podział administracyjny	7 stanów autonomicznych oraz 7 prowincji
Przynależność do organizacji międzynarodowych	ASEAN, NAM
Waluta	1 kiat = 100 pia
Języki urzędowe	birmański
Języki używane	ponad 1 mln użytkowników: birmański, szan, karen, arakan, chiński, mon; ponadto około 100 innych
Obszary chronione	4,6%
Zagadnienia społeczno-gospodarcze	
Religie (wyznawcy)	buddyści (89%), chrześcijanie (6%), muzułmanie (4%), hinduiści, animiści i pozostali (1%)
Analfabetyzm	14,4%
Bezrobocie	10,2%
Przeciętna długość życia	60,7 – mężczyźni, 65,3 – kobiety (w latach)
Zainfekowani wirusem HIV	200 – 570 tys. os.
PKB na 1 mieszkańca	232 USD
Struktura PKB	rolnictwo 50,0%, przemysł 17,6%, usługi 32,4%
Wydatki na zbrojenia	232 USD/mieszk.
Dług zagraniczny	8,9% PKB
Saldo obrotów handlu zagranicznego	2400 mln USD
Główne towary eksportowe	rośliny strączkowe, drewno tekowe, ryż, kamienie szlachetne
Główne towary importowe	produkty żywnościowe, leki, maszyny i urządzenia techniczne, ropa naftowa
Dochody z turystyki	0,9 USD/mieszk
Produkcja energii elektrycznej	127 kWh/mieszk.
Samochody osobowe	4 szt./1000 mieszk.
Komputery	6 szt./1000 mieszk.
Użytkownicy Internetu	1,2 os./1000 mieszk.
Telefony komórkowe	3,4 szt./1000 mieszk.
Strona w atlasie	192

BOLIWIA

REPUBLIKA BOLIWII

W górskiej części obecnego obszaru Boliwii powstało w VII w. prekolumbijskie państwo z ośrodkiem w Tiahuanaco, które w XI w. rozpadło się na drobne państewka, wchłaniane od XIV w. przez państwo Inków. W latach 1535-1539 została podbita przez Hiszpanów i wcielona do wicekrólestwa Peru. W 1559 r. była wydzielona jako audiencja Charcas, a w 1776 r. włączona do nowo utworzonego wicekrólestwa La Platy. Skrajnie wyzyskiwana ludność wzniecała liczne bunty, z których największym było powstanie w latach 1780-1781 pod wodzą Tupaca Amaru. Kreole zamieszkujący obszar Boliwii, zwanej wtedy Górne Peru, prowadzili w latach 1809-1824 walkę z Hiszpanami, w wyniku której Boliwia uzyskała niepodległość i przyjęła nazwę Republika Boliwii. W wyniku wojny z Chile (1879-1884) utraciła dostęp do Pacyfiku, a w wojnie z Brazylią (1903 r.) część obszaru Acre. Kolejna wojna z Paragwajem (1932-1935) o Chaco pozbawiła ją 3/4 spornego terytorium. W 1936 r. władzę przejęli wojskowi, stawiając sobie za cel odnowę zacofanej gospodarki kraju. Rządy prawicowe przerwało powstanie wywołane w 1952 r. przez komunistów i przejęcie przez nich władzy do 1964 r. Lewica odzyskała władzę w 1982 r., tym razem drogą demokratyczną. W latach 90. w kraju odkryto bogate złoża gazu ziemnego, którego wydobycie może mieć duży wpływ na rozwój gospodarki. W kraju brakuje stabilizacji politycznej, a napięcia społeczne są coraz silniejsze. Dyskryminowana społeczność indiańska domaga się udziału we władzy i sprawiedliwego podziału bogactw naturalnych. W 2005 r. w wyniku masowych protestów do dymisji podał się prezydent kraju, a wybory w 2006 r. wygrał socjalistyczny lider.

Informacje ogólne	BOLIWIA
Powierzchnia	1 098 581 km²
Stolica (liczba mieszkańców)	Sucre – stolica konstytucyjna (192 tys.) La Paz – siedziba rządu (835 tys.)
Liczba mieszkańców	8989 tys.
Gęstość zaludnienia	8,2 os./km²
Przyrost naturalny	15,8 os./1000 mieszk.
Saldo migracji	−1,2 os./1000 mieszk.
Urbanizacja	64,2%
Ustrój	republika
Podział administracyjny	9 departamentów
Przynależność do organizacji międzynarodowych	ALADI, NAM, OAS, Wspólnota Andyjska
Waluta	1 boliviano = 100 centavos
Języki urzędowe	hiszpański, keczua, ajmara
Języki używane	hiszpański, keczua, ajmara
Obszary chronione	19,8%
Zagadnienia społeczno-gospodarcze	
Religie (wyznawcy)	katolicy (92%), protestanci (5%), pozostali (3%)
Analfabetyzm	12,8%

Bezrobocie	7,8% (na obszarach miejskich)
Przeciętna długość życia	63,9 – mężczyźni, 69,3 – kobiety (w latach)
Zainfekowani wirusem HIV	3,8 – 17 tys. os.
PKB na 1 mieszkańca	1166 USD
Struktura PKB	rolnictwo 14,5%, przemysł 30,5%, usługi 55,0%
Wydatki na zbrojenia	17 USD/mieszk.
Dług zagraniczny	37,8% PKB
Saldo obrotów handlu zagranicznego	1044 mln USD
Główne towary eksportowe	rudy cynku, cyny, ropa naftowa, gaz ziemny, złoto, gaz ziemny, złoto, srebro, soja, mięso wołowe, kokaina
Główne towary importowe	maszyny, środki transportu, żywność
Dochody z turystyki	18,9 USD/mieszk.
Produkcja energii elektrycznej	497 kWh/mieszk.
Samochody osobowe	34 szt./1000 mieszk.
Komputery	22,8 szt./1000 mieszk.
Użytkownicy Internetu	39,0 os./1000 mieszk.
Telefony komórkowe	263,7 szt./1000 mieszk.
Strona w atlasie	276

BOŚNIA i HERCEGOWINA

W starożytności na tym obszarze żyli Ilirowie i Trakowie. Na początku I w. ziemie te weszły w skład rzymskiej prowincji Dalmacja. W wiekach VI i VII zasiedlone były przez Słowian. Od IX w. znajdowały się w granicach Chorwacji i Serbii, później Węgier (XII w.) W końcu XIV w. powstało niezależne królestwo Bośni. W tym czasie wyodrębniła się z B. jej południowo-zachodnia część, która przybrała nazwę Hercegowina. W 1463 r. Bośnię a w 1482 r. Hercegowinę podbili Turcy. Podczas ich panowania znaczna część ludności przyjęła islam. Wielkie powstanie antytureckie, które wybuchło w 1875 r., i masakry ludności dokonywane przez Turków wywołały wojnę rosyjsko-turecką (1877-1878), w wyniku której Austro-Węgrom przyznano prawo okupacji i administracji Bośni i Hercegowiny, pozostawiając je pod nominalnym zwierzchnictwem sułtana. Aneksja Bośni i Hercegowiny przez Austro-Węgry w 1908 r. doprowadziła do radykalizacji społeczeństwa (szczególnie młodzieży), czego skutkiem był w 1914 r. zamach na arcyksięcia Ferdynanda w Sarajewie, a w konsekwencji wybuch I wojny światowej. W 1918 r. Bośnia i Hercegowina weszły w skład Królestwa Serbów, Chorwatów i Słoweńców (od 1929 r. Jugosławii). W 1991 r. proklamowały niepodległość. W latach 1992-1995 trwały tu walki Serbów z Chorwatami i muzułmanami, połączone z czystkami etnicznymi. W ich wyniku utworzono, przy zachowaniu jedności państwowej Bośni i Hercegowiny, Federację Muzułmańsko-Chorwacją oraz Republikę Serbską. Stabilizację polityczną w tym regionie kontrolują siły pokojowe Unii Europejskiej, które zastąpiły wojska NATO.

Informacje ogólne	BOŚNIA I HERCEGOWINA
Powierzchnia	51 209 km²
Stolica (liczba mieszkańców)	Sarajewo (297 tys.)
Liczba mieszkańców	4499 tys.
Gęstość zaludnienia	87,9 os./km²
Przyrost naturalny	0,5 os./1000 mieszk.
Saldo migracji	13,0 os./1000 mieszk.
Urbanizacja	45,7%
Ustrój	republika
Podział administracyjny	2 republiki związkowe i 1 dystrykt
Przynależność do organizacji międzynarodowych	ISE
Waluta	dinar bośniacki, marka zamienna
Języki urzędowe	bośniacki, chorwacki, serbski
Języki używane	bośniacki, serbski, chorwacki
Obszary chronione	0,5%
Zagadnienia społeczno-gospodarcze	
Religie (wyznawcy)	muzułmanie (43%), prawosławni (30%), katolicy (15%), pozostali (12%)
Analfabetyzm	3,3% (2000)
Bezrobocie	oficjalnie 45,5%, w rzeczywistości 25–30%
Przeciętna długość życia	74,7 – mężczyźni, 82,2 – kobiety (w latach)
Zainfekowani wirusem HIV	<1 tys. os.
PKB na 1 mieszkańca	2885 USD
Struktura PKB	rolnictwo 10,2%, przemysł 33,9%, usługi 66,0%
Wydatki na zbrojenia	46 USD/mieszk.
Dług zagraniczny	34,1% PKB
Saldo obrotów handlu zagranicznego	−3993 mln USD
Główne towary eksportowe	produkty przemysłu maszynowego, chemicznego i odzieżowego
Główne towary importowe	paliwa, surowce i półprodukty, art. konsumpcyjne
Dochody z turystyki	3,4 USD/mieszk.
Produkcja energii elektrycznej	2885 kWh/mieszk.
Samochody osobowe	23 szt./1000 mieszk. (2000)
Użytkownicy Internetu	58,1 os./1000 mieszk.
Telefony komórkowe	408,1 szt./1000 mieszk.
Strony w atlasie	118-119

BOTSWANA
REPUBLIKA BOTSWANY

W I tysiącleciu p.n.e. na terenie dzisiejszej Botswany mieszkały łowieckie ludy Buszmenów, wypieranych od VII w. na pustynię Kalahari przez ludy Bantu. Większą część tego obszaru zasiedliły plemiona z grupy Tswana, nie tworząc żadnego ośrodka politycznego. W XVIII w. rozpoczęła się penetracja terytorium Botswany przez Europejczyków, a w XIX w. nastąpił napływ najpierw angielskich misjonarzy, potem zaś wojska. W 1885 r. stała się protektoratem brytyjskim o nazwie Beczuana, a w 1966 r. niepodległą Republiką Botswany. W kolejnych latach państwo uniezależniało się od Wielkiej Brytanii i RPA. Kraj prowadzi politykę neutralności wobec konfliktów w regionie. Stabilna polityka i ciągłość władzy pozwoliły stać się Botswanie jednym na najlepiej rozwijających się ekonomicznie państw Afryki, czemu sprzyjają także znaczne złoża surowców mineralnych (m.in. diamenty) i rozwój turystyki.

Informacje ogólne **BOTSWANA**	
Powierzchnia	581 730 km^2
Stolica (liczba mieszkańców)	Gaborone (210 tys.)
Liczba mieszkańców	1640 tys.
Gęstość zaludnienia	2,8 os./km^2
Przyrost naturalny	−6,4 os./1000 mieszk.
Saldo migracji	6,1 os./1000 mieszk.
Urbanizacja	57,4%
Ustrój	republika
Podział administracyjny	18 dystryktów
Przynależność do organizacji międzynarodowych	ACP, AU, NAM, SADC
Waluta	1 pula = 100 thebe
Języki urzędowe	angielski, tswana
Języki używane	tswana, angielski, kalanga (szona), kgalagadi, herero, yeyi, afrikaans, shua
Obszary chronione	30,2%
Zagadnienia społeczno-gospodarcze	
Religie (wyznawcy)	animiści (85%), afrochrześcijanie, protestanci i katolicy (14%), pozostali (1%)
Analfabetyzm	18,8%
Bezrobocie	23,8%
Przeciętna długość życia	51,3 – mężczyźni, 49,0 – kobiety (w latach)
Zainfekowani wirusem HIV	260 – 350 tys. os.
PKB na 1 mieszkańca	6756 USD
Struktura PKB	rolnictwo 1,6%, przemysł 51,5%, usługi 46,9%
Wydatki na zbrojenia	208 USD/mieszk.
Dług zagraniczny	6,4% PKB
Saldo obrotów handlu zagranicznego	1450 mln USD
Główne towary eksportowe	diamenty, rudy miedzi i niklu, mięso, tekstylia
Główne towary importowe	środki transportu, maszyny, żywność
Dochody z turystyki	140,0 USD/mieszk.
Produkcja energii elektrycznej	502 kWh/mieszk.
Samochody osobowe	47 szt./1000 mieszk.
Komputery	46,6 szt./1000 mieszk.
Użytkownicy Internetu	35,0 os./1000 mieszk.
Telefony komórkowe	466,3 szt./1000 mieszk.
Strona w atlasie	226

BRAZYLIA
FEDERACYJNA REPUBLIKA BRAZYLII

W czasach prekolumbijskich zamieszkiwana była przez indiańskie plemiona Arawaków, Aymoré, Karaibów oraz Tupi-Guarani. W 1500 r. odkryli ją Portugalczycy, którzy od 1530 r. kolonizowali wybrzeże i aż do połowy XVII w. walczyli o te ziemie z Francuzami, Hiszpanami oraz Holendrami. W XVI w. zakładano tutaj plantacje trzciny cukrowej i bawełny, na których pracowali sprowadzani masowo z Afryki niewolnicy. Organizowane w XVII i XVIII w. wyprawy w głąb lądu w poszukiwaniu złota oraz indiańskich niewolników rozszerzyły obszar Brazylii, co zatwierdzono układem z Hiszpanią w 1750 r. W 1763 r. Brazylia stała się wicekrólestwem, jej administracja, sądownictwo i system skarbowy zostały usprawnione. W tym samym czasie usunięto jezuitów oraz zrównano prawa Indian z prawami wolnej ludności napływowej. W 1822 r. król Pedro proklamował niepodległość i ogłosił Brazylię cesarstwem. W latach 1825-1828 prowadził przegraną wojnę z Argentyną o Urugwaj, którego północną część udało się przyłączyć do Brazylii dopiero w 1851 r. Udział Brazylii wraz z Argentyną i Urugwajem w wojnie paragwajskiej (1864-1870) przyniósł jej niewielkie zdobycze terytorialne. W drugiej połowie XIX w. rozwinęła się uprawa i produkcja kawy, co znacznie poprawiło stan gospodarki i umocniło pozycję Brazylii na kontynencie. Zniesienie niewolnictwa w 1888 r. zbiegło się z obaleniem cesarstwa (1889 r.) i ustanowieniem republiki o federacyjnym charakterze. Lata 1891--1910 były okresem masowej emigracji z Europy, dzięki której liczba mieszkańców Brazylii powiększyła się z 14 do 21 mln. W obu wojnach światowych Brazylia brała udział jako przeciwnik Niemiec. Aby rozwinąć gospodarczo środkową część kraju, rozpoczęto w 1955 r. błyskawiczną budowę nowej stolicy kraju – Brasíli. Po okresie rządów wojskowych (1964-1985) Brazylia jest obecnie republiką z prezydenckim systemem rządów.

Informacje ogólne **BRAZYLIA**	
Powierzchnia	8 514 877 km^2
Stolica (liczba mieszkańców)	Brasília (2 231 tys.)
Liczba mieszkańców	188 078 tys.
Gęstość zaludnienia	22,1 os./km^2
Przyrost naturalny	10,4 os./1000 mieszk.
Saldo migracji	0 os./1000 mieszk.
Urbanizacja	84,2%
Ustrój	republika związkowa
Podział administracyjny	26 stanów i 1 dystrykt federalny
Przynależność do organizacji międzynarodowych	ALADI, Mercosur, OAS
Waluta	1 real = 100 centavos
Języki urzędowe	portugalski
Języki używane	portugalski, niemiecki, włoski, japoński, polski
Obszary chronione	18,7%
Zagadnienia społeczno-gospodarcze	
Religie (wyznawcy)	katolicy (72%), protestanci (23%), animiści (3%), pozostali (2%)
Analfabetyzm	11,4%
Bezrobocie	9,6%
Przeciętna długość życia	68,6 – mężczyźni, 76,6 – kobiety (w latach)
Zainfekowani wirusem HIV	370 – 1000 tys. os.
PKB na 1 mieszkańca	5717 USD
Struktura PKB	rolnictwo 5,5%, przemysł 28,7%, usługi 65,8%
Wydatki na zbrojenia	52 USD/mieszk.
Dług zagraniczny	47,4% PKB
Saldo obrotów handlu zagranicznego	48 981 mln USD
Główne towary eksportowe	stal, obuwie, soja, kawa, cukier, kakao, tytoń, części samochodowe
Główne towary importowe	maszyny, urządzenia, sprzęt transportowy, produkty przemysłu przetwórczego
Dochody z turystyki	21,5 USD/mieszk.
Produkcja energii elektrycznej	2903 kWh/mieszk.
Samochody osobowe	135 szt./1000 mieszk.
Komputery	107,1 szt./1000 mieszk.
Użytkownicy Internetu	121,8 os./1000 mieszk.
Telefony komórkowe	462,5 szt./1000 mieszk.
Strony w atlasie	276-280

BRUNEI
PAŃSTWO BRUNEI DARUSSALAM

Od XIII w. istniało na tym terenie państewko malajskie, odkryte w 1521 r. przez Portugalczyków z wyprawy Ferdynanda Magellana. W XVII oraz XVIII w. Anglicy i Holendrzy rywalizowali w zakładaniu swoich osad. W XVIII w. powstały tutaj faktorie Kompanii Wschodnioindyjskiej. Później Brunei stało się ośrodkiem handlu niewolnikami i siedliskiem korsarzy, wytępionych w połowie XIX w. przez Anglików. W 1888 r. zostało protektoratem brytyjskim. W 1962 r. wybuchło zbrojne powstanie, które Brytyjczycy krwawo stłumili. W 1971 r. Brunei otrzymało pełną autonomię wewnętrzną, a w 1984 r. uzyskało niepodległość. Panująca obecnie rodzina królewska ma swoje korzenie w XV wieku, od tego czasu na tronie zasiadało 29 sułtanów.

Informacje ogólne **BRUNEI**	
Powierzchnia	5765 km^2
Stolica (liczba mieszkańców)	Bandar Seri Begawan (27 tys.) 2001
Liczba mieszkańców	379 tys.
Gęstość zaludnienia	65,8 os./km^2
Przyrost naturalny	15,3 os./1000 mieszk.
Saldo migracji	3,3 os./1000 mieszk.
Urbanizacja	73,5%
Ustrój	monarchia konstytucyjna (sułtanat)
Podział administracyjny	4 okręgi
Przynależność do organizacji międzynarodowych	APEC, ASEAN, NAM
Waluta	1 dolar Brunei = 100 centów
Języki urzędowe	malajski
Języki używane	malajski, angielski, chiński
Obszary chronione	38,3%
Zagadnienia społeczno-gospodarcze	
Religie (wyznawcy)	muzułmanie sunnici (67%), buddyści (13%), chrześcijanie (10%), pozostali (10%)
Analfabetyzm	8,2%
Bezrobocie	4,0%
Przeciętna długość życia	73,3 – mężczyźni, 77,8 – kobiety (w latach)
Zainfekowani wirusem HIV	<0,2 tys. os.
PKB na 1 mieszkańca	30 625 USD
Struktura PKB	rolnictwo 0,9%, przemysł 71,6%, usługi 27,5%
Wydatki na zbrojenia	805 USD/mieszk.

Saldo obrotów handlu zagranicznego	6040 mln USD
Główne towary eksportowe	ropa naftowa i jej przetwory, gaz ziemny
Główne towary importowe	żywność, maszyny i urządzenia
Produkcja energii elektrycznej	7686 kWh/mieszk.
Samochody osobowe	665 szt./1000 mieszk.
Komputery	84,7 szt./1000 mieszk.
Użytkownicy Internetu	153,0 os./1000 mieszk.
Telefony komórkowe	562,6 szt./1000 mieszk.
Strona w atlasie	196

Brytyjskie Terytorium Oceanu Indyjskiego
(Wielka Brytania)

Powstało w 1965 r. z wysp wyłączonych z kolonii brytyjskich – Mauritiusa i Seszeli – w celu założenia baz wojskowych Stanów Zjednoczonych i Wielkiej Brytanii, zgodnie z umową zawartą przez oba kraje na 50 lat. Wielka Brytania wykupiła te ziemie w 1967 r., a mieszkańców przesiedlono, głównie na Mauritius. Od lat 70. trwa rozbudowa amerykańskich baz wojskowych na atolu Diego Garcia. W 1976 r. część wysp przekazano uzyskującym niepodległość Seszelom.

Informacje ogólne **Brytyjskie Terytorium Oceanu Indyjskiego** (Wielka Brytania)	
Powierzchnia	78 km^2
Liczba mieszkańców	brak stałych mieszkańców - ok. 4 tys. żołnierzy amerykańskich i brytyjskich oraz personelu cywilnego
Gęstość zaludnienia	51,3 os./km^2
Ustrój	terytorium zamorskie Wielkiej Brytanii
Waluta	funt szterling, dolar USA
Języki urzędowe	angielski
Języki używane	angielski
Strona w atlasie	168

Brytyjskie Wyspy Dziewicze
(Wielka Brytania)

Odkryte w 1493 r. przez Krzysztofa Kolumba, do połowy XVII w. należały do Hiszpanii. W drugiej połowie tego stulecia zaanektowali je i zasiedlili Anglicy. Od 1773 r. miały samorząd. W 1872 r. zostały włączone do brytyjskiej kolonii Federacja Wysp Podwietrznych. Odrębną kolonią stały się w 1956 r., a w 1967 r. uzyskały autonomię.

Informacje ogólne **Brytyjskie Wyspy Dziewicze** (Wielka Brytania)	
Powierzchnia	154 km^2
Stolica (liczba mieszkańców)	Road Town (7,8 tys.) 1999
Liczba mieszkańców	23 tys.
Gęstość zaludnienia	150 os./km^2
Przyrost naturalny	10,5 os./1000 mieszk.
Saldo migracji	9,2 os./1000 mieszk.
Urbanizacja	60,5%
Ustrój	terytorium zamorskie Wielkiej Brytanii
Podział administracyjny	brak
Waluta	1 dolar USA = 100 centów
Języki urzędowe	angielski
Języki używane	angielski
Obszary chronione	34,6%
Zagadnienia społeczno-gospodarcze	
Religie (wyznawcy)	anglikanie, metodyści, baptyści, katolicy
Analfabetyzm	1,8% (1995)
Bezrobocie	3,6% (1997)
Przeciętna długość życia	75,9 – mężczyźni, 78,3 – kobiety (w latach)
PKB na 1 mieszkańca	46 407 USD
Struktura PKB	rolnictwo 1,8%, przemysł 6,2%, usługi 92,0% (1996)
Saldo obrotów handlu zagranicznego	–161,7 mln USD (2002)
Główne towary eksportowe	rum, ryby, owoce
Główne towary importowe	materiały budowlane, samochody, art. żywnościowe
Produkcja energii elektrycznej	1826 kWh/mieszk. (2003)
Samochody osobowe	414 szt./1000 mieszk.
Użytkownicy Internetu	173,2 os./1000 mieszk. (2002)
Telefony komórkowe	346,4 szt./1000 mieszk. (2002)
Strona w atlasie	263

BUŁGARIA
REPUBLIKA BUŁGARII

W starożytności teren dzisiejszej Bułgarii zamieszkiwali Trakowie. W pierwszej połowie I w. obszar ten stał się częścią rzymskich prowincji Mezja i Tracja. W VI i VII w. został zasiedlony przez Słowian. Około 680 r. turecki lud Protobułgarów utworzył tu silne państwo i szybko uległ slawizacji. Po chrystianizacji w 866 r. nastąpił podbój Macedonii i Epiru (1 poł. X w.). W 1018 r. Bułgaria znalazła się w granicach Bizancjum, ale w 1187 r. państwo bułgarskie odrodziło się i w XIII w. przeżywało rozkwit. Kres jego istnieniu położyły podboje tureckie w roku 1393 i 1396. Pod panowaniem tureckim często wybuchały, krwawo tłumione, powstania – największe w 1598, 1686 i 1737 r. Kolejny wielki zryw miał miejsce w 1876 r. Rzezie dokonywane przez Turków były przyczyną wypowiedzenia im wojny przez Rosję, mającą od 1774 r. pieczę nad Kościołem prawosławnym w Bułgarii. Rezultatem tej wojny było powstanie w 1878 r. okrojonego państwa bułgarskiego, pozostającego w zależności lennej od Turcji. Po powstaniu w 1885 r. do Bułgarii przyłączono turecką prowincję Rumelię Wschodnią w wyniku czego obszar zajmowany przez Bułgarię stał się zbliżony do obecnego. W 1908 r. Bułgaria stała się niepodległym carstwem. Podczas I wojny bałkańskiej w 1912 r. powiększyła swe terytorium, ale nabytki te straciła rok później w II wojnie bałkańskiej. W wyniku I wojny światowej utraciła Dobrudżę, część południowo-zachodniego pogranicza, a w 1920 r. zachodnią Trację. Podczas II wojny światowej była sojusznikiem Niemiec i odzyskała południową część Dobrudży. W 1945 r. została zajęta przez wojska radzieckie, w efekcie czego w 1947 r. powstała Ludowa Republika Bułgarii. Mimo demokratyzacji kraju po 1990 r. (zmiana nazwy na Republika Bułgarii), rządy znajdują się przeważnie w rękach lewicy. W Bułgarii podjęto reformy, których celem jest uzdrowienie gospodarki, zahamowanie inflacji, zmniejszenie stopy bezrobocia, ograniczenie korupcji oraz wysokiej przestępczości. W 2004 r. Bułgaria stała się członkiem NATO, a w 2007 r. przystąpiła do UE.

Informacje ogólne **BUŁGARIA**	
Powierzchnia	110 994 km^2
Stolica (liczba mieszkańców)	Sofia (1 139 tys.)
Liczba mieszkańców	7385 tys.
Gęstość zaludnienia	66,5 os./km^2
Przyrost naturalny	–4,6 os./1000 mieszk.
Saldo migracji	–4,0 os./1000 mieszk.
Urbanizacja	70,0%
Ustrój	republika
Podział administracyjny	28 obwodów
Przynależność do organizacji międzynarodowych	CEFTA, ISE, NATO, Rada Europy, UE
Waluta	1 lewa = 100 stotinek
Języki urzędowe	bułgarski
Języki używane	bułgarski, turecki, rumuński, macedoński
Obszary chronione	9,5%
Zagadnienia społeczno-gospodarcze	
Religie (wyznawcy)	prawosławni (80%), muzułmanie (10%), katolicy i pozostali (10%)
Analfabetyzm	1,4%
Bezrobocie	9,8%
Przeciętna długość życia	69,2 – mężczyźni, 76,7 – kobiety (w latach)
Zainfekowani wirusem HIV	<1 tys. os.
PKB na 1 mieszkańca	4097 USD
Struktura PKB	rolnictwo 6,3%, przemysł 32,3%, usługi 61,4%
Wydatki na zbrojenia	77 USD/mieszk.
Dług zagraniczny	82,9% PKB
Saldo obrotów handlu zagranicznego	–8018 mln USD
Główne towary eksportowe	produkty chemiczne, maszyny i urządzenia, żywność, wyroby tytoniowe
Główne towary importowe	surowce energetyczne, paliwa
Dochody z turystyki	151,8 USD/mieszk.
Produkcja energii elektrycznej	6188 kWh/mieszk.
Samochody osobowe	341 szt./1000 mieszk.
Komputery	59,4 szt./1000 mieszk.
Użytkownicy Internetu	159,0 os./1000 mieszk.
Telefony komórkowe	808,3 szt./1000 mieszk.
Strony w atlasie	114-115

BURKINA FASO

Od XI w. powstawały na tym terenie kolejne państwa tworzone przez plemię Mossich. W latach 1896-1901, po długotrwałych walkach, kraj został podbity przez Francuzów i w 1904 r. stał się częścią Francuskiej Afryki Zachodniej. W latach 1919-1932 stanowił odrębną jednostkę administracyjną, po czym został podzielony między kolonie: Niger, Sudan Francuski i Wybrzeże Kości Słoniowej. Ponownie został zjednoczony w 1947 r. jako zamorskie terytorium Francji. Silny ruch niepodległościowy doprowadził w 1958 r. do utworzenia autonomicznej Republiki Górnej Wolty, która w 1960 r. stała się niezależnym krajem, a w 1984 r. zmieniła nazwę na Burkina Faso. Przez 14 lat w kraju trwały rządy wojskowe, aż do 1992 r., kiedy to władze przejęli cywile, dążąc do przywrócenia instytucji demokratycznych w kraju.

Informacje ogólne **BURKINA FASO**	
Powierzchnia	272 773 km^2
Stolica (liczba mieszkańców)	Wagadugu (926 tys.)
Liczba mieszkańców	13 903 tys.
Gęstość zaludnienia	51 os./km^2
Przyrost naturalny	30,0 os./1000 mieszk.
Saldo migracji	0 os./1000 mieszk.
Urbanizacja	18,3%
Ustrój	republika

Podział administracyjny	45 prowincji
Przynależność do organizacji międzynarodowych	ACP, AU, ECOWAS, NAM
Waluta	1 frank CFA = 100 centymów
Języki urzędowe	francuski
Języki używane	ponad 1 mln użytkowników: mossi, dioula, fulfulde (fulani); ponadto około 60 innych
Obszary chronione	15,4%
Zagadnienia społeczno-gospodarcze	
Religie (wyznawcy)	animiści (60%), muzułmanie (28%), katolicy (9%), protestanci i pozostali (3%)
Analfabetyzm	78,2%
Przeciętna długość życia	50,7 – mężczyźni, 54,5 – kobiety (w latach)
Zainfekowani wirusem HIV	120 – 190 tys. os.
PKB na 1 mieszkańca	449 USD
Struktura PKB	rolnictwo 29,7%, przemysł 19,4%, usługi 50,9%
Wydatki na zbrojenia	5 USD/mieszk.
Dług zagraniczny	22,8% PKB
Saldo obrotów handlu zagranicznego	−1020 mln USD
Główne towary eksportowe	bawełna, bydło, złoto, skóry, orzeszki ziemne
Główne towary importowe	maszyny, paliwa, pojazdy
Dochody z turystyki	2,8 USD/mieszk.
Produkcja energii elektrycznej	29 kWh/mieszk.
Samochody osobowe	6 szt./1000 mieszk.
Komputery	2,1 szt./1000 mieszk.
Użytkownicy Internetu	4,0 os./1000 mieszk.
Telefony komórkowe	43,3 szt./1000 mieszk.
Strona w atlasie	221

BURUNDI

REPUBLIKA BURUNDI

Co najmniej od XVII w. istniało na tym terenie królestwo Urundi, w którym warstwę rządzącą stanowili członkowie plemienia Tutsi. Od 1896 r. Burundi stopniowo zajmowali Niemcy, by w 1903 r. włączyć je do Niemieckiej Afryki Wschodniej. W 1916 r. zajęte przez wojska belgijskie, a w 1919 r. złączone z Ruandą, tworzyło belgijskie terytorium mandatowe Ligi Narodów pod nazwą Ruanda-Urundi. Po II wojnie światowej stało się terytorium powierniczym ONZ. Belgia i Niemcy utrzymywały dominację mniejszości etnicznej Tutsi nad ludem Hutu, a także popierały chrystianizację kraju. W 1962 r. Burundi stało się niepodległą monarchią konstytucyjną. W 1972 r. wybuchły walki plemienne między Tutsi i Hutu, których apogeum przypadło na 1993 r. Niemożność rozwiązania problemów etnicznych powodowała niemal permanentny stan wojny między dwoma plemionami. W 2001 r. weszła w życie nowa konstytucja, której postanowienia przewidywały utworzenie tymczasowego rządu, w którego skład miały wchodzić równorzędna reprezentacja obydwu plemion. W 2003 r. strona rządowa i bojownicy Hutu podpisali zawieszenie broni, które jednak nie jest przestrzegane. W 2005 r. ogłoszono koniec wojny domowej. Latem 2005 r. przeprowadzono wybory parlamentarne i prezydenckie. Wybór prezydenta był ostatnim etapem okresu przejściowego po uchwaleniu nowej powojennej konstytucji państwa.

Informacje ogólne BURUNDI	
Powierzchnia	27 733 km²
Stolica (liczba mieszkańców)	Bużumbura (340 tys.)
Liczba mieszkańców	8090 tys.
Gęstość zaludnienia	291,7 os./km²
Przyrost naturalny	28,7 os./1000 mieszk.
Saldo migracji	8,2 os./1000 mieszk.
Urbanizacja	10,0%
Ustrój	republika
Podział administracyjny	15 prowincji
Przynależność do organizacji międzynarodowych	ACP, AU, NAM
Waluta	1 frank burundyjski = 100 centymów
Języki urzędowe	rundi, francuski
Języki używane	hutu, tutsi, francuski, twa
Obszary chronione	5,6%
Zagadnienia społeczno-gospodarcze	
Religie (wyznawcy)	katolicy (65%), animiści (33%), protestanci, muzułmani i pozostali (2%)
Analfabetyzm	48,4%
Przeciętna długość życia	50,9 – mężczyźni, 52,6 – kobiety (w latach)
Zainfekowani wirusem HIV	130 – 180 tys. os.
PKB na 1 mieszkańca	119 USD
Struktura PKB	rolnictwo 33,7%, przemysł 20,9%, usługi 45,4%
Wydatki na zbrojenia	6 USD/mieszk.
Dług zagraniczny	15,0% PKB
Saldo obrotów handlu zagranicznego	−365 mln USD
Główne towary eksportowe	kawa, herbata, bawełna, skóry

Główne towary importowe	maszyny i pojazdy, żywność, paliwa
Dochody z turystyki	0,2 USD/mieszk.
Produkcja energii elektrycznej	17 kWh/mieszk.
Samochody osobowe	1 szt./1000 mieszk. (2003)
Komputery	4,8 szt./1000 mieszk.
Użytkownicy Internetu	3,5 os./1000 mieszk.
Telefony komórkowe	20,3 szt./1000 mieszk.
Strona w atlasie	225

Ceuta i Melilla (Hiszpania)

Powstały w VII w. p.n.e. jako faktorie fenickie Abyla i Rusaddir, potem należały do Kartaginy. Od 40 r. były rzymskimi koloniami. Na początku VIII wieku zostały zajęte przez Arabów i nazwane Sebta i Melilla. Ceuta w 1415 r. stała się pierwszą posiadłością portugalską w Afryce. Melilla należy do Hiszpanii od 1497 r., a Ceuta od 1580 r. Oba miasta są stałym przedmiotem sporu hiszpańsko-marokańskiego.

Informacje ogólne Ceuta i Melilla (Hiszpania)	
Powierzchnia	Ceuta 19,7 km²; Melilla 12,5 km²
Liczba mieszkańców	Ceuta 75 tys.; Melilla 65 tys.
Gęstość zaludnienia	Ceuta 3821,1 os./km²; Melilla 5239,0 os./km²
Przyrost naturalny	8,0 os./1000 mieszk.
Urbanizacja	100,0%
Ustrój	teryrorium hiszpańskie w Maroku
Podział administracyjny	integralna część Hiszpanii, dwa miasta: Ceuta i Melilla
Waluta	1 euro = 100 eurocentów
Języki urzędowe	hiszpański
Języki używane	hiszpański, arabski, berberski
Zagadnienia społeczno-gospodarcze	
Religie (wyznawcy)	chrześcijanie, muzułmanie
Analfabetyzm	Ceuta 7,3% Melilla 8,3%
Przeciętna długość życia	73,3 – mężczyźni, 79,4 – kobiety (w latach)
Zainfekowani wirusem HIV	<0,2 tys. os.
Strony w atlasie	130, 220

CHILE

REPUBLIKA CHILE

W okresie prekolumbijskim na terenie dzisiejszego Chile mieszkały indiańskie plemiona: Atacamo, Ajmarowie i Araukanie. Pod koniec XV w. północną część tego obszaru (do rzeki Maule) podbili Inkowie. W pierwszej połowie XVI w. północne oraz południowe Chile opanowali Hiszpanie i włączyli do wicekrólestwa Peru. Część południowa (Araukania) pozostawała poza ich władzą aż do końca XIX w. Po zwycięstwie armii powstańczej kierowanej przez J. de San Martina w 1818 r. ogłoszono niepodległość republiki. Zajmowała ona obszar od pustyni Atakama do rzeki Bío Bío, co stanowiło około 1/3 dzisiejszego terytorium Chile. W 1881 r. przyłączona została Araukania, a w 1884 r. włączono bogate w saletrę boliwijskie wybrzeże i nadmorską prowincję Tarapacá, oderwaną od Peru. Chile uzyskało wówczas obecny kształt terytorialny, a dzięki handlowi saletrą stało się najsilniejszym państwem w regionie. Przejęcie wydobycia saletry przez brytyjskie spółki zrodziło sprzeciw konserwatywnej burżuazji i doprowadziło w 1891 r. do wybuchu wojny domowej, wygranej przez burżuazję. Utrata w 1920 r. monopolu na handel saletrą spowodowała wieloletnie kłopoty gospodarcze. Stale pogarszająca się sytuacja gospodarcza powodowała wzrost wpływów lewicy, która co jakiś czas przejmowała władzę. Powołany w 1970 r. Rząd Salvadora Allende rozpoczął realizację planu przebudowy gospodarki według zasad komunizmu. W 1973 r. w wyniku przewrotu wojskowego władzę przejął gen. Augusto Pinochet, który wprowadził rządy autorytarne. W szybkim tempie nastąpił wzrost gospodarczy, ale też junta bezwzględnie rozprawiła się z lewicową opozycją. Stopniowa liberalizacja rządów doprowadziła do demokratycznych wyborów prezydenckich w 1989 r., jednak dopiero w 2004 r. parlament zniósł blokady uniemożliwiające pełną demokratyzację kraju.

Informacje ogólne CHILE	
Powierzchnia	756 096 km²
Stolica (liczba mieszkańców)	Santiago (4 657 tys.)
Liczba mieszkańców	16 134 tys.
Gęstość zaludnienia	21,3 os./km²
Przyrost naturalny	9,4 os./1000 mieszk.
Saldo migracji	0 os./1000 mieszk.
Urbanizacja	87,6%
Ustrój	republika
Podział administracyjny	13 regionów
Przynależność do organizacji międzynarodowych	ALADI, APEC, NAM, OAS
Waluta	1 peso chilijskie = 100 centavos
Języki urzędowe	hiszpański
Języki używane	hiszpański, mapucze
Obszary chronione	20,8%

Zagadnienia społeczno-gospodarcze	
Religie (wyznawcy)	katolicy (77%), protestanci (12%), bezwyznaniowcy, ateiści i pozostali (11%)
Analfabetyzm	3,8%
Bezrobocie	7,8%
Przeciętna długość życia	73,9 – mężczyźni, 80,6 – kobiety (w latach)
Zainfekowani wirusem HIV	17 – 56 tys. os.
PKB na 1 mieszkańca	8903 USD
Struktura PKB	rolnictwo 4,8%, przemysł 51,2%, usługi 44,0%
Wydatki na zbrojenia	216 USD/mieszk.
Dług zagraniczny	56,7% PKB
Saldo obrotów handlu zagranicznego	20 506 mln USD
Główne towary eksportowe	miedź i jej produkty, drewno, celuloza, papier, owoce, warzywa, ryby
Główne towary importowe	maszyny, urządzenia i środki transportu, paliwa, produkty chemiczne i metalowe
Dochody z turystyki	51,2 USD/mieszk.
Produkcja energii elektrycznej	2950 kWh/mieszk.
Samochody osobowe	100 szt./1000 mieszk.
Komputery	138,7 szt./1000 mieszk.
Użytkownicy Internetu	279,0 os./1000 mieszk.
Telefony komórkowe	677,9 szt./1000 mieszk.
Strony w atlasie	280-281

CHINY

CHIŃSKA REPUBLIKA LUDOWA

Najstarsze historycznie potwierdzone państwo Szang powstało około 1600 r. p.n.e. Do III w. p.n.e. Chiny były rozbite na małe, walczące ze sobą państewka. Zjednoczył je w 221 r. p.n.e. król Czeng, założyciel dynastii Han panującej do 220 r. n.e. Kres kolejnemu rozdrobnieniu państwa położyły rządy dynastii Tang (618-906 r.). W 1211 r. Chiny podbił Czyngis-chan, którego wnuk Kubiłaj ogłosił się cesarzem i zapoczątkował dynastię Jüan. Po jej obaleniu władzę przejęła narodowa dynastia Ming (1368-1644). W XVI w. w Chinach pojawili się Portugalczycy, którzy założyli pierwszą europejską kolonię w Makau (1557 r.). Po stłumieniu powstania chłopskiego władzę przejęła silna dynastia mandżurska Cing (1644-1911). W tym okresie podjęto ekspansję na sąsiednie kraje (1716 – zajęcie Tybetu, 1758 – Dżungarii, 1759 – Kaszgarii, 1769 – uzależnienie Birmy, a w 1790 Wietnamu), ale również dopuszczono do penetracji Chin przez Holandię, Rosję, Portugalię, Anglię i Francję. W 1757 r. zamknięto dla cudzoziemców wszystkie porty oprócz Kantonu. Pod koniec XIX w. kraj, wstrząsany wojnami opiumowymi i wojną chińsko-japońską (1894-1895), stał się półkolonią w której duży wpływ miał europejski kapitał i podzieloną na strefy wpływów. W wyniku burżuazyjno-demokratycznej rewolucji usunięto dynastię Cing i w 1912 r. proklamowano republikę, w której siła rządzącą stała się partia Kuomintang. Lata 1924-1943 to okres wojny domowej – walk zrewoltowanych sił komunistycznych z Armią Narodowo-Rewolucyjną dowodzoną przez Czang Kaj-szeka. W 1931 r. Japończycy zajęli Mandżurię, gdzie utworzyli marionetkowe Cesarstwo Mandżukuo, a w latach 1937-40 podbili wschodnie Chiny po rzekę Jangcy. Kres japońskiej okupacji na kontynencie nastąpił w 1945 r. Kolejna wojna domowa (1946-1949) przyniosła zwycięstwo komunistom wspomaganym przez ZSRR. Resztki wojsk Czang Kaj-szeka schroniły się na Tajwanie. W 1949 r. proklamowano Chińską Republikę Ludową pod wodzą Mao Tse-tunga. Szaleńcza ideologia ogłoszonej przez niego w 1966 r. „rewolucji kulturalnej" doprowadziła do ogromnych strat w kulturze i gospodarce. Niewydolność systemu oraz zniewolenie obywateli zrodziło opór opozycji. Próby pokojowych reform skończyły się masakrą na placu Tienanmen (4 VI 1989 r.) w Pekinie, ale też zmianami we władzach, co zapoczątkowało powolną liberalizację życia politycznego i gospodarczego. Skutkiem tego jest trwający od przełomu XX i XXI w. szybki rozwój gospodarczy kraju. W 1997 r. w skład Chin, po 155 latach panowania brytyjskiego, wszedł Hongkong jako Specjalny Region Administracyjny ze znaczną autonomią.

Informacje ogólne CHINY	
Powierzchnia	9 572 900 km^2
Stolica (liczba mieszkańców)	Pekin (7 699 tys.; 10 717 tys. aglomeracja)
Liczba mieszkańców	1 313 974 tys.
Gęstość zaludnienia	137,3 os./km^2
Przyrost naturalny	6,3 os./1000 mieszk.
Saldo migracji	–0,4 os./1000 mieszk.
Urbanizacja	40,4%
Ustrój	republika socjalistyczna
Podział administracyjny	22 prowincje, 5 regionów autonomicznych, 2 Specjalne Regiony Administracyjne (Hongkong i Makau), 4 miasta wydzielone
Przynależność do organizacji międzynarodowych	APEC
Waluta	1 yuan = 10 jiao = 100 fen
Języki urzędowe	chiński (pekiński)
Języki używane	języki chińskie i ponad 50 języków mniejszości narodowych
Obszary chronione	14,8%
Zagadnienia społeczno-gospodarcze	
Religie (wyznawcy)	bezwyznaniowy i ateiści (64%), wyznawcy religii ludowych (20%), buddyści (10%), muzułmanie (2%), chrześcijanie i pozostali (4%)
Analfabetyzm	10,3%
Bezrobocie	oficjalnie 4,2% (na obszarach miejskich)
Przeciętna długość życia	71,4 – mężczyźni, 75,2 – kobiety (w latach)

Zainfekowani wirusem HIV	390 – 1100 tys. os.
PKB na 1 mieszkańca	2013 USD
Struktura PKB	rolnictwo 11,3%, przemysł 48,6%, usługi 40,1%
Wydatki na zbrojenia	19 USD/mieszk.
Dług zagraniczny	14,5% PKB
Saldo obrotów handlu zagranicznego	177 459 mln USD
Główne towary eksportowe	wyroby tekstylne i odzieżowe, maszyny i urządzenia przemysłowe, sprzęt elektroniczny, wyroby rzemiosła artystycznego
Główne towary importowe	urządzenia i maszyny, surowce mineralne i półprodukty, wyroby chemiczne, paliwa, żywność
Dochody z turystyki	13,8 USD/mieszk.
Produkcja energii elektrycznej	1903 kWh/mieszk.
Samochody osobowe	15 szt./1000 mieszk.
Komputery	40,8 szt./1000 mieszk.
Użytkownicy Internetu	72,3 os./1000 mieszk.
Telefony komórkowe	299,0 szt./1000 mieszk.
Strony w atlasie	198-199

CHORWACJA

REPUBLIKA CHORWACJI

W starożytności obszar dzisiejszej Chorwacji zamieszkiwali Ilirowie. W 12 r. wszedł on w skład rzymskich prowincji Dalmacja i Panonia. W latach 493-555 znajdował się w granicach państwa Ostrogotów, ale już w 535 r. południową część włączono do Bizancjum. W VI i VII wieku był zasiedlony przez Słowian, a wśród nich przez Chorwatów. W IX w. powstało niezależne Księstwo Chorwacji (po 910 r. królestwo), od 1091 r. złączone z Węgrami unią personalną. Istria i Dalmacja przeszły w 1000 r. z rąk bizantyjskich we władanie Republiki Weneckiej. W 1541 r. większą część terytorium Chorwacji zajęła Turcja. Zachodnia część już w 1526 r. przypadła austriackim Habsburgom, którzy w 1699 r. odebrali Turkom pozostały obszar Chorwacji. Istria i Dalmacja, a od 1809 r. południowa część Chorwacji wchodziły w skład Prowincji Iliryjskich, do 1814 r. podległych Francji. W 1815 r. Chorwacja znalazła się w granicach Cesarstwa Austriackiego, a w 1868 r. uzyskała autonomię wewnętrzną w ramach Królestwa Węgier. W 1918 r. weszła w skład Królestwa Serbów, Chorwatów i Słoweńców (od 1929 r. Jugosławii). Po podboju Jugosławii Niemcy utworzyli tu marionetkowe państwo pod nazwą Niezależne Państwo Chorwackie, istniejące w latach 1941-45. W 1991 r. Chorwacja proklamowała niepodległość. W odpowiedzi na to Serbowie mieszkający w Slawonii i Krainie ogłosili oderwanie się od Chorwacji i wszczęli walki (1992-1993), wspomagani przez armię federalną. W 1995 r. Chorwacja zbrojnie zajęła Slawonię i Krainę, powodując ucieczkę mieszkających tam Serbów. W tym samym roku wojnę zakończyło podpisane w Dayton porozumienie pokojowe z Serbią i Bośnią. W 2002 r. odbył się pierwszy po rozpadzie Jugosławii szczyt prezydentów Bośni, Chorwacji i Jugosławii. Zobowiązano się wtedy do poszanowania granic, zapewnienia pomocy uchodźcom oraz podjęcia współpracy gospodarczej. Chorwacja jest państwem kandydującym do Unii Europejskiej.

Informacje ogólne CHORWACJA	
Powierzchnia	56 594 km^2
Stolica (liczba mieszkańców)	Zagrzeb (698 tys.)
Liczba mieszkańców	4495 tys.
Gęstość zaludnienia	79,4 os./km^2
Przyrost naturalny	–1,9 os./1000 mieszk.
Saldo migracji	1,6 os./1000 mieszk.
Urbanizacja	56,5%
Ustrój	republika
Podział administracyjny	21 żupanii (województw)
Przynależność do organizacji międzynarodowych	ISE, Rada Europy
Waluta	1 kuna = 100 lipa
Języki urzędowe	chorwacki
Języki używane	chorwacki, serbski, włoski
Obszary chronione	6,5%
Zagadnienia społeczno-gospodarcze	
Religie (wyznawcy)	katolicy (77%), prawosławni (11%), protestanci (2%), muzułmanie (1%), pozostali (9%)
Analfabetyzm	1,5%
Bezrobocie	17,2%
Przeciętna długość życia	71,5 – mężczyźni, 79,0 – kobiety (w latach)
Zainfekowani wirusem HIV	<1 tys. os.
PKB na 1 mieszkańca	9664 USD
Struktura PKB	rolnictwo 7,2%, przemysł 31,6%, usługi 61,2%
Wydatki na zbrojenia	133 USD/mieszk.
Dług zagraniczny	110,4% PKB
Saldo obrotów handlu zagranicznego	–11 112 mln USD
Główne towary eksportowe	surowce mineralne, stal, metale kolorowe, tkaniny, chemikalia, maszyny, urządzenia przemysłowe, odzież, obuwie, wyroby tytoniowe, farmaceutyki
Główne towary importowe	materiały, półfabrykaty i surowce, maszyny, urządzenia i środki transportu, paliwa, żywność

331

Dochody z turystyki	750,3 USD/mieszk.
Produkcja energii elektrycznej	2881 kWh/mieszk.
Samochody osobowe	319 szt./1000 mieszk.
Komputery	190,7 szt./1000 mieszk.
Użytkownicy Internetu	295,1 os./1000 mieszk.
Telefony komórkowe	655,5 szt./1000 mieszk.
Strony w atlasie	118-119

CYPR

REPUBLIKA CYPRYJSKA

W starożytności (od II tysiąclecia p.n.e.) Cypr był kolonizowany kolejno przez Egipcjan, Greków i Fenicjan. W VIII w. p.n.e. należał do Asyrii, od VI w. podlegał Persom, potem państwu Aleksandra Macedońskiego, następnie Ptolemeuszom egipskim. W 58 r. p.n.e. stał się częścią cesarstwa rzymskiego, a od końca IV w. – bizantyjskiego. Po rządach Arabów (649-965) powrócił do Bizancjum. W 1191 r. został zajęty przez krzyżowców, którzy utworzyli tu Królestwo Cypryjskie. Wzrost znaczenia Cypru w handlu z Bliskim Wschodem spowodował rywalizację o tę wyspę między Genuą a Wenecją, która zajęła ją w 1489 r. Od 1573 r. datuje się tureckie panowanie nad Cyprem. Nadmierne podatki były przyczyną powtarzających się buntów. Największym było tzw. powstanie greckie (1821-1829), w czasie którego doszło do masakry chrześcijan w Nikozji. W 1878 r. mocarstwa europejskie zmusiły Turcję do oddania Cypru pod kontrolę brytyjską. Wielka Brytania w 1914 r. anektowała wyspę, a w 1925 r. uznała ją za swoją kolonię. W 1960 r. Cypr uzyskał niepodległość, przy czym Grecja, Turcja i Wielka Brytania zostały gwarantami niepodległości, z prawem utrzymywania na wyspie kontyngentów wojskowych. W 1963 r. wybuchły walki między greckimi a tureckimi mieszkańcami Cypru, przerwane przez interweniujące wojska ONZ. W 1974 r. doszło do zamachu stanu, w wyniku którego władzę przejęli zwolennicy połączenia z Grecją. Turcja odpowiedziała desantem, który zajął północną część wyspy, a rok później proklamowała utworzenie tam odrębnego państwa. Mimo licznych interwencji ONZ stan ten trwa do dzisiaj. Podczas ogólnocypryjskiego referendum w 2004 r. głosy cypryjskich Greków zadecydowały o odrzuceniu planu pokojowego zjednoczenia wyspy. W 2004 r. do Unii Europejskiej przystąpiła tylko grecka część Cypru.

Informacje ogólne CYPR	
Powierzchnia	9251 km² (część grecka 5896 km²)
Stolica (liczba mieszkańców)	Nikozja (233 tys.) 2001, część grecka (194 tys.)
Liczba mieszkańców	784 tys. (575 tys.)
Gęstość zaludnienia	84,8 os./km² (97,5 os./km²)
Przyrost naturalny	4,9 os./1000 mieszk.
Saldo migracji	0,4 os./1000 mieszk.
Urbanizacja	69,3%
Ustrój	republika
Podział administracyjny	6 dystryktów
Przynależność do organizacji międzynarodowych	NAM, Rada Europy, UE
Waluta	1 euro = 100 eurocentów
Języki urzędowe	grecki, turecki
Języki używane	grecki, angielski
Obszary chronione	4,0%
Zagadnienia społeczno-gospodarcze – część grecka Cypru	
Religie (wyznawcy)	prawosławni (78%), muzułmanie (18%), pozostali (4%)
Analfabetyzm	2,4%
Bezrobocie	5,5%
Przeciętna długość życia	75,8 – mężczyźni, 80,7 – kobiety (w latach)
Zainfekowani wirusem HIV	<1 tys. os.
PKB na 1 mieszkańca	23 676 USD
Struktura PKB	rolnictwo 2,7%, przemysł 19,2%, usługi 78,0%
Wydatki na zbrojenia	354 USD/mieszk.
Dług zagraniczny	62,8% PKB
Saldo obrotów handlu zagranicznego	−5574 mln USD
Główne towary eksportowe	owoce cytrusowe, ziemniaki, winogrona, wino, cement, artykuły odzieżowe
Główne towary importowe	ropa naftowa, towary konsumpcyjne, zboża, pasze, urządzenia przemysłowe, środki transportu
Dochody z turystyki	2606,6 USD/mieszk.
Produkcja energii elektrycznej	6828 kWh/mieszk.
Samochody osobowe	534 szt./1000 mieszk.
Komputery	308,6 szt./1000 mieszk.
Użytkownicy Internetu	369,3 os./1000 mieszk.
Telefony komórkowe	860,9 szt./1000 mieszk.
Strona w atlasie	135

CYPR PÓŁNOCNY*

TURECKA REPUBLIKA CYPRU PÓŁNOCNEGO

Od czasu odzyskania przez Grecję niepodległości w 1832 r. Cypr był przedmiotem sporu między nią a Turcją. W XIX w. narodził się silny ruch mający na celu zjednoczenie Cypru z Grecją. Po uzyskaniu przez Cypr niepodległości w 1960 r. ruch ten nasilił się, w 1974 r. jego zwolennicy dokonali zamachu stanu. Turcja odpowiedziała desantem, który zajął północną część wyspy, a rok później proklamowała tam

Federalne Państwo Tureckiej Republiki Cypryjskiej. W 1983 r. na wezwanie ONZ do wycofania wojsk Turcja odpowiedziała przekształceniem FPTRC – w Republikę Turecką Cypru Północnego, co zostało potępione przez Radę Bezpieczeństwa ONZ. Separatystyczne państwo uznawane jest jedynie przez Turcję, która wprowadziła w nim własną walutę i zasiedla je osadnikami z kontynentu. Pomimo poparcia przez cypryjskich Turków planu pokojowego zjednoczenia wyspy został on odrzucony w ogólnocypryjskim referendum (2004 r.) głosami cypryjskich Greków. W 2004 r. do Unii Europejskiej przystąpiła tylko grecka część Cypru.

Informacje ogólne CYPR PÓŁNOCNY	* nieokreślony status polityczny
Powierzchnia	3355 km²
Stolica (liczba mieszkańców)	Nikozja – część turecka (39 tys.)
Liczba mieszkańców	209 tys. (2001)
Gęstość zaludnienia	62,3 os./km²
Urbanizacja	51,2%
Ustrój	republika
Podział administracyjny	4 dystrykty
Waluta	1 lira turecka = 100 kuruş
Języki urzędowe	turecki
Języki używane	turecki
Zagadnienia społeczno-gospodarcze	
Religie (wyznawcy)	muzułmanie sunnici (98%), chrześcijanie (2%)
Analfabetyzm	6,5%
Bezrobocie	5,6%
Przeciętna długość życia	72,1 – mężczyźni, 76,9 – kobiety (w latach)
PKB na 1 mieszkańca	5263 USD (2000)
Struktura PKB	rolnictwo 10,6%, przemysł 20,5%, usługi 68,9%
Wydatki na zbrojenia	762 USD/mieszk.
Dług zagraniczny	4,9% PKB
Saldo obrotów handlu zagranicznego	−182 mln USD (2000)
Główne towary eksportowe	owoce cytrusowe, ziemniaki, wyroby tekstylne
Główne towary importowe	żywność, surowce mineralne i chemiczne, maszyny
Dochody z turystyki	996,2 USD/mieszk.
Samochody osobowe	600 szt./1000 mieszk.
Strona w atlasie	135

CZAD

REPUBLIKA CZADU

Od IX w. na terenie dzisiejszego Czadu istniało państwo Kanem. W XV w. jego południową część zajęło państwo Bornu. Na wschód od nich w XVIII w. powstały państwa Wadaj i Bagirmi. W 1900 r. Czad został kolonią francuską, włączoną w 1910 r. do Francuskiej Afryki Równikowej. Podczas II wojny światowej był jedną z baz wojskowych Wolnej Francji. W 1958 r. stał się autonomiczną republiką, a w 1960 r. uzyskał niepodległość. W 1965 r. rozpoczął się zbrojny konflikt między muzułmańską Północą (wspieraną przez Libię) a chrześcijańsko-animistycznym Południem (wspomaganym przez Francję). Walki trwały z przerwami do 1983 r., kiedy to wojska francuskie wyparły partyzantkę Północy, a kraj podzielono na strefy wpływów wzdłuż równoleżnika 15° szer. geogr. północnej. Od 1986 r. francuski kontyngent stacjonuje na stałe w południowej części kraju. Po zwycięskiej wojnie z Libią (1987-88) nastąpiło ponowne zjednoczenie kraju. W wyniku zamachu stanu w 1990 r. rządy przejął Patriotyczny Ruch Ocalenia, który w 1991 r. proklamował tzw. Kartę Narodowa, a w 1996 r. konstytucję. W 2001 r. zawarto umowę z Francją w sprawie udzielenia pomocy technicznej i szkoleniowej siłom zbrojnym. Podpisano też porozumienie pokojowe z rebeliantami na wschodzie kraju. Nadal jednak wykazują się oni dużą aktywnością.

Informacje ogólne CZAD	
Powierzchnia	1 284 000 km²
Stolica (liczba mieszkańców)	Ndżamena (610 tys.)
Liczba mieszkańców	9944 tys.
Gęstość zaludnienia	7,7 os./km²
Przyrost naturalny	29,3 os./1000 mieszk.
Saldo migracji	−0,1 os./1000 mieszk.
Urbanizacja	25,3%
Ustrój	republika
Podział administracyjny	14 prefektur
Przynależność do organizacji międzynarodowych	ACP, AU, NAM
Waluta	1 frank CFA = 100 centów
Języki urzędowe	francuski, arabski
Języki używane	arabski, ngambay, kanembu, dazaga, maba, naba, sar, gulay, mundang, fulfulde (fulani), marba, masana, hausa, tupuri i ponad 100 innych
Obszary chronione	9,3%
Zagadnienia społeczno-gospodarcze	
Religie (wyznawcy)	muzułmanie (54%), katolicy (20%), protestanci (14%), animiści (7%), pozostali (5%)
Analfabetyzm	54,2% (2002)
Przeciętna długość życia	46,4 – mężczyźni, 48,5 – kobiety (w latach)
Zainfekowani wirusem HIV	88 – 300 tys. os.
PKB na 1 mieszkańca	688 USD

Struktura PKB	rolnictwo 21,5%, przemysł 47,8%, usługi 30,6%
Wydatki na zbrojenia	5 USD/mieszk.
Dług zagraniczny	33,4% PKB
Saldo obrotów handlu zagranicznego	2550 mln USD
Główne towary eksportowe	bawełna, żywe zwierzęta, mięso, skóry
Główne towary importowe	paliwa, żywność, farmaceutyki, maszyny
Produkcja energii elektrycznej	9 kWh/mieszk.
Samochody osobowe	1 szt./1000 mieszk. (2002)
Komputery	1,7 szt./1000 mieszk.
Użytkownicy Internetu	4,0 os./1000 mieszk.
Telefony komórkowe	21,5 szt./1000 mieszk.
Strona w atlasie	222

CZARNOGÓRA

REPUBLIKA CZARNOGÓRY

W 1918 r. wskutek zjednoczenia wchodzących dotąd w skład Austro-Węgier Chorwacji, Słowenii, Bośni i Hercegowiny oraz niepodległych Serbii i Czarnogóry powstało Królestwo Serbów, Chorwatów i Słoweńców. W 1929 r. car Aleksander I zniósł konstytucję, wprowadził dyktaturę wojskową i zmienił nazwę państwa na Królestwo Jugosławii. W 1941 r. została podbita przez Niemcy oraz ich sojuszników: Włochy, Węgry i Bułgarię. Powstało związane z Niemcami Niezależne Państwo Chorwackie. W 1945 r. władzę w Jugosławii objęła kierowana przez J. Broz „Tito" partia komunistyczna. Powojenna Jugosławia składała się z 6 równorzędnych republik federacyjnych: Serbii, Czarnogóry, Chorwacji, Słowenii, Bośni i Hercegowiny oraz Macedonii. Upadek komunizmu i kryzys gospodarczy lat 80. XX w. przyczyniły się do wznowienia konfliktów narodowościowych w Jugosławii. Mimo politycznego i militarnego przeciwdziałania Serbii nastąpił w latach 1990-1992 rozpad państwa; federację opuściły: Chorwacja, Słowenia, Bośnia i Hercegowina oraz Macedonia. W 1992 r. Serbia i Czarnogóra utworzyły Federalną Republikę Jugosławii. Latem 1998 r. wybuchły walki między Serbami i Albańczykami w Kosowie. Wobec przewagi Serbów i dokonywania przez nich czystek etnicznych nastąpił masowy exodus ludności albańskiej do Albanii, Macedonii i Czarnogóry. W wyniku nalotów NATO na Serbię (III-VI 2000 r.) wojska jugosłowiańskie wycofały się z Kosowa, a ich miejsce zajęły międzynarodowe oddziały pokojowe. W 2003 r. za zgodą obu stron rozwiązano Federację Jugosłowiańską, powstało nowe państwo federacyjne – Serbia i Czarnogóra. Czarnogóra, faktycznie będąca niezależną republiką, dąży do uzyskania niepodległości. W wyniku referendum w 2006 r. mieszkańcy Czarnogóry zadecydowali o zerwaniu federacji z Serbią. Spadkobiercą federacji jest Serbia, Czarnogóra zatem musiała rozpocząć proces akcesyjny do organizacji międzynarodowych.

Informacje ogólne	CZARNOGÓRA
Powierzchnia	14 026 km^2
Stolica (liczba mieszkańców)	Podgorica (136 tys.)
Liczba mieszkańców	631 tys.
Gęstość zaludnienia	45 os./km^2
Przyrost naturalny	−1,4 os./1000 mieszk.
Ustrój	republika
Podział administracyjny	21 gmin
Przynależność do organizacji międzynarodowych	Rada Europy
Waluta	1 euro = 100 eurocentów
Języki urzędowe	serbski
Języki używane	serbski, albański, chorwacki
Zagadnienia społeczno-gospodarcze	
Religie (wyznawcy)	prawosławni 74%, muzułmanie 18%, katolicy 4%, pozostali 4%
Bezrobocie	27,7%
PKB na 1 mieszkańca	3745 USD
Saldo obrotów handlu zagranicznego	−430 mln USD
Główne towary eksportowe	żywność, surowce
Główne towary importowe	maszyny i środki transportu, paliwa
Produkcja energii elektrycznej	4539 kWh/mieszk.
Użytkownicy Internetu	79,3 os./1000 mieszk.
Telefony komórkowe	861,5 szt./1000 mieszk.
Strona w atlasie	119

CZECHY

REPUBLIKA CZESKA

W starożytności obszar dzisiejszych Czech zamieszkiwali celtyccy Bojowie, których w I w. p.n.e. wyparli germańscy Markomanowie. Po ich ustąpieniu ziemie te w V w. zajęli Słowianie. W latach 623-658 wchodziły w skład państwa Samona, a od około 860 r. państwa wielkomorawskiego. Państwo czeskie powstało w X w. pod berłem dynastii Przemyślidów, którzy rządzili do 1310 r. i na krótko włączyli do niego Austrię, Styrię, Karyntię oraz Krainę (1251-1278). Za panowania Luksemburgów (1310-1437) w granicach Czech znalazł się Śląsk i przejściowo Brandenburgia. Antyniemiecka i antyfeudalna ideologia reformatora religijnego Jana Husa znalazła w Czechach szerokie poparcie, a po jego zamordowaniu w 1415 r. stała się zarzewiem wojen prowadzonych do 1434 r. z wojskami cesarskimi. W latach 1471-1526 Czechami rządzili królowie z dynastii Jagiellonów. W 1526 r. Czechy trafiły pod rządy austriackich Habsburgów. Ograniczenia odrębności państwowej i przywilejów doprowadziły w 1618 r. do wypowiedzenia im posłuszeństwa, a w konsekwencji do wybuchu wojny trzydziestoletniej pustoszącej kraj. Po klęsce pod Białą Górą w 1620 r.

gdzie wyginęła prawie cała szlachta czeska, Czechy stały się prowincją austriacką i zostały poddane silnej germanizacji. W 1742 r. Czechy na rzecz Prus utraciły Śląsk. Wiek XIX przyniósł odrodzenie narodowe i wzrost dążeń niepodległościowych. W wyniku szeroko zakrojonej akcji dyplomatycznej w 1918 r. została proklamowana niepodległa Czechosłowacja, w której skład weszła prócz Czech (z Morawami) również Słowacja. W latach 1938-39 Niemcy dokonały aneksji Czech, a na terenie Słowacji utworzyli marionetkowe państwo. W 1945 r. Czechosłowacja została odtworzona w dawnych granicach (bez Zakarpacia), a w 1948 r. stała się państwem socjalistycznym. Próba reformy ustroju w 1968 r skończyła się interwencją wojsk Układu Warszawskiego. „Aksamitna rewolucja" w 1989 r. przyniosła pokojową zmianę ustroju i doprowadziła do demokratycznych wyborów w 1990 r. W 1993 r. Czechosłowacja rozpadła się i Czechy stały się samodzielnym państwem. Czechy przystąpiły do NATO w 1999 r., zaś w 2004 r. do Unii Europejskiej.

Informacje ogólne	CZECHY
Powierzchnia	78 867 km^2
Stolica (liczba mieszkańców)	Praga (1 182 tys.)
Liczba mieszkańców	10 235 tys.
Gęstość zaludnienia	129,8 os./km^2
Przyrost naturalny	−1,6 os./1000 mieszk.
Saldo migracji	1,0 os./1000 mieszk.
Urbanizacja	73,5%
Ustrój	republika
Podział administracyjny	13 krajów i miasto wydzielone (Praga)
Przynależność do organizacji międzynarodowych	ISE, NATO, OECD, Rada Europy, UE
Waluta	1 korona czeska = 100 halerzy
Języki urzędowe	czeski
Języki używane	czeski, morawski, cygański, słowacki, polski, niemiecki
Obszary chronione	15,8%
Zagadnienia społeczno-gospodarcze	
Religie (wyznawcy)	katolicy (39%), ewangelicy (2%), husyci (2%), bezwyznaniowi i ateiści (40%), pozostali (17%)
Analfabetyzm	0%
Bezrobocie	8,4%
Przeciętna długość życia	73,3 – mężczyźni, 80,1 – kobiety (w latach)
Zainfekowani wirusem HIV	0,9 – 2,5 tys. os.
PKB na 1 mieszkańca	13 884 USD
Struktura PKB	rolnictwo 2,8%, przemysł 38,4%, usługi 58,8%
Wydatki na zbrojenia	198 USD/mieszk.
Dług zagraniczny	51,0% PKB
Saldo obrotów handlu zagranicznego	1908 mln USD
Główne towary eksportowe	maszyny, urządzenia, środki transportu, broń, tkaniny, produkty chemiczne, piwo
Główne towary importowe	urządzenia elektroniczne, sprzęt telekomunikacyjny, samochody, sprzęt gospodarstwa domowego, ropa naftowa, gaz ziemny, rudy żelaza
Dochody z turystyki	303,8 USD/mieszk.
Produkcja energii elektrycznej	7732 kWh/mieszk.
Samochody osobowe	387 szt./1000 mieszk.
Komputery	215,5 szt./1000 mieszk.
Użytkownicy Internetu	499,7 os./1000 mieszk.
Telefony komórkowe	1152,2 szt./1000 mieszk.
Strony w atlasie	112-113

DANIA

KRÓLESTWO DANII

W I tysiącleciu p.n.e. na obszarze dzisiejszej Danii żyli Germanowie z których Anglowie, Jutowie w V i VI w. przenieśli się na Wyspy Brytyjskie. Ich miejsce zajęli północnogermańscy Danowie, którzy od VIII do XI w. brali udział w łupieżczych wyprawach Normanów. W pierwszej połowie X w. założyli królestwo obejmujące Jutlandię, wyspy duńskie i południowy skraj Półwyspu Skandynawskiego. Dania, związana w 1397 r. unią kalmarską z Norwegią i Szwecją (do 1523 r.), walczyła o pozycję najważniejszego państwa w regionie. W 1460 r. zawarła unię ze Szlezwikiem i Holsztynem. W 1536 r. prowincją Danii została Norwegia. W wyniku wojen ze Szwecją Dania utraciła w 1658 r. południowy fragment Półwyspu Skandynawskiego i pozycję mocarstwa. Skutkiem udziału w wojnach napoleońskich po stronie Francji była utrata w 1814 r. Norwegii. Dania zachowała jednak Grenlandię, Islandię i Wyspy Owcze. W 1864 r. utraciła Szlezwik i Holsztyn, a w 1918 r. Islandię, która pozostała w unii personalnej z D. Na mocy plebiscytu z 1920 r. odzyskała północny Szlezwik. Podczas okupacji niemieckiej (1940-45), Islandia zajęta przez aliantów zerwała unię i proklamowała w 1944 r. republikę. W 1949 r. była współzałożycielem NATO. Jest dziedziczną monarchią konstytucyjną. W 1948 r. Dania przyznała autonomię Wyspom Owczym, zaś w 1979 r. – Grenlandii.

Informacje ogólne	DANIA
Powierzchnia	43 098 km^2
Stolica (liczba mieszkańców)	Kopenhaga (504 tys.)
Liczba mieszkańców	5451 tys.
Gęstość zaludnienia	126,5 os./km^2
Przyrost naturalny	0,7 os./1000 mieszk.
Saldo migracji	2,5 os./1000 mieszk.

Urbanizacja	85,6%
Ustrój	monarchia konstytucyjna
Podział administracyjny	14 okręgów, 275 gmin, w tym 2 na prawach okręgów (Kopenhaga i Frederiksberg)
Przynależność do organizacji międzynarodowych	CBSS, NATO, OECD, Rada Europy, UE
Waluta	1 korona duńska = 100 øre
Języki urzędowe	duński
Języki używane	duński, turecki
Obszary chronione	7,1%

Zagadnienia społeczno-gospodarcze

Religie (wyznawcy)	luteranie (90%), katolicy (1%), pozostali (9%)
Analfabetyzm	0%
Bezrobocie	3,8%
Przeciętna długość życia	75,8 – mężczyźni, 80,6 – kobiety (w latach)
Zainfekowani wirusem HIV	3,4 – 9,3 tys. os.
PKB na 1 mieszkańca	50 931 USD
Struktura PKB	rolnictwo 1,5%, przemysł 26,0%, usługi 72,4%
Wydatki na zbrojenia	663 USD/mieszk.
Saldo obrotów handlu zagranicznego	6266 mln USD
Główne towary eksportowe	maszyny, urządzenia, sprzęt transportowy, produkty przemysłu spożywczego (mięso, nabiał, ryby, zboże)
Główne towary importowe	maszyny i urządzenia, środki transportu, papier, stal, metale kolorowe, ropa naftowa
Dochody z turystyki	731,9 USD/mieszk.
Produkcja energii elektrycznej	7953 kWh/mieszk.
Samochody osobowe	371 szt./1000 mieszk.
Komputery	654,8 szt./1000 mieszk.
Użytkownicy Internetu	604,1 os./1000 mieszk.
Telefony komórkowe	1007,1 szt./1000 mieszk.
Strona w atlasie	138

DEMOKRATYCZNA REPUBLIKA KONGA

Najstarsi mieszkańcy tych ziem, Pigmeje, zostali podbici przez ludy Bantu, które w XV w. utworzyły państwo Kongo. Po jego rozpadzie istniały tu w XVII-XVIII w. państwa Bolia, Kuba, Luba i Lunda. W 1876 r. podbój kolonialny tych ziem rozpoczęli Belgowie. W 1885 r. powstało Wolne Państwo Kongo, będące własnością króla belgijskiego, które w 1908 r. stało się kolonią pod nazwą Kongo Belgijskie. Jako kraj o znacznych zasobach surowców mineralnych przeżywało w latach 1919-1939 szybki rozwój gospodarczy. W 1960 r. powstała niepodległa federacyjna Republika Kongo Léopoldville. W czasie trwającej do 1965 r. wojny domowej nastąpiła secesja prowincji Katanga i Kasai, stłumiona z pomocą oddziałów ONZ i belgijskich spadochroniarzy. W 1971 r. dokonano zmiany nazwy państwa na Zair oraz afrykanizacji nazewnictwa. Nastąpiła częściowa nacjonalizacja przemysłu i rozwój gospodarczy z dużą pomocą kapitału zagranicznego. Nawiązano silne więzi polityczne i gospodarcze z Francją. Kolejne rozruchy w Katandze (1977-1978) zostały stłumione przez oddziały francuskie. Destabilizacja sytuacji wewnętrznej w latach 1993-1994, związana z wojną domową w Ruandzie (ataki Hutu na obozy uchodźców Tutsi w Zairze, połączenie oddziałów Tutsi ze zbrojną opozycją), doprowadziła w 1996 r. do wojny domowej. W 1997 r. nazwę państwa zmieniono na Demokratyczna Republika Konga. Porozumienia pokojowe nie przynosiły rezultatów, czego dowodem było morderstwo prezydenta i próba zamachu stanu w 2001 r. Dwa lata później doszło do kolejnej czystki etnicznej, pod naciskiem organizacji międzynarodowych prezydent zawarł układ z przedstawicielami rebeliantów. W 2003 r. powołano rząd tymczasowy, w skład którego weszli także przedstawiciele grup rebelianckich i opozycji. W 2005 r. z powodzeniem przeprowadzono referendum konstytucyjne, zaś w 2006 r. odbyły się wybory prezydenckie i parlamentarne.

Informacje ogólne DEMOKRATYCZNA REPUBLIKA KONGA

Powierzchnia	2 344 858 km^2
Stolica (liczba mieszkańców)	Kinszasa (6 049 tys.)
Liczba mieszkańców	62 661 tys.
Gęstość zaludnienia	26,7 os./km^2
Przyrost naturalny	30,4 os./1000 mieszk.
Saldo migracji	0,2 os./1000 mieszk.
Urbanizacja	32,1%
Ustrój	republika
Podział administracyjny	10 prowincji i okręg stołeczny
Przynależność do organizacji międzynarodowych	ACP, AU, NAM, SADC
Waluta	1 nowy zair = 100 makutów
Języki urzędowe	francuski
Języki używane	ponad 1 mln użytkowników: suahili kongijskie, luba, lingala, kituba, mongo, kongo, ngbaka, songe, nandi; około 200 innych
Obszary chronione	8,4%

Zagadnienia społeczno-gospodarcze

Religie (wyznawcy)	katolicy (41%), protestanci (32%), afrochrześcijanie (13%), animiści (11%), muzułmanie i pozostali (3%)
Analfabetyzm	34,5%
Przeciętna długość życia	52,2 – mężczyźni, 55,8 – kobiety (w latach)
Zainfekowani wirusem HIV	560 – 1500 tys. os.

PKB na 1 mieszkańca	144 USD
Struktura PKB	rolnictwo 55,0%, przemysł 11,0%, usługi 34,0% (2000)
Wydatki na zbrojenia	3 USD/mieszk. (2002)
Dług zagraniczny	35,6% PKB
Saldo obrotów handlu zagranicznego	–500 mln USD
Główne towary eksportowe	miedź, diamenty, ropa naftowa, bawełna, ananasy, banany, kawa, kakao, kauczuk, cukier
Główne towary importowe	żywność, maszyny i urządzenia wydobywcze, środki transportu, paliwa
Produkcja energii elektrycznej	114 kWh/mieszk.
Samochody osobowe	3 szt./1000 mieszk. (2000)
Użytkownicy Internetu	0,8 os./1000 mieszk.
Telefony komórkowe	8,3 szt./1000 mieszk.
Strony w atlasie	224-225

DOMINIKA

WSPÓLNOTA DOMINIKI

Pierwotnie zamieszkiwało ją indiańskie plemię Karaibów. W 1493 r. została odkryta przez Krzysztofa Kolumba, a od 1632 r. kolonizowana przez Francuzów. W 1763 r. została posiadłością brytyjską, podstawą jej gospodarki była uprawa trzciny cukrowej, kakao i bananów. Od 1967 r. jest stowarzyszona z Wielką Brytanią, a od 1978 r. niepodległym państwem (republika), członkiem brytyjskiej Wspólnoty Narodów. Sytuacja gospodarcza Dominiki poprawiła się odkąd premierem została, pierwsza w tej funkcji kobieta na Karaibach, M. E. Charles.

Informacje ogólne DOMINIKA

Powierzchnia	751 km^2
Stolica (liczba mieszkańców)	Roseau (20 tys.)
Liczba mieszkańców	69 tys.
Gęstość zaludnienia	93,4 os./km^2
Przyrost naturalny	8,6 os./1000 mieszk.
Saldo migracji	–9,36 os./1000 mieszk.
Urbanizacja	72,9%
Ustrój	republika
Podział administracyjny	10 parafii
Przynależność do organizacji międzynarodowych	ACP, CARICOM, OAS
Waluta	1 dolar wschodniokaraibski = 100 centów
Języki urzędowe	angielski
Języki używane	angielski-kreolski, francuski-kreolski
Obszary chronione	4,5%

Zagadnienia społeczno-gospodarcze

Religie (wyznawcy)	katolicy (71%), protestanci (17%), bezwyznaniowcy i pozostali (12%)
Analfabetyzm	6,0% (2000)
Bezrobocie	23,0% (2000)
Przeciętna długość życia	72,4 – mężczyźni, 78,4 – kobiety (w latach)
PKB na 1 mieszkańca	3567 USD
Struktura PKB	rolnictwo 17,7%, przemysł 32,8%, usługi 49,5%
Dług zagraniczny	84% PKB (2001)
Saldo obrotów handlu zagranicznego	–127 mln USD
Główne towary eksportowe	banany, owoce cytrusowe, tłuszcze roślinne, kawa, wanilia, mydło
Główne towary importowe	maszyny i środki transportu, papier, artykuły spożywcze
Produkcja energii elektrycznej	1216 kWh/mieszk.
Samochody osobowe	139 szt./1000 mieszk.
Komputery	182,3 szt./1000 mieszk.
Użytkownicy Internetu	287,5 os./1000 mieszk.
Telefony komórkowe	586,8 szt./1000 mieszk.
Strona w atlasie	263

DOMINIKANA

REPUBLIKA DOMINIKAŃSKA

Wyspę o lokalnej nazwie Haiti, zamieszkaną przez indiańskie plemię Arawaków, odkrył w 1492 r. Krzysztof Kolumb i nazwał ją Espanola. Od tego czasu stanowiła posiadłość hiszpańską Santo Domingo, której indiańską ludność niemal całkowicie wyniszczono. Pod koniec XVII w. zachodnia część wyspy przeszła w posiadanie Francji (obecnie państwo Haiti). W latach 1795-1808 przejściowo była pod rządami Francji. W 1802 r. Polacy z byłego Legionu Dąbrowskiego tłumili tam powstanie ludności murzyńskiej. W 1821 r. uzyskała niezależność, a w 1822 została włączona do Republiki Haiti. W 1844 r. proklamowano niepodległą Republikę Dominikany. Po kilkakrotnych próbach opanowania Dominikany przez Haiti władze poddały ją w 1861 r. Hiszpanii. Narodowe powstanie z 1865 r. przyniosło Dominikanie niepodległość. Walki wewnętrzne dały pretekst do okupacji amerykańskiej w latach 1916-1924 i utrzymania tam wpływów w postaci dyktatury wojskowej. Skutkiem wojny domowej w 1965 r. była kolejna interwencja Stanów Zjednoczonych i utrzymanie proamerykańskich rządów. W 1966 r. do władzy doszedł J. Balaguer, który sprawował rządy dyktatorskie przez ponad 30 lat. Pod naciskiem międzynarodowym oraz społeczeństwa w 1996 r. przeprowadzono wolne wybory prezydenckie, które wygrał przedstawiciel opozycji.

Informacje ogólne DOMINIKANA

Powierzchnia	48 734 km²
Stolica (liczba mieszkańców)	Santo Domingo (914 tys.; 2 022 tys. aglomeracja) 2002
Liczba mieszkańców	9184 tys.
Gęstość zaludnienia	188,5 os./km²
Przyrost naturalny	17,5 os./1000 mieszk.
Saldo migracji	−2,8 os./1000 mieszk.
Urbanizacja	66,8%
Ustrój	republika
Podział administracyjny	29 prowincji i dystrykt narodowy
Przynależność do organizacji międzynarodowych	ACP, OAS
Waluta	1 peso dominikańskie = 100 centavos
Języki urzędowe	hiszpański
Języki używane	hiszpański, francuski-kreolski
Obszary chronione	32,6%

Zagadnienia społeczno-gospodarcze

Religie (wyznawcy)	katolicy (82%), protestanci (6%), Świadkowie Jehowy i pozostali (12%)
Analfabetyzm	15,3%
Bezrobocie	16,0%
Przeciętna długość życia	71,6 – mężczyźni, 75,2 – kobiety (w latach)
Zainfekowani wirusem HIV	56 − 77 tys. os.
PKB na 1 mieszkańca	3653 USD
Struktura PKB	rolnictwo 11,7%, przemysł 23,8%, usługi 64,4%
Wydatki na zbrojenia	13 USD/mieszk.
Dług zagraniczny	38,5% PKB
Saldo obrotów handlu zagranicznego	−4723 mln USD
Główne towary eksportowe	koncentraty niklu, cukier, kawa, kakao, złoto, boksyty, tytoń, wyroby elektroniczne
Główne towary importowe	ropa naftowa, maszyny i urządzenia, chemikalia, produkty rolne
Dochody z turystyki	315,3 USD/mieszk.
Produkcja energii elektrycznej	1635 kWh/mieszk.
Samochody osobowe	76 szt./1000 mieszk.
Użytkownicy Internetu	91,0 os./1000 mieszk.
Telefony komórkowe	406,8 szt./1000 mieszk.
Strona w atlasie	263

DŻIBUTI

REPUBLIKA DŻIBUTI

Do 2 poł. XIX w. obszar dzisiejszego Dżibuti był częścią Somali. Od 1859 r. teren ten był penetrowany przez Francję, co skończyło się podpisaniem w 1885 r. umów o protektoracie z wodzami Afarów i Issów. W tym okresie powstała francuska faktoria Obok nad Zatoką Tadżura naprzeciwko miasta Dżibuti, w którym od 1888 r. Francuzi rozpoczęli budowę portu. W tym samym czasie teren Dżibuti został podporządkowany Etiopii, która pod berłem Menelika II znacznie powiększyła swoje terytorium. Jednak już w 1897 r. Etiopia odstąpiła Francji terytorium Dżibuti – powstała wtedy kolonia Somali Francuskie, istniejąca do 1946 r. W latach 1946-1967 miała status terytorium zamorskiego Francji. Na życzenie ludności utrzymane zostały związki z Francją i w 1967 r. powstało autonomiczne Francuskie Terytorium Afarów i Issów, które w 1977 r. stało się niepodległą republiką. Wobec roszczeń terytorialnych Etiopii i Somalii sojusz militarny z Francją jest gwarancją bezpieczeństwa Dżibuti. Od uzyskania niepodległości do 1999 r. władza w państwie była autorytarna, zaś system jednopartyjny. W latach 90. ubiegłego wieku wybuchła wojna domowa pomiędzy mniejszością Afarów a dominującymi w rządzie Issami, która trwała do 2001 r. W wyniku wolnych wyborów ustanowiono system wielopartyjny, zaś wybrany wtedy prezydent do dziś sprawuje władzę.

Informacje ogólne DŻIBUTI

Powierzchnia	23 200 km²
Stolica (liczba mieszkańców)	Dżibuti (465 tys.)
Liczba mieszkańców	487 tys.
Gęstość zaludnienia	21 os./km²
Przyrost naturalny	20,2 os./1000 mieszk.
Saldo migracji	0 os./1000 mieszk.
Urbanizacja	86,1%
Ustrój	republika
Podział administracyjny	5 dystryktów
Przynależność do organizacji międzynarodowych	ACP, AFESD, AU, LPA, NAM,
Waluta	1 frank dżibutyjski = 100 centymów
Języki urzędowe	francuski, arabski
Języki używane	afar, somali, arabski, francuski
Obszary chronione	0,0%

Zagadnienia społeczno-gospodarcze

Religie (wyznawcy)	muzułmanie sunnici (94%), katolicy, protestanci, prawosławni i pozostali (6%)
Analfabetyzm	32,1%

Bezrobocie	50,0%
Przeciętna długość życia	41,9 – mężczyźni, 44,8 – kobiety (w latach)
Zainfekowani wirusem HIV	3,9 − 34 tys. os.
PKB na 1 mieszkańca	1030 USD
Struktura PKB	rolnictwo 3,2%, przemysł 14,9%, usługi 81,9%
Wydatki na zbrojenia	54 USD/mieszk.
Dług zagraniczny	44,9% PKB (2002)
Saldo obrotów handlu zagranicznego	−250 mln USD
Główne towary eksportowe	skóry, bydło, sól, kawa
Główne towary importowe	produkty żywnościowe, maszyny, sprzęt transportowy, produkty chemiczne, paliwa
Produkcja energii elektrycznej	411 kWh/mieszk.
Samochody osobowe	23 szt./1000 mieszk. (2002)
Komputery	30,9 szt./1000 mieszk.
Użytkownicy Internetu	13,2 os./1000 mieszk.
Telefony komórkowe	50,7 szt./1000 mieszk.
Strona w atlasie	223

EGIPT

ARABSKA REPUBLIKA EGIPTU

W starożytności był to kraj położony wzdłuż Nilu (do I katarakty), zamieszkany przez ludność chamitosemicką. W okresie predynastycznym (ok. 3600-2850 r. p.n.e.) nastąpiło połączenie drobnych księstw w dwa państwa: Górny i Dolny Egipt, które zostały zjednoczone około 3000 r. p.n.e. W okresie Starego Państwa (ok. 2850-2052 r. p.n.e.) nastąpił szybki rozwój gospodarczy i kulturalny (m.in. budowa piramid). Za czasów władców Średniego Państwa (ok. 2052-1570 r. p.n.e.) miały miejsce wielkie prace melioracyjne i szybki rozwój handlu zagranicznego. Okres Nowego Państwa (ok. 1570--1085 p.n.e.) był czasem szczytowej potęgi Egiptu, a jednocześnie jego wejściem w strefy interesów innych mocarstw bliskowschodnich. Spowodowało to konieczność utrzymania stałej armii i wywołało liczne wojny osłabiające kraj. Epoka Późna (ok. 1085-332 r. p.n.e.) była czasem rządów obcych dynastii, co doprowadziło do upadku politycznego. Podbój Egiptu przez Aleksandra Wielkiego w 332 r. p.n.e. rozpoczął okres panowania greckiej dynastii Ptolemeuszy (305-30 r. p.n.e.), charakteryzujący się silnymi wpływami hellenizmu. W tym czasie Aleksandria stała się stolicą i głównym ośrodkiem nauki i literatury. Od 30 r. p.n.e. do 395 r. n.e. Egipt był prowincją cesarstwa rzymskiego i jego spichlerzem. Po 395 r. znalazł się w granicach cesarstwa wschodniorzymskiego, a następnie Bizancjum. Po podboju przez Arabów w latach 639-641 uległ arabizacji i islamizacji. Chrześcijanie przetrwali w mniejszości (Koptowie). Pod rządami szyickich Fatymidów (969-1171 r.) przeżywał okres rozkwitu gospodarczego i kulturalnego. Kolejna dynastia – Mameluków (1250-1517 r.) – zaprzepaściła ten dorobek. W 1517 r. Egipt wszedł w skład imperium Turków osmańskich. Pod rządami namiestnika Muhammada Alego (1805-1849 r.) armia egipska zajęła na pewien czas Półwysep Arabski, Sudan i Syrię, a Egipt mógł uzyskać niepodległość. Interwencja Turcji wspomaganej przez mocarstwa europejskie przywróciła Egiptowi status tureckiego wasala. Po wybudowaniu Kanału Sueskiego (1859-1869) i linii kolejowej Kair-Suez ustanowiono w 1876 r. międzynarodową kontrolę nad finansami niewypłacalnego Egiptu. W 1882 r. wybuchło powstanie narodowe pod wodzą Urabiego Paszy, które zostało stłumione przez Brytyjczyków. Nastąpiła brytyjska okupacja Egiptu, a w 1914 r. stał się on protektoratem brytyjskim. W 1922 r. ogłoszono niepodległość Królestwa Egiptu, ale koniec okupacji brytyjskiej nastąpił dopiero w 1936 r. Podczas II wojny światowej Egipt był celem ataku Niemiec i Włoch, który załamał się w październiku 1942 r. pod Al-Alamain. Zapoczątkowana wtedy brytyjska ofensywa doprowadziła do wyparcia Niemców i Włochów z Afryki. Po przewrocie wojskowym proklamowano w 1953 r. republikę, a w 1956 r. znacjonalizowano Kanał Sueski. W wyniku wojny arabsko-izraelskiej w 1967 r. Egipt utracił półwysep Synaj i Strefę Gazy. W 1979 r. podpisując układ pokojowy z Izraelem Egipt odzyskał Synaj rezygnując jednocześnie z Gazy. Od 1981 r. prezydentem jest Husni Mubarak rzecznik dialogu arabsko-izraelskiego. W 1990 r., po agresji Iraku na Kuwejt, Egipt zaangażował się po stronie państw sprzymierzonych przeciwko Irakowi. Obecnie trudnym do rozwiązania problemem wewnętrznym kraju jest działalność bojówek fundamentalistów muzułmańskich pragnących przekształcić Egipt w państwo religijne.

Informacje ogólne EGIPT

Powierzchnia	1 001 450 km²
Stolica (liczba mieszkańców)	Kair (7 787 tys.; 11 128 tys. aglomeracja)
Liczba mieszkańców	78 887 tys.
Gęstość zaludnienia	78,8 os./km²
Przyrost naturalny	17,7 os./1000 mieszk.
Saldo migracji	−0,2 os./1000 mieszk.
Urbanizacja	42,8%
Ustrój	republika
Podział administracyjny	27 muhafaz (gubernatorstwa)
Przynależność do organizacji międzynarodowych	AFESD, AU, LPA, NAM, OAPEC
Waluta	1 funt egipski = 100 piastrów
Języki urzędowe	arabski
Języki używane	arabski, domari, nubijski, kenuzi-dongola, angielski
Obszary chronione	13,3%

Zagadnienia społeczno-gospodarcze

Religie (wyznawcy)	muzułmanie sunnici (90%), wyznawcy Kościoła koptyjskiego (9%), protestanci i pozostali (1%)
Analfabetyzm	42,3%

Bezrobocie	10,3%
Przeciętna długość życia	69,3 – mężczyźni, 74,5 – kobiety (w latach)
Zainfekowani wirusem HIV	2,9 – 13 tys. os.
PKB na 1 mieszkańca	1489 USD
Struktura PKB	rolnictwo 13,8%, przemysł 41,1%, usługi 45,1%
Wydatki na zbrojenia	46 USD/mieszk.
Dług zagraniczny	32,2% PKB
Saldo obrotów handlu zagranicznego	−6893 mln USD
Główne towary eksportowe	ropa naftowa i produkty jej przetwórstwa, bawełna, odzież, lekarstwa, kosmetyki
Główne towary importowe	maszyny i urządzenia, nawozy sztuczne, wyroby drewniane, żywność
Dochody z turystyki	56,0 USD/mieszk.
Produkcja energii elektrycznej	1163 kWh/mieszk.
Samochody osobowe	27 szt./1000 mieszk.
Komputery	32,9 szt./1000 mieszk.
Użytkownicy Internetu	55,7 os./1000 mieszk.
Telefony komórkowe	184,1 szt./1000 mieszk.
Strony w atlasie	222-223

EKWADOR

REPUBLIKA EKWADORU

W okresie prekolumbijskim obszar dzisiejszego Ekwadoru zamieszkiwały rolnicze plemiona indiańskie. W XV w. został włączony do państwa Inków. Podbity w latach 1532-1534 przez Hiszpanów, znalazł się jako audiencja Quito w wicekrólestwie Peru, a w 1717 - wicekrólestwie Nowej Granady. W 1822 r. stał się częścią niepodległej Wielkiej Kolumbii, zaś od 1830 r. samodzielną republiką pod obecną nazwą. Po otwarciu Kanału Panamskiego w 1914 r. Ekwador został jednym z największych eksporterów kakao. W wyniku wojny z Peru o sporne tereny w Amazonii (1941-1942) utracił około 40% swojego terytorium. Od lat 70. XX w. ważnym elementem gospodarki Ekwadoru stała się ropa naftowa, której bogate złoża odkryto 1967 r. W 1973 r. Ekwador przystąpił do OPEC. Decyzję o wystąpieniu podjęto w związku z nie przyznaniem żądanych, wyższych limitów na wydobycie ropy. Na pocz. lat 80. XX w. odżyły konflikty graniczne z Peru i Kolumbią.

Informacje ogólne **EKWADOR**	
Powierzchnia	272 046 km^2
Stolica (liczba mieszkańców)	Quito (1 514 tys.)
Liczba mieszkańców	13 548 tys.
Gęstość zaludnienia	49,8 os./km^2
Przyrost naturalny	18,1 os./1000 mieszk.
Saldo migracji	−3,1 os./1000 mieszk.
Urbanizacja	62,8%
Ustrój	republika
Podział administracyjny	21 prowincji
Przynależność do organizacji międzynarodowych	ALADI, NAM, OAS, Wspólnota Andyjska
Waluta	1 dolar amerykański = 100 centów
Języki urzędowe	hiszpański
Języki używane	hiszpański, keczua
Obszary chronione	19,4%
Zagadnienia społeczno-gospodarcze	
Religie (wyznawcy)	katolicy (93%), protestanci (3%), wyznawcy judaizmu i pozostali (4%)
Analfabetyzm	7,6%
Bezrobocie	6% (niedozatrudnienie 47%)
Przeciętna długość życia	73,9 – mężczyźni, 79,8 – kobiety (w latach)
Zainfekowani wirusem HIV	11 – 74 tys. os.
PKB na 1 mieszkańca	3058 USD
Struktura PKB	rolnictwo 6,7%, przemysł 35,1%, usługi 58,2%
Wydatki na zbrojenia	45 USD/mieszk.
Dług zagraniczny	70,3% PKB
Saldo obrotów handlu zagranicznego	1147 mln USD
Główne towary eksportowe	ropa naftowa i produkty naftowe, banany, krewetki, ziarno kakaowe, kawa, ryby
Główne towary importowe	środki transportu, maszyny i urządzenia, żywność
Dochody z turystyki	33,4 USD/mieszk.
Produkcja energii elektrycznej	901 kWh/mieszk.
Samochody osobowe	31 szt./1000 mieszk.
Komputery	54,9 szt./1000 mieszk.
Użytkownicy Internetu	47,3 os./1000 mieszk.
Telefony komórkowe	472,2 szt./1000 mieszk.
Strona w atlasie	276

ERYTREA

PAŃSTWO ERYTREA

Od I w. ziemie dzisiejszej Erytrei należały do państwa Aksum, a od X w. do Etiopii. W XVI w. znalazły się w strefie wpływów tureckich. Wiek XVIII i XIX to kres kolonizacji tureckiej, egipskiej i etiopskiej.

W 1882 r. obszar ten zaczęły penetrować Włochy, które w 1890 r. utworzyły tu kolonię o nazwie Erytrea. W latach 1936-1941 wraz z Etiopią i Somali Włoskim stanowiła Włoską Afrykę Wschodnią. Zajęta w 1941 r. przez wojska Wielkiej Brytanii, do 1952 r. pozostawała pod jej administracją, a następnie została autonomiczną prowincją Etiopii. Po likwidacji autonomii w 1962 r. zbrojny erytrejski ruch separatystyczny, w wyniku trwającej kilkadziesiąt lat wojny domowej, doprowadził do powstania w 1993 r. niepodległej republiki. Pod koniec lat 90. XX w. wybuchła wojna z Etiopią, która nie uznaje niepodległości Erytrei. W 2000 roku zakończyły się działania wojenne, a ONZ utworzyła misję pokojową. Od 2002 roku trwa wyznaczanie przebiegu granicy przez międzynarodową komisję, opóźniane przez Etiopię.

Informacje ogólne **ERYTREA**	
Powierzchnia	121 144 km^2
Stolica (liczba mieszkańców)	Asmara (551 tys.)
Liczba mieszkańców	4787 tys.
Gęstość zaludnienia	39,5 os./km^2
Przyrost naturalny	24,7 os./1000 mieszk.
Saldo migracji	0 os./1000 mieszk.
Urbanizacja	19,4%
Ustrój	republika
Podział administracyjny	6 prowincji
Przynależność do organizacji międzynarodowych	ACP, AU, NAM
Waluta	1 birr = 100 centów, 1 nakfa = 100 centów
Języki urzędowe	tigrinia, arabski, angielski
Języki używane	tigrinia, tigre, afar, arabski, saho, kunama, beja, bilen, nara
Obszary chronione	3,2%
Zagadnienia społeczno-gospodarcze	
Religie (wyznawcy)	muzułmanie (69%), chrześcijanie Kościoła koptyjskiego (31%)
Analfabetyzm	41,4%
Przeciętna długość życia	58,3 – mężczyźni, 61,9 – kobiety (w latach)
Zainfekowani wirusem HIV	33 – 95 tys. os.
PKB na 1 mieszkańca	244 USD
Struktura PKB	rolnictwo 21,7%, przemysł 22,6%, usługi 55,7%
Wydatki na zbrojenia	16 USD/mieszk.
Dług zagraniczny	53,3% PKB
Saldo obrotów handlu zagranicznego	−390 mln USD
Główne towary eksportowe	bydło rzeźne, wyroby tekstylne, sól
Główne towary importowe	żywność, urządzenia przemysłowe, maszyny, produkty naftowe
Dochody z turystyki	19,2 USD/mieszk.
Produkcja energii elektrycznej	58 kWh/mieszk.
Samochody osobowe	2 szt./1000 mieszk. (2000)
Komputery	3,6 szt./1000 mieszk.
Użytkownicy Internetu	11,8 os./1000 mieszk.
Telefony komórkowe	9,2 szt./1000 mieszk.
Strona w atlasie	223

ESTONIA

REPUBLIKA ESTOŃSKA

Mieszkający na tym terenie ugrofińscy Estowie i Liwowie zostali podbici w XIII-XIV w. przez Danię i zakon kawalerów mieczowych. Po 1346 r. cały obszar Estonii znalazł się pod panowaniem tych ostatnich. Po sekularyzacji zakonu w 1561 r. północną część Estonii zajęła Szwecja, południową Rzeczpospolita. W 1629 r. cała Estonia znalazła się w granicach Szwecji, a w 1721 r. Rosji. Po odparciu interwencji sowieckiej w 1920 r. proklamowano niepodległą republikę. W 1940 r. została włączona do ZSRR jako Estońska SRR. Masowe deportacje rdzennych mieszkańców i znaczny napływ Rosjan spowodowały, że Estończycy stanowią 64% ludności. Po rozpadzie ZSRR proklamowano w 1991 r. niepodległość Republiki Estonii. Napięcia w stosunkach z Rosją oraz spory wewnętrzne powoduje znaczna mniejszość rosyjska oraz restrykcyjne ustawodawstwo ograniczające nadawanie obywatelstwa ludności nieestońskojęzycznej. Estonia przystąpiła w 2004 r. do NATO i do Unii Europejskiej.

Informacje ogólne **ESTONIA**	
Powierzchnia	45 227 km^2
Stolica (liczba mieszkańców)	Tallinn (396 tys.)
Liczba mieszkańców	1324 tys.
Gęstość zaludnienia	29,3 os./km^2
Przyrost naturalny	−3,3 os./1000 mieszk.
Saldo migracji	−3,2 os./1000 mieszk.
Urbanizacja	69,1%
Ustrój	republika
Podział administracyjny	15 okręgów i 6 miast wydzielonych
Przynależność do organizacji międzynarodowych	CBSS, NATO, Rada Europy, UE
Waluta	1 korona estońska = 100 senti
Języki urzędowe	estoński
Języki używane	estoński, rosyjski, ukraiński, białoruski
Obszary chronione	31,0%

Zagadnienia społeczno-gospodarcze	
Religie (wyznawcy)	luteranie (78%), prawosławni (19%), katolicy, protestanci i pozostali (3%)
Analfabetyzm	0,2%
Bezrobocie	4,5%
Przeciętna długość życia	67,2 – mężczyźni, 78,3 – kobiety (w latach)
Zainfekowani wirusem HIV	4,8 – 32 tys. os.
PKB na 1 mieszkańca	12 353 USD
Struktura PKB	rolnictwo 3,0%, przemysł 28,5%, usługi 68,5%
Wydatki na zbrojenia	128 USD/mieszk.
Dług zagraniczny	111% PKB
Saldo obrotów handlu zagranicznego	–3450 mln USD
Główne towary eksportowe	maszyny i urządzenia, produkty rolno-spożywcze, drewno i jego wyroby
Główne towary importowe	maszyny i urządzenia, produkty przemysłu chemicznego i gumowego, paliwa, tekstylia
Dochody z turystyki	374,7 USD/mieszk.
Produkcja energii elektrycznej	7017 kWh/mieszk.
Samochody osobowe	370 szt./1000 mieszk.
Komputery	474 szt./1000 mieszk.
Użytkownicy Internetu	512,2 os./1000 mieszk.
Telefony komórkowe	1087,5 szt./1000 mieszk.
Strona w atlasie	140

ETIOPIA

FEDERALNA DEMOKRATYCZNA REPUBLIKA ETIOPII

W starożytności obszar dzisiejszej Etiopii zamieszkiwały ludy kuszyckie, które w wyniku osadnictwa z Arabii (ok. V w. p.n.e.) przemieszały się z napływową ludnością semicką. W okresie od I do X w. istniało państwo Aksum, schrystianizowane w IV w. Po utracie znaczenia i rozdrobnieniu ziem w XII-XIII w. rządy Zera Jaykoba (1434-68) doprowadziły do centralizacji państwa, poszerzenie granic i znacznego rozkwitu Etiopii. Trwająca w latach 1529-1559 wojna z muzułmanami zniszczyła kulturalny dorobek Etiopii. Osłabienie władzy centralnej doprowadziło pod koniec XVIII w. do rozbicia dzielnicowego, trwającego do 1855 r. Zjednoczenia dokonał Teodor II (1855-68), a jego następca Menelik II wytyczył granice Etiopii, zwanej wówczas Abisynią. Klęska Włochów pod Aduą (1896 r.) powstrzymała ich ekspansję kolonialną na czterdzieści lat. Rządy Hajle Sellasje I (1916-1974, od 1930 r. cesarza) to okres centralizacji i modernizacji państwa oraz reorganizacja armii. W 1935 r. Etiopia została podbita przez Włochów i włączona do Włoskiej Afryki Wschodniej, ale już w 1941 r. wyzwoliły ją wojska brytyjskie. W 1952 r. włączono w jej granice prowincję Erytrea. Przeprowadzony w 1974 r. wojskowy zamach stanu wprowadził rządy o orientacji komunistycznej, podtrzymywane dzięki obecności wojsk ZSRR, Kuby i NRD. Pod koniec lat 70. XX w. Etiopia prowadziła wojnę z Somalią o Ogaden. Po wycofaniu, w latach 1989-90, pomocy zagranicznej nastąpiło załamanie się dotychczasowego rządu i przejęcie władzy przez ugrupowania antyrządowe w 1991 r. W 1993 r. Erytrea uzyskała niepodległość, w wyniku czego Etiopia utraciła dostęp do morza. Sytuacja polityczna jest niestabilna, ważnym tego powodem jest od wielu lat panujący głód. Klęska suszy w 2003 r. jeszcze wzmogła problem braku żywności. W 2004 r. rząd pragnąc rozwiązać tą kwestię rozpoczął przesiedlanie ludności z najbardziej nieurodzajnych obszarów państwa. W 2001 r. parlament jednomyślnie wybrał na prezydenta G. Woldegiorgisa, a w 2005 r. zarówno do parlamentu federalnego, jak i do czterech rad regionalnych.

Informacje ogólne **ETIOPIA**	
Powierzchnia	1 127 127 km²
Stolica (liczba mieszkańców)	Addis Abeba (2 973 tys.)
Liczba mieszkańców	74 778 tys.
Gęstość zaludnienia	66,3 os./km²
Przyrost naturalny	23,1 os./1000 mieszk.
Saldo migracji	0 os./1000 mieszk.
Urbanizacja	16,0%
Ustrój	republika federalna
Podział administracyjny	9 stanów i 2 miasta wydzielone
Przynależność do organizacji międzynarodowych	ACP, AU, NAM
Waluta	1 birr = 100 centymów
Języki urzędowe	amharski
Języki używane	oromo, amharski, somali, tigrinia, angielski
Obszary chronione	16,9%
Zagadnienia społeczno-gospodarcze	
Religie (wyznawcy)	chrześcijanie Kościoła etiopskiego (50%), muzułmanie sunnici (33%), animiści (5%), katolicy, anglikanie i pozostali (12%)
Analfabetyzm	57,2%
Przeciętna długość życia	48,3 – mężczyźni, 50,6 – kobiety (w latach)
Zainfekowani wirusem HIV	420 – 1300 tys. os.
PKB na 1 mieszkańca	177 USD
Struktura PKB	rolnictwo 47,0%, przemysł 13,2%, usługi 39,8%
Wydatki na zbrojenia	4 USD/mieszk.
Dług zagraniczny	30,4% PKB
Saldo obrotów handlu zagranicznego	–3660 mln USD

Główne towary eksportowe	kawa, skóry, złoto
Główne towary importowe	maszyny, urządzenia, żywność, paliwa
Dochody z turystyki	1,1 USD/mieszk.
Produkcja energii elektrycznej	31 kWh/mieszk.
Samochody osobowe	1 szt./1000 mieszk.
Komputery	3,1 szt./1000 mieszk.
Użytkownicy Internetu	1,6 os./1000 mieszk.
Telefony komórkowe	2,5 szt./1000 mieszk.
Strona w atlasie	223

Falklandy/Malwiny (Wielka Brytania)

Odkryte zostały w końcu XVI w. przez żeglarzy angielskich. Falkland Wschodni od 1764 r. był kolonizowany przez Francuzów, a w 1767 r. przekazany Hiszpanii. Falkland Zachodni od 1765 r. kolonizowali Anglicy, a w 1770 r. przejęła Hiszpania. W 1820 r. całe Falklandy przypadły Argentynie, ale już w 1833 r. zostały zajęte przez Wielką Brytanię. Od tego czasu są przedmiotem sporu argentyńsko-brytyjskiego. W 1892 r. zostały kolonią brytyjską i ważną bazą wojskową. W 1982 r. Argentyna podjęła nieudaną próbę odzyskania wysp drogą interwencji zbrojnej. Poprawa stosunków argentyńsko-brytyjskich nastąpiła po 1989 r., po zmianie władzy w Argentynie. Konstytucja z 1985 r. zapewnia mieszkańcom Falklandów prawo do samostanowienia.

Informacje ogólne **Falklandy/Malwiny** (Wielka Brytania)	
Powierzchnia	12 173 km²
Stolica (liczba mieszkańców)	Stanley (2 tys.) 1996
Liczba mieszkańców	3 tys.
Gęstość zaludnienia	0,2 os./km²
Przyrost naturalny	8,0 os./1000 mieszk. (2002)
Urbanizacja	90,2%
Ustrój	terytorium zamorskie Wielkiej Brytanii
Podział administracyjny	brak
Waluta	1 funt falklandzki = 100 pensów
Języki urzędowe	angielski
Języki używane	angielski
Obszary chronione	0,9%
Zagadnienia społeczno-gospodarcze	
Religie (wyznawcy)	anglikanie (50%), katolicy (30%), pozostali (20%)
Bezrobocie	0%
Przeciętna długość życia	74 – mężczyźni, 80 – kobiety (w latach)
PKB na 1 mieszkańca	19 000 USD
Struktura PKB	rolnictwo 95,0%
Saldo obrotów handlu zagranicznego	35 mln USD
Główne towary eksportowe	wełna, skóry zwierzęce, futra, ryby, mięso
Główne towary importowe	żywność, wyroby przemysłowe
Produkcja energii elektrycznej	5333 kWh/mieszk.
Samochody osobowe	423 szt./1000 mieszk. (2000)
Użytkownicy Internetu	640,1 os./1000 mieszk. (2002)
Strona w atlasie	281

FIDŻI

REPUBLIKA WYSP FIDŻI

Wyspy zostały odkryte w 1643 r. przez Abla Tasmana. W XVIII w. były badane i kolonizowane przez Brytyjczyków, a w 1878 r. zostały brytyjską kolonią. W 1970 r. uzyskały niepodległość. Dzisiaj są republiką należącą do Brytyjskiej Wspólnoty Narodów. Rządy demokratyczne zostały przerwane w 1987 r. przez dwa wojskowe zamachy stanu. Nowa konstytucja wzmocniła władzę rdzennych mieszkańców – Melanezyjczyków, co w praktyce powodowało dyskryminację rasową. Efektem tego była masowa emigracja Hindusów. W 1997 r. wprowadzono nową konstytucję, która realizuje politykę wielorasowości. W 1999 r. przeprowadzono demokratyczne wybory. Jednak zamach stanu z powodu rzekomej dominacji Hindusów w 2000 r. ponownie spowodował destabilizację. W 2001 r. przeprowadzono przedterminowe wybory, które odbyły się bez niepokojów i nieprawidłowości.

Informacje ogólne **FIDŻI**	
Powierzchnia	18 274 km²
Stolica (liczba mieszkańców)	Suva (141 tys.; 219 tys. aglomeracja) 1996
Liczba mieszkańców	906 tys.
Gęstość zaludnienia	49,6 os./km²
Przyrost naturalny	16,9 os./1000 mieszk.
Saldo migracji	–2,9 os./1000 mieszk.
Urbanizacja	50,8%
Ustrój	republika
Podział administracyjny	4 okręgi i wyspa Rotuma
Przynależność do organizacji międzynarodowych	ACP, Forum Wysp Pacyfiku, Wspólnota Pacyfiku
Waluta	1 dolar fidżijski = 100 centów
Języki urzędowe	fidżi, angielski
Języki używane	fidżi, hindi, lau, rotuna, kiribati, angielski
Obszary chronione	0,3%

Zagadnienia społeczno-gospodarcze	
Religie (wyznawcy)	hinduiści (38%), metodyści (26%), katolicy (26%), muzułmanie (8%), pozostali (2%)
Analfabetyzm	6,3%
Bezrobocie	7,6% (1999)
Przeciętna długość życia	67,9 – mężczyźni, 73,1 – kobiety (w latach)
Zainfekowani wirusem HIV	0,3 – 2,1 tys. os.
PKB na 1 mieszkańca	3715 USD
Struktura PKB	rolnictwo 8,9%, przemysł 13,5%, usługi 77,6%
Wydatki na zbrojenia	34 USD/mieszk.
Dług zagraniczny	9,3% PKB
Saldo obrotów handlu zagranicznego	−1155 mln USD
Główne towary eksportowe	cukier, melasa, złoto, odzież, konserwy rybne, drewno, olej kokosowy, imbir
Główne towary importowe	produkty naftowe
Dochody z turystyki	264,0 USD/mieszk.
Produkcja energii elektrycznej	902 kWh/mieszk.
Samochody osobowe	85 szt./1000 mieszk.
Komputery	51,9 szt./1000 mieszk.
Użytkownicy Internetu	72,0 os./1000 mieszk.
Telefony komórkowe	167,9 szt./1000 mieszk.
Strona w atlasie	299

FILIPINY

REPUBLIKA FILIPIN

W starożytności i średniowieczu wyspy zależne były od państw indonezyjskich. Odkryte w 1521 r. przez Ferdynanda Magellana, stały się w 1542 r. kolonią hiszpańską, nazwaną na cześć króla Filipinami. Hiszpanie toczyli przez kilka wieków walki z muzułmanami z południa i podbili te tereny dopiero w XIX w. Wybuch powstania w 1872 r. oraz dążenia niepodległościowe doprowadziły w 1898 r. do wojny hiszpańsko-amerykańskiej i w konsekwencji do przejęcia Filipin przez Stany Zjednoczone. W 1934 r. uzyskały autonomię, a w 1946 r. stały się niepodległą republiką. W 1965 r. dyktatorskie rządy rozpoczął Ferdinand Marcos. Równocześnie rozpoczęła działalność partyzantka komunistyczna i muzułmańska. Represje oraz skorumpowane rządy F. Marcosa doprowadziły w 1986 r. do obalenia dyktatora i przywrócenia demokracji. Dążenie do stabilizacji przerywały próby zamachu stanu, jednak kolejne rządy prowadziły do wzmocnienia demokracji i rozwoju ekonomicznego. W 2003 r. Filipiny zaangażowały się w walkę z terroryzmem. Otrzymały pomoc militarną od Stanów Zjednoczonych do walki z powiązanymi z Al-Kaidą bojówkami Abu Sajjaf. W 2005 r. doszło do starć z komunistycznymi rebeliantami.

Informacje ogólne **FILIPINY**	
Powierzchnia	300 076 km^2
Stolica (liczba mieszkańców)	Manila (1 429 tys.; zespół miejski 10 787 tys.)
Liczba mieszkańców	89 469 tys.
Gęstość zaludnienia	298,2 os./km^2
Przyrost naturalny	19,5 os./1000 mieszk.
Saldo migracji	−1,5 os./1000 mieszk.
Urbanizacja	62,7%
Ustrój	republika
Podział administracyjny	17 regionów, w tym 2 autonomiczne
Przynależność do organizacji międzynarodowych	APEC, ASEAN, NAM
Waluta	1 peso filipińskie = 100 centavos
Języki urzędowe	tagalog (in. pilipino, filipino), angielski
Języki używane	tagalog, angielski, cebuano, ilocano, hiligaynon i około 90 innych języków
Obszary chronione	6,5%
Zagadnienia społeczno-gospodarcze	
Religie (wyznawcy)	katolicy (83%), protestanci (5%), muzułmanie (5%), pozostali (7%)
Analfabetyzm	4,4%
Bezrobocie	7,9%
Przeciętna długość życia	67,9 – mężczyźni, 73,9 – kobiety (w latach)
Zainfekowani wirusem HIV	7,3 – 20 tys. os.
PKB na 1 mieszkańca	1352 USD
Struktura PKB	rolnictwo 13,7%, przemysł 31,4%, usługi 54,8%
Wydatki na zbrojenia	10 USD/mieszk.
Dług zagraniczny	73,1% PKB
Saldo obrotów handlu zagranicznego	−4952 mln USD
Główne towary eksportowe	wyroby elektroniczne i elektrotechniczne (głównie sprzęt telekomunikacyjny i części do komputerów), odzież
Główne towary importowe	maszyny i środki transportu, podzespoły i części do sprzętu elektronicznego, paliwa
Dochody z turystyki	22,3 USD/mieszk.
Produkcja energii elektrycznej	632 kWh/mieszk.
Samochody osobowe	29 szt./1000 mieszk.
Komputery	44,6 szt./1000 mieszk.
Użytkownicy Internetu	53,2 os./1000 mieszk.
Telefony komórkowe	395 szt./1000 mieszk.
Strona w atlasie	197

FINLANDIA

REPUBLIKA FINLANDII

Około 100 r. z obszaru dzisiejszej Estonii przybyli na ten teren Finowie i wypierając na północ Lapończyków zasiedlili do VIII w. południową oraz środkową część Finlandii. W XII w. była obiektem zainteresowania i rywalizacji Szwecji, Danii oraz Nowogrodu. Podbita przez Szwedów, do końca XIII w. stała się integralną i równoprawną częścią Królestwa Szwecji (od 1581 r. jako Wielkie Księstwo Finlandii). W 1323 r. nastąpił podział Karelii między Szwecję i Nowogród. W 1721 r. Rosja zajęła fińską Karelię, a w 1809 r. całą Finlandię. Miała ona status autonomicznego Wielkiego Księstwa Finlandii, będącego w unii personalnej z Rosją. W 1917 r. ogłosiła niepodległość. Rewolucja, która wybuchła w 1918 r., została stłumiona przez siły rządowe. Napadnięta przez ZSRR w 1939 r. w trakcie tzw. wojny zimowej (1939-1940) utraciła zachodnią Karelię, ale zachowała niepodległość. W 1941 r. przystąpiła do wojny z ZSRR po stronie Niemiec, w rezultacie której utraciła okręg Petsamo. Po wojnie stała się republiką prowadzącą politykę neutralności i pokojowego sąsiedztwa z ZSRR, przy uwzględnieniu jego interesów mocarstwowych (układ o przyjaźni w latach 1948-1992). Po rozpadzie ZSRR prowadziła politykę prowadzącą do zacieśnienia związków z Europą Zachodnią. W drugiej połowie XX wieku Finlandia przeprowadziła udaną transformację z gospodarki rolniczo-leśnej na zróżnicowaną gospodarkę przemysłową.

Informacje ogólne **FINLANDIA**	
Powierzchnia	338 145 km^2
Stolica (liczba mieszkańców)	Helsinki (565 tys.)
Liczba mieszkańców	5231 tys.
Gęstość zaludnienia	15,5 os./km^2
Przyrost naturalny	0,6 os./1000 mieszk.
Saldo migracji	0,8 os./1000 mieszk.
Urbanizacja	62,1%
Ustrój	republika
Podział administracyjny	6 prowincji (lääni), w tym autonomiczne Wyspy Alandzkie
Przynależność do organizacji międzynarodowych	CBSS, OECD, Rada Europy, UE
Waluta	1 euro = 100 eurocentów
Języki urzędowe	fiński, szwedzki
Języki używane	fiński, szwedzki, rosyjski, lapoński
Obszary chronione	7,8%
Zagadnienia społeczno-gospodarcze	
Religie (wyznawcy)	luteranie (85%), bezwyznaniowcy (9%), prawosławni (1%), katolicy, anglikanie, baptyści i pozostali (5%)
Analfabetyzm	0%
Bezrobocie	7%
Przeciętna długość życia	75,3 – mężczyźni, 82,5 – kobiety (w latach)
Zainfekowani wirusem HIV	1,1 – 3,1 tys. os.
PKB na 1 mieszkańca	39 994 USD
Struktura PKB	rolnictwo 2,6%, przemysł 31,9%, usługi 65,6%
Wydatki na zbrojenia	476 USD/mieszk.
Saldo obrotów handlu zagranicznego	8482 mln USD
Główne towary eksportowe	maszyny i urządzenia elektryczne i elektroniczne, miazga drzewna, papier i wyroby papiernicze, drewno i wyroby z drewna, środki transportu, chemikalia
Główne towary importowe	żywność, paliwa (gł. ropa naftowa i jej przetwory), środki transportu, ruda żelaza i stal, tekstylia
Dochody z turystyki	277,8 USD/mieszk.
Produkcja energii elektrycznej	15 599 kWh/mieszk.
Samochody osobowe	476 szt./1000 mieszk.
Komputery	482,2 szt./1000 mieszk.
Użytkownicy Internetu	630,0 os./1000 mieszk.
Telefony komórkowe	996,6 szt./1000 mieszk.
Strony w atlasie	136-137

FRANCJA

REPUBLIKA FRANCUSKA

Około V w. p.n.e. tereny dzisiejszej Francji opanowali celtyccy Galowie, wypierający lub asymilujący mieszkających tu wcześniej Iberów i Ligirów. W latach 121-52 p.n.e. ziemie te zostały zajęte przez Rzym. Od III w. zaczęły się nasilać najazdy ludów germańskich, m.in. Wizygotów, Burgundów i Franków. W VI w. obszar Francji stał się trzonem państwa Franków, a po jego podziale w 843 r. znalazł się w granicach państwa zachodniofrankijskiego, od X w. zwanego Francją. W 911 r. w północnej Francji powstało Księstwo Normandii (założone przez Normanów), którego władca podbił w 1066 r. Anglię. Od tego czasu datują się pretensje królów Anglii do ziem Francji. W czasie panowania dynastii Kapetyngów (987-1328) nastąpił rozwój wielkich lenn i ograniczenie faktycznej władzy królów do ich dóbr dziedzicznych. Na terenie Francji powstały rozległe posiadłości królów angielskich z dynastii Plantagenetów. Kolejna dynastia, Walezjuszy (1328-1589), prowadziła z Anglikami wojnę stuletnią (1337-1453) zakończoną ich wyparciem z Francji. Dążyła też do centralizacji państwa i powiększenia jego terytorium: w 1349 r. przyłączony został Delfinat, w 1480 r. Prowansja, w 1482 r. Burgundia, w latach 1491-1532 Bretania oraz w 1536 r. Sabaudia. Od końca XV w. Francja toczyła walki z Habsburgami o hegemonię w Europie (wojny włoskie 1494-1559). Rywalizacja o wpływy polityczne między katolikami a protestantami doprowadziła do krwawych wojen religijnych (1562-1589), zakończonych wstąpieniem na tron

przywódcy hugenotów Henryka IV, który zapoczątkował dynastię Burbonów (1589-1792). Za panowania tej dynastii Francja stała się monarchią absolutną i zdobyła pozycję największej potęgi europejskiej. Nastąpiło wtedy przyłączenie Lotaryngii (1766 r.) i Korsyki (1768 r.). W wyniku rewolucji francuskiej (1789-1799) ustanowiono republikę, ale już w 1804 r. Napoleon Bonaparte ogłosił się cesarzem. W czasie prowadzonych wojen (1792-1812) zdobył hegemonię w Europie. Mimo prób restauracji królestwa i cesarstwa Francja ostatecznie w 1870 r. stała się republiką, tracąc w wojnie z Prusami (1870-1871) Alzację i część Lotaryngii. Koniec XIX w. to okres ekspansji kolonialnej, głównie w Afryce i Indochinach. Zwycięski udział w I wojnie światowej (1914-1918) umożliwił odzyskanie Alzacji i Lotaryngii. Po klęsce w 1940 r. znalazła się pod trwającą 4 lata okupacją niemiecką. W 1949 r. była współzałożycielem NATO. Próbując powstrzymać stopniowy rozpad imperium kolonialnego, prowadziła przegrane wojny o utrzymanie Indochin (1946-1954) i Algierii (1954-1962). W 1966 r. wystąpiła z wojskowych struktur NATO. W 1991 r. oddziały francuskie uczestniczyły w wojnie w Zatoce Perskiej. W 2003 r. Francja zdecydowanie wystąpiła przeciwko operacjom wojskowym w Iraku pod zwierzchnictwem Stanów Zjednoczonych. Dwa lata później w całym kraju miały miejsce zamieszki na tle etnicznym, które ustały po wprowadzeniu stanu wyjątkowego.

Informacje ogólne **FRANCJA**	
Powierzchnia	547 030 km^2
Stolica (liczba mieszkańców)	Paryż (2 154 tys.; 9 820 tys. aglomeracja)
Liczba mieszkańców	60 876 tys.
Gęstość zaludnienia	111,3 os./km^2
Przyrost naturalny	2,9 os./1000 mieszk.
Saldo migracji	0,7 os./1000 mieszk.
Urbanizacja	76,7%
Ustrój	republika
Podział administracyjny	22 regiony obejmujące 96 departamentów
Przynależność do organizacji międzynarodowych	NATO, OECD, Rada Europy, UE, Wspólnota Pacyfiku
Waluta	1 euro = 100 eurocentów
Języki urzędowe	francuski
Języki używane	francuski, oksytański, arabski, niemiecki, portugalski, bretoński, turecki, kataloński, flamandzki, baskijski, korsykański i inne
Obszary chronione	11,7%
Zagadnienia społeczno-gospodarcze	
Religie (wyznawcy)	katolicy (76%), bezwyznaniowcy (10%), muzułmanie (6%), protestanci, wyznawcy judaizmu i pozostali (8%)
Analfabetyzm	1,0%
Bezrobocie	8,7%
Przeciętna długość życia	77,7 – mężczyźni, 84,2 – kobiety (w latach)
Zainfekowani wirusem HIV	78 – 210 tys. os.
PKB na 1 mieszkańca	36 708 USD
Struktura PKB	rolnictwo 2,2%, przemysł 21,0%, usługi 76,7%
Wydatki na zbrojenia	872 USD/mieszk.
Saldo obrotów handlu zagranicznego	–43 262 mln USD
Główne towary eksportowe	samochody, samoloty, urządzenia przemysłowe (wyposażenie elektrowni jądrowych), farmaceutyki, kosmetyki, żywność
Główne towary importowe	środki transportu i maszyny, paliwa i surowce
Dochody z turystyki	506,5 USD/mieszk.
Produkcja energii elektrycznej	9025 kWh/mieszk.
Samochody osobowe	496 szt./1000 mieszk.
Komputery	486,6 szt./1000 mieszk.
Użytkownicy Internetu	413,7 os./1000 mieszk.
Telefony komórkowe	794,4 szt./1000 mieszk.
Strony w atlasie	124-125

Francuskie Terytoria Południowe i Antarktyczne (Francja)

Poszczególne wyspy były odkrywane w XVI i XVIII w. W 1840 r. francuski żeglarz J. S. Dumont d'Urville dotarł do wybrzeży Antarktydy i nadał im nazwę Ziemia Adeli. Od 1924 r. tereny te oficjalnie objął w posiadanie rząd francuski i przyłączył do Madagaskaru. W 1955 r. zostały one odłączone od Madagaskaru jako Francuskie Terytoria Południowe i Antarktyczne. Tzw. układ antarktyczny podpisany w 1959 r. objął swym zasięgiem część tego terytorium – Ziemię Adeli – uznając je za międzynarodowe, jednak Francja nie zrzeka się do niego swoich praw.

Informacje ogólne **Francuskie Terytoria Południowe i Antarktyczne**	
Powierzchnia	7780 km^2
Liczba mieszkańców	brak stałych mieszkańców - około 150 sezonowo przebywających naukowców
Ustrój	wspólnota zamorska Francji
Podział administracyjny	Ziemia Adeli (część Antarktydy), Wyspa Św. Pawła, Wyspy Crozeta, Wyspy Kerguelena, Amsterdam
Języki urzędowe	francuski
Języki używane	francuski
Obszary chronione	4,7%
Strony w atlasie	28, 311

GABON
REPUBLIKA GABOŃSKA

W okresie przedkolonialnym na ziemiach dzisiejszego Gabonu istniały państewka plemienne, których część podlegała państwu Kongo. W 1471 r. wybrzeże odkryli Portugalczycy. W XVIII i XIX w. był to obszar intensywnego handlu niewolnikami. Postępująca od 1839 r. kolonizacja francuska zakończyła się w 1886 r. utworzeniem kolonii Gabon. W 1888 r. włączono ją do Konga Francuskiego, a w 1910 r. do Francuskiej Afryki Równikowej. W latach 1946-1958 Gabon był terytorium zamorskim Francji. W 1958 r. uzyskał autonomię, a w 1960 r. niepodległość. Utrzymuje silne więzi polityczne i ekonomiczne z Francją. Od uzyskania niepodległości władzę w państwie sprawowało dwóch dyktatorów. Wprowadzono system jednopartyjny, w 1967 r. doszedł do władzy A.B. Bongo, który jest jednym z najdłużej panujących władców na świecie. Przez prawie cztery dekady prowadził rządy dyktatorskie. Dopiero w 1990 r. pod naciskiem opozycji i opinii publicznej przywrócono system wieloprtyjny i rozpisano wybory parlamentarne. Powołano rząd koalicyjny, jednak prezydentem pozostał Bongo, a zmiany wprowadzone do konstytucji pozwoliły mu na sprawowanie tego urzędu dowolną ilość razy.

Informacje ogólne **GABON**	
Powierzchnia	267 667 km^2
Stolica (liczba mieszkańców)	Libreville (556 tys.)
Liczba mieszkańców	1425 tys.
Gęstość zaludnienia	5,3 os./km^2
Przyrost naturalny	23,9 os./1000 mieszk.
Saldo migracji	–2,7 os./1000 mieszk.
Urbanizacja	83,6%
Ustrój	republika
Podział administracyjny	9 prowincji
Przynależność do organizacji międzynarodowych	ACP, AU, NAM
Waluta	1 frank CFA = 100 centymów
Języki urzędowe	francuski
Języki używane	fang, sira, punu, mbere, myene, nzebi, francuski, teke, sangu, kota, lumbu, wandzi, punu
Obszary chronione	16,2%
Zagadnienia społeczno-gospodarcze	
Religie (wyznawcy)	katolicy (50%), animiści (19%), protestanci (18%), pozostali (13%)
Analfabetyzm	29,2% (2000)
Bezrobocie	21,0% (1997)
Przeciętna długość życia	52,5 – mężczyźni, 54,6 – kobiety (w latach)
Zainfekowani wirusem HIV	40 – 87 tys. os.
PKB na 1 mieszkańca	6836 USD
Struktura PKB	rolnictwo 5,8%, przemysł 58,2%, usługi 36,0%
Wydatki na zbrojenia	12 USD/mieszk.
Dług zagraniczny	75,5% PKB
Saldo obrotów handlu zagranicznego	4100 mln USD
Główne towary eksportowe	ropa naftowa, drewno, rudy manganu i uranu
Główne towary importowe	maszyny i urządzenia, żywność, chemikalia
Dochody z turystyki	5,7 USD/mieszk.
Produkcja energii elektrycznej	1083 kWh/mieszk.
Samochody osobowe	17 szt./1000 mieszk. (2000)
Komputery	29,6 szt./1000 mieszk.
Użytkownicy Internetu	29,6 os./1000 mieszk.
Telefony komórkowe	469,5 szt./1000 mieszk.
Strona w atlasie	224

GAMBIA
REPUBLIKA GAMBII

W okresie przedkolonialnym, być może już w XIII w., istniało na tym terenie państwo Wolof, które przetrwało do XVIII w., okresowo uzależnione od wielkiego państwa Mali. Od połowy XV w. przybywali tu Portugalczycy, którzy zakładali faktorie handlowe i prowadzili handel niewolnikami. Od końca XVI w. dominującą rolę w tym handlu odgrywali Francuzi i Anglicy. Ci ostatni utworzyli tutaj w 1816 r. swoją kolonię. W latach 1821-1866 była ona częścią Sierra Leone. Po wyodrębnieniu została powiększona (granice ustalono w 1889 r.), w 1961 r. uzyskała autonomię, a w 1965 r. niepodległość w ramach brytyjskiej Wspólnoty Narodów. W latach 1982-1989 tworzyła z Senegalem konfederację o nazwie Senegambia. W wyniku wojskowego zamachu stanu w 1994 r. obalono rządy prezydenta i zakazano działalności politycznej. Spowodowało to izolację polityczną kraju. W 1996 r. przeprowadzono wybory, które nie spełniały standardów międzynarodowych. Umożliwiły one dojście do władzy dawnemu przywódcy zamachu stanu. Wybory w 2001 r. utrzymały tę sytuację.

Informacje ogólne **GAMBIA**	
Powierzchnia	11 295 km^2
Stolica (liczba mieszkańców)	Bandżul (35 tys.; 524 tys. aglomeracja)
Liczba mieszkańców	1642 tys.
Gęstość zaludnienia	145,3 os./km^2
Przyrost naturalny	27,1 os./1000 mieszk.
Saldo migracji	1,3 os./1000 mieszk.

Urbanizacja	53,9%
Ustrój	republika
Podział administracyjny	6 okręgów i miasto stołeczne
Przynależność do organizacji międzynarodowych	ACP, AU, ECOWAS, NAM
Waluta	1 dalasi = 100 bututów
Języki urzędowe	angielski
Języki używane	malinke, fulfulde (fulani), wolof, sininke, dyola, serer, mandżak, angielski
Obszary chronione	4,2%
Zagadnienia społeczno-gospodarcze	
Religie (wyznawcy)	muzułmanie (95%), chrześcijanie, animiści i pozostali (5%)
Analfabetyzm	59,9%
Przeciętna długość życia	53,1 – mężczyźni, 56,9 – kobiety (w latach)
Zainfekowani wirusem HIV	10 – 33 tys. os.
PKB na 1 mieszkańca	223 USD
Struktura PKB	rolnictwo 32,8%, przemysł 8,7%, usługi 58,5%
Wydatki na zbrojenia	1 USD/mieszk.
Dług zagraniczny	107,8% PKB
Saldo obrotów handlu zagranicznego	−235 mln USD
Główne towary eksportowe	orzeszki ziemne i artykuły pochodne
Główne towary importowe	żywność, artykuły przemysłowe
Dochody z turystyki	34,5 USD/mieszk.
Produkcja energii elektrycznej	88 kWh/mieszk.
Samochody osobowe	5 szt./1000 mieszk.
Komputery	15,7 szt./1000 mieszk.
Użytkownicy Internetu	33,5 os./1000 mieszk.
Telefony komórkowe	163,1 szt./1000 mieszk.
Strona w atlasie	221

Georgia Południowa i Sandwich Południowy
(Wielka Brytania)

Wyspy te odkrył w 1775 r. James Cook. W 1786 r. przybyli tu brytyjscy łowcy fok. W 1908 r. Georgia Południowa została przyłączona do Falklandów. W 1982 r. wyspę zajęły wojska argentyńskie. Wyparli je żołnierze brytyjscy, którzy przebywali na niej do 2001 r. W 1985 r. wyspy, oddzielone od Falklandów, stały się osobnym terytorium. Obecnie znajdują się tutaj brytyjskie stacje badawcze. W 1993 r. Wielka Brytania, ze względu na cenne zasoby morskie, rozszerzyła strefę połowów z 12 do 200 mil morskich wokół każdej z wysp.

Informacje ogólne	Georgia Południowa i Sandwich Południowy (Wielka Brytania)
Powierzchnia	Georgia Południowa 3592 km^2 Sandwich Południowy 311 km^2
Liczba mieszkańców	brak stałych mieszkańców, czasowo przebywają tam naukowcy (ornitolodzy)
Ustrój	terytorium zamorskie Wielkiej Brytanii
Podział administracyjny	brak
Języki urzędowe	angielski
Języki używane	angielski
Obszary chronione	4,0%
Strona w atlasie	311

GHANA
REPUBLIKA GHANY

Od średniowiecza istniały tu państewka plemienne ludu Akan, uczestniczące w handlu miejscowym złotem z Afryką Północną. Pod koniec XV w. Europejczycy zaczęli zakładać na wybrzeżu faktorie handlowe. W głębi lądu cały czas istniały plemienne państwa handlujące złotem (w XVI w. 35% światowej produkcji) i niewolnikami (do 1807). W XVIII w. dominującą pozycję zdobyło państwo Aszanti, które w latach 1874-1896 zostało podbite przez Brytyjczyków. W 1886 r. powstała kolonia Złote Wybrzeże, obejmująca początkowo tylko regiony przybrzeżne, a po 1897 r. cały obszar dzisiejszej Ghany. W 1922 r. dołączono do niej zachodnią część byłej niemieckiej kolonii Togo. W 1935 r. Brytyjczycy pozwolili na reaktywowanie królestwa Aszanti i dopuszczenie miejscowej ludności do władzy. W 1957 r. powstało niepodległe państwo Ghana. Od 1960 r. Ghana jest republiką i członkiem brytyjskiej Wspólnoty Narodów. Rządy Kwame Nkrumaha w latach 1960-1966, realizującego koncepcję tzw. socjalizmu afrykańskiego (wzorowanego na chińskim), doprowadziły do zubożenia kraju i chaosu ekonomicznego. Po kilku zamachach stanu gospodarka ustabilizowała się dopiero w drugiej połowie lat 80. XX w. Konstytucja, wprowadzająca system wielopartyjny i wolność prasy, została ogłoszona dopiero w 1992 r. Nowy prezydent konsekwentnie wprowadzał liberalne reformy polityczne i gospodarcze. W 2002 r. na północy kraju miały miejsce walki plemienne, wprowadzono tam stan wyjątkowy.

Informacje ogólne	GHANA
Powierzchnia	238 533 km^2
Stolica (liczba mieszkańców)	Akra (1 659 tys.) 2002
Liczba mieszkańców	22 410 tys.
Gęstość zaludnienia	93,9 os./km^2

Przyrost naturalny	20,8 os./1000 mieszk.
Saldo migracji	−0,1 os./1000 mieszk.
Urbanizacja	47,8%
Ustrój	republika
Podział administracyjny	10 regionów
Przynależność do organizacji międzynarodowych	ACP, AU, ECOWAS, NAM
Waluta	1 cedi = 100 pesewa
Języki urzędowe	angielski
Języki używane	ponad 1 mln użytkowników: hausa, akan, ewe, dagari, angielski, ponadto około 70 innych
Obszary chronione	14,7%
Zagadnienia społeczno-gospodarcze	
Religie (wyznawcy)	afrochrześcijanie (29%), protestanci (20%), animiści (18%), katolicy (15%), muzułmanie (14%), pozostali (4%)
Analfabetyzm	25,1%
Bezrobocie	20,0% (1997)
Przeciętna długość życia	58,7 – mężczyźni, 60,4 – kobiety (w latach)
Zainfekowani wirusem HIV	270 – 380 tys. os.
PKB na 1 mieszkańca	602 USD
Struktura PKB	rolnictwo 37,3%, przemysł 25,3%, usługi 37,4%
Wydatki na zbrojenia	2 USD/mieszk.
Dług zagraniczny	32,3% PKB
Saldo obrotów handlu zagranicznego	−2390 mln USD
Główne towary eksportowe	złoto, kakao, drewno, diamenty
Główne towary importowe	maszyny, paliwa, chemikalia, żywność
Dochody z turystyki	22,4 USD/mieszk.
Produkcja energii elektrycznej	290 kWh/mieszk.
Samochody osobowe	4 szt./1000 mieszk. (2003)
Komputery	5,2 szt./1000 mieszk.
Użytkownicy Internetu	17,2 os./1000 mieszk.
Telefony komórkowe	79,8 szt./1000 mieszk.
Strona w atlasie	221

Gibraltar (Wielka Brytania)

W starożytności Skała Gibraltarska uważana była za jeden z dwóch słupów Heraklesa. W 201 r. p.n.e. Gibraltar trafił w ręce Rzymian. Zajęty w 711 r. przez Arabów, którzy zbudowali tu twierdzę, stał się ich punktem wypadowym do podbojów Półwyspu Iberyjskiego. W 1462 r. został zdobyty przez Hiszpanów, a w 1704 r. przejęty przez Anglików, do których, mimo licznych prób odebrania im go, należy do dzisiaj. W 1830 r. Gibraltar uzyskał status kolonii, a w 1969 r. szeroką autonomię. W referendum w 2002 r. mieszkańcy sprzeciwili się przyłączeniu do Hiszpanii.

Informacje ogólne	Gibraltar (Wielka Brytania)
Powierzchnia	6,5 km^2
Stolica (liczba mieszkańców)	Gibraltar (29 tys.)
Liczba mieszkańców	28 tys.
Gęstość zaludnienia	4296,6 os./km^2
Przyrost naturalny	1,4 os./1000 mieszk.
Saldo migracji	0 os./1000 mieszk.
Urbanizacja	100,0%
Ustrój	terytorium pod zarządem Wielkiej Brytanii
Podział administracyjny	brak
Waluta	1 funt gibraltarski = 100 pensów = 1 funt brytyjski
Języki urzędowe	angielski, hiszpański
Języki używane	angielski, hiszpański
Obszary chronione	3,5%
Zagadnienia społeczno-gospodarcze	
Religie (wyznawcy)	katolicy (77%), anglikanie (7%), muzułmanie 7%), wyznawcy judaizmu (2%), pozostali (7%)
Analfabetyzm	1,0% (1995)
Bezrobocie	2,0% (2001)
Przeciętna długość życia	77,2 – mężczyźni, 83,1 – kobiety (w latach)
PKB na 1 mieszkańca	32 636 USD
Główne towary eksportowe	ropa naftowa (reeksport), wyroby przemysłowe, tytoń, alkohole
Główne towary importowe	paliwa, wyroby przemysłowe, żywność
Produkcja energii elektrycznej	4686 kWh/mieszk.
Samochody osobowe	536 szt./1000 mieszk.
Użytkownicy Internetu	222,0 os./1000 mieszk.
Telefony komórkowe	350,8 szt./1000 mieszk.
Strona w atlasie	127

GÓRSKI KARABACH
REPUBLIKA GÓRSKIEGO KARABACHU

Enklawa ormiańska na Małym Kaukazie, zamieszkana w 80% przez Ormian. Na polecenie Józefa Stalina w 1921 r. została włączona do Azerbejdżanu jako Nagornokarabaski Obwód Autonomiczny.

Decyzję tę unieważnił w 1990 r. parlament Armeńskiej SRR, wbrew woli władz Azerbejdżańskiej SRR. We wrześniu 1991 r. proklamowano Republikę Górskiego Karabachu, obejmującą Górski Karabach i Obwód Szaumianowski, także w 80% zamieszkany przez Ormian. W grudniu 1991 r. odbyło się referendum ludności Republiki Górskiego Karabachu w sprawie jej niezależności, zbojkotowane przez Azerów. W styczniu 1992 r. Republika Górskiego Karabachu proklamowała niezależność uznaną przez Armenię, a odrzuconą przez Azerbejdżan, co spowodowało, że kraje te znalazły się w stanie wojny. W wyniku walk toczonych głównie na terytorium Republiki Górskiego Karabachu została ona opanowana przez Ormian. Walki zakończyły się rozejmem w 1994 r., który jednak niejednokrotnie nie był przestrzegany. Państwo nieuznawane na arenie międzynarodowej.

Informacje ogólne **GÓRSKI KARABACH**

Powierzchnia	14 000 km² (oficjalnie 4400 km²)
Stolica (liczba mieszkańców)	Stepanakert (55 tys.) 1991
Liczba mieszkańców	144 tys.
Gęstość zaludnienia	30-33 os./km²
Ustrój	republika
Podział administracyjny	brak danych
Waluta	1 dram = 100 luma
Języki urzędowe	ormiański
Języki używane	ormiański, asyryjski, kurdyjski, grecki
Zagadnienia społeczno-gospodarcze	
Religie (wyznawcy)	chrześcijanie Kościoła ormiańskiego (95%), prawosławni, muzułmanie (5%)
Strona w atlasie	181

GRECJA
REPUBLIKA GRECKA

W pierwszej połowie II tysiąclecia p.n.e. została zasiedlona przez plemiona greckich Achajów, później Jonów i Dorów. Plemiona te założyły wiele miast-państw. Od VIII w. p.n.e. trwała tzw. wielka kolonizacja – zakładanie nowych osiedli w południowej Italii, na Sycylii, w Tracji i na wybrzeżach Morza Czarnego. W VI w. największe znaczenie uzyskały Ateny i Sparta. Po zwycięstwach odniesionych w wojnie grecko-perskiej Ateny zdobyły hegemonię w Grecji i stanęły na czele utworzonego 478 r. p.n.e. Związku Ateńskiego. Rywalizacja Aten i Sparty doprowadziła w 431 r. p.n.e. do wojny zwanej peloponeską, zakończonej w 404 r. klęską Aten; dzięki niej Sparta przejęła hegemonię nad państwami greckimi. W wyniku klęski pod Cheroneą w 338 r. Grecja została podbita przez Macedonię, która apogeum rozwoju terytorialnego osiągnęła za panowania Aleksandra Wielkiego. Po jego śmierci uległa rozpadowi. Północna Grecja nadal znajdowała się w granicach Macedonii, południowa była wolna. W latach 148-146 p.n.e. cały ten obszar stał się częścią Imperium Rzymskiego, po 395 r. cesarstwa wschodniorzymskiego, a później bizantyńskiego. W VI w. północną część Grecji spustoszyli Słowianie, w IX i X w. Protobułgarzy. W XIV i XV w. stopniowo podbijali ją Turcy. We władaniu Wenecji do 1669 r. znajdowała się Kreta, a do 1797 r. Wyspy Jońskie. Po krwawym powstaniu (1821--1829) Grecja odzyskała w 1830 r. niepodległość jako królestwo. W 1881 r. zdobyła Tessalię, a w 1913 r. południową Macedonię. W obu wojnach światowych Grecja brała udział po stronie aliantów. W latach 1946-1949 toczyła się w Grecji wojna domowa, zakończona klęską partyzantki komunistycznej. Wojskowy zamach stanu w 1967 r. wprowadził „dyktaturę pułkowników", trwającą do 1974 r. W 1973 r. nastąpiło zniesienie monarchii i proklamowanie republiki. W 1981 r. Grecja przystąpiła do Wspólnoty Europejskiej (obecnie Unia Europejska), a w 2001 r. weszła do strefy euro.

Informacje ogólne **GRECJA**

Powierzchnia	131 957 km²
Stolica (liczba mieszkańców)	Ateny (746 tys.) 2001
Liczba mieszkańców	10 688 tys.
Gęstość zaludnienia	81 os./km²
Przyrost naturalny	–0,5 os./1000 mieszk.
Saldo migracji	2,3 os./1000 mieszk.
Urbanizacja	59%
Ustrój	republika
Podział administracyjny	13 regionów i 1 autonomiczna republika mnichów z Atos
Przynależność do organizacji międzynarodowych	NATO, OECD, Rada Europy, UE
Waluta	1 euro = 100 eurocentów
Języki urzędowe	grecki
Języki używane	grecki, arumuński, turecki
Obszary chronione	2,8%
Zagadnienia społeczno-gospodarcze	
Religie (wyznawcy)	prawosławni (92%), muzułmanie (1%), pozostali (7%)
Analfabetyzm	2,5%
Bezrobocie	9,2%
Przeciętna długość życia	77,0 – mężczyźni, 82,2 – kobiety (w latach)
Zainfekowani wirusem HIV	5,6 – 15 tys. os.
PKB na 1 mieszkańca	27 751 USD
Struktura PKB	rolnictwo 3,6%, przemysł 24,8%, usługi 71,6%
Wydatki na zbrojenia	551 USD/mieszk.
Saldo obrotów handlu zagranicznego	–42 318 mln USD
Główne towary eksportowe	żywność i wyroby spożywcze, surowce mineralne
Główne towary importowe	maszyny i urządzenia

Dochody z turystyki	910,3 USD/mieszk.
Produkcja energii elektrycznej	5194 kWh/mieszk.
Samochody osobowe	403 szt./1000 mieszk.
Komputery	89,8 szt./1000 mieszk.
Użytkownicy Internetu	178,1 os./1000 mieszk.
Telefony komórkowe	903,1 szt./1000 mieszk.
Strony w atlasie	134-135

GRENADA

Wyspa odkryta w 1498 r. przez Krzysztofa Kolumba. W 1650 r. stała się posiadłością francuską, a w 1783 r. brytyjską. W 1967 r. otrzymała status państwa stowarzyszonego z Wielką Brytanią, w 1974 r. uzyskała niepodległość jako monarchia konstytucyjna. Jest członkiem brytyjskiej Wspólnoty Narodów. Lewicowe zamachy stanu w 1979 i 1983 r. pchnęły gospodarkę na tory komunizmu i stały się pretekstem do interwencji zbrojnej Stanów Zjednoczonych w 1984 r., po której przywrócono demokratyczne rządy. W 2004 r. wyspę spustoszył huragan Ivan.

Informacje ogólne **GRENADA**

Powierzchnia	345 km²
Stolica (liczba mieszkańców)	Saint George's 4 tys. (2001)
Liczba mieszkańców	90 tys.
Gęstość zaludnienia	260 os./km²
Przyrost naturalny	15,2 os./1000 mieszk.
Saldo migracji	–12,6 os./1000 mieszk.
Urbanizacja	30,6%
Ustrój	monarchia konstytucyjna
Podział administracyjny	6 okręgów i 1 dependencja
Przynależność do organizacji międzynarodowych	ACP, CARICOM, NAM, OAS
Waluta	1 dolar wschodniokaraibski = 100 centów
Języki urzędowe	angielski
Języki używane	angielski-kreolski
Obszary chronione	0,2%
Zagadnienia społeczno-gospodarcze	
Religie (wyznawcy)	katolicy (53%), anglikanie (14%), adwentyści Dnia Siódmego (9%), Zielonoświątkowcy (7%), Metodyści (3%), pozostali (14%)
Analfabetyzm	4,0% (2000)
Bezrobocie	12,5% (2000)
Przeciętna długość życia	63,7 – mężczyźni, 67,5 – kobiety (w latach)
PKB na 1 mieszkańca	4937 USD
Struktura PKB	rolnictwo 5,4%, przemysł 18%, usługi 76,6% (2003)
Dług zagraniczny	105,9% PKB (1998)
Saldo obrotów handlu zagranicznego	–260 mln USD
Główne towary eksportowe	ziarno kakaowe, banany, ryby, gałka muszkatołowa, odzież
Główne towary importowe	żywność, środki transportu, chemikalia
Dochody z turystyki	623,8 USD/mieszk.
Produkcja energii elektrycznej	1903 kWh/mieszk.
Samochody osobowe	156 szt./1000 mieszk. (2001)
Komputery	155,3 szt./1000 mieszk.
Użytkownicy Internetu	169,0 os./1000 mieszk.
Telefony komórkowe	420,5 szt./1000 mieszk.
Strony w atlasie	263

Grenlandia (Dania)

Zasiedlana była od około 2000 r. p.n.e przez Eskimosów migrujących z kontynentu. W 986 r. zaczęło się osadnictwo wikingów, którzy w 1126 r. założyli tu biskupstwo, a w 1261 r. przyjęli zwierzchnictwo Norwegii. Ze względu na ochłodzenie klimatu po 1500 r. zniknęły skandynawskie osady. W 1721 r. ponownie rozpoczęła się kolonizacja duńska i norweska. W 1814 r. Dania, tracąc Norwegię, zatrzymała Grenlandię. W 1953 r. Grenlandia stała się integralną częścią Danii, z lokalnym samorządem, w 1979 r. uzyskała autonomię (ma własny parlament i rząd). W r. 1982 w referendum zdecydowano o wystąpieniu Grenlandii z EWG.

Informacje ogólne **Grenlandia** (Dania)

Powierzchnia	2 166 086 km²
Stolica (liczba mieszkańców)	Nuuk (15 tys.)
Liczba mieszkańców	56 tys.
Gęstość zaludnienia	0,03 os./km²
Przyrost naturalny	8,1 os./1000 mieszk.
Saldo migracji	–8,4 os./1000 mieszk.
Urbanizacja	82,9%
Ustrój	integralna część Królestwa Danii mająca szeroką autonomię
Podział administracyjny	brak
Waluta	1 korona duńska = 100 öre
Języki urzędowe	duński, grenlandzki
Języki używane	grenlandzki, duński
Obszary chronione	45,2%

Zagadnienia społeczno-gospodarcze	
Religie (wyznawcy)	luteranie (64%), katolicy i pozostali (36%)
Analfabetyzm	0%
Bezrobocie	9,3% (2000)
Przeciętna długość życia	67,0 – mężczyźni, 74,2 – kobiety (w latach)
Zainfekowani wirusem HIV	100 os. (1999)
PKB na 1 mieszkańca	28 670 USD
Saldo obrotów handlu zagranicznego	–200 mln USD
Główne towary eksportowe	ryby i przetwory rybne, skóry, koncentraty cynku i ołowiu
Główne towary importowe	żywność, paliwa, maszyny, wyroby przemysłowe
Produkcja energii elektrycznej	5268 kWh/mieszk.
Samochody osobowe	54 szt./1000 mieszk.
Użytkownicy Internetu	663,2 os./1000 mieszk.
Telefony komórkowe	562,0 szt./1000 mieszk.
Strona w atlasie	310

GRUZJA

W starożytności, od VI w. p.n.e., na ziemiach Gruzji istniały dwa państwa: Kolchida i Iberia. Pierwsze z nich zostało uzależnione w połowie I w. p.n.e. od Rzymu. Oba w IV w. przyjęły chrześcijaństwo, a w 493 r. przyznano ich Kościołom autokefalię. Po podbojach perskich i arabskich uniezależniły się w VIII w. Istniejące tu wtedy księstwa zostały zjednoczone pod berłem Bagratydów (XI-XIII w.), a gruzińska kultura osiągnęła szczyt swego rozwoju. Najazdy Mongołów (XIII-XV w.) doprowadziły Gruzję do upadku. W XV w. rozpadła się na trzy królestwa (Kartlię, Kachetię i Imeretię), te zaś na mniejsze księstwa, które w XVI w. podzieliły między siebie Persja i Turcja. W latach 1801-1810 Gruzja została przyłączona do Rosji. W 1918 r. ogłosiła niepodległość, ale już w 1921 r., po najeździe Armii Czerwonej, stała się republiką radziecką. Po ogłoszeniu przez Gruzję w 1991 r. niepodległości to samo uczyniły należące do niej republiki autonomiczne: Adżaria, Osetia Południowa i Abchazja. Wybuchła wojna domowa, w trakcie której do Abchazji wkroczyły wojska rosyjskie, które występują jako siły rozjemcze. Gruzja nadal nie uznaje niezależności Abchazji, natomiast według konstytucji abchaskiej jest to niezależne i samodzielne państwo z własnymi siłami zbrojnymi. W 2004 r. nastąpiło pokojowe odsunięcie od władzy dotychczasowego prezydenta (tzw. rewolucja róż).

Informacje ogólne **GRUZJA**	
Powierzchnia	69 700 km²
Stolica (liczba mieszkańców)	Tbilisi (1 095 tys.)
Liczba mieszkańców	4661 tys.
Gęstość zaludnienia	66,9 os./km²
Przyrost naturalny	1,2 os./1000 mieszk.
Saldo migracji	–4,5 os./1000 mieszk.
Urbanizacja	52,2%
Ustrój	republika
Podział administracyjny	10 regionów (obwodów) i stolica – miasto wydzielone; Osetię Południową włączono do regionu Szida Kartli
Przynależność do organizacji międzynarodowych	Rada Europy, WNP
Waluta	1 lari
Języki urzędowe	gruziński
Języki używane	gruziński, megrelski, ormiański, rosyjski, azerski, osetyjski
Obszary chronione	4,0%

Zagadnienia społeczno-gospodarcze	
Religie (wyznawcy)	prawosławni (45%), muzułmanie sunnici (11%), bezwyznaniowcy i pozostali (44%)
Analfabetyzm	0%
Bezrobocie	12,6%
Przeciętna długość życia	73,2 – mężczyźni, 80,3 – kobiety (w latach)
Zainfekowani wirusem HIV	2,7 – 18 tys. os.
PKB na 1 mieszkańca	1764 USD
Struktura PKB	rolnictwo 13,1%, przemysł 29,3%, usługi 57,6%
Wydatki na zbrojenia	78 USD/mieszk.
Dług zagraniczny	36,9% PKB
Saldo obrotów handlu zagranicznego	–2688 mln USD
Główne towary eksportowe	owoce cytrusowe, herbata, tytoń, metale, tekstylia, chemikalia
Główne towary importowe	ropa naftowa, gaz ziemny, odzież, obuwie, żywność
Dochody z turystyki	84,6 USD/mieszk.
Produkcja energii elektrycznej	1460 kWh/mieszk.
Samochody osobowe	81 szt./1000 mieszk.
Komputery	37,8 szt./1000 mieszk.
Użytkownicy Internetu	34,6 os./1000 mieszk.
Telefony komórkowe	326,1 szt./1000 mieszk.
Strony w atlasie	180-181

Guam (Stany Zjednoczone)

Terytorium Guamu

Wyspa została odkryta w 1521 r. przez Ferdynanda Magellana. W 1565 r. stała się posiadłością hiszpańską, a w 1668 r. kolonią. Po wojnie hiszpańsko-amerykańskiej w 1898 r. przeszła w posiadanie Stanów Zjednoczonych. W 1941 r. zajęli ją Japończycy, w 1944 r. po ciężkich walkach została odzyskana przez Amerykanów. Od 1950 r. ma samorząd lokalny, a od lat 80. XX w. prowadzi starania o uzyskanie statusu terytorium stowarzyszonego ze Stanami Zjednoczonymi. Na wyspie są rozlokowane bazy wojskowe Stanów Zjednoczonych. Mają one ogromne znaczenie strategiczne i są jednymi z ważniejszych pod tym względem na Pacyfiku.

Informacje ogólne **Guam** (Stany Zjednoczone)	
Powierzchnia	564 km²
Stolica (liczba mieszkańców)	Hagåtña (1,2 tys.)
Liczba mieszkańców	171 tys.
Gęstość zaludnienia	303,2 os./km²
Przyrost naturalny	14,3 os./1000 mieszk.
Saldo migracji	0 os./1000 mieszk.
Urbanizacja	94,0%
Ustrój	terytorium zamorskie Stanów Zjednoczonych
Podział administracyjny	brak
Waluta	1 dolar USA = 100 centów
Języki urzędowe	czamorro, angielski
Języki używane	czamorro, angielski, tagalog, koreański, japoński
Obszary chronione	27,0%

Zagadnienia społeczno-gospodarcze	
Religie (wyznawcy)	katolicy (75%), protestanci (12%), pozostali (13%)
Analfabetyzm	1,0% (1990)
Bezrobocie	11,4% (2002)
Przeciętna długość życia	75,9 – mężczyźni, 82,2 – kobiety (w latach)
PKB na 1 mieszkańca	8697 USD
Struktura PKB	przemysł 15,0%, usługi 85,0%
Saldo obrotów handlu zagranicznego	80 mln USD
Główne towary eksportowe	ryby, wyroby rzemiosła artystycznego
Główne towary importowe	ropa naftowa, maszyny i urządzenia transportowe, żywność, artykuły przemysłowe
Dochody z turystyki	12 075,9 USD/mieszk.
Produkcja energii elektrycznej	5061 kWh/mieszk.
Samochody osobowe	377 szt./1000 mieszk.
Użytkownicy Internetu	478,8 os./1000 mieszk.
Telefony komórkowe	593,9 szt./1000 mieszk.
Strony w atlasie	290, 292

Guernsey (Wielka Brytania)

Położona na Wyspach Normandzkich. Do początku X w. dzieliła losy terytorium obecnej Francji. W 911 r. znalazła się w granicach utworzonego wtedy Księstwa Normandii. W 1066 r. wraz z Normandią stała się własnością władców Anglii. Po utracie przez nich posiadłości na kontynencie pozostaje do dziś w rękach brytyjskich. Zachowała lokalne prawa i autonomię. Jest zależne od korony brytyjskiej, ale nie jest częścią Wielkiej Brytanii.

Informacje ogólne **Guernsey** (Wielka Brytania)	
Powierzchnia	78 km²
Stolica (liczba mieszkańców)	Saint Peter Port (16 tys.) 2001
Liczba mieszkańców	65 tys.
Gęstość zaludnienia	838,6 os./km²
Przyrost naturalny	–1,2 os./1000 mieszk.
Saldo migracji	3,8 os./1000 mieszk.
Ustrój	dependencja korony brytyjskiej
Podział administracyjny	brak
Waluta	1 funt szterling = 100 pensów
Języki urzędowe	angielski
Języki używane	angielski, francuski-normandzki, patois

Zagadnienia społeczno-gospodarcze	
Religie (wyznawcy)	anglikanie (66%), katolicy, baptyści, metodyści i pozostali (34%)
Analfabetyzm	0%
Bezrobocie	0,9%
Przeciętna długość życia	77,6 – mężczyźni, 83,8 – kobiety (w latach)
PKB na 1 mieszkańca	40 000 USD
Struktura PKB	rolnictwo 3,0%, przemysł 10,0%, usługi 87,0% (2000)
Główne towary eksportowe	elektronika, warzywa, kwiaty, tekstylia
Główne towary importowe	maszyny, środki transportu, żywność, paliwa
Samochody osobowe	618 szt./1000 mieszk.
Użytkownicy Internetu	550,4 os./1000 mieszk.
Telefony komórkowe	669,6 szt./1000 mieszk.
Strony w atlasie	124, 129

GUJANA

KOOPERACYJNA REPUBLIKA GUJANY

Odkryta w końcu 1499 r. w. przez Hiszpanów, od 1620 r. była kolonizowana przez Holendrów. W 1781 r. zajęła ją Wielka Brytania, a w 1814 r. stała się jej kolonią pod nazwą Gujana Brytyjska. W 1966 r. uzyskała niepodległość i jest republiką rządzoną przez socjalistów.

Powierzchnia	215 083 km²
Stolica (liczba mieszkańców)	Georgetown (134 tys.)
Liczba mieszkańców	767 tys.
Gęstość zaludnienia	3,6 os./km²
Przyrost naturalny	10 os./1000 mieszk.
Saldo migracji	−7,5 os./1000 mieszk.
Urbanizacja	28,2%
Ustrój	republika
Podział administracyjny	10 regionów
Przynależność do organizacji międzynarodowych	ACP, CARICOM, NAM, OAS
Waluta	1 dolar gujański = 100 centów
Języki urzędowe	angielski
Języki używane	angielski-kreolski, hindi karaibskie
Obszary chronione	2,2%

Zagadnienia społeczno-gospodarcze

Religie (wyznawcy)	wyznawcy hinduizmu (34%), protestanci (10%), katolicy (11%), muzułmanie, (9%), pozostali (27%)
Analfabetyzm	1,2%
Bezrobocie	9,1% (2000)
Przeciętna długość życia	63,8 – mężczyźni, 69,2 – kobiety (w latach)
Zainfekowani wirusem HIV	4,7 – 23 tys. os.
PKB na 1 mieszkańca	1161 USD
Struktura PKB	rolnictwo 31,1%, przemysł 21,7%, usługi 47,2%
Wydatki na zbrojenia	18 USD/mieszk.
Dług zagraniczny	72,2% PKB (2002)
Saldo obrotów handlu zagranicznego	−307 mln USD
Główne towary eksportowe	cukier, ryż, boksyty, drewno, złoto, krewetki, leki, odzież, rum, owoce, warzywa
Główne towary importowe	paliwa, smary, artykuły żywnościowe
Dochody z turystyki	77,4 USD/mieszk.
Produkcja energii elektrycznej	1068 kWh/mieszk.
Samochody osobowe	79 szt./1000 mieszk. (2002)
Komputery	35,2 szt./1000 mieszk.
Użytkownicy Internetu	189,0 os./1000 mieszk.
Telefony komórkowe	332,9 szt./1000 mieszk.
Strona w atlasie	276

Gujana Francuska (Francja)

Od początku XVII w. była kolonizowana przez Francuzów. W okresie od drugiej połowy XVII w. do początku XIX w. kilkakrotnie zmieniała przynależność. Gdy powróciła do Francji, stała się po 1848 r. jej kolonią karną. W 1946 r. została przekształcona w departament zamorski Francji i taki status ma do dzisiaj.

Informacje ogólne **Gujana Francuska** (Francja)

Powierzchnia	83 612 km²
Stolica (liczba mieszkańców)	Kajenna (59 tys.)
Liczba mieszkańców	200 tys.
Gęstość zaludnienia	2,4 os./km²
Przyrost naturalny	22,9 os./1000 mieszk.
Saldo migracji	5,1 os./1000 mieszk.
Urbanizacja	75,6%
Ustrój	departament zamorski Francji
Podział administracyjny	2 okręgi
Waluta	1 euro = 100 eurocentów
Języki urzędowe	francuski
Języki używane	francuski, francuski-kreolski, chiński (hakka)
Obszary chronione	5,4%

Zagadnienia społeczno-gospodarcze

Religie (wyznawcy)	katolicy (80%), anglikanie, mormoni, adwentyści Dnia Siódmego i pozostali (20%)
Analfabetyzm	15,0% (1990)
Bezrobocie	19,2%
Przeciętna długość życia	74,0 – mężczyźni, 80,8 – kobiety (w latach)
PKB na 1 mieszkańca	9705 USD
Dług zagraniczny	51,6% PKB
Główne towary eksportowe	krewetki, produkty rybne, złoto, drewno, rum, ryż
Główne towary importowe	żywność, maszyny, środki transportu, paliwa, produkty chemiczne
Dochody z turystyki	248,5 USD/mieszk.
Produkcja energii elektrycznej	2488 kWh/mieszk.
Samochody osobowe	188 szt./1000 mieszk. (2002)
Komputery	180,3 szt./1000 mieszk.
Użytkownicy Internetu	207,7 os./1000 mieszk.
Telefony komórkowe	535,5 szt./1000 mieszk.
Strona w atlasie	278

Gwadelupa (Francja)

Odkryta w 1493 r. przez Krzysztofa Kolumba, została w 1635 r. zajęta przez Francuzów, którzy rozpoczęli kolonizację wyspy. Na przełomie XVIII i XIX w. była w rękach brytyjskich. W 1816 r. przyznana ostatecznie Francji, stała się jej kolonią. Od 1946 r. jest departamentem zamorskim Francji.

Informacje ogólne **Gwadelupa** (Francja)

Powierzchnia	1779 km²
Stolica (liczba mieszkańców)	Basse-Terre (12 tys.) 1999
Liczba mieszkańców	453 tys.
Gęstość zaludnienia	254,5 os./km²
Przyrost naturalny	9,1 os./1000 mieszk.
Saldo migracji	−0,2 os./1000 mieszk.
Urbanizacja	99,8%
Ustrój	departament zamorski Francji
Podział administracyjny	brak
Waluta	1 euro = 100 eurocentów
Języki urzędowe	francuski
Języki używane	francuski-kreolski
Obszary chronione	3,1%

Zagadnienia społeczno-gospodarcze

Religie (wyznawcy)	katolicy (95%), pozostali (5%)
Bezrobocie	26,9%
Przeciętna długość życia	74,9 – mężczyźni, 81,4 – kobiety (w latach)
PKB na 1 mieszkańca	14 518 USD
Struktura PKB	rolnictwo 15,0%, przemysł 17,0%, usługi 68,0% (2002)
Główne towary eksportowe	banany, rum, cukier, mięso, wyroby tekstylne
Główne towary importowe	żywność, paliwa, samochody, odzież
Dochody z turystyki	967,6 USD/mieszk.
Produkcja energii elektrycznej	2618 kWh/mieszk.
Samochody osobowe	269 szt./1000 mieszk. (2002)
Komputery	203,2 szt./1000 mieszk.
Użytkownicy Internetu	178,3 os./1000 mieszk.
Telefony komórkowe	710,4 szt./1000 mieszk.
Strona w atlasie	263

GWATEMALA

REPUBLIKA GWATEMALI

W czasach prekolumbijskich obszar Gwatemali należał do kręgu kultury Majów. Podbita przez Hiszpanów w latach 1523-1524, stała się w 1535 r. częścią wicekrólestwa Nowej Hiszpanii. W 1763 r. Wielka Brytania zajęła większą część wybrzeża nad Morzem Karaibskim (powstała tu kolonia Honduras Brytyjski). W 1821 r. Gwatemala uzyskała niepodległość. W II połowie XX w. Gwatemala doświadczyła częstych zmian rządów, a także 36-letniej wojny. W 1996 r. rząd ogłosił zakończenie działań zbrojnych, które spowodowały śmierć ponad 100 tys. osób, a z ponad miliona uczyniły uchodźców.

Informacje ogólne **GWATEMALA**

Powierzchnia	108 889 km²
Stolica (liczba mieszkańców)	Gwatemala (984 tys.)
Liczba mieszkańców	12 294 tys.
Gęstość zaludnienia	112,9 os./km²
Przyrost naturalny	24,7 os./1000 mieszk.
Saldo migracji	−1,9 os./1000 mieszk.
Urbanizacja	47,2%
Ustrój	republika
Podział administracyjny	22 departamenty
Przynależność do organizacji międzynarodowych	NAM, OAS, SICA
Waluta	1 quetzal = 100 centavos
Języki urzędowe	hiszpański
Języki używane	hiszpański, maja-quiche, cachiquel, kekchi, mam
Obszary chronione	30,8%

Zagadnienia społeczno-gospodarcze

Religie (wyznawcy)	katolicy (76%), protestanci (22%), animiści i pozostali (2%)
Analfabetyzm	29,5%
Bezrobocie	3,2%
Przeciętna długość życia	68,2 – mężczyźni, 71,9 – kobiety (w latach)
Zainfekowani wirusem HIV	37 – 100 tys. os.
PKB na 1 mieszkańca	2334 USD
Struktura PKB	rolnictwo 13,2%, przemysł 25,9%, usługi 60,9%
Wydatki na zbrojenia	10 USD/mieszk.
Dług zagraniczny	23,0% PKB
Saldo obrotów handlu zagranicznego	−5895 mln USD
Główne towary eksportowe	kawa, cukier, banany, kardamon, małże
Główne towary importowe	paliwa, maszyny i urządzenia transportowe, zboża
Dochody z turystyki	42,2 USD/mieszk.
Produkcja energii elektrycznej	586 kWh/mieszk.
Samochody osobowe	111 szt./1000 mieszk.

Państwa świata

Komputery	18,2 szt./1000 mieszk.
Użytkownicy Internetu	59,7 os./1000 mieszk.
Telefony komórkowe	250,2 szt./1000 mieszk.
Strona w atlasie	260

GWINEA
REPUBLIKA GWINEI

W średniowieczu obszar dzisiejszej Gwinei znajdował się w strefie wpływów Mali, a od XVI do XIX w. na tym terenie leżało muzułmańskie państwo Fulanów, zwane Futa Dżalon. Wybrzeże od XVI w. penetrowane było przez Portugalczyków, a później Anglików i Francuzów, do początku XIX w. handlujących niewolnikami. W XIX w. nasiliła się ekspansja Francuzów, którzy w 1891 r. utworzyli tu kolonię Gwinea Francuska, włączoną w 1904 r. do Francuskiej Afryki Zachodniej. Od 1946 r. była francuskim terytorium zamorskim, a w 1958 r. uzyskała niepodległość. Do 1984 r. trwała realizacja koncepcji tzw. socjalizmu afrykańskiego. Od 1990 r., po wojskowym zamachu stanu, postępuje demokratyzacja ustroju politycznego. Niepokoje w Sierra Leone i w Liberii w ubiegłej dekadzie kilkakrotnie zakłócały porządek w kraju i stwarzały konieczność udzielenia mu pomocy humanitarnej.

Informacje ogólne GWINEA

Powierzchnia	245 857 km^2
Stolica (liczba mieszkańców)	Konakry (1 425 tys.)
Liczba mieszkańców	9690 tys.
Gęstość zaludnienia	39,4 os./km^2
Przyrost naturalny	26,3 os./1000 mieszk.
Saldo migracji	0 os./1000 mieszk.
Urbanizacja	33,0%
Ustrój	republika
Podział administracyjny	33 regiony
Przynależność do organizacji międzynarodowych	ACP, AU, ECOWAS, NAM
Waluta	1 frank gwinejski = 100 centymów
Języki urzędowe	francuski
Języki używane	futa dżalon (fulani), malinke, susu, francuski, kpelle, kissi, toma, yalunka, mano, dan
Obszary chronione	6,1%

Zagadnienia społeczno-gospodarcze

Religie (wyznawcy)	muzułmanie (85%), chrześcijanie (10%), wyznawcy religii rodzimych i pozostali (5%)
Analfabetyzm	70,5%
Przeciętna długość życia	48,7 – mężczyźni, 51,0 – kobiety (w latach)
Zainfekowani wirusem HIV	69 – 100 tys. os.
PKB na 1 mieszkańca	329 USD
Struktura PKB	rolnictwo 22,0%, przemysł 40,5%, usługi 37,6%
Wydatki na zbrojenia	11 USD/mieszk.
Dług zagraniczny	44,6% PKB
Saldo obrotów handlu zagranicznego	0 mln USD
Główne towary eksportowe	boksyty, aluminium, diamenty, złoto
Główne towary importowe	półprodukty, maszyny, żywność, dobra inwestycyjne
Dochody z turystyki	1,7 USD/mieszk.
Produkcja energii elektrycznej	87 kWh/mieszk.
Samochody osobowe	6 szt./1000 mieszk. (2003)
Komputery	5,6 szt./1000 mieszk.
Użytkownicy Internetu	5,9 os./1000 mieszk.
Telefony komórkowe	23,6 szt./1000 mieszk.
Strona w atlasie	221

GWINEA BISSAU
REPUBLIKA GWINEI BISSAU

Od XIII do XV w. obszar Gwinei Bissau znajdował się w granicach państwa Mali, a do XVI w. w państwa Songhaj. Na wybrzeżu od XVI w. powstawały faktorie portugalskie zajmujące się głównie handlem niewolnikami. W 1879 r. stała się kolonią portugalską o nazwie Gwinea Portugalska. Po dziesięciu latach zbrojnej walki wyzwoleńczej Gwinea uzyskała w 1974 r. niepodległość. W 1980 r. rządy, w wyniku puczu, przejęło wojsko. Proces demokratyzacji życia politycznego rozpoczął się na początku lat 90. Zezwolono na tworzenie partii politycznych, zapowiedziano rozpisanie wyborów parlamentarnych. W VII 1998 r. wybuchła wojna domowa, zakończona w XI 1998 r. podpisaniem porozumienia pomiędzy stronami konfliktu. W 2001 r. w dialog pomiędzy stronami gwinejskiej sceny politycznej zaangażowała się ONZ.

Informacje ogólne GWINEA BISSAU

Powierzchnia	36 125 km^2
Stolica (liczba mieszkańców)	Bissau (306 tys.)
Liczba mieszkańców	1442 tys.
Gęstość zaludnienia	39,9 os./km^2
Przyrost naturalny	20,7 os./1000 mieszk.
Saldo migracji	0 os./1000 mieszk.

Urbanizacja	29,6%
Ustrój	republika
Podział administracyjny	9 regionów
Przynależność do organizacji międzynarodowych	ACP, AU, ECOWAS, NAM
Waluta	1 peso = 100 centavos
Języki urzędowe	portugalski
Języki używane	balanta, fulfulde (fulani), portugalski-kreolski, mandżak, malinke, papel, biafuda, bidyogo, ediamat
Obszary chronione	7,3%

Zagadnienia społeczno-gospodarcze

Religie (wyznawcy)	muzułmanie (46%), wyznawcy religii tradycyjnych (39%), chrześcijanie (15%)
Analfabetyzm	57,7%
Przeciętna długość życia	45,7 – mężczyźni, 49,4 – kobiety (w latach)
Zainfekowani wirusem HIV	18 – 50 tys. os.
PKB na 1 mieszkańca	189 USD
Struktura PKB	rolnictwo 62,0%, przemysł 12,0%, usługi 26,0% (1999)
Wydatki na zbrojenia	6 USD/mieszk.
Dług zagraniczny	326,4% PKB
Saldo obrotów handlu zagranicznego	−35 mln USD
Główne towary eksportowe	orzechy nerkowca, krewetki, orzeszki ziemne, drewno
Główne towary importowe	żywność, maszyny i urządzenia transportowe, produkty ropy naftowej
Produkcja energii elektrycznej	40 kWh/mieszk.
Samochody osobowe	6 szt./1000 mieszk. (2000)
Użytkownicy Internetu	19,9 os./1000 mieszk.
Telefony komórkowe	50,1 szt./1000 mieszk.
Strona w atlasie	221

GWINEA RÓWNIKOWA
REPUBLIKA GWINEI RÓWNIKOWEJ

W 1470 r. Portugalczycy odkryli wyspę Bioko i nazwali ją Fernando Po. W 1778 r. wraz z wyspami Annobón, Elobey i Corisco została przekazana Hiszpanii. Po połączeniu ich z terytorium Río Muni, podbitym w połowie XIX w., powstała kolonia zwana Gwineą Hiszpańską. W 1958 r. została prowincją zamorską Hiszpanii, a od 1968 r. jest niepodległą republiką. Po latach rządów dyktatorskich w 1992 r. nastąpiło zalegalizowanie partii opozycyjnych.

Informacje ogólne GWINEA RÓWNIKOWA

Powierzchnia	28 051 km^2
Stolica (liczba mieszkańców)	Malabo (96 tys.)
Liczba mieszkańców	540 tys.
Gęstość zaludnienia	19,3 os./km^2
Przyrost naturalny	20,5 os./1000 mieszk.
Saldo migracji	0 os./1000 mieszk.
Urbanizacja	38,9%
Ustrój	republika
Podział administracyjny	7 prowincji
Przynależność do organizacji międzynarodowych	ACP, AU, NAM
Waluta	1 ekuele = 100 centimos
Języki urzędowe	hiszpański
Języki używane	fang, angielski-kreolski, bube, hiszpański, seki, ngumba, batanga
Obszary chronione	0,9%

Zagadnienia społeczno-gospodarcze

Religie (wyznawcy)	katolicy (90%), protestanci, muzułmanie, animiści i pozostali (10%)
Analfabetyzm	14,3%
Bezrobocie	30,0% (1998)
Przeciętna długość życia	60,4 – mężczyźni, 62,1 – kobiety (w latach)
Zainfekowani wirusem HIV	7,3 – 11 tys. os.
PKB na 1 mieszkańca	7319 USD
Struktura PKB	rolnictwo 2,9%, przemysł 92,2%, usługi 4,8%
Wydatki na zbrojenia	13 USD/mieszk.
Dług zagraniczny	75,7% PKB (1998)
Saldo obrotów handlu zagranicznego	6400 mln USD
Główne towary eksportowe	ropa naftowa, drewno, kawa, kakao
Główne towary importowe	fabrykaty, urządzenia
Produkcja energii elektrycznej	48 kWh/mieszk.
Samochody osobowe	17 szt./1000 mieszk. (2002)
Komputery	13,8 szt./1000 mieszk.
Użytkownicy Internetu	9,9 os./1000 mieszk.
Telefony komórkowe	192,6 szt./1000 mieszk.
Strony w atlasie	221, 224

HAITI

REPUBLIKA HAITI

W 1492 r. Krzysztof Kolumb odkrył wyspę o lokalnej nazwie Haiti, zamieszkaną przez indiańskie plemię Arawaków i nazwał ją Espanola. Od tego czasu stanowiła posiadłość hiszpańską Santo Domingo. W XVI w. ludność indiańska została niemal całkowicie wyniszczona. W 1697 r. zachodnia część wyspy przeszła w posiadanie Francji. Powstanie niewolników pracujących na plantacjach spowodowało zniesienie w 1793 r. niewolnictwa. Kolejny zryw doprowadził do proklamowania w 1804 r. niezależnego państwa Haiti, które w latach 1822-1844 obejmowało także Dominikanę. Od końca XIX w. Haiti popadała w coraz większą zależność gospodarczą i polityczną od Stanów Zjednoczonych, co doprowadziło w latach 1915-1934 do amerykańskiej okupacji wojskowej. Po latach dyktatury i kilku przewrotach wojskowych w 1994 r. rozpoczęła się demokratyzacja rządów.

Informacje ogólne HAITI

Powierzchnia	27 750 km²
Stolica (liczba mieszkańców)	Port-au-Prince (703 tys.)
Liczba mieszkańców	8309 tys.
Gęstość zaludnienia	299,4 os./km²
Przyrost naturalny	24,2 os./1000 mieszk.
Saldo migracji	−1,3 os./1000 mieszk.
Urbanizacja	38,8%
Ustrój	republika
Podział administracyjny	9 departamentów
Przynależność do organizacji międzynarodowych	ACP, CARICOM, OAS
Waluta	1 gourde = 100 centymów
Języki urzędowe	francuski
Języki używane	francuski-kreolski, francuski
Obszary chronione	0,1%

Zagadnienia społeczno-gospodarcze

Religie (wyznawcy)	katolicy (68%), protestanci (23%), zielonoświątkowcy, wyznawcy voodoo i pozostali (9%)
Analfabetyzm	47,1%
Bezrobocie	70,0% (2002)
Przeciętna długość życia	55,8 – mężczyźni, 59,4 – kobiety (w latach)
Zainfekowani wirusem HIV	120 – 270 tys. os.
PKB na 1 mieszkańca	528 USD
Struktura PKB	rolnictwo 28,0%, przemysł 20,0%, usługi 52,0%
Wydatki na zbrojenia	3 USD/mieszk.
Dług zagraniczny	28,5% PKB
Saldo obrotów handlu zagranicznego	−1400 mln USD
Główne towary eksportowe	produkty przemysłu lekkiego, kawa, sizal, olejki eteryczne, cukier, mango
Główne towary importowe	żywność, maszyny i środki transportu, paliwa, surowce
Dochody z turystyki	6,6 USD/mieszk.
Produkcja energii elektrycznej	65 kWh/mieszk.
Samochody osobowe	12 szt./1000 mieszk. (2000)
Użytkownicy Internetu	60,9 os./1000 mieszk.
Telefony komórkowe	48,7 szt./1000 mieszk.
Strony w atlasie	262-263

HISZPANIA

KRÓLESTWO HISZPANII

W starożytności na obszarze dzisiejszej Hiszpanii istniało osadnictwo Celtów (w części północnej) i afrosemickich Iberów (w południowej). Na wybrzeżu kolonizację prowadzili Fenicjanie (od XIV w. p.n.e.) i Grecy (od VII w. p.n.e.). W III w. p.n.e. południową część ziem, aż po Ebro, opanowała Kartagina, a w II-I w. p.n.e. cały Półwysep Iberyjski został podbity przez Rzym. Po upadku Rzymu powstało tu w V w. państwo Wizygotów, zaś w północno-zachodniej części półwyspu państwo Swewów. Państwo Wizygotów zostało podbite w latach 711-718 przez Arabów, którzy w 756 r. utworzyli niezależny emirat. W miejsce państwa Swewów utworzono niezależne od Arabów Królestwo Asturii, które na początku XI w. rozpoczęło uwalnianie pozostałej części Półwyspu Iberyjskiego. Proces ten zakończył się w 1492 r., a w międzyczasie na terenach zabranych Arabom powstawały niezależne państwa chrześcijańskie, z których najsilniejsze – Kastylia i Aragonia – zjednoczyły się w 1479 r., tworząc Hiszpanię. Na początku XVI w. w jej skład wchodziły Baleary, Sardynia, Sycylia i południowe Włochy. Pod berłem Habsburgów nastąpił rozwój potęgi morskiej, gospodarczej i politycznej. Głównym źródłem bogactwa Hiszpanii było złoto napływające z zamorskich posiadłości, podbijanych sukcesywnie po odkryciach Krzysztofa Kolumba. Habsburgowie hiszpańscy objęli swoją władzą Niderlandy (1556 r.) oraz Portugalię (1580 r.) i próbowali podbić Anglię (1588 r.). W XVI w. Hiszpania stała się najsilniejszym państwem świata, niepodzielnie panującym na morzach. Jednak koszty utrzymania coraz większej armii, floty i administracji doprowadziły do permanentnego kryzysu skarbu państwa, a warstwy rządzące nie były w stanie skutecznie władać rozległymi posiadłościami zamorskimi. W XVII w. Hiszpania traciła kolejno: północne Niderlandy (1609), Portugalię (1640), południowe Niderlandy (1713), południowe Włochy, Sycylię i Sardynię (1714). Lata 1808-1814 to czas okupacji francuskiej i wojny wyzwoleńczej. W XIX w. nastąpił rozpad imperium kolonialnego – ostatnie posiadłości H. utraciła w 1898 r. Od 1931 r. jest republiką. Po wojnie domowej (1936-1939) nastąpiła dyktatura generała Franco, trwająca do 1975, po której przywrócono monarchię parlamentarną, a regionom geograficzno-historycznym przyznano autonomię. Od końca lat 50. XX w. o całkowitą niezależność dla swojego kraju walczą Baskowie.

Informacje ogólne HISZPANIA

Powierzchnia	505 997 km²
Stolica (liczba mieszkańców)	Madryt (3 129 tys.; 5 608 tys. aglomeracja)
Liczba mieszkańców	40 398 tys.
Gęstość zaludnienia	79,8 os./km²
Przyrost naturalny	0,4 os./1000 mieszk.
Saldo migracji	1,0 os./1000 mieszk.
Urbanizacja	76,7%
Ustrój	dziedziczna monarchia parlamentarna
Podział administracyjny	17 regionów autonomicznych
Przynależność do organizacji międzynarodowych	NATO, OECD, Rada Europy, EU
Waluta	1 euro = 100 eurocentów
Języki urzędowe	hiszpański (kastylijski), w kilku regionach równorzędnie kataloński, baskijski, galisyjski
Języki używane	hiszpański (kastylijski), kataloński, baskijski, galisyjski
Obszary chronione	7,7%

Zagadnienia społeczno-gospodarcze

Religie (wyznawcy)	katolicy (96%), muzułmanie, protestanci i pozostali (4%)
Analfabetyzm	2,1%
Bezrobocie	8,1%
Przeciętna długość życia	76,6 – mężczyźni, 83,5 – kobiety (w latach)
Zainfekowani wirusem HIV	84 – 230 tys. os.
PKB na 1 mieszkańca	27 903 USD
Struktura PKB	rolnictwo 3,5%, przemysł 29,8%, usługi 66,6%
Wydatki na zbrojenia	313 USD/mieszk.
Saldo obrotów handlu zagranicznego	−112 5718 mln USD
Główne towary eksportowe	samochody, maszyny, urządzenia elektryczne, wino, oliwa, owoce cytrusowe, przetwory rybne
Główne towary importowe	maszyny, urządzenia, surowce mineralne, paliwa, chemikalia
Dochody z turystyki	816,4 USD/mieszk.
Produkcja energii elektrycznej	6518 kWh/mieszk.
Samochody osobowe	518 szt./1000 mieszk.
Komputery	253,6 szt./1000 mieszk.
Użytkownicy Internetu	331,8 os./1000 mieszk.
Telefony komórkowe	968,1 szt./1000 mieszk.
Strony w atlasie	130-131

HOLANDIA

KRÓLESTWO NIDERLANDÓW

W starożytności ziemie dzisiejszej Holandii zamieszkiwane były przez celtyckich Batawów i germańskich Fryzów. Część południowo-zachodnią podbił w I w. p.n.e. Rzym, a od V w. cały obszar należał do państwa Franków. Po jego podziale w 870 r. znalazł się w granicach Niemiec. Po okresie rozdrobnienia został zjednoczony w XV w. przez książąt burgundzkich. W 1477 r. znalazł się pod panowaniem Habsburgów austriackich, a od 1556 r. ich linii hiszpańskiej. W wyniku rozpoczętego w 1566 r. powstania doszło w 1581 r. do utworzenia Republiki Zjednoczonych Prowincji Niderlandów, zwanej także Holandią, która w XVII w. przeżywała znaczny rozkwit gospodarczy, dzięki handlowi zamorskiemu i świeżo zdobytym koloniom. W tym stuleciu stała się największą potęgą morską. Wojny z Anglią i Francją osłabiły hegemonię Holandii na morzu, spowodowały utratę części kolonii i stopniowy upadek gospodarczy. W 1795 r. Holandia znalazła się pod władzą Francji, a w 1810 r. została do niej włączona. W latach 1815-1830 wraz z Belgią tworzyła Królestwo Zjednoczonych Niderlandów. Mimo swej neutralności (zachowanej w czasie I wojny światowej) doświadczyła w latach 1940-1945 okupacji niemieckiej. W 1949 r. była współzałożycielem NATO. Jest dziedziczną monarchią konstytucyjną.

Informacje ogólne HOLANDIA

Powierzchnia	41 528 km²
Stolica (liczba mieszkańców)	Amsterdam (743 tys.), Haga – siedziba rządu (442 tys.)
Liczba mieszkańców	16 491 tys.
Gęstość zaludnienia	397,1 os./km²
Przyrost naturalny	2,2 os./1000 mieszk.
Saldo migracji	2,7 os./1000 mieszk.
Urbanizacja	80,2%
Ustrój	monarchia konstytucyjna
Podział administracyjny	12 prowincji
Przynależność do organizacji międzynarodowych	Benelux, NATO, OECD, Rada Europy, UE
Waluta	1 euro = 100 eurocentów
Języki urzędowe	niderlandzki
Języki używane	niderlandzki (holenderski), fryzyjski, arabski, turecki
Obszary chronione	14,3%

Zagadnienia społeczno-gospodarcze

Religie (wyznawcy)	bezwyznaniowcy (38%), katolicy (34%), protestanci, gł. kalwini (25%), muzułmanie i pozostali (3%)
Analfabetyzm	0%
Bezrobocie	5,5%
Przeciętna długość życia	76,7 – mężczyźni, 82,0 – kobiety (w latach)
Zainfekowani wirusem HIV	11 – 29 tys. os.
PKB na 1 mieszkańca	41 049 USD
Struktura PKB	rolnictwo 2,1%, przemysł 24,1%, usługi 73,7%
Wydatki na zbrojenia	589 USD/miesz.
Saldo obrotów handlu zagranicznego	45 962 mln USD
Główne towary eksportowe	maszyny i urządzenia przemysłowe, chemikalia, produkty naftowe, gaz ziemny, sery, masło, mięso, piwo, kwiaty
Główne towary importowe	ropa naftowa, rudy metali, środki transportu, zboże, drewno
Dochody z turystyki	419,0 USD/miesz.
Produkcja energii elektrycznej	5621 kWh/miesz.
Samochody osobowe	438 szt./1000 mieszk.
Komputery	684,7 szt./1000 mieszk.
Użytkownicy Internetu	616,3 os./1000 mieszk.
Telefony komórkowe	971,5 szt./1000 mieszk.
Strona w atlasie	126

HONDURAS

REPUBLIKA HONDURASU

W okresie prekolumbijskim obszar Hondurasu objęty był wpływami cywilizacji Majów. Odkryty w 1502 r. przez Krzysztofa Kolumba, został w 1524 r. podbity przez Hiszpanów, a w 1535 r. stał się częścią hiszpańskiego wicekrólestwa Nowej Hiszpanii. W 1821 r. Honduras uzyskał niepodległość. Od początku XX w. nasilały się wpływy koncernów amerykańskich, które opanowały hodowlę i eksport bananów. Stany Zjednoczone kilkakrotnie interweniowały zbrojnie w obronie swych interesów ekonomicznych. Od lat 50. XX w. coraz większą pozycję w państwie zyskuje armia. W 1982 r. władzę w kraju objął cywilny rząd, wojsko zachowało jednak znaczący wpływ na administrację i policję. Mimo częstych zmian w rządzie, republika nieustannie przeżywa trudności ekonomiczne. W 1998 r. H. został zdewastowany przez huragan Mitch, który zabił około 5600 osób i spowodował ogromne straty materialne.

Informacje ogólne **HONDURAS**	
Powierzchnia	112 492 km²
Stolica (liczba mieszkańców)	Tegucigalpa (927 tys.)
Liczba mieszkańców	7326 tys.
Gęstość zaludnienia	65,1 os./km²
Przyrost naturalny	22,9 os./1000 mieszk.
Saldo migracji	–1,4 os./1000 mieszk.
Urbanizacja	46,5%
Ustrój	republika
Podział administracyjny	18 departamentów
Przynależność do organizacji międzynarodowych	NAM, OAS, SICA
Waluta	1 lempira = 100 centavos
Języki urzędowe	hiszpański
Języki używane	hiszpański, garifuna
Obszary chronione	20,0%
Zagadnienia społeczno-gospodarcze	
Religie (wyznawcy)	katolicy (97%), ewangelicy i pozostali (3%)
Analfabetyzm	23,2%
Bezrobocie	27,9%
Przeciętna długość życia	67,8 – mężczyźni, 71,0 – kobiety (w latach)
Zainfekowani wirusem HIV	35 – 99 tys. os.
PKB na 1 mieszkańca	1225 USD
Struktura PKB	rolnictwo 13,4%, przemysł 28,1%, usługi 58,6%
Wydatki na zbrojenia	7 USD/miesz.
Dług zagraniczny	37,8% PKB
Saldo obrotów handlu zagranicznego	–3488 mln USD
Główne towary eksportowe	banany, kawa, krewetki, ostrygi, drewno, mięso, cynk
Główne towary importowe	maszyny i środki transportu, artykuły przemysłowe, chemikalia, paliwa, żywność
Dochody z turystyki	41,5 USD/miesz.
Produkcja energii elektrycznej	656 kWh/miesz.
Samochody osobowe	56 szt./1000 mieszk. (2003)
Komputery	15,7 szt./1000 mieszk.
Użytkownicy Internetu	31,8 os./1000 mieszk.
Telefony komórkowe	177,9 szt./1000 mieszk.
Strony w atlasie	260-261

Hongkong (Chiny)

Specjalny Region Administracyjny Hogkong

W latach 1842-1997 był dzierżawiony przez Wielką Brytanię. Pod jej panowanie przechodził etapami: wyspa Hongkong w 1842 r., południowy skraj półwyspu Koulun w 1860 r., pozostała część półwyspu Koulun – tzw. Nowe Terytoria – w 1898 r. W 1997 r. Wielka Brytania zwróciła Hongkong Chińskiej Republice Ludowej, która zobowiązała się do respektowania jego autonomii oraz systemu gospodarczego i politycznego przez 50 lat. Jednak pomimo deklaracji, Chiny starają się ograniczać swobody obywatelskie wywołując tym sprzeciw mieszkańców.

Informacje ogólne **Hongkong** (Chiny)	
Powierzchnia	1102 km²
Stolica (liczba mieszkańców)	Hongkong (987 tys.)
Liczba mieszkańców	6940 tys.
Gęstość zaludnienia	6298 os./km²
Przyrost naturalny	1,0 os./1000 mieszk.
Saldo migracji	4,9 os./1000 mieszk.
Urbanizacja	100,0%
Ustrój	specjalny region administracyjny
Podział administracyjny	brak
Przynależność do organizacji międzynarodowych	APEC
Waluta	1 dolar Hongkongu = 100 centów
Języki urzędowe	angielski, chiński
Języki używane	chiński, angielski
Obszary chronione	51,5%
Zagadnienia społeczno-gospodarcze	
Religie (wyznawcy)	buddyści (28%), konfucjoniści (18%), taoiści (17%), protestanci (4%), katolicy (4%), pozostali (29%)
Analfabetyzm	6,0%
Bezrobocie	4,9%
Przeciętna długość życia	79,1 – mężczyźni, 84,7 – kobiety (w latach)
Zainfekowani wirusem HIV	2,6 tys. os.
PKB na 1 mieszkańca	27 504 USD
Struktura PKB	rolnictwo 0,1%, przemysł 8,1%, usługi 91,7%
Saldo obrotów handlu zagranicznego	286 675 mln USD
Główne towary eksportowe	odzież, wyroby włókiennicze, zabawki, wyroby przemysłu elektronicznego, zegarki
Główne towary importowe	maszyny i urządzenia, środki transportu, surowce, żywność
Dochody z turystyki	1225,4 USD/miesz.
Produkcja energii elektrycznej	5540 kWh/miesz.
Samochody osobowe	54 szt./1000 mieszk.
Komputery	605,4 szt./1000 mieszk.
Użytkownicy Internetu	503,2 os./1000 mieszk.
Telefony komórkowe	1226,5 szt./1000 mieszk.
Strony w atlasie	196, 201

Howland (Stany Zjednoczone)

Wyspa, odkryta przez amerykańskich kupców, została w 1856 r. przyłączona do Stanów Zjednoczonych. W XIX w. amerykańskie i brytyjskie firmy eksploatowały tu guano. Później wyspa została porzucona, dopiero w 1935 r. sprowadzono na nią osadników z Hawajów i urządzono lotnisko. Po wybuchu II wojny światowej osadnicy opuścili wyspę i do dziś nie jest zamieszkana.

Informacje ogólne **Howland** (Stany Zjednoczone)	
Powierzchnia	1,6 km²
Liczba mieszkańców	niezamieszkane
Ustrój	terytorium nieinkorporowane Stanów Zjednoczonych
Strony w atlasie	291, 293

Île Clipperton (Francja)

Wyspę odkrył w 1521 r. Ferdynand Magellan, ale nazwano ją imieniem J. Clippertona, angielskiego pirata, który przebywał tu w 1704 r. W 1708 r. została włączona do Francji. W 1856 r. Stany Zjednoczone uzyskały prawa do eksploatacji guana na wyspie. Wykorzystując brak stałego osadnictwa, Meksyk w 1897 r. zaanektował wyspę i obsadził ją wojskiem. Po 1906 r. ponownie pojawili się osadnicy, w związku z eksploatacją guana przez firmę brytyjską. Spór o wyspę między Meksykiem a Francją został rozstrzygnięty w 1930 r. na korzyść Francji.

Informacje ogólne **Île Clipperton**	
Powierzchnia	7 km²
Liczba mieszkańców	niezamieszkane
Ustrój	terytorium zamorskie Francji administrowane z Polinezji Francuskiej
Strona w atlasie	256

INDIE

REPUBLIKA INDII

W dolinie Indusu istniała w III tysiącleciu p.n.e. rozwinięta cywilizacja miejska. Około XV w. p.n.e. przybyło do Indii plemię Ariów, które przyniosło nową kulturę i religię, ale też przejęło pewne elementy kultury zastanej. Ariowie zajęli doliny Indusu i Gangesu, tworząc liczne królestwa oraz niezależne organizacje plemienne, spychając jednocześnie rdzennych mieszkańców, Drawidów, na południe. Zjednoczenia licznych państewek w północnej części Indii dokonała dynastia Maurjów, a rozkwit ich państwa nastąpił w III w. p.n.e. za cesarza Asioki. Po jego śmierci państwo się rozpadło. W IV w. p.n.e. do doliny Indusu dotarły wojska Aleksandra III Wielkiego, w III w. p.n.e. w północno-zachodnich Indiach powstało państwo grecko--bakryjskie, które upadło w II w. p.n.e. Na początku IV w. władzę w północnych Indiach przejęła dynastia Guptów. Był to złoty okres w dziejach Indii — nastąpił rozkwit kultury i nauki. Kres ich panowaniu przyniósł w końcu V w. najazd Hunów. W wyniku ekspansji muzułmanów, którzy dotarli tu w 712 r., powstał najpierw sułtanat w Ghanzi, obejmujący m.in. Pendżab, a w 1201 r. sułtanat w Delhi, podbity w 1398 r. przez Mongołów. W tym czasie na południu Indii istniało niezależne państwo Hindu. W 1526 r. na obszarze północnych i środkowych Indii zaczęła panowanie dynastia Wielkich Mogołów (do 1857), mająca stolicę w Delhi. Odkrycie w 1498 r. przez Vasco da Gamę drogi do Indii spowodowało penetrację Europejczyków — początkowo Portugalczyków, a od połowy XVI w. Anglików i Francuzów. Ich rywalizacja doprowadziła do wojny siedmioletniej (1756-1763), po której całkowitą kontrolę nad Indiami przejęła Wielka Brytania. Indie stały się kolonią brytyjską, językiem urzędowym stał się angielski. Stopniowo kraj przekształcono w bazę surowcową i rynek zbytu Anglii. Rabunkowa gospodarka, wielkie podatki, ubożenie chłopów spowodowały w latach 1857-1858 wybuch ogólnoindyjskiego powstania, które zostało krwawo stłumione przez wojsko angielskie. W 1858 r. Indie zostały wcielone do Korony, a 20 lat później królową angielską ogłoszono cesarzową Indii. Żołnierze indyjscy brali udział w I i II wojnie światowej jako poddani brytyjscy. Bezkrwawy opór w stosunku do brytyjskich kolonizatorów, na którego czele stali M. Ghandi i J. Nehru, przyniósł Indiom niepodległość w 1947 r. Równocześnie nastąpiło wyodrębnienie z terenu Indii obszaru z przewagą ludności muzułmańskiej, na którym utworzono państwo Pakistan. W latach 1948-1949 między oboma państwami wybuchła wojna o Kaszmir, który został podzielony linią przerwania ognia. Ponowne walki trwały w latach 1948-1949 i 1971. Ostatnia z nich doprowadziła do wyodrębnienia ze wschodniego Pakistanu nowego państwa - Bangladeszu. W 1950 r. Indie stały się republiką pozostającą w brytyjskiej Wspólnocie narodów. Przez ponad czterdzieści lat władzę sprawowali lewicujący politycy z Indyjskiego Kongresu Narodowego. Na początku lat 90. XX w. władzę przejęli nacjonaliści i stan ten utrzymał się do wyborów w 2004 r. które ponownie wygrał Kongres. W 2004 r. należące do Indii archipelagi — Andamany i Nikobary — nawiedziło niszczące tsunami.

Informacje ogólne **INDIE**	
Powierzchnia	3 166 477 km^2
Stolica (liczba mieszkańców)	New Delhi (302 tys.; 15 048 tys. aglomeracja) 2001
Liczba mieszkańców	1 095 352 tys.
Gęstość zaludnienia	345,9 os./km^2
Przyrost naturalny	13,8 os./1000 mieszk.
Saldo migracji	−0,1 os./1000 mieszk.
Urbanizacja	28,7%
Ustrój	republika związkowa
Podział administracyjny	25 stanów i 7 terytoriów związkowych
Przynależność do organizacji międzynarodowych	NAM, SAARC
Waluta	1 rupia indyjska = 100 paise
Języki urzędowe	hindi, angielski, ponadto w niektórych stanach status języka urzędowego mają: asamski, bengalski, gudżarati, kannada, kaszmirski, malajalam, marathi, orija, pendżabski, tamilski, telugu, khasi, manipuri
Języki używane	oprócz wyżej wymienionych używa się ponad 700 innych języków
Obszary chronione	5,4%
Zagadnienia społeczno-gospodarcze	
Religie (wyznawcy)	hinduiści (80%), muzułmanie (11%), sikhowie (2%), protestanci (1%), katolicy (1%), buddyści i pozostali (5%)
Analfabetyzm	40,5%
Bezrobocie	7,8%
Przeciętna długość życia	66,9 — mężczyźni, 71,9 — kobiety (w latach)
Zainfekowani wirusem HIV	3400 — 9400 tys. os.
PKB na 1 mieszkańca	785 USD
Struktura PKB	rolnictwo 17,6%, przemysł 29,4%, usługi 52,9%
Wydatki na zbrojenia	18 USD/mieszk.
Dług zagraniczny	18,4% PKB
Saldo obrotów handlu zagranicznego	−54 2085 mln USD
Główne towary eksportowe	odzież i tkaniny bawełniane, biżuteria, kamienie szlachetne, maszyny, stal i produkty stalowe, rudy żelaza, herbata, juta, przyprawy korzenne, skóry
Główne towary importowe	paliwa, urządzenia techniczne, środki transportu, nawozy mineralne, perły, diamenty
Dochody z turystyki	3,0 USD/mieszk.
Produkcja energii elektrycznej	576 kWh/mieszk.
Samochody osobowe	8 szt./1000 mieszk. (2003)
Komputery	12,1 szt./1000 mieszk.
Użytkownicy Internetu	32,4 os./1000 mieszk.
Telefony komórkowe	68,9 szt./1000 mieszk.
Strony w atlasie	190-191

INDONEZJA

REPUBLIKA INDONEZJI

W starożytności wyspy Indonezji kolonizowane były przez plemiona z południowych Chin i Indii. W pierwszych wiekach naszej ery najpotężniejszym państwem na wyspach Indonezji było królestwo Sumatra. W VIII w. rozwinęło się państwo Mataram, w XII w. powstało na Jawie silne państwo Kediri (XII-XIII w.), a później w jego miejscu królestwo Majapahit (XIII-XVI w.), które w okresie swojego największego rozwoju zajmowało obszar prawie całej dzisiejszej Indonezji. W XVI w. wyspy indonezyjskie odkryli Europejczycy. Od 1602 r. w. kontrolowała je holenderska Kompania Wschodnioindyjska (zlikwidowana w 1781 r.), a Indonezja stała się faktycznie kolonią holenderską o nazwie Holenderskie Indie Wschodnie. W okresie wojen napoleońskich przeszła pod panowanie francuskie, a w 1811 r. angielskie. W 1824 r. została zwrócona Holandii. Po okupacji japońskiej (1942-1945) i walkach indonezyjsko-holenderskich (1947-1949) Indonezja w 1949 r. stała się niepodległym krajem o dyktatorskich rządach. Toczący się od tego czasu spór z Holandią o Iriam Zachodni (holenderska część Nowej Gwinei) zakończył się w 1963 r. przyznaniem go Indonezji. W latach 1976--1999 wojska indonezyjskie okupowały Timor Wschodni. Indonezja jest obecnie najludniejszym krajem muzułmańskim świata. W 2004 r. tsunami spowodowało śmierć ponad 250 tys. mieszkańców. Katastrofa najmocniej dotknęła zbuntowaną od 1976 r. prowincję Aceh, wymuszając na przywódcach separatystów zawieszenie broni. W 2005 r. Indonezja podpisała w Helsinkach z rebeliantami z GAM układ kończący wojnę domową w Indonezji. Rebelianci odstąpili od żądań niepodległościowych i zgodzili się na autonomię oraz prawo do własnej partii politycznej.

Informacje ogólne **INDONEZJA**	
Powierzchnia	1 919 440 km^2
Stolica (liczba mieszkańców)	Dżakarta (8 907 tys.; 13 215 tys. aglomeracja)
Liczba mieszkańców	245 453 tys.
Gęstość zaludnienia	127,9 os./km^2
Przyrost naturalny	14,0 os./1000 mieszk.
Saldo migracji	0 os./1000 mieszk.
Urbanizacja	48,1%
Ustrój	republika
Podział administracyjny	27 prowincji, dystrykt stołeczny Dżakarta, 2 dystrykty autonomiczne (Aceh i Jogyakarta)
Przynależność do organizacji międzynarodowych	APEC, ASEAN, NAM, OPEC
Waluta	1 rupia indonezyjska = 100 sen
Języki urzędowe	bahasa indonesia (indonezyjski)
Języki używane	ponad 1 mln użytkowników: bahasa indonesia (indonezyjski), jawajski, sundajski, malajski, madura, minang, bugis, bali, aceh, betawi, bandżar, sasak, toba, makasar, lampung, batak dairi, rejang; ponadto około 700 innych
Obszary chronione	9,1%
Zagadnienia społeczno-gospodarcze	
Religie (wyznawcy)	muzułmanie (87%), protestanci (6%), katolicy (4%), hinduiści (2%), buddyści i pozostali (1%)
Analfabetyzm	11,6%
Bezrobocie	12,5%
Przeciętna długość życia	68,0 — mężczyźni, 73,1 — kobiety (w latach)
Zainfekowani wirusem HIV	100 — 290 tys. os.
PKB na 1 mieszkańca	1640 USD
Struktura PKB	rolnictwo 13,8%, przemysł 46,7%, usługi 39,4%
Wydatki na zbrojenia	32 USD/mieszk.
Dług zagraniczny	60,9% PKB
Saldo obrotów handlu zagranicznego	25 571 mln USD
Główne towary eksportowe	ropa naftowa, gaz ziemny, drewno, odzież, tekstylia, kauczuk, kawa, olej palmowy, krewetki
Główne towary importowe	maszyny i urządzenia, surowce, półprodukty, artykuły chemiczne
Dochody z turystyki	25,2 USD/mieszk.
Produkcja energii elektrycznej	503 kWh/mieszk.
Samochody osobowe	24 szt./1000 mieszk.
Komputery	13,6 szt./1000 mieszk.
Użytkownicy Internetu	65,2 os./1000 mieszk.
Telefony komórkowe	210,6 szt./1000 mieszk.
Strony w atlasie	194-195

IRAK

REPUBLIKA IRAKU

Obszar obecnego Iraku stanowił w starożytności wielkie centrum cywilizacji i kultury, wywierające ogromny wpływ na rozwój świata starożytnego. Kolejno istniały tu państwa: Sumerów (ok. 4500 – ok. 2340 r. p.n.e.), Akadu (ok. 2370 – 2150 r. p.n.e.), Asyrii (XX w. – 612 r. p.n.e.), Babilonii (XIX w. – 539 r. p.n.e.). Babilonia została w 539 r. p.n.e. pobita przez Persję i stała się jedną z jej satrapii. W 331 r. p.n.e. obszar ten został podbity przez Aleksandra Wielkiego. Po rozpadzie stworzonego przez niego imperium był uzależniony kolejno od państw Seleucydów, Partów i Persji. W latach 30. VII w. został podbity przez Arabów i wszedł w skład kalifatu bagdadzkiego Abbasydów. W XIII i XIV w. spustoszyły go najazdy mongolskie. W 1534 r. teren Iraku podbili Turcy i do I wojny światowej był częścią imperium osmańskiego.

>

Zajęty przez wojska brytyjskie, stanowił w latach 1920-1932 brytyjskie terytorium mandatowe. W 1932 r. Irak stał się niepodległym królestwem, ale Brytyjczycy zachowali w nim silne wpływy. W 1958 r. po przewrocie proklamowano suwerenną republikę. W 1961 r. wybuchło powstanie Kurdów, trwające 9 lat. Rząd Iraku uznał w 1970 r. prawa narodowe Kurdów, lecz ich nie przestrzegał. W 1980 r. zaatakował Iran i prowadził z nim ośmioletnią wojnę zakończoną po długotrwałej mediacji ONZ. W 1983 r. wybuchły nowe walki z Kurdami, w których wojska irackie użyły broni chemicznej. Latem 1990 r. Irak dokonał inwazji na Kuwejt, w efekcie której na początku 1991 r. doszło do kontrakcji międzynarodowych sił zbrojnych (głównie amerykańskich) przeciwko Irakowi, zakończonych jego kapitulacją. Dało to impuls do powstania Kurdów i szyitów (III-IV 1991 r.), brutalnie stłumionego przez armię iracką. Po międzynarodowej akcji pomocy uchodźcom kurdyjskim i naciskach z zewnątrz rząd Iraku przyznał Kurdom autonomię. Cały czas obowiązywało embargo nałożone na Irak po wojnie nad Zatoką Perską, był on bowiem podejrzany o produkcję broni masowej zagłady. W 1994 r. Rada Bezpieczeństwa ONZ podjęła decyzję o przedłużeniu sankcji nałożonych na Irak, zezwalając jednocześnie na ograniczony eksport ropy naftowej w ramach programu "Ropa za żywność". W 2003 r. Stany Zjednoczone wraz z koalicjantami zaatakowały Irak i w ciągu paru tygodni zwyciężyły armię Saddama Husajna. W grudniu 2003 r. w rodzinnym mieście — Tikricie, zatrzymano S. Husajna. 5 listopada 2006 r. został skazany przez bagdadzki trybunał na karę śmierci. Wyrok wykonano 30 grudnia 2006 r. W 2004 r. władzę przejął iracki rząd tymczasowy wspierany przez wojska koalicji. W 2005 r. przeprowadzone pierwsze wolne wybory parlamentarne. Sytuacja w kraju wciąż pozostaje niestabilna, głównie ze względu na powtarzające się zamachy, uprowadzenia obcokrajowców i powstania dowodzone przez islamskich fundamentalistów.

Informacje ogólne IRAK

Powierzchnia	434 128 km^2
Stolica (liczba mieszkańców)	Bagdad (5 904 tys.)
Liczba mieszkańców	26 783 tys.
Gęstość zaludnienia	61,7 os./km^2
Przyrost naturalny	26,6 os./1000 mieszk.
Saldo migracji	0 os./1000 mieszk.
Urbanizacja	66,9%
Ustrój	republika
Podział administracyjny	18 muhafaz (gubernatorstw)
Przynależność do organizacji międzynarodowych	AFESD, LPA, NAM, OAPEC, OPEC
Waluta	1 dinar iracki = 100 dirham
Języki urzędowe	arabski
Języki używane	arabski, kurdyjski, turkmeński, asyryjski, ormiański, perski
Obszary chronione	0,0%

Zagadnienia społeczno-gospodarcze

Religie (wyznawcy)	muzułmanie: szyici (62%), sunnici (33%), chrześcijanie i pozostali (5%)
Analfabetyzm	59,6%
Bezrobocie	25-30%
Przeciętna długość życia	68,3 — mężczyźni, 71,0 — kobiety (w latach)
Zainfekowani wirusem HIV	<1 tys. os.
PKB na 1 mieszkańca	1647 USD
Struktura PKB	rolnictwo 5,0%, przemysł 68,0%, usługi 27,0%
Wydatki na zbrojenia	66 USD/mieszk. (1999)
Saldo obrotów handlu zagranicznego	5461 mln USD
Główne towary eksportowe	ropa naftowa, daktyle, siarka, cement
Główne towary importowe	kompletne obiekty przemysłowe, pojazdy, chemikalia, broń, żywność
Produkcja energii elektrycznej	1292 kWh/mieszk.
Samochody osobowe	34 szt./1000 mieszk. (2002)
Komputery	8,3 szt./1000 mieszk.
Użytkownicy Internetu	1,4 os./1000 mieszk.
Telefony komórkowe	22,2 szt./1000 mieszk.
Strona w atlasie	185

IRAN

ISLAMSKA REPUBLIKA IRANU

Obszar obecnego Iranu od początku I tysiąclecia p.n.e. był zasiedlony przez Persów. Od VII w. znajdował się pod władzą dynastii Achemenidów, której złoty wiek przypadł na rządy Dariusza Wielkiego (522-486 r. p.n.e.), twórcy potęgi Persji, rozciągającej się od Macedonii i Egiptu po Jezioro Aralskie i dolinę Indusu. W latach 334-331 Persję z terenami obecnego Iranu podbił władca Macedonii Aleksander Wielki. Po jego śmierci obszar Iranu znalazł się na terenie państw Seleucydów i Partów. Panująca od 226 r. dynastia Sasanidów odnowiła państwo perskie, któremu kres przyniósł najazd Arabów w połowie VII w. Obszar Iranu znalazł się na terenie kalifatu bagdadzkiego Abbasydów, zdominowanego przez perskie dynastie lokalne. W połowie XI w. dostał się pod panowanie Seldżuków. Okres od XIII do XV w. to czasy najazdów mongolskich, które doprowadziły do załamania gospodarki i kultury. Z upadku wydźwignęła Persję dynastia Safawidów (1502-1736), tworząc nowoczesne, niezależne państwo. Zniszczyli je Afganowie, którzy w 1722 r. najechali Persję. Rządząca od 1779 r. dynastia Kadżarów powodowała coraz większe uzależnienie Persji od obcego kapitału. W drugiej połowie XIX w. stała się ona półkolonią, o którą rywalizowały Rosja i Wielka Brytania. Rewolucja burżuazyjno-demokratyczna, rozpoczęta w 1905 r., została zdławiona w 1911 r. przez brytyjskie i francuskie wojska. W latach 1919-1925 nastąpiło ograniczenie kontaktów z Wielką Brytanią i zbliżenie do ZSRR. Rządząca od 1925 r. dynastia Pahlawich prowadziła politykę antyradziecką, przy jednoczesnym ograniczeniu wpływów brytyjskich, co spowodowało nawiązanie współpracy z hitlerowskimi Niemcami.

W 1935 r. zmieniono nazwę państwa z Persji na Iran. W czasie II wojny światowej wkroczyły tu wojska radzieckie i amerykańskie, ale po jej zakończeniu wycofały się. Lansowany przez szacha Mohammada Rezę Pahlawiego program reform gospodarczych i społecznych (biała rewolucja) napotkał duży opór społeczny i doprowadził do upadku jego rządów. W 1979 r. powrócił z emigracji ajatollah R. Chomeini i proklamowano republikę islamską. W 1980 r. Iran został zaatakowany przez Irak i toczył z nim wojnę do 1988 r. W 2005 r. Teheran wznowił program przetwarzania uranu, który może posłużyć do produkcji broni atomowej. Udaną próbę wzbogacania uranu przeprowadzono w 2006 r. Doprowadziło to do zaognienia sytuacji na linii USA - Iran.

Informacje ogólne IRAN

Powierzchnia	1 644 013 km^2
Stolica (liczba mieszkańców)	Teheran (7 314 tys.; 10 500 tys. aglomeracja)
Liczba mieszkańców	68 688 tys.
Gęstość zaludnienia	41,8 os./km^2
Przyrost naturalny	11,4 os./1000 mieszk.
Saldo migracji	−0,5 os./1000 mieszk.
Urbanizacja	66,9%
Ustrój	republika
Podział administracyjny	28 ostanów (prowincji)
Przynależność do organizacji międzynarodowych	ECO, NAM, OPEC
Waluta	1 rial = 100 dinarów
Języki urzędowe	perski
Języki używane	ponad 1 mln użytkowników: azerski, perski, luri, kurdyjski, gilaki, mazanderani, qashqay, arabski; poza tym ponad 60 innych
Obszary chronione	6,6%

Zagadnienia społeczno-gospodarcze

Religie (wyznawcy)	muzułmanie (99%, w tym szyici 90%), bahaiści, chrześcijanie, wyznawcy judaizmu i pozostali (1%)
Analfabetyzm	20,9%
Bezrobocie	15,0% (wg rządu)
Przeciętna długość życia	69,4 — mężczyźni, 72,4 — kobiety (w latach)
Zainfekowani wirusem HIV	36 – 160 tys. os.
PKB na 1 mieszkańca	3188 USD
Struktura PKB	rolnictwo 10,7%, przemysł 42,9%, usługi 46,4%
Wydatki na zbrojenia	83 USD/mieszk.
Dług zagraniczny	9,2% PKB
Saldo obrotów handlu zagranicznego	24 100 mln USD
Główne towary eksportowe	ropa naftowa, tekstylia, dywany, skóry karakułowe, kawior, wyroby hutnicze
Główne towary importowe	żywność, maszyny i urządzenia przemysłowe i rolnicze, środki transportu, lekarstwa, sprzęt wojskowy
Dochody z turystyki	14,3 USD/mieszk.
Produkcja energii elektrycznej	2267 kWh/mieszk.
Samochody osobowe	10 szt./1000 mieszk. (2003)
Komputery	105,3 szt./1000 mieszk.
Użytkownicy Internetu	78,8 os./1000 mieszk.
Telefony komórkowe	103,9 szt./1000 mieszk.
Strony w atlasie	188-189

IRLANDIA

W starożytności obszar dzisiejszej Irlandii zamieszkiwali Piktowie, których zasymilowali napływający od IV w. p.n.e. Celtowie. Plemiona celtyckie utworzyły tu pięć federacji plemiennych. Po przyjęciu chrześcijaństwa w V w. Irlandia stała się ośrodkiem wysokiej kultury promieniującej na zachodnią Europę. W 795 r. rozpoczęły się najazdy Normanów, zahamowane na początku XI w. przez zbrojny opór królów irlandzkich. Od 1169 r. następowały najazdy Anglosasów i próby podbicia Irlandii, trwające do połowy XVII w. Był to czas licznych wojen i powstań przeciw najeźdźcy, dzięki czemu Irlandia była faktycznie niepodległa do końca XVI w. Utratę niepodległości spowodowała ekspedycja Olivera Cromwella w latach 1649-1650, po której Irlandia stała się częścią Królestwa Anglii. Brutalna brytyjska polityka demograficznego i ekonomicznego wyniszczenia Irlandii spowodowała falę wielkiej emigracji (od XVIII w.), a jednocześnie gwałtowny wzrost świadomości narodowej i dążeń niepodległościowych. W 1800 r. Wielka Brytania narzuciła Irlandii unię realną i zlikwidowała parlament w Dublinie, istniejący od 1297 r. Prowadzona od początku XX w. walka zbrojna o niepodległość zmusiła Brytyjczyków do nadania Irlandii w 1914 r. autonomii. Trwające w latach 1919-1921 powstanie doprowadziło do wycofania się wojsk brytyjskich i podziału wyspy na część północną pozostającą przy Wielkiej Brytanii i Wolne Państwo Irlandii o statusie dominium. Radykalni bojownicy o niepodległość nie godzili się z tym układem, co spowodowało wybuch wojny domowej (1922-1923) i zwycięstwo zwolenników układu. W 1937 r. Irlandia stała się suwerennym państwem. Była neutralna w czasie II wojny światowej i do dziś prowadzi politykę neutralności. W 1949 r. zmieniła nazwę na Republika Irlandii.

Informacje ogólne IRLANDIA

Powierzchnia	70 273 km^2
Stolica (liczba mieszkańców)	Dublin (506 tys.)
Liczba mieszkańców	4062 tys.
Gęstość zaludnienia	57,8 os./km^2
Przyrost naturalny	6,7 os./1000 mieszk.
Saldo migracji	4,9 os./1000 mieszk.

Urbanizacja	60,5%
Ustrój	republika
Podział administracyjny	4 prowincje, 26 hrabstw, 4 miasta-hrabstwa
Przynależność do organizacji międzynarodowych	OECD, Rada Europy, UE
Waluta	1 euro = 100 eurocentów
Języki urzędowe	angielski, irlandzki
Języki używane	angielski, irlandzki
Obszary chronione	0,7%
Zagadnienia społeczno-gospodarcze	
Religie (wyznawcy)	katolicy (95%), bezwyznaniowcy (3%), anglikanie, wyznawcy judaizmu i pozostali (2%)
Analfabetyzm	0%
Bezrobocie	4,3%
Przeciętna długość życia	75,4 – mężczyźni, 80,9 – kobiety (w latach)
Zainfekowani wirusem HIV	3 – 8,3 tys. os.
PKB na 1 mieszkańca	51 800 USD
Struktura PKB	rolnictwo 5,0%, przemysł 16,0%, usługi 19,0% (2002)
Wydatki na zbrojenia	229 USD/mieszk.
Saldo obrotów handlu zagranicznego	40 534 mln USD
Główne towary eksportowe	maszyny, środki transportu, masło, mięso
Główne towary importowe	wyroby przemysłu maszynowego, chemikalia, paliwa
Dochody z turystyki	923,9 USD/mieszk.
Produkcja energii elektrycznej	5726 kWh/mieszk.
Samochody osobowe	420 szt./1000 mieszk.
Komputery	497,4 szt./1000 mieszk.
Użytkownicy Internetu	296,3 os./1000 mieszk.
Telefony komórkowe	1014,9 szt./1000 mieszk.
Strony w atlasie	128-129

ISLANDIA

REPUBLIKA ISLANDII

Od 874 r. zasiedlana była przez Normanów, którzy stworzyli tu własne państwo. Wojna domowa, która wybuchła w XIII w., ułatwiła królom norweskim w 1262 r. opanowanie wyspy. Wraz z Norwegią znalazła się w 1380 r. pod panowaniem królów Danii. W 1874 r. otrzymała ograniczoną autonomię, rozszerzoną w 1903 r. Od duńskiego zwierzchnictwa uwolniła się w 1918 r., kiedy to stała się państwem suwerennym, związanym z Danią jedynie unią personalna. W 1941 r. przybyły tutaj wojska amerykańskie, do dzisiaj mające tu swoją bazę. W 1944 r. Isladia zerwała unię z Danią (okupowana wtedy przez Niemcy) i ogłosiła się niezależną republika. W 1949 r. była współzałożycielem NATO. Rozszerzanie strefy wyłącznego rybołówstwa wokół wyspy po 1958 r., w celu ochrony gospodarki, stało się powodem konfliktów z państwami europejskimi (tzw. wojny dorszowe). Ostatecznie zakończyło się ono podpisane w 1976 r. porozumienie regulujące sprawy dostępności do łowisk. W 1980 r. na prezydenta Islandii została wybrana Vigdis Finnobogadottirm, która była pierwszą kobietą w Europie na tym stanowisku.

Informacje ogólne ISLANDIA	
Powierzchnia	103 000 km^2
Stolica (liczba mieszkańców)	Reykjavík (116 tys.)
Liczba mieszkańców	299 tys.
Gęstość zaludnienia	2,9 os./km^2
Przyrost naturalny	6,9 os./1000 mieszk.
Saldo migracji	1,7 os./1000 mieszk.
Urbanizacja	92,8%
Ustrój	republika
Podział administracyjny	8 regionów, 23 hrabstwa
Przynależność do organizacji międzynarodowych	CBSS, NATO, EFTA, OECD, Rada Europy
Waluta	1 korona islandzka = 100 aurar
Języki urzędowe	islandzki
Języki używane	islandzki
Obszary chronione	5,6%
Zagadnienia społeczno-gospodarcze	
Religie (wyznawcy)	luteranie (97%), katolicy i pozostali (3%)
Analfabetyzm	0%
Bezrobocie	1,3%
Przeciętna długość życia	78,4 – mężczyźni, 82,8 – kobiety (w latach)
Zainfekowani wirusem HIV	<1 tys. os.
PKB na 1 mieszkańca	53 001 USD
Struktura PKB	rolnictwo 5,2%, przemysł 25,7%, usługi 69,1%
Saldo obrotów handlu zagranicznego	−2542 mln USD
Główne towary eksportowe	ryby i ich przetwory, aluminium, skóry, wełna owcza
Główne towary importowe	maszyny i urządzenia, środki transportu, żywność, paliwa, surowce
Dochody z turystyki	1175,4 USD/mieszk
Produkcja energii elektrycznej	28 341 kWh/mieszk.
Samochody osobowe	631 szt./1000 mieszk.

Komputery	471 szt./1000 mieszk.
Użytkownicy Internetu	770,0 os./1000 mieszk.
Telefony komórkowe	1034,0 szt./1000 mieszk.
Strona w atlasie	136

IZRAEL

PAŃSTWO IZRAEL

Leży na terenie Palestyny, krainy zamieszkałej około 2500 r. p.n.e. przez semickich Kananejczyków. Około XIII w. p.n.e. osiedliły się na tym terenie plemiona izraelskie, które pod koniec XI w. p.n.e. zostały zjednoczone przez Saula, twórcę monarchii rządzonej później przez Dawida i Salomona. Państwo izraelskie uległo rozbiciu około 930 r. p.n.e. na dwa królestwa: Izrael (uzależniony ok. 900 r. p.n.e. od Asyrii) i Judę (podbita w 586 r. p.n.e. przez Babilonię). Od 538 r. Palestyna była perską satrapią, w 323 r. p.n.e. trafiła pod władzę egipskich Ptolemeuszy. W 63 r. p.n.e. została uzależniona od Rzymu, a w 6 r. n.e. weszła w skład rzymskiej prowincji Judea. Po krwawo stłumionych powstaniach w latach 66-70 i 132-135 duża liczba Żydów zaczęła wyjeżdżać do innych prowincji imperium rzymskiego. W latach 631 640 Palestyna została podbita przez Arabów, którzy narzucili miejscowej ludności islam, co wzmogło emigrację Żydów do krajów Europy. Po 1097 r. powstały tu państwa chrześcijańskie założone przez krzyżowców, a w XIII w. opanowane przez sułtanów egipskich. W 1516 r. Palestyna stała się częścią imperium osmańskiego, znajdowała się w jego granicach aż do 1918 r. Pod koniec XIX w. coraz więcej Żydów zaczęło emigrować z krajów Europy do Palestyny. W 1917 r. rząd brytyjski ogłosił tzw. deklarację Balfoura, będącą obietnicą utworzenia żydowskiej siedziby narodowej w Palestynie. W latach 1922-1948, kiedy Wielka Brytania miała mandat nad Palestyną, nastąpił znaczny napływ ludności żydowskiej i rozszerzenie jej wpływów. Powodowało to zbrojne starcia żydowsko-arabskie. W 1947 r. ONZ zatwierdziła podział Palestyny na dwa państwa: arabskie i żydowskie, połączone unią gospodarczą. Po wycofaniu wojsk brytyjskich w 1948 r. nastąpiło proklamowanie państwa Izrael. W wyniku wojny arabsko-izraelskiej (1948-1949) Izrael zajął 2/3 terenu byłego mandatu brytyjskiego (pozostałą część zajęła Jordania i Egipt). Skutkiem wojny prowadzonej w 1967 r. z Egiptem, Jordanią i Syrią była okupacja przez Izrael syryjskich Wzgórz Golan, Zachodniego Brzegu Jordanu i części Jerozolimy oraz Strefy Gazy i egipskiego półwyspu Synaj. Ten ostatni powrócił do Egiptu w 1979 r. W latach 1982-2000 wojska izraelskie okupowały południowy Liban. W 1987 r. wybuchło powstanie (intifada) ludności palestyńskiej na Zachodnim Brzegu i w Strefie Gazy. W jego efekcie podpisano w 1993 i 1995 r. porozumienia o autonomii palestyńskiej w tych rejonach. Po 1996 r. nastąpił gwałtowny wzrost napięcia w stosunkach izraelsko-palestyńskich, uaktywniły się islamskie ugrupowania fundamentalistyczne walczące za pomocą aktów terroru, co zawiesiło na czas nieokreślony realizację porozumienia o autonomii. W 2000 r. zawieszenie broni zostało przerwane wybuchem drugiej intifady, która całkowicie zniweczyła zdobycze Autonomii Palestyńskiej. W 2003 r. odbył się kolejny szczyt pokojowy, podczas którego strony konfliktu przyjęły plan „Mapa drogowa". Po śmierci J. Arafata, nastąpiło nasilenie przemian pokojowych, pomimo silnego oporu ze strony izraelskiej opozycji oraz palestyńskich grup zbrojnych. W 2004 r. Kneset przegłosował decyzję o wycofaniu wojsk i usunięciu wszystkich osadników izraelskich ze Strefy Gazy oraz likwidacji kilku osiedli również na Zachodnim Brzegu Jordanu. Na początku 2005 r. strony konfliktu podpisały zawieszenie broni, którego jednak nie respektują bojówki palestyńskie, odpowiedzialne za zamachy na terytorium izraelskim. W lipcu 2006 r. wojska izraelskie ponownie zaatakowały Liban w odwecie za porwanie 2 izraelskich żołnierzy oraz ostrzał Izraela przez Hezbollah z baz w południowym Libanie.

Informacje ogólne IZRAEL	
Powierzchnia	20 991 km^2
Stolica (liczba mieszkańców)	Jerozolima (729 tys.)
Liczba mieszkańców	6352 tys.
Gęstość zaludnienia	302,6 os./km^2
Przyrost naturalny	11,8 os./1000 mieszk.
Saldo migracji	0 os./1000 mieszk.
Urbanizacja	91,6%
Ustrój	republika
Podział administracyjny	6 okręgów
Waluta	1 szekel = 100 agorot
Języki urzędowe	hebrajski, arabski
Języki używane	hebrajski, arabski, rosyjski, jidysz, rumuński, polski, ladino, węgierski i około 30 innych
Obszary chronione	16,2%
Zagadnienia społeczno-gospodarcze	
Religie (wyznawcy)	wyznawcy judaizmu (82%), muzułmanie (14%), chrześcijanie i pozostali (4%)
Analfabetyzm	4,4%
Bezrobocie	8,3%
Przeciętna długość życia	78,5 – mężczyźni, 82,8 – kobiety (w latach)
Zainfekowani wirusem HIV	2,2 – 9,8 tys. os.
PKB na 1 mieszkańca	20 799 USD
Struktura PKB	rolnictwo 2,7%, przemysł 30,2%, usługi 67,1%
Wydatki na zbrojenia	1562 USD/mieszk.
Saldo obrotów handlu zagranicznego	−3537 mln USD
Główne towary eksportowe	urządzenia wojskowe, broń, brylanty, wyroby elektroniczne, tekstylia, owoce i ich przetwory
Główne towary importowe	ropa naftowa, maszyny i urządzenia, środki transportu, diamenty, żywność
Dochody z turystyki	336,1 USD/mieszk.

Państwa świata

Produkcja energii elektrycznej	7253 kWh/mieszk.
Samochody osobowe	256 szt./1000 mieszk.
Komputery	734 szt./1000 mieszk.
Użytkownicy Internetu	466,3 os./1000 mieszk.
Telefony komórkowe	1130,4 szt./1000 mieszk.
Strona w atlasie	186

JAMAJKA

Wyspa odkryta w 1494 r. przez Krzysztofa Kolumba i nazwana przez niego Santiago. Została posiadłością hiszpańską, a od 1655 r. angielską. Po wyniszczeniu miejscowej ludności indiańskiej Arawaków zaczęto sprowadzać niewolników murzyńskich z Afryki. W 1866 r. uzyskała status kolonii brytyjskiej, w 1944 r. autonomię, a od 1962 r. jest niepodległym państwem, członkiem brytyjskiej Wspólnoty Narodów.

Informacje ogólne **JAMAJKA**	
Powierzchnia	10 991 km^2
Stolica (liczba mieszkańców)	Kingston (93 tys.; 576 tys. aglomeracja)
Liczba mieszkańców	2758 tys.
Gęstość zaludnienia	250,9 os./km^2
Przyrost naturalny	14,3 os./1000 mieszk.
Saldo migracji	–4,1 os./1000 mieszk.
Urbanizacja	52,2%
Ustrój	monarchia konstytucyjna
Podział administracyjny	14 parafii
Przynależność do organizacji międzynarodowych	ACP, CARICOM, NAM, OAS
Waluta	1 dolar jamajski = 100 centów
Języki urzędowe	angielski
Języki używane	angielski-kreolski
Obszary chronione	13,5%
Zagadnienia społeczno-gospodarcze	
Religie (wyznawcy)	protestanci (56%), katolicy (10%), anglikanie (4%), hinduiści, muzułmanie, wyznawcy judaizmu, bezwyznaniowcy i pozostali (30%)
Analfabetyzm	12,0%
Bezrobocie	11,3%
Przeciętna długość życia	71,9 – mężczyźni, 75,4 – kobiety (w latach)
Zainfekowani wirusem HIV	14 – 39 tys. os.
PKB na 1 mieszkańca	3877 USD
Struktura PKB	rolnictwo 5,1%, przemysł 32,7%, usługi 62,2%
Wydatki na zbrojenia	20 USD/mieszk.
Dług zagraniczny	89,0% PKB
Saldo obrotów handlu zagranicznego	–3388 mln USD
Główne towary eksportowe	boksyty, tlenek glinu, tekstylia, cukier, rum, banany
Główne towary importowe	maszyny i urządzenia transportowe, paliwa, żywność
Dochody z turystyki	470,4 USD/mieszk.
Produkcja energii elektrycznej	2507 kWh/mieszk.
Samochody osobowe	132 szt./1000 mieszk.
Komputery	62 szt./1000 mieszk.
Użytkownicy Internetu	398,7 os./1000 mieszk.
Telefony komórkowe	1018,5 szt./1000 mieszk.
Strony w atlasie	261, 262

Jan Mayen (Norwegia)

Wyspa odkryta w 1607 r. przez żeglarza angielskiego Henry'ego Hudsona. Należy do Norwegii. Jedynymi mieszkańcami są pracownicy stacji radiolokacyjnej i meteorologicznej.

Informacje ogólne **Jan Mayen** (Norwegia)	
Powierzchnia	377 km^2
Liczba mieszkańców	15-25 pracowników stacji radiolokacyjnej i meteorologicznej
Ustrój	autonomiczna część Norwegii
Języki urzędowe	norweski
Języki używane	norweski
Strona w atlasie	310

JAPONIA

W I w. n.e. była królestwem podległym cesarzom Chin. Od początku VII w. do 1573 r. krajem rządziły kolejno możne rody: Fujiwara (710-794), Taira (794-1192), Minamoto (1192-1202), Hojo (1203-1333) i Ashikaga (1336-1573). W tym czasie najwyższą władzę sprawowali cesarze, a w XII w. stworzono centralną administrację z szogunem na czele. Przybycie w XVI w. do Japonii Europejczyków (Portugalczyków i wkrótce Hiszpanów) zbiegło się z osłabieniem władzy centralnej w wyniku walk między dwiema liniami cesarskimi. Po przejęciu w 1603 r. władzy przez ród Tokugawa (rządzący do 1867 r.) nastąpiło znaczne ograniczenie władzy cesarskiej. Wydano zakaz kontaktów z Europejczykami i rozpoczęto krwawe prześladowania misjonarzy. W 1640 r. wyłączne prawo handlu z Japonią otrzymali Holendrzy. Pod presją mocarstw światowych Japonia podpisała w 1854 r. układy ze Stanami Zjednoczonymi, Wielką Brytanią, Rosją, Holandią i Francją. W drugiej połowie XIX w.

nastąpiła modernizacja państwa na wzór europejski i restauracja władzy cesarskiej. Narastające w kołach rządowych tendencje imperialistyczne pchnęły Japonię do zajęcia Tajwanu w wojnie z Chinami (1894-1995 r.) oraz opanowania Półwyspu Liaotuńskiego z Port Artur i części Sachalinu w wojnie z Rosją (1904-1905 r.). W 1910 r. Japonia dokonała aneksji Korei. W I wojnie światowej wzięła udział po stronie państw Ententy. W 1931 r. zajęła Mandżurię, tworząc tam marionetkowe państwo, a w latach 1937-1938 opanowała znaczny obszar północno-wschodnich Chin. Podjęła też nieudane próby pozyskania pewnych terenów ZSRR (1938 r.) i Mongolii (1939 r.). W 1941 r. atakiem na amerykańską bazę w Pearl Harbor Japonia rozpoczęła udział w II wojnie światowej. Do połowy 1942 r. opanowała Indochiny, Syjam, Birmę, Malezję, Indonezję, Filipiny i szykowała się do ataku na Australię. Skutkiem kontrofensywy wojsk amerykańskich rozpoczętej w drugiej połowie 1943 r., a zakończonej atakiem atomowym na Hiroszimę i Nagasaki w sierpniu 1945 r. było utracenie przez Japonię wszystkich terytoriów zdobytych po 1894 r. Amerykańska okupacja Japonii zakończyła się w 1951 r. podpisaniem traktatu pokojowego, zapewniającego Stanom Zjednoczonym silne gospodarcze i wojskowe wpływy. Zaczął się gwałtowny rozwój gospodarczy Japonii. Do 1980 r. dochód narodowy wzrósł 9 razy, a wartość produkcji przemysłowej 25 razy. Po 1980 r. nastąpiła ekspansja gospodarcza na rynki amerykańskie i europejskie, co spowodowało zaostrzenie stosunków ze Stanami Zjednoczonymi oraz Europą Zachodnią oraz spowolnienie wzrostu gospodarczego.

Informacje ogólne **JAPONIA**	
Powierzchnia	377 887 km^2
Stolica (liczba mieszkańców)	Tokio (8 536 tys.; 29 950 tys. aglomeracja)
Liczba mieszkańców	127 464 tys.
Gęstość zaludnienia	337,3 os./km^2
Przyrost naturalny	0,2 os./1000 mieszk.
Saldo migracji	0 os./1000 mieszk.
Urbanizacja	65,8%
Ustrój	monarchia konstytucyjna
Podział administracyjny	47 prefektur
Przynależność do organizacji międzynarodowych	APEC, OECD
Waluta	1 jen = 100 sen
Języki urzędowe	japoński
Języki używane	japoński (99%), okinawa, koreański, chiński (1%)
Obszary chronione	8,6%
Zagadnienia społeczno-gospodarcze	
Religie (wyznawcy)	wyznawcy shintoizmu i buddyści (85%), taoiści, chrześcijanie i pozostali (15%)
Analfabetyzm	0%
Bezrobocie	4,1%
Przeciętna długość życia	78,7 – mężczyźni, 85,6 – kobiety (w latach)
Zainfekowani wirusem HIV	10 – 29 tys. os.
PKB na 1 mieszkańca	34 181 USD
Struktura PKB	rolnictwo 1,4%, przemysł 26,5%, usługi 72,0%
Wydatki na zbrojenia	355 USD/mieszk.
Saldo obrotów handlu zagranicznego	69 665 mln USD
Główne towary eksportowe	samochody oraz części i podzespoły do montażu, wyroby elektroniczne i elektrotechniczne, kompletne obiekty przemysłowe, aparatura pomiarowa i optyczna
Główne towary importowe	surowce mineralne, maszyny i urządzenia, żywność, ropa naftowa, chemikalia, tekstylia
Dochody z turystyki	26,0 USD/mieszk.
Produkcja energii elektrycznej	7814 kWh/mieszk.
Samochody osobowe	448 szt./1000 mieszk.
Komputery	541,5 szt./1000 mieszk.
Użytkownicy Internetu	502,0 os./1000 mieszk.
Telefony komórkowe	739,7 szt./1000 mieszk.
Strony w atlasie	202-203

Jarvis (Stany Zjednoczone)

Bezludna, wyspa odkryta w 1821 r. przez Brytyjczyków, została w 1858 r. zajęta przez Stany Zjednoczone. Opuszczono ją w 1879 r. po wyeksploatowaniu pokładów guana. Wielka Brytania dokonała aneksji wyspy w 1889 r., ale nie prowadzono na niej żadnej działalności. W 1935 r. Stany Zjednoczone zajęły Jarvis powtórnie. Ostatnio została przekazana organizacjom zajmującym się ochroną przyrody.

Informacje ogólne **Jarvis** (Stany Zjednoczone)	
Powierzchnia	4,5 km^2
Liczba mieszkańców	niezamieszkane
Ustrój	terytorium nieinkorporowane Stanów Zjednoczonych
Strony w atlasie	291, 293

JEMEN

REPUBLIKA JEMEŃSKA

W starożytności na terenie Jemenu Północnego istniały państwa Minejczyków (XII-VII w. p.n.e.) i Saba (X-II w. p.n.e.). W II w. p.n.e. władzę objęło plemię Himjarytów. Na obszarze Jemenu Południowego w starożytności istniały państwa plemienne, których źródłem bogactwa były uprawa

kadzidłowca i handel jego żywicą, oraz towarami z Indii i wschodniej Afryki poprzez port w Adenie. Po najeździe Arabów w 630 r., Jemen Północny i Południowy aż do początku XVI w. podlegały egipskim Fatymidom i Ajjubidom. Potem formalnie należały do Turcji, ale w latach 1630-1872 władcy Jemenu Północnego oraz Południowego byli niezależni. W 1839 r. Brytyjczycy zdobyli Aden i systematycznie powiększali swoje posiadłości wokół niego, tak że w 1914 r. zajmowali już cały obszar Jemenu Południowego. Po rozpadzie imperium osmańskiego Jemen Północny uzyskał w 1919 r. niepodległość jako monarchia. Od 1962 r. Jemen Północny jest republiką. Jemen Południowy odzyskał niepodległość w 1967 r. W latach 1979-1981 trwał zbrojny konflikt między obydwoma państwami. W 1990 r., po przyjęciu deklaracji zjednoczeniowej przez Jemeńską Republikę Arabską (Jemen Północny) i Ludowo-Demokratyczną Republikę Jemenu (Jemen Południowy), powstało jedno państwo o nazwie Republika Jemeńska. W 2000 r. Jemen i Arabia Saudyjska zgodziły się na wytyczne ich granicy.

Informacje ogólne JEMEN

Powierzchnia	538 589 km^2
Stolica (liczba mieszkańców)	Sana (1 801 tys.)
Liczba mieszkańców	21 456 tys.
Gęstość zaludnienia	39,8 os./km^2
Przyrost naturalny	34,6 os./1000 mieszk.
Saldo migracji	0 os./1000 mieszk.
Urbanizacja	27,3%
Ustrój	republika
Podział administracyjny	17 prowincji
Przynależność do organizacji międzynarodowych	AFESD, LPA, NAM
Waluta	1 rial jemeński = 100 filsów
Języki urzędowe	arabski
Języki używane	arabski, somali, hindi
Obszary chronione	0,0%

Zagadnienia społeczno-gospodarcze

Religie (wyznawcy)	muzułmanie (99%) w tym sunnici 54%, szyici 45%, pozostali (1%)
Analfabetyzm	49,7%
Bezrobocie	35,0%
Przeciętna długość życia	61,0 – mężczyźni, 64,9 – kobiety (w latach)
Zainfekowani wirusem HIV	12 tys. (2001)
PKB na 1 mieszkańca	927 USD
Struktura PKB	rolnictwo 12,3%, przemysł 41,5%, usługi 46,2%
Wydatki na zbrojenia	43 USD/mieszk.
Dług zagraniczny	36,8% PKB
Saldo obrotów handlu zagranicznego	2260 mln USD
Główne towary eksportowe	ropa naftowa i jej produkty, kawa, papierosy
Główne towary importowe	żywność, maszyny, urządzenia, środki transportu
Dochody z turystyki	2,0 USD/mieszk.
Produkcja energii elektrycznej	190 kWh/mieszk.
Samochody osobowe	26 szt./1000 mieszk.
Komputery	14,5 szt./1000 mieszk.
Użytkownicy Internetu	8,7 os./1000 mieszk.
Telefony komórkowe	95,4 szt./1000 mieszk.
Strony w atlasie	188-189

Jersey (Wielka Brytania)

Do początku X w. dzieliła losy terytorium obecnej Francji. W 911 r. znalazła się w granicach utworzonego wtedy Księstwa Normandii. Od 1066 r. wraz z Normandią należała do władców Anglii. Po utracie przez nich posiadłości na kontynencie pozostaje do dziś w rękach angielskich jako część Wysp Normandzkich. Zachowała lokalne prawa i autonomię.

Informacje ogólne Jersey (Wielka Brytania)

Powierzchnia	116 km^2
Stolica (liczba mieszkańców)	Saint Helier (29 tys.)
Liczba mieszkańców	91 tys.
Gęstość zaludnienia	785,2 os./km^2
Przyrost naturalny	0 os./1000 mieszk.
Saldo migracji	2,7 os./1000 mieszk.
Urbanizacja	30,5%
Ustrój	dependencja korony brytyjskiej
Podział administracyjny	brak
Języki urzędowe	angielski, francuski
Języki używane	francusko-normandzki, angielski

Zagadnienia społeczno-gospodarcze

Religie (wyznawcy)	anglikanie (62%), katolicy (24%), baptyści i pozostali (14%)
Analfabetyzm	0%
Bezrobocie	2,2%
Przeciętna długość życia	77,2 – mężczyźni, 82,4 – kobiety (w latach)
PKB na 1 mieszkańca	40 000 USD
Struktura PKB	rolnictwo 1,0%, przemysł 2,0%, usługi 97,0%
Główne towary eksportowe	elektronika, warzywa, kwiaty, tekstylia
Główne towary importowe	maszyny i środki transportu, żywność, paliwa
Samochody osobowe	841 szt./1000 mieszk. (2002)

Użytkownicy Internetu	296,4 os./1000 mieszk.
Telefony komórkowe	891,5 szt./1000 mieszk.
Strony w atlasie	124, 129

Johnston (Stany Zjednoczone)

W 1858 r. atol został zajęty przez Stany Zjednoczone i Królestwo Hawai. Do końca lat 80. XIX w. Amerykanie eksploatowali na nim guano. W latach 50. i 60. XX w. prowadzono tu próby nuklearne, a w 2000 r. zmagazynowano przeterminowaną broń chemiczną.

Informacje ogólne Johnston (Stany Zjednoczone)

Powierzchnia	2,6 km^2
Liczba mieszkańców	niezamieszkane
Ustrój	terytorium nieinkorporowane Stanów Zjednoczonych
Strony w atlasie	291, 293

JORDANIA

JORDAŃSKIE KRÓLESTWO HASZYMIDZKIE

Tereny obecnej Jordanii w przeszłości należały do Palestyny i Syrii. Zajęte w 1917 r. przez Brytyjczyków, weszły w skład brytyjskiego mandatu Palestyny. W 1921 r. wydzielono z niego emirat Transjordania (obecna Jordania), który od 1946 r. jest niepodległym królestwem, sprzymierzonym z Wielką Brytanią. Po udziale w wojnie arabsko-izraelskiej (1948-49) nastąpiło przyłączenie arabskiej części Palestyny na zachodnim brzegu Jordanu (tzw. Cisjordanii) i zmiana nazwy kraju na Jordańskie Królestwo Haszymidzkie. W wyniku wojny arabsko-izraelskiej w 1967 r. Izrael zajął Cisjordanię. W r. 1988 Jordania zrzekła się zwierzchnictwa nad Cisjordanią, a w 1994 r. podpisała układ pokojowy z Izraelem.

Informacje ogólne JORDANIA

Powierzchnia	89 342 km^2
Stolica (liczba mieszkańców)	Amman (1 036 tys.)
Liczba mieszkańców	5907 tys.
Gęstość zaludnienia	66,1 os./km^2
Przyrost naturalny	18,6 os./1000 mieszk.
Saldo migracji	6,3 os./1000 mieszk.
Urbanizacja	82,3%
Ustrój	monarchia konstytucyjna
Podział administracyjny	12 gubernatorstw
Przynależność do organizacji międzynarodowych	LPA, NAM
Waluta	1 dinar jordański = 100 filsów
Języki urzędowe	arabski
Języki używane	arabski, kabardyjsko-czerkieski, adygejski
Obszary chronione	10,9%

Zagadnienia społeczno-gospodarcze

Religie (wyznawcy)	muzułmanie sunnici (92%), chrześcijanie (7%), pozostali (1%)
Analfabetyzm	10,1%
Bezrobocie	oficjalnie 12,5%, w rzeczywistości 30%
Przeciętna długość życia	76,2 – mężczyźni, 81,4 – kobiety (w latach)
Zainfekowani wirusem HIV	<2 tys. os.
PKB na 1 mieszkańca	2519 USD
Struktura PKB	rolnictwo 3,5%, przemysł 10,3%, usługi 86,2%
Wydatki na zbrojenia	164 USD/mieszk.
Dług zagraniczny	72,5% PKB
Saldo obrotów handlu zagranicznego	−6331 mln USD
Główne towary eksportowe	wyroby przemysłu chemicznego i mineralnego, warzywa, owoce
Główne towary importowe	maszyny i urządzenia, żywność, surowce włókiennicze
Dochody z turystyki	135,1 USD/mieszk.
Produkcja energii elektrycznej	1427 kWh/mieszk.
Samochody osobowe	75 szt./1000 mieszk.
Komputery	53,4 szt./1000 mieszk.
Użytkownicy Internetu	106,9 os./1000 mieszk.
Telefony komórkowe	284,1 szt./1000 mieszk.
Strony w atlasie	184-185, 186

Kajmany (Wielka Brytania)

Wyspy odkryte w 1503 r. przez Krzysztofa Kolumba. Od połowy XVIII w. były kolonizowane przez Brytyjczyków. W 1866 r. stały się częścią brytyjskiej kolonii utworzonej na Jamajce. Gdy Jamajka w 1962 r. uzyskała niepodległość, Kajmany zostały odrębną kolonią i taki status mają do dziś.

Informacje ogólne Kajmany (Wielka Brytania)

Powierzchnia	259 km^2
Stolica (liczba mieszkańców)	George Town (24 tys.)
Liczba mieszkańców	45 tys.
Gęstość zaludnienia	175,4 os./km^2

Przyrost naturalny	7,8 os./1000 mieszk.
Saldo migracji	17,8 os./1000 mieszk.
Urbanizacja	100,0%
Ustrój	terytorium zależne Wielkiej Brytanii
Podział administracyjny	8 dystryktów
Waluta	1 dolar kajmański = 100 centów
Języki urzędowe	angielski
Języki używane	angielski-kreolski, angielski, francuski-kreolski, hiszpański
Obszary chronione	92,7%

Zagadnienia społeczno-gospodarcze

Religie (wyznawcy)	anglikanie, metodyści, katolicy, zielonoświątkowcy
Analfabetyzm	2,0%
Bezrobocie	4,4% (1997)
Przeciętna długość życia	77,7 – mężczyźni, 83,0 – kobiety (w latach)
PKB na 1 mieszkańca	52 707 USD/mieszk.
Struktura PKB	rolnictwo 1,4%, przemysł 3,2%, usługi 95,4% (1994)
Saldo obrotów handlu zagranicznego	−456 mln USD
Główne towary eksportowe	wyroby z żółwi morskich, skóry rekinów, krewetki, miód, orzechy kokosowe, wyroby jubilerskie
Główne towary importowe	żywność
Dochody z turystyki	14 268,3 USD/mieszk.
Produkcja energii elektrycznej	8889 kWh/mieszk.
Samochody osobowe	536 szt./1000 mieszk.
Użytkownicy Internetu	218,1 os./1000 mieszk.
Telefony komórkowe	374,2 szt./1000 mieszk. (2002)
Strony w atlasie	261, 262

KAMBODŻA

KRÓLESTWO KAMBODŻY

Państwa Khmerów istniały na tym terenie od I w., w IX w. zostały zjednoczone. W X-XIII w. Kambodża przeżywała największy rozkwit kulturalny, a w granicach królestwa Khmerów znalazł się cały Półwysep Malajski. Po najeździe Tatarów pod koniec XIII w. oraz w późniejszych walkach z Wietnamem i Syjamem, Kambodża utraciła wiele prowincji. W XIX w. obszar Kambodży był intensywnie penetrowany przez kraje europejskie, wskutek czego stał się w 1863 r. protektoratem francuskim, a w 1887 r. kolonią włączoną do Indochin Francuskich. Po okupacji japońskiej i tajlandzkiej (1941-1945) walkę narodowowyzwoleńczą prowadzono przeciw Francuzom. W 1953 r. Kambodża uzyskała niepodległość jako królestwo. Podczas wojny w sąsiednim Wietnamie (1963-1973) nastąpił rozwój partyzantki komunistycznej (tzw. Czerwoni Khmerowie). Po zdobyciu przez nich władzy w 1975 r., w wyniku realizacji skrajnych teorii komunistycznych, śmierć poniosło co najmniej 1 mln osób, w tym cała inteligencja. Po obaleniu w 1979 r. rządu Czerwonych Khmerów przez wojska wietnamskie do 1989 r. trwała wietnamska okupacja Kambodży.W 1993 r. uchwalono nową konstytucję, wybrano Zgromadzenie Narodowe i przywrócono monarchię. W 2004 r. parlament ratyfikował umowę rządu i ONZ o powołaniu Międzynarodowego Trybunału ds. Ludobójstwa i Zbrodni Przeciwko Ludzkości w Kambodży.

Informacje ogólne KAMBODŻA

Powierzchnia	181 040 km²
Stolica (liczba mieszkańców)	Phnom Penh (704 tys.; 1 314 tys. aglomeracja) 2002
Liczba mieszkańców	13 881 tys.
Gęstość zaludnienia	76,7 os./km²
Przyrost naturalny	17,8 os./1000 mieszk.
Saldo migracji	0 os./1000 mieszk.
Urbanizacja	19,7%
Ustrój	monarchia konstytucyjna
Podział administracyjny	20 prowincji
Przynależność do organizacji międzynarodowych	ASEAN, NAM
Waluta	1 riel = 100 senów
Języki urzędowe	khmerski
Języki używane	khmerski, wietnamski, chiński, francuski, angielski
Obszary chronione	21,6%

Zagadnienia społeczno-gospodarcze

Religie (wyznawcy)	buddyści (88%), muzułmanie (2%), chrześcijanie i pozostali (10%)
Analfabetyzm	29,9%
Bezrobocie	2,5% (2000)
Przeciętna długość życia	59,7 – mężczyźni, 63,8 – kobiety (w latach)
Zainfekowani wirusem HIV	74 – 210 tys. os.
PKB na 1 mieszkańca	513 USD
Struktura PKB	rolnictwo 31,0%, przemysł 26,0%, usługi 43,0%
Wydatki na zbrojenia	5 USD/mieszk.
Dług zagraniczny	67,6% PKB
Saldo obrotów handlu zagranicznego	−1130 mln USD
Główne towary eksportowe	drewno, kauczuk, kamienie szlachetne, soja,
Główne towary importowe	maszyny, materiały budowlane, ropa naftowa i jej przetwory, wyroby tytoniowe

Dochody z turystyki	22,8 USD/mieszk.
Produkcja energii elektrycznej	9 kWh/mieszk.
Samochody osobowe	18 szt./1000 mieszk.
Komputery	2,6 szt./1000 mieszk.
Użytkownicy Internetu	2,8 os./1000 mieszk.
Telefony komórkowe	75,5 szt./1000 mieszk.
Strona w atlasie	193

KAMERUN

REPUBLIKA KAMERUNU

W północnej części Kamerunu od VIII w. istniały państewka plemienne, a w XVII i XVIII w. sułtanat Mandara zależny od Bornu. Od końca XV w. wybrzeże oraz rzekę Buri penetrowali Portugalczycy, zaś w następnych wiekach Holendrzy i Francuzi. W drugiej połowie XIX w. kraj został podbity przez Niemców, którzy w 1884 r. ogłosili swój protektorat nad nim. Podczas I wojny światowej Kamerun zajęły wojska brytyjskie i francuskie. Od 1922 r. stanowił terytorium mandatowe Ligi Narodów, powierzone Francji (Kamerun Wschodni) i Wielkiej Brytanii (Kamerun Zachodni), a od 1946 r. terytorium powiernicze. W 1960 r. Kamerun francuski stał się niepodległą republiką, natomiast Kamerun brytyjski został w 1961 r. podzielony. Część północną przyłączono do Nigerii, a część południową do Republiki Kamerunu — powstała republika związkowa, w której Kamerun Wschodni i Kamerun Zachodni miały szeroką autonomię wewnętrzną. W 1972 r., po unifikacji struktur obu części kraju, utworzono Zjednoczoną Republikę Kamerunu, której nazwę zmieniono w 1982 r. na Republikę Kamerunu.

Informacje ogólne KAMERUN

Powierzchnia	475 442 km²
Stolica (liczba mieszkańców)	Jaunde (1 485 tys.)
Liczba mieszkańców	17 341 tys.
Gęstość zaludnienia	36,5 os./km²
Przyrost naturalny	20,4 os./1000 mieszk.
Saldo migracji	0 os./1000 mieszk.
Urbanizacja	54,6%
Ustrój	republika
Podział administracyjny	10 prowincji
Przynależność do organizacji międzynarodowych	ACP, AU, NAM
Waluta	1 frank CFA = 100 centymów
Języki urzędowe	angielski, francuski
Języki używane	ponad 1 mln użytkowników: angielski, francuski, fulfulde (fulani), pidżin kameruński (oparty na angielskim), beti, bulu; ponad 200 innych języków
Obszary chronione	8,9%

Zagadnienia społeczno-gospodarcze

Religie (wyznawcy)	katolicy (35%), animiści (26%), muzułmanie (22%), protestanci (17%)
Analfabetyzm	25,4%
Bezrobocie	30,0% (2001)
Przeciętna długość życia	52,5 – mężczyźni, 54,1 – kobiety (w latach)
Zainfekowani wirusem HIV	460 – 560 tys. os.
PKB na 1 mieszkańca	999 USD
Struktura PKB	rolnictwo 43,9%, przemysł 15,8%, usługi 40,3%
Wydatki na zbrojenia	17 USD/mieszk.
Dług zagraniczny	19,7% PKB
Saldo obrotów handlu zagranicznego	600 mln USD
Główne towary eksportowe	ropa naftowa, gaz ziemny, boksyty, rudy cyny, złoto, kawa, kakao, bawełna
Główne towary importowe	maszyny i urządzenia, sprzęt transportowy, artykuły przemysłowe, żywność
Dochody z turystyki	2,5 USD/mieszk.
Produkcja energii elektrycznej	226 kWh/mieszk.
Samochody osobowe	10 szt./1000 mieszk.
Komputery	9,8 szt./1000 mieszk.
Użytkownicy Internetu	10,2 os./1000 mieszk.
Telefony komórkowe	138,4 szt./1000 mieszk.
Strony w atlasie	221, 222, 224

KANADA

Pierwotną ludność stanowili Eskimosi i Indianie. Wschodnie wybrzeża Kanady znane było żeglarzom normańskim już na przełomie X i XI w. W 1497 r. zbadał je i zajął dla Anglii G. Caboto. W 1534 r. w imieniu króla Francji objął je J. Cartier i nazwał Nową Francją. Kolonizacja francuska rozpoczęła się w 1608 r. od założenia Quebecu. Dzięki dobrym stosunkom z Indianami, mimo niewielkiej liczby osadników Francuzi rozszerzyli władzę na ogromne obszary. W 1713 r. Kanada utraciła tereny nad Zatoką Hudsona i Nową Fundlandię na rzecz brytyjskiej kompanii handlowej (Kompania Hudsońska). W 1763 r., po wojnie 7-letniej, Wielka Brytania przejęła w całości posiadłości francuskie w Kanadzie i nazwała je Brytyjską Ameryką Północną. Ludność francuska zachowała swoje prawa. W pierwszej połowie XIX w. przybyło tu około 800 tys. brytyjskich osadników, tak że Francuzi znaleźli się w mniejszości.

W 1867 r. zjednoczono większość prowincji brytyjskich w Ameryce Północnej pod nazwą Kanada. W latach 1870-1873 włączono do Kanady tereny nabyte od Kompanii Hudsońskiej, Kolumbię Brytyjską oraz Wyspę Księcia Edwarda. W 1931 r. Kanada uzyskała niepodległość i została członkiem brytyjskiej Wspólnoty Narodów. Wzięła udział w I i II wojnie światowej po stronie aliantów. W 1949 r. była współzałożycielem NATO. W tym samym roku do Kanady włączono Nową Fundlandię. W latach 70. XX w. nasilił się ruch separatystyczny, zwłaszcza we francuskojęzycznej prowincji Quebec.

Informacje ogólne KANADA

Powierzchnia	9 984 670 km²
Stolica (liczba mieszkańców)	Ottawa (812 tys.)
Liczba mieszkańców	33 099 tys.
Gęstość zaludnienia	3,3 os./km²
Przyrost naturalny	3,0 os./1000 mieszk.
Saldo migracji	5,9 os./1000 mieszk.
Urbanizacja	80,1%
Ustrój	federacyjne państwo parlamentarne; monarchia konstytucyjna
Podział administracyjny	10 prowincji i 2 terytoria
Przynależność do organizacji międzynarodowych	NATO, APEC, OAS, OECD, NAFTA
Waluta	1 dolar kanadyjski = 100 centów
Języki urzędowe	angielski, francuski
Języki używane	angielski, francuski, chiński, włoski, niemiecki, polski, portugalski, hiszpański, eskimoski i około 100 innych
Obszary chronione	6,8%

Zagadnienia społeczno-gospodarcze

Religie (wyznawcy)	katolicy (45%), protestanci (28%), bezwyznaniowcy (13%), anglikanie (8%), prawosławni, wyznawcy judaizmu, muzułmanie i pozostali (6%)
Analfabetyzm	0%
Bezrobocie	6,4%
Przeciętna długość życia	78,7 – mężczyźni, 83,8 – kobiety (w latach)
Zainfekowani wirusem HIV	48 – 72 tys. os.
PKB na 1 mieszkańca	39 141 USD
Struktura PKB	rolnictwo 2,1%, przemysł 28,8%, usługi 69,1%
Wydatki na zbrojenia	354 USD/mieszk.
Saldo obrotów handlu zagranicznego	30 277 mln USD
Główne towary eksportowe	sprzęt transportowy, maszyny i urządzenia, surowce mineralne, paliwa, pszenica, ryby, drewno, papier, tarcica
Główne towary importowe	środki transportu, maszyny i urządzenia, ropa naftowa
Dochody z turystyki	346,3 USD/mieszk.
Produkcja energii elektrycznej	17 312 kWh/mieszk.
Samochody osobowe	552 szt./1000 mieszk.
Komputery	698,2 szt./1000 mieszk.
Użytkownicy Internetu	623,6 os./1000 mieszk.
Telefony komórkowe	514,4 szt./1000 mieszk.
Strony w atlasie	241, 244-245

KATAR

PAŃSTWO KATAR

Dogodne położenie Kataru powodowało, że już w starożytności zakładano na jego wybrzeżu porty handlowe. Po podbojach Arabów w VII w. został włączony do kalifatu bagdadzkiego. W pierwszej połowie XVI w. stał się częścią imperium osmańskiego. W tym czasie próbowali go opanować Portugalczycy. W odpowiedzi na penetrację brytyjską tego rejonu Turcy w 1871 r. obsadzili Katar wojskiem. W 1916 r. został protektoratem brytyjskim, ale zachował lokalne władze. Od 1971 r. Katar jest niepodległym księstwem, którego gospodarka oparta jest na wydobyciu ropy naftowej i gazu.

Informacje ogólne KATAR

Powierzchnia	11 437 km²
Stolica (liczba mieszkańców)	Ad-Dauha (371 tys.)
Liczba mieszkańców	885 tys.
Gęstość zaludnienia	77,4 os./km²
Przyrost naturalny	10,9 os./1000 mieszk.
Saldo migracji	14,1 os./1000 mieszk.
Urbanizacja	95,4%
Ustrój	księstwo (emirat)
Podział administracyjny	9 okręgów
Przynależność do organizacji międzynarodowych	AFESD, LPA, NAM, OAPEC, OPEC
Waluta	1 rial katarski = 100 dirhamów
Języki urzędowe	arabski
Języki używane	arabski, perski, urdu, angielski, tagalog
Obszary chronione	0,6%

Zagadnienia społeczno-gospodarcze

Religie (wyznawcy)	muzułmanie (95%, w tym sunnici 75%), hinduiści, chrześcijanie i pozostali (5%)

Analfabetyzm	11,0%
Bezrobocie	3,2%
Przeciętna długość życia	71,8 – mężczyźni, 77,1 – kobiety (w latach)
PKB na 1 mieszkańca	62 914 USD
Struktura PKB	rolnictwo 0,1%, przemysł 71,2%, usługi 28,7%
Wydatki na zbrojenia	2452 USD/mieszk.
Saldo obrotów handlu zagranicznego	15 417 mln USD
Główne towary eksportowe	ropa naftowa, gaz ziemny, chemikalia
Główne towary importowe	dobra konsumpcyjne, maszyny i urządzenia, środki transportu, żywność
Produkcja energii elektrycznej	14 011 kWh/mieszk.
Samochody osobowe	316 szt./1000 mieszk.
Komputery	178,8 szt./1000 mieszk.
Użytkownicy Internetu	221,8 os./1000 mieszk.
Telefony komórkowe	921,5 szt./1000 mieszk.
Strona w atlasie	187

KAZACHSTAN

REPUBLIKA KAZACHSTANU

W I tysiącleciu p.n.e. mieszkały tu plemiona Saków i Usunów. Nad Jeziorem Aralskim w II-III w. z różnych grup etnicznych ukształtowali się Hunowie. Od VII do XII w. mieszkały tu różne plemiona tureckie, tworzące związki plemienne lub państwa. Po podboju przez Mongołów w latach 1219-1221 Kazachstan stał się częścią Złotej Ordy, z której w XIV w. na terenie Kazachstanu wyodrębniła się Biała Orda, będąca do połowy XV w. trzonem potężnego państwa Timura. Po walkach plemiennych powstały pod koniec XV w. dwa silne ośrodki władzy: chanat nogajski (na zachodzie) i chanat uzbecki (na wschodzie). Z tego drugiego wyodrębnili się Kazachowie (tzn. ludzie wolni), którzy osiedli między jeziorami Bałchasz i Issyk-kuł (Siedmiorzecze) oraz nad rzekami Czu i Talas, tworząc w XVI w. pierwszy chanat kazachski. W XVII w. rozpadł się on na kilka chanatów. W XVIII w. chanaty znalazły się w strefie zainteresowań Rosji i w pierwszej połowie tego stulecia większa część terytorium Kazachstanu stała się rosyjskim protektoratem. Wschodnia część Kazachstanu dostała się pod rosyjski protektorat w 1819 r., a w 1867 r. cały Kazachstan został włączony do państwa rosyjskiego. Władza chanów została zlikwidowana, ziemie uprawne zajmowali masowo napływający osadnicy z Rosji. Kazachom wyznaczono koczowiska, a system twierdz i umocnień wojskowych zapewnił Rosji kontrolę nad koczownikami. Wielu z nich zginęło podczas nieudanego powstania (1916-1917). Próbę odzyskania niepodległości zdławiła w 1920 r. Armia Czerwona i Kazachstan stał się częścią ZSRR. Do 1936 r. był republiką autonomiczną, a potem związkową. W latach 1939-1940 deportowano do Kazachstanu część ludności (również Polaków) z terenów wcielonych w tym czasie do ZSRR. Kontynuowanie polityki kolonizacji spowodowało, że w latach 70. XX w. Kazachowie stali się w swoim kraju mniejszością. W 1991 r. Kazachstan ogłosił niepodległość i przystąpił do Wspólnoty Niepodległych Państw. Władza w Kazachstanie oparta jest na bardzo silnych więzach rodowych.

Informacje ogólne KAZACHSTAN

Powierzchnia	2 730 900 km²
Stolica (liczba mieszkańców)	Astana (331 tys.)
Liczba mieszkańców	15 233 tys.
Gęstość zaludnienia	5,6 os./km²
Przyrost naturalny	66 os./1000 mieszk.
Saldo migracji	–3,3 os./1000 mieszk.
Urbanizacja	57,3%
Ustrój	republika
Podział administracyjny	19 obwodów
Przynależność do organizacji międzynarodowych	ECO, WNP
Waluta	1 tenge = 100 tigin
Języki urzędowe	kazaski (w stosunkach międzynarodowych i komunikacji między nacjami – rosyjski)
Języki używane	kazaski, rosyjski, ukraiński, niemiecki, uzbecki, tatarski, ujgurski i inne
Obszary chronione	2,9%

Zagadnienia społeczno-gospodarcze

Religie (wyznawcy)	muzułmanie sunnici (50%), prawosławni (8%), protestanci (2%), bezwyznaniowcy, buddyści i pozostali (40%)
Analfabetyzm	0,5%
Bezrobocie	7,4%
Przeciętna długość życia	62,2 – mężczyźni, 73,2 – kobiety (w latach)
Zainfekowani wirusem HIV	11 – 77 tys. os.
PKB na 1 mieszkańca	5363 USD
Struktura PKB	rolnictwo 5,8%, przemysł 39,4%, usługi 54,8%
Wydatki na zbrojenia	111 USD/mieszk.
Dług zagraniczny	100,9% PKB
Saldo obrotów handlu zagranicznego	14 761 mln USD
Główne towary eksportowe	ropa naftowa, gaz ziemny, rudy metali i wyroby hutnicze, zboża, wyroby włókiennicze, węgiel
Główne towary importowe	maszyny i urządzenia, chemikalia, żywność, sprzęt transportowy, energia elektryczna
Dochody z turystyki	26,7 USD/mieszk.

Produkcja energii elektrycznej	4366 kWh/mieszk.	
Samochody osobowe	93 szt./1000 mieszk.	
Użytkownicy Internetu	26,0 os./1000 mieszk.	
Telefony komórkowe	334,2 szt./1000 mieszk.	
Strony w atlasie	174, 182-183	

KENIA

REPUBLIKA KENII

W starożytności mieszkali tu Buszmeni, wypierani stopniowo na południe przez ludy Bantu. Od VII w. wybrzeże kolonizowali Arabowie, tworząc niewielkie sułtanaty w oparciu o silne ośrodki miejskie będące jednocześnie portami (np. Malindi, Mombasa, Lamu, Pate). Z przemieszania kultur miejscowych i arabskiej wykształciła się cywilizacja suahili. W XVI i XVII w. część portów należała do Portugalczyków. W 1837 r. część wybrzeża Kenii zostało opanowane przez sułtana Omanu, który na zajętych terenach utworzył sułtanat Zanzibar. Osiedlali się w nim kupcy hinduscy, a w połowie XIX w. tereny w głębi lądu zaczęli penetrować Brytyjczycy i Niemcy. W 1895 r. powstał tutaj brytyjski Protektorat Wschodnioafrykański, przekształcony w 1920 r. w kolonię. Silny ruch niepodległościowy i zbrojne powstanie (1952-1956) doprowadziły w 1963 r. do uzyskania przez Kenię niepodległości. Mimo konfliktów z Somalią o granice i konfliktów plemiennych Kenia ma dość stabilną sytuację wewnętrzną. W latach 90. XX w. do Kenii przybyła fala uchodźców z dotkniętych wojną domową Etiopii, Somalii i Sudanu.

Informacje ogólne **KENIA**	
Powierzchnia	582 646 km^2
Stolica (liczba mieszkańców)	Nairobi (2 845 tys.)
Liczba mieszkańców	34 708 tys.
Gęstość zaludnienia	59,6 os./km^2
Przyrost naturalny	25,7 os./1000 mieszk.
Saldo migracji	0 os./1000 mieszk.
Urbanizacja	20,7%
Ustrój	republika
Podział administracyjny	8 prowincji
Przynależność do organizacji międzynarodowych	ACP, AU, NAM
Waluta	1 szyling kenijski = 100 centów
Języki urzędowe	suahili, angielski
Języki używane	suahili, angielski, luyia, luo, kalendźin, kemba, meru, girima, bukusu, masai, embu, turkana, somali i około 50 innych
Obszary chronione	12,7%
Zagadnienia społeczno-gospodarcze	
Religie (wyznawcy)	animiści (30%), katolicy (27%), protestanci (19%), anglikanie (6%), afrochrześcijanie (8%), muzułmanie (6%), pozostali (4%)
Analfabetyzm	14,9%
Bezrobocie	40,0%
Przeciętna długość życia	56,4 – mężczyźni, 56,9 – kobiety (w latach)
Zainfekowani wirusem HIV	1100 – 1500 tys. os.
PKB na 1 mieszkańca	670 USD
Struktura PKB	rolnictwo 23,8%, przemysł 16,7%, usługi 59,5%
Wydatki na zbrojenia	7 USD/mieszk.
Dług zagraniczny	34,4% PKB
Saldo obrotów handlu zagranicznego	−3870 mln USD
Główne towary eksportowe	kawa, herbata, produkty naftowe, cement, soda naturalna
Główne towary importowe	maszyny, środki transportu, ropa naftowa, artykuły przemysłowe, żywność, farmaceutyki
Dochody z turystyki	9,9 USD/mieszk.
Produkcja energii elektrycznej	164 kWh/mieszk.
Samochody osobowe	9 szt./1000 mieszk.
Komputery	13,6 szt./1000 mieszk.
Użytkownicy Internetu	46,3 os./1000 mieszk.
Telefony komórkowe	134,6 szt./1000 mieszk.
Strona w atlasie	225

Kingman
(Stany Zjednoczone)

Rafa została zajęta w 1922 r. przez Stany Zjednoczone. Do końca lat trzydziestych używana była jako baza zaopatrzeniowa dla wodnosamolotów latających z Hawajów na Samoa. W 2001 r. została przekazana organizacjom zajmującym się ochroną przyrody.

Informacje ogólne **Kingman** (Stany Zjednoczone)	
Powierzchnia	1 km^2
Liczba mieszkańców	niezamieszkane
Ustrój	terytorium nieinkorporowane Stanów Zjednoczonych
Strony w atlasie	291, 293

KIRGISTAN

REPUBLIKA KIRGISKA

Od starożytności ziemie dzisiejszego Kirgistanu zamieszkiwane były przez koczownicze plemiona tureckie. W wiekach X-XII istniejącym tu kaganatem władali Karachanidzi. Po podboju mongolskim w XIII w. do XVI w. był samodzielnym organizmem państwowym. W tym okresie koczujący Kirgizi wymieszali się z miejscową ludnością osiadłą i napływającymi tu Kimakami, dając początek obecnym mieszkańcom Kirgistanu. W drugiej połowie XVIII w. Kirgistan znalazł się pod zwierzchnictwem Chin, a od lat 30. XIX w. uzbeckiego chanatu kokandzkiego. Niezadowoleni ze swego położenia władcy plemion kirgiskich oddali się pod opiekę Rosji, która w 1876 r. wcieliła cały Kirgistan w swoje granice. Masowa konfiskata ziemi oddawanej rosyjskim osadnikom i ostra dyskryminacja rasowa Kirgizów spowodowały wybuchy powstań, krwawo stłumionych przez Rosję. W latach 1917-1918 cały Kirgistan opanowali komuniści i włączyli go do Turkiestańskiej ASRR. W 1924 r. Kirgistan otrzymał status okręgu autonomicznego, w 1926 r. autonomicznej republiki, a w 1936 r. republiki związkowej. Przez cały ten czas trwały walki z basmaczami (zwolennikami samodzielności muzułmańskich krajów Azji Środkowej), których ruch tępiono szczególnie zacięcie. Po kolektywizacji rolnictwa zmuszono Kirgizów do osiadłego życia i wprowadzono monokulturową uprawę bawełny, co w efekcie przyniosło głód. W latach 1939-1940 deportowano do Kirgistanu część ludności (w tym Polaków) z terenów wcielonych do ZSRR. W 1991 r. Kirgistan ogłosił niepodległość i przystąpił do Wspólnoty Niepodległych Państw. Ogólnokrajowe demonstracje w 2005 r., nazwane „rewolucją tulipanów", spowodowały ustąpienie ze stanowiska prezydenta A. Akajewa, który sprawował władzę od 1990 r. Nowym prezydentem został dotychczasowy premier K. Bakijew

Informacje ogólne **KIRGISTAN**	
Powierzchnia	199 915 km^2
Stolica (liczba mieszkańców)	Biszkek (798 tys.)
Liczba mieszkańców	5214 tys.
Gęstość zaludnienia	26,1 os./km^2
Przyrost naturalny	15,7 os./1000 mieszk.
Saldo migracji	−2,5 os./1000 mieszk.
Urbanizacja	35,8%
Ustrój	republika
Podział administracyjny	6 obwodów
Przynależność do organizacji międzynarodowych	ECO, WNP
Waluta	1 som = 100 tyinów
Języki urzędowe	kirgiski, rosyjski
Języki używane	kirgiski, rosyjski, uzbecki, ukraiński, niemiecki, tatarski, chiński, kazaski, ujgurski
Obszary chronione	3,6%
Zagadnienia społeczno-gospodarcze	
Religie (wyznawcy)	muzułmanie sunnici (70%), prawosławni (6%), bezwyznaniowcy, protestanci, buddyści i pozostali (34%)
Analfabetyzm	1,3% (2000)
Bezrobocie	18,0%
Przeciętna długość życia	65,1 – mężczyźni, 73,3 – kobiety (w latach)
Zainfekowani wirusem HIV	1,9 – 13 tys. os.
PKB na 1 mieszkańca	542 USD
Struktura PKB	rolnictwo 30,9%, przemysł 19,9%, usługi 49,1%
Wydatki na zbrojenia	50 USD/mieszk.
Dług zagraniczny	82,4% PKB
Saldo obrotów handlu zagranicznego	−914 mln USD
Główne towary eksportowe	tytoń i papierosy, produkty żywnościowe, energia elektryczna, przędza bawełniana
Główne towary importowe	ropa naftowa, gaz ziemny, maszyny dla przemysłu spożywczego
Dochody z turystyki	4,8 USD/mieszk.
Produkcja energii elektrycznej	2697 kWh/mieszk.
Samochody osobowe	39 szt./1000 mieszk.
Komputery	17,1 szt./1000 mieszk.
Użytkownicy Internetu	51,6 os./1000 mieszk.
Telefony komórkowe	102,9 szt./1000 mieszk.
Strona w atlasie	183

KIRIBATI

REPUBLIKA KIRIBATI

Wyspy kolonizowane w XVIII i XIX w. przez Brytyjczyków, od 1892 r. były brytyjskim protektoratem, a w latach 1916-1976 częścią brytyjskiej kolonii pod nazwą Wyspy Gilberta i Lagunowe. Przez trzy lata (1976-1979) były kolonią o nazwie Wyspy Gilberta, a od 1979 r. są niepodległą republiką.

Informacje ogólne **KIRIBATI**	
Powierzchnia	811 km^2
Stolica (liczba mieszkańców)	Bairiki (2,7 tys.; 40 tys. aglomeracja)
Liczba mieszkańców	105 tys.
Gęstość zaludnienia	130 os./km^2
Przyrost naturalny	22,4 os./1000 mieszk.

Saldo migracji	0 os./1000 mieszk.
Urbanizacja	47,4%
Ustrój	republika
Podział administracyjny	6 dystryktów
Przynależność do organizacji międzynarodowych	ACP, Forum Wysp Pacyfiku, Wspólnota Pacyfiku
Waluta	1 dolar australijski = 100 centów
Języki urzędowe	kiribati, angielski
Języki używane	kiribati, angielski
Obszary chronione	1,6%
Zagadnienia społeczno-gospodarcze	
Religie (wyznawcy)	katolicy (54%), protestanci (38%), adwentyści Dnia Siódmego, bahaiści i pozostali (8%)
Analfabetyzm	8,0% (2000)
Bezrobocie	2,0%, niedozatrudnienie 70%
Przeciętna długość życia	59,8 – mężczyźni, 66,1 – kobiety (w latach)
PKB na 1 mieszkańca	736 USD
Struktura PKB	rolnictwo 8,9%, przemysł 24,2%, usługi 66,9%
Saldo obrotów handlu zagranicznego	–49 mln USD
Główne towary eksportowe	kopra, ryby, sól, wodorosty morskie
Główne towary importowe	żywność, maszyny i urządzenia, paliwa
Dochody z turystyki	37,6 USD/mieszk.
Produkcja energii elektrycznej	124 kWh/mieszk.
Samochody osobowe	6 szt./1000 mieszk.
Komputery	11,8 szt./1000 mieszk.
Użytkownicy Internetu	23,5 os./1000 mieszk.
Telefony komórkowe	7,2 szt./1000 mieszk.
Strony w atlasie	292-293

KOLUMBIA

REPUBLIKA KOLUMBII

W okresie prekolumbijskim zamieszkana była m.in. przez indiańskie plemiona Arawaków i Czibczów. W 1499 r. została odkryta przez Hiszpanów, a w pierwszej połowie XVI w. podbita przez nich i włączona do wicekrólestwa Peru. Od 1717 r. obszar Kolumbii należał do wicekrólestwa Nowej Granady. Walka o niepodległość, rozpoczęta nieudanym powstaniem w latach 1810-1811, zakończyła się w 1819 r. sukcesem – Kolumbia uzyskała niepodległość jako część Wielkiej Kolumbii. Od 1830 r. była odrębną republiką pod nazwą Nowa Granada, a w latach 1861-1886 nosiła nazwę Stany Zjednoczone Kolumbii. W 1903 r. od Kolumbii oderwała się Panama, która utworzyła samodzielne państwo. W XIX i XX w. trwała w Kolumbii nieustająca walka polityczna konserwatystów z liberałami, przeradzająca się okresowo w wojnę domową (m.in. 1899-1902 i 1948-1953). W latach 80. i 90. XX w. podejmowano nieudane próby ustanowienia pokoju wewnętrznego (coraz silniejsza lewicowa partyzantka) i mało skuteczną walkę z mafią narkotykową. W 1998 r. przywódcy kolumbijskiej lewicowej partyzantki z Armii Wyzwolenia Narodowego (ELN) oraz reprezentanci organizacji społecznych podpisali porozumienie o złagodzeniu wojny domowej. W 2003 r. po raz pierwszy w historii kraju strona rządowa podjęła rozmowy z prawicowymi grupami paramilitarnymi. W 2004 r. broń złożyła prawicowa paramilitarna armia – Zjednoczona Samoobrona Kolumbii AUC, jednak przywódcy innych lewicowych armii partyzanckich nie zgodzili się na podjęcie rozmów pokojowych.

Informacje ogólne **KOLUMBIA**	
Powierzchnia	1 141 748 km²
Stolica (liczba mieszkańców)	Bogota (6 763 tys.)
Liczba mieszkańców	43 593 tys.
Gęstość zaludnienia	38,2 os./km²
Przyrost naturalny	14,9 os./1000 mieszk.
Saldo migracji	–0,3 os./1000 mieszk.
Urbanizacja	72,7%
Ustrój	republika
Podział administracyjny	32 departamenty i dystrykt stołeczny
Przynależność do organizacji międzynarodowych	ALADI, NAM, OAS, Wspólnota Andyjska
Waluta	1 peso kolumbijskie = 100 centavos
Języki urzędowe	hiszpański
Języki używane	hiszpański (99%), guajiro, paez, angielski-kreolski (na wyspach Morza Karaibskiego), ponad 70 języków indiańskich
Obszary chronione	31,6%
Zagadnienia społeczno-gospodarcze	
Religie (wyznawcy)	katolicy (95%), protestanci i pozostali (5%)
Analfabetyzm	7,2%
Bezrobocie	11,1%
Przeciętna długość życia	68,7 – mężczyźni, 76,5 – kobiety (w latach)
Zainfekowani wirusem HIV	100 – 320 tys. os.
PKB na 1 mieszkańca	2905 USD
Struktura PKB	rolnictwo 11,5%, przemysł 36,0%, usługi 52,5%
Wydatki na zbrojenia	94 USD/mieszk.
Dług zagraniczny	49,1% PKB

Saldo obrotów handlu zagranicznego	–1771 mln USD
Główne towary eksportowe	ropa naftowa i jej produkty, kawa, węgiel, banany, szmaragdy, złoto, platyna, kwiaty cięte, artykuły włókiennicze, chemikalia oraz nielegalnie kokainę i marihuanę
Główne towary importowe	maszyny, urządzenia transportowe, dobra konsumpcyjne, chemikalia, papier, paliwa
Dochody z turystyki	28,1 USD/mieszk.
Produkcja energii elektrycznej	1077 kWh/mieszk.
Samochody osobowe	37 szt./1000 mieszk.
Komputery	55,3 szt./1000 mieszk.
Użytkownicy Internetu	89,4 os./1000 mieszk.
Telefony komórkowe	478,1 szt./1000 mieszk.
Strona w atlasie	276

KOMORY

ZWIĄZEK KOMORÓW

W pierwszych wiekach naszej ery zamieszkiwane były przez ludy Bantu. Od XI w. kolonizowane przez Arabów i islamizowane. W 1503 r. odkryli je Portugalczycy, a od 1513 kolonizowali Francuzi. W 1843 r. zajęli oni Majottę, w 1886 r. pozostałe wyspy i utworzyli protektorat, przekształcony w 1912 r. w kolonię. W 1947 r. Komory uzyskały autonomię. W 1974 r. odbyło się referendum, w którym ludność Komorów (z wyjątkiem Majotty) opowiedziała się za niepodległością. Proklamowano ją w 1975 r. Po zamachu stanu w 1978 r. powstała Federacyjna Islamska Republika Komorów. Od 1992 r. postępuje liberalizacja systemu politycznego. W 2001 r. mieszkańcy opowiedzieli się za zmianą nazwy państwa na Związek Komorów, ogłoszono nową konstytucję, a w 2002 r. odbyły się wybory prezydenckie. Każda z wysp archipelagu wybrała swojego prezydenta, nowo wybrany prezydent Archipelagu objął urząd w maju 2002 r.

Informacje ogólne **KOMORY**	
Powierzchnia	1862 km²
Stolica (liczba mieszkańców)	Moroni (44 tys.)
Liczba mieszkańców	691 tys.
Gęstość zaludnienia	371,1 os./km²
Przyrost naturalny	28,7 os./1000 mieszk.
Saldo migracji	0 os./1000 mieszk.
Urbanizacja	37%
Ustrój	republika
Podział administracyjny	3 prowincje (wyspy)
Przynależność do organizacji międzynarodowych	ACP, AU, LPA, NAM
Waluta	1 frank komoryjski = 100 centymów
Języki urzędowe	arabski, francuski
Języki używane	komoryjski, arabski, francuski
Obszary chronione	2,7%
Zagadnienia społeczno-gospodarcze	
Religie (wyznawcy)	muzułmanie sunnici (99%), katolicy (1%)
Analfabetyzm	43,6%
Bezrobocie	20,0% (1996)
Przeciętna długość życia	60,7 – mężczyźni, 65,6 – kobiety (w latach)
Zainfekowani wirusem HIV	<1 tys. os.
PKB na 1 mieszkańca	642 USD
Struktura PKB	rolnictwo 40,0%, przemysł 4,0%, usługi 56,0% (2001)
Dług zagraniczny	70,3% PKB
Saldo obrotów handlu zagranicznego	–97 mln USD
Główne towary eksportowe	wanilia, goździki, rośliny do produkcji perfum (drzewo ilangowe, trawy cytronelowe, wetiwer, bazylia, jaśminek), tytoń, pieprz, imbir, maniok, banany, ryż, bataty, kukurydza
Główne towary importowe	ryż, dobra konsumpcyjne, produkty ropy naftowej, cement, środki transportu
Dochody z turystyki	20,7 USD/mieszk.
Produkcja energii elektrycznej	27 kWh/mieszk.
Samochody osobowe	1 szt./1000 mieszk. (2000)
Komputery	6,3 szt./1000 mieszk.
Użytkownicy Internetu	10,1 os./1000 mieszk.
Telefony komórkowe	20,1 szt./1000 mieszk.
Strony w atlasie	225, 227

KONGO

REPUBLIKA KONGA

Od XV do XVIII w. u ujścia rzeki Kongo istniały małe państwa: Kakonga, Loango i Ngoyo. Od XV w. przybywali tu Portugalczycy, a od XVII w. Francuzi – kwitł handel niewolnikami i kością słoniową. W 1880 r. Francuzi zaczęli zajmować tereny na prawym brzegu dolnego biegu rzeki Kongo, na których w 1891 r. utworzyli kolonię Kongo Francuskie. W latach 1910-1958 wchodziła ona w skład Francuskiej Afryki Równikowej. W 1960 r. Kongo uzyskało niepodległość jako republika pod nazwą Kongo Brazzaville. Po rządach marksistowskich w latach 1970-1991 zmieniono nazwę kraju na Republika Konga i rozpoczęto demokratyzację życia politycznego, przerwaną zamachem stanu i wojną domową w 1997 r.

Państwa świata

Wojna ta przywróciła władzę byłemu marksistowskiemu prezydentowi i stała się przyczyną wielu niepokojów na tle etnicznym i politycznym. W 2003 r. grupy rebeliantów z południa kraju zgodziły się na zawarcie porozumienia i zaprzestanie działań zbrojnych. Pokój ten jest jednak niestabilny.

Informacje ogólne **KONGO**

Powierzchnia	342 000 km^2
Stolica (liczba mieszkańców)	Brazzaville (1 217 tys.)
Liczba mieszkańców	3702 tys.
Gęstość zaludnienia	10,8 os./km^2
Przyrost naturalny	29,7 os./1000 mieszk.
Saldo migracji	–3,6 os./1000 mieszk.
Urbanizacja	60,2%
Ustrój	republika
Podział administracyjny	10 regionów (w tym stołeczny)
Przynależność do organizacji międzynarodowych	ACP, AU, NAM
Waluta	1 frank CFA = 100 centymów
Języki urzędowe	francuski
Języki używane	monokotuba, kongo, lingala, teke, mbosi, punu, mbere, sango, kunyi, francuski i około 50 innych
Obszary chronione	14,1%

Zagadnienia społeczno-gospodarcze

Religie (wyznawcy)	katolicy (41%), animiści (33%), protestanci (24%), muzułmanie i pozostali (2%)
Analfabetyzm	16,2%
Przeciętna długość życia	52,5 – mężczyźni, 55,0 – kobiety (w latach)
Zainfekowani wirusem HIV	75 – 160 tys. os.
PKB na 1 mieszkańca	2227 USD
Struktura PKB	rolnictwo 5,6%, przemysł 57,1%, usługi 37,3%
Wydatki na zbrojenia	16 USD/mieszk.
Dług zagraniczny	331,1% PKB
Saldo obrotów handlu zagranicznego	2227 mln USD
Główne towary eksportowe	ropa naftowa i jej produkty, ananasy, trzcina cukrowa, palma oleista, drewno (cenne gatunki: okumé, limba, iroko, tek, mahoń), kawa, kakao, korek
Główne towary importowe	produkty ropy naftowej, materiały budowlane, żywność
Dochody z turystyki	3,4 USD/mieszk.
Produkcja energii elektrycznej	1850 kWh/mieszk.
Samochody osobowe	8 szt./1000 mieszk. (2002)
Komputery	4,5 szt./1000 mieszk.
Użytkownicy Internetu	9,4 os./1000 mieszk.
Telefony komórkowe	122,5 szt./1000 mieszk.
Strona w atlasie	224

KOREA POŁUDNIOWA

REPUBLIKA KOREI

Obszar całej Korei od XII w. p.n.e. pozostawał pod wpływami chińskimi. Pierwsze państwo koreańskie – Dzoson – powstało w V w. p.n.e. Po podbiciu w 108 r. p.n.e. przez Chińczyków na jego terenie powstały trzy królestwa: Kogurjo, Pekdze i Silla. Pod wpływem osiągnięć chińskich nastąpił znaczny rozwój kultury materialnej i duchowej na terenie obecnej Korei. W 668 r. Silla podporządkowała sobie pozostałe państwa. W 935 r. władzę objęła dynastia Korjo, która uległa po zaciętych walkach (1231--1259) najazdowi mongolskiemu. Po Mongołach władzę nad tym obszarem przejęli w 1368 r. Chińczycy. Od 1392 r. rządziła rodzima dynastia Li, która przywróciła państwu nazwę Dzoson. W 1644 r. władcy musieli przyjąć zwierzchnictwo panującej w Chinach mandżurskiej dynastii Qing. Trwało ono do 1895 r. Na początku XX w. przyjęta została obecna nazwa kraju – Korea, pochodząca od nazwy dynastii Korjo. W 1910 r. Japonia obaliła panującą wówczas dynastię Li i zaanektowała Koreę. W 1945 r. północną część Korei zajęły wojska sowieckie, a południową część amerykańskie, w wyniku czego w 1948 r. powstały dwa państwa koreańskie, rozdzielone wzdłuż 38 równoleżnika: prozachodnia Korea Południowa (Republika Korei) i socjalistyczna Korea Północna (Koreańska Republika Ludowo-Demokratyczna). W wojnie koreańskiej (1950-1953), którą wywołała Korea Północna, Korea Południowa wspierana była przez USA i ONZ. Skutkiem tej wojny było uzyskanie przez Koreę Południową niewielkich zdobyczy terytorialnych. Po przewrocie w 1960 r. władzę w Korei Południowej przejęli wojskowi. Za ich rządów, trwających do 1993 r., Korea Południowa stała się jednym z najszybciej rozwijających się gospodarczo krajów Dalekiego Wschodu. W 2002 r. miało miejsce pierwsze w historii spotkanie prezydentów Korei Północnej i Południowej.

Informacje ogólne **KOREA POŁUDNIOWA**

Powierzchnia	99 538 km^2
Stolica (liczba mieszkańców)	Seul (9 820 tys,; 19 405 tys. aglomeracja)
Liczba mieszkańców	48 847 tys.
Gęstość zaludnienia	490,7 os./km^2
Przyrost naturalny	4,1 os./1000 mieszk.
Saldo migracji	0 os./1000 mieszk.
Urbanizacja	80,8%
Ustrój	republika
Podział administracyjny	9 prowincji i 7 miast wydzielonych

Przynależność do organizacji międzynarodowych	APEC, OECD
Waluta	1 won = 100 chon
Języki urzędowe	koreański
Języki używane	koreański
Obszary chronione	3,9%

Zagadnienia społeczno-gospodarcze

Religie (wyznawcy)	bezwyznaniowcy (31%), buddyści (24%), protestanci (16%), katolicy (5%), konfucjaniści, taoiści, członkowie sekt i pozostali (24%)
Analfabetyzm	1,9%
Bezrobocie	3,3%
Przeciętna długość życia	74,0 – mężczyźni, 81,1 – kobiety (w latach)
Zainfekowani wirusem HIV	7,9 – 25 tys. os.
PKB na 1 mieszkańca	18 392 USD
Struktura PKB	rolnictwo 3,0%, przemysł 39,4%, usługi 57,6%
Wydatki na zbrojenia	342 USD/mieszk.
Dług zagraniczny	28,0% PKB (2000)
Saldo obrotów handlu zagranicznego	16 372 mln USD
Główne towary eksportowe	statki, samochody, wyroby elektroniczne, obuwie, tekstylia, ryby, stal, kompletne obiekty przemysłowe
Główne towary importowe	ropa naftowa, części elektroniczne, chemikalia, maszyny i urządzenia przemysłowe
Dochody z turystyki	134,6 USD/mieszk.
Produkcja energii elektrycznej	7067 kWh/mieszk.
Samochody osobowe	229 szt./1000 mieszk.
Komputery	544,9 szt./1000 mieszk.
Użytkownicy Internetu	656,8 os./1000 mieszk.
Telefony komórkowe	793,9 szt./1000 mieszk.
Strona w atlasie	202

KOREA PÓŁNOCNA

KOREAŃSKA REPUBLIKA LUDOWO-DEMOKRATYCZNA

Historia do 1945 r. patrz Korea Południowa.

Od jesieni 1945 r. w sowieckiej strefie okupacyjnej władzę przejmowała partia komunistyczna. W 1948 r. na obszarze tym powstała Koreańska Republika Ludowo-Demokratyczna. Jej przywódca Kim Ir Sen, dążąc do rozszerzenia władzy komunistycznej na cały kraj, wywołał w 1950 r. wojnę. Wojska północnokoreańskie w ciągu kilku miesięcy zajęły niemal całą Koreę Południową. Kontrofensywa wojsk ONZ (głównie amerykańskich) spowodowała w ciągu czterdziestu dni oswobodzenie Korei Południowej i zajęcie ponad połowy terytorium Korei Północnej. Pomoc oddziałów chińskich (400 tys. żołnierzy) przesunęła linię frontu na południe. Na początku 1951 r. przebiegała ona w okolicach 37 równoleżnika. Dwuletnia wojna pozycyjna zakończona w połowie 1953 r. ustaliła granicę między obydwoma państwami nieco powyżej 38 równoleżnika. Wojna koreańska mogła być początkiem III wojny światowej, bowiem głównodowodzący siłami amerykańskimi gen. D. MacArthur zamierzał zrzucić bomby atomowe na Pekin i Władywostok. Dyktatorskie rządy otoczonego oficjalnym kultem Kim Ir Sena (Wielki Wódz), a po 1994 r. jego syna Kim Dzonga Ila (Drogi Przywódca) doprowadziły w połowie lat 90. XX w. do załamania gospodarczego i dramatycznego niedoboru żywności. W 1994 r. USA i Korea Północna zawarły w Genewie porozumienie dotyczące zamrożenia północnokoreańskiego programu jądrowego w zamian za dostawy oleju opałowego i sfinansowanie budowy elektrowni atomowej. W 2000 r. przywódcy obu Korei spotkali się w Phenianie, gdzie podpisali układ, według którego obydwa kraje zobowiązały się do podjęcia niezależnych starań, dążących do zjednoczenia kraju. W 2003 r. Korea Północna wycofała się z Układu o Nierozprzestrzenianiu Broni Jądrowej, rząd w Phenianie uruchomił również reaktory atomowe, co stanowiło kolejne pogwałcenie układu z 1994 r. W 2005 r. władze w Phenianie oświadczyły, że dysponują już bronią jądrową.

Informacje ogólne **KOREA PÓŁNOCNA**

Powierzchnia	122 762 km^2
Stolica (liczba mieszkańców)	Phenian (3 351 tys.)
Liczba mieszkańców	23 113 tys.
Gęstość zaludnienia	188,3 os./km^2
Przyrost naturalny	8,4 os./1000 mieszk.
Saldo migracji	0 os./1000 mieszk.
Urbanizacja	61,6%
Ustrój	republika socjalistyczna
Podział administracyjny	9 prowincji i 4 miasta wydzielone
Przynależność do organizacji międzynarodowych	NAM
Waluta	1 won = 100 chon
Języki urzędowe	koreański
Języki używane	koreański
Obszary chronione	2,4%

Zagadnienia społeczno-gospodarcze

Religie (wyznawcy)	ateiści i bezwyznaniowcy (68%), wyznawcy szamanizmu (16%), wyznawcy Czhodogjo (14%), buddyści, chrześcijanie i pozostali (2%)
Analfabetyzm	5,0%
Przeciętna długość życia	69,5 – mężczyźni, 75,1 – kobiety (w latach)

PKB na 1 mieszkańca	509 USD
Struktura PKB	rolnictwo 23,3%, przemysł 43,1%, usługi 33,6% (2002)
Wydatki na zbrojenia	243 USD/mieszk.
Saldo obrotów handlu zagranicznego	−1220 mln USD
Główne towary eksportowe	tekstylia, surowce i wyroby hutnicze, drewno
Główne towary importowe	ropa naftowa, węgiel, żywność, maszyny i urządzenia
Produkcja energii elektrycznej	827 kWh/mieszk.
Samochody osobowe	11 szt./1000 mieszk. (2000)
Strony w atlasie	202-203

KOSOWO*

W starożytności obszar dzisiejszego Kosowa należał do rzymskiej prowincji Iliria, a od VI w. znajdował się pod panowaniem Bizancjum. W VII w. został zasiedlony przez Słowian, w IX w. wszedł w skład państwa serbskiego. Po klęsce wojsk serbskich na Kosowym Polu w 1389 r. Serbia i Kosowo zostały zajęte przez Turków. Z ich inicjatywy w końcu XVII w. rozpoczęło się intensywne osadnictwo albańskie, w efekcie którego Albańczycy stanowią obecnie 74% ludności, a Serbowie jedynie 18%. Po odzyskaniu przez Serbię niepodległości w 1878 r. Kosowo było jej częścią. W 1918 r. wraz z Serbią znalazło się w Królestwie SHS, a od 1929 r. w Jugosławii. W 1945 r. Kosowo uzyskało status okręgu autonomicznego. W latach 80. XX w. rozpoczęły się wystąpienia ludności albańskiej, domagającej się szerszych praw. W czasie rozpadu Jugosławii parlament Kosowa ogłosił niepodległość. W odpowiedzi Serbowie znieśli autonomię okręgu. Zaostrzający się antagonizm albańsko-serbski doprowadził latem 1998 r. do wybuchu walk. Ustały one po interwencji wojsk NATO. Powróciła ludność albańska, większość Serbów wyemigrowała. W wyniku przeprowadzonej 17 lutego 2008 r. sesji parlamentu w Prisztinie zadeklarowano zerwanie dotychczas istniejącej federacji z Serbią i ogłoszono niepodległość kraju. Obecnie na arenie międzynarodowej Kosowo zostało uznane przez ponad 40 krajów, w tym przez Polskę.

Informacje ogólne **KOSOWO**	* nieokreślony status polityczny
Powierzchnia	10 887 km^2
Stolica (liczba mieszkańców)	Prisztina (155 tys.)
Liczba mieszkańców	1900 tys.
Gęstość zaludnienia	175 os./km^2
Przyrost naturalny	16,0 os./1000 mieszk.
Ustrój	republika
Waluta	1 euro = 100 eurocentów
Języki używane	albański
Zagadnienia społeczno-gospodarcze	
Analfabetyzm	8,1%
Bezrobocie	55%
Przeciętna długość życia	67,0 – mężczyźni, 71,0 – kobiety (w latach)
PKB na 1 mieszkańca	839 USD
Saldo obrotów handlu zagranicznego	1144 mln USD
Produkcja energii elektrycznej	1659 kWh/mieszk.
Samochody osobowe	93,5 szt./1000 mieszk.
Telefony komórkowe	165,8 szt./1000 mieszk.
Strona w atlasie	119

KOSTARYKA

REPUBLIKA KOSTARYKI

W czasach prekolumbijskich zamieszkiwali ją Indianie. Odkryta przez Krzysztofa Kolumba w 1502 r., około 1520 r. została posiadłością hiszpańską, a w 1535 r. weszła w skład wicekrólestwa Nowej Hiszpanii. Niepodległość uzyskała w 1821 r., a w 1848 r. proklamowano republikę. Brak stabilizacji wewnętrznej w drugiej połowie XIX w. wzmacniał rolę armii. W pierwszej połowie XX w. nastąpiło ugruntowanie instytucji demokratycznych. Kryzys lat 30. XX w. spowodował wzrost wpływów lewicowych i radykalizację nastrojów społecznych, w rezultacie zaś rozruchy w latach 1948-1949 oraz kilkuletnie rządy junty. W drugiej połowie XX w. krajem rządzili socjaldemokraci. W 1981 r. zaczęły się konflikty z Nikaraguą, na której terenie stacjonują oddziały partyzantki walczącej z rządem Kostaryki. W 1998 r. władzę przejęła chadecja. W 1981 r. doszło do poważnego kryzysu stosunków w Nikaraguą. U jego podłoża leżała zgoda Kostaryki na pobyt na jej terytorium nikaraguańskich oddziałów antyrządowych. Kryzys zażegnano w 1987 r., podpisaniem pokoju przez Gwatemalę, Salwador, Honduras, Nikaraguę i Kostarykę.

Informacje ogólne **KOSTARYKA**	
Powierzchnia	51 100 km^2
Stolica (liczba mieszkańców)	San José (341 tys.)
Liczba mieszkańców	4075 tys.
Gęstość zaludnienia	79,8 os./km^2
Przyrost naturalny	13,9 os./1000 mieszk.
Saldo migracji	0,5 os./1000 mieszk.
Urbanizacja	61,7%
Ustrój	republika konstytucyjna
Podział administracyjny	7 prowincji
Przynależność do organizacji międzynarodowych	OAS, SICA
Waluta	1 colón kostarykański = 100 centimos

Języki urzędowe	hiszpański
Języki używane	hiszpański, angielski-kreolski
Obszary chronione	23,3%
Zagadnienia społeczno-gospodarcze	
Religie (wyznawcy)	katolicy (86%), protestanci i pozostali (14%)
Analfabetyzm	4,0%
Bezrobocie	6,6%
Przeciętna długość życia	74,8 – mężczyźni, 80,1 – kobiety (w latach)
Zainfekowani wirusem HIV	3,6 – 24 tys. os.
PKB na 1 mieszkańca	4877 USD
Struktura PKB	rolnictwo 8,6%, przemysł 29,4%, usługi 62,1%
Wydatki na zbrojenia	27 USD/mieszk.
Dług zagraniczny	35,5% PKB
Saldo obrotów handlu zagranicznego	−3305 mln USD
Główne towary eksportowe	banany, kawa, cukier, owoce morza
Główne towary importowe	surowce, dobra konsumpcyjne, maszyny i urządzenia, ropa naftowa
Dochody z turystyki	330,0 USD/mieszk.
Produkcja energii elektrycznej	2061 kWh/mieszk.
Samochody osobowe	167 szt./1000 mieszk.
Komputery	218,9 szt./1000 mieszk.
Użytkownicy Internetu	235,4 os./1000 mieszk.
Telefony komórkowe	254,5 szt./1000 mieszk.
Strona w atlasie	261

KUBA

REPUBLIKA KUBY

W czasach prekolumbijskich wyspę zamieszkiwały indiańskie plemiona Karibów, Sibonejów i Tainów. Odkryta 1492 przez K. Kolumba, została w latach 1511-1514 opanowana przez Hiszpanów i stała się bazą dla konkwisty w Ameryce. Mordercza praca na plantacjach tytoniu, kawy i trzciny cukrowej spowodowała szybkie wyniszczenie miejscowej ludności; już w XVI w. zastępowano ją niewolnikami murzyńskimi z Afryki. Od końca XVIII w. była ważnym ośrodkiem handlu niewolnikami na Antylach. Po buntach niewolników zaniechano w latach 70. XIX w. ich sprowadzania. W 1868 r. wybuchło powstanie narodowe, rozpoczynające trzydziestoletnią walkę o niepodległość. Hiszpania utraciła Kubę w 1898 r. w wyniku wojny ze Stanami Zjednoczonymi. Po czteroletniej okupacji amerykańskiej powstała w 1902 r. niepodległa Republika Kuby, znajdująca się do 1934 r. pod protektoratem Stanów Zjednoczonych, a później politycznie i gospodarczo od nich uzależniona. Po rewolucji w latach 1956-1959 władzę objął komunista Fidel Castro. W 1962 r. nastąpił poważny konflikt amerykańsko-sowiecki, spowodowany instalacją na Kubie sowieckich rakiet wyposażonych w głowice jądrowe (tzw. kryzys kubański). W latach 70. XX w. wojska kubańskie wspomagały komunistyczne przewroty w Angoli i Etiopii. W 2005 r. w Hawanie odbyło się, pierwsze w historii komunistycznej Kuby, zgromadzenie opozycji, która przyjęła deklarację krytykującą rządy F. Castro. W 2006 r. z powodu choroby F. Castro przekazał czasowo władzę swojemu bratu, Raulowi.

Informacje ogólne **KUBA**	
Powierzchnia	110 861 km^2
Stolica (liczba mieszkańców)	Hawana (2 193 tys.)
Liczba mieszkańców	11 383 tys.
Gęstość zaludnienia	102,7 os./km^2
Przyrost naturalny	4,7 os./1000 mieszk.
Saldo migracji	−1,6 os./1000 mieszk.
Urbanizacja	75,5%
Ustrój	republika socjalistyczna
Podział administracyjny	14 prowincji i 1 wyspa wydzielona (Isla de la Juventud)
Przynależność do organizacji międzynarodowych	ACP, ALADI, NAM, OAS
Waluta	1 peso kubańskie = 100 centavos
Języki urzędowe	hiszpański
Języki używane	hiszpański
Obszary chronione	15,1%
Zagadnienia społeczno-gospodarcze	
Religie (wyznawcy)	katolicy (85%), protestanci (2%), Świadkowie Jehowy, wyznawcy judaizmu i pozostali (13%)
Analfabetyzm	3,0%
Bezrobocie	1,9%
Przeciętna długość życia	75,0 – mężczyźni, 79,6 – kobiety (w latach)
Zainfekowani wirusem HIV	2,3 – 15 tys. os.
PKB na 1 mieszkańca	4650 USD
Struktura PKB	rolnictwo 5,2%, przemysł 25,0%, usługi 69,8%
Wydatki na zbrojenia	117 USD/mieszk.
Saldo obrotów handlu zagranicznego	−6927 mln USD
Główne towary eksportowe	cukier, nikiel, produkty rybne, papierosy, cygara, owoce cytrusowe
Główne towary importowe	paliwa mineralne, żywność, maszyny, urządzenia transportowe, środki chemiczne
Dochody z turystyki	150,7 USD/mieszk.

Produkcja energii elektrycznej	1348 kWh/mieszk.
Samochody osobowe	16 szt./1000 mieszk. (2000)
Komputery	26,5 szt./1000 mieszk.
Użytkownicy Internetu	13,2 os./1000 mieszk.
Telefony komórkowe	11,9 szt./1000 mieszk.
Strony w atlasie	**261, 262**

KUWEJT

PAŃSTWO KUWEJT

W XVI w. Portugalczycy zakładali tu faktorie handlowe. Od początku XVIII w. zaczęły się tu osiedlać plemiona arabskie, którym od połowy XVIII w. przewodził ród As-Sabah. Prowadzoną w tym okresie penetrację wybrzeża przez brytyjską Kompanię Wschodnioindyjską przerwała w 1871 r. Turcja, ustanawiając formalne zwierzchnictwo nad Kuwejtem. W 1899 r. Kuwejt zawarł tajny układ z Wielką Brytanią o opiece, a w 1914 r. o protektoracie. W latach 1922-1923 wytyczono granicę z Arabią Saudyjską i Irakiem. Od 1946 r. na terenie Kuwejtu odbywa się eksploatacja złóż ropy naftowej na skalę przemysłową przez amerykańskie, brytyjskie i japońskie koncerny. W 1961 r. Kuwejt uzyskał niepodległość jako dziedziczna monarchia konstytucyjna (emirat). W sierpniu 1990 r. Irak dokonał inwazji na Kuwejt i jego aneksji. W lutym 1991 r. Kuwejt został wyzwolony przez wojska sprzymierzone (głównie amerykańskie). Zniszczenie kraju było znaczne. W 2001 r. Kuwejt zdecydowanie potępił ataki terrorystyczne w Stanach Zjednoczonych i udzielił poparcia amerykańskiej wojnie z terroryzmem. W 2003 r. terytorium kraju było głównym ośrodkiem stacjonowania wojsk amerykańskich, biorących udział w wojnie w Iraku.

Informacje ogólne **KUWEJT**	
Powierzchnia	17 818 km²
Stolica (liczba mieszkańców)	Kuwejt (32 tys.)
Liczba mieszkańców	2418 tys.
Gęstość zaludnienia	135,7 os./km²
Przyrost naturalny	19,5 os./1000 mieszk.
Saldo migracji	15,7 os./1000 mieszk.
Urbanizacja	98,3%
Ustrój	monarchia konstytucyjna
Podział administracyjny	4 muhafazy (prowincje)
Przynależność do organizacji międzynarodowych	AFESD, LPA, NAM, OAPEC, OPEC
Waluta	1 dinar kuwejcki = 100 filów
Języki urzędowe	arabski
Języki używane	arabski, angielski
Obszary chronione	2,6%
Zagadnienia społeczno-gospodarcze	
Religie (wyznawcy)	muzułmanie (95%, w tym sunnici 66%, szyici 29%), chrześcijanie, hinduiści i pozostali (5%)
Analfabetyzm	16,5%
Bezrobocie	2,2%
Przeciętna długość życia	76,4 – mężczyźni, 78,7 – kobiety (w latach)
Zainfekowani wirusem HIV	<2 tys. os.
PKB na 1 mieszkańca	30 984 USD
Struktura PKB	rolnictwo 0,3%, przemysł 51,5%, usługi 48,1%
Wydatki na zbrojenia	1770 USD/mieszk.
Saldo obrotów handlu zagranicznego	38 182 mln USD
Główne towary eksportowe	ropa naftowa i jej produkty, nawozy sztuczne, gaz ziemny, przetwory rybne
Główne towary importowe	maszyny, urządzenia, sprzęt transportowy, surowce, żywność
Dochody z turystyki	45,7 USD/mieszk.
Produkcja energii elektrycznej	16 696 kWh/mieszk.
Samochody osobowe	393 szt./1000 mieszk.
Komputery	176,3 szt./1000 mieszk.
Użytkownicy Internetu	235,0 os./1000 mieszk.
Telefony komórkowe	885,7 szt./1000 mieszk.
Strony w atlasie	**185, 186**

LAOS

LAOTAŃSKA REPUBLIKA LUDOWO-DEMOKRATYCZNA

Nazwa kraju pochodzi od zamieszkującego go chińskiego plemienia Lao. Od 1353 r. Laos był samodzielnym królestwem, które na przełomie XVII i XVIII w. rozpadło się na dwa: Wientian i Luang Prabang. W 1774 r. pierwsze, a w 1885 r. również drugie królestwo znalazło się pod protektoratem Syjamu, który na mocy traktatu z 1893 r. przekazał oba królestwa Francji. Laos stał się częścią Indochin Francuskich. W latach 1941-1946 okupowany był przez Japonię i Tajlandię. Z wojskami francuskimi, które powróciły tu w 1946 r., rozpoczęła walkę partyzantka prawicowa (Lao Issara) i komunistyczna (Pathet Lao). Gdy Laos uzyskał w 1954 r. niepodległość jako królestwo, Pathet Lao dalej prowadził walkę z jego rządem. W czasie wojny wietnamskiej (1965-1973) poprzez terytorium Laosu zaopatrywano komunistyczną partyzantkę w Wietnamie Południowym. W 1975 r. władzę objęli komuniści, którzy proklamowali republikę i zaprowadzili ustrój socjalistyczny. Po 1986 r. rozpoczęto przywracanie mechanizmów rynkowych. Ograniczone reformy nie poprawiły jednak sytuacji gospodarczej.

Informacje ogólne **LAOS**	
Powierzchnia	236 800 km²
Stolica (liczba mieszkańców)	Wientian (194 tys.; 695 tys. aglomeracja)
Liczba mieszkańców	6368 tys.
Gęstość zaludnienia	26,9 os./km²
Przyrost naturalny	23,9 os./1000 mieszk.
Saldo migracji	0 os./1000 mieszk.
Urbanizacja	20,6%
Ustrój	republika
Podział administracyjny	17 prowincji
Przynależność do organizacji międzynarodowych	ASEAN, NAM
Waluta	1 kip = 100 centów
Języki urzędowe	laotański
Języki używane	laotański, khmu, phu thai, tai nua, so, hmong njua, phuan, wietnamski, kuy, bru, akha i około 70 innych
Obszary chronione	16,0%
Zagadnienia społeczno-gospodarcze	
Religie (wyznawcy)	buddyści (58%), animiści (34%), chrześcijanie, muzułmanie i pozostali (8%)
Analfabetyzm	48,6%
Bezrobocie	2,4%
Przeciętna długość życia	54,2 – mężczyźni, 58,5 – kobiety (w latach)
Zainfekowani wirusem HIV	1,8 – 12 tys. os.
PKB na 1 mieszkańca	570 USD
Struktura PKB	rolnictwo 41,3%, przemysł 32,2%, usługi 26,5%
Wydatki na zbrojenia	2 USD/mieszk.
Dług zagraniczny	76,0% PKB
Saldo obrotów handlu zagranicznego	−110 mln USD
Główne towary eksportowe	drewno, energia elektryczna, kawa, cyna
Główne towary importowe	maszyny i urządzenia, samochody, paliwa, żywność
Dochody z turystyki	19,2 USD/mieszk.
Produkcja energii elektrycznej	618 kWh/mieszk.
Samochody osobowe	3 szt./1000 mieszk. (2000)
Komputery	3,8 szt./1000 mieszk.
Użytkownicy Internetu	3,6 os./1000 mieszk.
Telefony komórkowe	107,7 szt./1000 mieszk.
Strony w atlasie	**192-193**

LESOTHO

KRÓLESTWO LESOTHO

W VII w. obszar Lesotho zajęły ludy Bantu, które wyparły koczowniczych Buszmenów. Na początku XIX w. Lesotho opanował lud Soto, który po walkach z plemionami Bantu i Burami utworzył silne państwo Basuto. W 1868 r. stało się ono brytyjską kolonią, a w 1884 r. protektoratem. Od 1966 r. Lesotho jest niepodległą monarchią konstytucyjną, członkiem brytyjskiej Wspólnoty Narodów. W latach 1979, 1986 i 1990 kolejne zamachy stanu odsuwały od władzy królów Lesotho lub przywracały ich uprawnienia. Lesotho jest jednym z najsłabiej rozwiniętych krajów Afryki, uzależnionym gospodarczo od RPA.

Informacje ogólne **LESOTHO**	
Powierzchnia	30 355 km²
Stolica (liczba mieszkańców)	Maseru (172 tys.; 373 tys. aglomeracja)
Liczba mieszkańców	2022 tys.
Gęstość zaludnienia	66,6 os./km²
Przyrost naturalny	−3,9 os./1000 mieszk.
Saldo migracji	−0,7 os./1000 mieszk.
Urbanizacja	18,7%
Ustrój	monarchia konstytucyjna
Podział administracyjny	10 dystryktów
Przynależność do organizacji międzynarodowych	ACP, AU, NAM, SADC
Waluta	1 loti = 100 lisente
Języki urzędowe	angielski, sotho
Języki używane	sotho, angielski, zulu
Obszary chronione	0,2%
Zagadnienia społeczno-gospodarcze	
Religie (wyznawcy)	katolicy (44%), protestanci (30%), anglikanie (12%), animiści (6%), inni chrześcijanie i pozostali (8%)
Analfabetyzm	15,2%
Bezrobocie	45,0% (2002)
Przeciętna długość życia	41,0 – mężczyźni, 39,3 – kobiety (w latach)
Zainfekowani wirusem HIV	250 – 290 tys. os.
PKB na 1 mieszkańca	621 USD
Struktura PKB	rolnictwo 15,2%, przemysł 45,0%, usługi 39,7%
Wydatki na zbrojenia	15 USD/mieszk.
Dług zagraniczny	44,0% PKB

Saldo obrotów handlu zagranicznego	−785 mln USD
Główne towary eksportowe	wełna, skóry, żywe zwierzęta
Główne towary importowe	maszyny, ropa naftowa, żywność, tekstylia
Dochody z turystyki	10,5 USD/mieszk.
Produkcja energii elektrycznej	124 kWh/mieszk.
Samochody osobowe	6 szt./1000 mieszk. (2000)
Użytkownicy Internetu	23,9 os./1000 mieszk.
Telefony komórkowe	136,5 szt./1000 mieszk.
Strona w atlasie	226

LIBAN

REPUBLIKA LIBAŃSKA

Od około 3 tysiąclecia p.n.e. obszar dzisiejszego Libanu zamieszkany był przez Fenicjan, którzy stworzyli tu państwo wysoko rozwinięte pod względem ekonomicznym i kulturalnym (największy rozkwit przeżywało w XI-VIII w. p.n.e.), a także skolonizowali wybrzeża Morza Śródziemnego i Morza Czarnego. Politycznie Fenicja prawie zawsze była zależna od naisilniejszego w danym okresie państwa: Asyrii, Babilonii, Persji, Grecji, Rzymu i cesarstwa bizantyjskiego. W VII w. podbili ją Arabowie, a w XI w. Turcy seldżuccy. W latach 1102-1268 istniało tu założone przez krzyżowców Hrabstwo Trypolisu. Po 1268 r. cały obszar Libanu znalazł się w rękach egipskich Mameluków, a w 1516 r. wszedł w skład imperium osmańskiego. W połowie XIX w. Francja i Wielka Brytania walczyły o wpływy w Libanie, wykorzystując do tego lokalne antagonizmy chrześcijańsko-muzułmańskie, co doprowadziło w 1860 r. do masakry chrześcijan. Po interwencji Francji powstał w 1861 r. autonomiczny sandżak Libanu, podlegający Turcji. W r. 1920 Liban stał się francuskim terytorium mandatowym, a w 1926 r. republiką pod zwierzchnictwem Francji. W 1943 r. uzyskał niepodległość. Polityczna neutralność oraz współpraca gospodarcza z Europą Zachodnią i Stanami Zjednoczonymi spowodowały szybki wzrost dochodu narodowego Libanu, zwanego bankierem Bliskiego Wschodu. Po wojnie arabsko-izraelskiej Liban przyjął uchodźców palestyńskich z Izraela. Nasilająca się działalność terrorystyczna Organizacji Wyzwolenia Palestyny (z terytorium Libanu) przeciw Izraelowi wciągnęła Liban w konflikt arabsko-izraelski i zaostrzyła antagonizmy chrześcijańsko-muzułmańskie, co skończyło się wojną domową (1975-1976) i wojskową interwencją Syrii. Inwazja izraelska w latach 1982-1983 zmusiła OWP do ewakuacji swoich oddziałów. W 1990 r. Syria, która nigdy nie uznała niepodległości Libanu, uzyskała wojskową kontrolę nad jego terytorium. Powstał rząd jedności narodowej, a w 1992 r. wybrano parlament. Do 1998 r. trwały starcia w południowym Libanie z Palestyńczykami i szyitami (Hezbollah). W maju 2000 r. wojska izraelskie wycofały się z południowego Libanu. W 2005 r., po niemal 30 latach obecności, wojska syryjskie opuściły Liban. Pod wpływem demonstracji ulicznych do dymisji podał się prosyryjski rząd. Wydarzenia te przeszły do historii pod nazwą rewolucji cedrowej. W lipcu 2006 r. wojska izraelskie ponownie zaatakowały Liban w odwecie za porwanie 2 izraelskich żołnierzy oraz ostrzał Izraela przez Hezbollah z baz w południowym Libanie.

Informacje ogólne LIBAN	
Powierzchnia	10 370 km²
Stolica (liczba mieszkańców)	Bejrut (1 574 tys.)
Liczba mieszkańców	3874 tys.
Gęstość zaludnienia	373,6 os./km²
Przyrost naturalny	12,3 os./1000 mieszk.
Saldo migracji	0 os./1000 mieszk.
Urbanizacja	86,6%
Ustrój	republika
Podział administracyjny	6 muhafaz (gubernatorstw)
Przynależność do organizacji międzynarodowych	AFESD, LPA, NAM
Waluta	1 funt libański = 100 piastrów
Języki urzędowe	arabski
Języki używane	arabski, ormiański, francuski, angielski, kurdyjski
Obszary chronione	0,5%
Zagadnienia społeczno-gospodarcze	
Religie (wyznawcy)	muzułmanie: szyici (34%), sunnici (21%), druzowie (7%); katolicy (maronici i grekokatolicy 26%), prawosławni (12%)
Analfabetyzm	12,6%
Bezrobocie	20,0%
Przeciętna długość życia	70,9 – mężczyźni, 76,0 – kobiety (w latach)
Zainfekowani wirusem HIV	1,4 – 9,2 tys. os.
PKB na 1 mieszkańca	6137 USD
Struktura PKB	rolnictwo 5,1%, przemysł 19,0%, usługi 75,9%
Wydatki na zbrojenia	140 USD/mieszk.
Dług zagraniczny	120,8% PKB
Saldo obrotów handlu zagranicznego	−6833 mln USD
Główne towary eksportowe	papier, owoce, warzywa, biżuteria, lekarstwa, odzież
Główne towary importowe	maszyny i środki transportu, metale, wyroby met., paliwa, żywność
Dochody z turystyki	236,6 USD/mieszk.
Produkcja energii elektrycznej	2520 kWh/mieszk.
Samochody osobowe	388 szt./1000 mieszk. (2001)
Komputery	112,7 szt./1000 mieszk.
Użytkownicy Internetu	169,0 os./1000 mieszk.

Telefony komórkowe	276,8 szt./1000 mieszk.
Strona w atlasie	186

LIBERIA

REPUBLIKA LIBERII

Wybrzeża dzisiejszej Liberii od końca XV wieku penetrowali Portugalczycy. Od 1822 r. Amerykańskie Towarzystwo Kolonizacyjne prowadziło tu akcję osiedlania wyzwolonych niewolników murzyńskich, głównie ze Stanów Zjednoczonych. W 1847 r. proklamowano niepodległą republikę Liberii, uznaną w 1885 r. przez Wielką Brytanię i w 1910 r. przez Francję. Do końca XIX w. osadnicy toczyli walki ze stawiającą silny opór miejscową ludnością. Dopiero w połowie XX w. uzyskała ona miejsce w parlamencie i prawa wyborcze. Ponad sto lat wewnętrznej stabilizacji przerwał w 1980 r. zamach stanu. Pogłębiające się trudności gospodarcze doprowadziły w 1989 r. do wybuchu wojny domowej, trwającej do 1996 r. i powodującej niemal całkowity paraliż gospodarczy kraju. Po wyborach w 1997 r. sytuacja w Liberii się normalizuje. W 2003 r. doszło do podpisania ugody kończącej okres wojny domowej. Po 2 latach rządów przejściowych, w 2005 r. odbyły się demokratyczne wybory. Sytuacja w kraju jest jednak nadal nie w pełni stabilna, a proces odbudowy struktur socjalnych i ekonomicznych przebiega powoli. Liberia znana jest na świecie jako kraj tzw. wolnej (taniej) bandery. Zarejestrowane tu statki tworzą flotę o największym na świecie tonażu – 103 mln DWT.

Informacje ogólne LIBERIA	
Powierzchnia	98 795 km²
Stolica (liczba mieszkańców)	Monrovia (550 tys.)
Liczba mieszkańców	3042 tys.
Gęstość zaludnienia	30,8 os./km²
Przyrost naturalny	21,7 os./1000 mieszk.
Saldo migracji	27,4 os./1000 mieszk.
Urbanizacja	58,1%
Ustrój	republika
Podział administracyjny	13 hrabstw
Przynależność do organizacji międzynarodowych	ACP, AU, ECOWAS, NAM
Waluta	1 dolar liberyjski = 100 centów
Języki urzędowe	angielski
Języki używane	pidżin liberyjski (oparty na angielskim), kpelle, bassa, dan, mano, klao, grebo, loma, kisi, gola, krahn, band, angielski, vai, manya, malinke, sapo i inne
Obszary chronione	12,7%
Zagadnienia społeczno-gospodarcze	
Religie (wyznawcy)	chrześcijanie (65%), animiści (20%), muzułmanie (15%)
Analfabetyzm	43,0%
Bezrobocie	85,0%
Przeciętna długość życia	39,9 – mężczyźni, 42,5 – kobiety (w latach)
Zainfekowani wirusem HIV	100 tys. os.
PKB na 1 mieszkańca	172 USD
Struktura PKB	rolnictwo 76,9%, przemysł 5,4%, usługi 17,7% (2002)
Wydatki na zbrojenia	0 USD/mieszk.
Dług zagraniczny	760,3% PKB
Saldo obrotów handlu zagranicznego	−325 mln USD
Główne towary eksportowe	rudy żelaza, diamenty, złoto, kauczuk, drewno, kawa
Główne towary importowe	żywność, maszyny, ropa naftowa
Produkcja energii elektrycznej	107 kWh/mieszk.
Samochody osobowe	5 szt./1000 mieszk. (2002)
Użytkownicy Internetu	0,3 os./1000 mieszk (2002)
Telefony komórkowe	48,7 szt./1000 mieszk.
	Kraj „taniej bandery" dający ok. 10% dochodów budżetowych
Strona w atlasie	221

LIBIA

WIELKA ARABSKA LIBIJSKA DŻAMAHIRIJJA LUDOWO-SOCJALISTYCZNA

Na przełomie XI i X w. p.n.e. na wybrzeżu dzisiejszej Libii powstały kolonie fenickie, a w VIII w. greckie. W VI w. p.n.e. wyrosło tu państwo kartagińskie, które po 146 r. p.n.e. stało się prowincjami rzymskimi – Trypolitanią, Cyrenajką i Fazzanem. Ziemie Libii zostały podbite w 431 r. przez Wandalów, później przez Bizancjum, a w VII w. przez Arabów. Do XI w. rządziły tu lokalne dynastie. Najazd koczowniczych plemion arabskich doprowadził do niemal całkowitego zarabizowania Libii. W następnych stuleciach Cyrenajka podlegała władcom Egiptu, a Trypolitania i Fazzan – Tunezji. W drugiej połowie XVI w. Libia trafiła pod rządy Turcji. W 1912 r. została zajęta przez Włochy i do 1947 r. była ich kolonią. W latach 1945-1951 Libię okupowały Wielka Brytania i Francja. W 1951 r. uzyskała niepodległość jako monarchia konstytucyjna, a po wojskowym zamachu stanu w 1969 r. stała się republiką. Rządzący Libią Muammar Kadafi realizuje swój program polityczny, będący połączeniem muzułmańskiego fundamentalizmu z populizmem i arabskim socjalizmem. W latach 1973-1988 Libia zbrojnie interweniowała w wojnie domowej w Czadzie. Znaczna część dochodów Libii, pochodząca z wydobycia ropy, przeznaczana jest na zbrojenia (w tym broń chemiczną), propagandę islamu oraz wspieranie międzynarodowego terroryzmu. Sankcje gospodarcze nałożone przez Stany Zjednoczone

wraz z państwami zachodnioeuropejskimi oraz wojna z terroryzmem spowodowały zmianę polityki M. Kadafiego i normalizację stosunków z tymi krajami. W wyniku tego sankcje nałożone na Libię przez ONZ zostały ostatecznie cofnięte w 2003 r.

Informacje ogólne LIBIA

Powierzchnia	1 759 540 km²
Stolica (liczba mieszkańców)	Trypolis (1 123 tys.)
Liczba mieszkańców	5901 tys.
Gęstość zaludnienia	3,4 os./km²
Przyrost naturalny	23,0 os./1000 mieszk.
Saldo migracji	0 os./1000 mieszk.
Urbanizacja	84,8%
Ustrój	islamska republika ludowa
Podział administracyjny	7 regionów (baladijj)
Przynależność do organizacji międzynarodowych	AFESD, AU, LPA, NAM, OPEC, OAPEC
Waluta	1 dinar libijski = 100 dirhanów
Języki urzędowe	arabski
Języki używane	arabski, berberski
Obszary chronione	0,1%

Zagadnienia społeczno-gospodarcze

Religie (wyznawcy)	muzułmanie sunnici (97%), pozostali (3%)
Analfabetyzm	17,5%
Bezrobocie	30,0%
Przeciętna długość życia	74,8 – mężczyźni, 79,4 – kobiety (w latach)
Zainfekowani wirusem HIV	10 tys. os. (2001)
PKB na 1 mieszkańca	8449 USD
Struktura PKB	rolnictwo 2,1%, przemysł 83,1%, usługi 14,9%
Wydatki na zbrojenia	100 USD/mieszk.
Saldo obrotów handlu zagranicznego	30 150 mln USD
Główne towary eksportowe	ropa naftowa, gaz ziemny, sól, rudy żelaza
Główne towary importowe	żywność, maszyny i urządzenia, środki transportu, chemikalia, żywe zwierzęta
Dochody z turystyki	5,3 USD/mieszk.
Produkcja energii elektrycznej	3294 kWh/mieszk.
Samochody osobowe	235 szt./1000 mieszk.
Komputery	23,4 szt./1000 mieszk.
Użytkownicy Internetu	36,2 os./1000 mieszk.
Telefony komórkowe	41,5 szt./1000 mieszk.
Strona w atlasie	222-223

LIECHTENSTEIN
KSIĘSTWO LIECHTENSTEINU

Księstwo, utworzone z posiadłości Schellenburg i Vaduz zakupionych w 1699 i 1712 r. przez austriacki ród hrabiów Liechtenstein, uzyskało w 1719 r. suwerenność. W latach 1806-1814 Liechtenstein należał do Związku Reńskiego, a w latach 1815-1866 do Związku Niemieckiego. Do I wojny światowej Liechtenstein był związany politycznie i ekonomicznie z Austrią. Po 1919 r. związał się ze Szwajcarią unią celną, monetarną i pocztową. W stosunkach z innymi krajami Liechtenstein reprezentowany jest przez Szwajcarię.

Informacje ogólne LIECHTENSTEIN

Powierzchnia	160 km²
Stolica (liczba mieszkańców)	Vaduz (5,1 tys.)
Liczba mieszkańców	34 tys.
Gęstość zaludnienia	212,4 os./km²
Przyrost naturalny	3,0 os./1000 mieszk.
Saldo migracji	4,8 os./1000 mieszk.
Urbanizacja	14,6%
Ustrój	dziedziczna monarchia konstytucyjna
Podział administracyjny	11 gmin
Przynależność do organizacji międzynarodowych	EFTA, Rada Europy
Waluta	1 frank szwajcarski = 100 rappów
Języki urzędowe	niemiecki
Języki używane	niemiecki (alemański), włoski, turecki
Obszary chronione	40,1%

Zagadnienia społeczno-gospodarcze

Religie (wyznawcy)	katolicy (83%), protestanci (7%), pozostali (10%)
Analfabetyzm	0%
Bezrobocie	1,3% (2002)
Przeciętna długość życia	76,4 – mężczyźni, 83,5 – kobiety (w latach)
PKB na 1 mieszkańca	102 605 USD
Struktura PKB	rolnictwo 6,0%, przemysł 39,0%, usługi 55,0% (2001)
Główne towary eksportowe	maszyny i urządzenia precyzyjne, znaczki pocztowe, ceramika
Główne towary importowe	energia elektryczna, paliwa, maszyny i urządzenia, metale, tekstylia, żywność, środki transportu
Samochody osobowe	715 szt./1000 mieszk.

Użytkownicy Internetu	588,5 os./1000 mieszk. (2002)
Telefony komórkowe	335,4 szt./1000 mieszk. (2002)
Strona w atlasie	127

LITWA
REPUBLIKA LITEWSKA

W I tysiącleciu p.n.e. została zasiedlona przez plemiona Bałtów. W IX-XII w. terytorium obecnej Litwy dzieliło się na Żmudź i Aukształtę, w których istniały państewka plemienne, zjednoczone w połowie XIII w. przez Mendoga. Państwo litewskie powiększyli wielokrotnie Giedymin oraz jego synowie – Olgierd i Kiejstut, którzy podbili ziemie ruskie w dorzeczu Dniepru, tworząc w połowie XIV w. Wielkie Księstwo Litewskie. Zjednoczyło się ono z Polską w 1385 r. unią personalną (Władysław II Jagiełło), a w 1569 r. unią realną, współtworząc Rzeczpospolitą Obojga Narodów. Po III rozbiorze Rzeczypospolitej (1795 r.) prawie cała Litwa etniczna została wcielona do Rosji. Jej południowo-zachodnia część weszła do Prus, potem do Księstwa Warszawskiego (1807 r.) i Królestwa Polskiego (1815 r.). W 1918 r. Litwa proklamowała niepodległość. W wyniku polskiej akcji zbrojnej tzw. Litwa Środkowa (z Wilnem) została w 1922 r. przyłączona do Polski. W 1940 r. Litwa została zajęta przez Armię Czerwoną i weszła w skład ZSRR jako Litewska SRR. W 1990 r. Litwa proklamowała niepodległość, jednakże Moskwa uznała ją dopiero w 1991 r. Ostatnie wojska rosyjskie opuściły Litwę w 1993 r. Konsekwentna restrukturyzacja litewskiej gospodarki zaowocowała przystąpieniem do UE w 2004 r. W tym samym r. Litwa stała się również członkiem NATO.

Informacje ogólne LITWA

Powierzchnia	65 301 km²
Stolica (liczba mieszkańców)	Wilno (542 tys.)
Liczba mieszkańców	3586 tys.
Gęstość zaludnienia	54,9 os./km²
Przyrost naturalny	–2,2 os./1000 mieszk.
Saldo migracji	–0,7 os./1000 mieszk.
Urbanizacja	66,6%
Ustrój	republika
Podział administracyjny	44 okręgi i 11 miast
Przynależność do organizacji międzynarodowych	CBSS, NATO, Rada Europy, UE
Waluta	1 lit = 100 centów
Języki urzędowe	litewski
Języki używane	litewski, rosyjski, polski, białoruski, ukraiński
Obszary chronione	10,6%

Zagadnienia społeczno-gospodarcze

Religie (wyznawcy)	katolicy (84%), bezwyznaniowcy, prawosławni, protestanci: kalwini, luteranie i pozostali (16%)
Analfabetyzm	0,4%
Bezrobocie	3,7%
Przeciętna długość życia	69,7 – mężczyźni, 79,9 – kobiety (w latach)
Zainfekowani wirusem HIV	1,6 – 10 tys. os.
PKB na 1 mieszkańca	8777 USD
Struktura PKB	rolnictwo 5,3%, przemysł 33,3%, usługi 61,4%
Wydatki na zbrojenia	86 USD/mieszk.
Dług zagraniczny	53,5% PKB
Saldo obrotów handlu zagranicznego	–5148 mln USD
Główne towary eksportowe	dobra konsumpcyjne, żywność, chemikalia, nawozy, produkty przemysłu drzewnego
Główne towary importowe	ropa naftowa, gaz ziemny
Dochody z turystyki	109,8 USD/mieszk.
Produkcja energii elektrycznej	4964 kWh/mieszk.
Samochody osobowe	405 szt./1000 mieszk.
Komputery	154,7 szt./1000 mieszk.
Użytkownicy Internetu	280,9 os./1000 mieszk.
Telefony komórkowe	1271,0 szt./1000 mieszk.
Strony w atlasie	140-141

LUKSEMBURG
WIELKIE KSIĘSTWO LUKSEMBURGA

Luksemburg powstał w XI w. jako hrabstwo, w ramach niemieckiej Dolnej Lotaryngii. Powiększony w XII i XIII w., od 1354 r. jest księstwem. Panująca w XIV i XV w. w Luksemburgu dynastia Luksemburgów zasiadała na tronach: czeskim, brandenburskim, węgierskim i cesarskim. W 1441 r. Luksemburg został włączony do Burgundii, a w 1477 r. znalazł się pod władzą Habsburgów. Następnie dzielił losy południowych Niderlandów (patrz Holandia). W 1815 r. znów stał się osobnym państwem – Wielkim Księstwem Luksemburga. W 1839 r. większa (walońska) część Luksemburga przyznana została Belgii. W latach 1815-1866 Luksemburg był członkiem Związku Niemieckiego, a do 1890 r. pozostawał w unii z Holandią. W 1921 r. związał się unią gospodarczą z Belgią, a w 1960 r. także z Holandią (Beneluks). W 1949 r. Luksemburg był współzałożycielem NATO. Jest dziedziczną monarchią konstytucyjną. Ma istotny udział w tworzeniu zachodnioeuropejskich organizacji integracyjnych.

ŁOTWA

REPUBLIKA ŁOTEWSKA

W I tysiącleciu p.n.e. zasiedlona była przez bałtowskie plemiona Kurów, Łatgalów i Zemgalów. Po 1202 r. obszar Łotwy znalazł się w granicach Państwa Zakonu Kawalerów Mieczowych, którzy w 1237 r. połączyli się z Zakonem Krzyżackim. Po sekularyzacji Zakonu w 1561 r. południowa część Łotwy (Kurlandia i Semigalia) stały się lennem Polski i Litwy, pozostałą część włączono do Rzeczypospolitej. W 1629 r. Szwecja, a w 1721 r. Rosja zajęła tereny na północ od rzek: Dźwina i Pededze. Rosyjskie zdobycze powiększyły się w 1772 r. o Łatgalię (Inflanty Polskie), a w 1795 r. o Kurlandię i Semigalię. W 1918 r. Łotwa proklamowała niepodległość jako republika. W 1940 r. została zajęta przez Armię Czerwoną i weszła w skład ZSRR jako Łotewska SRR. Po 1945 r. nastąpiła intensywna sowietyzacja Łotwy, znaczny napływ Rosjan i masowe deportacje Łotyszy w głąb ZSRR w odwecie za ich udział w niemieckich formacjach w czasie wojny. Od 1991 r. jest niepodległą republiką o rządach prawicowych wprowadzających głębokie reformy rynkowe. Ostatni rosyjscy żołnierze opuścili Łotwę w 1994 r. Łotwę zamieszkuje mniejszość rosyjska, która stanowi ok. 30% populacji, niejednokrotnie stawało się to przyczyną kwestii spornych z Rosją. W 2004 r. Łotwa została przyjęta w poczet członków UE i NATO.

MACEDONIA

REPUBLIKA MACEDONII

W starożytności Macedonia była samodzielnym królestwem, którego rozkwit nastąpił w IV w. p.n.e. za Filipa II. Jego syn Aleksander III Wielki przekształcił Macedonię w potężne, lecz nietrwałe imperium sięgające od Grecji i Egiptu przez Persję po Amu-darię i Indus. W II w. p.n.e. Macedonia stała się rzymską prowincją. W średniowieczu leżała w granicach Bizancjum, jedynie w X i XIII w. należała do Bułgarii, a w drugiej połowie XIV w. do Serbii. W 1385 r. zajęła ją Turcja. Po wojnach bałkańskich (1912-1913) Macedonia została podzielona między Bułgarię, Grecję i Serbię. W 1918 r. serbska część Macedonii weszła w skład Królestwa Serbów, Chorwatów i Słoweńców (od 1929 r. Jugosławii). W 1991 r. Macedonia ogłosiła niepodległość. Po masowym napływie ludności albańskiej z Kosowa w 1999 r. gwałtownie wzrosły separatystyczne dążenia Albańczyków zamieszkujących Macedonię, którzy stanowią 21% jej mieszkańców.

MADAGASKAR

REPUBLIKA MADAGASKARU

Wyspa zamieszkiwana była przez Malgaszów, którzy w XIV iXV w. stworzyli tu państwa plemienne. W 1506 r. na Madagaskar przybyli Portugalczycy, później Francuzi, Holendrzy i Anglicy. W XVII w. powstały tutaj francuskie faktorie handlowe. Od XVII do XIX w. istniały na Madagaskarze dwa większe królestwa. Na początku XIX w. nastąpił rozkwit królestwa Howów, które objęło 2/3 wyspy. Po podboju przez wojska francuskie Madagaskar stał się w 1876 r. kolonią.

Państwa świata

Silny opór mieszkańców doprowadził do pacyfikacji w latach 1896-1905. W 1956 r. Madagaskar uzyskał autonomię, a w 1960 r. niepodległość jako republika. W wyniku wojskowych zamachów stanu w 1972 i 1975 r. nastały jednopartyjne, prokomunistyczne rządy. Po demokratyzacji systemu politycznego na początku lat 90. XX w. w 1997 r. nastąpił powrót do poprzednich rządów. Prezydentem został D. Ratsiraka. Poniósł on porażkę w następnych wyborach w 2001 r., ale nie oddał urzędu, oskarżając kontrkandydata M. Ravalomanana o sfałszowanie wyników głosowania. W 2002 r. po kilkumiesięcznej wojnie domowej i uznaniu nowego rządu przez Stany Zjednoczone i Francję, D. Ratsiraka opuścił kraj. W 2004 r. międzynarodowe organizacje finansowe dokonały umorzenia niemal połowy długu zagranicznego Madagaskaru.

Informacje ogólne MADAGASKAR

Powierzchnia	587 041 km²
Stolica (liczba mieszkańców)	Antananarywa (903 tys.) 2001
Liczba mieszkańców	18 595 tys.
Gęstość zaludnienia	31,7 os./km²
Przyrost naturalny	30,3 os./1000 mieszk.
Saldo migracji	0 os./1000 mieszk.
Urbanizacja	26,8%
Ustrój	republika
Podział administracyjny	6 prowincji
Przynależność do organizacji międzynarodowych	AU, NAM
Waluta	1 frank malgaski = 100 centymów
Języki urzędowe	malgaski, francuski
Języki używane	malgaski, francuski
Obszary chronione	2,6%

Zagadnienia społeczno-gospodarcze

Religie (wyznawcy)	animiści (47%), katolicy (26%), protestanci (22%), muzułmanie (2%), pozostali (3%)
Analfabetyzm	31,1%
Bezrobocie	4,5%
Przeciętna długość życia	60,6 – mężczyźni, 64,5 – kobiety (w latach)
Zainfekowani wirusem HIV	16 – 110 tys. os.
PKB na 1 mieszkańca	287 USD
Struktura PKB	rolnictwo 26,8%, przemysł 15,8%, usługi 57,4%
Wydatki na zbrojenia	14 USD/mieszk.
Dług zagraniczny	38,1% PKB
Saldo obrotów handlu zagranicznego	−550 mln USD
Główne towary eksportowe	kawa, wanilia, goździki, ryby, cukier
Główne towary importowe	ropa naftowa, maszyny, urządzenia, środki transportu
Dochody z turystyki	7,0 USD/mieszk.
Produkcja energii elektrycznej	53 kWh/mieszk.
Samochody osobowe	4 szt./1000 mieszk. (2000)
Komputery	5,1 szt./1000 mieszk.
Użytkownicy Internetu	5,0 os./1000 mieszk.
Telefony komórkowe	27,1 szt./1000 mieszk.
Strona w atlasie	227

Majotta (Francja)

Wyspa w archipelagu Komorów (patrz Komory). W 1843 r. została zajęta przez Francję, od 1886 r. wchodziła w skład francuskiego protektoratu Komory (od 1912 r. kolonii). W dwukrotnym referendum (1974 i 1976 r.) ludność Majotty opowiedziała się za pozostaniem przy dawnej metropolii, co spowodowało uznanie Majotty przez francuskie Zgromadzenie Narodowe za część terytorium Francji.

Informacje ogólne Majotta (Francja)

Powierzchnia	373 km²
Stolica (liczba mieszkańców)	Mamoudzou – siedziba Rady Generalnej (45 tys.) 2002, Dzaoudzi – siedziba prefektury (11 tys.) 1997
Liczba mieszkańców	201 tys.
Gęstość zaludnienia	539,5 os./km²
Przyrost naturalny	33,3 os./1000 mieszk.
Saldo migracji	4,5 os./1000 mieszk.
Ustrój	wspólnota departamentalna Francji
Podział administracyjny	brak
Waluta	1 euro = 100 eurocentów
Języki urzędowe	francuski
Języki używane	mauri, malgaski, francuski
Obszary chronione	17,2%

Zagadnienia społeczno-gospodarcze

Religie (wyznawcy)	muzułmanie sunnici (97%), chrześcijanie – gł. katolicy i pozostali (3%)
Analfabetyzm	13,9% (1997)
Bezrobocie	25,4%
Przeciętna długość życia	60,3 – mężczyźni, 64,9 – kobiety (w latach)
PKB na 1 mieszkańca	2600 USD
Główne towary eksportowe	olejki eteryczne, kopra, wanilia, kawa, cynamon
Główne towary importowe	żywność, maszyny, urządzenia, środki transportu, metale, chemikalia

Telefony komórkowe	288,0 szt./1000 mieszk.
Strony w atlasie	225, 227

Makau (Chiny)
Specjalny Region Administracyjny Makau

Terytorium Makau rząd chiński w 1557 r. wydzierżawił Portugalczykom, by założyli tam faktorię handlową. Po 1887 r. zostało przekształcone w kolonię portugalską. W 1957 r. Makau uzyskało status prowincji zamorskiej, a w 1976 r. terytorium specjalnego pod zarządem Portugalii. W 1999 r. powróciło do Chin, ale zachowało odrębność.

Informacje ogólne Makau (Chiny)

Powierzchnia	27 km²
Stolica (liczba mieszkańców)	Makau (389 tys.)
Liczba mieszkańców	453 tys.
Gęstość zaludnienia	16 782,4 os./km²
Przyrost naturalny	4,0 os./1000 mieszk.
Saldo migracji	4,6 os./1000 mieszk.
Urbanizacja	100,0%
Ustrój	specjalny region administracyjny Chin
Podział administracyjny	brak
Waluta	1 pataka = 100 avo
Języki urzędowe	chiński, portugalski
Języki używane	chiński, portugalski

Zagadnienia społeczno-gospodarcze

Religie (wyznawcy)	bezwyznaniowcy (60%), buddyści (17%), chrześcijanie (9%), pozostali (14%)
Analfabetyzm	5,5%
Bezrobocie	3,0%
Przeciętna długość życia	79,5 – mężczyźni, 85,3 – kobiety (w latach)
PKB na 1 mieszkańca	29 931 USD
Struktura PKB	rolnictwo 0,1%, przemysł 3,9%, usługi 96,0%
Saldo obrotów handlu zagranicznego	−2013 mln USD
Główne towary eksportowe	odzież, tkaniny, zabawki, elektronika, ryby i ich przetwory, meble, zegary, ceramika
Główne towary importowe	surowce, paliwa, żywność, dobra konsumpcyjne
Dochody z turystyki	8511,4 USD/mieszk.
Produkcja energii elektrycznej	4475 kWh/mieszk.
Samochody osobowe	149 szt./1000 mieszk.
Komputery	290,1 szt./1000 mieszk.
Użytkownicy Internetu	322,4 os./1000 mieszk.
Telefony komórkowe	1158,2 szt./1000 mieszk.
Strona w atlasie	201

MALAWI
REPUBLIKA MALAWI

Obszar Malawi zamieszkują ludy Bantu, które w końcu XV w. stworzyły krótkotrwałą konfederację plemion Malawi. W XIX w. nastąpił napływ ludów Suahili. Po wyprawach D. Livingstone'a (1859-1863) Malawi zostało podbite przez Brytyjczyków, którzy w 1891 r. utworzyli tu protektorat, a w 1907 r. kolonię pod nazwą Niasa. W latach 1953-1963 Malawi wchodziło w skład Federacji Rodezji i Niasy, a od 1964 r. jako niepodległa republika Malawi jest członkiem brytyjskiej Wspólnoty Narodów. Po latach dyktatorskich rządów (1966-1994) Malawi ma obecnie system wielopartyjny.

Informacje ogólne MALAWI

Powierzchnia	118 484 km²
Stolica (liczba mieszkańców)	Lilongwe (706 tys.)
Liczba mieszkańców	13 014 tys.
Gęstość zaludnienia	109,8 os./km²
Przyrost naturalny	23,8 os./1000 mieszk.
Saldo migracji	0 os./1000 mieszk.
Urbanizacja	17,2%
Ustrój	republika
Podział administracyjny	3 regiony
Przynależność do organizacji międzynarodowych	ACP, AU, NAM, SADC
Waluta	1 kwacha = 100 tambala
Języki urzędowe	angielski, cziczewa (njandża)
Języki używane	cziczewa (njandża), lomwe, yao, tumbuka, nyakyusa-ngonde, sena, tonga
Obszary chronione	16,4%

Zagadnienia społeczno-gospodarcze

Religie (wyznawcy)	animiści (45%), katolicy (25%), protestanci (10%), muzułmanie (9%), afrochrześcijanie i pozostali (11%)
Analfabetyzm	37,3%
Przeciętna długość życia	43,7 – mężczyźni, 43,2 – kobiety (w latach)
Zainfekowani wirusem HIV	480 – 1400 tys. os.

PKB na 1 mieszkańca	241 USD
Struktura PKB	rolnictwo 37,8%, przemysł 18,1%, usługi 44,1%
Wydatki na zbrojenia	1 USD/mieszk.
Dług zagraniczny	59,8% PKB
Saldo obrotów handlu zagranicznego	−400 mln USD
Główne towary eksportowe	tytoń, herbata, cukier, bawełna, orzeszki ziemne
Główne towary importowe	paliwa
Dochody z turystyki	2,5 USD/mieszk.
Produkcja energii elektrycznej	99 kWh/mieszk.
Samochody osobowe	2 szt./1000 mieszk. (2001)
Komputery	1,6 szt./1000 mieszk.
Użytkownicy Internetu	3,7 os./1000 mieszk.
Telefony komórkowe	33,3 szt./1000 mieszk.
Strony w atlasie	225, 227

MALEDIWY

REPUBLIKA MALEDIWÓW

Pierwsi osadnicy przybyli na Malediwy z Cejlonu około 500 r. p.n.e. W latach 1558-1573 osiedlali się tu Portugalczycy. W XVII w. Malediwy przeszły pod zarząd Holendrów władających Cejlonem, a pod koniec XIX w. znalazły się w rękach Brytyjczyków. Rządzący Malediwami sułtan zachował niezależność, ponieważ wyspy z racji swojego ubóstwa nie zostały objęte administracją kolonialną. W 1965 r. Malediwy uzyskały niepodległość, a od 1968 r. są republiką. Przygotowywany w 1988 r. zamach stanu udaremniły, wezwane na pomoc, wojska indyjskie. W 2004 r. kraj został nawiedzony przez potężne tsunami.

Informacje ogólne **MALEDIWY**	
Powierzchnia	298 km^2
Stolica (liczba mieszkańców)	Male (91 tys.)
Liczba mieszkańców	359 tys.
Gęstość zaludnienia	1204,7 os./km^2
Przyrost naturalny	27,7 os./1000 mieszk.
Saldo migracji	0 os./1000 mieszk.
Urbanizacja	29,6%
Ustrój	republika
Podział administracyjny	20 okręgów
Przynależność do organizacji międzynarodowych	NAM, SAARC
Waluta	1 rupia malediwska = 100 laari
Języki urzędowe	malediwski (divehi)
Języki używane	malediwski (divehi)
Obszary chronione	0,0%
Zagadnienia społeczno-gospodarcze	
Religie (wyznawcy)	muzułmanie sunnici (100%)
Analfabetyzm	2,6%
Bezrobocie	0,0%
Przeciętna długość życia	63,7 – mężczyźni, 66,7 – kobiety (w latach)
Zainfekowani wirusem HIV	< 100 os. (2001)
PKB na 1 mieszkańca	2629 USD
Struktura PKB	rolnictwo 16,0%, przemysł 7,0%, usługi 77,0%
Wydatki na zbrojenia	86 USD/mieszk.
Dług zagraniczny	41,6% PKB
Saldo obrotów handlu zagranicznego	−718 mln USD
Główne towary eksportowe	ryby, przetwory rybne, tekstylia, owoce, korale
Główne towary importowe	żywność, maszyny, środki transportu, produkty naftowe
Dochody z turystyki	1199,3 USD/mieszk.
Produkcja energii elektrycznej	418 kWh/mieszk.
Samochody osobowe	9 szt./1000 mieszk.
Komputery	109,8 szt./1000 mieszk.
Użytkownicy Internetu	57,9 os./1000 mieszk.
Telefony komórkowe	467,7 szt./1000 mieszk.
Strona w atlasie	196

MALEZJA

Na Półwyspie Malajskim niewielkie państewka istniały już w 1 tysiącleciu p.n.e. W VII w. popadły w zależność od królestwa Swiridżaja na Sumatrze. W XIII w. władzę nad Półwyspem Malajskim zdobył Syjam, w połowie XIV w. jawajskie królestwo Majapahit, a w XV w. sułtani Malakki. W XVI w. kontrolę nad Malajami objęli Portugalczycy, których w XVII w. wyparli Holendrzy, a tych z kolei w XIX w. Anglicy. W 1895 r. objęli oni administracją kolonialną część państewek Półwyspu Malajskiego, tworząc z nich Sfederowane Państwa Malajskie. Nad pozostałymi objęli protektorat. Po latach okupacji japońskiej (1942-1945) Brytyjczycy w 1948 r. utworzyli z państewek malajskich Federację Malajską, która w 1957 r. uzyskała niepodległość i stała się członkiem brytyjskiej Wspólnoty Narodów. Po zjednoczeniu w 1963 r. z Singapurem, Sabahem i Sarawakiem powstała Malezja. W 1965 r. Federację opuścił Singapur. Mimo malajsko-chińskiego konfliktu etnicznego (krwawe walki w 1969 r.) następował szybki rozwój gospodarczy kraju, zahamowany po 1998 r. przez kryzys gospodarczy. W 2004 r. wybrzeże Malezji nawiedziła fala tsunami.

Informacje ogólne **MALEZJA**	
Powierzchnia	329 758 km^2
Stolica (liczba mieszkańców)	Kuala Lumpur (1 405 tys.; 4 450 tys. aglomeracja)
Liczba mieszkańców	24 386 tys.
Gęstość zaludnienia	74 os./km^2
Przyrost naturalny	17,8 os./1000 mieszk.
Saldo migracji	0 os./1000 mieszk.
Urbanizacja	67,3%
Ustrój	federacyjna monarchia konstytucyjna
Podział administracyjny	13 stanów i 2 terytoria federalne
Przynależność do organizacji międzynarodowych	APEC, ASEAN, NAM
Waluta	1 ringgit = 100 sen
Języki urzędowe	malajski
Języki używane	malajski, języki chińskie, tamilski, banjar, iban, jawajski, orang negeri, angielski i około 130 innych
Obszary chronione	17,3%
Zagadnienia społeczno-gospodarcze	
Religie (wyznawcy)	muzułmanie sunnici (53%), buddyści (17%), taoiści (12%), hinduiści (7%), chrześcijanie (6%), pozostali (5%)
Analfabetyzm	11,1%
Bezrobocie	3,5%
Przeciętna długość życia	70,3 – mężczyźni, 75,9 – kobiety (w latach)
Zainfekowani wirusem HIV	33 – 220 tys. os.
PKB na 1 mieszkańca	5643 USD
Struktura PKB	rolnictwo 9,9%, przemysł 45,3%, usługi 44,8%
Wydatki na zbrojenia	117 USD/mieszk.
Dług zagraniczny	52,7% PKB
Saldo obrotów handlu zagranicznego	29 567 mln USD
Główne towary eksportowe	urządzenia i podzespoły elektroniczne, ropa naftowa, gaz ziemny, drewno, kauczuk, olej palmowy, cyna, kakao
Główne towary importowe	maszyny i urządzenia, żywność, surowce, nawozy sztuczne
Dochody z turystyki	271,3 USD/mieszk.
Produkcja energii elektrycznej	3208 kWh/mieszk.
Samochody osobowe	255 szt./1000 mieszk.
Komputery	191,6 szt./1000 mieszk.
Użytkownicy Internetu	386,2 os./1000 mieszk.
Telefony komórkowe	751,7 szt./1000 mieszk.
Strony w atlasie	194-195

MALI

REPUBLIKA MALI

Na obszarze dzisiejszego Mali powstało około III-IV w. państwo Ghana, którego największy rozkwit przypadł na IX-XI w. Odgrywało ono ważną rolę w handlu solą i złotem z krajami Afryki Północnej. W 1079 r. Ghana stała się państwem wasalnym berberyjskiej dynastii Almorawidów, a w XIII w. została podbita przez władców Mali, nad którą w XVI w. kontrolę przejęli władcy państwa Songhaj. W XVII w. rozpadło się ono na drobne państewka. W drugiej połowie XIX w. rozpoczęła się kolonizacja francuska. W 1890 r. powstała kolonia pod nazwą Sudan Francuski, włączona w 1904 r. do Francuskiej Afryki Zachodniej. Już na początku XX w. zaczęły się wystąpienia antykolonialne, z których najsilniejszy był bunt Tuaregów w latach 1915-1918. W 1948 r. Sudan Francuski uzyskał status terytorium zamorskiego Francji, a w 1958 r. autonomię. W 1960 r. powstała niepodległa Republika Mali. Po wojskowym zamachu stanu wprowadzono w 1974 r. monopartyjny ustrój prezydencki, a po 1991 r. system wielopartyjny.

Informacje ogólne **MALI**	
Powierzchnia	1 248 574 km^2
Stolica (liczba mieszkańców)	Bamako (1 368 tys.)
Liczba mieszkańców	11 717 tys.
Gęstość zaludnienia	9,4 os./km^2
Przyrost naturalny	32,9 os./1000 mieszk.
Saldo migracji	−6,6 os./1000 mieszk.
Urbanizacja	30,5%
Ustrój	republika
Podział administracyjny	8 regionów i dystrykt stołeczny
Przynależność do organizacji międzynarodowych	ACP, AU, ECOWAS, NAM
Waluta	1 frank CFA = 100 centymów
Języki urzędowe	francuski
Języki używane	bambara, futa dżalon (fulani), senufo, soninke, francuski, songhaj, malinke, tuareski
Obszary chronione	2,1%
Zagadnienia społeczno-gospodarcze	
Religie (wyznawcy)	muzułmanie (90%), animiści (9%), chrześcijanie i pozostali (1%)
Analfabetyzm	72,1%
Bezrobocie	14,6% (2001)
Przeciętna długość życia	48,0 – mężczyźni, 51,9 – kobiety (w latach)
Zainfekowani wirusem HIV	96 – 160 tys. os.
PKB na 1 mieszkańca	487 USD

Struktura PKB	rolnictwo 45,0%, przemysł 17,0%, usługi 38,0% (2001)
Wydatki na zbrojenia	8 USD/mieszk.
Dług zagraniczny	32,6% PKB
Saldo obrotów handlu zagranicznego	−250 mln USD
Główne towary eksportowe	bawełna i jej produkty, bydło, orzeszki ziemne, guma arabska
Główne towary importowe	maszyny i urządzenia, produkty naftowe, materiały budowlane
Dochody z turystyki	6,8 USD/mieszk.
Produkcja energii elektrycznej	35 kWh/mieszk.
Samochody osobowe	6 szt./1000 mieszk.
Komputery	3,8 szt./1000 mieszk.
Użytkownicy Internetu	4,5 os./1000 mieszk.
Telefony komórkowe	76,6 szt./1000 mieszk.
Strony w atlasie	220-221

MALTA
REPUBLIKA MALTY

Około 1000 r. p.n.e. Maltę skolonizowali Fenicjanie. W V w. p.n.e. została zajęta przez Kartaginę, a w 218 r. p.n.e. włączona do rzymskiej prowincji Sycylia. Od 533 r. należała do Bizancjum. W 870 r. została podbita przez Arabów, w 1091 r. przez Normanów. Od 1194 r. znajdowała się w rękach Hohenstaufów, a od 1266 r. Andegawenów. W 1288 r. stała się częścią Królestwa Aragonii. Decyzją cesarza Karola V została w 1530 r. nadana joannitom i pozostawała w ich rękach do czasu zdobycia wyspy przez Napoleona w 1798 r. Zajęta przez wojska brytyjskie w 1800 r., została w 1814 r. brytyjską kolonią. Ze względu na strategiczne położenie była główną brytyjską bazą morską na Morzu Śródziemnym, a w XX w. także bazą lotniczą. Jej utrzymanie przez aliantów podczas II wojny światowej miało decydujący wpływ na przebieg wojny w tym rejonie. W 1947 r. uzyskała autonomię, a w 1964 r. niepodległość w ramach brytyjskiej Wspólnoty Narodów. W 1979 r. z Malty wycofały się ostatnie brytyjskie oddziały wojskowe. W polityce międzynarodowej Malta konsekwentnie dąży do neutralności i niezaangażowania.

Informacje ogólne **MALTA**	
Powierzchnia	316 km²
Stolica (liczba mieszkańców)	Valletta (6,3 tys.)
Liczba mieszkańców	400 tys.
Gęstość zaludnienia	1266,5 os./km²
Przyrost naturalny	2,1 os./1000 mieszk.
Saldo migracji	2,1 os./1000 mieszk.
Urbanizacja	95,3%
Ustrój	republika
Podział administracyjny	6 okręgów (60 gmin)
Przynależność do organizacji międzynarodowych	NAM, Rada Europy, UE
Waluta	1 euro = 100 eurocentów
Języki urzędowe	maltański, angielski
Języki używane	maltański, angielski
Obszary chronione	1,4%
Zagadnienia społeczno-gospodarcze	
Religie (wyznawcy)	katolicy (93%), anglikanie (2%), pozostali (5%)
Analfabetyzm	7,2%
Bezrobocie	6,8%
Przeciętna długość życia	77,1 – mężczyźni, 81,6 – kobiety (w latach)
Zainfekowani wirusem HIV	<1 tys. os.
PKB na 1 mieszkańca	15 998 USD
Struktura PKB	rolnictwo 2,7%, przemysł 22,3%, usługi 74,9% (2003)
Wydatki na zbrojenia	132 USD/mieszk.
Saldo obrotów handlu zagranicznego	−1311 mln USD
Główne towary eksportowe	urządzenia elektroniczne, tekstylia, kwiaty i nasiona, warzywa, wyroby tytoniowe, chemikalia, półfabrykaty
Główne towary importowe	środki transportu, maszyny, paliwa, żywność, turystyka (50% wartości eksportu), centrum usługowo-bankowe dla krajów basenu M. Śródziemnego
Dochody z turystyki	1465,8 USD/mieszk.
Produkcja energii elektrycznej	5728 kWh/mieszk.
Samochody osobowe	519 szt./1000 mieszk.
Komputery	315 szt./1000 mieszk.
Użytkownicy Internetu	752,5 os./1000 mieszk.
Telefony komórkowe	807,9 szt./1000 mieszk.
Strona w atlasie	127

Mariany Północne (Stany Zjednoczone)
Wspólnota Marianów Północnych

Wyspy, odkryte przez F. Magellana w 1521 r., były do 1898 r. hiszpańską posiadłością. W 1899 r. Hiszpania sprzedała je Niemcom. Zajęte w czasie I wojny światowej przez Japonię, stały się w 1920 r. jej terytorium mandatowym. Po zaciętych walkach zostały w 1944 r. opanowane przez Stany Zjednoczone. W latach 1947-1990 stanowiły terytorium powiernicze ONZ pod administracją Stanów Zjednoczonych. Od 1978 r. są terytorium stowarzyszonym z USA.

Informacje ogólne **Mariany Północne** (Stany Zjednoczone)	
Powierzchnia	457 km²
Stolica	Garapan (1,5 tys.) 2000
Liczba mieszkańców	82 tys.
Gęstość zaludnienia	180,4 os./km²
Przyrost naturalny	17,1 os./1000 mieszk.
Saldo migracji	8,3 os./1000 mieszk.
Urbanizacja	94,5%
Ustrój	autonomiczne państwo stowarzyszone ze St. Zjednoczonymi
Podział administracyjny	brak
Waluta	1 dolar USA = 100 centów
Języki urzędowe	angielski, czamorro
Języki używane	angielski, czamorro, tagalog, chiński, koreański
Obszary chronione	5,8%
Zagadnienia społeczno-gospodarcze	
Religie (wyznawcy)	protestanci (60%), katolicy (30%), pozostali (10%)
Analfabetyzm	1,2%
Przeciętna długość życia	73,9 – mężczyźni, 79,3 – kobiety (w latach)
PKB na 1 mieszkańca	13 350 USD
Główne towary eksportowe	kopra, ryby, wyroby rzemiosła artystycznego
Główne towary importowe	żywność, maszyny i materiały budowlane, produkty ropy naftowej
Samochody osobowe	154 szt./1000 mieszk. (2002)
Użytkownicy Internetu	121,3 os./1000 mieszk.
Telefony komórkowe	265,9 szt./1000 mieszk.
Strona w atlasie	292

MAROKO
KRÓLESTWO MAROKAŃSKIE

Obszar Maroka został w II tysiącleciu p.n.e. zasiedlony przez plemiona Berberów. Od XI w. p.n.e. wybrzeża kolonizowali Fenicjanie, a później Kartagina. W 40 r. północna część Maroka została rzymską prowincją pod nazwą Mauretania Tingitana. Na początku VIII w. Maroko podbili Arabowie i włączyli do kalifatu Umajjadów. Zjednoczenie polityczne Maroka nastąpiło w VIII-X w. za dynastii Idrysydów. W XI-XIII w. panowały tu berberyjskie dynastie Almorawidów i Almohadów. W XIV w. nastąpił rozpad na niezależne księstwa, które zostały zjednoczone w XVI-XVII w. przez dynastię Sadytów. Od XVII w. trwają nieprzerwane do dziś rządy dynastii Alawitów. Po wojnie z Hiszpanią w 1860 r. Maroko uznało jej prawa do Ceuty i Melilli. W 1912 r. otrzymało status protektoratu francuskiego, a północna część kraju – hiszpańskiego, przy czym Tanger stał się strefą międzynarodową. W górskiej części Maroka w latach 1919-1926 trwało powstanie przeciw francuskiej kolonizacji, która do 1934 r. objęła cały kraj. W 1956 r. Maroko uzyskało niepodległość jako monarchia dziedziczna (od 1962 r. konstytucyjna). Przy Hiszpanii pozostała Ceuta i Melilla. W latach 1975-1976 Maroko przyłączyło część Sahary Zachodniej, co wywołało konflikt zbrojny, a w 1979 r. zgłosiło pretensje do całego obszaru Sahary Zachodniej. Obie strony zaakceptowały w 1988 r. plan przeprowadzenia w Saharze Zachodniej referendum, w którym mieszkańcy zdecydowaliby o niepodległości lub włączeniu do Maroka, ale jego termin ciągle jest odsuwany.

Informacje ogólne **MAROKO**	
Powierzchnia	458 730 km²
Stolica (liczba mieszkańców)	Rabat (1 647 tys.)
Liczba mieszkańców	33 241 tys.
Gęstość zaludnienia	72,5 os./km²
Przyrost naturalny	16,4 os./1000 mieszk.
Saldo migracji	−0,9 os./1000 mieszk.
Urbanizacja	58,7%
Ustrój	monarchia konstytucyjna
Podział administracyjny	37 prowincji, 2 miasta wydzielone (Casablanca, Rabat) i 3 prowincje w okupowanej Saharze Zachodniej (Ad Dakhla, Boujdur, Asmara)
Przynależność do organizacji międzynarodowych	AFESD, LPA, NAM
Waluta	1 dirham = 100 franków marokańskich
Języki urzędowe	arabski
Języki używane	arabski, berberyjskie, francuski
Obszary chronione	1,2%
Zagadnienia społeczno-gospodarcze	
Religie (wyznawcy)	muzułmanie sunnici (98%), chrześcijanie, wyznawcy judaizmu i pozostali (2%)
Analfabetyzm	47,7%
Bezrobocie	7,70%
Przeciętna długość życia	69,2 – mężczyźni, 74,0 – kobiety (w latach)
Zainfekowani wirusem HIV	12 – 38 tys. os.
PKB na 1 mieszkańca	2149 USD
Struktura PKB	rolnictwo 14,5%, przemysł 37,9%, usługi 47,7%
Wydatki na zbrojenia	61 USD/mieszk.
Dług zagraniczny	39,2% PKB
Saldo obrotów handlu zagranicznego	−10 743 mln USD

Główne towary eksportowe	fosforyty, konserwy rybne, owoce cytrusowe, pomidory, tkaniny
Główne towary importowe	**ropa naftowa, dobra inwestycyjne, siarka**
Dochody z turystyki	86,6 USD/mieszk.
Produkcja energii elektrycznej	556 kWh/mieszk.
Samochody osobowe	44 szt./1000 mieszk. (2003)
Komputery	20,7 szt./1000 mieszk.
Użytkownicy Internetu	117,1 os./1000 mieszk.
Telefony komórkowe	393,7 szt./1000 mieszk.
Strona w atlasie	220

Martynika (Francja)

W czasach prekolumbijskich Martynikę zamieszkiwało indiańskie plemię Karaibów. W 1502 r. została odkryta przez K. Kolumba, a w 1635 r. opanowana i skolonizowana przez Francuzów. Mordercza praca na plantacjach trzciny cukrowej spowodowała szybkie wyniszczenie ludności indiańskiej, która była zastępowana niewolnikami murzyńskimi z Afryki. W drugiej połowie XVIII i na początku XIX w. Martynika znajdowała się pod władzą Wielkiej Brytanii. Od 1946 r. jest departamentem zamorskim Francji.

Informacje ogólne **Martynika** (Francja)	
Powierzchnia	1128 km²
Stolica (liczba mieszkańców)	Fort-de-France (91 tys.)
Liczba mieszkańców	436 tys.
Gęstość zaludnienia	386,6 os./km²
Przyrost naturalny	5,7 os./1000 mieszk.
Saldo migracji	0 os./1000 mieszk.
Urbanizacja	97,9%
Ustrój	departament zamorski Francji
Podział administracyjny	brak
Waluta	1 euro = 100 eurocentów
Języki urzędowe	francuski
Języki używane	kreolski-francuski, francuski
Obszary chronione	10,5%
Zagadnienia społeczno-gospodarcze	
Religie (wyznawcy)	katolicy (86%), hinduiści, animiści i pozostali (14%)
Analfabetyzm	2,3%
Bezrobocie	27,2% (1998)
Przeciętna długość życia	79,5 – mężczyźni, 78,9 – kobiety (w latach)
PKB na 1 mieszkańca	14 504 USD
Struktura PKB	rolnictwo 6,0%, przemysł 11,0%, usługi 83,0% (1997)
Główne towary eksportowe	**banany, przetwory ropy naftowej, rum, ananasy**
Główne towary importowe	**ropa naftowa i jej produkty, żywność, samochody, odzież, dobra konsumpcyjne**
Dochody z turystyki	631,4 USD/mieszk.
Produkcja energii elektrycznej	3058 kWh/mieszk.
Samochody osobowe	379 szt./1000 mieszk. (2000)
Komputery	207,6 szt./1000 mieszk.
Użytkownicy Internetu	270,9 os./1000 mieszk.
Telefony komórkowe	747,8 szt./1000 mieszk.
Strona w atlasie	263

MAURETANIA
ISLAMSKA MAURETAŃSKA REPUBLIKA

Pierwotnie tereny obecnej Mauretanii zamieszkiwały ludy murzyńskie i koczownicze plemiona berberyjskie. W średniowieczu ulegały one wpływom arabsko-berberyjskim. Stąd w XI w. Almorawidzi ruszyli na podbój północnej Afryki i Hiszpanii. W XVII i XVIII w. Mauretania była kontrolowana przez Maroko, po 1817 r. zaczęły się silne wpływy Francji. W 1903 r. Mauretania stała się protektoratem, a w 1920 r. kolonią, wchodzącą w skład Francuskiej Afryki Zachodniej. W 1958 r. Mauretania uzyskała autonomię, a w 1960 r. niepodległość jako republika prezydencka. Sprawy wewnętrzne Mauretanii są zdominowane przez konflikty między ludnością arabsko-berberyjską i murzyńską. W latach 1976--1979 Mauretania okupowała część Sahary Zachodniej. Stan długotrwałej destabilizacji politycznej doprowadził ostatecznie w 2005 r. do zamachu stanu dokonanego przez grupę oficerów, która przyjęła nazwę Wojskowej Rady Sprawiedliwości i Demokracji.

Informacje ogólne **MAURETANIA**	
Powierzchnia	1 030 700 km²
Stolica (liczba mieszkańców)	Nawakszut (637 tys.)
Liczba mieszkańców	3177 tys.
Gęstość zaludnienia	3,1 os./km²
Przyrost naturalny	28,8 os./1000 mieszk.
Saldo migracji	0 os./1000 mieszk.
Urbanizacja	40,4%
Ustrój	republika
Podział administracyjny	12 regionów i dystrykt stołeczny

Przynależność do organizacji międzynarodowych	ACP, AFESD, AU, LPA, NAM
Waluta	1 ougiya = 100 khoum
Języki urzędowe	arabski, francuski
Języki używane	arabski, francuski, wolof, tukulor, soninke, fulfulde (fulani)
Obszary chronione	1,7%
Zagadnienia społeczno-gospodarcze	
Religie (wyznawcy)	muzułmanie sunnici (99%), pozostali (1%)
Analfabetyzm	58,3%
Bezrobocie	20,0%
Przeciętna długość życia	51,6 – mężczyźni, 56,3 – kobiety (w latach)
Zainfekowani wirusem HIV	7,3 – 23 tys. os.
PKB na 1 mieszkańca	938 USD
Struktura PKB	rolnictwo 25,0%, przemysł 29,0%, usługi 46,0% (2001)
Wydatki na zbrojenia	6 USD/mieszk.
Dług zagraniczny	57,1% PKB
Saldo obrotów handlu zagranicznego	570 mln USD
Główne towary eksportowe	ryby i przetwory rybne, rudy żelaza
Główne towary importowe	żywność, maszyny, sprzęt transportowy, materiały budowlane
Dochody z turystyki	10,3 USD/mieszk.
Produkcja energii elektrycznej	56 kWh/mieszk.
Samochody osobowe	4 szt./1000 mieszk. (2002)
Komputery	14,1 szt./1000 mieszk.
Użytkownicy Internetu	4,7 os./1000 mieszk.
Telefony komórkowe	200,4 szt./1000 mieszk.
Strony w atlasie	220-221

MAURITIUS
REPUBLIKA MAURITIUSU

Wyspa od X w. znana była Arabom, a w 1507 r. dotarli do niej Portugalczycy. W 1509 r. została zajęta przez Holendrów, którzy nadali jej obecną nazwę, a od XVII w. zasiedlali ją zesłańcami (była bezludna). Od 1715 r. należała do Francji, a od 1810 do Wielkiej Brytanii, która w 1814 r. ogłosiła Mauritius swoją kolonią i zaczęła sprowadzać murzyńskich niewolników do pracy na plantacjach trzciny cukrowej. Po wyzwoleniu niewolników w 1833 r. nastąpił masowy napływ Indusów. W 1948 r. Mauritius uzyskał autonomię, a w 1968 r. niepodległość w ramach brytyjskiej Wspólnoty Narodów.

Informacje ogólne **MAURITIUS**	
Powierzchnia	2040 km²
Stolica (liczba mieszkańców)	Port Louis (130 tys.)
Liczba mieszkańców	1241 tys.
Gęstość zaludnienia	608,2 os./km²
Przyrost naturalny	8,5 os./1000 mieszk.
Saldo migracji	–0,4 os./1000 mieszk.
Urbanizacja	42,4%
Ustrój	republika
Podział administracyjny	9 dystryktów i 3 dependencje
Przynależność do organizacji międzynarodowych	ACP, AU, NAM, SADC
Waluta	1 rupia Mauritiusa = 100 centów
Języki urzędowe	angielski
Języki używane	francuski-kreolski, bhodźpuri, hindi, urdu, tamilski
Obszary chronione	0,9%
Zagadnienia społeczno-gospodarcze	
Religie (wyznawcy)	hinduiści (52%), katolicy (28%), muzułmanie (13%), protestanci (2%), pozostali (5%)
Analfabetyzm	14,4%
Bezrobocie	9,4%
Przeciętna długość życia	70,3 – mężczyźni, 77,4 – kobiety (w latach)
Zainfekowani wirusem HIV	1,9 – 13 tys. os.
PKB na 1 mieszkańca	5026 USD
Struktura PKB	rolnictwo 4,8%, przemysł 25,0%, usługi 70,1%
Wydatki na zbrojenia	16 USD/mieszk.
Dług zagraniczny	42,7% PKB
Saldo obrotów handlu zagranicznego	–1275 mln USD
Główne towary eksportowe	tekstylia, wyroby skórzane, cukier, tytoń, herbata, zegarki, diamenty, ryby
Główne towary importowe	maszyny, żywność, paliwa
Dochody z turystyki	520,8 USD/mieszk.
Produkcja energii elektrycznej	1698 kWh/mieszk.
Samochody osobowe	101 szt./1000 mieszk.
Komputery	162,2 szt./1000 mieszk.
Użytkownicy Internetu	146,0 os./1000 mieszk.
Telefony komórkowe	572,9 szt./1000 mieszk.
Strona w atlasie	227

MEKSYK

MEKSYKAŃSKIE STANY ZJEDNOCZONE

W okresie prekolumbijskim na terenie obecnego Meksyku istniały wysoko rozwinięte cywilizacje indiańskie – początkowo Olmeków, Zapoteków i Tolteków, później Majów i Azteków. Podboje hiszpańskie w latach 1519-1521 zniszczyły je i Meksyk stał się posiadłością hiszpańską, włączoną w 1535 r. do wicekrólestwa Nowa Hiszpania. Nieludzki wyzysk ludności indiańskiej, pracującej niewolniczo w rolnictwie i górnictwie, powodował gwałtowny spadek jej liczby, a równocześnie podrywał ją do kolejnych powstań przeciw najeźdźcom. Największe z nich trwało od 1550 do 1590 r. Pod koniec XVIII w. nastąpił gwałtowny rozwój gospodarczy, a jednocześnie zamieszkujący Meksyk Kreole rozpoczęli walkę o niepodległość. Mimo stłumienia trwającego kilka lat powstania (1815-1820) proklamowano w 1821 r. niepodległość Meksyku jako cesarstwa, a od 1823 r. republiki. W 1836 r. od Meksyku oderwał się Teksas i ogłosił samodzielną republiką. Po jego aneksji przez Stany Zjednoczone wybuchła wojna (1846-1848), w wyniku której Meksyk utracił większą część swego terytorium. Wprowadzanie od 1855 r. liberalnych reform miało na celu unowocześnienie państwa. Decyzja rządu o wstrzymaniu spłaty długów stała się pretekstem do interwencji wojsk hiszpańskich, brytyjskich i francuskich. W jej wyniku na krótko restytuowano cesarstwo (1864-1867 r.). Po przywróceniu republiki trwała w latach 1877-1911 dyktatura P. Díaza, obalona przez rewolucję meksykańską (1910-1917). Po niej nastały rządy lewicowe (m.in. nacjonalizacja dóbr naturalnych, reforma rolna, walka z Kościołem). W okresie I wojny światowej Meksyk zachował neutralność. Podczas II wojny światowej walczył przeciw państwom koalicji hitlerowskiej, biorąc udział w operacjach lotniczych nad Oceanem Spokojnym. Po wojnie Meksyk zacieśnił swoje stosunki ze Stanami Zjednoczonymi. W latach 70. XX w., po odkryciu ropy naftowej, rząd Meksyku rozpoczął uniezależnianie gospodarki od obcego kapitału. W latach 90. Meksyk był w czołówce reformujących się państw Ameryki Łacińskiej.

Informacje ogólne	MEKSYK
Powierzchnia	1 964 375 km²
Stolica (liczba mieszkańców)	Meksyk (8464 tys.; 19 232 tys. aglomeracja)
Liczba mieszkańców	107 450 tys.
Gęstość zaludnienia	54,7 os./km²
Przyrost naturalny	16,0 os./1000 mieszk.
Saldo migracji	−4,3 os./1000 mieszk.
Urbanizacja	76,0%
Ustrój	republika związkowa
Podział administracyjny	31 stanów i stołeczny dystrykt federalny
Przynależność do organizacji międzynarodowych	ALADI, APEC, NAFTA, OAS, OECD
Waluta	1 peso meksykańskie = 100 centavos
Języki urzędowe	hiszpański
Języki używane	hiszpański, nahuatl, maja i ponad 100 innych
Obszary chronione	8,7%
Zagadnienia społeczno-gospodarcze	
Religie (wyznawcy)	katolicy (90%), protestanci (4%), bezwyznaniowcy (3%), pozostali (3%)
Analfabetyzm	9,0%
Bezrobocie	3,2%, niedozatrudnienie ok. 25%
Przeciętna długość życia	73,1 – mężczyźni, 78,8 – kobiety (w latach)
Zainfekowani wirusem HIV	99 – 440 tys. os.
PKB na 1 mieszkańca	8066 USD
Struktura PKB	rolnictwo 4,0%, przemysł 26,6%, usługi 69,5%
Wydatki na zbrojenia	27 USD/mieszk.
Dług zagraniczny	24,0% PKB
Saldo obrotów handlu zagranicznego	−17 876 mln USD
Główne towary eksportowe	urządzenia elektrotechniczne i elektroniczne, silniki samochodowe, ropa naftowa, gaz ziemny, odzież, pomidory i ich przetwory, kawa, ryby
Główne towary importowe	maszyny i urządzenia, pojazdy mechaniczne, chemikalia, żelazo, stal
Dochody z turystyki	82,6 USD/mieszk.
Produkcja energii elektrycznej	2256 kWh/mieszk.
Samochody osobowe	133 szt./1000 mieszk.
Komputery	106,8 szt./1000 mieszk.
Użytkownicy Internetu	133,8 os./1000 mieszk.
Telefony komórkowe	443,4 szt./1000 mieszk.
Strony w atlasie	256, 258-259, 260

Midway (Stany Zjednoczone)

Wyspy Midway

Atol, odkryty w 1859 r., został anektowany w 1867 r. przez Stany Zjednoczone. Pozostawał niezamieszkany do 1903 r., kiedy to Amerykanie zbudowali na nim morską i lotniczą bazę wojskową. W czerwcu 1942 r. na wodach okalających atol rozegrała się trzydniowa bitwa morska i powietrzna, w której siły amerykańskie pokonały Japończyków i powstrzymały ich od dalszej ekspansji na wschód Pacyfiku. Baza wojskowa istnieje do dziś.

Informacje ogólne	Midway (Stany Zjednoczone)
Powierzchnia	5,2 km²
Liczba mieszkańców	około 40 pracowników obsługujących urządzenia
Ustrój	terytorium nieinkorporowane Stanów Zjednoczonych
Waluta	1 dolar USA = 100 centów
Języki urzędowe	angielski
Języki używane	angielski
Strony w atlasie	280, 292

MIKRONEZJA

SFEDEROWANE STANY MIKRONEZJI

Wyspy Karoliny odkryto około 1530 r. W 1686 r. zaanektowała, a w XIX w. skolonizowała je Hiszpania. W 1899 r. zostały sprzedane Niemcom. W czasie I wojny światowej znalazły się pod okupacją Japonii, potem jako terytorium mandatowe Ligi Narodów były przez Japonię administrowane, a w 1935 r. włączone w jej granice. W 1944 r. wyspy zostały zajęte przez Stany Zjednoczone, w 1947 r. otrzymały status terytorium powierniczego ONZ pod administracją Stanów Zjednoczonych (w latach 1947-1990 część Powierniczych Wysp Pacyfiku). Od 1979 r. stanowią odrębną jednostkę państwową stowarzyszoną ze Stanami Zjednoczonymi. W 2004 r. umowa między państwami została odnowiona.

Informacje ogólne	MIKRONEZJA
Powierzchnia	701 km²
Stolica (liczba mieszkańców)	Palikir (7 tys.)
Liczba mieszkańców	108 tys.
Gęstość zaludnienia	154,1 os./km²
Przyrost naturalny	19,9 os./1000 mieszk.
Saldo migracji	−21 os./1000 mieszk.
Urbanizacja	22,3%
Ustrój	republika
Podział administracyjny	4 stany
Przynależność do organizacji międzynarodowych	ACP, Forum Wysp Pacyfiku, Wspólnota Pacyfiku
Waluta	1 dolar USA = 100 centów
Języki urzędowe	angielski
Języki używane	chuuk, pohnpei, kosrae, yap, mortlock, angielski, kapingamarangi, ulithi, pingelap, paafang, woleai
Obszary chronione	0,1%
Zagadnienia społeczno-gospodarcze	
Religie (wyznawcy)	katolicy (41%), protestanci (37%), pozostali (22%)
Analfabetyzm	7,6% (2000)
Bezrobocie	22,0% (2000)
Przeciętna długość życia	68,8 – mężczyźni, 72,6 – kobiety (w latach)
PKB na 1 mieszkańca	2212 USD
Struktura PKB	rolnictwo 28,9%, przemysł 15,2%, usługi 55,9%
Saldo obrotów handlu zagranicznego	−120 mln USD
Główne towary eksportowe	ryby (gł. tuńczyki), pieprz, banany, produkty przetwórstwa kokosów
Główne towary importowe	żywność, urządzenia i maszyny
Produkcja energii elektrycznej	1778 kWh/mieszk.
Samochody osobowe	43 szt./1000 mieszk.
Użytkownicy Internetu	108,1 os./1000 mieszk.
Telefony komórkowe	115,2 szt./1000 mieszk.
Strona w atlasie	292

MOŁDAWIA

REPUBLIKA MOŁDAWII

W starożytności była zamieszkiwana przez Scytów i Daków, a w VI w. zasiedlona przez Słowian. Pod koniec X w. Mołdawia stała się częścią Rusi Kijowskiej, a po jej rozpadzie w 1240 r. Rusi Halicko-Włodzimierskiej. W drugiej połowie XIII w. osiedliły się na tym terenie pasterskie plemiona romańskie z Wołoszczyzny. W pierwszej połowie XIV w. ukształtowało się Księstwo (Hospodarstwo) Mołdawskie i na krótko uzyskało niezależność. W latach 1387-1456 Mołdawia była lennem Polski i w tym czasie przeżywała największy rozkwit. Druga połowa XV w. to okres w którym Polska, Turcja i Węgry próbowały włączyć Mołdawię do swojej strefy wpływów. Na pocz. XVI w. stała się ona lennem tureckim. W XVIII w. coraz bardziej Mołdawią interesowały się Austria i Rosja. W 1775 r. północna część Mołdawii (Bukowina) włączona została do Austrii, a w 1812 r. jej wschodnia część (Besarabia) przyłączona do Rosji. Pozostały obszar Mołdawii, łącząc się w 1861 r. z Wołoszczyzną, utworzył Rumunię. W 1918 r. Mołdawia połączyła się z Besarabią (w ramach Rumunii), z wyjątkiem części na lewym brzegu Dniestru, w której w 1924 r. utworzono Mołdawską ASRR. W 1940 r. Armia Czerwona zajęła Besarabię. Po połączeniu jej z Mołdawską ASRR utworzono Mołdawską SRR. W latach 1941-1944 Besarabia znów znalazła się w granicach Rumunii, ale już w 1944 r. odtworzona została Mołdawska SRR w granicach ZSRR. Po jego rozpadzie Mołdawia ogłosiła w 1991 r. niepodległość i zapowiedź przyszłego zjednoczenia z Rumunią. W tym samym roku znalazła się we Wspólnocie Niepodległych Państw. Od 1990 r. trwają okresowe walki z Gagauzami i nieromańskimi mieszkańcami lewobrzeżnej Mołdawii nie akceptującymi planów zjednoczenia z Rumunią.

Powierzchnia	33 843 km²
Stolica (liczba mieszkańców)	Kiszyniów (594 tys.)
Liczba mieszkańców	4467 tys.
Gęstość zaludnienia	132 os./km²
Przyrost naturalny	3,1 os./1000 mieszk.
Saldo migracji	−0,2 os./1000 mieszk.
Urbanizacja	46,7%
Ustrój	republika
Podział administracyjny	10 rejonów, 1 rejon miejski (Kiszyniów), 1 terytorium autonomiczne (Republika Gagauska)
Przynależność do organizacji międzynarodowych	ISE, Rada Europy, WNP
Waluta	1 lej mołdawski = 100 bani
Języki urzędowe	mołdawski
Języki używane	mołdawski, rosyjski, ukraiński, gagauski
Obszary chronione	1,4%

Zagadnienia społeczno-gospodarcze

Religie (wyznawcy)	prawosławni (80%), wyznawcy judaizmu (5%), bezwyznaniowcy i pozostali 15%)
Analfabetyzm	1,6%
Bezrobocie	7,3%
Przeciętna długość życia	66,8 – mężczyźni, 74,4 – kobiety (w latach)
Zainfekowani wirusem HIV	15 – 69 tys. os.
PKB na 1 mieszkańca	991 USD
Struktura PKB	rolnictwo 17,8%, przemysł 21,7%, usługi 60,5%
Wydatki na zbrojenia	39 USD/mieszk.
Dług zagraniczny	74,9% PKB
Saldo obrotów handlu zagranicznego	−1552 mln USD
Główne towary eksportowe	produkty rolno-spożywcze, tekstylia, maszyny, sprzęt gospodarstwa domowego
Główne towary importowe	ropa naftowa, węgiel kamienny, maszyny, środki transportu
Dochody z turystyki	10,8 USD/mieszk.
Produkcja energii elektrycznej	275 kWh/mieszk.
Samochody osobowe	68 szt./1000 mieszk.
Komputery	26,3 szt./1000 mieszk.
Użytkownicy Internetu	95,2 os./1000 mieszk.
Telefony komórkowe	259,2 szt./1000 mieszk.
Strony w atlasie	114-115, 142

MONAKO
KSIĘSTWO MONAKO

Kolonia założona przez Fenicjan. W czasach greckich nosiła nazwę Monoikos, a w rzymskich Portus Herculis Monoeci. W X w. znalazła się pod władzą Genui. W 1297 r. Monako jako księstwo stało się własnością genueńskiego rodu Grimaldich. Od 1524 r. znajdowało się pod protektoratem Hiszpanii, a od 1641 r. Francji. W latach 1793-1814 było częścią Francji. W 1815 r. stało się niezależnym państwem pod opieką Królestwa Sardynii, a w 1860 r. Francji. W 1863 r. założono w Monte Carlo kasyno gry, stanowiące poważne źródło dochodów Monako. Od 1865 r. Monako jest związane unią celną z Francją. W 1911 r. zakończyły się w Monako rządy absolutne, uchwalono konstytucję, zgodnie, z którą Francja otrzymała prawo stacjonowania swych wojsk na terenie księstwa oraz zyskała kontrolę nad zawieranymi przez Monako traktatami międzynarodowymi. W 1962 r. uchwalono nową konstytucję, która znacznie powiększyła kompetencje parlamentu, ograniczając zarazem wpływ Francji na politykę księstwa. Monako jest monarchią konstytucyjną, w której w latach 1949-2005 r. panował książę Rainier III. Po jego śmierci władzę przejął jego syn - książę Albert.

Informacje ogólne **MONAKO**

Powierzchnia	2 km²
Stolica (liczba mieszkańców)	Monako (33 tys.)
Liczba mieszkańców	33 tys.
Gęstość zaludnienia	16 500,0 os./km²
Przyrost naturalny	−3,7 os./1000 mieszk.
Saldo migracji	7,7 os./1000 mieszk.
Urbanizacja	100,0%
Ustrój	monarchia konstytucyjna
Podział administracyjny	4 dzielnice
Przynależność do organizacji międzynarodowych	Rada Europy
Waluta	1 euro = 100 eurocentów
Języki urzędowe	francuski
Języki używane	francuski, włoski, monageski, angielski
Obszary chronione	25,5%

Zagadnienia społeczno-gospodarcze

Religie (wyznawcy)	katolicy (90%), protestanci (6%), muzułmanie, wyznawcy judaizmu i pozostali (4%)
Analfabetyzm	0%
Bezrobocie	0% (1999)

Przeciętna długość życia	76,1 – mężczyźni, 84,0 – kobiety (w latach)
PKB na 1 mieszkańca	35 375 USD
Struktura PKB	rolnictwo 0,0%, przemysł 4,9%, usługi 95,1%
Główne towary eksportowe	znaczki pocztowe, kosmetyki, leki, elektronika, wyroby jubilerskie, tworzywa sztuczne
Główne towary importowe	energia elektryczna, żywność
Samochody osobowe	695 szt./1000 mieszk. (2000)
Użytkownicy Internetu	497,1 os./1000 miesz. (2002)
Telefony komórkowe	593,1 szt./1000 mieszk. (2002)
	5% budżetu państwa to wpływy z kasyn, gospodarka kraju oparta na turystyce, usługach bankowych i handlu nieruchomościami
Strona w atlasie	127

MONGOLIA
REPUBLIKA MONGOLII

Na terenie dzisiejszej Mongolii już w III tysiącleciu p.n.e. istniało pasterstwo nomadyczne. Od III w. p.n.e. na stepach Mongolii powstawały związki plemion koczowniczych. Na przełomie XII i XIII w. plemiona północnej Mongolii zjednoczył Czyngis-chan, który następnie podbił całą Azję Środkową i północne Chiny. Jego potomkowie podporządkowali sobie w pierwszej połowie XIII w. wschodnią Europę, Iran i Irak oraz południowe Chiny. W XIV w. Mongolia rozpadła się na kilka państw, zjednoczonych na krótko w pierwszej połowie XVI w. W 1634 r. południową część Mongolii (Mongolię Wewnętrzną) opanowali Mandżurowie, a po podbiciu Chin zajęli w 1696 r. również północną Mongolię (Mongolię Zewnętrzną). Próbom uzyskania niepodległości w latach 1911-1921 położyła kres interwencja Armii Czerwonej, po której w 1924 r. proklamowano Mongolską Republikę Ludową i wprowadzono gospodarkę socjalistyczną. W okresie powojennym Mongolia popadła w całkowitą zależność polityczną i gospodarczą od ZSRR, stając się w rzeczywistości radziecką kolonią i bazą wojskową. Po powstaniu w latach 1989-1990 opozycyjnych partii politycznych doszło w 1992 r. do zmiany konstytucji, wprowadzającej system demokracji parlamentarnej i ochronę własności prywatnej. W tym samym roku zmieniono nazwę państwa na Republika Mongolii.

Informacje ogólne **MONGOLIA**

Powierzchnia	1 564 060 km²
Stolica (liczba mieszkańców)	Ułan Bator (943 tys.)
Liczba mieszkańców	2832 tys.
Gęstość zaludnienia	1,8 os./km²
Przyrost naturalny	14,6 os./1000 mieszk.
Saldo migracji	0 os./1000 mieszk.
Urbanizacja	56,7%
Ustrój	republika
Podział administracyjny	18 ajmaków i 3 miasta wydzielone (Ułan Bator, Darchan, Erdenet)
Przynależność do organizacji międzynarodowych	NAM
Waluta	1 tugrik = 100 möngö
Języki urzędowe	mongolski
Języki używane	mongolski, ojracki, kazaski, buriacki, kałmucki, chiński, dariganga, tuwiński
Obszary chronione	13,9%

Zagadnienia społeczno-gospodarcze

Religie (wyznawcy)	buddyści – lamaiści (96%), muzułmanie (4%)
Analfabetyzm	1,4%
Bezrobocie	3,3%
Przeciętna długość życia	64,9 – mężczyźni, 69,8 – kobiety (w latach)
Zainfekowani wirusem HIV	<2 tys. os.
PKB na 1 mieszkańca	1217 USD
Struktura PKB	rolnictwo 18,8%, przemysł 40,4%, usługi 40,8%
Wydatki na zbrojenia	6 USD/mieszk.
Dług zagraniczny	86,3% PKB
Saldo obrotów handlu zagranicznego	−40 mln USD
Główne towary eksportowe	miedź, molibden, fluoryty, wolfram, skóry, futra, wełna
Główne towary importowe	paliwa, maszyny, środki transportu, żywność, energia
Dochody z turystyki	16,0 USD/mieszk.
Produkcja energii elektrycznej	1211 kWh/mieszk.
Samochody osobowe	33 szt./1000 mieszk.
Komputery	118,6 szt./1000 mieszk.
Użytkownicy Internetu	76,0 os./1000 mieszk.
Telefony komórkowe	210,5 szt./1000 mieszk.
Strony w atlasie	198-199

Montserrat (Wielka Brytania)

Wyspa, odkryta w 1493 r. przez K. Kolumba, od 1632 r. była kolonizowana przez Anglików i Irlandczyków. W latach 1783-1956 była kolonią brytyjską. Obecnie ma status terytorium zależnego Wielkiej Brytanii. Znaczna część wyspy została zniszczona podczas erupcji wulkanu Soufrière Hills w 1995 r. Erupcja przyczyniła się do masowej emigracji miejscowej ludności, w rezultacie których na wyspie pozostało około 30% populacji. Wyspa jest ciągle niespokojna sejsmicznie.

Informacje ogólne **Montserrat** (Wielka Brytania)

Powierzchnia	102 km²
Stolica (liczba mieszkańców)	Plymouth (konstytucyjna – zniszczona wybuchem wulkanu), Olveston (obecna siedziba władz), Brades (w budowie)
Liczba mieszkańców	9,4 tys.
Gęstość zaludnienia	92,5 os./km²
Przyrost naturalny	10,5 os./1000 mieszk.
Saldo migracji	0 os./1000 mieszk.
Urbanizacja	13,5%
Ustrój	terytorium zależne Wielkiej Brytanii
Podział administracyjny	3 okręgi
Waluta	1 dolar wschodniokaraibski = 100 centów
Języki urzędowe	angielski
Języki używane	angielski
Obszary chronione	10,7%

Zagadnienia społeczno-gospodarcze

Religie (wyznawcy)	anglikanie, metodyści, katolicy, zielonoświątkowcy, adwentyści Dnia Siódmego
Analfabetyzm	3,0%
Bezrobocie	6,0% (1998)
Przeciętna długość życia	76,9 – mężczyźni, 81,5 – kobiety (w latach)
PKB na 1 mieszkańca	7967 USD
Struktura PKB	rolnictwo 1,2%, przemysł 23,1%, usługi 75,7% (1999)
Saldo obrotów handlu zagranicznego	–37 mln USD
Główne towary eksportowe	części elektroniczne, owoce cytrusowe, warzywa, przyprawy (pieprz), wyroby rzemiosła artystycznego
Główne towary importowe	maszyny, środki transportu, żywność, paliwa
Dochody z turystyki	20% dochodu narodowego pochodzi z turystyki 3000,0 USD/mieszk.
Produkcja energii elektrycznej	213 kWh/mieszk.
Samochody osobowe	270 szt./1000 mieszk. (2000)
Telefony komórkowe	122,0 szt./1000 mieszk.
Strona w atlasie	263

MOZAMBIK

REPUBLIKA MOZAMBIKU

W I tysiącleciu p.n.e. osiedlili się tu Buszmeni, których od V w. wypierały na południe ludy Bantu. Od VIII w. na wybrzeżu powstawały liczne faktorie kupców arabskich, perskich i indyjskich pośredniczące w handlu złotem i kością słoniową. W głębi lądu ludy Bantu stworzyły w X w. państwo plemienne Monomotapa, które w XVII w. zniszczyli Portugalczycy. W 1609 r. Mozambik stał się kolonią portugalską, ale podbój obszaru w głębi kraju trwał do końca XIX w. W XVII i XVIII w. był jednym z głównych ośrodków wywozu niewolników. Od 1951 r. Mozambik miał status prowincji zamorskiej pod nazwą Portugalska Afryka Wschodnia. Przybyła tu znaczna liczba białych osadników i nastąpił szybki wzrost gospodarczy. Prowadzona od 1964 r. walka zbrojna doprowadziła do proklamowania w 1975 r. niepodległości jak również do wyjazdu prawie wszystkich białych. Brak fachowców spowodował załamanie się gospodarki. Przeciw marksistowskim rządom zbrojnie wystąpiła w 1981 r. opozycja, wspierana przez Rodezję i RPA. Wojna domowa oraz kilkuletnia susza spowodowały ucieczkę 1,5 mln mieszkańców do Malawi, Zimbabwe i RPA. W 1992 r. zakończono wojnę domową (ok. 1 mln ofiar), wprowadzono system wieloparty jny oraz gospodarkę wolnorynkową.

Informacje ogólne **MOZAMBIK**

Powierzchnia	799 380 km²
Stolica (liczba mieszkańców)	Maputo (1244 tys.)
Liczba mieszkańców	19 687 tys.
Gęstość zaludnienia	24,6 os./km²
Przyrost naturalny	13,8 os./1000 mieszk.
Saldo migracji	0 os./1000 mieszk.
Urbanizacja	34,5%
Ustrój	republika
Podział administracyjny	10 prowincji i miasto wydzielone Maputo
Przynależność do organizacji międzynarodowych	ACP, AU, NAM, SADC
Waluta	1 metical mozambicki = 100 centavos
Języki urzędowe	portugalski
Języki używane	ponad 1 mln użytkowników: portugalski, makua, tsonga, lomwe, sena; ponadto około 30 innych
Obszary chronione	8,6%

Zagadnienia społeczno-gospodarcze

Religie (wyznawcy)	animiści (48%), katolicy (31%), muzułmanie (13%), protestanci (7%), pozostali (1%)
Analfabetyzm	52,2%
Bezrobocie	21,0% (1997)
Przeciętna długość życia	41,6 – mężczyźni, 40,4 – kobiety (w latach)
Zainfekowani wirusem HIV	1400 – 2200 tys. os.

PKB na 1 mieszkańca	386 USD
Struktura PKB	rolnictwo 23,0%, przemysł 30,1%, usługi 46,8%
Wydatki na zbrojenia	6 USD/mieszk.
Dług zagraniczny	17,0% PKB
Saldo obrotów handlu zagranicznego	–550 mln USD
Główne towary eksportowe	krewetki, orzechy nanerczowe, bawełna, cukier, banany, kopra, energia elektryczna
Główne towary importowe	maszyny i urządzenia, surowce, chemikalia, żywność, odzież
Produkcja energii elektrycznej	588 kWh/mieszk.
Samochody osobowe	6 szt./1000 mieszk.
Komputery	5,9 szt./1000 mieszk.
Użytkownicy Internetu	7,3 os./1000 mieszk.
Telefony komórkowe	61,6 szt./1000 mieszk.
Strona w atlasie	227

NADDNIESTRZE*

MOŁDAWSKA REPUBLIKA NADDNIESTRZAŃSKA

W 1812 r. wschodnia część Mołdawii (Besarabia) została przyłączona do Rosji. Gdy w 1918 r. Besarabia znalazła się w granicach Rumunii, część ludności mołdawskiej pozostała na lewym brzegu Dniestru, w granicach Rosji Sowieckiej. Na tym obszarze utworzono w 1924 r. Mołdawską ASRR. W 1940 r. Besarabia znów znalazła się w granicach ZSRR. Łącząc ją z Mołdawską ASRR, utworzono Mołdawską SRR. Po rozpadzie ZSRR Mołdawska SRR ogłosiła w 1991 r. niepodległość i zapowiedź przyszłego zjednoczenia z Rumunią. Rok wcześniej lewobrzeżna część republiki, zamieszkiwana głównie przez Rosjan i Ukraińców, ogłosiła secesję. Proklamowano powstanie Republiki Naddniestrzańskiej, nie uznanej przez władze Mołdawii. Od tego czasu wybuchają starcia zbrojne, a status Naddniestrza jest nieuregulowany.

Informacje ogólne **NADDNIESTRZE** * nieokreślony status polityczny

Powierzchnia	4163 km²
Stolica (liczba mieszkańców)	Tyraspol (159 tys.)
Liczba mieszkańców	555 tys.
Gęstość zaludnienia	133,3 os./km²
Ustrój	republika
Waluta	1 rubel (naddniestrzański) = 100 kopiejek
Języki urzędowe	rosyjski
Języki używane	rosyjski, ukraiński, mołdawski
Strona w atlasie	115

NAMIBIA

REPUBLIKA NAMIBII

W I tysiącleciu p.n.e. na terenie dzisiejszej Namibii osiedlili się Buszmeni. W I tysiącleciu n.e. przybył tu lud Sana, a później Hotentoci. W XVII w. napłynęły ludy Bantu. Penetracja Europejczyków – początkowo Portugalczyków, a później Holendrów – zaczęła się pod koniec XV w. W latach 1884-1886 Namibia stała się niemiecką kolonią pod nazwą Niemiecka Afryka Południowo-Zachodnia. W 1915 r. nastąpiła okupacja kraju przez wojska Związku Południowej Afryki, będącego w stanie wojny z Niemcami. W latach 1920-1946 Namibia była terytorium mandatowym Ligi Narodów pod administracją Związku Południowej Afryki, a od 1946 r. terytorium powierniczym ONZ. Wbrew ustaleniom ONZ, w 1949 r. ZPA dokonał aneksji Namibii, a w 1966 r. został pozbawiony powiernictwa. W tym samym roku rozpoczęła się walka zbrojna, z pomocą Kuby, o niepodległość, którą udało się Namibii uzyskać w 1990 r. W 1998 r. władze Namibii zdecydowały o wysłaniu oddziałów zbrojnych do Demokratycznej Republiki Konga, miały one wesprzeć siły rządowe zmagające się z rebeliantami. W 2002 r. w kraju wybuchł kryzys polityczny, dotyczący odszkodowań za zbrodnie popełnione w okresie kolonialnym, których domaga się od białych farmerów rodzima ludność.

Informacje ogólne **NAMIBIA**

Powierzchnia	825 119 km²
Stolica (liczba mieszkańców)	Windhuk (237 tys.)
Liczba mieszkańców	2044 tys.
Gęstość zaludnienia	2,5 os./km²
Przyrost naturalny	5,4 os./1000 mieszk.
Saldo migracji	0,5 os./1000 mieszk.
Urbanizacja	35,1%
Ustrój	republika
Podział administracyjny	13 dystryktów
Przynależność do organizacji międzynarodowych	ACP, AU, NAM, SADC
Waluta	1 dolar namibijski = 100 centów
Języki urzędowe	angielski
Języki używane	afrikaans, owambo, niemiecki, nama, angielski, herero, kwangali, kwambi, xun, diriku, lozi, subiya, mbukushu i inne
Obszary chronione	14,6%

NAURU

REPUBLIKA NAURU

Wyspa, odkryta w 1798 r. przez żeglarzy amerykańskich, w 1888 r. stała się kolonią niemiecką. Podczas I wojny światowej została zajęta przez Australię, a od 1918 r. była terytorium mandatowym Ligi Narodów pod administracją Wielkiej Brytanii, Australii i Nowej Zelandii. W czasie II wojny światowej była okupowana przez Japonię, potem stała się terytorium powierniczym ONZ pod administracją tych samych trzech państw. W 1968 r. Nauru uzyskała niepodległość jako republika. Jest członkiem brytyjskiej Wspólnoty Narodów.

Informacje ogólne	NAURU
Powierzchnia	21 km²
Centrum administracyjne (liczba mieszkańców)	Yaren – siedziba rządu, (0,7 tys.) 1996 brak oficjalnej stolicy
Liczba mieszkańców	13 tys.
Gęstość zaludnienia	626,7 os./km²
Przyrost naturalny	18,1 os./1000 mieszk.
Saldo migracji	0 os./1000 mieszk.
Urbanizacja	100,0%
Ustrój	republika
Podział administracyjny	14 okręgów
Przynależność do organizacji międzynarodowych	ACP, Wspólnota Pacyfiku, Forum Wysp Pacyfiku
Waluta	1 dolar australijski = 100 centów
Języki urzędowe	nauru, angielski
Języki używane	nauru, angielski, kiribati, chiński
Zagadnienia społeczno-gospodarcze	
Religie (wyznawcy)	protestanci (51%), katolicy (27%), pozostali (22%)
Analfabetyzm	1,0% (2000)
Bezrobocie	90,0%
Przeciętna długość życia	60,2 – mężczyźni, 67,6 – kobiety (w latach)
PKB na 1 mieszkańca	5474 USD
Główne towary eksportowe	fosforyty
Główne towary importowe	paliwa, maszyny, urządzenia, produkty spożywcze
Produkcja energii elektrycznej	2308 kWh/mieszk.
Użytkownicy Internetu	22,6 os./1000 mieszk. (2002)
Telefony komórkowe	112,9 szt./1000 mieszk. (2002)
Strona w atlasie	298

Navassa (Stany Zjednoczone)

Bezludną wyspę zajęły w 1857 r. Stany Zjednoczone. W latach 1865-1898 eksploatowano tu guano, a w okresie od 1917 do 1996 r. działała latarnia morska. Obecnie wyspa nie jest zamieszkana.

Informacje ogólne	Navassa Island (Stany Zjednoczone)
Powierzchnia	5,2 km²
Liczba mieszkańców	niezamieszkane
Ustrój	terytorium nieinkorporowane Stanów Zjednoczonych
Strony w atlasie	261, 262

NEPAL

KRÓLESTWO NEPALU

Pierwszymi mieszkańcami Nepalu były plemiona indyjskie i tybetańskie. W III w. p.n.e. Nepal został podbity przez Indie. W następnych wiekach zależał do państw sąsiednich. Od VII do XII w. był zależny od Tybetu. Na przełomie XII i XIII w. z północnych Indii przybyli tu Gurkhowie.

Największy rozkwit Nepalu nastąpił za czasów miejscowej dynastii Malla, rządzącej do 1768 r. Kolejna dynastia, Szah (wywodząca się z Gurkhów), próbowała scalić Nepal, który w XVI w. rozpadł się na cztery księstwa. Ekspansja terytorialna Nepalu napotkała zbrojną interwencję Chin (1792 r.) i doprowadziła do przegranej wojny granicznej z wojskami Kompanii Wschodnioindyjskiej (1814-1816 r.). Kończący ją traktat odebrał Nepalowi 1/3 terytorium i narzucił brytyjskiego rezydenta, decydującego o polityce zagranicznej. W latach 1846-1950 trwały rządy dziedzicznych premierów z rodu Rana. W 1923 r. Wielka Brytania uznała niepodległość Nepalu, ale zachowała wpływ na jego rządy. W 1951 r. do władzy wrócili królowie, a Nepal stał się dziedziczną monarchią konstytucyjną. W 1960 r. król rozwiązał partie polityczne oraz parlament i wprowadził tzw. bezpartyjną demokrację panczajatów (lokalnych przedstawicielskich organów władzy). W 1963 r. król wprowadził nowy kodeks prawny znoszący poparcie dla systemu kastowego. Na początku lat 80. XX wieku, po ostrych wystąpieniach ludności, zaczęła się stopniowa demokratyzacja życia politycznego, a w 1990 r. wprowadzono demokrację wielopartyjną. W 2001 r. w pałacu królewskim doszło do krwawej masakry, prawowity następca tronu zastrzelił dziewięciu członków rodziny królewskiej (w tym swoich rodziców), a następnie popełnił samobójstwo. W konsekwencji tych wydarzeń tron objął brat zmarłego króla – książę Gyanendra. W 2005 r. król Gyanendra zdymisjonował rząd i objął władzę absolutną. W 2006 r. przywrócono parlament i powołano nowy rząd. Ograniczono wpływ monarchy na politykę państwa.

Informacje ogólne	NEPAL
Powierzchnia	147 181 km²
Stolica (liczba mieszkańców)	Katmandu (815 tys.)
Liczba mieszkańców	28 287 tys.
Gęstość zaludnienia	192,2 os./km²
Przyrost naturalny	21,7 os./1000 mieszk.
Saldo migracji	0 os./1000 mieszk.
Urbanizacja	15,8%
Ustrój	monarchia konstytucyjna
Podział administracyjny	5 regionów
Przynależność do organizacji międzynarodowych	NAM, SAARC
Waluta	1 rupia nepalska = 100 pajsa
Języki urzędowe	nepalski
Języki używane	ponad 1 mln użytkowników: nepalski, angielski, maithili, bhodżpuri, tharu, tamang; ponadto około 100 innych
Obszary chronione	16,3%
Zagadnienia społeczno-gospodarcze	
Religie (wyznawcy)	hinduiści (90%), buddyści (5%), muzułmanie (3%), chrześcijanie (2%), pozostali (1%)
Analfabetyzm	54,9%
Bezrobocie	42,0%
Przeciętna długość życia	61,1 – mężczyźni, 60,8 – kobiety (w latach)
Zainfekowani wirusem HIV	41 – 180 tys. os.
PKB na 1 mieszkańca	376 USD
Struktura PKB	rolnictwo 38,0%, przemysł 20,0%, usługi 42,0%
Wydatki na zbrojenia	5 USD/mieszk.
Dług zagraniczny	36,7% PKB
Saldo obrotów handlu zagranicznego	−1340 mln USD
Główne towary eksportowe	odzież bawełniana, dywany, drewno salowe, skóry, juta, zioła lecznicze
Główne towary importowe	maszyny, środki transportu, chemikalia, paliwa, żywność
Dochody z turystyki	5,8 USD/mieszk.
Produkcja energii elektrycznej	89 kWh/mieszk.
Samochody osobowe	3 szt./1000 mieszk. (2003)
Komputery	4,7 szt./1000 mieszk.
Użytkownicy Internetu	4,8 os./1000 mieszk.
Telefony komórkowe	9,2 szt./1000 mieszk.
Strony w atlasie	190, 191

NIEMCY

REPUBLIKA FEDERALNA NIEMIEC

W starożytności większą część terenów obecnych Niemiec zasiedlili Celtowie. Do I w. p.n.e. wyparły ich plemiona germańskie, zjednoczone w VI-VIII w. przez Franków. Po podziale państwa Franków w 843 r. jego wschodnia część stała się zaczątkiem odrębnego królestwa, zwanego później niemieckim. W 962 r. król Niemiec Otto I koronował się na cesarza rzymskiego. Rządy jego potomków w pierwszej połowie XI w. to szczyt potęgi średniowiecznych Niemiec. W drugiej połowie XI w. władza królewska zaczęła stopniowo słabnąć, podczas gdy formowały się i umacniały władztwa terytorialne. Kryzys społeczny i polityczny w XV w. zbiegł się z dążeniem do przebudowy stosunków kościelnych (reformacja). Doprowadziło to w 1525 r. do wybuchu wojny chłopskiej i rozbicia Niemiec na katolickie południe i protestancką północ. Po wojnie trzydziestoletniej (1618-1648 r.), w której zginęła 1/3 mieszkańców Niemiec, nastąpiło uniezależnienie poszczególnych księstw (ok. 300). W tym czasie wyłoniły się dwie najsilniejsze, rywalizujące ze sobą monarchie: Prusy i Austria. Na początku XIX w. Niemcy popadły w przejściową zależność od napoleońskiej Francji. W 1806 r. nastąpił koniec Cesarstwa Rzymskiego Narodu Niemieckiego, istniejącego od 962 r. Po wojnie austriacko-pruskiej (1866 r.) zaczęła się w Niemczech hegemonia Prus, a po wojnie francusko-pruskiej (1870-1871 r.) proklamowano cesarstwo niemieckie (bez Austrii, będącej cesarstwem w 1804 r.), które na przełomie XIX i XX w. stało się najpotężniejszym mocarstwem Europy. W osłabionym udziałem w I wojnie światowej kraju w 1918 r. wybuchła rewolucja, w efekcie której proklamowano republikę (Republika Weimarska).

Państwa świata

W ogarniętych głębokim kryzysem gospodarczym Niemczech szybko rozwijał się ruch nazistowski pod wodzą Adolfa Hitlera, który w 1933 r. przejął władzę, wprowadzając rządy dyktatorskie i terror polityczny. Gwałtownie zbrojące się Niemcy dokonały w 1938 r. przyłączenia Austrii i zaboru części Czechosłowacji (Sudety), a w 1939 r. okupacji Czech i Moraw. Podjęta w tym samym roku zbrojna napaść na Polskę była początkiem II wojny światowej. Po klęsce w 1945 r. Niemcy okupowane były przez Francję, Stany Zjednoczone, Wielką Brytanię i ZSRR. W 1949 r. powstały dwa państwa niemieckie: Republika Federalna Niemiec (RFN) i Niemiecka Republika Demokratyczna (NRD). Dokonano również podziału Berlina. NRD rządzona była totalitarnie przez komunistów. RFN natomiast była demokratyczno-parlamentarnym państwem związkowym. Pod koniec 1990 r., po podpisaniu traktatu zjednoczeniowego, NRD została przyłączona do RFN. Od tego czasu Niemcy starają się wyrównać różnice gospodarcze i społeczne, które na skutek podziału, powstały między byłymi RFN i NRD.

Informacje ogólne **NIEMCY**

Powierzchnia	357 022 km^2
Stolica (liczba mieszkańców)	Berlin (3 395 tys.)
Liczba mieszkańców	82 422 tys.
Gęstość zaludnienia	230,9 os./km^2
Przyrost naturalny	–2,3 os./1000 mieszk.
Saldo migracji	2,2 os./1000 mieszk.
Urbanizacja	75,2%
Ustrój	republika związkowa
Podział administracyjny	16 krajów związkowych (landów)
Przynależność do organizacji międzynarodowych	CBSS, NATO, OECD, Rada Europy, UE
Waluta	1 euro = 100 eurocentów
Języki urzędowe	niemiecki
Języki używane	niemiecki, turecki; ponadto: chorwacki, serbski, włoski, kurdyjski, rosyjski, grecki, polski oraz górno- i dolnołużycki, duński, fryzyjski i inne
Obszary chronione	30,0%

Zagadnienia społeczno-gospodarcze

Religie (wyznawcy)	luteranie (43%), katolicy (34%), muzułmanie (2%), bezwyznaniowcy i pozostali (21%)
Analfabetyzm	0%
Bezrobocie	7,1%
Przeciętna długość życia	76,1 – mężczyźni, 82,3 – kobiety (w latach)
Zainfekowani wirusem HIV	29 – 81 tys. os.
PKB na 1 mieszkańca	35 433 USD
Struktura PKB	rolnictwo 0,8%, przemysł 29,0%, usługi 70,1%
Wydatki na zbrojenia	458 USD/mieszk.
Saldo obrotów handlu zagranicznego	202 160 mln USD
Główne towary eksportowe	maszyny (gł. obrabiarki), urządzenia przemysłowe, samochody, farmaceutyki, sprzęt elektroniczny, aparatura precyzyjna, papier, piwo, mięso
Główne towary importowe	paliwa, rudy i koncentraty metali, maszyny i urządzenia przemysłowe, samoloty, drewno, owoce, warzywa
Dochody z turystyki	209,2 USD/mieszk.
Produkcja energii elektrycznej	6878 kWh/mieszk.
Samochody osobowe	559 szt./1000 mieszk.
Komputery	484,7 szt./1000 mieszk.
Użytkownicy Internetu	426,7 os./1000 mieszk.
Telefony komórkowe	957,8 szt./1000 mieszk.
Strony w atlasie	122-123

NIGER

REPUBLIKA NIGRU

Teren dzisiejszego Nigru był w średniowieczu obszarem ścierania się trzech ośrodków politycznych: Songhaju (od VII w.), Kanem (od VIII w.) i Hausa (od X w.). W X w. północną część Nigru opanowały berberyjskie plemiona Tuaregów. Państwa Songhaj i Kanem przestały istnieć pod koniec XVI w. Miejsce tego ostatniego zajęło Bornu. Państewka Hausa, będące w rozkwicie w XVII i XVIII w., zostały podbite na początku XIX w. przez Fulanów. Prowadzona od schyłku XIX w. ekspansja francuska została Niger bardzo rozdrobniony, jedynie Tuaregowie na północy stawiali silny opór, ale na początku XX w. zostali spacyfikowani. W 1904 r. Francuzi utworzyli kolonię pod nazwą Niger, włączoną w 1911 r. do Francuskiej Afryki Zachodniej. W 1922 r., po powstaniu Tuaregów, Niger stał się odrębną kolonią. Uzyskała ona niepodległość w 1960 r. jako republika o systemie jednopartyjnym. Trudną sytuację gospodarczą kraju potęgowały katastrofalne susze. Po kolejnej usunięto z kraju, w 1985 r., nienigeryjskie plemiona Tuaregów. Brak wewnętrznej stabilizacji powoduje częste wojskowe zamachy stanu (1974, 1987 i 1999 r.).

Informacje ogólne **NIGER**

Powierzchnia	1 186 408 km^2
Stolica (liczba mieszkańców)	Niamey (850 tys.)
Liczba mieszkańców	12 525 tys.
Gęstość zaludnienia	10,6 os./km^2
Przyrost naturalny	29,8 os./1000 mieszk.
Saldo migracji	–0,6 os./1000 mieszk.

Urbanizacja	16,8%
Ustrój	republika
Podział administracyjny	7 departamentów i dystrykt stołeczny
Przynależność do organizacji międzynarodowych	ACP, AU, ECOWAS, NAM
Waluta	1 frank CFA = 100 centymów
Języki urzędowe	francuski
Języki używane	hausa, dżerma, francuski, tamaszek, fulfulde (fulani), kanuri
Obszary chronione	6,6%

Zagadnienia społeczno-gospodarcze

Religie (wyznawcy)	muzułmanie (80%), animiści (15%), katolicy i pozostali (5%)
Analfabetyzm	82,4%
Przeciętna długość życia	44,3 – mężczyźni, 44,3 – kobiety (w latach)
Zainfekowani wirusem HIV	39 – 130 tys. os.
PKB na 1 mieszkańca	278 USD
Struktura PKB	rolnictwo 39,0%, przemysł 17,0%, usługi 44,0% (2001)
Wydatki na zbrojenia	2 USD/mieszk.
Dług zagraniczny	25,5% PKB
Saldo obrotów handlu zagranicznego	–260 mln USD
Główne towary eksportowe	uran, żywe zwierzęta, skóry, rośliny strączkowe, orzeszki ziemne
Główne towary importowe	maszyny, surowce, zboże, żywność, artykuły przemysłowe
Dochody z turystyki	2,2 USD/mieszk.
Produkcja energii elektrycznej	19 kWh/mieszk.
Samochody osobowe	5 szt./1000 mieszk.
Komputery	0,7 szt./1000 mieszk.
Użytkownicy Internetu	1,9 os./1000 mieszk.
Telefony komórkowe	16,3 szt./1000 mieszk.
Strony w atlasie	220-221

NIGERIA

FEDERALNA REPUBLIKA NIGERII

Już w I tysiącleciu p.n.e. na terenie obecnej Nigerii funkcjonowały organizmy państwowe. W średniowieczu istniały tu miasta-państwa Hausa, których największy rozwój przypadł na XIV i XV w., a ponadto państwo Jorubów (XI-XVI w.) i państwo Kanem (od IX w.), którego miejsce w XVI w. zajęło Bornu. W 1804 r. w północnej części Nigerii powstał sułtanat Sokoto (Fulanowie), który podporządkował sobie cały obszar miast-państw Hausa. Od końca XV w. trwała europejska penetracja wybrzeża i intensywny handel niewolnikami. Brytyjska ekspansja zaczęła się w 1861 r. od zajęcia portu Lagos. W 1914 r. już cały teren Nigerii był w rękach Brytyjczyków, którzy utworzyli tu kolonię. Nigeria uzyskała niepodległość w 1960 r. jako federacyjna monarchia w ramach brytyjskiej Wspólnoty Narodów. Od 1963 r. jest republiką federacyjną targaną konfliktami etnicznymi i religijnymi. Wojna domowa w latach 1967-1970, spowodowana secesją Biafry, przyniosła śmierć około 2 mln jej mieszkańców. Korupcja i niepokoje społeczne doprowadziły do wielokrotnych zamachów stanu. Po 16 latach wojskowych rządów, w 1999 r. uchwalono nową konstytucję, a władzę pokojowo przejął rząd cywilny. W pierwszych latach XXI w. nasiliły się konflikty między muzułmanami i chrześcijanami.

Informacje ogólne **NIGERIA**

Powierzchnia	923 768 km^2
Stolica (liczba mieszkańców)	Abudża (452 tys.)
Liczba mieszkańców	131 860 tys.
Gęstość zaludnienia	142,7 os./km^2
Przyrost naturalny	23,5 os./1000 mieszk.
Saldo migracji	0,3 os./1000 mieszk.
Urbanizacja	48,2%
Ustrój	republika federacyjna
Podział administracyjny	30 stanów i terytorium stołeczne
Przynależność do organizacji międzynarodowych	ACP, AU, ECOWAS, NAM, OPEC
Waluta	1 naira = 100 kobo
Języki urzędowe	angielski
Języki używane	ponad 1 mln użytkowników: hausa, angielski-kreolski, joruba, ibo, fulfulde (fulani), kanuri, tiv, ibibio, izo, angielski, edo, anaang, ebira
Obszary chronione	6,1%

Zagadnienia społeczno-gospodarcze

Religie (wyznawcy)	muzułmanie (43%), animiści (19%), protestanci (15%), afrochrześcijanie (11%), katolicy (8%), pozostali (4%)
Analfabetyzm	31,9%
Bezrobocie	5,8%
Przeciętna długość życia	47,2 – mężczyźni, 48,5 – kobiety (w latach)
Zainfekowani wirusem HIV	1 700 – 4 200 tys. os.
PKB na 1 mieszkańca	777 USD
Struktura PKB	rolnictwo 17,6%, przemysł 52,7%, usługi 29,7%
Wydatki na zbrojenia	5 USD/mieszk.
Dług zagraniczny	70,7% PKB
Saldo obrotów handlu zagranicznego	28 300 mln USD
Główne towary eksportowe	ropa naftowa, ziarno kakaowe, kauczuk

Główne towary importowe	maszyny, środki transportu, żywność, chemikalia
Dochody z turystyki	1,3 USD/mieszk.
Produkcja energii elektrycznej	124 kWh/mieszk.
Samochody osobowe	17 szt./1000 mieszk.
Komputery	6,8 szt./1000 mieszk.
Użytkownicy Internetu	13,9 os./1000 mieszk.
Telefony komórkowe	141,4 szt./1000 mieszk.
Strony w atlasie	221, 222

NIKARAGUA

REPUBLIKA NIKARAGUI

Teren obecnej Nikaragui, odkryty w 1502 r. przez K. Kolumba, od 1513 r. kolonizowali Hiszpanie. W 1535 r. znalazł się w wicekrólestwie Nowej Hiszpanii. W 1821 r. Nikaragua uzyskała niepodległość, a w 1823 r. weszła w skład Zjednoczonych Prowincji Ameryki Środkowej. W 1838 r. stała się samodzielną republiką. Od początku jej istnienia trwała walka o władzę między liberałami a konserwatystami, a od końca XIX w. nasiliły się wpływy Stanów Zjednoczonych (interwencje zbrojne w 1912 i 1926 r.). Antyamerykańskie powstanie pod wodzą A. C. Sandino (1927-1932) doprowadziło do wycofania się wojsk amerykańskich z Nikaragui. W 1936 r. rozpoczęła się proamerykańska dyktatura rodziny Somozów, obalona w 1979 r. przez rewolucję. Totalitarne rządy komunistyczne doprowadziły do wojny domowej (druga połowa lat 80. XX w.) z oddziałami antyrządowymi stacjonującymi w Hondurasie i Kostaryce. W 1990 r. władzę przejęła opozycja, która prowadzi nieskuteczne działania na rzecz stabilizacji politycznej i gospodarczej. Wolne wybory w latach 1990, 1996 i 2001 ostatecznie odsunęły obóz sandinowski od władzy. W 1998 r. huragan Mitch wyrządził ogromne szkody na terytorium Nikaragui, zginęło wówczas 6 tys. osób. W 2004 r. Bank Światowy podjął decyzję o umorzeniu 80% długu Nikaragui.

Informacje ogólne	NIKARAGUA
Powierzchnia	131 462 km^2
Stolica (liczba mieszkańców)	Managua (909 tys.)
Liczba mieszkańców	5570 tys.
Gęstość zaludnienia	42,4 os./km^2
Przyrost naturalny	20,0 os./1000 mieszk.
Saldo migracji	−1,2 os./1000 mieszk.
Urbanizacja	59,0%
Ustrój	republika
Podział administracyjny	16 departamentów
Przynależność do organizacji międzynarodowych	NAM, OAS, SICA
Waluta	1 cordoba = 100 centavos
Języki urzędowe	hiszpański
Języki używane	hiszpański, miskito, angielski-kreolski
Obszary chronione	18,2%
Zagadnienia społeczno-gospodarcze	
Religie (wyznawcy)	katolicy (90%), protestanci (5%), bezwyznaniowcy i pozostali (5%)
Analfabetyzm	32,5%
Bezrobocie	3,8%, niedozatrudnienie 46,5%
Przeciętna długość życia	69,1 – mężczyźni, 73,4 – kobiety (w latach)
Zainfekowani wirusem HIV	3,9 – 18 tys. os.
PKB na 1 mieszkańca	897 USD
Struktura PKB	rolnictwo 17,1%, przemysł 25,9%, usługi 57,0%
Wydatki na zbrojenia	6 USD/mieszk.
Dług zagraniczny	35,2% PKB
Saldo obrotów handlu zagranicznego	−1941 mln USD
Główne towary eksportowe	kawa, bawełna, mięso, ryby, krewetki, drewno, cukier
Główne towary importowe	ropa naftowa, środki transportu, maszyny
Dochody z turystyki	20,9 USD/mieszk.
Produkcja energii elektrycznej	499 kWh/mieszk.
Samochody osobowe	18 szt./1000 mieszk.
Komputery	35,2 szt./1000 mieszk.
Użytkownicy Internetu	22,0 os./1000 mieszk.
Telefony komórkowe	196,9 szt./1000 mieszk.
Strony w atlasie	260-261

Niue (Nowa Zelandia)

Wyspa została odkryta w 1774 r. przez J. Cooka. W 1901 r. stała się terytorium stowarzyszonym z Nową Zelandią, do 1903 r. w ramach protektoratu Wysp Cooka, a później odrębnym. Systematycznie spada liczba mieszkańców wyspy. Znaczna część emigrantów z N. osiedla się w Nowej Zelandii.

Informacje ogólne	Niue (Nowa Zelandia)
Powierzchnia	263 km^2
Główny port i centrum administracyjne (liczba mieszkańców)	Alofi (0,6 tys.) 2001
Liczba mieszkańców	2,2 tys.
Gęstość zaludnienia	8,2 os./km^2

Przyrost naturalny	15,5 os./1000 mieszk. (2002)
Urbanizacja	36,7%
Ustrój	samorządne terytorium stowarzyszone z Nową Zelandią
Podział administracyjny	brak
Waluta	1 dolar nowozelandzki = 100 centów
Języki urzędowe	angielski
Języki używane	niue, angielski
Obszary chronione	21,0%
Zagadnienia społeczno-gospodarcze	
Religie (wyznawcy)	anglikanie (75%), mormoni (10%), katolicy (5%), pozostali (10%)
Analfabetyzm	5,0%
Przeciętna długość życia	68,0 – mężczyźni, 74,0 – kobiety (w latach)
PKB na 1 mieszkańca	3600 USD
Struktura PKB	rolnictwo 23,5%, przemysł 26,9%, usługi 49,5% (2003)
Saldo obrotów handlu zagranicznego	−4 mln USD
Główne towary eksportowe	mleczko kokosowe, kopra, soki owocowe, miód, wyroby rzemiosła artystycznego
Główne towary importowe	żywność, maszyny, urządzenia, chemikalia
Dochody z turystyki	550,0 USD/mieszk.
Produkcja energii elektrycznej	1364 kWh/mieszk.
Użytkownicy Internetu	415,5 os./1000 mieszk. (2002)
Telefony komórkowe	184,7 szt./1000 mieszk. (2002)
Strony w atlasie	291, 293

Norfolk (Australia)

Wyspa, odkryta w 1774 r. przez J. Cooka, w latach 1788-1855 była brytyjską kolonią karną. W 1856 r. osiedlono tu potomków buntowników z okrętu „Bounty", przewiezionych z wyspy Pitcairn. Od 1914 r. Norfolk ma status terytorium zamorskiego Australii.

Informacje ogólne	Norfolk (Australia)
Powierzchnia	35 km^2
Stolica	Kingston (0,3 tys.)
Liczba mieszkańców	1,8 tys.
Gęstość zaludnienia	52,8 os./km^2
Przyrost naturalny	2,8 os./1000 mieszk. (2000)
Ustrój	terytorium zamorskie Australii
Podział administracyjny	brak
Waluta	1 dolar australijski = 100 centów
Języki urzędowe	angielski
Języki używane	angielski, norfolski
Obszary chronione	23,2%
Zagadnienia społeczno-gospodarcze	
Religie (wyznawcy)	anglikanie (38%), członkowie Australijskiego Kościoła Unijnego (16%), katolicy (11%), adwentyści Dnia Siódmego (5%), pozostali (30%)
Bezrobocie	0,0%
Główne towary eksportowe	znaczki pocztowe, nasiona (araukarii, palmy Kentia), awokado
Główne towary importowe	żywność, maszyny, środki transportu, paliwa
Samochody osobowe	819 szt./1000 mieszk. (2000)
	Podstawą gospodarki jest turystyka
Strony w atlasie	290, 292

NORWEGIA

KRÓLESTWO NORWEGII

W połowie I tysiąclecia mieszkające tu plemiona germańskie utworzyły wiele drobnych państewek plemiennych. Niedostatek terenów rolniczych zmusił Skandynawów do morskich wypraw rabunkowych, handlowych i kolonizacyjnych. W tzw. epoce wikingów (ok. 800-1050 r.) Norwegowie opanowali Wyspy Owcze, Szetlandy, Orkady, Hebrydy, część wybrzeży Szkocji i Irlandii, skolonizowali Islandię, założyli osady na Grenlandii oraz dotarli do wybrzeży Ameryki Północnej. Około 900 r. Norwegia stała się królestwem, przy czym do 1035 r. często była pod panowaniem duńskim. Po 1035 r. nastąpiło utrwalenie samodzielności państwowej Norwegii. W 1261 r. przyłączono do niej osady na Grenlandii, a w 1264 r. Islandię. W latach 1397-1523 Norwegia związana była unią kalmarską ze Szwecją i Danią, potem tylko z Danią, a w 1536 r. stała się prowincją duńską. W 1814 r. proklamowano niepodległość i uchwalono konstytucję, ale pod naciskiem Szwecji, Norwegia zawarła z nią unię personalną, którą wypowiedziała dopiero w 1905 r. Podczas I wojny światowej zachowała neutralność. W latach 1940-1945 była okupowana przez Niemców. W 1949 r. była współzałożycielem NATO. Jest dziedziczną monarchią konstytucyjną, rządzoną najczęściej przez socjaldemokratów. Norwegia dwukrotnie odrzuciła w referendach możliwość przystąpienia do UE (w 1972 i 1994).

Informacje ogólne	NORWEGIA
Powierzchnia	323 759 km^2
Stolica (liczba mieszkańców)	Oslo (503 tys.)
Liczba mieszkańców	4611 tys.
Gęstość zaludnienia	14,2 os./km^2
Przyrost naturalny	2,1 os./1000 mieszk.

Saldo migracji	1,7 os./1000 mieszk.
Urbanizacja	77,4%
Ustrój	monarchia parlamentarna
Podział administracyjny	19 okręgów (fylke), w tym miasto wydzielone – Oslo
Przynależność do organizacji międzynarodowych	CBSS, EFTA, NATO, OECD, Rada Europy
Waluta	1 korona norweska = 100 öre
Języki urzędowe	norweski
Języki używane	norweski, angielski, duński, szwedzki
Obszary chronione	4,8%
Zagadnienia społeczno-gospodarcze	
Religie (wyznawcy)	luteranie (90%), katolicy (1%), pozostali (9%)
Analfabetyzm	0%
Bezrobocie	3,5%
Przeciętna długość życia	77,2 – mężczyźni, 82,6 – kobiety (w latach)
Zainfekowani wirusem HIV	1,5 – 4,1 tys. os.
PKB na 1 mieszkańca	72 430 USD
Struktura PKB	rolnictwo 2,4%, przemysł 42,9%, usługi 54,7%
Wydatki na zbrojenia	1069 USD/mieszk.
Saldo obrotów handlu zagranicznego	57 385 mln USD
Główne towary eksportowe	ropa naftowa, gaz ziemny, statki, metale (gł. aluminium), chemikalia, ryby i ich przetwory, papier
Główne towary importowe	środki transportu, maszyny i urządzenia, artykuły przemysłowe, żywność
Dochody z turystyki	451,4 USD/mieszk.
Produkcja energii elektrycznej	23 617 kWh/mieszk.
Samochody osobowe	452 szt./1000 mieszk.
Komputery	577,8 szt./1000 mieszk.
Użytkownicy Internetu	393,7 os./1000 mieszk.
Telefony komórkowe	1028,9 szt./1000 mieszk.
Strony w atlasie	136-137

Nowa Kaledonia (Francja)

Wyspa odkryta w 1774 r. przez J. Cooka. Zajęta w 1853 r. przez Francję, była w latach 1864-1894 jej kolonią karną. Od 1946 r. ma status terytorium zamorskiego Francji. W latach 80. XX w. nasiliły się dążenia niepodległościowe rdzennej ludności melanezyjskiej.

Informacje ogólne **Nowa Kaledonia** (Francja)	
Powierzchnia	18 575 km²
Stolica (liczba mieszkańców)	Numea (91 tys.)
Liczba mieszkańców	219 tys.
Gęstość zaludnienia	11,8 os./km²
Przyrost naturalny	12,4 os./1000 mieszk.
Saldo migracji	0 os./1000 mieszk.
Urbanizacja	63,7%
Ustrój	terytorium zamorskie Francji
Podział administracyjny	brak
Waluta	1 frank CFP = 100 centymów
Języki urzędowe	francuski
Języki używane	melanezyjskie, francuski, polinezyjskie
Obszary chronione	2,2%
Zagadnienia społeczno-gospodarcze	
Religie (wyznawcy)	katolicy (60%), protestanci (30%), muzułmanie (4%), pozostali (6%)
Bezrobocie	17,1%
Przeciętna długość życia	71,8 – mężczyźni, 77,9 – kobiety (w latach)
PKB na 1 mieszkańca	19 935 USD
Struktura PKB	rolnictwo 15,0%, przemysł 8,8%, usługi 76,2% (1997)
Saldo obrotów handlu zagranicznego	–930 mln USD
Główne towary eksportowe	nikiel i jego pochodne, ryby, kopra, kawa
Główne towary importowe	produkty naftowe, paliwa, artykuły spożywcze, maszyny, środki transportu
Dochody z turystyki	434,6 USD/mieszk.
Produkcja energii elektrycznej	7648 kWh/mieszk.
Samochody osobowe	487 szt./1000 mieszk.
Użytkownicy Internetu	301,7 os./1000 mieszk.
Telefony komórkowe	566,5 szt./1000 mieszk.
Strona w atlasie	299

NOWA ZELANDIA

Zasiedlona została w I tysiącleciu przez Polinezyjczyków. Co najmniej od XII w. zamieszkują ją polinezyjscy Maorysi. W latach 1642-1643 była odkryta i badana przez A. J. Tasmana. W XVIII w. zakładali tu swoje bazy łowcy fok i wielorybów. W 1840 r. zaczęła się kolonizacja angielska Nowej Zelandii, w wyniku której osadnicy zajęli najlepsze ziemie. Maorysi podejmowali walkę zbrojną (1845-1846 i 1860-1872), ale brytyjskie represje tylko przyspieszały pogarszanie się sytuacji rdzennej ludności. Pod koniec XIX w. Maorysi stanowili jedynie 7% ludności Nowej Zelandii. Od końca XIX w. podstawą gospodarki i szybkiego rozwoju Nowej Zelandii jest eksport żywności do Europy.

W 1907 r. stała się dominium brytyjskim. Wzięła udział w I i II wojnie światowej pod zwierzchnictwem brytyjskim. Od 1947 r. jest niezależnym państwem (monarchia konstytucyjna), członkiem brytyjskiej Wspólnoty Narodów. Nową Zelandię łączą silne więzi z USA i Australią, od lat 70. XX w. także z państwami Azji i Oceanii. Prowadzi również aktywną politykę antynuklearną, dążąc do utworzenia strefy bezatomowej na południowym Pacyfiku.

Informacje ogólne **NOWA ZELANDIA**	
Powierzchnia	270 544 km²
Stolica (liczba mieszkańców)	Wellington (179 tys.)
Liczba mieszkańców	4076 tys.
Gęstość zaludnienia	15,1 os./km²
Przyrost naturalny	6,3 os./1000 mieszk.
Saldo migracji	3,6 os./1000 mieszk.
Urbanizacja	86,2%
Ustrój	monarchia konstytucyjna
Podział administracyjny	16 regionów
Przynależność do organizacji międzynarodowych	APEC, Forum Wysp Pacyfiku, OECD, Wspólnota Pacyfiku
Waluta	1 dolar nowozelandzki = 100 centów
Języki urzędowe	angielski, maoryski
Języki używane	angielski, maoryski
Obszary chronione	19,6%
Zagadnienia społeczno-gospodarcze	
Religie (wyznawcy)	anglikanie (22%), katolicy (18%), prezbiterianie (16%), bezwyznaniowcy (16%), metodyści (5%), baptyści (3%), wyznawcy maoryskich kościołów chrześcijańskich Ratana i Ringatu (3%), pozostali (17%)
Analfabetyzm	0%
Bezrobocie	3,8%
Przeciętna długość życia	78,3 – mężczyźni, 82,3 – kobiety (w latach)
Zainfekowani wirusem HIV	0,8 – 2,3 tys. os.
PKB na 1 mieszkańca	25 239 USD
Struktura PKB	rolnictwo 4,8%, przemysł 26,0%, usługi 69,3%
Wydatki na zbrojenia	282 USD/mieszk.
Saldo obrotów handlu zagranicznego	–3991 mln USD
Główne towary eksportowe	mięso, mleko, masło, sery, ryby, owoce (kiwi, jabłka), wełna, drewno, aluminium
Główne towary importowe	samoloty, samochody, sprzęt telekomunikacyjny, komputery, ropa naftowa, farmaceutyki
Dochody z turystyki	584,9 USD/mieszk.
Produkcja energii elektrycznej	10 083 kWh/mieszk.
Samochody osobowe	617 szt./1000 mieszk.
Komputery	492,7 szt./1000 mieszk.
Użytkownicy Internetu	526,3 os./1000 mieszk.
Telefony komórkowe	876,1 szt./1000 mieszk.
Strona w atlasie	298

OMAN

SUŁTANAT OMANU

Położony przy ważnych szlakach handlowych, już w II tysiącleciu p.n.e. był silnym państwem, którego bogactwo opierało się na handlu kadzidłem. Od IX w. p.n.e. osiedlały się tu plemiona arabskie. Rywalizacja dwóch najsilniejszych, Kahtan i Nizar, przez wieki wpływała na dzieje Omanu. W połowie VIII w., pod rządami własnego imama, Oman uniezależnił się od kalifatu Abbasydów. Od 1507 r. wybrzeża Omanu podbijali Portugalczycy, zakładając osady portowe. W latach 1643-1650 władcy Omanu usunęli Portugalczyków, a do 1730 r. zajęli portugalskie posiadłości na wschodnim wybrzeżu Afryki. W 1744 r. Oman stał się sułtanatem, rządzonym nieprzerwane do dziś przez ród Bu Said. Pod koniec XVIII w. nasiliły się wpływy brytyjskie, a pod koniec XIX w. wojska brytyjskie zaczęły stacjonować na obszarze Omanu. W 1920 r., w wyniku buntu plemion w głębi kraju, Oman rozpadł się na dwie części: sułtanat Maskatu i imamat Omanu. W 1954 r. wojska sułtana zajęły imamat — wybuchła wojna domowa trwająca aż do 1975 r. W 1971 r. Oman został uznany za niepodległe państwo jako sułtanat (monarchia absolutna). W 1997 r. na mocy dekretu sułtańskiego kobiety otrzymały prawo wyborcze i możliwość ubiegania się o stanowiska polityczne. W 2002 r. ponownie rozszerzono prawa wyborcze przyznając je wszystkim obywatelom, którzy osiągnęli 21 lat. Poprzednio reprezentację wyborców stanowili lokalni przywódcy, przedsiębiorcy i intelektualiści.

Informacje ogólne **OMAN**	
Powierzchnia	309 500 km²
Stolica (liczba mieszkańców)	Maskat (27 tys.)
Liczba mieszkańców	3102 tys.
Gęstość zaludnienia	10 os./km²
Przyrost naturalny	32,4 os./1000 mieszk.
Saldo migracji	0,43 os./1000 mieszk.
Urbanizacja	71,5%
Ustrój	monarchia absolutna
Podział administracyjny	6 regionów (mintaqat) i 2 terytoria specjalne (muhafazat: Musandam, Zufar)
Przynależność do organizacji międzynarodowych	AFESD, LPA, NAM

Waluta	1 rial Omanu = 100 baiza
Języki urzędowe	arabski
Języki używane	arabski, beludżi,
Obszary chronione	11,3%
Zagadnienia społeczno-gospodarcze	
Religie (wyznawcy)	muzułmanie (88%; w tym: ibadyci 74%, sunnici i szyici 14%), hinduiści (7%), chrześcijanie (4%), pozostali (1%)
Analfabetyzm	18,6%
Bezrobocie	15,0%
Przeciętna długość życia	71,6 – mężczyźni, 76,3 – kobiety (w latach)
PKB na 1 mieszkańca	13 845 USD
Struktura PKB	rolnictwo 2,2%, przemysł 38,3%, usługi 59,5%
Wydatki na zbrojenia	883 USD/mieszk.
Dług zagraniczny	17,8% PKB
Saldo obrotów handlu zagranicznego	11 610 mln USD
Główne towary eksportowe	ropa naftowa, miedź, ryby, tytoń, owoce
Główne towary importowe	maszyny i urządzenia przemysłowe, środki transportu, towary konsumpcyjne, żywność
Dochody z turystyki	47,6 USD/mieszk.
Produkcja energii elektrycznej	4620 kWh/mieszk.
Samochody osobowe	129 szt./1000 mieszk.
Komputery	48,8 szt./1000 mieszk.
Użytkownicy Internetu	101,4 os./1000 mieszk.
Telefony komórkowe	519,4 szt./1000 mieszk.
Strony w atlasie	188-189

PAKISTAN

ISLAMSKA REPUBLIKA PAKISTANU

W 1947 r., wskutek porozumienia hindusko-muzułmańskiego, wyodrębniono północno-wschodnią i północno-zachodnią część Indii Brytyjskich. Były to obszary z przewagą ludności muzułmańskiej. Pod nazwą Pakistan uzyskały status dominium w brytyjskiej Wspólnocie Narodów, a w 1956 r. stały się niezależną republiką. W latach 1947-1948 i w 1965 r. Pakistan prowadził wojny z Indiami o Kaszmir. W rezultacie wojny z ruchem separatystycznym w Pakistanie Wschodnim, wspieranym zbrojnie przez Indie, doszło w 1971 r. do powstanie niepodległego Bangladeszu. Po 1971 r. rządzący Pakistanem wcielali w życie zasady tzw. socjalizmu muzułmańskiego. Po wojskowym zamachu stanu w 1977 r. postępuje islamizacja życia (w 1991 wprowadzono szari'at – prawa muzułmańskie). Pakistan popiera tendencje separatystyczne w indyjskim Kaszmirze i Pendżabie, udzielając pomocy wojskowej tamtejszym terrorystom. W 1998 r. Pakistan przeprowadził podziemne próby jądrowe w odpowiedzi na przeprowadzone wcześniej przez Indie. Prezydent USA, B. Clinton, nałożył sankcje gospodarcze na Pakistan. Zostały one jednak zniesione w 2002 r. w zamian za pomoc w poszukiwaniu terrorystów Al-Kaidy.

Informacje ogólne **PAKISTAN**	
Powierzchnia	796 096 km^2
Stolica (liczba mieszkańców)	Islamabad (736 tys.)
Liczba mieszkańców	165 804 tys.
Gęstość zaludnienia	208,3 os./km^2
Przyrost naturalny	21,5 os./1000 mieszk.
Saldo migracji	–0,6 os./1000 mieszk.
Urbanizacja	34,9%
Ustrój	republika federacyjna
Podział administracyjny	4 prowincje i 2 terytoria federalne, od 1949 pod kontrolą znajdują się tereny oficjalnie należące do Indii: Azad Kaszmir i Terytoria Północne (Baltistan, Gilit)
Przynależność do organizacji międzynarodowych	ECO, NAM, SAARC
Waluta	1 rupia pakistańska = 100 paisa
Języki urzędowe	urdu, angielski
Języki używane	pendżabski, paszto, sindhi, urdu, angielski, beludżi, brahui
Obszary chronione	9,1%
Zagadnienia społeczno-gospodarcze	
Religie (wyznawcy)	muzułmanie (95%, w tym: sunnici 75%, szyici 20%), chrześcijanie (2%), hinduiści (2%), pozostali (1%)
Analfabetyzm	54,3%
Bezrobocie	6,5%
Przeciętna długość życia	63,1 – mężczyźni, 65,2 – kobiety (w latach)
Zainfekowani wirusem HIV	46 – 210 tys. os.
PKB na 1 mieszkańca	817 USD
Struktura PKB	rolnictwo 19,6%, przemysł 26,8%, usługi 53,7%
Wydatki na zbrojenia	21 USD/mieszk.
Dług zagraniczny	35,3% PKB
Saldo obrotów handlu zagranicznego	–12 909 mln USD
Główne towary eksportowe	bawełna, tekstylia, ryż, wyroby skórzane, dywany
Główne towary importowe	ropa naftowa i jej produkty, maszyny, środki transportu, chemikalia
Dochody z turystyki	0,6 USD/mieszk.

Produkcja energii elektrycznej	484 kWh/mieszk.
Samochody osobowe	10 szt./1000 mieszk.
Użytkownicy Internetu	13,1 os./1000 mieszk.
Telefony komórkowe	83,0 szt./1000 mieszk.
Strona w atlasie	189

PALAU

REPUBLIKA PALAU

Wyspy odkryte około 1530 r. Od 1686 do 1899 r., jako część Karolinów, stanowiły posiadłość hiszpańską, a następnie niemiecką. W 1920 r. wyspy uzyskały status terytorium mandatowego Ligi Narodów pod administracją japońską. W latach 1947-1994 Palau było terytorium powierniczym ONZ pod administracją Stanów Zjednoczonych. Od 1994 r. jest niepodległą republiką stowarzyszoną ze Stanami Zjednoczonymi, które są odpowiedzialne za politykę zagraniczną i obronność Palau. Priorytetem obecnych władz jest uniezależnianie się gospodarcze od Stanów Zjednoczonych.

Informacje ogólne **PALAU**	
Powierzchnia	488 km^2
Stolica (liczba mieszkańców)	Melekeok (0,35 tys.) 2000
Liczba mieszkańców	21 tys.
Gęstość zaludnienia	42,8 os./km^2
Przyrost naturalny	11,2 os./1000 mieszk.
Saldo migracji	1,9 os./1000 mieszk.
Urbanizacja	0,7%
Ustrój	republika
Podział administracyjny	brak
Przynależność do organizacji międzynarodowych	ACP, Forum Wysp Pacyfiku, Wspólnota Pacyfiku
Waluta	1 dolar USA = 100 centów
Języki urzędowe	angielski, palau, (ponadto na niektórych wyspach sonsorol, tobi, angaur, japoński)
Języki używane	angielski, palau, sonsorol, tobi, angaur, japoński, tagalog, chiński
Obszary chronione	0,4%
Zagadnienia społeczno-gospodarcze	
Religie (wyznawcy)	katolicy (37%), protestanci (27%), wyznawcy religii rodzimych (27%), pozostali (9%)
Analfabetyzm	0,1% (1997)
Bezrobocie	4,2%
Przeciętna długość życia	67,8 – mężczyźni, 74,4 – kobiety (w latach)
PKB na 1 mieszkańca	7698 USD
Struktura PKB	rolnictwo 6,2%, przemysł 12,0%, usługi 81,8% (2003)
Główne towary eksportowe	ryby, olej kokosowy, kopra, wyroby rzemiosła artystycznego, szylkret
Główne towary importowe	produkty spożywcze
Telefony komórkowe	48,6 szt./1000 mieszk. (2002)
	Podstawą gospodarki jest turystyka (sporty wodne)
Strona w atlasie	195

PALESTYNA

W tym regionie osadnictwo istniało bardzo dawno temu. Już w VII tysiącleciu p.n.e. były tutaj miasta (np. Jerycho). W połowie III tysiąclecia p.n.e. teren obecnej Palestyny został zasiedlony przez Kananejczyków. Od XIII w. p.n.e. Kanaan podbijali Izraelici., którzy w końcu XI w. p.n.e. utworzyli tu samodzielne państwo. Około 925 r. p.n.e. rozpadło się ono na dwa królestwa: Izrael (od VIII w. p.n.e. podległy Asyrii) i Judę (w 586 r. p.n.e. podbitą przez Babilonię). Od 538 r. p.n.e. Palestyna była perską satrapią, która w 323 r. p.n.e. przeszła we władanie egipskich Ptolemeuszy, a w 63 r. p.n.e. popadła w zależność od Rzymu jako państwo sprzymierzone. W 6 r. stała się częścią rzymskiej prowincji Judea. W I w. powstały tu pierwsze gminy chrześcijańskie. Powstania żydowskie zakończone klęskami (66-70 r. i 132-135 r.) zwiększyły diasporę Żydów. Od 395 r. Palestyna była częścią cesarstwa bizantyńskiego, a w latach 634-640 została podbita przez Arabów. W ciągu kolejnych wieków większość mieszkańców Palestyny zislamizowała się i zarabizowała. W latach 1099-1244 istniało tu Królestwo Jerozolimskie utworzone przez krzyżowców. Potem Palestyna znalazła się pod panowaniem egipskich Mameluków, a od 1516 do 1918 r. stanowiła część imperium osmańskiego. W latach 1922-1948 Wielka Brytania sprawowała mandat nad Palestyną z ramienia Ligi Narodów. W 1947 r., na mocy uchwały ONZ, nastąpił podział na dwa państwa: arabskie i żydowskie. W wyniku wojny arabsko-izraelskiej (1948-1949 r.) Izrael zajął 2/3 powierzchni Palestyny, a Egipt anektował Strefę Gazy. Pozostała część (tzw. Zachodni Brzeg Jordanu) weszła w skład Jordanii, a od 1967 r. jest okupowana przez Izrael, który w tym czasie zajął również Strefę Gazy. W 1964 r. powstała zbrojna Organizacja Wyzwolenia Palestyny. Jordania zrzekła się w 1988 r. praw do Zachodniego Brzegu. Od 1993 r., na podstawie umowy o autonomii palestyńskiej, rozpoczęto wycofywanie wojsk izraelskich ze Strefy Gazy i Jerycha, przy równoczesnym przejęciu władzy przez policję palestyńską. W 1994 r. powstała Rada Autonomii, a w 1996 r. odbyły się wybory władz Autonomii (prezydent J. Arafat). Gwałtowne zaostrzenie stosunków izraelsko-palestyńskich w 2001 r. przerodziło się w wojnę (ataki terrorystów palestyńskich i kontrakcje wojska izraelskiego), całkowicie niwecząc zdobycze Autonomii Palestyńskiej. Śmierć J. Arafata w 2004 r. i związana z tym zmiana władz Autonomii Palestyńskiej

doprowadziły do zawarcia rozejmu z Izraelem. Jednak do dzisiaj mają miejsce krwawe zamachy terrorystyczne, w których giną cywile. Sytuacja w tym regionie jest bardzo niestabilna, pomimo usilnych starań zawarcia pokoju.

Informacje ogólne	* nieokreślony status polityczny
Powierzchnia	6220 km², 360 km² [a], 5860 km² [b]
Stolica (liczba mieszkańców)	Jerozolima (228 tys. tylko wschodnia część miasta – okupowana przez Izrael)
Liczba mieszkańców	3889 tys., 1429 tys. [a], 2460 tys [b].
Gęstość zaludnienia	625,2 os./km², 3969,4 os./km² [a], 419,8 os./km² [b]
Przyrost naturalny	31,3 os./1000 mieszk., 35,7 os./1000 mieszk. [a], 27,8 os./1000 mieszk. [b]
Saldo migracji	1,5 os./1000 mieszk. [a], 2,8 os./1000 mieszk. [b]
Urbanizacja	71,6%
Ustrój	terytoria autonomiczne pod administracją Izraela
Przynależność do organizacji międzynarodowych	AFESD, LPA
Waluta	1 dinar jordański = 100 filsów, 1 nowy izraelski szekel = 100 agorot
Języki urzędowe	arabski
Języki używane	arabski, hebrajski, angielski
Zagadnienia społeczno-gospodarcze	
Religie (wyznawcy)	muzułmanie sunnici (98,7%) [a]; (75%) [b], chrześcijanie (0,7%) [a], (8%) [b], wyznawcy judaizmu (0,6%) [a]; (17%) [b]
Analfabetyzm	7,6%
Bezrobocie	20,3%
Przeciętna długość życia	71,0 – mężczyźni, 73,7 – kobiety (w latach) [a] 71,9 – mężczyźni, 75,6 – kobiety (w latach) [b]
PKB na 1 mieszkańca	1090 USD, 600 USD [a], 1100 USD [b]
Struktura PKB	rolnictwo 8,0%, przemysł 13,0%, usługi 79,0%
Główne towary eksportowe	owoce cytrusowe, kwiaty [a]; oliwki, owoce, warzywa, wapienie [b]
Główne towary importowe	żywność, dobra konsumpcyjne, materiały budowlane
Samochody osobowe	28 szt./1000 mieszk.
Komputery	45,9 szt./1000 mieszk.
Użytkownicy Internetu	43,4 os./1000 mieszk.
Telefony komórkowe	295,7 szt./1000 mieszk.
Strona w atlasie 186	Palestyna: Strefa Gazy [a], Zachodni Brzeg Jordanu [b]

Palmyra (Stany Zjednoczone)

W 1862 r. niezamieszkany atol Palmyra włączyło w swoje granice Królestwo Hawai i wraz z nim został on w 1898 r. przyłączony do Stanów Zjednoczonych. W 1959 r. atol wyłączono spod jurysdykcji stanu Hawaje i przekazano organizacjom zajmującym się ochroną przyrody.

Informacje ogólne Palmyra (Stany Zjednoczone)	
Powierzchnia	11,9 km²
Liczba mieszkańców	brak stałych mieszkańców – 4-20 pracowników służb słub amerykańskich i naukowców
Ustrój	terytorium inkorporowane Stanów Zjednoczonych
Strony w atlasie	291, 293

PANAMA

REPUBLIKA PANAMY

W okresie prekolumbijskim była zamieszkana głównie przez indiańskie plemiona Czibczów. Około 1501 r. została odkryta przez Hiszpanów. W 1535 r. stała się posiadłością hiszpańską włączoną do wicekrólestwa Nowej Hiszpanii, a od 1717 r. do wicekrólestwa Nowej Granady. Po uzyskaniu przez tę ostatnią niepodległości w 1819 r., jako jej prowincja weszła w skład Wielkiej Kolumbii, a od 1830 r. wydzielonej z niej republiki Nowa Granada. Znaczenie Panamy wzrosło po ukończeniu w 1855 r. budowy kolei łączącej Ocean Spokojny z Morzem Karaibskim. W latach 1855-1886 Panama miała autonomię. Po rozpoczęciu budowy Kanału Panamskiego w 1881 r. oderwała się od Kolumbii (przy poparciu Stanów Zjednoczonych) i w 1903 r. stała się samodzielną republiką. W tym samym roku Panama podpisała traktat z USA o wieczystej dzierżawie Strefy Kanału Panamskiego. Przez cały XX w. znajdowała się pod silnymi wpływami politycznymi i gospodarczymi Stanów Zjednoczonych. W 1999 r. nastąpiło przekazanie Strefy Kanału Panamie, ale Amerykanie nie zrezygnowali ze swojej obecności w tym kraju.

Informacje ogólne PANAMA	
Powierzchnia	75 517 km²
Stolica (liczba mieszkańców)	Panama (416 tys.) 2000
Liczba mieszkańców	3191 tys.
Gęstość zaludnienia	40,8 os./km²
Przyrost naturalny	16,3 os./1000 mieszk.
Saldo migracji	–0,4 os./1000 mieszk.
Urbanizacja	70,8%
Ustrój	republika

Podział administracyjny	9 prowincji i 1 terytorium wydzielone (Camarca de San Blas)
Przynależność do organizacji międzynarodowych	NAM, OAS, SICA
Waluta	1 balboa = 100 centesimos
Języki urzędowe	hiszpański
Języki używane	hiszpański, angielski-kreolski, czibcza, guaimi, cuna
Obszary chronione	24,6%
Zagadnienia społeczno-gospodarcze	
Religie (wyznawcy)	katolicy (84%), protestanci (5%), pozostali (11%)
Analfabetyzm	7,5%
Bezrobocie	8,8%
Przeciętna długość życia	72,7 – mężczyźni, 77,7 – kobiety (w latach)
Zainfekowani wirusem HIV	11 – 34 tys. os.
PKB na 1 mieszkańca	5208 USD
Struktura PKB	rolnictwo 6,6%, przemysł 16,4%, usługi 77,0%
Wydatki na zbrojenia	45 USD/mieszk.
Dług zagraniczny	93,9% PKB
Saldo obrotów handlu zagranicznego	–3793 mln USD
Główne towary eksportowe	banany, krewetki, cukier, tekstylia, kawa
Główne towary importowe	maszyny, ropa naftowa, chemikalia
Dochody z turystyki	216,1 USD/mieszk.
Produkcja energii elektrycznej	2364 kWh/mieszk.
Samochody osobowe	86 szt./1000 mieszk.
Komputery	41 szt./1000 mieszk.
Użytkownicy Internetu	94,6 os./1000 mieszk.
Telefony komórkowe	418,8 szt./1000 mieszk.
Strona w atlasie	261

PAPUA-NOWA GWINEA

NIEZALEŻNE PAŃSTWO PAPUI-NOWEJ GWINEI

Nowa Gwinea została odkryta w 1526 r. przez Portugalczyków. Od XVII w. zachodnia jej część była kolonią holenderską. W XIX w. wschodnią część Nowej Gwinei podzieliły między siebie Niemcy oraz Wielka Brytania (Papua). W 1914 r. brytyjska i niemiecka część Nowej Gwinei przeszły pod administrację Australii. Objęła ona również Archipelag Bismarcka (północną część Wysp Salomona), od 1885 r. należący do Niemców. W 1949 r. obie części Nowej Gwinei i Archipelag Bismarcka zostały połączone, stając się terytorium zamorskim Australii pod nazwą Papua-Nowa Gwinea. Od 1975 r. jest ono niepodległym państwem, członkiem brytyjskiej Wspólnoty Narodów. W latach 80. XX w. trwały spory graniczne z Indonezją, a w 1990 r. wyspa Bougainville ogłosiła niepodległość, nie uznaną przez Papuę-Nową Gwineę, która wprowadziła całkowitą blokadę wyspy. W 2005 r. odbyły się na Bougainville pierwsze wybory. Z powodu globalnego ocieplenia i podnoszenia wysokości poziomu wód na świecie władze Papui zmuszone są przesiedlić około tysiąca mieszkańców atolu Duke of York.

Informacje ogólne PAPUA-NOWA GWINEA	
Powierzchnia	462 840 km²
Stolica (liczba mieszkańców)	Port Moresby (289 tys.)
Liczba mieszkańców	5671 tys.
Gęstość zaludnienia	12,3 os./km²
Przyrost naturalny	22,1 os./1000 mieszk.
Saldo migracji	0 os./1000 mieszk.
Urbanizacja	13,4%
Ustrój	monarchia konstytucyjna
Podział administracyjny	19 dystryktów i 1 okręg stołeczny
Przynależność do organizacji międzynarodowych	ACP, APEC, Forum Wysp Pacyfiku, NAM, Wspólnota Pacyfiku
Waluta	1 kina = 100 toea
Języki urzędowe	angielski
Języki używane	tok pisin, hiri motu, angielski, ponad 700 języków tubulców
Obszary chronione	3,6%
Zagadnienia społeczno-gospodarcze	
Religie (wyznawcy)	protestanci (60%), katolicy (28%), anglikanie (4%), animiści, bahaiści i pozostali (8%)
Analfabetyzm	34,0%
Bezrobocie	do 80,0% (na obszarach miejskich)
Przeciętna długość życia	63,8 – mężczyźni, 68,4 – kobiety (w latach)
Zainfekowani wirusem HIV	32 – 140 tys. os.
PKB na 1 mieszkańca	945 USD
Struktura PKB	rolnictwo 34,0%, przemysł 37,3%, usługi 28,7%
Wydatki na zbrojenia	5 USD/mieszk.
Dług zagraniczny	65,8% PKB
Saldo obrotów handlu zagranicznego	2290 mln USD
Główne towary eksportowe	złoto, miedź, ropa naftowa, kopra, kawa, kakao, olej kokosowy, herbata, drewno
Główne towary importowe	żywność, maszyny, sprzęt transportowy, paliwa, wyroby przemysłowe
Dochody z turystyki	18,5 USD/mieszk.
Produkcja energii elektrycznej	592 kWh/mieszk.

Samochody osobowe	5 szt./1000 mieszk. (2002)
Komputery	62,9 szt./1000 mieszk.
Użytkownicy Internetu	29,1 os./1000 mieszk.
Telefony komórkowe	4,4 szt./1000 mieszk.
Strony w atlasie	195, 292

PARAGWAJ

REPUBLIKA PARAGWAJU

W czasach prekolumbijskich terytorium Paragwaju zamieszkiwały indiańskie plemiona, głównie Guaranów. W 1536 r. Paragwaj stał się posiadłością hiszpańską, stanowiącą część wicekrólestwa Peru. Chrystianizację i rządy nad Indianami powierzono jezuitom, których misje tworzyły quasi-państwo. Po likwidacji tego zakonu w 1767 r. Paragwaj przeszedł pod kontrolę Korony hiszpańskiej i stał się częścią wicekrólestwa La Plata. Dwa lata po uzyskaniu przez nie w 1811 r. niepodległości, Paragwaj ogłosił swoją suwerenność. Mimo izolowania przez Argentynę i Brazylię, które długo nie uznawały odrębności Paragwaju, stał się on na początku lat 60. XIX w. jednym z najlepiej rozwiniętych państw w Ameryce Łacińskiej. Dorobek ten został zaprzepaszczony podczas wojny z Argentyną, Brazylią i Urugwajem (1864-1870). Kraj został doszczętnie spustoszony, utracił znaczną część terytorium i 2/3 mieszkańców. Z chaosu wyprowadzili Paragwaj konserwatyści, ale kosztem silnego uzależnienia od obcych kapitałów. Nasilające się od końca lat 20. XX w. incydenty zbrojne z Boliwią skończyły się wojną o Chaco (1932-1935), w której Paragwaj odzyskał około 3/4 spornego terytorium. Od tego czasu armia zdobywała coraz silniejszą pozycję w państwie (utrzymała ją do 1993 r.). W rezultacie, po przewrocie w 1954 r., nastąpiła dyktatura gen. A. Stroessnera, trwająca do 1989 r. W latach 90. XX w., za rządów konserwatystów, Paragwaj zacieśnił współpracę gospodarczą z sąsiednimi krajami.

Informacje ogólne PARAGWAJ	
Powierzchnia	406 752 km^2
Stolica (liczba mieszkańców)	Asunción (512 tys.) 2002
Liczba mieszkańców	6506 tys.
Gęstość zaludnienia	16 os./km^2
Przyrost naturalny	24,6 os./1000 mieszk.
Saldo migracji	−0,1 os./1000 mieszk.
Urbanizacja	58,5%
Ustrój	republika
Podział administracyjny	19 departamentów i 1 dystrykt stołeczny
Przynależność do organizacji międzynarodowych	ALADI, Mercosur, OAS
Waluta	1 guarani = 100 centavos
Języki urzędowe	hiszpański, guarani
Języki używane	guarani, hiszpański, portugalski
Obszary chronione	5,8%
Zagadnienia społeczno-gospodarcze	
Religie (wyznawcy)	katolicy (88%), protestanci (5%), pozostali (7%)
Analfabetyzm	6,1%
Bezrobocie	9,4%
Przeciętna długość życia	73,0 – mężczyźni, 78,3 – kobiety (w latach)
Zainfekowani wirusem HIV	6,2 – 41 tys. os.
PKB na 1 mieszkańca	1611 USD
Struktura PKB	rolnictwo 22,4%, przemysł 17,6%, usługi 60,0%
Wydatki na zbrojenia	8 USD/mieszk.
Dług zagraniczny	52,3% PKB
Saldo obrotów handlu zagranicznego	−4184 mln USD
Główne towary eksportowe	soja, bawełna, energia elektryczna, mięso, skóry, drewno, olejki eteryczne, herbata mate, owoce
Główne towary importowe	maszyny, środki transportu, produkty naftowe, żywność, napoje, wyroby tytoniowe
Dochody z turystyki	13,7 USD/mieszk.
Produkcja energii elektrycznej	7957 kWh/mieszk.
Samochody osobowe	57 szt./1000 mieszk.
Komputery	59,2 szt./1000 mieszk.
Użytkownicy Internetu	24,9 os./1000 mieszk.
Telefony komórkowe	306,4 szt./1000 mieszk.
Strony w atlasie	279, 280

PERU

REPUBLIKA PERU

W latach 900-200 p.n.e. na terenie północnego Peru istniała kultura Chavin. W pierwszej połowie I tysiąclecia rozwinęły się tu kultury Mochica i Nazca, zastąpione w drugiej połowie tego tysiąclecia przez państwa Huari i Tiahuanaco. W XI w. rozpadły się one na wiele zwalczających się państewek. Ich miejsce zajęło w XIV w. państwo Chimu, około 1475 r. podbite przez Inków, którzy stworzyli tu imperium, ze stolicą w Cuzco. Uległo ono zagładzie w latach 1531-1533, podbite przez hiszpańskich konkwistadorów pod wodzą F. Pizarra, którzy utworzyli w 1544 r. na jego obszarze wicekrólestwo Peru. Na początku XVII w. było ono najważniejszą i najbogatszą kolonią Hiszpanii w Ameryce. W 1717 r. wydzieliło się z niej wicekrólestwo Nowa Granada (później Kolumbia) i wicekrólestwo La Plata (później Argentyna). Niewolniczo eksploatowana rodzima ludność wznieciła często powstania, zawsze okrutnie tłumione. Największe z nich, dowodzone przez Tupaca Amaru,

miało miejsce w latach 1780-1782. Po uzyskaniu w 1821 r. niepodległości, aż do lat 40. XIX w. trwały walki o władzę. Wojna z Hiszpanią (1866-1871) wywołała kolejny kryzys, pogłębiony utratą w 1884 r., na rzecz Chile, bogatej w saletrę nadmorskiej prowincji Tarapacá. W wyniku wojny o sporne tereny w Amazonii (1941-1942) Peru przyłączyło około 40% terytorium Ekwadoru. Od lat 80. XX w. datuje się w Peru działalność terrorystyczna maoistowskich ugrupowań partyzanckich (Świetlisty Szlak i inne). Znaczna poprawa sytuacji gospodarczej Peru nastąpiła za prezydentury A. Fujimoriego (od 1990 r.), który w 2000 r. został odsunięty od władzy w związku z aferą korupcyjną. Obecnie przebywa on w Japonii, która odmówiła jego ekstradycji, nawet na żądanie Interpolu. Urząd prezydenta sprawuje pierwszy w historii Indianin. Peru to kraj rozwijający się i obciążony wysokim zadłużeniem zagranicznym, ale jednocześnie jednym z najszybciej rozwijających się w całej Ameryce Południowej.

Informacje ogólne PERU	
Powierzchnia	1 285 216 km^2
Stolica (liczba mieszkańców)	Lima (6 943 tys.)
Liczba mieszkańców	28 303 tys.
Gęstość zaludnienia	22 os./km^2
Przyrost naturalny	14,3 os./1000 mieszk.
Saldo migracji	−1 os./1000 mieszk.
Urbanizacja	72,6%
Ustrój	republika
Podział administracyjny	24 departamenty i 1 prowincja konstytucyjna
Przynależność do organizacji międzynarodowych	ALADI, APEC, NAM, OAS, Wspólnota Andyjska
Waluta	1 (nuevo) sol = 100 céntimos
Języki urzędowe	hiszpański, keczua, ajmara
Języki używane	hiszpański, keczua, ajmara
Obszary chronione	13,3%
Zagadnienia społeczno-gospodarcze	
Religie (wyznawcy)	katolicy (90%), protestanci (7%), pozostali (3%)
Analfabetyzm	9,1%
Bezrobocie	7,2% w regionie Limy, powszechne niedozatrudnienie
Przeciętna długość życia	68,6 – mężczyźni, 72,4 – kobiety (w latach)
Zainfekowani wirusem HIV	56 – 150 tys. os.
PKB na 1 mieszkańca	3366 USD
Struktura PKB	rolnictwo 8,4%, przemysł 25,6%, usługi 66,0%
Wydatki na zbrojenia	33 USD/mieszk.
Dług zagraniczny	56,6% PKB
Saldo obrotów handlu zagranicznego	8104 mln USD
Główne towary eksportowe	rudy i koncentraty miedzi, cynku, ołowiu, mączka rybna, ropa naftowa, srebro, kawa, bawełna
Główne towary importowe	środki transportu, maszyny, urządzenia, żywność, chemikalia
Dochody z turystyki	31,0 USD/mieszk.
Produkcja energii elektrycznej	848 kWh/mieszk.
Samochody osobowe	30 szt./1000 mieszk.
Komputery	96,9 szt./1000 mieszk.
Użytkownicy Internetu	116,1 os./1000 mieszk.
Telefony komórkowe	199,6 szt./1000 mieszk.
Strony w atlasie	276-277

Pitcairn (Wielka Brytania)

Wyspa, odkryta przez Brytyjczyków w 1767 r., pozostawała bezludna do 1790 r. kiedy to osiedlili się na niej zbuntowani marynarze z załogi brytyjskiego okrętu „Bounty". Od 1838 r. jest brytyjską kolonią, dziś ostatnią na południowym Pacyfiku. Jej mieszkańcy migrują stąd (najczęściej do Nowej Zelandii), tak że w 2001 r. mieszkało tu jedynie 46 osób.

Informacje ogólne Pitcairn (Wielka Brytania)	
Powierzchnia	36 km^2
Stolica (liczba mieszkańców)	Adamstown (46)
Liczba mieszkańców	46
Gęstość zaludnienia	1,3 os./km^2
Ustrój	posiadłość Wielkiej Brytanii
Podział administracyjny	brak
Waluta	1 dolar nowozelandzki = 100 centów
Języki urzędowe	angielski
Języki używane	angielski
Zagadnienia społeczno-gospodarcze	
Religie (wyznawcy)	adwentyści Dnia Siódmego (100%)
Główne towary eksportowe	znaczki pocztowe, owoce cytrusowe, warzywa
Główne towary importowe	żywność, farmaceutyki, maszyny, paliwo, narzędzia
Strona w atlasie	293

Polinezja Francuska (Francja)
Terytorium Zamorskie Polinezja Francuska

Wyspy tworzące Polinezję Francuską znalazły się w XIX w. pod protektoratem Francji: Markizy i Wyspy Towarzystwa w 1842 r., Tuamotu w 1844 r. i Tubuai około 1880 r. Pod koniec XIX w. stały się kolonią francuską, a w 1958 r. terytorium zamorskim Francji. Od 1966 r. są miejscem prób nuklearnych

(pierwsza eksplozja na atolu Mururoa w archipelagu Tuamotu). W wyniku fali protestów przeciwko próbom jądrowym na atolu w styczniu 1996 r. wstrzymano ich przeprowadzanie.

Informacje ogólne	Polinezja Francuska (Francja)
Powierzchnia	3523 km²
Stolica (liczba mieszkańców)	Papeete (26 tys.) 2002
Liczba mieszkańców	275 tys.
Gęstość zaludnienia	78,1 os./km²
Przyrost naturalny	12,0 os./1000 mieszk.
Saldo migracji	2,9 os./1000 mieszk.
Urbanizacja	51,7%
Ustrój	terytorium zamorskie Francji
Podział administracyjny	5 okręgów
Waluta	1 frank CFP = 100 centymów
Języki urzędowe	francuski, tahiti
Języki używane	tahiti, francuski, chiński
Obszary chronione	0,1%
Zagadnienia społeczno-gospodarcze	
Religie (wyznawcy)	protestanci (50%), katolicy (39%), mormoni (5%), pozostali (6%)
Analfabetyzm	1,8% (1999)
Bezrobocie	11,7%
Przeciętna długość życia	74,1 – mężczyźni, 79,1 – kobiety (w latach)
PKB na 1 mieszkańca	21 766 USD
Struktura PKB	rolnictwo 3,1%, przemysł 19,0%, usługi 77,8%
Saldo obrotów handlu zagranicznego	−1449 mln USD
Główne towary eksportowe	perły, wanilia, orzechy kokosowe, kopra
Główne towary importowe	paliwa, produkty spożywcze, maszyny i urządzenia
Dochody z turystyki	1662,4 USD/mieszk.
Produkcja energii elektrycznej	2207 kWh/mieszk.
Samochody osobowe	216 szt./1000 mieszk. (2000)
Komputery	314,5 szt./1000 mieszk.
Użytkownicy Internetu	181,5 os./1000 mieszk.
Telefony komórkowe	339,8 szt./1000 mieszk.
Strona w atlasie	293

POLSKA

RZECZPOSPOLITA POLSKA

Obszar dzisiejszej Polski w VI w. zasiedlili Słowianie. W drugiej połowie IX w jego południowa część znalazła się w granicach Państwa Wielkomorawskiego. Początki państwowości Polski sięgają połowy X w. Pod berłem dynastii Piastów (do 1370 r.) Polska przetrwała rozdrobnienie dzielnicowe i w XIV w. stała się ważnym państwem w Europie. Pod władzą wywodzącej się z Litwy dynastii Jagiellonów (1386-1572 r.), połączona unią z Wielkim Księstwem Litewskim, przeżywała swój największy rozkwit. W granicach Rzeczypospolitej znalazła się wtedy Ruś Halicka i Włodzimierska. Wojny prowadzono jedynie z zakonem krzyżackim, próbującym odciąć Rzeczpospolitą od morza. Powolny upadek jednego z największych krajów Europy rozpoczął się wraz z epoką królów elekcyjnych (1573-1795 r.), nie potrafiących wprowadzić reform umożliwiających skuteczne rządzenie państwem. Osłabienie kraju powodowały również wojny, szczególnie uciążliwe w XVII w. (ze Szwecją, Moskwą, Kozakami, Turkami i Tatarami). W XVIII w. Rzeczpospolita traciła stopniowo suwerenność, co doprowadziło do trzech rozbiorów jej terytorium (w 1772, 1793 i 1795 r.) przez Austrię, Prusy oraz Rosję. Przegrane powstanie listopadowe (1830-1831 r.) przerwało mozolnie budowaną autonomię Królestwa Polskiego utworzonego po kongresie wiedeńskim (1815 r.) z części obszaru trzech zaborów. Tragiczne żniwo wydało, z góry skazane na przegraną, powstanie styczniowe (1863-1864 r.) Intensywna działalność dyplomatyczna, wsparta akcją zbrojną podczas I wojny światowej, przyniosła Polsce w listopadzie 1918 r. niepodległość. Walki o utrwalenie granic prowadzone z Niemcami, Ukraińcami, Czechami, bolszewikami i Litwinami trwały do 1922 r. Niemiecko-sowiecka inwazja w 1939 r. odebrała Polsce niepodległość na sześć lat, a do 1989 r. umieściła ją w strefie wpływów ZSRR. Po jego rozpadzie w Polsce powstał w 1990 r. wielopartyjny system demokracji parlamentarnej i wprowadzono zasady gospodarki rynkowej.

Informacje ogólne	POLSKA
Powierzchnia	312 683 km²
Stolica (liczba mieszkańców)	Warszawa (1 702 tys.)
Liczba mieszkańców	38 157 tys.
Gęstość zaludnienia	121,9 os./km²
Przyrost naturalny	0 os./1000 mieszk.
Saldo migracji	−0,5 os./1000 mieszk.
Urbanizacja	62,1%
Ustrój	republika
Podział administracyjny	16 województw
Przynależność do organizacji międzynarodowych	CBSS, ISE, NATO, OECD, Rada Europy, UE
Waluta	1 złoty = 100 groszy
Języki urzędowe	polski
Języki używane	polski (98%), niemiecki, ukraiński, białoruski, litewski, słowacki
Obszary chronione	27,1%
Zagadnienia społeczno-gospodarcze	
Religie (wyznawcy)	katolicy (91%), prawosławni (1,5%), protestanci (1%), pozostali (6,5%)

Analfabetyzm	0,2%
Bezrobocie	12,4%
Przeciętna długość życia	71,4 – mężczyźni, 79,7 – kobiety (w latach)
Zainfekowani wirusem HIV	15 – 41 tys. os.
PKB na 1 mieszkańca	8940 USD
Struktura PKB	rolnictwo 4,1%, przemysł 31,6%, usługi 64,4%
Wydatki na zbrojenia	119 USD/mieszk.
Dług zagraniczny	45,4% PKB
Saldo obrotów handlu zagranicznego	−14 447 mln USD
Główne towary eksportowe	wyroby przemysłowe, chemikalia
Główne towary importowe	ropa naftowa i jej produkty, gaz ziemny, rudy żelaza, chemikalia, wyroby przemysłowe
Dochody z turystyki	124,6 USD/mieszk.
Produkcja energii elektrycznej	3764 kWh/mieszk.
Samochody osobowe	347 szt./1000 mieszk.
Komputery	191 szt./1000 mieszk.
Użytkownicy Internetu	233,5 os./1000 mieszk.
Telefony komórkowe	759,4 szt./1000 mieszk.
Strony w atlasie	48-81, 112-113

Portoryko (Stany Zjednoczone)

Wolne Stowarzyszone Państwo Portoryko

W czasach prekolumbijskich terytorium Portoryko zamieszkiwało indiańskie plemię Arawaków. Wyspa została odkryta przez K. Kolumba w 1493 r. Od 1508 r. zaczęło się osadnictwo hiszpańskie, które szybko wyniszczyło ludność tubylczą. W jej miejsce, od 1518 r., zaczęto sprowadzać niewolników murzyńskich. Portoryko, z racji swego położenia, strzegło wejścia na Morze Karaibskie i było obiektem rywalizacji Anglii, Francji oraz Holandii. W pierwszej połowie XIX w. nastąpił znaczny napływ ludności kreolskiej z krajów Ameryki Łacińskiej. W 1898 r., po wojnie hiszpańsko-amerykańskiej, Portoryko stało się własnością Stanów Zjednoczonych, a w 1952 r. uzyskało status państwa stowarzyszonego.

Informacje ogólne	Portoryko (Stany Zjednoczone)
Powierzchnia	8870 km²
Stolica (liczba mieszkańców)	San Juan (429 tys.)
Liczba mieszkańców	3927 tys.
Gęstość zaludnienia	442,7 os./km²
Przyrost naturalny	5,1 os./1000 mieszk.
Saldo migracji	−1,1 os./1000 mieszk.
Urbanizacja	97,6%
Ustrój	wolne państwo stowarzyszone ze Stanami Zjednoczonymi
Podział administracyjny	78 okręgów
Waluta	1 dolar USA = 100 centów
Języki urzędowe	hiszpański, angielski
Języki używane	hiszpański, angielski
Obszary chronione	2,5%
Zagadnienia społeczno-gospodarcze	
Religie (wyznawcy)	katolicy (65%), protestanci (28%), pozostali (7%)
Analfabetyzm	5,7%
Bezrobocie	12,0% (2002)
Przeciętna długość życia	74,6 – mężczyźni, 82,7 – kobiety (w latach)
PKB na 1 mieszkańca	22 863 USD
Struktura PKB	rolnictwo 1,0%, przemysł 45,0%, usługi 54,0% (2002)
Główne towary eksportowe	farmaceutyki, żywność, sprzęt elektroniczny
Główne towary importowe	wyroby chemiczne, żywność, sprzęt elektrotechniczny, ropa naftowa
Dochody z turystyki	710,8 USD/mieszk.
Produkcja energii elektrycznej	6147 kWh/mieszk.
Samochody osobowe	564 szt./1000 mieszk.
Użytkownicy Internetu	221,2 os./1000 mieszk.
Telefony komórkowe	688,2 szt./1000 mieszk.
Strona w atlasie	263

PORTUGALIA

REPUBLIKA PORTUGALSKA

Obszar dzisiejszej Portugalii w starożytności zamieszkiwali celtycko-iberyjscy Luzytanie. Od II w. p.n.e. do V w. teren ten znajdował się pod władzą Rzymu (prowincja Luzytania). Na początku V w. nastąpił najazd germańskich Wizygotów, którzy objęli panowanie nad większą częścią Półwyspu Iberyjskiego. Północną część dzisiejszej Portugalii obejmowało królestwo Swewów, istniejące do 586 r. W latach 711-718 Półwysep Iberyjski podbili muzułmanie. Prawie cały teren Portugalii znalazł się pod ich władzą, z wyjątkiem północnego skrawka (na północ od Duero) leżącego w Królestwie Asturii. Stąd też w końcu XI w. ruszyła rekonkwista. W wyniku jej działań powstało w 1097 r. Księstwo Portugalii (od 1139 r. Królestwo), które do 1249 r. objęło obszar dzisiejszej Portugalii. Rządy dynastii burgundzkiej, a od 1385 r. dynastii Aviz, popierających rozwój handlu i miast, doprowadziły Portugalię do rozkwitu. Nie mogąc rozszerzać swego terytorium na Półwyspie Iberyjskim, Portugalia skierowała swe zainteresowanie na północną Afrykę i Ocean Atlantycki, rozpoczynając epokę wielkich odkryć geograficznych.

Posuwając się wzdłuż wybrzeży Afryki, a potem Indii, Portugalczycy dotarli do Chin i Japonii oraz na Moluki i Timor, monopolizując handel europejski z Dalekim Wschodem. W 1500 r. odkryli Brazylię i rozpoczęli jej kolonizację. Po wygaśnięciu dynastii Aviz w 1580 r. Hiszpania narzuciła Portugalii unię personalną. Prowadzone przez Hiszpanię wojny bardzo obciążyły Portugalię, a także naraziły jej posiadłości zamorskie na ataki Anglików i Holendrów, którzy stopniowo przejęli handel ze Wschodem. W 1640 r. Portugalia ogłosiła niepodległość, którą po długotrwałej wojnie uznała w 1668 r. Hiszpania. W XVII i XVIII w. podstawą dochodów Portugalii były zyski z Brazylii. W sojuszu z Wielką Brytanią Portugalia wypowiedziała wojnę rewolucyjnej Francji, w rezultacie czego była w latach 1807-1811 okupowana przez wojska francuskie. W 1822 r. oderwała się Brazylia i wprowadzono w Portugalii monarchię konstytucyjną. Od 1910 r. Portugalia jest republiką. Wojskowy zamach stanu w 1926 r. utorował drogę do władzy A. Salazarowi, który dyktatorskie rządy sprawował w latach 1932-1968, nawiązując bliskie stosunki z Hiszpanią rządzoną przez gen. Franco. W 1949 r. Portugalia była współzałożycielem NATO. W 1974 r. władzę przejęli wojskowi o poglądach lewicowych (tzw. rewolucja goździków). Dopiero wtedy Portugalia przyznała niepodległość swoim koloniom w Afryce i na dalekim wschodzie. Od 1985 r. w Portugalii rządzili liberałowie, a od 1995 r. przy władzy są socjaliści. W 1999 r. Portugalia z Indonezją podpisały traktat przyznający Timorowi Wschodniemu niepodległość, w tym samym roku, po 442 latach władzy portugalskiej, pod administrację chińską przeszło Makau.

Informacje ogólne PORTUGALIA

Powierzchnia	92 391 km^2
Stolica (liczba mieszkańców)	Lizbona (540 tys.)
Liczba mieszkańców	10 606 tys.
Gęstość zaludnienia	114,8 os./km^2
Przyrost naturalny	–0,3 os./1000 mieszk.
Saldo migracji	3,4 os./1000 mieszk.
Urbanizacja	57,6%
Ustrój	republika
Podział administracyjny	18 dystryktów i 2 regiony autonomiczne (Azory, Madera)
Przynależność do organizacji międzynarodowych	NATO, OECD, Rada Europy, UE
Waluta	1 euro = 100 eurocentów
Języki urzędowe	portugalski
Języki używane	portugalski
Obszary chronione	5,0%
Zagadnienia społeczno-gospodarcze	
Religie (wyznawcy)	katolicy (94%), protestanci, wyznawcy judaizmu, muzułmanie i pozostali (6%)
Analfabetyzm	6,7%
Bezrobocie	7,6%
Przeciętna długość życia	74,8 – mężczyźni, 81,5 – kobiety (w latach)
Zainfekowani wirusem HIV	19 – 53 tys. os.
PKB na 1 mieszkańca	18 401 USD
Struktura PKB	rolnictwo 8,1%, przemysł 25,4%, usługi 66,5%
Wydatki na zbrojenia	269 USD/mieszk.
Saldo obrotów handlu zagranicznego	–23 283 mln USD
Główne towary eksportowe	wyroby włókiennicze i odzieżowe, korek, celuloza, samochody, konserwy rybne, oliwa, wino
Główne towary importowe	maszyny, środki transportu, ropa naftowa, stal, wyroby metalowe
Dochody z turystyki	546,6 USD/mieszk.
Produkcja energii elektrycznej	4009 kWh/mieszk.
Samochody osobowe	574 szt./1000 mieszk. (2003)
Komputery	133,2 szt./1000 mieszk.
Użytkownicy Internetu	280,3 os./1000 mieszk.
Telefony komórkowe	1090,9 szt./1000 mieszk.
Strona w atlasie	130

REPUBLIKA POŁUDNIOWEJ AFRYKI

Pierwotni mieszkańcy tego obszaru, Buszmeni i Hotentoci, zostali wyparci przez ludy Bantu napływające tu od IX w. Chociaż Portugalczyk B. Diaz dotarł do Przylądka Dobrej Nadziei w 1487 r., kolonizacja rozpoczęła się dopiero po założeniu przez Holendrów Kapsztadu w 1652 r. Zaraz potem nastąpił napływ holenderskich chłopów (zw. Burami), a po 1685 r. francuskich hugenotów i niemieckich protestantów. Po 1795 r. teren ten opanowali Brytyjczycy, którzy w 1806 r. utworzyli tu kolonię pod nazwą Kraj Przylądkowy. Od 1818 r. na obszarze dzisiejszej RPA tworzyło się państwo zuluskiego wodza Czaki. Napływ osadników brytyjskich i zniesienie niewolnictwa spowodowały masową wędrówkę Burów w głąb interioru, gdzie po zaciekłych walkach z Zulusami Burowie w 1838 r. utworzyli Republikę Natalu. Po jej anektowaniu przez Brytyjczyków w 1843 r. założyli Republikę Transwalu i w 1854 r. Wolne Państwo Oranii. Rozwój brytyjskiej Kolonii Przylądkowej, a szczególnie odkrycie bogatych złóż diamentów i złota w republikach burskich, spowodował zajęcie ich w 1877 r. przez Brytyjczyków, którzy w 1879 r. pokonali Zulusów i zagarnęli teren ich państwa. W wyniku I wojny burskiej (1880-1881) pokonani Brytyjczycy uznali niepodległość obu republik. Nie na długo, bowiem w wyniku II wojny burskiej (1899-1902 r.) Transwal i Orania stały się koloniami brytyjskimi. W 1910 r., po scaleniu czterech kolonii, utworzono dominium brytyjskie pod nazwą Związek Południowej Afryki. Podczas I wojny światowej armia ZPA opanowała Niemiecką Afrykę Południowo-Zachodnią, nad którą później sprawowała mandat Liga Narodów, a w 1949 r. dokonała jej aneksji. Wybrany w 1948 r. całkowicie afrykanerski (burski) rząd zapoczątkował politykę apartheidu.

W 1961 r. władze ZPA proklamowały powstanie RPA, występując jednocześnie z brytyjskiej Wspólnoty Narodów. W 1963 r. rozpoczęto tworzenie bantustanów (autonomicznych regionów z czarną ludnością). Do końca lat 80. XX w. w RPA utrzymywało się stałe napięcie na tle rasowym. Od 1988 r. następują zmiany w polityce wewnętrznej i zagranicznej RPA – m.in. przyznano niepodległość Namibii (d. Niemiecka Afryka Południowo-Zachodnia) i wycofano wojska z Angoli, a w 1991 r. ustawowo zniesiono apartheid. W 1993 r. przeprowadzono pierwsze wybory, w których mogli uczestniczyć wszyscy mieszkańcy kraju. Od 1995 r. działa Komisja Prawdy i Pojednania, która bada zbrodnie apartheidu oraz wspiera ofiary tego systemu.

Informacje ogólne REPUBLIKA POŁUDNIOWEJ AFRYKI

Powierzchnia	1 219 090 km^2
Stolica (liczba mieszkańców)	Pretoria (2 347 tys.); Kapsztad – siedziba parlamentu (3 497 tys.)
Liczba mieszkańców	44 188 tys.
Gęstość zaludnienia	36,2 os./km^2
Przyrost naturalny	–3,8 os./1000 mieszk.
Saldo migracji	–0,2 os./1000 mieszk.
Urbanizacja	59,3%
Ustrój	republika
Podział administracyjny	9 prowincji
Przynależność do organizacji międzynarodowych	AU, NAM, SADC
Waluta	1 rand = 100 centów
Języki urzędowe	afrikaans, angielski, ndebele, pedi, sotho, swazi, tsonga, tswana, venda, xhosa, zulu
Języki używane	afrikaans, angielski, ndebele, pedi, sotho, swazi, tsonga, tswana, venda, xhosa, zulu, hindi, urdu i kilkanaście innych
Obszary chronione	6,1%
Zagadnienia społeczno-gospodarcze	
Religie (wyznawcy)	chrześcijanie (54%), wyznawcy religii rodzimych (28%), pozostali (18%): hinduiści, muzułmanie i inni
Analfabetyzm	13,6%
Bezrobocie	25,5%
Przeciętna długość życia	43,3 – mężczyźni, 41,4 – kobiety (w latach)
Zainfekowani wirusem HIV	4 900 – 6 100 tys. os.
PKB na 1 mieszkańca	6376 USD
Struktura PKB	rolnictwo 3,2%, przemysł 31,3%, usługi 65,5%
Wydatki na zbrojenia	70 USD/mieszk.
Dług zagraniczny	16,8% PKB
Saldo obrotów handlu zagranicznego	–18 868 mln USD
Główne towary eksportowe	złoto, diamenty, rudy uranu, miedzi, chromu, manganu, kukurydza, cukier, cytrusy, bawełna, tytoń
Główne towary importowe	maszyny i środki transportu, wyroby elektroniczne, produkty chemiczne
Dochody z turystyki	56,4 USD/mieszk.
Produkcja energii elektrycznej	5142 kWh/mieszk.
Samochody osobowe	103 szt./1000 mieszk.
Komputery	82,7 szt./1000 mieszk.
Użytkownicy Internetu	78,9 os./1000 mieszk.
Telefony komórkowe	653,6 szt./1000 mieszk.
Strony w atlasie	226-227

REPUBLIKA ŚRODKOWOAFRYKAŃSKA

Pierwotnie zamieszkana była przez Pigmejów i ludy Bantu. W XVI w. na jej teren zaczęły migrować ludy Bana (z północnego Kamerunu) i Banda. Znaczne straty ludności spowodował wywóz niewolników za Atlantyk, zwłaszcza w XIX w. Po francuskiej penetracji pod koniec XIX w. powstała tu w 1905 r. kolonia od nazwą Ubangi-Szari, która w latach 1910-1946 wchodziła w skład Francuskiej Afryki Równikowej. Republika Środkowoafrykańska miała w latach 1946-1958 status terytorium zamorskiego Francji, a w 1960 r. stała się niepodległą republiką. Po zamachu stanu w 1965 r. dyktatorskie rządy objął J. Bokassa (w latach 1976-1979 jako cesarz Bokassa I), obalony z pomocą Francji w 1979 r. Kolejna dyktatura nastąpiła po wojskowym zamachu stanu w 1981 r., ale od 1991 r. postępowała stopniowa demokratyzacja państwa. W 2003 r. ponownie przeprowadzono wojskowy zamach stanu i wprowadzono rząd tymczasowy. W wyborach w 2005 r. na prezydenta wybrano przywódcę zamachu stanu, w dużej mierze dzięki cichemu poparciu wielu grup społecznych i głównych partii.

Informacje ogólne REPUBLIKA ŚRODKOWOAFRYKAŃSKA

Powierzchnia	622 984 km^2
Stolica (liczba mieszkańców)	Bangi (541 tys.)
Liczba mieszkańców	4303 tys.
Gęstość zaludnienia	6,9 os./km^2
Przyrost naturalny	15,2 os./1000 mieszk.
Saldo migracji	0 os./1000 mieszk.
Urbanizacja	38,0%
Ustrój	republika
Podział administracyjny	16 prefektur i region autonomiczny Bangi
Przynależność do organizacji międzynarodowych	ACP, AU, NAM

Waluta	1 frank CFA = 100 centymów
Języki urzędowe	francuski, sango
Języki używane	sango, banda, francuski, baja, mande
Obszary chronione	15,7%

Zagadnienia społeczno-gospodarcze

Religie (wyznawcy)	katolicy (18%), muzułmanie (16%), wyzn. religii tradycyjnych (15%), protestanci (14%), afrochrześcijanie (12%), pozostali (25%)
Analfabetyzm	48,9%
Bezrobocie	8,0% (2001)
Przeciętna długość życia	43,9 – mężczyźni, 44,0 – kobiety (w latach)
Zainfekowani wirusem HIV	110 – 390 tys. os.
PKB na 1 mieszkańca	356 USD
Struktura PKB	rolnictwo 55,0%, przemysł 20,0%, usługi 25,0% (2001)
Wydatki na zbrojenia	4 USD/mieszk.
Dług zagraniczny	74,8% PKB
Saldo obrotów handlu zagranicznego	−25 mln USD
Główne towary eksportowe	diamenty, kawa, drewno, bawełna, tytoń
Główne towary importowe	żywność, tekstylia, produkty ropy naftowej, maszyny, urządzenia elektryczne, środki transportu
Produkcja energii elektrycznej	25 kWh/mieszk.
Samochody osobowe	1 szt./1000 mieszk. (2002)
Komputery	2,8 szt./1000 mieszk.
Użytkownicy Internetu	2,3 os./1000 mieszk.
Telefony komórkowe	15,3 szt./1000 mieszk.
Strona w atlasie	224

REPUBLIKA ZIELONEGO PRZYLĄDKA

Bezludne wyspy odkrył w 1456 r. L. Cadamosto, Wenecjanin w służbie Portugalii. Szybko zostały zasiedlone przez Portugalczyków i murzyńskich niewolników z Senegalu, a w 1494 r. stały się kolonią portugalską. Do XIX w. stanowiły ważny ośrodek tranzytowy między Portugalią a Indiami oraz miejsce wysyłki czarnych niewolników do Ameryki Południowej. W latach 1951-1975 wyspy były portugalską prowincją zamorską, a w 1975 r. proklamowano tu niepodległą republikę. Po latach rządów monopartyjnych, od 1991 r. postępuje stopniowa demokratyzacja państwa. W 1992 r. przyjęto nową konstytucję, która wprowadziła system wielopartyjny. Wielokrotne susze w drugiej połowie XX wieku spowodowały tak wielką emigrację, że dziś więcej obywateli tego państwa mieszka na emigracji niż w ojczyźnie.

Informacje ogólne REPUBLIKA ZIELONEGO PRZYLĄDKA

Powierzchnia	4033 km^2
Stolica (liczba mieszkańców)	Praia (117 tys.)
Liczba mieszkańców	421 tys.
Gęstość zaludnienia	104,4 os./km^2
Przyrost naturalny	18,3 os./1000 mieszk.
Saldo migracji	−11,9 os./1000 mieszk.
Urbanizacja	57,3%
Ustrój	republika
Podział administracyjny	14 okręgów
Przynależność do organizacji międzynarodowych	ACP, AU, ECOWAS, NAM,
Waluta	1 eskudo = 100 centavos
Języki urzędowe	portugalski
Języki używane	portugalski-kreolski, portugalski
Obszary chronione	0,0%

Zagadnienia społeczno-gospodarcze

Religie (wyznawcy)	katolicy (96%), protestanci (2%)
Analfabetyzm	23,5%
Bezrobocie	21,0% (2000)
Przeciętna długość życia	68,0 – mężczyźni, 74,8 – kobiety (w latach)
Zainfekowani wirusem HIV	775 os. (2001)
PKB na 1 mieszkańca	2333 USD
Struktura PKB	rolnictwo 9,3%, przemysł 16,7%, usługi 74,0%
Wydatki na zbrojenia	16 USD/mieszk.
Saldo obrotów handlu zagranicznego	−524 mln USD
Główne towary eksportowe	banany, tuńczyki, langusty
Główne towary importowe	żywność, maszyny, statki
Dochody z turystyki	51,7 USD/mieszk.
Produkcja energii elektrycznej	105 kWh/mieszk.
Samochody osobowe	52 szt./1000 mieszk. (2003)
Komputery	101,7 szt./1000 mieszk.
Użytkownicy Internetu	53,0 os./1000 mieszk.
Telefony komórkowe	161,2 szt./1000 mieszk.
Strona w atlasie	221

Reunion (Francja)

Ta bezludna wyspa znana była już w X w. arabskim żeglarzom. Powtórnie odkryli ją Portugalczycy na początku XVI w. W pierwszych latach XVII w. została zajęta przez Francuzów, którzy nazwali ją Bourbon i rozpoczęli kolonizację. W latach 1638-1655 była kolonią karną, a od 1655 r.

do drugiej połowy XVIII w. stanowiła bazę francuskiej Kompanii Wschodnioindyjskiej. W 1794 r. zmieniono nazwę wyspy na Reunion. Na tutejszych plantacjach kawy i trzciny cukrowej pracowali murzyńscy niewolnicy, a po 1848 r. robotnicy z Indii. Od 1946 r. Reunion jest departamentem zamorskim Francji, zaś od 1973 r. znajduje się tutaj baza wojsk francuskich.

Informacje ogólne Reunion (Francja)

Powierzchnia	2508 km^2
Stolica (liczba mieszkańców)	Saint-Denis (134 tys.)
Liczba mieszkańców	788 tys.
Gęstość zaludnienia	314 os./km^2
Przyrost naturalny	10,9 os./1000 mieszk.
Saldo migracji	0 os./1000 mieszk.
Urbanizacja	92,4%
Ustrój	departament zamorski Francji
Podział administracyjny	brak
Waluta	1 euro = 100 eurocentów
Języki urzędowe	francuski
Języki używane	kreolski-francuski, francuski, tamilski
Obszary chronione	3,0%

Zagadnienia społeczno-gospodarcze

Religie (wyznawcy)	katolicy (90%), muzułmanie
Analfabetyzm	11,2%
Bezrobocie	31,0% (2002)
Przeciętna długość życia	70,8 – mężczyźni, 77,8 – kobiety (w latach)
PKB na 1 mieszkańca	14 614 USD
Struktura PKB	rolnictwo 8,0%, przemysł 19,0%, usługi 73,0% (2000)
Główne towary eksportowe	cukier, rum, wanilia, olejki eteryczne, ostrygi
Główne towary importowe	żywność, alkohole, maszyny i urządzenia transportowe, surowce
Dochody z turystyki	332,4 USD/mieszk.
Produkcja energii elektrycznej	1547 kWh/mieszk.
Samochody osobowe	436 szt./1000 mieszk.
Komputery	363,1 szt./1000 mieszk.
Użytkownicy Internetu	260,8 os./1000 mieszk.
Telefony komórkowe	755,1 szt./1000 mieszk.
Strona w atlasie	227

ROSJA

FEDERACJA ROSYJSKA

Na początku X w. z pomocą skandynawskich Waregów powstała Ruś Kijowska, obejmująca obszar od jeziora Ładoga po Morze Czarne, która w połowie XII w. rozpadła się na wiele mniejszych księstw. Najazdy Mongołów w latach 1238-1241 uzależniły je od Złotej Ordy. W XIII w. wyodrębniło się niewielkie Księstwo Moskiewskie, mające początkowo około 15 000 km^2. Jego władcy zjednoczyli północno-wschodnią Ruś, a około 1480 r. uniezależnili się od Ordy. Stale powiększające się Wielkie Księstwo Moskiewskie w XVI w. przekształciło się w silne, scentralizowane państwo. Jego władca, Iwan IV Groźny, przyjął w 1547 r. tytuł cara Wszechrusi i powiększył terytorium carstwa tak, że sięgało od Morza Lodowatego po Morze Kaspijskie i Ural. Pod rządami nowej dynastii Romanowów (od 1613 r.) ukształtowała się w XVII w. monarchia absolutna, a Rosja rozszerzyła terytorium o Ukrainę Prawobrzeżną i stopniowo podbijała Syberię. Za czasów Piotra I Wielkiego (1696-1725 r.) Rosja stała się imperium, a on w 1721 r. koronował się na cesarza. Za jego rządów Rosja uzyskała dostęp do Morza Czarnego i Bałtyckiego, wystawiła dużą flotę, zeuropeizowała administrację i armię. Pozycję Rosji umocniły rządy Katarzyny II (1762-1796 r.), która po zwycięstwach nad Turcją i rozbiorach Polski rozszerzyła terytorium Rosji w kierunku zachodnim. Po pokonaniu Napoleona I, Rosja odegrała czołową rolę na kongresie wiedeńskim w 1815 r. i uzyskała zgodę ma przyłączenie Królestwa Polskiego. Kontynuując w XIX w. politykę ekspansji, zajęła olbrzymie obszary Kazachstanu, Uzbekistanu i Turkmenii, przesunęła swoją granicę aż po Kaukaz, a także przyłączyła Finlandię i Besarabię. Słabość struktur państwowych obnażyła klęską R. w wojnie z Japonią (1904-1905 r.) i kolejne klęski podczas I wojny światowej. W lutym 1917 r. rewolucja obaliła carat i Rosja stała się republiką. Przewrót bolszewicki (7 XI 1917 r.) oraz wojna domowa w latach 1918-1920 r. przekształciły Rosję w socjalistyczną republikę sowiecką, która razem z Białoruską SRR i Ukraińską SSR oraz Zakaukaską FSRR utworzyła w 1922 r. Związek Socjalistycznych Republik Radzieckich. Dyktatorskie rządy J. Stalina (1924-1953 r.) doprowadziły do całkowitego zniewolenia narodu i wymordowania 1/3 jego części. Na początku II wojny światowej wojska ZSRR w porozumieniu z Niemcami zajęły wschodnią Polskę, Finlandię, Litwę, Łotwę, Estonię i część Rumunii. Dopiero po niemieckim ataku w 1941 r. ZSRR przyłączył się do aliantów. Po zakończeniu wojny w strefie jego wpływów znalazły się m.in. kraje Europy Środkowej. Do lat 90. trwała tzw. zimna wojna ze Stanami Zjednoczonymi, a ZSRR uczestniczył zbrojnie w konflktach w Korei, Wietnamie i Afganistanie. Po stłumieniu puczu komunistycznego w Moskwie (VIII 1991 r.) przez B. Jelcyna zawiesił on działalność KPZR na terenie Rosji oraz znacjonalizował jej majątek. ZSRR istniał do końca 1991 r. W grudniu 1991 r. Rosja wraz z Ukrainą i Białorusią proklamowała powstanie Wspólnoty Niepodległych Państw; jednocześnie Rosyjska FSRR przyjęła nazwę Federacja Rosyjska. W latach 1990-1991 wszystkie autonomiczne republiki Federacji Rosyjskiej proklamowały suwerenność. Na początku 1992 r. rozpoczęto w Rosji realizację zasad gospodarki rynkowej, ale jest to niezwykle trudne, z powodu zgromadzenia kapitału w rękach nielicznej elity dawnej władzy, ogromnej korupcji i powszechnej nędzy społeczeństwa oduczonego samodzielności. W 1998 r. nastąpił gwałtowny spadek wartości rubla i nagłe pogorszenie sytuacji gospodarczej. Na początku 2000 r. obowiązki prezydenta Rosji przejął W. Putin.

Rozpoczęte przez niego reformy doprowadziły do szybkiego rozwoju gospodarczego, nie wpływając jednak istotnie na poprawę bytu społeczeństwa. Od 7 maja 2008 W 2005 r. na szczycie WNP zapowiedziano utworzenie, na wzór Unii Europejskiej, Wspólnej Przestrzeni Gospodarczej, która ma integrować kraje byłego ZSRR. Obecnie Rosja prowadzi działania zbrojne w walczącej o niepodległość Czeczenii. 7 maja 2008 r. Dmitrij Miedwiediew objął urząd prezydenta.

Informacje ogólne ROSJA

Powierzchnia	17 075 400 km²
Stolica (liczba mieszkańców)	Moskwa (10 425 tys.; 13 750 tys. aglomeracja)
Liczba mieszkańców	142 894 tys.
Gęstość zaludnienia	8,4 os./km²
Przyrost naturalny	−4,7 os./1000 mieszk.
Saldo migracji	1,0 os./1000 mieszk.
Urbanizacja	73,0%
Ustrój	republika federacyjna
Podział administracyjny	49 obwodów i 2 miasta wydzielone (Moskwa, Petersburg)
Przynależność do organizacji międzynarodowych	APEC, CBSS, Rada Europy, WNP
Waluta	1 rubel = 100 kopiejek
Języki urzędowe	rosyjski
Języki używane	rosyjski, tatarski, ukraiński, czuwaski, baszkirski, białoruski, mordwiński, czeczeński, jidysz i około 100 innych
Obszary chronione	8,8%

Zagadnienia społeczno-gospodarcze

Religie (wyznawcy)	prawosławni (75%), bezwyznaniowcy (15%), pozostali (10%): katolicy, muzułmanie sunnici, protestanci, wyzn. judaizmu i inni
Analfabetyzm	0,4%
Bezrobocie	6,6%, znaczne niedozatrudnienie
Przeciętna długość życia	59,2 − mężczyźni, 73,1 − kobiety (w latach)
Zainfekowani wirusem HIV	560 − 1 600 tys. os.
PKB na 1 mieszkańca	6897 USD
Struktura PKB	rolnictwo 4,7%, przemysł 39,1%, usługi 56,2%
Wydatki na zbrojenia	427 USD/mieszk.
Dług zagraniczny	45,7% PKB
Saldo obrotów handlu zagranicznego	140 653 mln USD
Główne towary eksportowe	gaz ziemny, ropa naftowa, węgiel, metale szlachetne i kolorowe, chemikalia, diamenty, uran, drewno, broń
Główne towary importowe	maszyny, urządzenia i środki transportu, zboże, mięso, cukier, lekarstwa, sprzęt elektroniczny
Dochody z turystyki	26,0 USD/mieszk.
Produkcja energii elektrycznej	6665 kWh/mieszk.
Samochody osobowe	178 szt./1000 mieszk.
Komputery	131,8 szt./1000 mieszk.
Użytkownicy Internetu	111,0 os./1000 mieszk.
Telefony komórkowe	836,2 szt./1000 mieszk.
Strony w atlasie	144-145, 174-179

RUMUNIA

Obszar dzisiejszej Rumunii w starożytności zamieszkiwali Dakowie. W 106 r. powstała tu rzymska prowincja Dacja. Od połowy V w. tereny na zachód od Karpat, były w rękach: Gepidów, Awarów i Bułgarów. Pod koniec IX w. opanowali je Węgrzy i aż do 1918 r. stanowiły one część Królestwa Węgier pod nazwą Siedmiogród. Obszar na północny wschód od Karpat od VI w. zasiedlali Słowianie, a od XII w. plemiona romańskie. Pod koniec X w. wszedł on w skład Rusi Kijowskiej, a po 1240 r., Rusi Halicko-Włodzimierskiej. Ukształtowane w pierwszej połowie XIV w. Księstwo Mołdawskie aż do połowy XIX w. było zależne kolejno od: Węgier, Polski i Turcji. W 1775 r. utraciło Bukowinę (na rzecz Austrii), a w 1812 r. Besarabię (na rzecz Rosji). Obszary między Karpatami a Dunajem po VI w. zasiedlili początkowo Słowianie. Później napłynęli tu romańscy Wołosi, którzy z czasem stali się większością. Utworzone tu w XIV w. Księstwo Wołoskie początkowo zależne było od Węgier, a od 1411 r. do połowy XIX w. od Turcji. Państwo zwane Rumunią utworzono w 1861 r. w wyniku połączenia Mołdawii i Wołoszczyzny. W 1878 r. Rumunia ogłosiła suwerenność, a w 1881 r. stała się królestwem. W wyniku II wojny bałkańskiej Rumunia przyłączyła w 1913 r. południową Dobrudżę. Rezultatem udziału w I wojnie światowej po stronie Ententy było przyłączenie w 1918 r. Siedmiogrodu, Besarabii i Bukowiny. W wyniku II wojny światowej Rumunia utraciła na rzecz ZSRR północną Bukowinę i Besarabię. W 1947 r. władzę w Rumunii przejęli komuniści. Trwające od 1965 r. dyktatorskie rządy N. Ceauşescu zakończyły się w grudniu 1989 r. jego obaleniem i śmiercią podczas krwawych rozruchów w Bukareszcie. W 2004 r. Rumunia została przyjęta do NATO, a w 2007 r. do UE.

Informacje ogólne RUMUNIA

Powierzchnia	238 391 km²
Stolica (liczba mieszkańców)	Bukareszt (1 934 tys.)
Liczba mieszkańców	22 304 tys.
Gęstość zaludnienia	93,6 os./km²
Przyrost naturalny	−1,0 os./1000 mieszk.
Saldo migracji	−0,1 os./1000 mieszk.
Urbanizacja	53,7%
Ustrój	republika
Podział administracyjny	41 okręgów i 1 miasto wydzielone (Bukareszt)

Przynależność do organizacji międzynarodowych	CEFTA, ISE, NATO, Rada Europy, UE
Waluta	1 lej = 100 bani
Języki urzędowe	rumuński
Języki używane	rumuński, węgierski, cygański, niemiecki, turecki, serbski, ukraiński
Obszary chronione	5,1%

Zagadnienia społeczno-gospodarcze

Religie (wyznawcy)	prawosławni (87%), katolicy, protestanci, muzułmanie
Analfabetyzm	1,6%
Bezrobocie	6,1%
Przeciętna długość życia	68,7 − mężczyźni, 75,9 − kobiety (w latach)
Zainfekowani wirusem HIV	3,4 − 22 tys. os.
PKB na 1 mieszkańca	5633 USD
Struktura PKB	rolnictwo 7,9%, przemysł 35,6%, usługi 56,5%
Wydatki na zbrojenia	68 USD/mieszk.
Dług zagraniczny	51,2% PKB
Saldo obrotów handlu zagranicznego	−18 702 mln USD
Główne towary eksportowe	stal i wyroby stalowe, aluminium, chemikalia, przetwory warzywno-owocowe
Główne towary importowe	ropa naftowa, środki transportu, produkty chemiczne, zboże
Dochody z turystyki	16,2 USD/mieszk.
Produkcja energii elektrycznej	2445 kWh/mieszk.
Samochody osobowe	151 szt./1000 mieszk.
Komputery	113 szt./1000 mieszk.
Użytkownicy Internetu	207,6 os./1000 mieszk.
Telefony komórkowe	615,1 szt./1000 mieszk.
Strony w atlasie	114-115

RWANDA
REPUBLIKA RWANDY

Pierwotnie mieszkali tu Pigmeje Twa. Na początku I tysiąclecia zaczął się napływ rolniczego ludu Hutu, a od XV w. koczowniczych pasterzy Tutsi, którzy podporządkowali sobie Hutu, przyswajając jednocześnie ich kulturę. W XVII w. Tutsi stworzyli silnie scentralizowane państwo o nazwie Rwanda, ze stałą armią. W 1890 r. Rwanda przyjęła protektorat niemiecki i stała się częścią Niemieckiej Afryki Wschodniej. W czasie I wojny światowej była okupowana przez wojska belgijskie. Od 1922 r. (wraz z Urundi) stanowiła belgijski mandat Ligi Narodów, a od 1946 r. belgijskie terytorium powiernicze ONZ. W 1962 r. Rwanda uzyskała niepodległość jako republika. Faworyzowani przez kolonizatorów, a będący w znakomitej mniejszości, Tutsi (9%) zaczęli być szykanowani przez Hutu (90% ludności). W wyniku kolejnych walk etnicznych (1959, 1963-1964, 1972-1973) nastąpiła masowa emigracja Tutsi do sąsiedniej Burundi i Ugandy. Po gwałtownym pogorszeniu sytuacji ekonomicznej w Rwandzie nastąpił w 1990 r. atak partyzantów Tutsi z terenu Ugandy. Walki trwały aż do 1995 r., spowodowały śmierć około 500 tys. mieszkańców Rwandy i ucieczkę za granicę (głównie do Zairu) kolejnych 1,2 mln. Od 1996 r. sytuacja w Rwandzie normalizuje się, a repatriantom udzielana jest międzynarodowa pomoc humanitarna.

Informacje ogólne RWANDA

Powierzchnia	26 338 km²
Stolica (liczba mieszkańców)	Kigali (656 tys.)
Liczba mieszkańców	8648 tys.
Gęstość zaludnienia	328,4 os./km²
Przyrost naturalny	24,3 os./1000 mieszk.
Saldo migracji	0 os./1000 mieszk.
Urbanizacja	19,3%
Ustrój	republika
Podział administracyjny	10 prefektur
Przynależność do organizacji międzynarodowych	ACP, AU, NAM
Waluta	1 frank rwandyjski = 100 centymów
Języki urzędowe	kinyaruanda, francuski, angielski
Języki używane	kinyaruanda, francuski, suahili, angielski
Obszary chronione	7,6%

Zagadnienia społeczno-gospodarcze

Religie (wyznawcy)	katolicy (65%), wyznawcy religii rodzimych (25%), protestanci, muzułmanie
Analfabetyzm	29,6%
Przeciętna długość życia	48,6 − mężczyźni, 51,0 − kobiety (w latach)
Zainfekowani wirusem HIV	180 − 210 tys. os.
PKB na 1 mieszkańca	271 USD
Struktura PKB	rolnictwo 36,9%, przemysł 21,7%, usługi 41,4%
Wydatki na zbrojenia	6 USD/mieszk.
Dług zagraniczny	14,9% PKB
Saldo obrotów handlu zagranicznego	−350 mln USD
Główne towary eksportowe	kawa, herbata, rudy cyny, wolframu
Główne towary importowe	maszyny, samochody, żywność
Dochody z turystyki	1,1 USD/mieszk.

Produkcja energii elektrycznej	11 kWh/mieszk.
Samochody osobowe	1 szt./1000 mieszk. (2000)
Użytkownicy Internetu	4,5 os./1000 mieszk.
Telefony komórkowe	32,1 szt./1000 mieszk.
Strona w atlasie	**225**

SAHARA ZACHODNIA*

W XI w. obszar Sahary Zachodniej był podporządkowany władcom Maroka. Od XV w. ziemie te penetrowali Portugalczycy, później Hiszpanie. W 1900 r. Sahara Zachodnia stała się kolonią hiszpańską pod nazwą Hiszpańska Afryka Zachodnia, a w 1958 r. jej prowincją zamorską jako Sahara Hiszpańska. Od czasu uzyskania niepodległości przez Maroko (1956 r.) i Mauretanię (1960 r.) oba te kraje wysuwały wobec Sahary Zachodniej roszczenia terytorialne. W 1973 r. powstał niepodległościowy Front Polisario. W 1976 r., po całkowitym opuszczeniu Sahary Zachodniej przez Hiszpanów, nastąpił podział jej terytorium między Maroko i Mauretanię. W tym samym czasie Front Polisario proklamował utworzenie Arabskiej Demokratycznej Republiki Sahary, wypowiedział wojnę obu tym krajom i uformował w Algierze rząd na uchodźstwie. W 1979 r., po rezygnacji Mauretanii ze swojej części Sahary Zachodniej, Maroko anektowało cały jej obszar. Front Polisario i Maroko zaakceptowały w 1988 r. plan przeprowadzenia w Saharze Zachodniej referendum, w którym mieszkańcy zdecydowaliby o niepodległości lub włączeniu do Maroka, ale jego termin ciągle jest odsuwany. W związku z tym status państwa jest nieokreślony.

Informacje ogólne **SAHARA ZACHODNIA**	* nieokreślony status polityczny
Powierzchnia	252 120 km²
Stolica (liczba mieszkańców)	Al-Ujun (185 tys.)
Liczba mieszkańców	273 tys.
Gęstość zaludnienia	1,1 os./km²
Przyrost naturalny	25,0 os./1000 mieszk. (2000)
Saldo migracji	–6,1 os./1000 mieszk. (2000)
Urbanizacja	91,6%
Ustrój	status nieuregulowany
Podział administracyjny	4 prowincje
Przynależność do organizacji międzynarodowych	AU
Waluta	1 dirham marokański = 100 centymów
Języki urzędowe	arabski
Języki używane	arabski
Obszary chronione	7,1%
Zagadnienia społeczno-gospodarcze	
Religie (wyznawcy)	muzułmanie sunnici (100%)
Analfabetyzm	85,0%
Przeciętna długość życia	51,6 – mężczyźni, 56,3 – kobiety (w latach)
Struktura PKB	usługi 40,0%
Główne towary eksportowe	fosforyty, ryby, konserwy rybne
Główne towary importowe	żywność, paliwa
Produkcja energii elektrycznej	311 kWh/mieszk.
Samochody osobowe	24,0 szt./1000 mieszk. (1996)
Strona w atlasie	**220**

SAINT KITTS I NEVIS

FEDERACJA SAINT KITTS I NEVIS

Wyspy, odkryte w 1493 r. przez K. Kolumba, były od XVII w. kolonizowane przez Anglików i Francuzów, którzy toczyli o nie spór. W 1713 r. stały się kolonią brytyjską (wraz z Anguillą), a w 1967 r. państwem stowarzyszonym z Wielką Brytanią. Od 1983 r. są niepodległą monarchią konstytucyjną (bez Anguilli), członkiem brytyjskiej Wspólnoty Narodów. Od lat wyspa Nevis prowadzi działania mające na celu oddzielenia się od Saint Kitts. Referendum przeprowadzone w 1998 r. dało wynik bliski wymaganych 2/3 poparcia dla oddzielenia.

Informacje ogólne **SAINT KITTS I NEVIS**	
Powierzchnia	267 km²
Stolica (liczba mieszkańców)	Basseterre (13 tys.)
Liczba mieszkańców	39 tys.
Gęstość zaludnienia	146,6 os./km²
Przyrost naturalny	9,7 os./1000 mieszk.
Saldo migracji	–4,7 os./1000 mieszk.
Urbanizacja	32,2%
Ustrój	monarchia konstytucyjna
Podział administracyjny	14 okręgów
Przynależność do organizacji międzynarodowych	ACP, CARICOM, OAS
Waluta	1 dolar wschodniokaraibski = 100 centów
Języki urzędowe	angielski
Języki używane	angielski-kreolski, angielski
Obszary chronione	9,7%
Zagadnienia społeczno-gospodarcze	
Religie (wyznawcy)	anglikanie (34%), metodyści (28%), katolicy (11%), pozostali (27%)

Analfabetyzm	2,0% (2000)
Bezrobocie	4,5% (1997)
Przeciętna długość życia	70,1 – mężczyźni, 76,0 – kobiety (w latach)
PKB na 1 mieszkańca	11 954 USD
Struktura PKB	rolnictwo 3,5%, przemysł 25,8%, usługi 70,7% (2001)
Dług zagraniczny	94,2% PKB (1998)
Saldo obrotów handlu zagranicznego	–255 mln USD
Główne towary eksportowe	cukier, bawełna, elektronika
Główne towary importowe	maszyny, urządzenia, żywność, paliwa
Dochody z turystyki	1476,2 USD/mieszk.
Produkcja energii elektrycznej	3205 kWh/mieszk.
Samochody osobowe	231 szt./1000 mieszk.
Komputery	220 szt./1000 mieszk.
Użytkownicy Internetu	214,1 os./1000 mieszk.
Telefony komórkowe	200 szt./1000 mieszk.
Strona w atlasie	**263**

SAINT LUCIA

Wyspa, zamieszkana przez Karaibów, odkryta została prawdopodobnie w 1502 r. przez K. Kolumba. Od 1639 r. była kolonizowana przez Anglików i Francuzów stanowiąc przedmiot ich sporu. W 1803 r. stała się kolonią brytyjską, a w 1967 r. państwem stowarzyszonym z Wielką Brytanią. Od 1979 r. jest niepodległą monarchią konstytucyjną, członkiem brytyjskiej Wspólnoty Narodów. Od 1990 r. wyspa realizuje politykę integracji politycznej i gospodarczej z Dominiką oraz Saint Vincent i Grenadynami.

Informacje ogólne **SAINT LUCIA**	
Powierzchnia	616 km²
Stolica (liczba mieszkańców)	Castries (1,8 tys.; 13 tys. aglomeracja)
Liczba mieszkańców	168 tys.
Gęstość zaludnienia	273,5 os./km²
Przyrost naturalny	14,6 os./1000 mieszk.
Saldo migracji	–1,7 os./1000 mieszk.
Urbanizacja	27,6%
Ustrój	monarchia konstytucyjna
Podział administracyjny	11 kwartałów
Przynależność do organizacji międzynarodowych	ACP, CAROCOM, NAM, OAS
Waluta	1 dolar wschodniokaraibski = 100 centów
Języki urzędowe	angielski
Języki używane	francuski-kreolski, angielski-kreolski, angielski
Obszary chronione	2,4%
Zagadnienia społeczno-gospodarcze	
Religie (wyznawcy)	katolicy (79%), protestanci (16%), anglikanie (3%), pozostali (2%)
Analfabetyzm	9,8% (2000)
Bezrobocie	20,0%
Przeciętna długość życia	70,8 – mężczyźni, 78,1 – kobiety (w latach)
PKB na 1 mieszkańca	5602 USD
Struktura PKB	rolnictwo 5,0%, przemysł 15,0%, usługi 80,0%
Dług zagraniczny	62,0% PKB
Saldo obrotów handlu zagranicznego	–535 mln USD
Główne towary eksportowe	banany, olej kokosowy, tekstylia
Główne towary importowe	żywność, wyroby przemysłowe, maszyny, środki transportu, chemikalia
Dochody z turystyki	1468,4 USD/mieszk.
Produkcja energii elektrycznej	1726 kWh/mieszk.
Samochody osobowe	150 szt./1000 mieszk. (2002)
Komputery	173,3 szt./1000 mieszk.
Użytkownicy Internetu	366,7 os./1000 mieszk.
Telefony komórkowe	620 szt./1000 mieszk.
Strona w atlasie	**263**

SAINT VINCENT i GRENADYNY

Wyspa Saint Vincent, zamieszkana przez Arawaków, została odkryta w 1498 r. przez K. Kolumba. Pod koniec XVIII w. stała się brytyjską kolonią. Od 1969 r., wraz z częścią wysp archipelagu Grenadyn, stanowi państwo stowarzyszone z Wielką Brytanią, a od 1979 r. jest niepodległą monarchią konstytucyjną, członkiem brytyjskiej Wspólnoty Narodów.

Informacje ogólne **SAINT VINCENT I GRENADYNY**	
Powierzchnia	389 km²
Stolica (liczba mieszkańców)	Kingstown (13 tys.)
Liczba mieszkańców	118 tys.
Gęstość zaludnienia	303 os./km²
Przyrost naturalny	10,2 os./1000 mieszk.
Saldo migracji	–7,6 os./1000 mieszk.
Urbanizacja	45,9%
Ustrój	monarchia konstytucyjna

Podział administracyjny	6 okręgów
Przynależność do organizacji międzynarodowych	ACP, CARICOM, OAS
Waluta	1 dolar wschodniokaraibski = 100 centów
Języki urzędowe	angielski
Języki używane	angielski-kreolski, angielski, francuski-kreolski
Obszary chronione	1,3%

Zagadnienia społeczno-gospodarcze

Religie (wyznawcy)	anglikanie (42%), metodyści (21%), pozostali protestanci (19%), katolicy (12%), pozostali (6%)
Analfabetyzm	4,0%
Bezrobocie	15,0% (2001)
Przeciętna długość życia	72,4 – mężczyźni, 76,3 – kobiety (w latach)
PKB na 1 mieszkańca	4695 USD
Struktura PKB	rolnictwo 10,0%, przemysł 26,0%, usługi 64,0% (2001)
Dług zagraniczny	64,4% PKB (1998)
Saldo obrotów handlu zagranicznego	−222 mln USD
Główne towary eksportowe	banany, tapiok, warzywa, rakiety tenisowe
Główne towary importowe	żywność, maszyny, urządzenia, paliwa, chemikalia
Dochody z turystyki	733,9 USD/mieszk.
Produkcja energii elektrycznej	966 kWh/mieszk.
Samochody osobowe	119 szt./1000 mieszk.
Komputery	132,2 szt./1000 mieszk.
Użytkownicy Internetu	66,1 os./1000 mieszk.
Telefony komórkowe	593,4 szt./1000 mieszk.
Strona w atlasie	263

Saint-Pierre i Miquelon (Francja)

Wyspy, odkryte na początku XVI w., od XVII w. kolonizowali Francuzi. W 1814 r. stały się francuską kolonią. W 1946 r. uzyskały status terytorium zamorskiego, w 1976 r. departamentu zamorskiego, a w 1985 r. posiadłości francuskiej.

Informacje ogólne   Saint-Pierre i Miquelon (Francja)

Powierzchnia	242 km^2
Stolica (liczba mieszkańców)	Saint Pierre (6 tys.)
Liczba mieszkańców	7 tys.
Gęstość zaludnienia	29 os./km^2
Przyrost naturalny	6,7 os./1000 mieszk.
Saldo migracji	−5,0 os./1000 mieszk.
Urbanizacja	89,0%
Ustrój	departament zamorski Francji
Podział administracyjny	brak
Waluta	1 euro = 100 eurocentów
Języki urzędowe	francuski
Języki używane	francuski
Obszary chronione	52,8%

Zagadnienia społeczno-gospodarcze

Religie (wyznawcy)	katolicy (99%), pozostali (1%)
Analfabetyzm	1,0% (1999)
Bezrobocie	10,3% (1999)
Przeciętna długość życia	76,6 – mężczyźni, 81,4 – kobiety (w latach)
PKB na 1 mieszkańca	7000 USD (2001)
Saldo obrotów handlu zagranicznego	−63 mln USD
Główne towary eksportowe	mrożone i suszone ryby, mączka rybna
Główne towary importowe	mięso, odzież, paliwa, urządzenia elektryczne, maszyny, materiały budowlane
Produkcja energii elektrycznej	7143 kWh/mieszk.
Samochody osobowe	418 szt./1000 mieszk. (2000)
Strona w atlasie	245

SALWADOR
REPUBLIKA SALWADORU

W okresie prekolumbijskim obszar dzisiejszego Salwadoru zamieszkiwali Indianie. Od początku n.e. był w kręgu wpływów cywilizacji Majów, a następnie Tolteków. W 1524 r. został podbity przez Hiszpanów i włączony do wicekrólestwa Nowej Hiszpanii. W 1821 r. stał się niepodległym państwem. Przez ponad sto lat Salwadorem rządzili konserwatyści lub liberałowie, toczący ostre spory o model władzy. Od lat 40. XX w. sprawowane są rządy autorytarno-wojskowe. W 1969 r. wybuchł konflikt zbrojny z Hondurasem, którego początkiem był mecz piłki nożnej (tzw. wojna futbolowa). Rozpoczęta w latach 70. XX w. działalność lewicowej partyzantki doprowadziła w latach 80. do wybuchu wojny domowej, trwającej aż do 1992 r.

Informacje ogólne   SALWADOR

Powierzchnia	21 041 km^2
Stolica (liczba mieszkańców)	San Salvador (510 tys.)
Liczba mieszkańców	6822 tys.
Gęstość zaludnienia	324,2 os./km^2
Przyrost naturalny	20,8 os./1000 mieszk.
Saldo migracji	−3,6 os./1000 mieszk.
Urbanizacja	59,8%
Ustrój	republika
Podział administracyjny	14 departamentów
Przynależność do organizacji międzynarodowych	SICA, OAS
Waluta	1 dolar USA = 100 centów
Języki urzędowe	hiszpański
Języki używane	hiszpański
Obszary chronione	0,9%

Zagadnienia społeczno-gospodarcze

Religie (wyznawcy)	katolicy (92%), protestanci (8%)
Analfabetyzm	19,9%
Bezrobocie	6,0%, powszechne niedozatrudnienie
Przeciętna długość życia	68,5 – mężczyźni, 75,8 – kobiety (w latach)
Zainfekowani wirusem HIV	22 – 72 tys. os.
PKB na 1 mieszkańca	2664 USD
Struktura PKB	rolnictwo 9,7%, przemysł 27,6%, usługi 62,7%
Wydatki na zbrojenia	16 USD/mieszk.
Dług zagraniczny	53,5% PKB
Saldo obrotów handlu zagranicznego	−4115 mln USD
Główne towary eksportowe	kawa, cukier, krewetki, tkaniny i przędza bawełniana
Główne towary importowe	surowce, dobra konsumpcyjne, paliwa, żywność, ropa naftowa, energia elektryczna
Dochody z turystyki	37,2 USD/mieszk.
Produkcja energii elektrycznej	776 kWh/mieszk.
Samochody osobowe	24 szt./1000 mieszk. (2000)
Komputery	44,9 szt./1000 mieszk.
Użytkownicy Internetu	88,8 os./1000 mieszk.
Telefony komórkowe	350,5 szt./1000 mieszk.
Strona w atlasie	260

SAMOA
NIEZALEŻNE PAŃSTWO SAMOA

Wyspy, odkryte w 1722 r. przez holenderskiego żeglarza J. Roggeveena, w drugiej połowie XVIII w. penetrowali Francuzi. W 1899 r. zostały podzielone między Stany Zjednoczone (część wschodnia – Samoa Amerykańskie) i Niemcy (część zachodnia – Samoa Zachodnie). Po I wojnie światowej kolonia niemiecka przeszła pod administrację Nowej Zelandii jako terytorium mandatowe Ligi Narodów, a po II wojnie światowej jako terytorium powiernicze ONZ. W 1962 r. stała się niepodległym państwem pod nazwą Samoa Zachodnie, członkiem brytyjskiej Wspólnoty Narodów. W 1997 r. zmieniono nazwę na Samoa.

Informacje ogólne   SAMOA

Powierzchnia	2831 km^2
Stolica (liczba mieszkańców)	Apia (41 tys.)
Liczba mieszkańców	177 tys.
Gęstość zaludnienia	62,5 os./km^2
Przyrost naturalny	9,8 os./1000 mieszk.
Saldo migracji	−11,8 os./1000 mieszk.
Urbanizacja	22,4%
Ustrój	monarchia konstytucyjna
Podział administracyjny	11 dystryktów
Przynależność do organizacji międzynarodowych	ACP, Forum Wysp Pacyfiku, Wspólnota Pacyfiku
Waluta	1 tala = 100 sene
Języki urzędowe	samoański, angielski
Języki używane	samoański, angielski
Obszary chronione	1,8%

Zagadnienia społeczno-gospodarcze

Religie (wyznawcy)	protestanci (72%), katolicy (22%), pozostali (6%)
Analfabetyzm	1,3%
Przeciętna długość życia	68,8 – mężczyźni, 74,6 – kobiety (w latach)
Zainfekowani wirusem HIV	12 os.
PKB na 1 mieszkańca	1959 USD
Struktura PKB	rolnictwo 11,4%, przemysł 58,4%, usługi 30,2%
Dług zagraniczny	105,7% PKB
Saldo obrotów handlu zagranicznego	−209 mln USD
Główne towary eksportowe	olej kokosowy, kopra, kakao, taro, drewno
Główne towary importowe	żywe zwierzęta, środki transportu, urządzenia, paliwa, artykuły przemysłowe
Dochody z turystyki	222,9 USD/mieszk.
Produkcja energii elektrycznej	610 kWh/mieszk.
Samochody osobowe	46 szt./1000 mieszk. (1999)

Komputery	6,7 szt./1000 mieszk.
Użytkownicy Internetu	33,3 os./1000 mieszk.
Telefony komórkowe	129,7 szt./1000 mieszk.
Strona w atlasie	298

Samoa Amerykańskie (Stany Zjednoczone)

Wschodnia część wysp Samoa stała się w 1899 r. kolonią Stanów Zjednoczonych. W 1925 r. uzyskała status terytorium zamorskiego.

Informacje ogólne **Samoa Amerykańskie** (Stany Zjednoczone)	
Powierzchnia	199 km²
Ośrodek administracyjny (liczba mieszkańców)	Pago Pago (23 tys.; 52 tys. aglomeracja) 2000
Liczba mieszkańców	58 tys.
Gęstość zaludnienia	291,5 os./km²
Przyrost naturalny	19,2 os./1000 mieszk.
Saldo migracji	−21,1 os./1000 mieszk.
Urbanizacja	91,3%
Ustrój	terytorium zamorskie Stanów Zjednoczonych
Podział administracyjny	brak
Waluta	1 dolar USA = 100 centów
Języki urzędowe	angielski
Języki używane	samoański, angielski
Obszary chronione	100,0%
Zagadnienia społeczno-gospodarcze	
Religie (wyznawcy)	anglikanie (52%), katolicy (20%), protestanci (18%), pozostali (10%)
Analfabetyzm	0,6% (2000)
Bezrobocie	29,8%
Przeciętna długość życia	72,9 – mężczyźni, 80,2 – kobiety (w latach)
PKB na 1 mieszkańca	6914 USD
Saldo obrotów handlu zagranicznego	−130 mln USD
Główne towary eksportowe	konserwy rybne, kopra, wyroby rzemiosła ludowego
Główne towary importowe	materiały budowlane, paliwa, żywność
Produkcja energii elektrycznej	2207 kWh/mieszk.
Samochody osobowe	127 szt./1000 mieszk.
Strona w atlasie	298

SAN MARINO

REPUBLIKA SAN MARINO

Powstało na początku IV w. W średniowieczu było komuną miejską, od XIII w. podporządkowaną książętom Urbino. W XV w. zostało republiką, od XVII w. niezależną. Suwerenność San Marino potwierdził w 1815 r. kongres wiedeński. Od 1862 r. było pod opieką Włoch. W 1954 r. San Marino zawarło unię celną i monetarną z Włochami. Rządy w San Marino oparte są na systemie partyjnym analogicznym do włoskiego.

Informacje ogólne **SAN MARINO**	
Powierzchnia	61 km²
Stolica (liczba mieszkańców)	San Marino (2,8 tys.) 2000
Liczba mieszkańców	29 tys.
Gęstość zaludnienia	478 os./km²
Przyrost naturalny	1,8 os./1000 mieszk.
Saldo migracji	10,7 os./1000 mieszk.
Urbanizacja	97,2%
Ustrój	republika
Podział administracyjny	9 okręgów (castelli – zamków)
Przynależność do organizacji międzynarodowych	Rada Europy
Waluta	1 euro = 100 eurocentów
Języki urzędowe	włoski
Języki używane	włoski
Zagadnienia społeczno-gospodarcze	
Religie (wyznawcy)	katolicy (90%), pozostali (10%)
Analfabetyzm	1,3% (2001)
Bezrobocie	3,8%
Przeciętna długość życia	78,4 – mężczyźni, 85,6 – kobiety (w latach)
PKB na 1 mieszkańca	46 083 USD
Struktura PKB	ponad 50% PKB to dochody z turystyki
Główne towary eksportowe	wino, pszenica, odzież, meble, materiały budowlane, żywność
Główne towary importowe	energia elektryczna, surowce, wyroby gotowe, złota
Samochody osobowe	1113 szt./1000 mieszk.
Użytkownicy Internetu	488,9 os./1000 mieszk. (2002)
Telefony komórkowe	574,3 szt./1000 mieszk. (2002)
Strona w atlasie	127

SENEGAL

REPUBLIKA SENEGALU

Terytorium dzisiejszego Senegalu wchodziło w skład państwa Tekrur (IX-XIII w.), a od XIV do XVI w. stanowiło część państw Mali i Dżolof. Od XV w. zaczęła się penetracja Europejczyków – Portugalczyków, Holendrów, Anglików i Francuzów, którzy zakładali tu faktorie, głównie dla handlu niewolnikami. Od XVII w. zaznaczała się szczególna aktywność Francuzów, którzy w 1857 r. założyli port Dakar, a do 1880 r. podbili cały kraj. Kolonia Senegal weszła w 1904 r. w skład Francuskiej Afryki Zachodniej, zachowując uprzywilejowaną pozycję. Równolegle z rozwojem gospodarczym wytworzyła się tubylcza burżuazja, która otrzymała francuskie obywatelstwo. Po 1945 r. uzyskali je wszyscy mieszkańcy Senegalu. W 1958 r. Senegal stał się republiką autonomiczną, a w 1960 r. uzyskał niepodległość. Od tego czasu utrzymuje ścisłe i wielostronne związki z Francją oraz z innymi państwami Europy Zachodniej. W latach 1982-1989 Senegal tworzył konfederację z Gambią, o nazwie Senegambia.

Informacje ogólne **SENEGAL**	
Powierzchnia	196 712 km²
Stolica (liczba mieszkańców)	Dakar (1 031 tys.; 2 145 tys. aglomeracja)
Liczba mieszkańców	11 987 tys.
Gęstość zaludnienia	60,9 os./km²
Przyrost naturalny	23,4 os./1000 mieszk.
Saldo migracji	0 os./1000 mieszk.
Urbanizacja	41,6%
Ustrój	republika
Podział administracyjny	10 regionów
Przynależność do organizacji międzynarodowych	ACP, AU, ECOWAS, NAM
Waluta	1 frank CFA = 100 centymów
Języki urzędowe	francuski
Języki używane	wolof, futa dżalon (fulani), serer, francuski
Obszary chronione	10,8%
Zagadnienia społeczno-gospodarcze	
Religie (wyznawcy)	muzułmanie sunnici (94%), katolicy (5%), animiści (1%)
Analfabetyzm	59,8%
Bezrobocie	48% (2001)
Przeciętna długość życia	55,7 – mężczyźni, 58,5 – kobiety (w latach)
Zainfekowani wirusem HIV	29 – 100 tys. os.
PKB na 1 mieszkańca	770 USD
Struktura PKB	rolnictwo 16,7%, przemysł 18,9%, usługi 64,4%
Wydatki na zbrojenia	8 USD/mieszk.
Dług zagraniczny	21,9% PKB
Saldo obrotów handlu zagranicznego	−1995 mln USD
Główne towary eksportowe	orzeszki ziemne, fosforyny, ryby
Główne towary importowe	ropa naftowa, żywność, maszyny, urządzenia, środki transportu
Dochody z turystyki	14,3 USD/mieszk.
Produkcja energii elektrycznej	121 kWh/mieszk.
Samochody osobowe	13 szt./1000 mieszk. (2001)
Komputery	23,4 szt./1000 mieszk.
Użytkownicy Internetu	46,6 os./1000 mieszk.
Telefony komórkowe	148,4 szt./1000 mieszk.
Strona w atlasie	221

SERBIA

REPUBLIKA SERBII

W 1918 r. wskutek zjednoczenia wchodzących dotąd w skład Austro-Węgier Chorwacji, Słowenii, Bośni i Hercegowiny oraz niepodległych Serbii i Czarnogóry powstało Królestwo Serbów, Chorwatów i Słoweńców. W 1929 r. car Aleksander I zniósł konstytucję, wprowadził dyktaturę wojskową i zmienił nazwę państwa na Królestwo Jugosławii. W 1941 r. została podbita przez Niemcy oraz ich sojuszników: Włochy, Węgry i Bułgarię. Powstało związane z Niemcami Niezależne Państwo Chorwackie. W 1945 r. władzę w Jugosławii objęła kierowana przez J. Broz „Tito" partia komunistyczna. Powojenna Jugosławia składała się z 6 równorzędnych republik federacyjnych: Serbii, Czarnogóry, Chorwacji, Słowenii, Bośni i Hercegowiny oraz Macedonii. Upadek komunizmu i kryzys gospodarczy lat 80. XX w. przyczyniły się do wznowienia konfliktów narodowościowych w Jugosławii. Mimo politycznego i militarnego przeciwdziałania Serbii nastąpił w latach 1990-1992 rozpad państwa; federację opuściły: Chorwacja, Słowenia, Bośnia i Hercegowina oraz Macedonia. W 1992 r. Serbia i Czarnogóra utworzyły Federalną Republikę Jugosławii. Latem 1998 r. wybuchły walki między Serbami i Albańczykami w Kosowie. Wobec przewagi Serbów i dokonywania przez nich czystek etnicznych nastąpił masowy exodus ludności albańskiej do Albanii, Macedonii i Czarnogóry. W wyniku nalotów NATO na Serbię (III-VI 2000 r.) wojska jugosłowiańskie wycofały się z Kosowa, a ich miejsce zajęły międzynarodowe oddziały pokojowe. W 2003 r. za zgodą obu stron rozwiązano Federację Jugosławiańską, powstało nowe państwo federacyjne – Serbia i Czarnogóra. Czarnogóra, faktycznie będąca niezależną republiką, dąży do uzyskania niepodległości. W 2006 r. mieszkańcy Czarnogóry w wyniku referendum zadecydowali o oderwaniu się od federacji z Serbią. Serbia stała się spadkobiercą dotychczas istniejącego państwa i odziedziczyła jego status prawny i dokumenty międzynarodowe.

Powierzchnia	88 361 km²
Stolica (liczba mieszkańców)	Belgrad (1 106 tys.; 1 687 tys. aglomeracja)
Liczba mieszkańców	9396 tys. (2002)
Gęstość zaludnienia	106,3 os./km²
Przyrost naturalny	−3,5 os./1000 mieszk.
Saldo migracji	−1,3 os./1000 mieszk.
Urbanizacja	52,2%
Ustrój	republika
Podział administracyjny	3 regiony, 30 okręgów
Przynależność do organizacji międzynarodowych	ISE, NAM, Rada Europy
Waluta	1 dinar jugosłowiański = 100 para
Języki urzędowe	serbski
Języki używane	serbski, albański, chorwacki, węgierski, rumuński, słowacki, rusiński

Zagadnienia społeczno-gospodarcze

Religie (wyznawcy)	prawosławni (85%), muzułmanie (3%), protestanci (7%), katolicy (5%),
Analfabetyzm	3,6%
Bezrobocie	31,6%
Przeciętna długość życia	72,7 − mężczyźni, 78,1 − kobiety (w latach)
Zainfekowani wirusem HIV	3,4-20 tys. os.
PKB na 1 mieszkańca	4273 USD
Struktura PKB	rolnictwo 12,3%, przemysł 24,2%, usługi 63,5%
Saldo obrotów handlu zagranicznego	−6744 mln USD
Główne towary eksportowe	żywność, surowce
Główne towary importowe	surowce mineralne, maszyny i środki transportu, chemikalia, paliwa
Dochody z turystyki	3,8 USD/mieszk.
Produkcja energii elektrycznej	3605 kWh/mieszk.
Samochody osobowe	148 szt./1000 mieszk.
Komputery	27,1 szt./1000 mieszk.
Użytkownicy Internetu	149,0 os./1000 mieszk.
Telefony komórkowe	503,3 szt./1000 mieszk.
Strona w atlasie	119

SESZELE

REPUBLIKA SESZELI

Bezludne wyspy, znane od X w. Arabom, odkryli w 1505 r. Portugalczycy. Po aneksji w 1756 r. zostały skolonizowane przez Francuzów. Od 1794 r. okupowane przez Wielką Brytanię, zostały jej przyznane w 1814 r. Początkowo zarządzane były przez władze kolonii Mauritius. Dopiero w 1903 stały się odrębną kolonią. W 1976 r. Seszele uzyskały niepodległość w ramach brytyjskiej Wspólnoty Narodów. Do 1991 r. Seszele miały system jednopartyjny. Pod naciskiem opozycji oraz Wielkiej Brytanii i Francji rozpoczął się proces demokratyzacji. W 1993 r. przyjęto nową konstytucję i odbyły się wolne wybory parlamentarne i prezydenckie.

Powierzchnia	453 km²
Stolica (liczba mieszkańców)	Victoria (26 tys.)
Liczba mieszkańców	82 tys.
Gęstość zaludnienia	180 os./km²
Przyrost naturalny	9,7 os./1000 mieszk.
Saldo migracji	−5,4 os./1000 mieszk.
Urbanizacja	52,9%
Ustrój	republika
Podział administracyjny	23 dystrykty
Przynależność do organizacji międzynarodowych	ACP, AU, NAM, SADC
Waluta	1 rupia seszelska = 100 centów
Języki urzędowe	seselwa (francuski-kreolski), angielski, francuski
Języki używane	seselwa (francuski-kreolski), angielski, francuski
Obszary chronione	1,0%

Zagadnienia społeczno-gospodarcze

Religie (wyznawcy)	katolicy (87%), anglikanie (9%), hinduiści (1%), pozostali (3%)
Analfabetyzm	8,2%
Przeciętna długość życia	67,3 − mężczyźni, 78,1 − kobiety (w latach)
PKB na 1 mieszkańca	9368 USD
Struktura PKB	rolnictwo 2,4%, przemysł 25,7%, usługi 71,9%
Wydatki na zbrojenia	157 USD/mieszk.
Dług zagraniczny	96,5% PKB
Saldo obrotów handlu zagranicznego	−325 mln USD
Główne towary eksportowe	kopra, cynamon, olejek cynamonowy, guano, ryby, ananasy, mango, cytrusy, herbata
Główne towary importowe	żywność, maszyny, urządzenia, produkty ropy naftowej, chemikalia
Dochody z turystyki	1395,1 USD/mieszk.

Produkcja energii elektrycznej	2537 kWh/mieszk.
Samochody osobowe	86 szt./1000 mieszk.
Komputery	185,2 szt./1000 mieszk.
Użytkownicy Internetu	246,9 os./1000 mieszk.
Telefony komórkowe	703,7 szt./1000 mieszk.
	Ponad 70% ludności zawodowo czynnej zatrudnione jest w turystyce
Strona w atlasie	227

SIERRA LEONE

REPUBLIKA SIERRA LEONE

Od połowy XV w. Portugalczycy zakładali tu faktorie handlowe, ale w XVII w. zostali wyparci przez Anglików, którzy w 1787 r. zbudowali miasto Freetown, a w 1808 r. utworzyli wokół niego kolonię. Pozostała część kraju, opanowana w XIX w., stała się w 1896 r. protektoratem brytyjskim. W 1958 r. uzyskał on autonomię. W 1961 r., po połączeniu protektoratu i kolonii, Sierra Leone uzyskało niepodległosc w ramach brytyjskiej Wspólnoty Narodów. Po latach ostrej walki między partiami i dwóch zamachach stanu wprowadzono w 1978 r. system jednopartyjny. W latach 90. XX w. niestabilna sytuacja wewnętrzna doprowadziła do kolejnych zamachów stanu i trwającej do 1999 r. wojny domowej. Była to jedna z najkrwawszych wojen w historii kraju, a ponad połowa mieszkańców opuściła kraj. Do dziś wielu emigrantów nie chce wracać z powodu wyniszczenia kraju. W 2002 r. powołano instytucję w celu ujawnienia zbrodni wojennych.

Powierzchnia	71 740 km²
Stolica (liczba mieszkańców)	Freetown (773 tys.)
Liczba mieszkańców	6005 tys.
Gęstość zaludnienia	83,7 os./km²
Przyrost naturalny	22,8 os./1000 mieszk.
Saldo migracji	0,2 os./1000 mieszk.
Urbanizacja	40,7%
Ustrój	republika
Podział administracyjny	3 prowincje, 1 obszar wydzielony
Przynależność do organizacji międzynarodowych	ACP, AU, ECOWAS, NAM
Waluta	1 leone = 100 centów
Języki urzędowe	angielski
Języki używane	krio (angielski-kreolski), mende, temne, angielski, limba, kuranko, kono, futa dżalon (fulani), sherbro, kissi, susu, loko, mandingo
Obszary chronione	3,9%

Zagadnienia społeczno-gospodarcze

Religie (wyznawcy)	animiści (50%), muzułmanie sunnici (40%), protestanci (5%), katolicy (2%), anglikanie (1%), pozostali (2%)
Analfabetyzm	64,9%
Przeciętna długość życia	38,6 − mężczyźni, 43,3 − kobiety (w latach)
Zainfekowani wirusem HIV	27 − 73 tys. os.
PKB na 1 mieszkańca	254 USD
Struktura PKB	rolnictwo 48,0%, przemysł 31,0%, usługi 21,0% (2001)
Wydatki na zbrojenia	5 USD/mieszk.
Dług zagraniczny	36,8% PKB
Saldo obrotów handlu zagranicznego	−170 mln USD
Główne towary eksportowe	rutyl, boksyty, diamenty, ruda żelaza, kakao, kawa
Główne towary importowe	żywność, maszyny, artykuły konsumpcyjne
Dochody z turystyki	1,7 USD/mieszk.
Produkcja energii elektrycznej	41 kWh/mieszk.
Samochody osobowe	1 szt./1000 mieszk.
Użytkownicy Internetu	1,9 os./1000 mieszk.
Telefony komórkowe	22,8 szt./1000 mieszk.
Strona w atlasie	221

SINGAPUR

REPUBLIKA SINGAPURU

Od pierwszych wieków naszej ery na obszarze obecnego Singapuru istniały państwa malezyjsko-indonezyjskie. Gdy w 1511 r. został zajęty przez Portugalczyków, należał do sułtanatu Jahor. W 1819 r. powstała tu brytyjska faktoria handlowa, a w 1824 r. sułtanat Jahor sprzedał go Wielkiej Brytanii, która stworzyła w Singapurze największą bazę morską w tym rejonie. W 1867 r. Singapur został kolonią brytyjską. W latach 1942-1945 był pod okupacją japońską, a w 1959 r. uzyskał autonomię w ramach brytyjskiej Wspólnoty Narodów. Od 1963 do 1965 r. wchodził w skład Malezji, następnie uzyskał niepodległość. Liberalizm handlowy i zastosowanie najnowszych technologii w przemyśle, gwałtownie rozwijającym się po 1945 r., powodują, że Singapur należy do najbogatszych państw świata.

Powierzchnia	704 km²
Stolica (liczba mieszkańców)	Singapur (4 351 tys.)
Liczba mieszkańców	4492 tys.

Gęstość zaludnienia	6380,7 os./km^2
Przyrost naturalny	5,0 os./1000 mieszk.
Saldo migracji	9,1 os./1000 mieszk.
Urbanizacja	100,0%
Ustrój	republika
Podział administracyjny	brak
Przynależność do organizacji międzynarodowych	APEC, ASEAN, NAM
Waluta	1 dolar singapurski = 100 centów
Języki urzędowe	chiński, angielski, malajski, tamilski
Języki używane	chiński, angielski, malajski, tamilski
Obszary chronione	2,2%

Zagadnienia społeczno-gospodarcze	
Religie (wyznawcy)	buddyści (32%), taoiści (22%), muzułmanie (15%), bezwyznaniowcy (14%), protestanci (9%), katolicy (4%), hinduiści (3%), pozostali (1%)
Analfabetyzm	6,9%
Bezrobocie	3,1%
Przeciętna długość życia	79,3 – mężczyźni, 84,7 – kobiety (w latach)
Zainfekowani wirusem HIV	3,1 – 14 tys. os.
PKB na 1 mieszkańca	29 917 USD
Struktura PKB	rolnictwo 0,0%, przemysł 31,2%, usługi 68,8%
Wydatki na zbrojenia	1172 USD/mieszk.
Saldo obrotów handlu zagranicznego	161 751 mln USD
Główne towary eksportowe	maszyny biurowe, aparatura telekomunikacyjna, produkty ropopochodne
Główne towary importowe	ropa naftowa, aparatura telekomunikacyjna, sprzęt optyczny, aparatura naukowa
Dochody z turystyki	1178,9 USD/mieszk.
Produkcja energii elektrycznej	7266 kWh/mieszk.
Samochody osobowe	106 szt./1000 mieszk.
Komputery	622 szt./1000 mieszk.
Użytkownicy Internetu	561,2 os./1000 mieszk.
Telefony komórkowe	1013,8 szt./1000 mieszk.
Strona w atlasie	196

SŁOWACJA

REPUBLIKA SŁOWACKA

Po zasiedleniu przez Słowian w VI w. teren dzisiejszej Słowacji objęło około 835 r. Państwo Wielkomorawskie. Po jego upadku pod koniec IX w. Słowacja znalazła się, wraz z Czechami, pod panowaniem Przemyślidów. W latach 1003-18, za sprawą Bolesława Chrobrego znalazła się w granicach Polski. Potem weszła w skład Królestwa Węgier i aż do 1918 r. znajdowała się w jego granicach. W 1918 r. wraz z Czechami utworzyła Republikę Czechosłowacji. W latach 1939-1945 Słowacja istniała jako zależna od Niemiec Republika Słowacji, a po 1945 r. ponownie stanowiła część Czechosłowacji. Po jej rozpadzie w 1993 r. Słowacja stanowi odrębne państwo. Od 2004 r. należy do NATO i UE.

Informacje ogólne **SŁOWACJA**	
Powierzchnia	49 034 km^2
Stolica (liczba mieszkańców)	Bratysława (425 tys.)
Liczba mieszkańców	5439 tys.
Gęstość zaludnienia	110,9 os./km^2
Przyrost naturalny	1,2 os./1000 mieszk.
Saldo migracji	0,3 os./1000 mieszk.
Urbanizacja	56,2%
Ustrój	republika
Podział administracyjny	8 okręgów (krajów)
Przynależność do organizacji międzynarodowych	ISE, NATO, OECD, Rada Europy, UE
Waluta	1 korona słowacka = 100 halerzy
Języki urzędowe	słowacki
Języki używane	słowacki, węgierski, cygański, rusiński, czeski, polski
Obszary chronione	25,2%

Zagadnienia społeczno-gospodarcze	
Religie (wyznawcy)	katolicy (60%), ateiści (10%), protestanci (8%), prawosławni (4%), bezwyznaniowcy i pozostali (18%)
Analfabetyzm	0%
Bezrobocie	10,2%
Przeciętna długość życia	71,2 – mężczyźni, 79,3 – kobiety (w latach)
Zainfekowani wirusem HIV	<1 tys. os.
PKB na 1 mieszkańca	10 183 USD
Struktura PKB	rolnictwo 2,6%, przemysł 33,5%, usługi 63,9%
Wydatki na zbrojenia	135 USD/mieszk.
Dług zagraniczny	67,1% PKB
Saldo obrotów handlu zagranicznego	–4119 mln USD
Główne towary eksportowe	wyroby metalowe, produkty hutnicze, maszyny i sprzęt gospodarstwa domowego, chemikalia

Główne towary importowe	maszyny, urządzenia, środki transportu, ropa naftowa, gaz ziemny
Dochody z turystyki	118,2 USD/mieszk.
Produkcja energii elektrycznej	5753 kWh/mieszk.
Samochody osobowe	240 szt./1000 mieszk.
Komputery	295,8 szt./1000 mieszk.
Użytkownicy Internetu	422,7 os./1000 mieszk.
Telefony komórkowe	840,7 szt./1000 mieszk.
Strony w atlasie	112-113

SŁOWENIA

REPUBLIKA SŁOWENII

W starożytności obszar obecnej Słowenii zamieszkiwały plemiona celtycko-iliryjskie. W VI w. wyparli je Słowianie. W VII w. część Słowenii znalazła się w państwie Samona, w drugiej połowie VIII w. ziemie Słowenii weszły w skład Królestwa Franków, a od X w. Rzeszy Niemieckiej. Od tego czasu, leżąc w granicach Cesarstwa Rzymskiego Narodu Niemieckiego, Słowenia znalazła się w 1270 r. pod panowaniem Habsburgów. Od 1804 r. należała do Cesarstwa Austriackiego. Po rozpadzie Austro-Węgier w 1918 r. weszła w skład Królestwa Serbów, Chorwatów i Słoweńców, które w 1929 r. zmieniło nazwę na Królestwo Jugosławii. W 1941 r. Słowenia została włączona do Trzeciej Rzeszy. Od 1945 r. stanowiła jedną z republik związkowych Jugosławii. W 1991 r. ogłosiła niepodległość, co wywołało dziesięciodniową interwencję zbrojną armii federalnej. Słowenia jest obecnie demokratycznym państwem o stabilnej gospodarce, które konsekwentnie prowadzi politykę integracji z Europą Zachodnią. Słowenia przystąpiła w 2004 r. do NATO i do Unii Europejskiej.

Informacje ogólne **SŁOWENIA**	
Powierzchnia	20 273 km^2
Stolica (liczba mieszkańców)	Lublana (247 tys.)
Liczba mieszkańców	2010 tys.
Gęstość zaludnienia	99,2 os./km^2
Przyrost naturalny	–1,3 os./1000 mieszk.
Saldo migracji	0,9 os./1000 mieszk.
Urbanizacja	51,0%
Ustrój	republika
Podział administracyjny	193 gminy
Przynależność do organizacji międzynarodowych	ISE, NATO, Rada Europy, UE
Waluta	1 euro = 100 eurocentów
Języki urzędowe	słoweński
Języki używane	słoweński, chorwacki, serbski, węgierski, włoski
Obszary chronione	7,3%

Zagadnienia społeczno-gospodarcze	
Religie (wyznawcy)	katolicy (82%), prawosławni (3%), muzułmanie (2%), protestanci (1%), pozostali (12%)
Analfabetyzm	0,3%
Bezrobocie	9,6%
Przeciętna długość życia	73,0 – mężczyźni, 80,7 – kobiety (w latach)
Zainfekowani wirusem HIV	<1 tys. os.
PKB na 1 mieszkańca	19 021 USD
Struktura PKB	rolnictwo 2,0%, przemysł 34,4%, usługi 63,5%
Wydatki na zbrojenia	246 USD/mieszk.
Saldo obrotów handlu zagranicznego	–831 mln USD
Główne towary eksportowe	maszyny, urządzenia, tekstylia, farmaceutyki, celuloza, wino
Główne towary importowe	maszyny, urządzenia, paliwa, stal, chemikalia
Dochody z turystyki	500,0 USD/mieszk.
Produkcja energii elektrycznej	7413 kWh/mieszk.
Samochody osobowe	488 szt./1000 mieszk.
Komputery	355,4 szt./1000 mieszk.
Użytkownicy Internetu	479,6 os./1000 mieszk.
Telefony komórkowe	894,4 szt./1000 mieszk.
Strona w atlasie	121

SOMALIA

REPUBLIKA SOMALIJSKA

Północne i wschodnie wybrzeża Somalii znane były w starożytnym Egipcie jako Punt – kraina wonności, przypraw, niewolników i złota. W okresie od VII do X w. powstawały na wybrzeżu Somalii perskie i arabskie faktorie. W tym czasie napłynęła tu fala Somalijczyków – nomadów z Półwyspu Arabskiego, którzy szybko się zislamizowali. Utworzone przez nich sułtanaty do XVI w. walczyły z chrześcijańską Etiopią. W tym stuleciu Portugalczycy zajęli część wybrzeża. Od XVII w. byli oni wypierani przez Arabów z sułtanatu Omanu, kontrolujących już w XVIII w. wszystkie ważniejsze ośrodki na wybrzeżu. Po otwarciu Kanału Sueskiego nasiliła się penetracja europejska, w wyniku której nastąpił podział kraju na Somali Brytyjskie, Francuskie (dziś Dżibuti) i Włoskie. Z terenu tego ostatniego Włosi dokonali w 1936 r. agresji na Etiopię. Po jej zdobyciu i połączeniu z Somali Włoskim utworzyli Włoską Afrykę Wschodnią, w 1941 r. zajętą przez wojska brytyjskie. Somali Włoskie zostało zwrócone Włochom w 1950 r. jako terytorium powiernicze ONZ. Z połączenia Somali Brytyjskiego i Włoskiego

powstała w 1960 r. niepodległa republika Somalii. W 1967 r. z Somali Francuskiego powstało niepodległe Dżibuti. Początkowo prozachodnia orientacja rządu Somalii, w wyniku zamachu w 1969 r. zmieniła się na prokomunistyczną. Wojna z Etiopią o Ogaden (1977-1978), a później klęska suszy i głód w latach 80. XX w. doprowadziły do tragicznej sytuacji mieszkańców Somalii, potęgowanej trwającą od 1991 r. wojną domową. Przeprowadzona w latach 1992-1994 akcja wojsk ONZ przyczyniła się do pokojowego porozumienia pomiędzy walczącymi ugrupowaniami, a międzynarodowa pomoc humanitarna pozwoliła opanować klęskę głodu. Po wycofaniu wojsk ONZ walki wybuchły na nowo. Do 1997 r., kiedy podpisano porozumienie pokojowe, zginęło lub zmarło z głodu około 250 tys. mieszkańców, a blisko 900 tys. uciekło z kraju. Walki pomiędzy różnymi frakcjami doprowadziły do zupełnego zniszczenia struktur państwowych Somalii, co umożliwiło rozwinięcie organizacji terrorystycznej Osamy ben Ladena. W 2000 r. utworzono parlament somalijski funkcjonujący poza granicami kraju. Prezydent Somalii zobowiązał się do 2009 r. przeprowadzić wolne wybory prezydenckie i parlamentarne. Somalia nadal ogarnięta jest w chaosie i walkach. W 2006 r. Talibowie zdobyli stolicę państwa.

Informacje ogólne	SOMALIA
Powierzchnia	637 657 km^2
Stolica (liczba mieszkańców)	Mogadiszu (1 175 tys.)
Liczba mieszkańców	8863 tys.
Gęstość zaludnienia	13,9 os./km^2
Przyrost naturalny	28,5 os./1000 mieszk.
Saldo migracji	0 os./1000 mieszk.
Urbanizacja	35,2%
Ustrój	republika
Podział administracyjny	18 regionów
Przynależność do organizacji międzynarodowych	ACP, AFESD, LPA, NAM, AU,
Waluta	1 szyling somalijski = 100 centisimi
Języki urzędowe	somali
Języki używane	somali, maaj, garre, tunni, mushungulu, jiiddu, suahili, arabski, angielski
Obszary chronione	0,7%
Zagadnienia społeczno-gospodarcze	
Religie (wyznawcy)	muzułmanie sunnici (99,8%), pozostali (0,2%)
Analfabetyzm	80,8% (2002)
Przeciętna długość życia	47,4 – mężczyźni, 51,1 – kobiety (w latach)
Zainfekowani wirusem HIV	23 – 81 tys. os.
PKB na 1 mieszkańca	283 USD
Struktura PKB	rolnictwo 65,0%, przemysł 10,0%, usługi 25,0% (2000)
Wydatki na zbrojenia	4 USD/mieszk.
Dług zagraniczny	62,4% PKB (2001)
Saldo obrotów handlu zagranicznego	−335 mln USD
Główne towary eksportowe	żywe zwierzęta, banany, skóry, kadzidło, mirra, żywice aromatyczne
Główne towary importowe	ropa naftowa, dobra inwestycyjne, żywność
Produkcja energii elektrycznej	30 kWh/mieszk.
Samochody osobowe	2 szt./1000 mieszk. (2000)
Komputery	4,2 szt./1000 mieszk.
Użytkownicy Internetu	1,3 os./1000 mieszk.
Telefony komórkowe	41,7 szt./1000 mieszk.
Strony w atlasie	223, 225

SOMALILAND*
REPUBLIKA SOMALILANDU

W 1960 r. z połączenia Somali Brytyjskiego i Somali Włoskiego powstała niepodległa republika Somali. Początkowo prozachodnia orientacja rządu, w wyniku zamachu w 1969 r., zmieniła się na prokomunistyczną. Wojna z Etiopią o Ogaden (1977-1978), a później klęska suszy doprowadziły do tragicznej sytuacji obywateli Somali. Dlatego też mieszkańcy dawnego Somali Brytyjskiego, które było dotychczas najbogatszą częścią Somalii, postanowili odłączyć od niej zamieszkiwane przez siebie terytorium i utworzyć osobne państwo pod nazwą Somaliland, używaną w czasach brytyjskiego panowania. W 1991 r. proklamowano niepodległość – choć nie jest ona uznawana przez inne kraje – Somaliland zachowuje suwerenność.

Informacje ogólne	SOMALILAND	* nieokreślony status polityczny
Powierzchnia	137 600 km^2	
Stolica (liczba mieszkańców)	Hargejsa (300 tys.)	
Liczba mieszkańców	3 500 tys.	
Gęstość zaludnienia	25 os./km^2	
Ustrój	republika	
Podział administracyjny	6 regionów	
Waluta	1 szyling Somalilandu = 100 centów	
Języki urzędowe	somali, arabski, angielski	
Języki używane	somali, arabski, angielski	
Zagadnienia społeczno-gospodarcze		
Religie (wyznawcy)	muzułmanie sunnici (100%)	
Przeciętna długość życia	50 – mężczyźni, 55 – kobiety (w latach)	
Główne towary eksportowe	żywe zwierzęta, skóry, mirra, żywica	

Główne towary importowe	żywność, odzież, obuwie, paliwa, materiały budowlane, maszyny, samochody, chemikalia
Strona w atlasie	223

SRI LANKA
DEMOKRATYCZNO-SOCJALISTYCZNA REPUBLIKA SRI LANKI

Wyspa Cejlon została zdobyta w VI-V w. p.n.e. przez Indusów, którzy założyli tu państwo rządzone przez dynastię syngaleską. Po najazdach w XIII w. Tamilów, Malajów i muzułmanów z Indii państwo syngaleskie zostało podzielone na liczne państewka. W 1517 r. zachodnie wybrzeże wyspy zajęli Portugalczycy. W 1638 r. wyparli ich Holendrzy. Ich miejsce zajęli w latach 1795-1796 Brytyjczycy, którzy opanowali całą wyspę i w 1802 r. włączyli do imperium brytyjskiego jako kolonię. Powstały tu wielkie plantacje herbaty, kawy i kauczuku. Na początku XX w. zaczęły się nasilać ruchy niepodległościowe, które doprowadziły w 1948 r. do nadania Cejlonowi niepodległości. W 1972 r. przyjęto nazwę Sri Lanka. Od końca lat 70. XX w. trwa rewolta ludności tamilskiej, żądającej własnego państwa. W wyniku rozmów prowadzonych na przełomie 2002 i 2003 r. pod auspicjami Norwegii, rząd Sri Lanki zgodził się na autonomię dla Tamilów w regionach przez nich zdominowanych. Wybrzeża wyspy w 2004 r. spustoszyło tsunami powodując śmierć 40 tys. mieszkańców.

Informacje ogólne	SRI LANKA
Powierzchnia	65 610 km^2
Stolica (liczba mieszkańców)	Sri Dźajawardanapura Kotte (120 tys.), Kolombo – siedziba rządu (652 tys.)
Liczba mieszkańców	20 222 tys.
Gęstość zaludnienia	308,2 os./km^2
Przyrost naturalny	9,0 os./1000 mieszk.
Saldo migracji	−1,2 os./1000 mieszk.
Urbanizacja	15,1%
Ustrój	republika
Podział administracyjny	9 prowincji
Przynależność do organizacji międzynarodowych	NAM, SAARC
Waluta	1 rupia lankijska = 100 centów
Języki urzędowe	syngaleski, tamilski
Języki używane	syngaleski, tamilski, angielski
Obszary chronione	17,2%
Zagadnienia społeczno-gospodarcze	
Religie (wyznawcy)	buddyści (70%), hinduiści (15%), muzułmanie (8%), katolicy (7%)
Analfabetyzm	7,7%
Bezrobocie	7,6%
Przeciętna długość życia	73,0 – mężczyźni, 77,1 – kobiety (w latach)
Zainfekowani wirusem HIV	3 – 8,3 tys. os.
PKB na 1 mieszkańca	1363 USD
Struktura PKB	rolnictwo 16,5%, przemysł 26,9%, usługi 56,5%
Wydatki na zbrojenia	25 USD/mieszk.
Dług zagraniczny	50,4% PKB
Saldo obrotów handlu zagranicznego	−3366 mln USD
Główne towary eksportowe	herbata, kopra, kauczuk, przyprawy korzenne, grafit, kamienie szlachetne
Główne towary importowe	ropa naftowa i jej produkty, maszyny, środki transportu, żywność, tekstylia
Dochody z turystyki	11,3 USD/mieszk.
Produkcja energii elektrycznej	433 kWh/mieszk.
Samochody osobowe	14 szt./1000 mieszk.
Komputery	27,2 szt./1000 mieszk.
Użytkownicy Internetu	14,4 os./1000 mieszk.
Telefony komórkowe	162,1 szt./1000 mieszk.
Strona w atlasie	190

STANY ZJEDNOCZONE
STANY ZJEDNOCZONE AMERYKI

Obszar obecnych Stanów Zjednoczonych, pierwotnie zamieszkany przez Indian, od XVII w. kolonizowali Anglicy, Francuzi, Hiszpanie i Holendrzy. W 1776 r. kolonie brytyjskie na wschodnim wybrzeżu utworzyły niezależne państwo pod nazwą Stany Zjednoczone Ameryki i w wojnie z Wielką Brytanią (1775-1783) obroniły jego niepodległość. W XIX w. Stany Zjednoczone prowadziły silną ekspansję terytorialną w kierunku zachodnim. W 1803 r. miał miejsce zakup francuskiej Luizjany; w 1819 r. – hiszpańskiej Florydy; w 1845 r. – aneksja Republiki Teksasu; w 1846 r. – przyłączenie Oregonu; w 1848 r. przyłączenie, po wojnie z Meksykiem, Arizony, Kalifornii, Nevady, Nowego Meksyku i Utah. W połowie XIX w. niewolnictwo było podstawą gospodarki w rolniczych stanach Południa, natomiast o jego zniesienie zabiegały stany Północy, opierające swój rozwój na przemyśle. Na tym tle nastąpiła w 1860 r. secesja 11 stanów Południa, które utworzyły Skonfederowane Stany Ameryki, w wej wyniku wojna domowa, zwana secesyjną (1861-1865), zakończona klęską Południa i powrotem do Unii. Po zakupie w 1867 r. rosyjskiej Alaski i aneksji Hawajów w 1898 r. Stany Zjednoczone uzyskały obszar, jaki zajmują dzisiaj. W drugiej połowie XIX w. rozpoczął się wzmożony napływ imigrantów i burzliwy rozwój gospodarczy.

Po wojnie z Hiszpanią w 1898 r. Stany Zjednoczone zajęły Filipiny i Portoryko oraz objęły protektorat nad Kubą (do 1934 r.). Od końca XIX w. prowadziły politykę dominacji politycznej i gospodarczej w Ameryce Łacińskiej, m.in. w 1903 r. wydzierżawiły strefę Kanału Panamskiego (do 1999 r.). Po I wojnie światowej, w której wzięły udział po stronie Ententy, prowadziły politykę izolacjonizmu. Wielki kryzys gospodarczy w latach 1929-1933 przezwyciężyły dzięki polityce prezydenta F. D. Roosevelta. W 1941 r. przyłączyły się do udziału w II wojnie światowej przeciwko państwom Osi. Po wojnie Stany Zjednoczone stały się mocarstwem światowym prowadzącym politykę przeciwstawiania się ekspansji ZSRR i komunizmu w świecie, czego rezultatem był udział w wojnie koreańskiej (1950-1953 r.), inspirowanie inwazji na Kubie (1961 r.), kryzys karaibski (1962 r.) i udział w wojnie wietnamskiej (1964-1972 r.) Od 1969 r. prowadziły rokowania z ZSRR w sprawie ograniczenia zbrojeń strategicznych – SALT I i SALT II, a od 1982 r. – START. W drugiej połowie lat 80. XX w., za prezydentury R. Reagana, nastąpiło odprężenie w stosunkach z ZSRR. W 1991 r. Stany Zjednoczone wzięły udział (jako główna siła) w wojnie nad Zatoką Perską. W 1994 r. wszedł w życie układ o północnoamerykańskiej strefie wolnocłowej, podpisany z Kanadą i Meksykiem. Jesienią 2001 r., po ataku na nowojorskie wieżowce WTC, Stany Zjednoczone rozpoczęły wojnę ze światowym terroryzmem, której pierwszym celem był atak na bazy Al Kaidy w Afganistanie, co doprowadziło do obalenia reżimu talibów. W 2003 r. interwencja wojsk amerykańskich w Iraku obaliła rządy Sadama Husajna. Stany Zjednoczone zaangażowały w kampanię antyterrorystyczną wiele państw świata.

Informacje ogólne STANY ZJEDNOCZONE

Powierzchnia	9 518 898 km^2
Stolica (liczba mieszkańców)	Waszyngton (551 tys.)
Liczba mieszkańców	298 444 tys.
Gęstość zaludnienia	31,4 os./km^2
Przyrost naturalny	5,8 os./1000 mieszk.
Saldo migracji	3,2 os./1000 mieszk.
Urbanizacja	80,8%
Ustrój	republika związkowa
Podział administracyjny	50 stanów i dystrykt federalny (Kolumbia)
Przynależność do organizacji międzynarodowych	APEC, NAFTA, NATO, OECD, OAS, Wspólnota Pacyfiku
Waluta	1 dolar USA = 100 centów
Języki urzędowe	angielski (dla całego kraju, ponadto hawajski na Hawajach i hiszpański w Nowym Meksyku)
Języki używane	ponad 1 mln użytkowników: angielski, hiszpański, niemiecki, arabski, polski, koreański, chiński, czeski, jidysz, francuski, ormiański, j. cygański, włoski, tagalog; ponadto kilkadziesiąt innych
Obszary chronione	23,2%

Zagadnienia społeczno-gospodarcze

Religie (wyznawcy)	protestanci (51%), katolicy (26%), bezwyznaniowcy (8%) wyznawcy judaizmu (2%), muzułmanie (2%), ateiści, buddyści, hinduiści i pozostali (11%)
Analfabetyzm	0%
Bezrobocie	4,8%
Przeciętna długość życia	75,3 – mężczyźni, 81,1 – kobiety (w latach)
Zainfekowani wirusem HIV	720 – 2 000 tys. os.
PKB na 1 mieszkańca	44 024 USD
Struktura PKB	rolnictwo 0,9%, przemysł 20,5%, usługi 78,5%
Wydatki na zbrojenia	1556 USD/mieszk.
Saldo obrotów handlu zagranicznego	–882 254 mln USD
Główne towary eksportowe	maszyny i urządzenia przemysłowe, komputery, samoloty, samochody, broń, wyposażenie kompletnych obiektów przemysłowych (elektrowni cieplnych, wodnych i jądrowych), rafinerii, hut, fabryk samochodów), tworzywa sztuczne, leki, zboża, tytoń
Główne towary importowe	samochody osobowe, statki, komputery i sprzęt elektroniczny, surowce mineralne, paliwa, cukier, owoce, herbata, kawa, odzież, obuwie, drewno
Dochody z turystyki	292,3 USD/mieszk.
Produkcja energii elektrycznej	13 332 kWh/mieszk.
Samochody osobowe	462 szt./1000 mieszk.
Komputery	762,2 szt./1000 mieszk.
Użytkownicy Internetu	630,0 os./1000 mieszk.
Telefony komórkowe	676,2 szt./1000 mieszk.
Strony w atlasie	246-255

SUAZI

KRÓLESTWO SUAZI

Na obszar obecnego Suazi od VII w. napływały ludy Bantu, wypierające mieszkających tutaj Buszmenów. W XVI w. powstało tu plemienne państwo ludu Suazi, które w 1894 r. zostało uzależnione od burskiej republiki Transwalu. W 1907 r. S. stało się protektoratem brytyjskim. W 1967 r. uzyskało autonomię w ramach brytyjskiej Wspólnoty Narodów, a w 1968 r. stało się niepodległą monarchią konstytucyjną, ale gospodarczo i politycznie uzależnioną od RPA. Od lat 80. XX sytuacja wewnętrzna Suazi jest niestabilna – trwają walki o sukcesję w rodzinie królewskiej, nastąpił też wzrost nastrojów opozycyjnych i nasilenie represji. Obecnie jednym z głównym problemów państwa jest epidemia AIDS, w związku z czym wprowadzono prohibicję seksualną dla wszystkich osób stanu wolnego.

Informacje ogólne SUAZI

Powierzchnia	17 364 km^2
Stolica (liczba mieszkańców)	Mbabane (73 tys.), Lobamba – siedziba parlamentu i króla
Liczba mieszkańców	1136 tys.
Gęstość zaludnienia	65,4 os./km^2
Przyrost naturalny	–2,3 os./1000 mieszk.
Saldo migracji	0 os./1000 mieszk.
Urbanizacja	24,1%
Ustrój	monarchia konstytucyjna
Podział administracyjny	4 dystrykty
Przynależność do organizacji międzynarodowych	ACP, AU, NAM, SADC
Waluta	1 lilangeni = 100 centów
Języki urzędowe	suazi, angielski
Języki używane	suazi, angielski, zulu
Obszary chronione	3,5%

Zagadnienia społeczno-gospodarcze

Religie (wyznawcy)	protestanci (55%), animiści (30%), muzułmanie (10%), katolicy (5%)
Analfabetyzm	18,4%
Bezrobocie	40,0%
Przeciętna długość życia	31,7 – mężczyźni, 32,3 – kobiety (w latach)
Zainfekowani wirusem HIV	150 – 290 tys. os.
PKB na 1 mieszkańca	2312 USD
Struktura PKB	rolnictwo 11,8%, przemysł 45,7%, usługi 42,5%
Dług zagraniczny	26,8% PKB
Saldo obrotów handlu zagranicznego	–100 mln USD
Główne towary eksportowe	cukier, mięso, drewno, azbest, diamenty, węgiel kamienny
Główne towary importowe	środki transportu, maszyny, żywność, produkty ropy naftowej, chemikalia
Dochody z turystyki	26,5 USD/mieszk.
Produkcja energii elektrycznej	138 kWh/mieszk.
Samochody osobowe	48 szt./1000 mieszk.
Komputery	33,2 szt./1000 mieszk.
Użytkownicy Internetu	33,2 os./1000 mieszk.
Telefony komórkowe	193,6 szt./1000 mieszk.
Strona w atlasie	227

SUDAN

REPUBLIKA SUDANU

W III tys. p.n.e. w północnej części obecnego Sudanu istniał rolniczy kraj Kusz, który na początku II tys. p.n.e. został podbity przez Egipt i włączony w jego granice jako Nubia. Na początku I tys. p.n.e. Kusz odzyskał suwerenność i istniał do IV w., kiedy to został podbity przez państwo Aksum. W VI w. zaczęła się jego chrystianizacja, a w miejscu państwa Kusz powstały dwa mniejsze: Mukurra i Alwa, które przetrwały do XV w. Rozpoczęta w VII w. kolonizacja arabska spowodowała do XVI w. niemal całkowitą islamizację rodzimych ludów w północnej i środkowej część kraju. W XVI w. powstały liczne państewka (sułtanaty), utrzymujące się głównie z handlu niewolnikami. W latach 1820-1821 niemal cały Sudan został podbity przez wojska tureckiego namiestnika Egiptu. Masowy wywóz niewolników spowodował wyludnienie znacznych obszarów i upadek gospodarczy Sudanu. W latach 60. XIX w. Brytyjczycy przejęli władzę nad Sudanem, który formalnie znajdował się pod kontrola Egiptu. Powstanie pod wodzą Mahdiego (1881-1885) doprowadziło do utworzenia niepodległego państwa, któremu kres położyła zwycięska kampania armii egipsko-brytyjskiej. W 1898 r. Sudan stał się kondominium brytyjsko-egipskim, ale faktyczne rządy sprawowali w nim Brytyjczycy. W 1956 r. Sudan uzyskał niepodległość jako republika. Antagonizmy między islamską Północą a chrześcijańsko--animistycznym Południem doprowadziły do wojny domowej. W wyniku trwającego od 1966 r. powstania na Południu władze zawarły w 1972 r. porozumienie z separatystami i przyznały autonomię trzem południowym prowincjom. Ponowne zastosowanie terroru wobec opozycji (1976 r.) i wprowadzenie prawa koranicznego w całym kraju doprowadziło w latach 80. XX w. do wznowienia wojny domowej, trwającej do dziś. Konflikt ten pochłonął już około 1,5 mln ofiar. W jego wyniku gospodarka Sudanu została zrujnowana, kraj ma ogromne zadłużenie zagraniczne, a klęska głodu spotęgowana jest suszą oraz napływem uchodźców z Etiopii i Czadu. W 2003 r. w zachodniej prowincji Darfur wybuchło zbrojne powstanie. Tłumienie powstania odbyło się w niezwykle brutalny sposób, mordowano mieszkańców prowincji, palono wioski – z 600 wiosek 400 zrównano z ziemią. Dwa miliony bezdomnych schroniło się w obozach dla uchodźców. Konflikt zbrojny w Darfurze trwa do dnia dzisiejszego.

Informacje ogólne SUDAN

Powierzchnia	2 505 813 km^2
Stolica (liczba mieszkańców)	Chartum (947 tys.)
Liczba mieszkańców	41 236 tys.
Gęstość zaludnienia	16,5 os./km^2
Przyrost naturalny	25,5 os./1000 mieszk.
Saldo migracji	0 os./1000 mieszk.
Urbanizacja	40,8%
Ustrój	republika

Podział administracyjny	9 stanów
Przynależność do organizacji międzynarodowych	ACP, AU, AFESD, LPA, NAM,
Waluta	1 dinar sudański = 100 piastrów,
Języki urzędowe	arabski
Języki używane	arabski, dinka, bedża, nuer, fur, zande, nubijski, bari i ponad 100 innych
Obszary chronione	4,7%

Zagadnienia społeczno-gospodarcze

Religie (wyznawcy)	muzułmanie sunnici (80%), animiści (8%), chrześcijanie (8%), pozostali (4%)
Analfabetyzm	39,0%
Bezrobocie	18,7% (2002)
Przeciętna długość życia	49,4 – mężczyźni, 51,2 – kobiety (w latach)
Zainfekowani wirusem HIV	170 – 580 tys. os.
PKB na 1 mieszkańca	1034 USD
Struktura PKB	rolnictwo 31,9%, przemysł 34,2%, usługi 33,9%
Wydatki na zbrojenia	11 USD/mieszk.
Dług zagraniczny	151,0% PKB
Saldo obrotów handlu zagranicznego	−2080 mln USD
Główne towary eksportowe	bawełna, guma arabska, orzeszki ziemne, sezam, bydło
Główne towary importowe	maszyny, sprzęt transportowy, produkty naftowe, zboża
Dochody z turystyki	1,8 USD/mieszk.
Produkcja energii elektrycznej	93 kWh/mieszk.
Samochody osobowe	1 szt./1000 mieszk. (2002)
Komputery	17,6 szt./1000 mieszk.
Użytkownicy Internetu	33,0 os./1000 mieszk.
Telefony komórkowe	54,8 szt./1000 mieszk.
Strony w atlasie	222-223

SURINAM

REPUBLIKA SURINAMU

Obszar Surinamu, zamieszkany pierwotnie przez Indian, był od końca XVI w. zasiedlany przez Holendrów. W 1667 r. stał się posiadłością, a w 1815 r. kolonią holenderską pod nazwą Gujana Holenderska. Podstawą jej gospodarki były plantacje trzciny cukrowej, na których pracowali murzyńscy niewolnicy, a po zniesieniu niewolnictwa robotnicy z Indii i Holenderskich Indii Wschodnich, z których część osiadła tu na stałe. W 1954 r. Gujana Holenderska uzyskała status terytorium autonomicznego. Nastąpiła wtedy masowa emigracja tutejszej ludności do Holandii (1/3 populacji). W 1975 r. Gujana Holenderska stała się niepodległą republiką p.n. Surinam. Wprowadzona w 1980 r. dyktatura spowodowała pogorszenie sytuacji gospodarczej i utworzenie w 1986 r. partyzantki antyrządowej. W 1992 r. po porozumieniu z partyzantami doprowadzono do demokratycznych wyborów. Trwają zatargi z Gujaną w sprawie uchodźców i przebiegu granicy.

Informacje ogólne SURINAM

Powierzchnia	163 820 km^2
Stolica (liczba mieszkańców)	Paramaribo (219 tys.)
Liczba mieszkańców	439 tys.
Gęstość zaludnienia	2,7 os./km^2
Przyrost naturalny	10,7 os./1000 mieszk.
Saldo migracji	−8,8 os./1000 mieszk.
Urbanizacja	73,9%
Ustrój	republika
Podział administracyjny	9 dystryktów
Przynależność do organizacji międzynarodowych	CARICOM, OAS
Waluta	1 gulden surinamski = 100 centów
Języki urzędowe	niderlandzki
Języki używane	angielski, kreolski, sranantonga, niderlandzki
Obszary chronione	11,5%

Zagadnienia społeczno-gospodarcze

Religie (wyznawcy)	hinduiści (27%), katolicy (21%), muzułmanie (20%), protestanci (16%), animiści (5%), pozostali (11%)
Analfabetyzm	10,4%
Bezrobocie	9,5%
Przeciętna długość życia	70,8 – mężczyźni, 76,4 – kobiety (w latach)
Zainfekowani wirusem HIV	2,8 – 8,1 tys. os.
PKB na 1 mieszkańca	4081 USD
Struktura PKB	rolnictwo 10,8%, przemysł 24,4%, usługi 64,8% (2001)
Wydatki na zbrojenia	49 USD/mieszk.
Saldo obrotów handlu zagranicznego	300 mln USD
Główne towary eksportowe	tlenek glinu, aluminium, ryż, krewetki, ropa naftowa, banany, owoce cytrusowe
Główne towary importowe	półprodukty, maszyny, środki transportu, dobra konsumpcyjne, paliwa
Dochody z turystyki	32,6 USD/mieszk.
Produkcja energii elektrycznej	3437 kWh/mieszk.
Samochody osobowe	168 szt./1000 mieszk.

Komputery	45,5 szt./1000 mieszk.
Użytkownicy Internetu	68,3 os./1000 mieszk.
Telefony komórkowe	518,5 szt./1000 mieszk.
Strona w atlasie	278

Svalbard (Norwegia)

Archipelag został odkryty w 1154 r. przez Normanów i ponownie w 1596 r. przez żeglarza holenderskiego W. Barentsa. W XVII i XVIII w. był bazą wielorybników. Około 1900 r. rozpoczęto tu eksploatację węgla kamiennego. W tym samym czasie stał się obiektem roszczeń wielu krajów. W 1920 r., na mocy traktatu paryskiego, został przyznany Norwegii, z zachowaniem międzynarodowego prawa do dostępu, badań naukowych i eksploatacji ekonomicznej oraz z zakazem wykorzystania do celów wojskowych. W 1925 r. inkorporowany przez Norwegię jako prowincja o nazwie Svalbard. W 1978 r. powstała tutaj polska stacja Hornsund.

Informacje ogólne Svalbard (Norwegia)

Powierzchnia	62 229 km^2
Stolica (liczba mieszkańców)	Longyearbyen (2 tys.)
Liczba mieszkańców	2,7 tys.
Gęstość zaludnienia	0,04 os./km^2
Ustrój	terytorium autonomiczne Norwegii
Podział administracyjny	brak
Waluta	1 korona norweska = 100 öre
Języki urzędowe	norweski
Języki używane	norweski, rosyjski
Obszary chronione	100,0%

Zagadnienia społeczno-gospodarcze

Religie (wyznawcy)	protestanci, prawosławni
Główne towary eksportowe	węgiel kamienny, ryby
Główne towary importowe	maszyny, urządzenia, środki transportu, żywność
Samochody osobowe	143 szt./1000 mieszk.
Strona w atlasie	174

SYRIA

ARABSKA REPUBLIKA SYRYJSKA

W XVII i XVI w. p.n.e. obszar Syrii wchodził w skład państwa Mitanni. Następnie podbijana była kolejno przez Hetytów, Egipt, Asyrię, Babilonię, Persję, Macedonię i Rzym. Opanowana w pierwszej połowie VII w. przez Arabów, stała się centrum muzułmańsko-arabskiego imperium kalifów ze stolicą w Damaszku. Po jego podziale została włączona w 877 r., na sześć wieków, do Egiptu. Na terenie Syrii toczyły się wojny z Bizancjum, krzyżowcami i Mongołami, powodujące upadek gospodarczy. Nie zahamowało go włączenie Syrii w 1517 r. w granice Imperium Osmańskiego. W latach 1831-1833 Syrię zajęły wojska egipskie. Interwencja Francji i Wielkiej Brytanii, po stronie tureckiej, zmusiła oddziały egipskie do wycofania się i zapoczątkowała okres wpływów francuskich, powodujących odrodzenie kulturalne i polityczne Arabów. Podczas I wojny światowej francuscy i brytyjscy agenci doprowadzili do antytureckiego, zwycięskiego powstania Arabów, którzy w nagrodę mieli otrzymać niepodległe państwo. Wbrew tym obietnicom w 1920 r. terytorium to podzielono na brytyjskie i francuskie obszary mandatowe. Obszar dzisiejszej Syrii przypadł Francji. Podczas II wojny światowej władze mandatowe uznały zwierzchność rządu Vichy, co spowodowało wkroczenie w 1941 r. wojsk alianckich, w tym oddziałów Wolnej Francji, której rząd przyrzekł Syrii niepodległość. Uzyskała ją dopiero w 1946 r., po wycofaniu się wojsk francuskich i brytyjskich. W latach 1948-1949 wzięła udział w przegranej przez Arabów wojnie z Izraelem. Po wojnie z Izraelem w 1967 r. utraciła Wzgórza Golan, których część odzyskała w 1973 r. W 1976 r. oddziały syryjskie wkroczyły do Libanu, by nadzorować zawieszenie broni w toczącej się tam wojnie domowej, ale mimo jej zakończenia w 1990 r. pozostają w Libanie do dziś. W 1991 r. Syria wzięła udział w wojnie przeciwko Irakowi. Mimo prób mediacji cały czas znajduje się w stanie wojny z Izraelem. W 2005 r. pod silnym naciskiem wspólnoty międzynarodowej wycofano stacjonujące od 1976 r. wojska syryjskie z Libanu.

Informacje ogólne SYRIA

Powierzchnia	185 180 km^2
Stolica (liczba mieszkańców)	Damaszek (1 568 tys.)
Liczba mieszkańców	18 881 tys.
Gęstość zaludnienia	102 os./km^2
Przyrost naturalny	23,0 os./1000 mieszk.
Saldo migracji	0 os./1000 mieszk.
Urbanizacja	50,6%
Ustrój	republika
Podział administracyjny	14 muhafaz (prowincji)
Przynależność do organizacji międzynarodowych	AFESD, LPA, NAM, OAPEC
Waluta	1 funt syryjski = 100 piastrów
Języki urzędowe	arabski
Języki używane	arabski, kurdyjski, ormiański, czerkieski, turkmeński, asyryjski
Obszary chronione	1,9%

Zagadnienia społeczno-gospodarcze

Religie (wyznawcy)	muzułmanie (86%, w tym sunnici 74%, szyici 12%), chrześcijanie (9%), druzowie (3%), pozostali (2%)

Analfabetyzm	20,4%
Bezrobocie	12,5%
Przeciętna długość życia	69,5 – mężczyźni, 72,4 – kobiety (w latach)
Zainfekowani wirusem HIV	<500 os.
PKB na 1 mieszkańca	1844 USD
Struktura PKB	rolnictwo 23,6%, przemysł 27,5%, usługi 48,9%
Wydatki na zbrojenia	80 USD/mieszk.
Dług zagraniczny	101,4% PKB
Saldo obrotów handlu zagranicznego	−920 mln USD
Główne towary eksportowe	ropa naftowa, bawełna, wyroby skórzane, owoce, tytoń, fosforyty, artykuły spożywcze
Główne towary importowe	maszyny, środki transportu, surowce, chemikalia, żywność
Dochody z turystyki	64,7 USD/mieszk.
Produkcja energii elektrycznej	1851 kWh/mieszk.
Samochody osobowe	18 szt./1000 mieszk.
Komputery	32,9 szt./1000 mieszk.
Użytkownicy Internetu	43,9 os./1000 mieszk.
Telefony komórkowe	154,9 szt./1000 mieszk.
Strony w atlasie	184-185

SZWAJCARIA

KONFEDERACJA SZWAJCARSKA

W starożytności obszar Szwajcarii zamieszkiwany był przez Retów i celtyckich Helwetów. Od 58 r. p.n.e. należał do rzymskiej prowincji Galia. W 535 r. znalazł się w państwie Franków, a w 888 r. został podzielony pomiędzy Burgundię i Niemcy. Od XI w. następował szybki rozwój władztw terytorialnych – na południowym zachodzie hrabiów sabaudzkich, a na północnym wschodzie Habsburgów. Zawarty w 1291 r., w obronie niezależności przed Habsburgami, związek prakantonów Schwyz, Unterwalden i Uri stał się zalążkiem państwowości Szwajcarii. Zwycięstwa odniesione w XIV w. w walkach z Habsburgami utrwaliły niezależność polityczną Szwajcarów i spowodowały przystąpienie do związku kolejnych 9 kantonów. W 1499 r. cesarz uznał niezależność Związku Szwajcarskiego, który na początku XVI w. powiększył się o kolejne 4 kantony. Zwycięstwa w wojnach rozsławiły szwajcarską piechotę – starano się ją pozyskać jako wojska zaciężne lub sojuszników. W XVI w. Szwajcaria stała się jednym z głównych ośrodków reformacji. Po wojnie trzydziestoletniej, która objęła również Szwajcarię, pokój westfalski w 1648 r. zatwierdził jej niepodległość i uniezależnił ją od Rzeszy. W latach 1789-1813 Szwajcaria znalazła się pod okupacją Francji. W 1815 r. na kongresie wiedeńskim ustalono granice Szwajcarii oraz zatwierdzono jej wieczystą neutralność. Spory wewnętrzne doprowadziły w 1847 r. do wojny domowej. W jej efekcie w 1848 r. uchwalono nową, demokratyczną konstytucję, a związek państw przekształcił się w państwo związkowe. Niebawem rozpoczął się szybki rozwój gospodarczy kraju. Szwajcaria stała się centrum finansowym o znaczeniu międzynarodowym, jak również schronieniem emigrantów politycznych. W obu wojnach światowych zachowała neutralność, w myśl tej zasady nie przystąpiła też do Unii Europejskiej. Do 2002 r. nie należała również do ONZ, choć jest członkiem wielu jej agend, a na jej terenie mają swe siedziby liczne organizacje międzynarodowe. W 2005 r. w wyniku referendum ludność opowiedziała się za przystąpieniem Szwajcarii do układu z Schengen.

Informacje ogólne **SZWAJCARIA**	
Powierzchnia	41 284 km²
Stolica (liczba mieszkańców)	Berno (122 tys.)
Liczba mieszkańców	7524 tys.
Gęstość zaludnienia	182,2 os./km²
Przyrost naturalny	1,2 os./1000 mieszk.
Saldo migracji	3,1 os./1000 mieszk.
Urbanizacja	75,2%
Ustrój	republika federacyjna
Podział administracyjny	26 kantonów
Przynależność do organizacji międzynarodowych	EFTA, Rada Europy, OECD
Waluta	1 frank szwajcarski = 100 rappów
Języki urzędowe	niemiecki, francuski, włoski (język narodowy: retoromański)
Języki używane	niemiecki, francuski, włoski, chorwacki, serbski, hiszpański, portugalski, retoromański
Obszary chronione	28,7%
Zagadnienia społeczno-gospodarcze	
Religie (wyznawcy)	katolicy (46%), protestanci (40%), muzułmanie (2%), pozostali (12%)
Analfabetyzm	0%
Bezrobocie	3,3%
Przeciętna długość życia	77,9 – mężczyźni, 83,7 – kobiety (w latach)
Zainfekowani wirusem HIV	9,9 – 27 tys. os.
PKB na 1 mieszkańca	53 246 USD
Struktura PKB	rolnictwo 1,5%, przemysł 34,0%, usługi 64,5% (2003)
Wydatki na zbrojenia	526 USD/mieszk.
Saldo obrotów handlu zagranicznego	6084 mln USD
Główne towary eksportowe	maszyny i urządzenia elektryczne, lekarstwa, zegarki, urządzenia precyzyjne, wyroby jubilerskie
Główne towary importowe	artykuły żywnościowe, odzież, surowce włókiennicze, samochody

Dochody z turystyki	1010,8 USD/mieszk.
Produkcja energii elektrycznej	8236 kWh/mieszk.
Samochody osobowe	516 szt./1000 mieszk.
Komputery	823,3 szt./1000 mieszk.
Użytkownicy Internetu	472,0 os./1000 mieszk.
Telefony komórkowe	917,7 szt./1000 mieszk.
Strona w atlasie	120

SZWECJA

KRÓLESTWO SZWECJI

W I tys. p.n.e. ziemie obecnej Szwecji były obszarem najstarszego osadnictwa plemion germańskich Swewów i Gotów, które stąd wyruszały na południe. Od IX w. grupy szwedzkich żeglarzy, kupców i wojowników dokonywały wypraw handlowych, łupieskich lub osadniczych na wschodnie wybrzeża Morza Bałtyckiego i poprzez sieć rzeczną na ziemiach ruskich docierały do Bizancjum. Kontrolując tak znaczny obszar wschodniej Europy, miały istotny udział w handlu między muzułmańskim Wschodem i Bizancjum a zachodnią Europą. Odegrały też decydującą rolę w stworzeniu państwowości na Rusi. Od XI do XIII w., pomimo częstych walk o władzę, trwało scalanie w jedno państwo luźnego związku państewek plemiennych, w czym główną rolę odegrało przyjęcie chrześcijaństwa. Podejmowane od połowy XII w. wyprawy krzyżowe przeciw Finlandii doprowadziły do opanowania do końca XIII w. jej środkowej i południowej części. Dla obrony przed dominacją niemiecką Szwecja przystąpiła w 1397 r., wraz z Danią i Norwegią, do unii kalmarskiej, ale szybko znalazła się pod wpływami Danii. W 1523 r., po ogólnonarodowym powstaniu pod wodzą Gustawa Wazy, zerwała unię. Za panowania rodzimej dynastii Wazów rozpoczęła militarną i polityczną ekspansję. Lata 1611-1718 to okres największej ekspansji Szwecji, dążącej w wojnach z Danią, Polską i Rosją, do opanowania wybrzeża Morza Bałtyckiego. Przegrana w wojnie północnej (1721 r.) pozbawiła Szwecję pozycji mocarstwa i części posiadłości na rzecz Rosji. Na rzecz tej ostatniej Szwecja utraciła również w 1809 r. Finlandię. W 1814 r. Szwecja narzuciła unię Norwegii, wypowiedzianą przez nią w 1905 r. W obu wojnach światowych Szwecja zachowała neutralność. Trwające od 1932 r., prawie nieprzerwanie, rządy socjaldemokratów polegają na budowie „państwa dobrobytu" opartego na interwencjonizmie państwowym i rozbudowie ustawodawstwa socjalnego.

Informacje ogólne **SZWECJA**	
Powierzchnia	450 295 km²
Stolica (liczba mieszkańców)	Sztokholm (783 tys.)
Liczba mieszkańców	9017 tys.
Gęstość zaludnienia	20 os./km²
Przyrost naturalny	0 os./1000 mieszk.
Saldo migracji	1,7 os./1000 mieszk.
Urbanizacja	84,2%
Ustrój	monarchia konstytucyjna
Podział administracyjny	21 okręgów
Przynależność do organizacji międzynarodowych	CBSS, OECD, Rada Europy, UE
Waluta	1 korona szwedzka = 100 öre
Języki urzędowe	szwedzki
Języki używane	szwedzki, fiński, chorwacki, serbski, grecki, perski, hiszpański, duński, norweski, turecki, lapoński
Obszary chronione	9,2%
Zagadnienia społeczno-gospodarcze	
Religie (wyznawcy)	luteranie (86%), katolicy (2%), zielonoświątkowcy (1%), pozostali (11%)
Analfabetyzm	0%
Bezrobocie	5,6%
Przeciętna długość życia	78,5 – mężczyźni, 83,1 – kobiety (w latach)
Zainfekowani wirusem HIV	4,8 – 13 tys. os.
PKB na 1 mieszkańca	42 179 USD
Struktura PKB	rolnictwo 1,4%, przemysł 28,9%, usługi 69,8%
Wydatki na zbrojenia	600 USD/mieszk.
Saldo obrotów handlu zagranicznego	20 996 mln USD
Główne towary eksportowe	maszyny, środki transportu, papier i jego wyroby, drewno, ruda żelaza, stal, chemikalia
Główne towary importowe	ropa naftowa i jej przetwory, maszyny, urządzenia, żywność, tekstylia
Dochody z turystyki	469,8 USD/mieszk.
Produkcja energii elektrycznej	16 691 kWh/mieszk.
Samochody osobowe	466 szt./1000 mieszk.
Komputery	761,4 szt./1000 mieszk.
Użytkownicy Internetu	754,6 os./1000 mieszk.
Telefony komórkowe	933,1 szt./1000 mieszk.
Strony w atlasie	136-137

Święta Helena (Wielka Brytania)

Portugalczyk Joĉo de Nova Castella odkrył w latach 1501-1502 dwie bezludne wyspy, znane dziś jako Wyspa Świętej Heleny oraz Wyspa Wniebowstąpienia. Pierwsza z nich opanowana została w 1653 r. przez Holendrów, a w 1673 r. zajęta ostatecznie przez Anglików. Początkowo znajdowała się

we władaniu Kompanii Wschodnioindyjskiej, w 1834 r. stała się kolonią brytyjską. Była miejscem zesłania i śmierci cesarza Napoleona I (1815-1821). W czasie obu wojen światowych oraz wojny o Falklandy stanowiła brytyjską bazę morską. Druga pozostawała bezludna do 1815 r., kiedy to została zajęta przez Wielką Brytanię i skolonizowana. Od 1922 r. wchodzi w skład brytyjskiego terytorium zależnego Święta Helena, do którego włączono też grupę sześciu wysp o nazwie Tristan da Cunha. Cztery z tych ostatnich są bezludne.

Informacje ogólne Święta Helena (Wielka Brytania)

Powierzchnia	413 km^2
Stolica (liczba mieszkańców)	Jamestown (0,9 tys.)
Liczba mieszkańców	7,5 tys.
Gęstość zaludnienia	18,2 os./km^2
Przyrost naturalny	5,6 os./1000 mieszk.
Saldo migracji	0 os./1000 mieszk.
Urbanizacja	38,9%
Ustrój	terytorium zależne Wielkiej Brytanii
Podział administracyjny	jedność administracyna z dwoma dependencjami (W, Wniebowstąpienia, W. Tristan da Cunha)
Waluta	1 funt szterling = 100 pensów
Języki urzędowe	angielski
Języki używane	angielski
Obszary chronione	38,3%

Zagadnienia społeczno-gospodarcze

Religie (wyznawcy)	anglikanie, baptyści, adwentyści, katolicy
Analfabetyzm	3,0%
Bezrobocie	14,0% (1998)
Przeciętna długość życia	75,4 – mężczyźni, 81,3 – kobiety (w latach)
PKB na 1 mieszkańca	2500 USD (1998)
Saldo obrotów handlu zagranicznego	−26 mln USD
Główne towary eksportowe	ryby, kawa, wyroby rzemiosła ludowego
Główne towary importowe	żywność, maszyny, urządzenia, paliwa
Produkcja energii elektrycznej	933 kWh/mieszk.
Użytkownicy Internetu	133,3 os./1000 mieszk.
Strona w atlasie	217

TADŻYKISTAN

REPUBLIKA TADŻYKISTANU

W starożytności terytorium obecnego Tadżykistanu leżało na obszarze dwóch państw – Baktrii i Sogdiany, włączonych w VI w. p.n.e. do państwa perskiego. Po podbojach Aleksandra Wielkiego, od połowy III w. p.n.e. Tadżykistan wchodził w skład niezależnego państwa grekobaktryjskiego. Na przełomie er stanowił część państwa Kuszanów, a w III w. znalazł się ponownie w Persji, zjednoczonej przez Sasanidów. W drugiej połowie VII w. ziemie Tadżykistanu opanowali Arabowie i stał się on częścią Kalifatu Abbasydów. W ciągu następnych wieków nastąpił znaczny rozwój gospodarczy i kulturalny Tadżykistanu. W 1221 r. znalazł się pod panowaniem Mongołów i wchodził w skład ułusu Czagataja. W XV w. został zajęty przez władców Chorasanu, a w XVI w. Chanatu Buchary, który w 1740 r. stał się wasalem Persji. W 1868 r. Chanat Buchary wraz z Tadżykistanem zajęła Rosja, a w 1918 r. znalazł się w Turkiestańskiej ASRR. Przeciw władzy sowieckiej wybuchło powstanie trwające do 1923 r., a walczące z Sowietami oddziały basmaczy utrzymywały się w górskich terenach Tadżykistanu aż do 1936 r. Pod koniec 1924 r. powstała Tadżycka ASRR, która w 1929 r. przekształcona została w Tadżycką SRR. Po rozpadzie ZSRR, jesienią 1991 r. Tadżykistan proklamował niepodległość, a w grudniu tego roku znalazł się we Wspólnocie Niepodległych Państw. W latach 1992-1997 trwała tam wojna domowa pomiędzy rządzącymi postkomunistami a muzułmańskimi fundamentalistami. W ostatnich latach zawieszenie broni jest zasadniczo przestrzegane. Wkrótce po zakończeniu działań wojennych Tadżykistan dotknęła susza powodująca w zrujnowanym wojną kraju klęskę głodu i epidemie. Uwaga światowej opinii publicznej, skierowana w tą stronę świata przez wydarzenia w Afganistanie, zaowocowała międzynarodową pomocą dla państw regionu.

Informacje ogólne TADŻYKISTAN

Powierzchnia	143 100 km^2
Stolica (liczba mieszkańców)	Duszanbe (549 tys.)
Liczba mieszkańców	7321 tys.
Gęstość zaludnienia	51,2 os./km^2
Przyrost naturalny	24,4 os./1000 mieszk.
Saldo migracji	−2,5 os./1000 mieszk.
Urbanizacja	24,7%
Ustrój	republika
Podział administracyjny	4 prowincje, 1 Górnobadachszański Obwód Autonomiczny i okręg stołeczny Duszanbe
Przynależność do organizacji międzynarodowych	ECO, WNP
Waluta	1 somoni = 100 diramów
Języki urzędowe	tadżycki
Języki używane	tadżycki, uzbecki, rosyjski
Obszary chronione	18,2%

Zagadnienia społeczno-gospodarcze

Religie (wyznawcy)	muzułmanie: sunnici (80%), szyici (5%); prawosławni, ateiści (14%)

Analfabetyzm	0,6%
Bezrobocie	12,0%
Przeciętna długość życia	62,0 – mężczyźni, 68,2 – kobiety (w latach)
Zainfekowani wirusem HIV	2,4 – 16 tys. os.
PKB na 1 mieszkańca	441 USD
Struktura PKB	rolnictwo 23,4%, przemysł 30,4%, usługi 46,1%
Wydatki na zbrojenia	23 USD/mieszk.
Dług zagraniczny	41,3% PKB
Saldo obrotów handlu zagranicznego	−279 mln USD
Główne towary eksportowe	aluminium, włókna bawełniane
Główne towary importowe	surowce energetyczne, energia elektryczna, żywność, wyroby przemysłu przetwórczego
Produkcja energii elektrycznej	2254 kWh/mieszk.
Samochody osobowe	19 szt./1000 mieszk. (2000)
Użytkownicy Internetu	0,8 os./1000 mieszk.
Telefony komórkowe	36,9 szt./1000 mieszk.
Strona w atlasie	183

TAJLANDIA

KRÓLESTWO TAJLANDII

W okresie od X do XII w. Tajowie, którzy przybyli z południowo-zachodnich Chin, opanowali dorzecze Menamu, asymilując Khmerów i przejmując ich zhinduizowaną kulturę. W XIII w. powstało państwo Sukhotaj obejmujące niemal całe terytorium obecnej Tajlandii. Po okresie największego rozkwitu w XVI w., wojny z Birmą przyniosły osłabienie Tajlandii i zmniejszenie jej terytorium. Wypędzenie Birmańczyków z południowej części kraju dało podstawę do reaktywowania królestwa w 1782 r. i pewnych zdobyczy terytorialnych na początku XIX w. Rozwój Tajlandii został zahamowany przez rosnące wpływy Wielkiej Brytanii i Francji. W połowie XIX w. Tajlandia, zmuszona do podpisania traktatów z tymi krajami, stała się półkolonią, choć zachowała formalną niepodległość. W 1867 r. utraciła zwierzchnictwo nad Kambodżą, w 1893 r. nad Laosem, a w 1909 r. oddała Wielkiej Brytanii część terytorium na Półwyspie Malajskim. W 1941 r., po zajęciu przez wojska Japonii, podpisała z nią sojusz wojskowy i polityczny. Od 1947 r, z przerwami, Tajlandią rządzą wojskowi, którzy dopiero w latach 80. XX w. dopuścili do demokratyzacji życia. Nastąpił wtedy szybki rozwój gospodarczy trwający do dziś. W południowych prowincjach Tajlandii, zamieszkanych w większości przez ludność muzułmańską, często dochodzi do zbrojnych potyczek i aktów przemocy.

Informacje ogólne TAJLANDIA

Powierzchnia	513 115 km^2
Stolica (liczba mieszkańców)	Bangkok (5 782 tys.)
Liczba mieszkańców	64 632 tys.
Gęstość zaludnienia	126 os./km^2
Przyrost naturalny	6,9 os./1000 mieszk.
Saldo migracji	0 os./1000 mieszk.
Urbanizacja	32,3%
Ustrój	monarchia konstytucyjna
Podział administracyjny	6 regionów i 76 prowincj
Przynależność do organizacji międzynarodowych	APEC, ASEAN
Waluta	1 baht = 100 satangów
Języki urzędowe	tajski
Języki używane	tajski, malajski, chiński, khmerski, karen, kuy i około 70 innych
Obszary chronione	19,0%

Zagadnienia społeczno-gospodarcze

Religie (wyznawcy)	buddyści (95%), muzułmanie (4%), chrześcijanie i hinduiści (1%)
Analfabetyzm	4,0%
Bezrobocie	2,1%
Przeciętna długość życia	70,5 – mężczyźni, 75,3 – kobiety (w latach)
Zainfekowani wirusem HIV	330 – 920 tys. os.
PKB na 1 mieszkańca	3138 USD
Struktura PKB	rolnictwo 11,4%, przemysł 43,9%, usługi 44,7%
Wydatki na zbrojenia	30 USD/mieszk.
Dług zagraniczny	35,2% PKB
Saldo obrotów handlu zagranicznego	1975 mln USD
Główne towary eksportowe	urządzenia i podzespoły elektroniczne, odzież, tkaniny bawełniane, kauczuk, ryż
Główne towary importowe	maszyny, środki transportu, ropa naftowa i jej produkty, stal
Dochody z turystyki	106,9 USD/mieszk.
Produkcja energii elektrycznej	1883 kWh/mieszk.
Samochody osobowe	51 szt./1000 mieszk.
Komputery	60 szt./1000 mieszk.
Użytkownicy Internetu	112,5 os./1000 mieszk.
Telefony komórkowe	260,6 szt./1000 mieszk.
Strony w atlasie	192-193

TAJWAN*

REPUBLIKA CHIŃSKA

Osadnictwo chińskie na Tajwanie zaczęło się w III w., ale do XVII w. napływ ludności był niewielki. Od VII w. Tajwan okresowo znajdował się pod zwierzchnictwem Chin. W 1590 r. Portugalczycy założyli tu pierwszą faktorię kupiecką, zwaną Ilha Formosa, ale już w 1624 r. Tajwan stał się kolonią holenderską. W 1683 r. został przyłączony do Chin. W latach 1895-1945 należał do Japonii. W 1949 r. na wyspę ewakuowały się władze Republiki Chińskiej, 2 mln uchodźców oraz resztki wojsk Chiang Kaisheka, wyparte z Chin kontynentalnych przez komunistów. Od tego czasu nastąpił gwałtowny rozwój gospodarczy Tajwanu. Początkowo władze Tajwanu uznawane były przez większość państw zachodnich jako legalny rząd Chin, ale w latach 70. XX w. większa część z nich wycofała uznanie dyplomatyczne. Od końca lat 80. XX w. datuje się intensywny rozwój kontaktów gospodarczych i turystycznych z ChRL, a od 1993 r. prowadzone są rozmowy na temat zjednoczenia. W 2003 r. Tajwan dotknęła epidemia nietypowego zapalenia płuc (SARS), co poważnie odbiło się na kondycji gospodarczej kraju.

Informacje ogólne TAJWAN	* nieokreślony status polityczny
Powierzchnia	36 179 km^2
Ośrodek administracyjny (liczba mieszkańców)	Tajpej (2 616 tys.; 6 654 tys. aglomeracja)
Liczba mieszkańców	23 036 tys.
Gęstość zaludnienia	636,7 os./km^2
Przyrost naturalny	6,1 os./1000 mieszk.
Saldo migracji	0 os./1000 mieszk.
Urbanizacja	94,7% (2000)
Ustrój	republika
Przynależność do organizacji międzynarodowych	APEC
Waluta	1 nowy dolar tajwański = 100 centów
Języki urzędowe	chiński (mandaryński)
Języki używane	języki chińskie, amis, atayal, tagalog, bunun, paiwan, taroko
Obszary chronione	6,0%
Zagadnienia społeczno-gospodarcze	
Religie (wyznawcy)	buddyści (43%), taoiści, konfucjoniści, bezwyznaniowcy (48%)
Analfabetyzm	4,2% (2001)
Bezrobocie	3,9%
Przeciętna długość życia	74,9 — mężczyźni, 80,9 — kobiety (w latach)
PKB na 1 mieszkańca	15 936 USD
Struktura PKB	rolnictwo 1,4%, przemysł 27,5%, usługi 71,1%
Wydatki na zbrojenia	331 USD/mieszk.
Saldo obrotów handlu zagranicznego	20 710 mln USD
Główne towary eksportowe	wyroby przemysłu elektronicznego, obrabiarki, tekstylia, tworzywa sztuczne i gumowe, obuwie, zabawki, kompletne obiekty przemysłowe (wyposażenie portów, zakłady przemysłu drzewnego)
Główne towary importowe	ropa naftowa i produkty naftowe, maszyny, środki transportu
Dochody z turystyki	178,5 USD/mieszk.
Produkcja energii elektrycznej	8235 kWh/mieszk.
Samochody osobowe	250 szt./1000 mieszk.
Komputery	527,8 szt./1000 mieszk.
Użytkownicy Internetu	538,1 os./1000 mieszk.
Telefony komórkowe	969,9 szt./1000 mieszk.
Strona w atlasie	196

TANZANIA

ZJEDNOCZONA REPUBLIKA TANZANII

Powstała w drugiej połowie XX w. przez połączenie Tanganiki i Zanzibaru. W I tysiącleciu p.n.e. na obszarze Tanganiki osiedliły się ludy Bantu, które wyparły Buszmenów na południe. W X w. wybrzeże zostało skolonizowane przez arabskich kupców, którzy założyli tu porty Kilwa i Zanzibar. Utworzony przez nich sułtanat obejmujący wybrzeża Tanzanii największy rozkwit przeżywał w XIII i XIV w. Próby opanowania wybrzeża przez Portugalczyków w XVI w. zakończyły się wyparciem ich przez sułtana Omanu do początku XVIII w. W 1837 r. powstał na wybrzeżu Tanganiki i Kenii sułtanat Zanzibar, zależny od Omanu. Rozpoczęła się arabska penetracja w głąb lądu i kontrola szlaków handlowych. Równocześnie terenami tymi zainteresowali się Brytyjczycy i Niemcy, wysyłając tu swoje ekspedycje. Ich skutkiem było utworzenie w 1885 r. niemieckiej kolonii Tanganika, przekształconej w 1919 r. w brytyjskie terytorium mandatowe Ligi Narodów, a w 1946 r. w terytorium powiernicze ONZ pod administracją brytyjską. Zanzibar i sąsiednie wyspy w 1890 r. stały się protektoratem brytyjskim. Tanganika uzyskała niepodległość w 1961 r. a Zanzibar w 1963 r. W 1964 r. zostały połączone w państwo pod nazwą Tanzania. Do 1985 r., w oparciu o system jednopartyjny, rząd realizował koncepcję socjalizmu afrykańskiego, współpracując z państwami komunistycznymi — głównie Chinami. Narastające w latach 80. XX w. trudności gospodarcze i napięcia społeczne zmusiły władze do wprowadzenia w 1991 r. systemu wielopartyjnego i stopniowej demokratyzacji życia.

Informacje ogólne TANZANIA	
Powierzchnia	945 088 km^2
Stolica (liczba mieszkańców)	Dodoma – siedziba parlamentu (168 tys.), Dar es Salaam – siedziba rządu (769 tys.; 1300 tys. aglomeracja)
Liczba mieszkańców	37 445 tys.
Gęstość zaludnienia	39,6 os./km^2
Przyrost naturalny	21,3 os./1000 mieszk.
Saldo migracji	−3,1 os./1000 mieszk.
Urbanizacja	24,2%
Ustrój	republika
Podział administracyjny	25 regionów
Przynależność do organizacji międzynarodowych	ACP, AU, NAM, SADC
Waluta	1 szyling tanzański = 100 centów
Języki urzędowe	suahili, angielski
Języki używane	ponad 1 mln użytkowników: suahili, sukuma, angielski, haya, gogo, tumbuka, niamwezi, makonde, angielski oraz ponad 100 innych
Obszary chronione	38,4%
Zagadnienia społeczno-gospodarcze	
Religie (wyznawcy)	katolicy (34%), muzułmanie (33%), animiści, luteranie, hinduiści
Analfabetyzm	21,9%
Przeciętna długość życia	50,1 — mężczyźni, 52,9 — kobiety (w latach)
Zainfekowani wirusem HIV	1 300 — 1 600 tys. os.
PKB na 1 mieszkańca	335 USD
Struktura PKB	rolnictwo 42,8%, przemysł 18,4%, usługi 38,7%
Wydatki na zbrojenia	10 USD/mieszk.
Dług zagraniczny	21,9% PKB
Saldo obrotów handlu zagranicznego	−2283 mln USD
Główne towary eksportowe	kawa, bawełna, sizal, diamenty, goździki
Główne towary importowe	dobra inwestycyjne, energia elektryczna
Dochody z turystyki	20,4 USD/mieszk.
Produkcja energii elektrycznej	68 kWh/mieszk.
Samochody osobowe	1 szt./1000 mieszk. (2002)
Komputery	7,4 szt./1000 mieszk.
Użytkownicy Internetu	8,8 os./1000 mieszk.
Telefony komórkowe	51,6 szt./1000 mieszk.
Strona w atlasie	225

TIMOR WSCHODNI

DEMOKRATYCZNA REPUBLIKA TIMORU WSCHODNIEGO

Wyspa Timor została odkryta przez Portugalczyków w 1520 r. Jej zachodnią część w latach 1613-1618 zajęli Holendrzy. Część wschodnia była kolonią portugalską do 1975 r., kiedy to uzyskała niepodległość. Walki miejscowych ugrupowań o władzę wykorzystała Indonezja, zajmując w tym samym roku zbrojnie Timor Wschodni i przyłączając go oficjalnie w 1976 r. Od 1993 r. toczyły się, ale bez rezultatów rokowania indonezyjsko-portugalskie, pod protektoratem ONZ, w sprawie statusu Timoru Wschodniego. Antyindonezyjskie wystąpienia ludności były bezwzględnie tłumione przez wojsko, a często przeradzały się w masakry. W 1999 r. nastąpiło wycofanie wojska indonezyjskich. Po referendum niepodległościowym, przy administracji ONZ, przeprowadzono wybory parlamentarne i prezydenckie. W maju 2002 r. ogłoszono niepodległość Timoru Wschodniego, a we wrześniu Timor Wschodni przystąpił do ONZ.

Informacje ogólne TIMOR WSCHODNI	
Powierzchnia	14 604 km^2
Stolica (liczba mieszkańców)	Dili (52 tys.)
Liczba mieszkańców	1063 tys.
Gęstość zaludnienia	72,8 os./km^2
Przyrost naturalny	20,8 os./1000 mieszk.
Saldo migracji	0 os./1000 mieszk.
Urbanizacja	26,5%
Ustrój	republika
Przynależność do organizacji międzynarodowych	ACP
Podział administracyjny	13 okręgów
Waluta	1 dolar USA = 100 centów
Języki urzędowe	tetum, portugalski
Języki używane	tetum, portugalski, angielski, bahasa indonesia
Obszary chronione	1,2%
Zagadnienia społeczno-gospodarcze	
Religie (wyznawcy)	katolicy (większość), muzułmanie
Analfabetyzm	41,4% (2002)
Bezrobocie	50,0%
Przeciętna długość życia	64,6 — mężczyźni, 69,4 — kobiety (w latach)
PKB na 1 mieszkańca	346 USD
Struktura PKB	rolnictwo 32,2%, przemysł 12,8%, usługi 55,0%
Główne towary eksportowe	kawa, drewno sandałowe, potencjalnie ropa naftowa
Samochody osobowe	4 szt./1000 mieszk. (1999)
Użytkownicy Internetu	0,9 os./1000 mieszk.
Strona w atlasie	195

TOGO
REPUBLIKA TOGIJSKA

Przodkowie obecnych mieszkańców Togo przybyli tu w XVI i XVII w. z państwa Aszantów i Dahomeju, uciekając przed łowcami niewolników. Od XV w. na wybrzeżu powstawały portugalskie faktorie prowadzące handel niewolnikami, a w głębi kraju kolejne, nietrwałe państewka muzułmańskie. Od połowy XIX w. zaczęła się brytyjsko-francusko-niemiecka penetracja kraju. W jej wyniku w latach 1885-1900 powstała niemiecka kolonia Togo, którą podczas I wojny światowej zajęły wojska brytyjskie i francuskie. Od 1922 r. obszar Togo stanowił terytorium mandatowe Ligi Narodów, a od 1945 r. terytorium powiernicze ONZ pod administracją francuską (część wschodnia) i brytyjską (część zachodnia). Ta ostatnia została w 1956 r. przyłączona do Złotego Wybrzeża (obecnie Ghana). Część francuska w 1960 r. stała się niepodległą republiką pod nazwą Togo. Od 1967 r. dyktatorską władzę sprawował gen. G. Eyadema prowadzący prozachodnią politykę. Po jego śmierci w 2005 r. doszło do wojskowego zamachu stanu, w wyniku którego władzę objął syn zmarłego – Faure Eyadema.

Informacje ogólne TOGO	
Powierzchnia	56 785 km²
Stolica (liczba mieszkańców)	Lomé (676 tys.)
Liczba mieszkańców	5549 tys.
Gęstość zaludnienia	97,7 os./km²
Przyrost naturalny	27,2 os./1000 mieszk.
Saldo migracji	0 os./1000 mieszk.
Urbanizacja	40,1%
Ustrój	republika
Podział administracyjny	5 regionów, 21 prefektur
Przynależność do organizacji międzynarodowych	ACP, AU, ECOWAS, NAM
Waluta	1 frank CFA = 100 centymów
Języki urzędowe	francuski
Języki używane	ewe (fon), kabre-tem, gur, francuski i około 40 innych
Obszary chronione	11,3%
Zagadnienia społeczno-gospodarcze	
Religie (wyznawcy)	animiści (50%), katolicy (26%), muzułmanie (15%), protestanci
Analfabetyzm	39,1%
Przeciętna długość życia	56,2 – mężczyźni, 60,4 – kobiety (w latach)
Zainfekowani wirusem HIV	65 – 160 tys. os.
PKB na 1 mieszkańca	351 USD
Struktura PKB	rolnictwo 40,0%, przemysł 25,0%, usługi 35,0% (2003)
Wydatki na zbrojenia	6 USD/mieszk.
Dług zagraniczny	83,2% PKB
Saldo obrotów handlu zagranicznego	−570 mln USD
Główne towary eksportowe	fosforyty, kawa, bawełna, kakao
Główne towary importowe	maszyny i środki transportu, żywność, tkaniny bawełniane, produkty naftowe
Dochody z turystyki	2,3 USD/mieszk.
Produkcja energii elektrycznej	52 kWh/mieszk.
Samochody osobowe	11 szt./1000 mieszk. (2002)
Komputery	34,1 szt./1000 mieszk.
Użytkownicy Internetu	44,1 os./1000 mieszk.
Telefony komórkowe	112,3 szt./1000 mieszk.
Strona w atlasie	221

Tokelau (Nowa Zelandia)

Grupa wysp koralowych odkrytych w 1765 r. przez żeglarzy brytyjskich. W 1877 r. stały się protektoratem brytyjskim, zaś w 1916 r. zostały włączone do brytyjskiej kolonii pod nazwą Wyspy Gilberta i Lagunowe. W 1925 r. zostały przekazane pod administrację Nowej Zelandii, a w 1948 r. stały się jej terytorium zależnym.

Informacje ogólne Tokelau (Nowa Zelandia)	
Powierzchnia	12 km²
Stolica (liczba mieszkańców)	Faipule
Liczba mieszkańców	1,4 tys.
Gęstość zaludnienia	114,1 os./km²
Przyrost naturalny	5,0 os./1000 mieszk. (2000)
Ustrój	terytorium zależne Nowej Zelandii
Podział administracyjny	brak
Waluta	1 dolar nowozelandzki = 100 centów
Języki urzędowe	angielski
Języki używane	tokelau, angielski
Obszary chronione	100,0%
Zagadnienia społeczno-gospodarcze	
Religie (wyznawcy)	protestanci (67%), katolicy (30%)
Przeciętna długość życia	68,0 – mężczyźni, 70,0 – kobiety (w latach)
PKB na 1 mieszkańca	1100 USD
Główne towary eksportowe	kopra, konserwy rybne, wyroby rzemiosła artystycznego
Główne towary importowe	żywność, paliwa, dobra przemysłowe
Strona w atlasie	293

TONGA
KRÓLESTWO TONGA

Wyspy zostały zasiedlone przez Polinezyjczyków na początku I tysiąclecia p.n.e. W VII w. stworzyli oni silne państwo, którego wpływy obejmowały w XIII w. znaczny obszar Pacyfiku, a mieszkańcy Tonga zasiedlali wyspy Polinezji. W 1643 r. wyspy Tonga zostały odkryte przez A. J. Tasmana. W 1773 r. odwiedził je J. Cook i nazwał Wyspami Przyjacielskimi. Rozpoczęta w 1826 r. chrystianizacja umożliwiła jednemu z miejscowych wodzów, z pomocą misjonarzy, przejęcie władzy nad całym archipelagiem. W 1845 r. koronował się on na króla (George Tupou I), ustanowił Wolny Kościół Tonga i został jego głową. Rywalizujące o Tonga Niemcy, Stany Zjednoczone i Wielka Brytania uznały w 1888 r. niepodległość tego kraju, ale w 1905 r. ustanowiono protektorat brytyjski, który trwał do 1970 r. Obecnie Tonga jest niepodległą monarchią, w której zachował się tradycyjny system społeczny i odrębny Kościół. Głową państwa pozostaje przedstawiciel rodu Tupou - jednej z najdłużej utrzymujących się przy władzy dynastii w świecie. Rządy silnej ręki sprawowane przez członków rodziny królewskiej powodują, że obywatele domagający się demokratyzacji kraju są represjonowani.

Informacje ogólne TONGA	
Powierzchnia	750 km²
Stolica (liczba mieszkańców)	Nuku'alofa (25 tys.)
Liczba mieszkańców	115 tys.
Gęstość zaludnienia	152,9 os./km²
Przyrost naturalny	20,1 os./1000 mieszk.
Saldo migracji	0 os./1000 mieszk.
Urbanizacja	24,0%
Ustrój	monarchia dziedziczna
Podział administracyjny	6 dystryktów
Przynależność do organizacji międzynarodowych	ACP, Forum Wysp Pacyfiku, Wspólnota Pacyfiku
Waluta	1 paanga = 100 seni
Języki urzędowe	tonga, angielski
Języki używane	tonga, angielski
Obszary chronione	27,8%
Zagadnienia społeczno-gospodarcze	
Religie (wyznawcy)	Free Wasleyan Church (43%), katolicy i pozostali (57%)
Analfabetyzm	1,2% (2000)
Bezrobocie	13,0%
Przeciętna długość życia	67,9 – mężczyźni, 73,1 – kobiety (w latach)
PKB na 1 mieszkańca	2181 USD
Struktura PKB	rolnictwo 25,0%, przemysł 17,0%, usługi 57,0%
Dług zagraniczny	33,3% PKB
Saldo obrotów handlu zagranicznego	−119 mln USD
Główne towary eksportowe	warzywa (gł. dynie), wanilia, kopra, olej kokosowy, drewno
Główne towary importowe	żywność, maszyny, środki transportu, produkty naftowe, paliwa
Dochody z turystyki	69,3 USD/mieszk.
Produkcja energii elektrycznej	357 kWh/mieszk.
Samochody osobowe	70 szt./1000 mieszk.
Komputery	50,1 szt./1000 mieszk.
Użytkownicy Internetu	30,1 os./1000 mieszk.
Telefony komórkowe	164,3 szt./1000 mieszk.
Strona w atlasie	299

TRYNIDAD I TOBAGO
REPUBLIKA TRYNIDADU I TOBAGO

W czasach prekolumbijskich Trynidad zamieszkiwali Arawakowie, a Tobago Karaibowie. Wyspy zostały odkryte w 1498 r. przez K. Kolumba. Od 1532 r. kolonizowali je Hiszpanie, którzy założyli tu plantacje tytoniu i kakao. Po wymarciu ludności indiańskiej do niewolniczej pracy na plantacjach sprowadzano Murzynów z Afryki. Tobago stało się w 1781 r. kolonią Francuską, a Trynidad w 1797 r. kolonią brytyjską. Wielka Brytania zajęła w 1802 r. również Tobago. Na obu wyspach rozwinięto uprawę trzciny cukrowej. Po zniesieniu niewolnictwa w 1833 r. sprowadzano do pracy robotników z Indii. W 1888 r. obie wyspy stały się brytyjską kolonią. Niepodległość uzyskały w 1962 r. jako monarchia konstytucyjna i członek brytyjskiej W.N. Od 1976 Trynidad i Tobago jest republiką należącą do grupy bogatszych państw Ameryki Środkowej.

Informacje ogólne TRYNIDAD I TOBAGO	
Powierzchnia	5155 km²
Stolica (liczba mieszkańców)	Port-of-Spain (52 tys.)
Liczba mieszkańców	1066 tys.
Gęstość zaludnienia	206,2 os./km²
Przyrost naturalny	2,3 os./1000 mieszk.
Saldo migracji	−11,1 os./1000 mieszk.
Urbanizacja	12,2%
Ustrój	republika
Podział administracyjny	8 okręgów, 3 okręgi miejskie i 1 „dzielnica"
Przynależność do organizacji międzynarodowych	ACP, CARICOM, NAM, OAS

Waluta	1 dolar Trynidadu i Tobago = 100 centów
Języki urzędowe	angielski
Języki używane	angielski, francuski, hiszpański, hindi, chiński
Obszary chronione	1,8%
Zagadnienia społeczno-gospodarcze	
Religie (wyznawcy)	katolicy (32%), hinduiści (24%), anglikanie (14%), protestanci (14%), muzułmanie
Analfabetyzm	1,4%
Bezrobocie	7,0%
Przeciętna długość życia	66,1 – mężczyźni, 68,0 – kobiety (w latach)
Zainfekowani wirusem HIV	15 – 42 tys. os.
PKB na 1 mieszkańca	13 996 USD
Struktura PKB	rolnictwo 0,6%, przemysł 61,9%, usługi 37,5%
Wydatki na zbrojenia	30 USD/mieszk.
Dług zagraniczny	31,3% PKB
Saldo obrotów handlu zagranicznego	6178 mln USD
Główne towary eksportowe	ropa naftowa i jej produkty, nawozy azotowe, stal, cukier, kakao, kawa, cytrusy
Główne towary importowe	maszyny i urządzenia przemysłowe, żywność
Dochody z turystyki	155,3 USD/mieszk.
Produkcja energii elektrycznej	5674 kWh/mieszk.
Samochody osobowe	298 szt./1000 mieszk.
Komputery	79 szt./1000 mieszk.
Użytkownicy Internetu	122,4 os./1000 mieszk.
Telefony komórkowe	612,6 szt./1000 mieszk.
Strona w atlasie	263

TUNEZJA

REPUBLIKA TUNEZYJSKA

Obszar dzisiejszej Tunezji został zasiedlony przez plemiona berberyjskie na przełomie III i II tysiąclecia p.n.e. Od XII w. p.n.e. na jej wybrzeżach powstawały kolonie fenickie, z których największe znaczenie osiągnęła Kartagina. Na przełomie III i II w. p.n.e. państwo kartagińskie zostało podbite przez Rzym, a w V w. ziemie te zajęli Wandalowie. W połowie VII w. obszar Tunezji opanowali Arabowie. Kolejne dynastie arabskie rządziły tu do 1574 r., kiedy to Tunezja została prowincją turecką. Od 1590 r. zarządzana była przez bejów tylko formalnie uznających zwierzchnictwo sułtana. Wybrzeże Tunezji stało się do XIX w. bazą piratów kontrolujących żeglugę na Morzu Śródziemnym. Coraz silniejsza penetracja europejska w XIX w. doprowadziła do narzucenia Tunezji protektoratu francuskiego w 1881 r. Silny ruch antykolonialny, początkowo polityczny, a po 1946 r. również zbrojny, doprowadził do uzyskania przez Tunezję niepodległości w 1956 r. Dzięki polityce niezaangażowania i dobrej współpracy z państwami zachodnimi Tunezja jest krajem szybko rozwijającym się.

Informacje ogólne **TUNEZJA**	
Powierzchnia	163 610 km^2
Stolica (liczba mieszkańców)	Tunis (734 tys.)
Liczba mieszkańców	10 175 tys.
Gęstość zaludnienia	62,2 os./km^2
Przyrost naturalny	10,4 os./1000 mieszk.
Saldo migracji	–0,5 os./1000 mieszk.
Urbanizacja	65,3%
Ustrój	republika
Podział administracyjny	23 okręgi
Przynależność do organizacji międzynarodowych	AFESD, AU, LPA, NAM
Waluta	1 dinar tunezyjski = 100 milimów
Języki urzędowe	arabski
Języki używane	arabski, francuski, berberyjski
Obszary chronione	1,3%
Zagadnienia społeczno-gospodarcze	
Religie (wyznawcy)	muzułmanie-sunnici (99%), chrześcijanie, wyznawcy judaizmu
Analfabetyzm	25,7%
Bezrobocie	13,9%
Przeciętna długość życia	73,8 – mężczyźni, 77,5 – kobiety (w latach)
Zainfekowani wirusem HIV	4,7 – 21 tys. os.
PKB na 1 mieszkańca	3032 USD
Struktura PKB	rolnictwo 11,6%, przemysł 25,7%, usługi 62,8%
Wydatki na zbrojenia	45 USD/mieszk.
Dług zagraniczny	78,5% PKB
Saldo obrotów handlu zagranicznego	–3352 mln USD
Główne towary eksportowe	ropa naftowa, fosforyty, nawozy sztuczne, odzież, oliwa z oliwek
Główne towary importowe	maszyny, wyroby hutnicze, surowce włókiennicze, żywność
Dochody z turystyki	165,9 USD/mieszk.
Produkcja energii elektrycznej	1161 kWh/mieszk.
Samochody osobowe	83 szt./1000 mieszk.
Komputery	47,5 szt./1000 mieszk.
Użytkownicy Internetu	84,0 os./1000 mieszk.
Telefony komórkowe	565,5 szt./1000 mieszk.
Strona w atlasie	220

TURCJA

REPUBLIKA TURCJI

Na obszarach środkowej i wschodniej części obecnej Turcji istniało w połowie II tys. p.n.e. państwo Hetytów. W pierwszej połowie I tys. p.n.e. wschodnie i północne wybrzeże Turcji skolonizowali Grecy. W VI w. p.n.e. cała Azja Mniejsza znalazła się pod panowaniem perskim. Po pokonaniu Persji przez Aleksandra Wielkiego, w III w. p.n.e. powstało tu kilka hellenistycznych państw. W okresie od 133 r. p.n.e. do 17 r. n.e. obszar dzisiejszej Turcji znajdował się w granicach cesarstwa rzymskiego, a po 395 r. Bizancjum. W VII w. południowo-wschodni skraj tego obszaru zajęli Arabowie. W latach 1071-1077 większa część Azji Mniejszej (bez obszarów północno-zachodnich) znalazła się pod panowaniem Turków Seldżuckich, przybyłych z Azji Środkowej, którzy utworzyli tu sułtanat koniński. Ich śladem przybyli Turcy Oguzyjscy. Ich wódz wstąpił na służbę sułtanów konińskich i otrzymał jako lenno okręg Söğüt niedaleko Konstantynopola. W latach 20. XIV w. Osman I przekształcił je w księstwo osmańskie. Jego syn Orchan był twórcą państwowości Turcji. Do połowy XV w. Turcy zajęli połowę Azji Mniejszej, Rumelię, Bułgarię i Macedonię. Do 1683 r. Imperium Osmańskie objęło całe Bałkany, Węgry, tereny obecnej Rumunii i południowej Ukrainy, Gruzję, Armenię, Irak, Syrię, Palestynę, Egipt oraz północne wybrzeże Afryki włącznie z Algierią. Klęska w bitwie pod Wiedniem zapoczątkowała powolny rozkład Imperium Osmańskiego, który przypieczętowały I wojna bałkańska (1912-1913) i wojna grecko-turecka (1919-1922). Ustalenia pokoju w Lozannie w 1923 r. nadały Turcji jej obecne granice. Równocześnie pod przywództwem Kemala Atatürka Turcja stała się republiką i przeszła modernizację struktur państwowych. Podczas II wojny światowej zachowała neutralność, choć sprzyjała Niemcom. Od 1952 r. jest członkiem NATO. W 1974 r. zajęła północną część Cypru, którą okupuje do dziś. W 1991 r. Turcja wzięła udział w wojnie z Irakiem po stronie państw sprzymierzonych. Prowadzona od lat 20. XX w. polityka przymusowej asymilacji wobec Kurdów wywołuje częste powstania, krwawo tłumione przez wojsko tureckie. W 2004 r. uzgodniono warunki negocjacji członkostwa Turcji w Unii Europejskiej.

Informacje ogólne **TURCJA**	
Powierzchnia	783 562 km^2
Stolica (liczba mieszkańców)	Ankara (3 573 tys.)
Liczba mieszkańców	70 414 tys.
Gęstość zaludnienia	89,9 os./km^2
Przyrost naturalny	10,6 os./1000 mieszk.
Saldo migracji	0 os./1000 mieszk.
Urbanizacja	67,3%
Ustrój	republika
Podział administracyjny	80 prowincji
Przynależność do organizacji międzynarodowych	ECO, NATO, OECD, Rada Europy
Waluta	1 lira turecka = 100 kuruį
Języki urzędowe	turecki
Języki używane	turecki, kurdyjski, arabski, azerski, perski, bułgarski, kabardyjski i inne
Obszary chronione	3,9%
Zagadnienia społeczno-gospodarcze	
Religie (wyznawcy)	muzułmanie sunnici (99%), prawosławni
Analfabetyzm	12,6%
Bezrobocie	10,2%
Przeciętna długość życia	70,7 – mężczyźni, 75,7 – kobiety (w latach)
Zainfekowani wirusem HIV	<5 tys. os.
PKB na 1 mieszkańca	5534 USD
Struktura PKB	rolnictwo 8,9%, przemysł 28,3%, usługi 62,8%
Wydatki na zbrojenia	136 USD/mieszk.
Dług zagraniczny	69,5% PKB
Saldo obrotów handlu zagranicznego	–51 890 mln USD
Główne towary eksportowe	tkaniny, odzież, wyroby skórzane, zboża, owoce, ruda żelaza i chromu, cement, chemikalia
Główne towary importowe	paliwa, stal, maszyny, środki transportu, urządzenia energetyczne i elektroniczne
Dochody z turystyki	130,2 USD/mieszk.
Produkcja energii elektrycznej	2035 kWh/mieszk.
Samochody osobowe	83 szt./1000 mieszk.
Komputery	51,2 szt./1000 mieszk.
Użytkownicy Internetu	141,3 os./1000 mieszk.
Telefony komórkowe	595,8 szt./1000 mieszk.
Strony w atlasie	135, 184-185

TURKMENISTAN

W I tys. p.n.e. obszar obecnego Turkmenistanu zamieszkiwały ludy irańskie: Partowie, Chorezmijczycy i Dachowie. W starożytności i wczesnym średniowieczu ziemie Turkmenistanu wchodziły kolejno w skład Partii, Persji, państwa Kuszanów i Heftalitów. Od połowy VI w. napływały tu tureckie plemiona Oguzów, które podbiły i zasymilowały miejscową ludność. W połowie VII w. większą część terenów Turkmenistanu zajęli Arabowie, którzy przynieśli islam. Pod ich panowaniem Turkmenistan rozwinął się gospodarczo i kulturalnie. Po podboju przez Czyngis-chana w latach 1219-1221, który spowodował upadek rolnictwa i miast, Turkmenistan znalazł się w granicach Złotej Ordy, a pod koniec XIV w. w państwie Timura. Na początku XVI w. władzę nad tym obszarem przejęły tureckie plemiona Uzbeków.

Turkmenistan znalazł się w granicach Chanatów Chiwy i Buchary, które w XVIII w. stały się zależne od Persji. Ekspansja Rosji w drugiej połowie XIX w. spowodowała, że w latach 1873-1884 cały obszar Turkmenistanu został przez nią podbity, a w 1918 r. stał się częścią Turkiestańskiej ASRR, obejmującej także Kirgistan, Tadżykistan i Uzbekistan. W 1924 r. na obszarze Turkmenistanu utworzono Turkmeńską SRR. Po rozpadzie ZSRR, w 1991 r., Turkmenia proklamowała niepodległość, przyjmując nazwę Turkmenistan, i została członkiem Wspólnoty Niepodległych Państw. W polityce zagranicznej Turkmenistan stara się utrzymać dobre stosunki z Rosją przy jednoczesnym rozwoju integracji gospodarczej z państwami muzułmańskimi. W 2003 r. parlament przyznał urzędującemu prezydentowi, S. Nijazowi, dożywotnią władzę. Po jego śmierci, w 2007 r. odbyły się wybory prezydenckie, które wygrał Gurbanguly Berdimuhammedow.

Informacje ogólne TURKMENISTAN

Powierzchnia	488 100 km^2
Stolica (liczba mieszkańców)	Aszchabad (711 tys.)
Liczba mieszkańców	5043 tys.
Gęstość zaludnienia	10,3 os./km^2
Przyrost naturalny	19,0 os./1000 mieszk.
Saldo migracji	–0,0 os./1000 mieszk.
Urbanizacja	46,2%
Ustrój	republika
Podział administracyjny	5 obwodów, 37 rejonów, 16 miast
Przynależność do organizacji międzynarodowych	ECO, WNP
Waluta	1 manat = 100 tenge
Języki urzędowe	turkmeński
Języki używane	turkmeński, rosyjski, uzbecki, kazachski, tatarski, ukraiński
Obszary chronione	4,1%

Zagadnienia społeczno-gospodarcze

Religie (wyznawcy)	muzułmanie-sunnici (87%), prawosławni, bezwyznaniowcy (10%)
Analfabetyzm	1,2% (2002)
Bezrobocie	60,0%
Przeciętna długość życia	65,5 – mężczyźni, 71,8 – kobiety (w latach)
Zainfekowani wirusem HIV	<1 tys. os.
PKB na 1 mieszkańca	4280 USD
Struktura PKB	rolnictwo 11,5%, przemysł 40,8%, usługi 47,7%
Wydatki na zbrojenia	85 USD/mieszk.
Dług zagraniczny	54,0% PKB (1999)
Saldo obrotów handlu zagranicznego	2170 mln USD
Główne towary eksportowe	gaz ziemny, produkty naftowe, energia elektryczna, bawełna, tekstylia, dywany
Główne towary importowe	maszyny, żywność, tworzywa sztuczne, wyroby gumowe
Produkcja energii elektrycznej	2140 kWh/mieszk.
Samochody osobowe	49 szt./1000 mieszk. (2000)
Użytkownicy Internetu	7,3 os./1000 mieszk.
Telefony komórkowe	10,1 szt./1000 mieszk.
Strony w atlasie	182-183

Turks i Caicos (Wielka Brytania)
Wyspy Turks i Caicos

Wyspy, zamieszkane przez Indian, odkrył w 1512 r. hiszpański żeglarz J. Ponce de León. Od 1678 r. zasiedlali je Anglicy z Bermudów, a od 1781 r. lojaliści brytyjscy ze Stanów Zjednoczonych. Od drugiej połowy XVIII w. były posiadłością brytyjską, początkowo pod zarządem kolonii Bahamów. W latach 1874-1959 stanowiły część kolonii Jamajka. W 1959 r. uzyskały lokalny samorząd, a w 1962 r. stały się odrębną kolonią brytyjską. Obecnie są terytorium zależnym obejmującym 30 wysp, w tym 8 zamieszkanych.

Informacje ogólne Turks i Caicos (Wielka Brytania)

Powierzchnia	498 km^2
Stolica (liczba mieszkańców)	Cockburn Town (0,11 tys.; 4,7 tys. aglomeracja) 2001
Liczba mieszkańców	21 tys.
Gęstość zaludnienia	42,2 os./km^2
Przyrost naturalny	17,6 os./1000 mieszk.
Saldo migracji	10,5 os./1000 mieszk.
Urbanizacja	44,1%
Ustrój	terytorium zależne Wielkiej Brytanii
Podział administracyjny	brak
Waluta	1 dolar USA = 100 centów
Języki urzędowe	angielski
Języki używane	angielski-kreolski, angielski
Obszary chronione	100,0%

Zagadnienia społeczno-gospodarcze

Religie (wyznawcy)	baptyści (41%), katolicy (20%), metodyści (19%), anglikanie (18%), adwentyści Dnia Siódmego
Analfabetyzm	1,0%
Bezrobocie	10,0% (1997)
Przeciętna długość życia	72,9 – mężczyźni, 77,6 – kobiety (w latach)

PKB na 1 mieszkańca	25 811 USD
Saldo obrotów handlu zagranicznego	–6,4 mln USD (2000)
Główne towary eksportowe	ostrygi, muszle, langusty
Główne towary importowe	żywność, alkohole, tytoń, odzież
Dochody z turystyki	16 368,4 USD/mieszk.
Produkcja energii elektrycznej	333 kWh/mieszk.
Strony w atlasie	262-263

TUVALU

Wyspy zasiedlone były prawdopodobnie od pierwszej połowy I tys. p.n.e. Od XIV w. osiedlali się tu Polinezyjczycy. W XVI w. odkryli je Hiszpanie i ponownie na początku XVIII w. Anglicy, którzy nazwali je Ellice. W 1892 r., wspólnie z Wyspami Gilberta, znalazły się pod protektoratem brytyjskim. W latach 1916-1976 wchodziły w skład kolonii brytyjskiej pod nazwą Wyspy Gilberta i Lagunowe. W 1976 r. stały się odrębną kolonią jako Wyspy Lagunowe (Ellice), a w 1978 r. niepodległym państwem Tuvalu, członkiem brytyjskiej Wspólnoty Narodów. Zagrożenie zalaniem przez ocean spowodowało, iż rząd Tuvalu oficjalnie zwrócił się do Australii o pomoc w znalezieniu miejsca (wyspy).

Informacje ogólne TUVALU

Powierzchnia	26 km^2
Stolica (liczba mieszkańców)	Vaiaku (0,5 tys.) 2002
Liczba mieszkańców	12 tys.
Gęstość zaludnienia	461,3 os./km^2
Przyrost naturalny	15,1 os./1000 mieszk.
Saldo migracji	0 os./1000 mieszk.
Urbanizacja	48,1%
Ustrój	monarchia konstytucyjna
Podział administracyjny	8 okręgów
Przynależność do organizacji międzynarodowych	ACP, Forum Wysp Pacyfiku, Wspólnota Pacyfiku
Waluta	1 dolar Tuvalu (lub 1 dolar australijski) = 100 centów
Języki urzędowe	tuvalu, angielski
Języki używane	tuvalu, angielski, samoa, kiribati
Obszary chronione	0,0%

Zagadnienia społeczno-gospodarcze

Religie (wyznawcy)	protestanci – Kościół Tuvalu (97%), adwentyści Dnia Siódmego (1%), bahaiści (1%), katolicy (1%)
Analfabetyzm	4% (1990)
Przeciętna długość życia	66,7 – mężczyźni, 71,4 – kobiety (w latach)
PKB na 1 mieszkańca	2441 USD
Saldo obrotów handlu zagranicznego	–18 mln USD
Główne towary eksportowe	kopra, przetwory rybne, wyroby rękodzieła artystycznego
Główne towary importowe	żywność, paliwa, maszyny i wyroby przemysłowe
Dochody z turystyki	20,0 USD/mieszk.
Użytkownicy Internetu	1,3 os./1000 mieszk.
Strony w atlasie	292-293

UGANDA
REPUBLIKA UGANDY

Na teren obecnej Ugandy napłynęły w I tys. p.n.e. i I tys. n.e. ludy Bantu oraz ludy nilockie, wypierając Buszmenów. W X w. powstało tu państwo Kitwara, istniejące przez ponad siedemset lat. W XVII w. rozpadło się na kilka mniejszych, z których najsilniejsze, Buganda, szybko zdominowało pozostałe. W XIX w. obszar Ugandy był penetrowany przez arabskich i sudańskich handlarzy niewolników, a od 1862 r. także przez Brytyjczyków. Ci ostatni narzucili w 1894 r. swój protektorat Bugandzie, a w 1909 r. objęli nim pozostałą część terenu Ugandy. Na początku XX w. nastąpił napływ osadników z Wielkiej Brytanii i kupców z Indii. W ramach kolonii Brytyjczycy zachowali tradycyjny podział na cztery królestwa feudalne: Buganda, Bunjoro, Ankole i Toro. W latach 50. XX w., w wyniku działalności organizacji antykolonialnych, następował stopniowy wzrost autonomii Ugandy, a w 1962 r. uzyskała ona niepodległość jako federacja Ugandy, z szeroką autonomią czterech królestw. Dążenia przywódców Bugandy do narzucenia swej dominacji doprowadziły, po dwóch zamachach stanu, do likwidacji federacji w 1967 r. W 1972 r. wydalono z kraju Hindusów, pozbawiając ich całego majątku. Ponieważ stanowili elitę administracyjną i finansową, kraj szybko pogrążył się w chaosie gospodarczym. Dyktatura I. Amina Dada w latach 1971-1979 to okres brutalnych represji wobec opozycji, wojna graniczna z Tanzanią i wreszcie wojna domowa, w wyniku której dyktator został obalony. Kolejny zamach stanu w 1985 r., wojna domowa w latach 1986-1991 oraz klęski suszy przyczyniły się do dalszej degradacji gospodarczej kraju. W ostatnich latach widoczne są oznaki liberalizacji życia i stopniowej stabilizacji gospodarki Ugandy. W 2005 r. Uganda znalazła się wśród krajów, którym grupa G8 umorzyła długi wobec międzynarodowych instytucji finansowych.

Informacje ogólne UGANDA

Powierzchnia	241 550 km^2
Stolica (liczba mieszkańców)	Kampala (1 338 tys.)
Liczba mieszkańców	28 196 tys.
Gęstość zaludnienia	116,7 os./km^2
Przyrost naturalny	35,2 os./1000 mieszk.

Saldo migracji	−1,4 os./1000 mieszk.
Urbanizacja	12,6%
Ustrój	republika
Podział administracyjny	39 dystryktów
Przynależność do organizacji międzynarodowych	ACP, AU, NAM
Waluta	1 szyling ugandyjski = 100 centów
Języki urzędowe	angielski
Języki używane	ponad 1 mln użytkowników: luganda, niankore, chiga, soga, angielski, teso, lango; ponadto około 40 innych
Obszary chronione	26,3%
Zagadnienia społeczno-gospodarcze	
Religie (wyznawcy)	katolicy (40%), wyznawcy religii rodzimych (29%), protestanci (26%), muzułmanie
Analfabetyzm	30,2%
Przeciętna długość życia	51,3 – mężczyźni, 53,4 – kobiety (w latach)
Zainfekowani wirusem HIV	850 – 1200 tys. os.
PKB na 1 mieszkańca	316 USD
Struktura PKB	rolnictwo 30,2%, przemysł 24,7%, usługi 45,1%
Wydatki na zbrojenia	7 USD/mieszk.
Dług zagraniczny	33,4% PKB
Saldo obrotów handlu zagranicznego	−1609 mln USD
Główne towary eksportowe	bawełna, kawa, herbata, tytoń, trzcina cukrowa
Główne towary importowe	cukier, samochody, odzież
Dochody z turystyki	6,9 USD/mieszk.
Produkcja energii elektrycznej	67 kWh/mieszk.
Samochody osobowe	2 szt./1000 mieszk.
Komputery	4,5 szt./1000 mieszk.
Użytkownicy Internetu	7,5 os./1000 mieszk.
Telefony komórkowe	52,9 szt./1000 mieszk.
Strona w atlasie	225

UKRAINA

W okresie od IV do VI w. ziemie między Dnieprem a Dniestrem zasiedlili Słowianie. Jeden z najważniejszych ich grodów, Kijów, stał się w X w. centrum rozległego państwa – Rusi Kijowskiej, sięgającego od Karpat po jeziora Ładoga i Onega. Południowo-wschodnią część obecnej Ukrainy zajmował wtedy turecki lud Pieczyngów, przybyły tu ze wschodu. W XII w. Ruś Kijowska rozpadła się na kilkanaście mniejszych księstw. Po najeździe mongolskim w 1241 r. część stepowa Ukrainy została włączona do Złotej Ordy, a pozostała część, w postaci Księstw Halicko-Włodzimierskiego, Kijowskiego i Perejasławskiego, stała się lennem mongolskim. W 1349 i 1366 r. większa część Księstwa Halicko-Włodzimierskiego została włączona do Polski. Pozostałe ziemie w drugiej połowie XIV i na początku XV w. przyłączono do Wielkiego Księstwa Litewskiego. Część stepowa Ukrainy pozostała we władzy Tatarów, którzy w 1427 r. po wydzieleniu się ze Złotej Ordy utworzyli tu Chanat Krymski. Okrojony do ziem leżących na wschód od Dniepru, popadł on w 1478 r. w zależność od Turcji. W 1526 r. została od niej uzależnione również stepy między Dniestrem a Dnieprem. W 1569 r., w wyniku ustaleń unii lubelskiej, część Ukrainy należąca do Litwy przekazana została Polsce. W tym czasie nad dolnym Dnieprem narodziła się nowa siła, która zadecydowała o dalszych losach Ukrainy. Byli to Kozacy – społeczność rekrutująca się głównie ze zbiegłego chłopstwa i miejskiego plebsu. Żyjąc w nieustannym zagrożeniu ze strony Tatarów, samorzutnie organizowali się na wzór wojskowy, mieszkali w ufortyfikowanych obozach i cały czas doskonalili się w rzemiośle wojskowym. W okresach zagrożenia Rzeczpospolita starała się pozyskać jak największą liczbę Kozaków, którzy byli doskonałymi żołnierzami, obiecując im żołd, a po wojnie zachowanie ich wolności osobistej, o którą walczyli. W czasach pokoju strona polska od tych ustaleń odstępowała, a magnateria osiadła na Ukrainie swe latyfundia starała się siłą zmusić Kozaków do niewolniczej pracy na roli. Wywoływało to częste powstania; największe z nich, w latach 1648-1654, dowodzone przez B. Chmielnickiego, przekształciło się w wojnę o niepodległą Ukrainę. Krótkowzroczna polityka Polski zmusiła Kozaków do sojuszu z Rosją, czego skutkiem było zajęcie przez nią w 1667 r. lewobrzeżnej Ukrainy i Zaporoża. Władze rosyjskie zlikwidowały wojsko kozackie, a Kozaków przypisały do ziemi. Po rozbiorach Polski prawie całą Ukrainę zajęła Rosja, jedynie dawna Ruś Czerwona znalazła się w granicach monarchii habsburskiej. Ukrainę włączoną do Rosji poddano intensywnej rusyfikacji, natomiast Austria stosowała w Galicji liberalniejszą politykę narodowościową. W listopadzie 1918 r. w części Ukrainy leżącej w Galicji utworzono Zachodnioukraińską Republikę Ludową. Po walkach trwających do połowy 1919 r. została ona włączona do odradzającego się Państwa Polskiego. Część Ukrainy leżąca w Rosji po dwuletniej wojnie domowej (1918-1920) jako sowiecka republika w 1922 r. weszła w skład ZSRR. Od 1926 r. była intensywnie industrializowana. Wobec masowego oporu przed kolektywizacją wsi, prowadzoną od 1929 r., władze sowieckie zastosowali bezwzględne rekwirowanie żywności, które doprowadziło do śmierci głodowej około 5 mln mieszkańców republiki. Jesienią 1939 r., po sowieckim ataku na Polskę, do Ukraińskiej SRR włączono Ukrainę Zachodnią, a w 1940 r. część Besarabii i północną Bukowinę. Ukraińska Powstańcza Armia, powołana do wywalczenia niepodległości Ukrainy, walczyła początkowo z Niemcami i Polakami, a po przejściu frontu w r. z Armią Czerwoną oraz wojskami NKWD. W trudno dostępnych terenach (bagna Polesia i Karpaty) walki te trwały do połowy lat 50. XX w. W 1945 r. w skład Ukraińskiej SRR włączono Zakarpacie, a w 1954 r. Krym. Po rozpadzie ZSRR Ukraina ogłosiła niepodległość w sierpniu 1991, a w grudniu 1991 r., wraz z Rosją i Białorusią, utworzyła WNP. Zachodzące od tego czasu demokratyczne przemiany na Ukrainie były skutecznie spowalniane przez postkomunistyczne rządy. W 2004 r. nastąpiło pokojowe odsunięcie postkomunistów od władzy (tzw. pomarańczowa rewolucja). Wybory parlamentarne w 2007 roku wygrała prorosyjska Partia Regionów, a premierem została J. Tymoszenko.

394

Informacje ogólne **UKRAINA**

Powierzchnia	603 700 km²
Stolica (liczba mieszkańców)	Kijów (2 655 tys.)
Liczba mieszkańców	46 711 tys.
Gęstość zaludnienia	77,4 os./km²
Przyrost naturalny	−5,6 os./1000 mieszk.
Saldo migracji	−0,4 os./1000 mieszk.
Urbanizacja	67,8%
Ustrój	republika
Podział administracyjny	24 obwody, 1 republika autonomiczna (Republika Krymska), 2 miasta wydzielone (Kijów, Sewastopol),
Przynależność do organizacji międzynarodowych	ISE, Rada Europy, WNP
Waluta	1 hrywna = 100 kopiejek
Języki urzędowe	ukraiński
Języki używane	ukraiński, rosyjski, polski, jidysz, białoruski, mołdawski, bułgarski, rumuński, węgierski
Obszary chronione	3,4%
Zagadnienia społeczno-gospodarcze	
Religie (wyznawcy)	prawosławni (30%), grekokatolicy (6%), pozostali (64%): protestanci, katolicy, wyzn. judaizmu, bezwyznaniowcy i inni
Analfabetyzm	0,3%
Bezrobocie	6,7%
Przeciętna długość życia	62,2 – mężczyźni, 74,2 – kobiety (w latach)
Zainfekowani wirusem HIV	250 – 680 tys. os.
PKB na 1 mieszkańca	2282 USD
Struktura PKB	rolnictwo 9,1%, przemysł 32,3%, usługi 58,7%
Wydatki na zbrojenia	127 USD/mieszk.
Dług zagraniczny	42,3% PKB
Saldo obrotów handlu zagranicznego	−6667 mln USD
Główne towary eksportowe	maszyny i urządzenia, żelazo, stal i wyroby hutnicze
Główne towary importowe	ropa naftowa, gaz ziemny, maszyny i urządzenia, chemikalia, tekstylia, żywność
Dochody z turystyki	55,6 USD/mieszk.
Produkcja energii elektrycznej	4113 kWh/mieszk.
Samochody osobowe	118 szt./1000 mieszk.
Komputery	27,6 szt./1000 mieszk.
Użytkownicy Internetu	77,9 os./1000 mieszk.
Telefony komórkowe	370,4 szt./1000 mieszk.
Strony w atlasie	142-143

URUGWAJ

WSCHODNIA REPUBLIKA URUGWAJU

Teren dzisiejszego Urugwaju pierwotnie zamieszkiwały plemiona indiańskie. Po odkryciu w 1515 r. ujścia rzeki La Plata, Hiszpanie rozpoczęli w 1536 r. regularny podbój tych ziem. Obszar Urugwaju wszedł w skład wicekrólestwa Peru, a w 1776 r. nowo utworzonego królestwa La Plata. Walki z Hiszpanią w latach 1810-1816 doprowadziły do uzyskania przez nie niepodległości. Wkrótce wybuchła wojna domowa, w wyniku której Urugwaj oderwał się i w 1825 r. uzyskał niepodległość. Ponad czterdziestoletnia walka o władzę między partiami blancos i colorados, w tym trwająca w latach 1842-1851 wojna domowa, spowodowały powtarzające się interwencje Argentyny i Brazylii. Ta ostatnia zajęła w 1851 r. połowę obszaru Urugwaju. Po udziale Urugwaju w wojnie paragwajskiej (1865-1870) kraj przechodził stopniowo od anarchii do stabilizacji politycznej. Pod koniec XIX w. nastąpił masowy napływ emigrantów z Europy, co spowodowało ponad czterokrotne powiększenie się liczby ludności do 1900 r. Pierwsze dwudziestolecie XX w. to czas radykalnych reform przystosowujących państwo do nowoczesnej gospodarki. Pogarszająca się po 1945 r. sytuacja gospodarcza powodowała wzrost niezadowolenia społecznego. Kilkunastoletnie rządy wojskowych, po zamachu stanu w 1972 r., poprawiły gospodarkę kosztem ograniczenia swobód obywatelskich. Powrót do rządów cywilnych w 1985 r. przyniósł przywrócenie swobód obywatelskich. Kolejne rządy podejmują próby przezwyciężenia kryzysu gospodarczego i politycznego. Jedną z nich jest utworzony w 1995 r. wspólny rynek, obejmujący Urugwaj, Argentynę, Brazylię i Paragwaj.

Informacje ogólne **URUGWAJ**

Powierzchnia	176 215 km²
Stolica (liczba mieszkańców)	Montevideo (1 264 tys.)
Liczba mieszkańców	3432 tys.
Gęstość zaludnienia	19,5 os./km²
Przyrost naturalny	4,8 os./1000 mieszk.
Saldo migracji	−0,3 os./1000 mieszk.
Urbanizacja	92,0%
Ustrój	republika
Podział administracyjny	19 departamentów
Przynależność do organizacji międzynarodowych	ALADI, Mercosur, OAS
Waluta	1 peso urugwajskie = 100 centesimos
Języki urzędowe	hiszpański
Języki używane	hiszpański, włoski

Obszary chronione	0,4%

Zagadnienia społeczno-gospodarcze

Religie (wyznawcy)	katolicy (66%), protestanci (2%), wyznawcy judaizmu (1%), bezwyznaniowcy, ateiści i inni (31%)
Analfabetyzm	2,2%
Bezrobocie	10,8%
Przeciętna długość życia	72,9 – mężczyźni, 79,5 – kobiety (w latach)
Zainfekowani wirusem HIV	4,6 – 30 tys. os.
PKB na 1 mieszkańca	5977 USD
Struktura PKB	rolnictwo 10,1%, przemysł 32,0%, usługi 57,9%
Wydatki na zbrojenia	54 USD/mieszk.
Dług zagraniczny	108,2% PKB
Saldo obrotów handlu zagranicznego	−669 mln USD
Główne towary eksportowe	żywy inwentarz i produkty zwierzęce, tekstylia, skóry i produkty skórzane
Główne towary importowe	maszyny i urządzenia, produkty chemiczne i mineralne, pojazdy mechaniczne
Dochody z turystyki	166,9 USD/mieszk.
Produkcja energii elektrycznej	2384 kWh/mieszk.
Samochody osobowe	153 szt./1000 mieszk.
Komputery	132,7 szt./1000 mieszk.
Użytkownicy Internetu	209,8 os./1000 mieszk.
Telefony komórkowe	185,1 szt./1000 mieszk.
Strona w atlasie	280

UZBEKISTAN

REPUBLIKA UZBEKISTANU

W połowie I tys. p.n.e. terytorium obecnego Uzbekistanu leżało na obszarze dwóch państw – Baktrii i Sogdiany, włączonych w VI w. p.n.e. do państwa perskiego. Po podbojach Aleksandra Wielkiego, od połowy III w. p.n.e. Uzbekistan wchodził w skład niezależnego państwa grekobaktryjskiego. Od I w. stanowił część państwa Kuszanów, które w V w., pod naporem Hunów, rozpadło się na mniejsze państwa: Bucharę, Chorezm, Ferganę i Czacz. W drugiej połowie VII w. ziemie Uzbekistanu opanowali Arabowie. W IX i X w. leżały one w granicach państw Samanidów i Karachanidów, a przez kolejne dwieście lat znajdowały się pod władzą szachów Chorezmu. W 1221 r. ziemie te znalazły się pod panowaniem Mongołów i weszły w skład ułusu Czagataja. W XIV i XV wieku tym obszarem władała dynastia mongolskich Timurydów. Jej kres położył na początku XVI w. najazd Uzbeków, którzy założyli tu dwa zwalczające się chanaty: bucharski i chiwański. Ten pierwszy, najeżdżany przez Turkmenów i Kazachów, utracił znaczenie w XVIII w. W XIX w. wyodrębnił się z niego chanat kokandzki. W połowie XIX w. Azję Środkową zaczęła podbijać Rosja. W 1868 r. zmusiła emira Buchary do przyjęcia swojego protektoratu. W 1873 r. rosyjski protektorat objął chanat chiwański, a w 1876 r. chanat kokandzki. Powstanie antyrosyjskie w 1916 r. zakończyło się klęską i już w 1918 r. Sowieci utworzyli Turkiestańską ASRR. Po wojnie domowej zakończonej w 1920 r. na obszarze Uzbekistanu powstały Bucharska i Chorezmijska Ludowa Republika Radziecka, które w 1924 r. przekształcono w Uzbecką SRR. W 1936 r. włączono do jej skład Karakałpacką ASRR. Po rozpadzie ZSRR Uzbekistan ogłosił niepodległość w sierpniu 1991, a w grudniu tego roku wszedł w skład Wspólnoty Niepodległych Państw. W ramach powrotu do muzułmańskiej tradycji Uzbekistan dąży do utworzenia federacji muzułmańskiej w Azji Środkowej. W 2001 r. władze Uzbekistanu zdecydowanie poparły koalicję antyterrorystyczną w działaniach wojennych na terenie Afganistanu oraz udostępniły swoje bazy wojskowe siłom amerykańskim.

Informacje ogólne UZBEKISTAN

Powierzchnia	447 400 km²
Stolica (liczba mieszkańców)	Taszkent (2 181 tys.)
Liczba mieszkańców	27 307 tys.
Gęstość zaludnienia	61 os./km²
Przyrost naturalny	18,6 os./1000 mieszk.
Saldo migracji	−1,5 os./1000 mieszk.
Urbanizacja	36,7%
Ustrój	republika
Podział administracyjny	12 obwodów oraz Autonomiczna Republika Karakałpacka
Przynależność do organizacji międzynarodowych	ECO, NAM, WNP
Waluta	1 sum = 100 tijin
Języki urzędowe	uzbecki
Języki używane	uzbecki, rosyjski, tadżycki, kazachski, tatarski, karakałpacki, karaczajsko-bałkarski i inne
Obszary chronione	4,6%

Zagadnienia społeczno-gospodarcze

Religie (wyznawcy)	muzułmanie sunnici (88%), prawosławni (11%), bezwyznaniowcy (1%)
Analfabetyzm	0,7%
Bezrobocie	3%, niedozatrudnienie 20%
Przeciętna długość życia	62,0 – mężczyźni, 69,0 – kobiety (w latach)
Zainfekowani wirusem HIV	15 – 99 tys. os.
PKB na 1 mieszkańca	643 USD
Struktura PKB	rolnictwo 29,4%, przemysł 33,1%, usługi 37,4%

Wydatki na zbrojenia	91 USD/mieszk.
Dług zagraniczny	45,5% PKB
Saldo obrotów handlu zagranicznego	1450 mln USD
Główne towary eksportowe	bawełna, arbuzy, winogrona, metale, nawozy sztuczne
Główne towary importowe	maszyny i urządzenia, pszenica, żywność
Dochody z turystyki	2,9 USD/mieszk.
Produkcja energii elektrycznej	1794 kWh/mieszk.
Samochody osobowe	39 szt./1000 mieszk. (2000)
Użytkownicy Internetu	33,2 os./1000 mieszk.
Telefony komórkowe	27,1 szt./1000 mieszk.
Strony w atlasie	182-183

VANUATU

REPUBLIKA VANUATU

Archipelag pierwotnie zamieszkiwany był przez Melanezyjczyków i Papuasów, a następnie przez Polinezyjczyków. W 1606 r. odkrył go portugalski żeglarz P. F. de Querósa. i ponownie w 1768 r. L.A. Bougainville. W 1774 r. został zbadany przez J. Cooka i nazwany Nowe Hebrydy. Po 1870 r. nastąpił napływ kolonistów brytyjskich i francuskich. W 1906 r. ustanowiono kondominium brytyjsko-francuskie nazwane Nowe Hebrydy. W 1980 r. uzyskało ono niepodległość pod nazwą Vanuatu i zostało członkiem brytyjskiej Wspólnoty Narodów.

Informacje ogólne VANUATU

Powierzchnia	12 189 km²
Stolica (liczba mieszkańców)	Port Vila (36 tys.)
Liczba mieszkańców	209 tys.
Gęstość zaludnienia	17,1 os./km²
Przyrost naturalny	14,9 os./1000 mieszk.
Saldo migracji	0 os./1000 mieszk.
Urbanizacja	23,5%
Ustrój	republika
Podział administracyjny	6 prowincji
Przynależność do organizacji międzynarodowych	ACP, Forum Wysp Pacyfiku, NAM, Wspólnota Pacyfiku
Waluta	1 vatu = 100 centymów
Języki urzędowe	bislama, angielski, francuski
Języki używane	bislama, francuski, angielski i ponad 100 innych
Obszary chronione	0,2%

Zagadnienia społeczno-gospodarcze

Religie (wyznawcy)	Prezbiterianie (32%), katolicy (17%), anglikanie (11%), wyznawcy religii rodzimych
Analfabetyzm	26,0% (2000)
Przeciętna długość życia	62,0 – mężczyźni, 65,3 – kobiety (w latach)
PKB na 1 mieszkańca	1737 USD
Struktura PKB	rolnictwo 26,0%, przemysł 12,0%, usługi 62,0% (2000)
Saldo obrotów handlu zagranicznego	−115 mln USD
Główne towary eksportowe	kopra, mięso wołowe, kakao, kawa, drewno, ryby i przetwory rybne, korale
Główne towary importowe	maszyny i środki transportu, surowce przemysłowe, paliwa, żywność
Dochody z turystyki	227,7 USD/mieszk.
Produkcja energii elektrycznej	206 kWh/mieszk.
Samochody osobowe	29 szt./1000 mieszk. (2002)
Komputery	14,1 szt./1000 mieszk.
Użytkownicy Internetu	35,2 os./1000 mieszk.
Telefony komórkowe	58,2 szt./1000 mieszk.
Strona w atlasie	299

Wake Island (Stany Zjednoczone)

Atol (3 wyspy) zajęty przez Stany Zjednoczone w 1899 r. dla potrzeb stacji obsługującej kabel telefoniczny łączący Amerykę z Azją. W 1941 r. ukończono budowę lotniska i w grudniu tego samego roku, po dwutygodniowych walkach, atol zajęły wojska japońskie, które utrzymały go do końca wojny. Od 1945 r. mieści się tu wojskowa baza lotnicza, a tutejsze lotnisko używane jest również przez cywilne samoloty transportowe. W 2000 r. personel wojskowy opuścił wyspy.

Informacje ogólne Wake Island (Stany Zjednoczone)

Powierzchnia	6,5 km²
Liczba mieszkańców	200 osób personelu cywilnego
Gęstość zaludnienia	30,8 os./km²
Ustrój	terytorium nieinkorporowane Stanów Zjednoczonych
Podział administracyjny	brak
Waluta	1 dolar USA = 100 centów
Języki urzędowe	angielski
Języki używane	angielski
Strony w atlasie	290, 292

Wallis i Futuna (Francja)

Wyspy zamieszkiwane przez Polinezyjczyków. Od czasu odkrycia do dzisiaj dzielą się na trzy królestwa. Wyspy Futuna odkryli w 1616 r. Holendrzy, a wyspy Wallis odkrył w 1767 r. brytyjski żeglarz S. Wallis. Od 1842 r. wszystkie znajdują się pod protektoratem Francji, od 1961 r. stanowią jej terytorium zamorskie. W jego skład wchodzą także wyspy Alofi.

Informacje ogólne **Wallis i Futuna** (Francja)	
Powierzchnia	274 km^2
Stolica (liczba mieszkańców)	Mata Utu (1,2 tys.)
Liczba mieszkańców	15,9 tys.
Gęstość zaludnienia	58,0 os./km^2
Przyrost naturalny	17,6 os./1000 mieszk.
Saldo migracji	−7,3 os./1000 mieszk.
Ustrój	terytorium zamorskie Francji
Podział administracyjny	brak
Waluta	1 frank CFP = 100 centymów
Języki urzędowe	francuski
Języki używane	wallisian, futuna, francuski
Zagadnienia społeczno-gospodarcze	
Religie (wyznawcy)	chrześcijanie, głównie katolicy
Przeciętna długość życia	73,2 – mężczyźni, 74,4 – kobiety (w latach)
PKB na 1 mieszkańca	2000 USD (1997)
Główne towary eksportowe	kopra, wyroby rękodzieła
Główne towary importowe	produkty żywnościowe, dobra konsumpcyjne, paliwa
Użytkownicy Internetu	0,6 os./1000 mieszk.
Strony w atlasie	292, 293

WATYKAN

STOLICA APOSTOLSKA/PAŃSTWO WATYKAŃSKIE

Nazwa państwa pochodzi od wzgórza na brzegu Tybru, na którym zbudowano pałac będący od XIV w. rezydencją papieży. Znajdował się on na terenie Państwa Kościelnego, powstałego w 756 r. Kres jego istnieniu położyło zjednoczenie Włoch i przyłączenie do nich Rzymu w 1870 r. Papież Pius IX nie uznał Królestwa Włoskiego i ogłosił się „więźniem Watykanu". Konflikt zakończył się w 1929 r. porozumienia między rządem włoskim a Stolicą Apostolską, na mocy którego utworzono suwerenne Państwo Watykańskie, zajmujące powierzchnię 0,44 km^2. Najwyższą władzę ustawodawczą, wykonawczą i sądowniczą sprawuje papież. Terytorium Watykanu, ograniczone murem, obejmuje zespół pałacowo-kościelny z Bazyliką św. Piotra, Pałac Watykański, muzea, galerie, budynki administracyjne, dworzec kolejowy, ogrody watykańskie i in. Do Watykanu należy również wiele obiektów i instytucji leżących poza jego granicami, m.in. bazylika Laterańska, 5 uniwersytetów oraz letnia rezydencja papieża w Castel Gandolfo. W latach 1978-2005 w Stolicy Apostolskiej zasiadał polski papież Jan Paweł II. Jego następcą został Benedykt XVI.

Informacje ogólne **WATYKAN**	
Powierzchnia	0,44 km^2
Liczba mieszkańców	0,9 tys.
Gęstość zaludnienia	2118,2 os./km^2
Przyrost naturalny	−11,2 os./1000 mieszk. (2000)
Urbanizacja	100,0%
Ustrój	monarchia teokratyczna
Podział administracyjny	brak
Waluta	1 lir watykański =100 centisimów, 1 euro = 100 eurocentów
Języki urzędowe	włoski, łaciński
Języki używane	włoski, łaciński i inne
Zagadnienia społeczno-gospodarcze	
Religie (wyznawcy)	katolicy (100%)
Analfabetyzm	0%
Główne towary eksportowe	wpłaty zagraniczne, znaczki pocztowe, wydawnictwa książkowe, usługi turystyczne
Główne towary importowe	żywność, woda, elektryczność, maszyny, urządzenia, środki transportu, paliwa
Dochody z turystyki pochodzą głównie	z dobrowolnych datków ofiarowanych przez wiernych, z usług turystycznych (opłaty za zwiedzanie muzeum) oraz ze sprzedaży znaczków pocztowych
Strona w atlasie	127

WENEZUELA

BOLIWARIAŃSKA REPUBLIKA WENEZUELI

W czasach prekolumbijskich obszar dzisiejszej Wenezueli był słabo zaludniony przez indiańskie plemiona Karaibów i Arawaków. W 1498 r. do wybrzeży Wenezueli dotarł K. Kolumb, a w latach 1499-1500 penetrował je hiszpański żeglarz A. de Ojeda, który nazwał kraj Wenezuelą (tzn. małą Wenecją).

Zapoczątkowana w XVI w. kolonizacja hiszpańska spowodowała opanowanie i zagospodarowanie całej Wenezueli do końca XVIII w. Od XVI w. Wenezuela wchodziła w skład wicekrólestwa Peru, a od 1717 r. wicekrólestwa Nowej Granady. Okres dużej pomyślności gospodarczej w XVIII w. przyniósł Wenezueli w 1777 r. znaczną autonomię. Próby jej ograniczenia przez Hiszpanię doprowadziły do wybuchu powstania w 1810 r. Przyniosło ono w 1819 r. niepodległość tzw. Wielkiej Kolumbii, obejmującej również Wenezuelę, która w 1830 r. stała się samodzielną republiką. Do 1958 r. rządy dyktatorskie przeplatały się z okresami reform lub destabilizacji politycznej. Na początku XX w. Wenezuela była trzecim na świecie producentem kawy, a w okresie międzywojennym największym producentem ropy w Ameryce Łacińskiej. W 1954 r. rozpoczęto eksploatację bogatych złóż rud żelaza. Sprawowane od 1958 r. na przemian przez socjaldemokratów i chadeków rządy były podstawą stabilności demokracji i umożliwiły szybki rozwój kraju. Trudności gospodarcze, które pojawiły się w latach 80. XX w., stały się przyczyną trwających od 1989 r. niepokojów społecznych. W połowie lat 90. doszło do załamania systemu finansowego Wenezueli. W pogarszającej się sytuacji ekonomicznej posłuch znajdują populiści, którzy wygrali wybory prezydenckie w 1998 r. Wprowadzili oni większą kontrolę nad gospodarką i wzmocnili władzę prezydenta.

Informacje ogólne **WENEZUELA**	
Powierzchnia	916 445 km^2
Stolica (liczba mieszkańców)	Caracas (2 080 tys.)
Liczba mieszkańców	25 730 tys.
Gęstość zaludnienia	28,1 os./km^2
Przyrost naturalny	13,8 os./1000 mieszk.
Saldo migracji	0 os./1000 mieszk.
Urbanizacja	93,4%
Ustrój	republika
Podział administracyjny	22 stany, dystrykt stołeczny, 72 dependencje (wyspy)
Przynależność do organizacji międzynarodowych	ALADI, NAM, OAS, OPEC, Wspólnota Andyjska
Waluta	1 bolivar = 100 centymów
Języki urzędowe	hiszpański
Języki używane	hiszpański
Obszary chronione	63,0%
Zagadnienia społeczno-gospodarcze	
Religie (wyznawcy)	katolicy (93%), pozostali (7%)
Analfabetyzm	6,6%
Bezrobocie	8,9%
Przeciętna długość życia	70,4 – mężczyźni, 76,7 – kobiety (w latach)
Zainfekowani wirusem HIV	54 – 350 tys. os.
PKB na 1 mieszkańca	6736 USD
Struktura PKB	rolnictwo 3,7%, przemysł 41,0%, usługi 55,3%
Wydatki na zbrojenia	57 USD/mieszk.
Dług zagraniczny	45,2% PKB
Saldo obrotów handlu zagranicznego	33 450 mln USD
Główne towary eksportowe	ropa naftowa i jej przetwory, aluminium, żelazo, stal, samochody
Główne towary importowe	maszyny, środki transportu, materiały budowlane
Dochody z turystyki	26,1 USD/mieszk.
Produkcja energii elektrycznej	3616 kWh/mieszk.
Samochody osobowe	99 szt./1000 mieszk.
Komputery	81,9 szt./1000 mieszk.
Użytkownicy Internetu	88,4 os./1000 mieszk.
Telefony komórkowe	467,1 szt./1000 mieszk.
Strona w atlasie	276

WĘGRY

REPUBLIKA WĘGIERSKA

W starożytności na zachód i południe od Dunaju istniała rzymska prowincja Panonia, utworzona w 12 r. n.e. W 456 r. powstało tu państwo Gepidów sięgające po późniejszy Siedmiogród, podbite w 568 r. przez Awarów. Utworzony przez nich chanat zajęli na przełomie VIII i IX w. Frankowie (część zachodnia) oraz Protobułgarzy (część wschodnia). Od 895 r. na Wielką Nizinę Węgierską i Wyżynę Transylwańską zaczęły napływać kolejne fale ugrofińskich Madziarów, wypieranych przez Pieczyngów ze swej tymczasowej siedziby między dolnym Dniestrem a Bohem. Przez następne pół wieku drużyny madziarskie pustoszyły niemal całą zachodnią i południową Europę. Dopiero klęska zadana im w 955 r. przez wojska cesarza Niemiec powstrzymała dalsze najazdy. Pod koniec X w. Madziarzy przyjęli chrześcijaństwo i szybko utworzyli silne państwo, na słabości oparte o Karpaty, pod wodzą dynastii Arpadów, rządzących do 1301 r. Już w 1018 r. opanowali Słowację, w XI w. zajęli Chorwację, a w XII w. Bośnię, docierając do Adriatyku. Największy rozkwit państwa nastąpił za dynastii andegaweńskiej (1308-1382) i rządów Macieja Korwina (1458-1490), kiedy to w granicach Węgier znajdowały się Śląsk, Morawy, Austria, Styria, Karyntia i Kraina. Rządy Jagiellonów (od 1490 r.) zakończyła klęska wojsk węgierskich pod Mohaczem w 1526 r. Był to również kres świetności Węgier. Dwie trzecie ich terytorium zajęła Turcja, a pozostała część kraju dostała się pod panowanie Habsburgów austriackich. Częściową samodzielność utrzymał tylko Siedmiogród, będący lennem tureckim. W 1699 r. niemal całe Węgry dostały się Habsburgom (bez Banatu, który zajęli w 1718 r.). Ogólnonarodowy zryw niepodległościowy w latach 1848-1849 doprowadził do pokonania wojsk austriackich, ale interwencja Rosji przywróciła stan wyjściowy. W 1867 r. Węgry stały się równoprawnym członkiem dualistycznej monarchii Austro-Węgier. W 1918 r. powstała Republika Węgierska o obszarze mniejszym od węgierskiego obszaru etnicznego, w wyniku czego 30% Węgrów znalazło się poza granicami własnego kraju.

W 1920 r. ogłoszono monarchię i powołano regenta. Do II wojny światowej Węgry przystąpiły w 1941 r. po stronie Niemiec. Dzięki temu już w 1939 r. anektowały Ruś Zakarpacką i południową Słowację, a w 1940 r. północny Siedmiogród. Konsekwencją zajęcia Węgier w 1945 r. przez Armię Czerwoną był powrót do granic z 1938 r., proklamowanie republiki i przejęcie władzy przez komunistów w 1947 r. Brutalna stalinizacja życia doprowadziła do wybuchu w październiku 1956 r. rewolucji mającej na celu uwolnienie się spod dominacji ZSRR i wprowadzenie systemu wielopartyjnego. Interwencja Armii Czerwonej przywróciła dawny układ. W wyniku walk i późniejszych brutalnych represji zginęło co najmniej 3000 osób, a ponad 200 000 uciekło do Austrii. Pod koniec 1989 r. nastąpiło załamanie się ustroju komunistycznego. Wybory parlamentarne w 1990 r. przyniosły zwycięstwo ugrupowaniom demokratycznym. Węgry przystąpiły do NATO w 1999 r., a do Unii Europejskiej w 2004 r.

Informacje ogólne WĘGRY

Powierzchnia	93 029 km^2
Stolica (liczba mieszkańców)	Budapeszt (1 698 tys.)
Liczba mieszkańców	9981 tys.
Gęstość zaludnienia	107,3 os./km^2
Przyrost naturalny	−3,4 os./1000 mieszk.
Saldo migracji	0,9 os./1000 mieszk.
Urbanizacja	66,3%
Ustrój	republika
Podział administracyjny	19 komitatów, 1 miasto wydzielone
Przynależność do organizacji międzynarodowych	ISE, NATO, OECD, Rada Europy, UE
Waluta	1 forint = 100 fillerów
Języki urzędowe	węgierski
Języki używane	węgierski (98%), j. cygańskie, rumuński, ukraiński, chorwacki
Obszary chronione	8,9%
Zagadnienia społeczno-gospodarcze	
Religie (wyznawcy)	katolicy (63%), kalwiniści (20%), luteranie (5%), protestanci, bezwyznaniowcy i pozostali (12%)
Analfabetyzm	0,6%
Bezrobocie	7,4%
Przeciętna długość życia	69,0 – mężczyźni, 77,6 – kobiety (w latach)
Zainfekowani wirusem HIV	1,9 – 5,3 tys. os.
PKB na 1 mieszkańca	11 204 USD
Struktura PKB	rolnictwo 2,8%, przemysł 31,5%, usługi 65,7%
Wydatki na zbrojenia	153 USD/mieszk.
Dług zagraniczny	76,1% PKB
Saldo obrotów handlu zagranicznego	−2795 mln USD
Główne towary eksportowe	maszyny i urządzenia techniczne, wyroby metalowe i włókiennicze, artykuły żywnościowe
Główne towary importowe	maszyny i sprzęt transportowy, półprodukty przemysłowe, chemikalia, paliwa
Dochody z turystyki	394,6 USD/mieszk.
Produkcja energii elektrycznej	3189 kWh/mieszk.
Samochody osobowe	289 szt./1000 mieszk.
Komputery	146,2 szt./1000 mieszk.
Użytkownicy Internetu	267,4 os./1000 mieszk.
Telefony komórkowe	923,0 szt./1000 mieszk.
Strona w atlasie	115

WIELKA BRYTANIA

ZJEDNOCZONE KRÓLESTWO WIELKIEJ BRYTANII I IRLANDII PÓŁNOCNEJ

W starożytności, od VIII do II w. p.n.e. większą część wyspy zasiedlili celtyccy Brytowie. Jedynie w północnej części wyspy (późniejsza Szkocja) utrzymała się pierwotna ludność, zwana Piktami. Obszar zamieszkany przez Brytów stał się w I w. rzymską prowincją o nazwie Britania. W V i VI w. nastąpił napływ germańskich Anglów, Sasów oraz Jutów, którzy wyparli Brytów do Walii i Kornwalii. Na zajętych terenach przybysze utworzyli sześć królestw anglosaskich. W drugiej połowie IX w. zaczęły się najazdy Normanów, głównie z Danii, próbujących podbić Brytanię. Przez pół wieku istniało nawet tu ich państwo o nazwie Danelaw. W X w. władcom Wesseksu udało się zjednoczenie królestw anglosaskich w jedno Królestwo Anglii, które w 1066 r. podbił książę Normandii, Wilhelm I Zdobywca. Przez kolejne pięć wieków królowie angielscy mieli posiadłości na kontynencie, co było przyczyną licznych konfliktów politycznych i wojen. Utracili je w wyniku wojny stuletniej (1337-1453). W kilku etapach, od końca XI do początku XIV w. Anglia podbiła Walię i Irlandię. Szkocja utrzymała niezależność jako osobne królestwo. Zerwanie Anglii z Kościołem Rzymskokatolickim w 1534 r., a przede wszystkim rewolucje w latach 1640-1660 i 1688-1689 przesądziły o wzroście roli parlamentu i ograniczeniu uprawnień monarchy. Po zawarciu unii realnej Anglii ze Szkocją w 1707 r. utworzono Zjednoczone Królestwo Wielkiej Brytanii, które w 1801 r. zawarło również unię realną z Irlandią. Rewolucja przemysłowa w drugiej połowie XVIII w. przyczyniła się do szybkiego rozwoju gospodarczego i demograficznego Wielkiej Brytanii. Umożliwił on budowę imperium kolonialnego, które największą potęgę osiągnęło w drugiej połowie XIX i pierwszej połowie XX w. Dało to Wielkiej Brytanii pozycję mocarstwa światowego, którą utrzymała do czasów II wojny światowej. Niezłomna wola walki Brytyjczyków podczas tej wojny była jednym z głównych czynników decydujących o jej przebiegu. W 1949 r. Wielka Brytania była współzałożycielem NATO. W okresie powojennym następował stopniowy rozpad imperium kolonialnego. Wielka Brytania stara się utrzymać wpływy w byłych posiadłościach poprzez współpracę na forum Wspólnoty Narodów. Od połowy lat 60. XX w. narastały trudności gospodarcze, społeczne i narodowościowe (konflikt w Irlandii Północnej, żądania autonomii Szkocji i Walii).

Liberalne reformy rządzącej od 1979 r. konserwatystki M. Thatcher i jej następców umożliwiły wyjście z kryzysu. W 1997 r. rządy w Wielkiej Brytanii przejęła Partia Pracy. W 2005 r. w Londynie miały miejsce zamachy bombowe w wyniku których zginęło około 60 osób.

Informacje ogólne WIELKA BRYTANIA

Powierzchnia	242 514 km^2
Stolica (liczba mieszkańców)	Londyn (7 518 tys.; 12 000 tys. aglomeracja)
Liczba mieszkańców	60 609 tys.
Gęstość zaludnienia	249,9 os./km^2
Przyrost naturalny	0,6 os./1000 mieszk.
Saldo migracji	2,2 os./1000 mieszk.
Urbanizacja	89,7%
Ustrój	monarchia parlamentarna
Podział administracyjny	Anglia (46 hrabstw, w tym 7 metropolitalnych), Szkocja (12 regionów, w tym 3 wyspiarskie), Walia (8 hrabstw), Irlandia Pn. (26 dystryktów)
Przynależność do organizacji międzynarodowych	NATO, OECD, Rada Europy, UE, Wspólnota Pacyfiku
Waluta	1 funt szterling = 100 pensów
Języki urzędowe	angielski
Języki używane	angielski, walijski, szkocki, grecki, włoski i kilkadziesiąt języków mieszkańców byłych posiadłości brytyjskich
Obszary chronione	12,5%
Zagadnienia społeczno-gospodarcze	
Religie (wyznawcy)	anglikanie (57%), protestanci (15%), katolicy (13%), muzułmanie (2%), prawosławni (1%), pozostali (12%)
Analfabetyzm	0%
Bezrobocie	2,9%
Przeciętna długość życia	76,4 – mężczyźni, 81,5 – kobiety (w latach)
Zainfekowani wirusem HIV	41 – 110 tys. os.
PKB na 1 mieszkańca	39 630 USD
Struktura PKB	rolnictwo 0,9%, przemysł 23,4%, usługi 75,7%
Wydatki na zbrojenia	832 USD/mieszk.
Saldo obrotów handlu zagranicznego	−157 475 mln USD
Główne towary eksportowe	maszyny, urządzenia, sprzęt transportowy, ropa naftowa
Główne towary importowe	maszyny, urządzenia i środki transportu, produkty przemysłowe, surowce i paliwa
Dochody z turystyki	272,5 USD/mieszk.
Produkcja energii elektrycznej	5993 kWh/mieszk.
Samochody osobowe	469 szt./1000 mieszk.
Komputery	600,2 szt./1000 mieszk.
Użytkownicy Internetu	628,8 os./1000 mieszk.
Telefony komórkowe	1021,6 szt./1000 mieszk.
Strony w atlasie	128-129

WIETNAM

SOCJALISTYCZNA REPUBLIKA WIETNAMU

Co najmniej od III w. p.n.e. na obszarze dzisiejszego Wietnamu istniały królestwa wietnamskie, które do X w. były uzależnione od Chin. W X w. Wietnam został niezależnym królestwem rządzonym przez dynastie narodowe. Od XVI w. przebywali tu europejscy kupcy i misjonarze. W XVIII w. nasiliły się wpływy Francji, a po wojnie w latach 1858-1867 wojska francuskie opanowały cały Wietnam. W 1885 r. Wietnam znalazł się pod protektoratem Francji, która całkowicie zlikwidowała wietnamską administrację i przestawiła gospodarkę na typowo kolonialną. W 1887 r. Wietnam wraz z Kambodżą i Laosem (od 1893 r.) wszedł w skład Indochin Francuskich. Na przełomie XIX i XX w. rozpoczęła się walka o niepodległość, która nasiliła się po powstaniu partyzantki komunistycznej w latach 30. XX w. Podczas okupacji japońskiej w latach 1941-1945 partyzantka z dużymi sukcesami kontynuowała walkę. W 1945 r. jej przywódca Ho Chi Minh proklamował niepodległą Demokratyczną Republikę Wietnamu, czego skutkiem była wojna z Francją w latach 1946-1954 i międzynarodowe uznanie niepodległości Wietnamu w 1954 r. Rok później nastąpił podział Wietnamu na dwa państwa – komunistyczną Demokratyczną Republikę Wietnamu i prozachodnią, popieraną przez USA, Republikę Wietnamu. Na terenie tej ostatniej wznowiła działalność partyzantka komunistyczna. W 1965 r. do jej zwalczania włączyły się oddziały amerykańskie, rozpoczynając trwającą dziesięć lat wojnę. Amerykanie brali w niej udział do 1973 r. Wygrała ją, zaopatrywana w sowiecką broń, partyzantka komunistyczna, która po wycofaniu sił amerykańskich zajęła w 1975 r. południowy Wietnam. W 1976 r. komuniści ogłosili powstanie Socjalistycznej Republiki Wietnamu. W 1978 r. zajęli Kambodżę rządzoną przez Czerwonych Khmerów i okupowali ją 10 lat. Chiny związane sojuszem z Khmerami zaatakowały w 1979 r. północny Wietnam. W latach 1976-1980 komuniści przesiedlili z miast południowego Wietnamu na wieś 1,5 mln ludzi, skolektywizowali rolnictwo i rozbudowali przemysł ciężki. Wszystkie te posunięcia doprowadziły do ruiny gospodarkę kraju i zmusiły władze do podjęcia po 1986 r. reform, których celem jest wprowadzenie gospodarki rynkowej z zachowaniem silnego interwencjonizmu państwowego. Poprawa stosunków ze Stanami Zjednoczonymi doprowadziła do zniesienia przez nie embarga w 1994 r.

Informacje ogólne WIETNAM

Powierzchnia	329 241 km^2
Stolica (liczba mieszkańców)	Hanoi (1 420 tys.)
Liczba mieszkańców	84 403 tys.

Gęstość zaludnienia	256,3 os./km²
Przyrost naturalny	10,7 os./1000 mieszk.
Saldo migracji	–0,4 os./1000 mieszk.
Urbanizacja	26,4%
Ustrój	republika
Podział administracyjny	53 prowincje
Przynależność do organizacji międzynarodowych	APEC, ASEAN, NAM
Waluta	1 nowy dong = 100 xu
Języki urzędowe	wietnamski
Języki używane	wietnamski, tajski, muong, chiński, khmerski, nung i ponad 80 innych
Obszary chronione	3,6%
Zagadnienia społeczno-gospodarcze	
Religie (wyznawcy)	buddyści (67%), katolicy (8%), taoiści, konfucjaniści i pozostali (25%)
Analfabetyzm	7,0%
Bezrobocie	2,0%
Przeciętna długość życia	68,5 – mężczyźni, 74,3 – kobiety (w latach)
Zainfekowani wirusem HIV	150 – 430 tys. os.
PKB na 1 mieszkańca	723 USD
Struktura PKB	rolnictwo 19,5%, przemysł 42,3%, usługi 38,2%
Wydatki na zbrojenia	34 USD/mieszk.
Dług zagraniczny	39,1% PKB
Saldo obrotów handlu zagranicznego	–4805 mln USD
Główne towary eksportowe	ropa naftowa, kauczuk, ryż, kawa, herbata, tekstylia i obuwie
Główne towary importowe	maszyny i urządzenia, paliwa, nawozy, zboże
Produkcja energii elektrycznej	475 kWh/mieszk.
Samochody osobowe	3 szt./1000 mieszk. (2000)
Komputery	12,7 szt./1000 mieszk.
Użytkownicy Internetu	71,2 os./1000 mieszk.
Telefony komórkowe	106,8 szt./1000 mieszk.
Strony w atlasie	192-193

WŁOCHY

REPUBLIKA WŁOSKA

W starożytności obszar obecnych Włoch zamieszkiwali początkowo Ligurowie, a następnie, równocześnie Etruskowie, Italikowie i Wenetowie. Od VIII w. p.n.e. Fenicjanie kolonizowali wybrzeża Sardynii i Sycylii. W VII i VI w. p.n.e. Grecy opanowali Sycylię oraz południowe wybrzeża Półwyspu Apenińskiego. W okresie od VI do III w. p.n.e. cały Półwysep Apeniński został podbity przez Rzymian. W następnych wiekach stał się centrum Imperium Rzymskiego, obejmującego w okresie swej największej świetności (II-III w.) kraje basenu Morza Śródziemnego oraz obecną Belgię, Holandię, Szwajcarię i Anglię. Po upadku Imperium Rzymskiego w 476 r. na terenie obecnych Włoch istniały kolejno państwa Ostrogotów (493-555 r.) i Longobardów (568-774 r.). Z tego drugiego wydzielone zostało w 756 r. Państwo Kościelne, obejmujące tereny między Rzymem a Padem i podarowane papieżowi. Pozostały obszar Królestwa Longobardów po 774 r. istniał jako podporządkowane Frankom Królestwo Italii. Na południe od Państwa Kościelnego powstało w 787 r., również zależne od Franków, Księstwo Benewentu. Południowy skraj Półwyspu Apenińskiego, z Sardynią i Sycylią, należał w owym czasie do Cesarstwa Bizantyjskiego. W 828 r. obydwie te wyspy zajęli Arabowie. Królestwo Italii w 962 r. znalazło się w granicach Cesarstwa Niemieckiego i do XIV w. rozpadło się na kilkanaście księstw i republik. Nie objęło ono Republiki Weneckiej, która od początku XIII do XVI w. zajęła kilka wysp w Dalmacji i Grecji oraz Cypr, stając się potęgą handlową i morską ówczesnej Europy. Południową część półwyspu podbili w 1071 r. Normanowie, jednocząc zdobyte ziemie w Królestwo Neapolu. W 1091 r. zajęli również Sycylię, która została w 1282 r. włączona do Królestwa Aragonii. Ten sam los spotkał w 1324 r. Sardynię i w 1442 r. Królestwo Neapolu. Wszystkie trzy pozostawały w rękach królów Aragonii, a potem władców Hiszpanii do 1714 r. Sycylia i Królestwo Neapolu przez dwadzieścia lat rządzone było przez Habsburgów austriackich, a od 1735 r. były samodzielnymi państwami pod władzą Burbonów. Po krótkiej zależności od Francji (1799-1815) funkcjonowały jako jedno państwo p.n. Królestwo Obojga Sycylii do 1860 r. Sardynia natomiast, została włączona w 1720 r. do Królestwa Sardynii, obejmującego tę wyspę oraz Sabaudię i Piemont. W latach 1859-1870 Królestwo Sardynii włączyło w swoje granice państwa leżące na Półwyspie Apenińskim, tworząc zjednoczone Królestwo Włoskie, ale tracąc Sabaudię i Piemont. W latach 1919-1920 zostało ono powiększone o południowy Tyrol, Gorycję i Istrię. Na przełomie XIX i XX w. Włochy prowadziły podboje kolonialne w Afryce (Erytrea, Somalia, Libia). W latach 1922-1943 dyktaturę faszystowską we Włoszech sprawował Benito Mussolini. W tym czasie Włochy dokonały podboju Etiopii (1936) i Albanii (1939), a od 1940 r. brały udział w II wojnie światowej u boku Niemiec. W 1946 r. Włochy stały się republiką. Rok później utraciły kolonie i odstąpiły Jugosławii większą część Gorycji, a w 1954 r. również Istrii. W 1949 r. Włochy były współzałożycielem NATO. Utrzymujący się we Włoszech system wielopartyjny charakteryzują częste zmiany gabinetów, zazwyczaj koalicyjnych. W latach 1948-1992 ich główną siłą była chadecja, po 1996 r. lewica, a do 2006 r. rządziła koalicja prawicowo-nacjonalistyczna. Wybory parlamentarne w 2006 r. wygrał sojusz partii centrolewicowych, a w 2008 r. - centroprawica.

Informacje ogólne WŁOCHY	
Powierzchnia	301 336 km²
Stolica (liczba mieszkańców)	Rzym (2 548 tys.)
Liczba mieszkańców	58 134 tys.
Gęstość zaludnienia	192,9 os./km²
Przyrost naturalny	–1,7 os./1000 mieszk.
Saldo migracji	2,1 os./1000 mieszk.
Urbanizacja	67,6%
Ustrój	republika
Podział administracyjny	20 regionów
Przynależność do organizacji międzynarodowych	ISE, NATO, OECD, Rada Europy, UE
Waluta	1 euro = 100 eurocentów
Języki urzędowe	włoski (ponadto w niektórych regionach j. regionalne: francuski, niemiecki, i chorwacki)
Języki używane	włoski, friulijski, niemiecki, francuski, słoweński, albański
Obszary chronione	12,5%
Zagadnienia społeczno-gospodarcze	
Religie (wyznawcy)	katolicy (98%), protestanci, wyznawcy judaizmu, muzułmanie i pozostali (2%)
Analfabetyzm	1,4%
Bezrobocie	7,0%
Przeciętna długość życia	77,1 – mężczyźni, 83,2 – kobiety (w latach)
Zainfekowani wirusem HIV	90 – 250 tys. os.
PKB na 1 mieszkańca	31 791 USD
Struktura PKB	rolnictwo 1,9%, przemysł 28,9%, usługi 69,2%
Wydatki na zbrojenia	584 USD/mieszk.
Saldo obrotów handlu zagranicznego	–26 511 mln USD
Główne towary eksportowe	maszyny i urządzenia, samochody, tekstylia, owoce, warzywa
Główne towary importowe	surowce, paliwa, artykuły przemysłowe, chemikalia, środki transportu, żywność
Dochody z turystyki	445,0 USD/mieszk.
Produkcja energii elektrycznej	4775 kWh/mieszk.
Samochody osobowe	600 szt./1000 mieszk.
Komputery	312,9 szt./1000 mieszk.
Użytkownicy Internetu	497,8 os./1000 mieszk.
Telefony komórkowe	1231,4 szt./1000 mieszk.
Strony w atlasie	132-133

WYBRZEŻE KOŚCI SŁONIOWEJ

REPUBLIKA WYBRZEŻA KOŚCI SŁONIOWEJ

W średniowieczu istniały na tym terenie państwewka uzależnione kolejno od Ghany, Mali i Songhaju, a miasto Kong, założone prawdopodobnie w XI w., było ważnym ośrodkiem handlowym do XIX w. W 1471 r. do wybrzeża kraju dotarli Portugalczycy, rozpoczynając penetrację tego obszaru przez europejskich kupców. Ekspansja francuska rozpoczęła się na przełomie XVII i XVIII od założenia fortów Assinie i Grand Bassam, będącymi głównymi punktami wywozu kości słoniowej i niewolników. W latach 1842-1884 Francuzi zajęli całe dzisiejsze terytorium Wybrzeża Kości Słoniowej, a w 1893 r. utworzyli tutaj kolonię, która w 1904 r. weszła w skład Francuskiej Afryki Zachodniej. Francuzi eksploatowali tu złoto i diamenty, a także uprawiali kawę oraz kakao. Silny ruch niepodległościowy wywalczył w 1946 r. dla Wybrzeża Kości Słoniowej status terytorium zamorskiego, w 1958 r. autonomię, a w 1960 r. niepodległość. Wybrzeże Kości Słoniowej jest jednym z bogatszych i wewnętrznie ustabilizowanych państw afrykańskich. W latach 80. XX w. sytuacja gospodarcza kraju pogorszyła się w związku ze spadkiem cen surowców. Od uzyskania niepodległości panował tu monopartyjny system władzy, w 1990 r. zmieniony na wielopartyjny. W 1999 r. doszło do zamachu stanu, rządy objęli wojskowi. Po wyborach prezydenckich w 2000 r., których wynik nie został uznany przez opozycję, doszło do serii krwawych zamachów, a partie partyzanckie opanowały północną i zachodnią część kraju. W 2003 r. w Paryżu zawarto porozumienie pokojowe między przedstawicielami prezydenta, zwalczającymi go partiami partyzanckimi i przywódcami opozycji. Układ spotkał się z krytycznym przyjęciem w kraju, podczas gwałtownych zamieszek w Abidżanie spłonęły ambasady Francji i Burkina Faso. Układ pokojowy wypowiedziała administracja i armia rządowa. W 2004 r. i 2005 r. w kraju ponownie wybuchały zamieszki.

Informacje ogólne WYBRZEŻE KOŚCI SŁONIOWEJ	
Powierzchnia	322 461 km²
Stolica (liczba mieszkańców)	Jamusukro (186 tys.), Abidżan – siedziba rządu (2360 tys.)
Liczba mieszkańców	17 655 tys.
Gęstość zaludnienia	54,8 os./km²
Przyrost naturalny	20,3 os./1000 mieszk.
Saldo migracji	0 os./1000 mieszk.
Urbanizacja	45,0%
Ustrój	republika
Podział administracyjny	34 departamenty
Przynależność do organizacji międzynarodowych	ACP, AU, ECOWAS, NAM

Waluta	1 frank CFA = 100 centymów
Języki urzędowe	francuski
Języki używane	ponad 1 mln użytkowników: baoule, senoufo, dioula; ponadto około 70 innych
Obszary chronione	16,4%

Zagadnienia społeczno-gospodarcze

Religie (wyznawcy)	muzułmanie (37%), katolicy (21%), animiści (17%), bezwyznaniowcy (13%), protestanci (5%), pozostali (7%)
Analfabetyzm	48,3%
Bezrobocie	13,0% (na obszarach miejskich, 1998)
Przeciętna długość życia	46,6 – mężczyźni, 51,8 – kobiety (w latach)
Zainfekowani wirusem HIV	470 – 1000 tys. os.
PKB na 1 mieszkańca	951 USD
Struktura PKB	rolnictwo 27,5%, przemysł 22,2%, usługi 50,2%
Wydatki na zbrojenia	11 USD/mieszk.
Dług zagraniczny	90,4% PKB
Saldo obrotów handlu zagranicznego	3415 mln USD
Główne towary eksportowe	kakao, kawa, ropa naftowa i jej produkty, produkty rybne
Główne towary importowe	żywność, maszyny, środki transportu
Dochody z turystyki	2,8 USD/mieszk.
Produkcja energii elektrycznej	262 kWh/mieszk.
Samochody osobowe	7 szt./1000 mieszk. (2002)
Komputery	15,5 szt./1000 mieszk.
Użytkownicy Internetu	14,4 os./1000 mieszk.
Telefony komórkowe	120,6 szt./1000 mieszk.
Strona w atlasie	221

Wyspa Bouveta (Norwegia)

Wyspa została odkryta w 1739 r. przez francuskiego żeglarza. J.B. Bouveta de Loziera. Dopiero w 1825 r. objęła ją w posiadanie Wielka Brytania. W 1928 r. wyspę zajęła Norwegia, w związku z czym rok później Wielka Brytania zrzekła się do niej praw. W 1977 r. zamontowano tu automatyczną stację meteorologiczną.

Informacje ogólne   Wyspa Bouveta (Norwegia)

Powierzchnia	49 km²
Liczba mieszkańców	niezamieszkane
Ustrój	terytorium zależne Norwegii
Obszary chronione	96,7%
Strona w atlasie	308

Wyspa Bożego Narodzenia (Australia)
Terytorium Wyspy Bożego Narodzenia

Wyspa została odkryta w 1643 r. przez przepływającego tędy angielskiego żeglarza W. Mynorsa, ale dopiero w 1688 r. wylądowali na niej Anglicy z załogi W. Dampiera. Przez dwieście lat Europejczycy nie byli nią zainteresowani. Stała się brytyjską posiadłością w 1888 r. gdy odkryto na niej złoża fosfatów, eksploatowane do dziś. Od marca 1942 r. do końca II wojny światowej wyspa była okupowana przez Japończyków. Od 1958 r. jest terytorium zamorskim Australii.

Informacje ogólne   Wyspa Bożego Narodzenia (Australia)

Powierzchnia	135 km²
Stolica	The Settlement (0,7 tys.) 1997
Liczba mieszkańców	1,5 tys.
Gęstość zaludnienia	11,1 os./km²
Ustrój	terytorium zamorskie Australii
Podział administracyjny	brak
Waluta	1 dolar australijski = 100 100 centów
Języki urzędowe	angielski
Języki używane	angielski, chiński, malajski
Obszary chronione	62,3%

Zagadnienia społeczno-gospodarcze

Religie (wyznawcy)	buddyści (55%), chrześcijanie (15%), muzułmanie (10%), pozostali (20%)
Główne towary eksportowe	fosforyty
Główne towary importowe	żywność, wyroby przemysłowe, paliwa
Samochody osobowe	705 szt./1000 mieszk. (2000)
Użytkownicy Internetu	310,8 os./1000 mieszk. (2001)
Strona w atlasie	194

Wyspa Man (Wielka Brytania)

W starożytności wyspę zasiedlili Celtowie, którzy utworzyli tu jedno ze swych królestw. Na początku IX w. podbili ją Normanowie z Norwegii. Po włączeniu w 1266 r. do Szkocji stała się przedmiotem walk angielsko-szkockich. W XIV w. została włączona do Anglii, z zachowaniem dawnego samorządu, obyczaju i języka, używanego oficjalnie do drugiej połowy XIX w., a zachowanego do dziś. Obecnie stanowi terytorium zależne Korony Brytyjskiej.

Informacje ogólne   Wyspa Man (Wielka Brytania)

Powierzchnia	588 km²
Stolica (liczba mieszkańców)	Douglas (26 tys.)
Liczba mieszkańców	75 tys.
Gęstość zaludnienia	128,3 os./km²
Przyrost naturalny	0,1 os./1000 mieszk.
Saldo migracji	5,3 os./1000 mieszk.
Urbanizacja	51,8%
Ustrój	autonomiczny obszar Wielkiej Brytanii
Podział administracyjny	brak
Waluta	1 funt szterling = 100 pensów
Języki urzędowe	angielski
Języki używane	angielski, manx

Zagadnienia społeczno-gospodarcze

Religie (wyznawcy)	anglikanie, katolicy, metodyści, baptyści
Bezrobocie	1,5%
Przeciętna długość życia	75,5 – mężczyźni, 82,3 – kobiety (w latach)
PKB na 1 mieszkańca	28 500 USD
Struktura PKB	rolnictwo 1,0%, przemysł 13,0%, usługi 86,0% (2000)
Główne towary eksportowe	wyroby tweedowe, przetwory ze skorupiaków, śledzie, mięso
Główne towary importowe	drewno, nawozy sztuczne, ryby
Samochody osobowe	657 szt./1000 mieszk.
Strona w atlasie	129

Wyspy Ashmore i Cartiera (Australia)
Terytorium Wysp Ashmore i Cartiera

Cztery nie zamieszkane wyspy koralowe. Trzy wyspy Ashmore (East, Middle i West) zostały zaanektowane przez Wielką Brytanię w 1878 r., a wyspa Cartier w 1909 r. Od 1934 r. należą do Australii.

Informacje ogólne   Wyspy Ashmore and Cartiera (Australia)

Powierzchnia	Ashmore 0,93 km², Cartier Islands 0,004 km²
Liczba mieszkańców	nie zamieszkane, okresowo kontrolowane przez australijską marynarkę wojenną i lotnictwo wojskowe
Ustrój	terytorium zamorskie Australii
Strona w atlasie	296

Wyspy Cooka (Nowa Zelandia)

Większość tych wysp odkrył brytyjski żeglarz James Cook w 1773 r. Wyspę Rarotonga odkryto dopiero w 1820 r. Wszystkie wyspy zostały objęte protektoratem brytyjskim w 1888 r., a w 1901 r. zostały włączone do Nowej Zelandii. Obecnie mają status terytorium stowarzyszonego z Nową Zelandią.

Informacje ogólne   Wyspy Cooka (Nowa Zelandia)

Powierzchnia	237 km²
Stolica (liczba mieszkańców)	Avarua (14 tys.)
Liczba mieszkańców	21 tys.
Gęstość zaludnienia	90,2 os./km²
Przyrost naturalny	9,6 os./1000 mieszk.
Saldo migracji	−1,0 os./1000 mieszk. (2000)
Urbanizacja	70,4%
Ustrój	terytorium autonomiczne stowarzyszone z Nową Zelandią
Podział administracyjny	brak
Waluta	1 dolar nowozelandzki = 100 centów
Języki urzędowe	angielski, maoryski
Języki używane	maoryski, angielski, manihiki
Obszary chronione	9,9%

Zagadnienia społeczno-gospodarcze

Religie (wyznawcy)	protestanci (70%), katolicy (16%), adwentyści (5%), pozostali (9%)
Analfabetyzm	5,0%
Bezrobocie	13,1%
Przeciętna długość życia	70,0 – mężczyźni, 75,0 – kobiety (w latach)
PKB na 1 mieszkańca	13 005 USD
Struktura PKB	rolnictwo 15,1%, przemysł 9,6%, usługi 75,3%
Saldo obrotów handlu zagranicznego	−74 mln USD
Główne towary eksportowe	kopra, owoce świeże i konserwowe, ryby, perły
Główne towary importowe	paliwa, żywność, tekstylia, dobra konsumpcyjne
Dochody z turystyki	2111,1 USD/mieszk.
Produkcja energii elektrycznej	1333 kWh/mieszk.
Użytkownicy Internetu	168,3 os./1000 mieszk. (2002)
Telefony komórkowe	70,1 szt./1000 mieszk. (2002)
Strona w atlasie	293

Wyspy Dziewicze Stanów Zjednoczonych
(Stany Zjednoczone)

Odkryte przez K. Kolumba w 1493 r. Pod panowanie duńskie trafiły w latach 1666-1733, a w 1754 r. stały się duńską kolonią pod nazwą Duńskie Indie Zachodnie. W 1917 r. zostały kupione przez Stany Zjednoczone. Mają status terytorium zależnego, z przyznaną w 1954 r. wewnętrzną autonomią.

Informacje ogólne	Wyspy Dziewicze Stanów Zjednoczonych
Powierzchnia	353 km²
Stolica (liczba mieszkańców)	Charlotte Amalie (11 tys.) 2000
Liczba mieszkańców	109 tys.
Gęstość zaludnienia	307,7 os./km²
Przyrost naturalny	7,6 os./1000 mieszk.
Saldo migracji	−8,7 os./1000 mieszk.
Urbanizacja	94,2%
Ustrój	terytorium nieinkorporowane Stanów Zjednoczonych
Podział administracyjny	brak
Waluta	1 dolar USA= 100 centów
Języki urzędowe	angielski
Języki używane	angielski-kreolski, angielski, hiszpański
Obszary chronione	3,0%
Zagadnienia społeczno-gospodarcze	
Religie (wyznawcy)	baptyści (42%), katolicy (34%), inni protestanci (17%), pozostali (7%)
Analfabetyzm	5-10%
Bezrobocie	6,2%
Przeciętna długość życia	75,6 – mężczyźni, 83,4 – kobiety (w latach)
PKB na 1 mieszkańca	24 770 USD
Struktura PKB	rolnictwo 1,0%, przemysł 19,0%, usługi 80,0% (2003)
Główne towary eksportowe	produkty ropy naftowej, rum, kosmetyki, wyroby jubilerskie, tekstylne
Główne towary importowe	ropa naftowa, żywność
Dochody z turystyki	10 872,7 USD/mieszk.
Produkcja energii elektrycznej	8991 kWh/mieszk.
Samochody osobowe	487 szt./1000 mieszk. (2000)
Użytkownicy Internetu	272,7 os./1000 mieszk.
Telefony komórkowe	578,4 szt./1000 mieszk.
Strona w atlasie	263

Wyspy Heard i McDonalda (Australia)
Terytorium Wysp Heard i McDonalda

Wyspy zostały odkryte w 1833 r. przez brytyjskiego żeglarza P. Kempa. W latach 1855-1880 przebywali na nich amerykańscy łowcy fok, którzy po wybiciu całej populacji tych zwierząt na wyspach opuścili je. Od 1947 r. wyspy Heard i McDonald należą do Australii, a od 1953 r. mają status związkowego terytorium zamorskiego.

Informacje ogólne	Wyspy Heard i McDonalda (Australia)
Powierzchnia	412 km²
Liczba mieszkańców	brak stałych mieszkańców
Ustrój	terytorium zamorskie Australii
Obszary chronione	100%
Strona w atlasie	309

Wyspy Kokosowe (Australia)
Terytorium Wysp Kokosowych

Odkryte w 1609 r. przez angielskiego kapitana W. Keelinga. W 1856 r. stały się posiadłością Wielkiej Brytanii. Od 1886 r. były prywatną własnością szkockiej rodziny Clunies Ross z nadania królowej Wiktorii, cały czas, aż do 1955 r., stanowiąc terytorium brytyjskie. W 1978 r. zostały odkupione przez rząd australijski od rodziny Clunies Ross. Od tego czasu stanowią terytorium zamorskie Australii. Spośród 27 wysp zaledwie 2 są zamieszkane.

Informacje ogólne	Wyspy Kokosowe (Australia)
Powierzchnia	14 km²
Stolica (liczba mieszkańców)	West Island – siedziba administracji, Home Island – siedziba Rady
Liczba mieszkańców	0,6 tys.
Gęstość zaludnienia	40,4 os./km²
Ustrój	terytorium zamorskie Australii
Podział administracyjny	brak
Waluta	1 dolar australijski = 100 centów
Języki urzędowe	angielski
Języki używane	malajski, angielski
Obszary chronione	5,6%

Zagadnienia społeczno-gospodarcze	
Religie (wyznawcy)	muzułmanie (57%), chrześcijanie (22%), pozostali (21%)
Bezrobocie	60,0% (2000)
Główne towary eksportowe	kopra
Główne towary importowe	żywność, paliwa
Strona w atlasie	306

WYSPY MARSHALLA
REPUBLIKA WYSP MARSHALLA

W 1529 r. odkrył je Hiszpan A. Saavedra, a w 1788 r. ponownie Brytyjczyk J. Marshall. W 1855 r. zostały przyznane Hiszpanii, która w 1898 r. sprzedała je Niemcom. W czasie I wojny światowej Wyspy Marshalla zajęła Japonia; od 1920 r. były terytorium mandatowym Ligi Narodów pod japońską administracją. W 1944 r. po zaciętych walkach zostały opanowane przez wojska Stanów Zjednoczonych. W latach 1947-1991 stanowiły terytorium powiernicze ONZ pod administracją Stanów Zjednoczonych. Od 1986 r. są niezależnym państwem stowarzyszonym ze Stanami Zjednoczonymi.

Informacje ogólne	WYSPY MARSHALLA
Powierzchnia	182 km²
Stolica (liczba mieszkańców)	Majuro (21 tys.)
Liczba mieszkańców	60 tys.
Gęstość zaludnienia	332 os./km²
Przyrost naturalny	28,3 os./1000 mieszk.
Saldo migracji	−5,8 os./1000 mieszk.
Urbanizacja	66,7%
Ustrój	republika
Podział administracyjny	33 municypia
Przynależność do organizacji międzynarodowych	ACP, Wspólnota Pacyfiku, Forum Wysp Pacyfiku
Waluta	1 dolar USA = 100 centów
Języki urzędowe	marshallese (ebon), angielski
Języki używane	marshallese (ebon), angielski
Zagadnienia społeczno-gospodarcze	
Religie (wyznawcy)	protestanci (63%), katolicy (11%), pozostali (26%)
Analfabetyzm	8,0% (2000)
Bezrobocie	30,9% (2000)
Przeciętna długość życia	68,9 – mężczyźni, 73,0 – kobiety (w latach)
PKB na 1 mieszkańca	2204 USD
Struktura PKB	rolnictwo 31,7%, przemysł 14,9%, usługi 53,4%
Saldo obrotów handlu zagranicznego	−118 mln USD
Główne towary eksportowe	ryby, kopra
Główne towary importowe	maszyny i urządzenia, paliwa, żywność
Dochody z turystyki	70,2 USD/mieszk.
Samochody osobowe	29 szt./1000 mieszk.
Komputery	87,7 szt./1000 mieszk.
Użytkownicy Internetu	35,1 os./1000 mieszk.
Telefony komórkowe	11,3 szt./1000 mieszk.
Strona w atlasie	292

Wyspy Morza Koralowego (Australia)
Terytorium Wysp Morza Koralowego

Obejmuje wyspy leżące na wschód od Wielkiej Rafy Koralowej w zachodniej części Morza Koralowego. Obszar ten nie jest zamieszkany. Znajduje się na nim jedynie kilka stacji meteorologicznych.

Informacje ogólne	Wyspy Morza Koralowego (Australia)
Powierzchnia	2,2 km²
Liczba mieszkańców	5 os. na wyspie Willis obsługujących stację meteorologiczną
Gęstość zaludnienia	2,3 os./km²
Ustrój	tetytorium zależne Australii
Strony w atlasie	292, 297

Wyspy Owcze (Dania)

W IX w. zostały skolonizowane przez norweskich Normanów, a w 1035 r. stały się posiadłością Norwegii. W 1536 r. wraz z nią zostały włączone do Danii, która w 1814 r. zatrzymała Wyspy Owcze, mimo utraty Norwegii. W połowie XIX w. otrzymały ograniczoną autonomię, rozszerzoną na początku XX w. W latach 1940-1945 Wyspy Owcze były zajęte przez wojska brytyjskie. Od 1948 r. są autonomiczną częścią państwa duńskiego, z własnym parlamentem, rządem i językiem. W 1992 r. Wyspy Owcze otrzymały od duńskiego rządu jurysdykcję nad złożami mineralnymi znajdującymi się w szelfie wysp.

Informacje ogólne	Wyspy Owcze (Dania)
Powierzchnia	1399 km²
Stolica (liczba mieszkańców)	Tórshavn (13 tys.)
Liczba mieszkańców	47 tys.
Gęstość zaludnienia	33,8 os./km²

Przyrost naturalny	5,4 os./1000 mieszk.
Saldo migracji	0,5 os./1000 mieszk.
Urbanizacja	38,8%
Ustrój	terytorium autonomiczne Danii
Podział administracyjny	brak
Waluta	1 korona farerska = 100 oyru = 1 korona duńska
Języki urzędowe	farerski, duński
Języki używane	farerski, duński
Zagadnienia społeczno-gospodarcze	
Religie (wyznawcy)	luteranie (95%), pozostali (5%)
Analfabetyzm	0%
Bezrobocie	2,1%
Przeciętna długość życia	76,9 – mężczyźni, 81,9 – kobiety (w latach)
PKB na 1 mieszkańca	20 000 USD
Struktura PKB	rolnictwo 27,0%, przemysł 11,0%, usługi 62,0% (1999)
Saldo obrotów handlu zagranicznego	−172 mln USD
Główne towary eksportowe	ryby i przetwory rybne
Główne towary importowe	artykuły przemysłowe, maszyny, urządzenia, środki transportu, żywność
Produkcja energii elektrycznej	6226 kWh/mieszk.
Samochody osobowe	407 szt./1000 mieszk.
Użytkownicy Internetu	664,7 os./1000 mieszk.
Telefony komórkowe	883,5 szt./1000 mieszk.
Strona w atlasie	127

WYSPY SALOMONA

Wyspy zostały odkryte w 1568 r. przez hiszpańskiego żeglarza A. Mendana de Neyra. W 1885 r. północna część archipelagu stała się posiadłością niemiecką pod nazwą Archipelag Bismarcka. Część południowa i wschodnia zachowała nazwę Wyspy Salomona i została objęta protektoratem brytyjskim (1893-1899). W 1914 r. Archipelag Bismarcka oraz niemiecka część Nowej Gwinei przeszły pod administrację Australii (patrz Papua-Nowa Gwinea). Podczas II wojny światowej większość Wysp Salomona znalazła się pod okupacją japońską. Położona w południowej części archipelagu wyspa Guadalcanal, z powodu znajdującego się tam lotniska, stała się obiektem zaciekłych walk morskich, lotniczych i lądowych, trwających od 7 sierpnia 1942 r. do 8 lutego 1943 r. Wyspy Salomona znajdowały się pod brytyjskim protektoratem do 1978 r., kiedy to zostały niepodległym państwem, członkiem brytyjskiej Wspólnoty Narodów. Obecnie głównym problemem jest konflikt etniczny na jednej z wysp pomiędzy rdzennymi mieszkańcami a ludnością napływową. Walki pomiędzy nimi trwały od 1998 r. W 2003 r. władze nie potrafiąc rozwiązać tego problemu, pozwoliły na interwencję obcych sił wojskowych, która umożliwiła opanowanie sytuacji. W 2006 r. ponownie wybuchły zamieszki.

Informacje ogólne	**WYSPY SALOMONA**
Powierzchnia	28 370 km^2
Stolica (liczba mieszkańców)	Honiara (61 tys.)
Liczba mieszkańców	552 tys.
Gęstość zaludnienia	19,5 os./km^2
Przyrost naturalny	26,1 os./1000 mieszk.
Saldo migracji	0 os./1000 mieszk.
Urbanizacja	17,0%
Ustrój	monarchia konstytucyjna
Podział administracyjny	7 prowincji i dystrykt stołeczny
Przynależność do organizacji międzynarodowych	ACP, Wspólnota Pacyfiku, Forum Wysp Pacyfiku
Waluta	1 dolar Wysp Salomona = 100 centów
Języki urzędowe	angielski
Języki używane	pidżin i około 70 innych języków
Obszary chronione	0,2%
Zagadnienia społeczno-gospodarcze	
Religie (wyznawcy)	anglikanie (34%), katolicy (19%), baptyści (17%), wyznawcy religii rodzimych (4%), pozostali (26%)
Analfabetyzm	24,0% (2000)
Przeciętna długość życia	70,9 – mężczyźni, 76,1 – kobiety (w latach)
PKB na 1 mieszkańca	661 USD
Struktura PKB	rolnictwo 42,0%, przemysł 11,0%, usługi 47,0% (2000)
Dług zagraniczny	57,7% PKB
Saldo obrotów handlu zagranicznego	−90 mln USD
Główne towary eksportowe	drewno i jego pochodne, ryby, owoce morza, olej palmowy, kopra, kakao
Główne towary importowe	maszyny, środki transportu, wyroby przemysłu przetwórczego, paliwa
Dochody z turystyki	13,3 USD/mieszk.
Produkcja energii elektrycznej	100 kWh/mieszk.
Samochody osobowe	6,0 szt./1000 mieszk. (2000)
Komputery	40,7 szt./1000 mieszk.
Użytkownicy Internetu	6,1 os./1000 mieszk.
Telefony komórkowe	12,6 szt./1000 mieszk.
Strona w atlasie	292

WYSPY ŚWIĘTEGO TOMASZA I KSIĄŻĘCA

DEMOKRATYCZNA REPUBLIKA WYSP ŚWIĘTEGO TOMASZA I KSIĄŻĘCEJ

Bezludne wyspy, odkryte w 1471 r. przez Portugalczyków, były przez nich od 1483 r. kolonizowane, a w 1522 r. stały się portugalską kolonią. W latach 1641-1748 należały do Holandii, następnie znów do Portugalii. Do XIX w. stanowiły ważny ośrodek handlu niewolnikami, a od końca XIX w. kakao. W latach 1951-1975 były prowincją zamorską Portugalii. W 1975 r. uzyskały niepodległość. Autorytarne rządy marksistów doprowadziły w połowie lat 80. XX w. do załamania gospodarki kraju, co zmusiło władze do ustępstw. Nawiązano stosunki gospodarcze z krajami kapitalistycznymi i przyjęto zasady gospodarki rynkowej. W 1990 r. wprowadzono nową konstytucję i system wielopartyjny. W latach 1995 i 2003 podjęto próby wojskowych zamachów stanu, jednak pod naciskiem organizacji międzynarodowych wojskowi przekazali władzę. W 2004 r. po serii skandali korupcyjnych premier i rząd zostali zdymisjonowani.

Informacje ogólne	**WYSPY ŚWIĘTEGO TOMASZA I KSIĄŻĘCA**
Powierzchnia	1001 km^2
Stolica (liczba mieszkańców)	São Tomé (57 tys.)
Liczba mieszkańców	193 tys.
Gęstość zaludnienia	193,2 os./km^2
Przyrost naturalny	33,8 os./1000 mieszk.
Saldo migracji	−2,3 os./1000 mieszk.
Urbanizacja	58,0%
Ustrój	republika
Podział administracyjny	2 dystrykty
Przynależność do organizacji międzynarodowych	ACP, AU, NAM
Waluta	1 dobra = 100 centymów
Języki urzędowe	portugalski
Języki używane	kreolski, portugalski
Zagadnienia społeczno-gospodarcze	
Religie (wyznawcy)	katolicy (93%), protestanci (3%), wyznawcy religii rodzimych (2%), pozostali (2%)
Analfabetyzm	15,1% (2001)
Przeciętna długość życia	66,4 – mężczyźni, 69,7 – kobiety (w latach)
PKB na 1 mieszkańca	773 USD
Struktura PKB	14,9%, przemysł 14,0%, usługi 71,0%
Dług zagraniczny	184,9% PKB
Saldo obrotów handlu zagranicznego	−66 mln USD
Główne towary eksportowe	ziarno kakaowe, kawa, banany, kopra
Główne towary importowe	produkty żywnościowe, przemysłowe artykuły konsumpcyjne
Dochody z turystyki	52,3 USD/mieszk.
Produkcja energii elektrycznej	93 kWh/mieszk.
Samochody osobowe	30 szt./1000 mieszk. (2000)
Użytkownicy Internetu	122,0 os./1000 mieszk.
Telefony komórkowe	76,4 szt./1000 mieszk.
Strona w atlasie	221

ZAMBIA

REPUBLIKA ZAMBII

Pierwotnymi mieszkańcami obecnej Zambii byli Buszmeni, którzy osiedli tutaj w I tys. p.n.e. Od VI w. napływały na te ziemie ludy Bantu. W XIV i XV w. południowa część obszaru Zambii należała do imperium Monomotapy. Od XVII do XIX w. na terenie Zambii. istniały państwa Lunda, Barotse, Bempa i Ngoni. W połowie XIX w. zaczęła się penetracja tego terenu przez brytyjską spółkę górniczą C. Rhodesa. W 1891 r. państwom Barotse i Lunda został narzucony brytyjski protektorat, a opór ludów Bempa i Ngoni został zbrojnie złamany. Na obszarze obecnej Zambii i sąsiedniego Zimbabwe powstała brytyjska posiadłość pod nazwą Rodezja. Brytyjczycy rozpoczęli tu eksploatację bogatych złóż miedzi. Tereny dzisiejszej Zambii zostały wydzielone w 1911 r. pod nazwą Rodezja Północna, a w 1924 r. przejęte przez rząd brytyjski. Po I wojnie światowej nastąpił tu szybki rozwój górnictwa miedzi. W latach 1953-1963 Rodezja Północna wraz z Rodezją Południową i Niasą stanowiły federację, a w 1964 r. Rodezja Północna uzyskała niepodległość i przyjęła nazwę Republika Zambii. Wprowadzenie w 1972 r. systemu jednopartyjnego oraz socjalistycznych reform gospodarczych doprowadziło w latach 80. XX w. do pogorszenia się sytuacji ekonomicznej Z. Od 1990 r., po zmianie systemu na wielopartyjny, rozpoczęła się liberalizacja życia politycznego i gospodarczego z pomocą zagraniczną. Sytuacja ekonomiczna Zambii poprawiła się z po decyzji Banku Światowego o umorzeniu ponad 50% długu zagranicznego kraju.

Informacje ogólne	**ZAMBIA**
Powierzchnia	752 613 km^2
Stolica (liczba mieszkańców)	Lusaka (1 260 tys.)
Liczba mieszkańców	11 502 tys.
Gęstość zaludnienia	15,3 os./km^2
Przyrost naturalny	21,1 os./1000 mieszk.
Saldo migracji	0 os./1000 mieszk.
Urbanizacja	35,0%
Ustrój	republika
Podział administracyjny	9 prowincji
Przynależność do organizacji międzynarodowych	ACP, AU, NAM, SADC

Waluta	1 kwacha = 100 ngwee
Języki urzędowe	angielski
Języki używane	ponad 1 mln użytkowników: bemba, njandża, tonga; ponadto angielski i około 40 innych
Obszary chronione	41,5%
Zagadnienia społeczno-gospodarcze	
Religie (wyznawcy)	protestanci (34%), animiści (27%), katolicy (26%), inni (13%)
Analfabetyzm	19,3%
Bezrobocie	50,0% (2000)
Przeciętna długość życia	38,5 – mężczyźni, 38,7 – kobiety (w latach)
Zainfekowani wirusem HIV	1100 – 1200 tys. os.
PKB na 1 mieszkańca	921 USD
Struktura PKB	rolnictwo 17,3%, przemysł 26,2%, usługi 56,5%
Wydatki na zbrojenia	4 USD/mieszk.
Dług zagraniczny	35,9% PKB
Saldo obrotów handlu zagranicznego	−769 mln USD
Główne towary eksportowe	miedź, kobalt, cynk, ołów, kawa, trzcina cukrowa, słoneczniki, orzeszki ziemne, tytoń, bawełna
Główne towary importowe	maszyny i środki transportu, wyroby przemysłowe, produkty chemiczne, żywność
Dochody z turystyki	11,1 USD/mieszk.
Produkcja energii elektrycznej	866 kWh/mieszk.
Samochody osobowe	15 szt./1000 mieszk. (2000)
Komputery	10,3 szt./1000 mieszk.
Użytkownicy Internetu	21,1 os./1000 mieszk.
Telefony komórkowe	63,0 szt./1000 mieszk.
Strony w atlasie	224-225

ZIMBABWE

REPUBLIKA ZIMBABWE

Pierwotnymi mieszkańcami obszaru dzisiejszego Zimbabwe byli Buszmeni, którzy osiedli tu w I tys. p.n.e. W VIII w. zaczęły napływać ludy Bantu, które zepchnęły Buszmenów na południe i stworzyły tu w X w. potężne państwo plemienne pod nazwą Wielkie Zimbabwe. Istniało ono do XV w., utrzymując kontakty handlowe z Półwyspem Arabskim i Chinami. Od XV w. teren Zimbabwe znalazł się w granicach imperium Monomotapa, które rozpadło się w 1693 r. po najeździe ludu Rozwi. W XVIII w. Rozwi stworzyli silne państwo plemienne, kontynuując tradycje Wielkiego Zimbabwe m.in. w budowie kamiennych miast. Kres istnieniu państwa Rozwi położyły najazdy ludów sąsiednich, a szczególnie ludu Matabele w 1837 r., który w zachodniej części Zimbabwe utworzył własne państwo plemienne. W połowie XIX w. zaczęła się jego penetracja przez brytyjską spółkę górniczą C. Rhodesa. Wkrótce spółka uzyskała od króla koncesję na wyłączną eksploatację kruszców w państwie Matabele. W 1891 r. terenom Zimbabwe i sąsiedniej Zambii został narzucony brytyjski protektorat, obszar ten nazwano Rodezją. Ziemie obecnego Zimbabwe zostały wydzielone w 1911 r. jako Rodezja Południowa, a w 1923 r. przejęte przez rząd brytyjski. W ciągu następnych 30 lat nastąpił szybki rozwój gospodarczy i znaczny napływ białych imigrantów. W latach 1953-1963 Rodezja Południowa wraz z Rodezją Północną i Niasą stanowiły federację. W 1963 r. Rodezja Południowa stała się odrębną kolonią brytyjską, z szeroką autonomią. W 1965 r. nastąpiło jednostronne ogłoszenie niepodległości przez białą mniejszość, a w 1970 r. proklamowanie Wolnej Republiki Rodezji. Żadne państwo świata nie uznało oficjalnie niepodległości Rodezji, ale dzięki pomocy RPA i Portugalii oparła się ona międzynarodowym sankcjom i rozwinęła gospodarkę. Zbrojna walka czarnej większości doprowadziła w 1978 r. do całkowitego zniesienia ustawodawstwa sankcjonującego dyskryminację rasową. Zawarte w 1979 r. porozumienie z udziałem głównych organizacji wyzwoleńczych doprowadziło w 1980 r. do wyborów parlamentarnych, utworzenia rządu i proklamowania niepodległej Republiki Zimbabwe. Tocząca się w latach 1982-1986 wojna domowa zakończyła się zwycięstwem ugrupowań lewicowych. Prowadzona przez nie polityka już pod koniec lat 80. XX w. spowodowała duże trudności gospodarcze i znaczny opór opozycji. W ostatnich latach rząd odebrał białym farmerom ziemię zagrabioną kiedyś rdzennej ludności. Doprowadziło to jednak do zapaści gospodarczej i klęski głodu w kraju uchodzącym dotąd za spichlerz Afryki.

Informacje ogólne	**ZIMBABWE**
Powierzchnia	390 757 km²
Stolica (liczba mieszkańców)	Harare (1 515 tys.)
Liczba mieszkańców	12 237 tys.
Gęstość zaludnienia	31,3 os./km²
Przyrost naturalny	6,2 os./1000 mieszk.
Saldo migracji	0 os./1000 mieszk.
Urbanizacja	35,9%
Ustrój	republika
Podział administracyjny	10 prowincji
Przynależność do organizacji międzynarodowych	ACP, AU, NAM, SADC
Waluta	1 dolar Zimbabwe = 100 centów
Języki urzędowe	angielski
Języki używane	szona, ndebele, manyika, angielski, ndau, njandża, tonga
Obszary chronione	14,7%
Zagadnienia społeczno-gospodarcze	
Religie (wyznawcy)	animiści (40%), protestanci (18%), afrochrześcijanie (14%), muzułmanie (14%), katolicy (12%)

Analfabetyzm	9,3%
Bezrobocie	80,0%
Przeciętna długość życia	40,9 – mężczyźni, 38,6 – kobiety (w latach)
Zainfekowani wirusem HIV	1100 – 2200 tys. os.
PKB na 1 mieszkańca	472 USD
Struktura PKB	rolnictwo 18,1%, przemysł 22,6%, usługi 59,3%
Wydatki na zbrojenia	18 USD/mieszk.
Dług zagraniczny	33,4% PKB
Saldo obrotów handlu zagranicznego	−180 mln USD
Główne towary eksportowe	tytoń, złoto, metale, stal, bawełna, cukier
Główne towary importowe	maszyny i środki transportu, paliwa, produkty chemiczne, wyroby przemysłowe
Dochody z turystyki	6,3 USD/mieszk.
Produkcja energii elektrycznej	769 kWh/mieszk.
Samochody osobowe	49 szt./1000 mieszk.
Komputery	84,1 szt./1000 mieszk.
Użytkownicy Internetu	69,0 os./1000 mieszk.
Telefony komórkowe	58,7 szt./1000 mieszk.
Strony w atlasie	226-227

ZJEDNOCZONE EMIRATY ARABSKIE

PAŃSTWO ZJEDNOCZONYCH EMIRATÓW ARABSKICH

Już w III tys. p.n.e. sięgały tutaj wpływy cywilizacji z Mezopotamii. Mieszkańcy tych terenów zakładali wsie i zajmowali się rolnictwem. Później, ale jeszcze w starożytności, napłynęły tu koczownicze plemiona arabskie. Wschodnia część dzisiejszych Zjednoczonych Emiratów Arabskich od VII do IV w. p.n.e. należała do Persji, będącej wtedy pod władzą dynastii Achemenidów. Większa część Zjednoczonych Emiratów Arabskich znalazła się ponownie w Persji na początku III w. Kres perskiego panowania przyniósł najazd Arabów w połowie VII w. W XVI w. teren obecnych Zjednoczonych Emiratów Arabskich znalazł się pod kontrolą Portugalczyków, którzy opanowali handel w Zatoce Perskiej. Od XVII do XIX w. obszar ten był schronieniem arabskich i europejskich piratów. W 1820 r. rząd brytyjski zawarł z siedmioma arabskimi wodzami na obszarze Zjednoczonych Emiratów Arabskich układy mające na celu zwalczanie piractwa oraz handlu niewolnikami i bronią. Traktaty przedłużano dwukrotnie, aż wreszcie w 1892 r. podpisano umowy o brytyjskim protektoracie. Od tego czasu obszar ten zwany był Omanem Traktatowym. W 1968 r. powstała Federacja Emiratów Arabskich, składająca się z Omanu Traktatowego, Bahrajnu i Kataru. W 1971 r. Bahrajn i Katar odłączyły się i proklamowano niepodległe państwo pod nazwą Zjednoczone Emiraty Arabskie. Dzięki eksportowi ropy naftowej nastąpił szybki rozwój gospodarczy kraju.

Informacje ogólne	**ZJEDNOCZONE EMIRATY ARABSKIE**
Powierzchnia	83 600 km²
Stolica (liczba mieszkańców)	Abu Zabi (597 tys.)
Liczba mieszkańców	2603 tys.
Gęstość zaludnienia	31,1 os./km²
Przyrost naturalny	14,6 os./1000 mieszk.
Saldo migracji	0,7 os./1000 mieszk.
Urbanizacja	76,7%
Ustrój	federacja emiratów (księstw)
Podział administracyjny	7 emiratów
Przynależność do organizacji międzynarodowych	AFESD, LPA, NAM, OAPEC, OPEC
Waluta	1 dirham = 100 filsów
Języki urzędowe	arabski
Języki używane	arabski, urdu, malajalam, angielski, hindi, telugu, beludżi, somali, paszto, perski, tagalog, syngaleski
Obszary chronione	4,0%
Zagadnienia społeczno-gospodarcze	
Religie (wyznawcy)	muzułmanie: sunnici (80%), szyici (16%); pozostali (4%)
Analfabetyzm	22,2%
Bezrobocie	2,4% (2001)
Przeciętna długość życia	73,4 – mężczyźni, 78,6 – kobiety (w latach)
PKB na 1 mieszkańca	38 613 USD
Struktura PKB	rolnictwo 1,8%, przemysł 59,3%, usługi 38,9%
Wydatki na zbrojenia	1026 USD/mieszk.
Saldo obrotów handlu zagranicznego	44 683 mln USD
Główne towary eksportowe	ropa naftowa, gaz ziemny, ryby, daktyle
Główne towary importowe	surowce przemysłowe, maszyny i sprzęt transportowy, wyroby chemiczne i żywność
Dochody z turystyki	369,6 USD/mieszk.
Produkcja energii elektrycznej	19 024 kWh/mieszk.
Samochody osobowe	169 szt./1000 mieszk. (2003)
Komputery	119,9 szt./1000 mieszk.
Użytkownicy Internetu	318,5 os./1000 mieszk.
Telefony komórkowe	1008,6 szt./1000 mieszk.
Strona w atlasie	187

Świat w liczbach

▶ Układ Słoneczny informacje ogólne

Nazwa		Słońce	Merkury	Wenus	Ziemia	Mars	Jowisz	Saturn	Uran	Neptun
Średnia odległość od Słońca	UA	–	0,387	0,723	1,000	1,524	5,203	9,539	19,191	30,060
	10^6 km	–	57,9	108,2	149,6	227,9	778	1432	2877	4498
Okres obiegu wokół Słońca w latach gwiazdowych		–	0,241	0,615	1,000	1,881	11,862	29,457	84,012	164,78
Okres synodyczny	lata	–	0,318	1,597	–	2,135	1,092	1,035	1,012	1,006
	dni	–	116	584	–	780	399	378	370	367
Średnia prędkość orbitalna (km/s)		–	47,8	35,0	29,8	24,1	13,1	9,7	6,8	5,4
Masa	M Ziemi=1	332 946	0,05527	0,8150	1,0	0,1074	317,83	95,159	14,499	17,2040
	kg	$1,989{\times}10^{30}$	$3,3022{\times}10^{23}$	$4,8690{\times}10^{24}$	$5,9742{\times}10^{24}$	$6,4191{\times}10^{24}$	$1,8988{\times}10^{27}$	$5,6850{\times}10^{26}$	$8,6625{\times}10^{25}$	$1,0278{\times}10^{26}$
Średnica równikowa	Z Ziemi=1	109,12	0,38251	0,9488	1,0000	0,5326	11,208	9,4491	4,0073	3,8826
	tys. km	1 392	4,879	12,103	12,756	6,794	142,98	120,53	51,118	49,528
Okres obrotu na równiku		609^h7^m	$1407^h30^m5^s$	$5832^h26^m38^s$	$23^h56^m4^s$	$24^h37^m23^s$	$9^h55^m30^s$	$10^h39^m22^s$	$17^h14^m24^s$	$16^h6^m36^s$
Liczba księżyców naturalnych		cały układ	0	0	1	2	>63	>48	>27	13

▶ Podstawowe dane o Słońcu

Promień równikowy	696 000 km
Objętość	$1,41{\times}10^{18}$ km^3
Objętość względem Ziemi	1,3 mln∗objętość Ziemi
Masa	$1,99{\times}10^{30}$ kg
Masa względem Ziemi	332 946∗masa Ziemi
Średnia gęstość	1408 kg/m^3
Czas obrotu wokół własnej osi	$25^{d9}9^h7^m$
Temperatura powierzchni (średnia)	5 530°C
Temperatura wnętrza	14 mln°C

▶ Odległości wybranych obiektów od Słońca

Obiekty astronomiczne	Odległości		
	jednostki świetlne	mln km	średnie (UA)
Merkury	3^m10^s	57,9	0,38
Wenus	6^m	108,2	0,72
Ziemia	8^m20^s	149,6	1
Mars	12^m40^s	227,9	1,52
planetoidy			2–3
Jowisz	43^m20^s	778,3	5,2
Saturn	$1^h19^m30^s$	1427	9,54
Uran	$2^h39^m55^s$	2871	19,19
Neptun	$4^h10^m30^s$	4497	30,06
pas Kuipera			ok. 30–50
Obłok Oorta	ok. 1 roku	10^7	
Odległość Ziemia–Księżyc			
	$1,3^s$	0,4	0,00257

▶ Podstawowe dane o Księżycu

Odległość Księżyca od środka Ziemi	średnia	384 404 km
	w apogeum	406 700 km
	w perygeum	356 400 km
Wymiary Księżyca	średnica	3 476 km
	powierzchnia	38 mln km^2
	objętość	21,98 mld km^3
	masa	$7,35{\times}10^{22}$ kg
	średnia gęstość	3,342 g/cm^3
Średni czas obiegu wokół Ziemi (miesiąc syderyczny)		$27^d7^h43^m11,47^s$
Czas obiegu wokół Ziemi względem Słońca (miesiąc synodyczny)		$29^d12^h44^m2,78^s$
Prędkość obiegu wokół Ziemi		1,03 km/s
Temperatura gruntu księżycowego	w dzień	+120°C
	w nocy	−160°C

▶ Najważniejsze dane o Ziemi

Średni promień	$6,37{\times}10^6$ m
Promień równikowy	6 378,137 km
Promień biegunowy	6 356,752 km
Spłaszczenie	0,00335
Długość równika	40 075,704 km
Obwód Ziemi wzdłuż południków	40 008,548 km
Obwód orbity Ziemi	936 mln km
Czas obrotu Ziemi dookoła własnej osi	$23^h56^m4,09^s$
Czas obiegu Ziemi wokół Słońca (rok ziemski gwiazdowy)	$365^d6^h9^m10^s$
Średnia prędkość obrotu Ziemi wokół osi na równiku	465 m/s
Średnia prędkość obiegu Ziemi wokół Słońca	30 km/s
Całkowita powierzchnia	510,22 mln km^2
Powierzchnia lądów	149,16 mln km^2 (29%)
Powierzchnia oceanów	361,06 mln km^2 (71%)
Najwyższy szczyt (Mount Everest)	8848 m
Najgłębszy rów oceaniczny (Rów Mariański)	11 034 m
Średnia wysokość lądów	875 m
Średnia głębokość oceanów	3729 m
Masa planety	$5,976{\times}10^{24}$ kg
Masa atmosfery	$5,14{\times}10^{18}$ kg
Masa lodów	$20{-}30{\times}10^{18}$ kg
Masa oceanów	$1,3{\times}10^{21}$ kg
Masa skorupy	$2,5{\times}10^{22}$ kg (0,4%)
Masa płaszcza	$4,05{\times}10^{24}$ kg (68%)
Masa jądra	$1,9{\times}10^{24}$ kg (32%)
Objętość planety	1083,32 mld km^3
Średnia gęstość	5518 kg/m^3
Stosunek masy Słońca do masy Ziemi	332,958
Stosunek masy Ziemi do masy Księżyca	81,303
Przyśpieszenie na równiku	9,7805 m/s^2
Stała słoneczna	1370 J/m^2s
Albedo optyczne	0,35
Średnia temperatura powierzchni	14°C
Najwyższa zanotowana temp. powietrza	58°C
Najniższa zanotowana temp. powietrza	−88°C
Ciśnienie atmosferyczne	1013,25 hPa
Główne składniki atmosfery (%)	azot 78, tlen 21
Główne składniki skorupy ziemskiej (%)	tlen 46; krzem 28; glin 8; żelazo 6; magnez 3; wapń 2,4 potas 2,3; sód 2,1
Główne składniki jądra Ziemi (%)	żelazo 80-86; nikiel 5-5,6; kobalt 0,3; siarka; krzem mangan; chrom

Świat w liczbach

▶ Najwyższe szczyty

Szczyt	Pasmo górskie	Państwo	Wysokość (m n.p.m.)
EUROPA			
Mont Blanc	Alpy (masyw Mont Blanc)	Francja, Włochy	4 807
Dufourspitze	Alpy (Alpy Pennińskie)	Szwajcaria, Włochy	4 634
Dom	Alpy (Alpy Pennińskie)	Szwajcaria	4 545
Weisshorn	Alpy (Alpy Pennińskie)	Szwajcaria	4 506
Matterhorn/Monte Cervino	Alpy (Alpy Pennińskie)	Szwajcaria, Włochy	4 478
Finsteraarhorn	Alpy (Alpy Berneńskie)	Szwajcaria	4 274
Jungfrau	Alpy (Alpy Berneńskie)	Szwajcaria	4 158
Les Écrins	Alpy (Pelvoux)	Francja	4 102
Gran Paradiso	Alpy (Alpy Graickie)	Włochy	4 061
Piz Bernina	Alpy (Bernina)	Szwajcaria	4 049
Monviso	Alpy (Alpy Kotyjskie)	Włochy	3 841
Grossglockner	Alpy (Wysokie Taury)	Austria	3 797
Mulhacén	Sierra Nevada	Hiszpania	3 478
Piz Linard	Alpy (Silvretta)	Szwajcaria	3 411
Pico de Aneto	Pireneje	Austria, Szwajcaria	3 404
Etna	Sycylia	Włochy	3 350
Marmolada	Alpy (Dolomity)	Włochy	3 342
Cima dell'Argentera	Alpy (Alpy Nadmorskie)	Włochy	3 297
Parseier Spitze	Alpy (Alpy Lechtalskie)	Austria	3 036
Zugspitze	Alpy (Alpy Bawarskie)	Niemcy, Austria	2 963
Musala	Rila	Bułgaria	2 925
Corno Grande	Apeniny (Gran Sasso d'Italia)	Włochy	2 912
Olimp	Tesalia	Grecja	2 917
Triglav	Alpy (Alpy Julijskie)	Słowenia	2 863
Gierlach	Karpaty (Tatry Wysokie)	Słowacja	2 655
Moldoveanu	Karpaty (Góry Fogaraskie)	Rumunia	2 543
Goldhøppiggen	Góry Skandynawskie	Norwegia	2 469
Rysy	Karpaty (Tatry Wysokie)	Polska, Słowacja	2 499
Narodnaja	Ural	Rosja	1 895
Śnieżka	Sudety (Karkonosze)	Polska, Czechy	1 602
AZJA			
Czomolungma/Mount Everest	Himalaje	Chiny, Nepal	8 848
Czogori/K2	Karakorum	Indie	8 611
Kanchenjunga	Himalaje	Indie, Nepal	8 586
Lhotse	Himalaje	Chiny, Nepal	8 516
Makalu	Himalaje	Chiny, Nepal	8 463
Cho Oyu	Himalaje	Chiny, Nepal	8 201
Dhaulagiri	Himalaje	Nepal	8 167
Manaslu	Himalaje	Nepal	8 156
Nanga Parbat	Himalaje	Indie	8 126
Annapurna	Himalaje	Nepal	8 091
Gasherbrum I	Karakorum	Indie, Chiny	8 068
Broad Peak	Karakorum	Indie	8 047
Gasherbrum II	Karakorum	Indie, Chiny	8 035
Shisha Pangma	Himalaje	Chiny	8 027
Elbrus	Kaukaz	Rosja	5 621
Demawend	Elburs	Iran	5 604
Ararat	Ararat	Turcja	5 122
Kazbek	Kaukaz	Gruzja, Rosja	5 033
Kluczewska Sopka	Kamczatka	Rosja	4 835
Kūh-e Zarde	Zagros	Iran	4 548
Biełucha	Ałtaj	Rosja	4 506
Kinabalu	Góry Crockera	Malezja	4 101
Kerinci	Sumatra	Indonezja	3 805
Fudżi	Honsiu	Japonia	3 776
AFRYKA			
Kibo	Kilimandżaro	Tanzania	5 895
Mount Kenya	Mount Kenya	Kenia	5 199
Mawensi	Kilimandżaro	Tanzania	5 150
Szczyt Małgorzaty	Ruwenzori	Uganda, Dem. Rep. Konga	5 109
Ras Dashen Terara	Wyżyna Abisyńska	Etiopia	4 620
Meru	Meru	Tanzania	4 567
Karisimbi	Wirunga	Ruanda, Dem. Rep. Konga	4 507
Jbel Toubkal	Atlas	Maroko	4 165
Kamerun	Kamerun	Kamerun	4 070
Pico de Teide	Teneryfa	Hiszpania (W-y Kanaryjskie)	3 718
Thabana Ntlenyana	Góry Smocze	RPA, Lesotho	3 482
Emi Koussi	Tibesti	Czad	3 415
Piton des Neiges	Reunion	Reunion	3 069
Tahat	Ahaggar	Algieria	2 918
AMERYKA PÓŁNOCNA			
Mount McKinley	Alaska Range	St. Zjedn. (Alaska)	6 194
Mount Logan	Góry Świętego Eliasza	Kanada	6 050
Orizaba/Cerro Citlaltépetl	Sierra Madre Wschodnia	Meksyk	5 700
Mount Saint Elias	Góry Świętego Eliasza	Kanada, St. Zjedn. (Alaska)	5 489
Popocatépetl	Sierra Madre Wschodnia	Meksyk	5 452
Iztaccíhuatl	Sierra Madre Wschodnia	Meksyk	5 286
Mount Bona	Góry Wrangla	St. Zjedn. (Alaska)	5 044
Mount Blackburn	Góry Wrangla	St. Zjedn. (Alaska)	4 996
Mount Fairweather	Góry Nadbrzeżne	St. Zjedn. (Alaska)	4 663
Mount Whitney	Sierra Nevada	St. Zjedn.	4 418
Mount Elbert	Sawatch (Range)	St. Zjedn.	4 399
Mount Rainier	Góry Kaskadowe	St. Zjedn.	4 392
Blanca Peak	Sangre de Cristo Mountains	St. Zjedn.	4 386
Mount Shasta	Góry Kaskadowe	St. Zjedn.	4 317
Mount Wrangell	Góry Wrangla	St. Zjedn. (Alaska)	4 317
Volcán Tajumulco	Sierra Madre	Gwatemala	4 220
Volcán de Colima	Sierra Madre Zachodnia	Meksyk	4 100
Cerro Chirripó Grande	Cordillera de Talamanca	Kostaryka	3 819
Góra Gunnbjørna	Watkins Bjerge	Grenlandia	3 700
Volcán Barú	Picos de Chiriquí	Panama	3 475
Pico Duarte	Kordyliera Środkowa	Dominikana	3 175
La Selle	Massif de la Selle	Haiti	2 674
Mount Mitchell	Appalachy	St. Zjedn.	2 037
Pico Turquino	Sierra Maestra	Kuba	1 994
AMERYKA POŁUDNIOWA			
Cerro Aconcagua	Andy	Argentyna	6 960
Nevado Ojas del Salado	Andy	Argentyna, Chile	6 885
Cerro Bonete	Andy	Argentyna	6 872
Monte Pissis	Andy	Argentyna	6 780
Cerro Mercedario	Andy	Argentyna	6 770
Nevado de Huascarán	Andy	Peru	6 768
Volcán Llullaillaco	Andy	Argentyna, Chile	6 723
Nevado de Cachi	Andy	Argentyna	6 720
Yerupaja	Andy	Peru	6 634
Cerro Galán	Andy	Argentyna	6 600
Cerro Tupungato	Andy	Argentyna, Chile	6 570
Nevado de Ancohuma	Andy	Boliwia	6 550
Nevado Sajama	Andy	Boliwia	6 520
Nevado de Illampu	Andy	Boliwia	6 485
Nudo Coropuna	Andy	Peru	6 425
Nevado de Illimani	Andy	Argentyna	6 322
Chimborazo	Andy	Ekwador	6 310
Pico Cristóbal Colón	Andy	Kolumbia	5 775
Pico Bolívar	Andy	Wenezuela	5 007
Pico da Neblina/Cerro de la Neblina	Serra Imeri	Brazylia, Wenezuela	3 014
AUSTRALIA I OCEANIA			
Puncak Jaya	Góry Śnieżne	Indonezja	5 030
Puncak Trikora	Góry Śnieżne	Indonezja	4 750
Puncak Mandala	Góry Śnieżne	Indonezja	4 700
Mount Wilhelm	Góry Bismarcka	Papua-Nowa Gwinea	4 694
Mount Kubor	Kubor Range	Papua-Nowa Gwinea	4 359
Mauna Kea	Hawaje	St. Zjedn. (Hawaje)	4 205
Mauna Loa	Hawaje	St. Zjedn. (Hawaje)	4 169
Góra Cooka	Alpy Południowe	Nowa Zelandia	3 764
Orohena	Tahiti	Polinezja Francuska	2 237
Góra Kościuszki	Alpy Australijskie	Australia	2 228
ANTARKTYDA			
Masyw Vinsona	Góry Ellswortha		5 140
Góra Kirkpatricka	Góry Transantarktyczne		4 528
Mount Sidley	Executive Commitee (Range)		4 285
Erebus	Wyspa Rossa		3 795

▶ Najważniejsze wulkany

Wulkan	Lokalizacja	Państwo	Wysokość (m n.p.m.)	Ostatnia erupcja
EUROPA				
Etna	Sycylia	Włochy	3 350	2004
Hvannadalshnúkur	Öræfajökull	Islandia	2 119	1727
Hekla	Islandia	Islandia	1 491	2000
Wezuwiusz	Apeniny	Włochy	1 277	1944
Stromboli	Stromboli	Włochy	926	2003
Laki	Islandia	Islandia	818	1783
Surtsey	Surtsey	Islandia	240	1967
AZJA				
Kluczewska Sopka	Płw. Kamczacki	Rosja	4 688	2005
Kerinci	Sumatra	Indonezja	3 805	2004
Fudżi	Honsiu	Japonia	3 776	1708
Rinjani	Lombok	Indonezja	3 726	2004
Semeru	Jawa	Indonezja	3 678	2005
Koriacka Sopka	Płw. Kamczacki	Rosja	3 461	1956
Kronocka Sopka	Płw. Kamczacki	Rosja	3 528	1922
Vulkan Siveluc	Płw. Kamczacki	Rosja	3 335	2005
Slamet	Jawa	Indonezja	3 428	1999
Raung	Jawa	Indonezja	3 332	2002
Dempo	Sumatra	Indonezja	3 159	1974
Agung	Bali	Indonezja	3 142	1963
Sundoro	Jawa	Indonezja	3 135	1906
Ciremay	Jawa	Indonezja	3 078	1938
Merapi	Jawa	Indonezja	2 911	2002
Marapi	Sumatra	Indonezja	2 891	2004
Asama-yama	Honsiu	Japonia	2 550	2004
Canlaon	Negros	Filipiny	2 465	2003
Pinatubo	Luzon	Filipiny	1 759	2002
Krakatau	Rakata	Indonezja	813	2003
AFRYKA				
Meru	Meru	Tanzania	4 567	1910
Kamerun	Kamerun	Kamerun	4 070	2000
Pico de Teide	Teneryfa	Hiszpania	3 718	1909
Nyiragongo	Virunga	Dem. Rep. Konga	3 470	2005
Kartala	Wielki Komor	Komory	2 560	1991
Ponta do Pico	Ilha do Pico	Portugalia (Azory)	2 320	1720
AMERYKA PÓŁNOCNA				
Orizaba/ Cerro Citlaltépetl	Sierra Madre Wschodnia	Meksyk	5 700	1687
Volcán Popocatépetl	Sierra Madre Wschodnia	Meksyk	5 452	2004
Mount Rainier	Góry Kaskadowe	St. Zjedn.	4 392	1894
Mount Shasta	Góry Kaskadowe	St. Zjedn.	4 317	1786
Mount Wrangell	Góry Wrangla	St. Zjedn. (Alaska)	4 317	1907
Volcán de Colima	Sierra Madre Zachodnia	Meksyk	4 100	2005
Volcán Acatenango	Kordyliery	Gwatemala	3 976	1927
Volcán Santa María	Kordyliery	Gwatemala	3 772	2004
Volcán Atitlán	Kordyliery	Gwatemala	3 537	1856
Volcán Barú	Picos de Chiriquí	Panama	3 475	XVI w.
Volcán Irazú	Kordyliera Środkowa	Kostaryka	3 432	1992
Mount Hood	Góry Kaskadowe	St. Zjedn.	3 424	1854
Mount Baker	Góry Kaskadowe	St. Zjedn.	3 285	1855
Lassen Peak	Góry Kaskadowe	St. Zjedn.	3 187	1917
Redoubt Volcano	Alaska Range	St. Zjedn. (Alaska)	3 108	1990
Iliamna Volcano	Alaska Range	St. Zjedn. (Alaska)	3 053	1953
Mount Saint Helens	Góry Kaskadowe	St. Zjedn.	2 549	2005
AMERYKA POŁUDNIOWA				
Volcán Llullaillaco	Andy	Argentyna, Chile	6 723	1877
Volcán San Pedro	Andy	Chile	6 154	1911
Guallatiri	Andy	Chile	6 060	1987
Volcán Cotopaxi	Andy	Ekwador	5 897	1940
El Misti	Andy	Peru	5 822	1870
Volcán San José	Andy	Argentyna, Chile	5 821	1939
Volcán Tutupaca	Andy	Peru	5 781	1802
Volcán Lascar	Andy	Chile	5 592	2000
AUSTRALIA I OCEANIA				
Mauna Kea	Hawaii I.	St. Zjedn. (Hawaje)	4 205	1987
Mauna Loa	Hawaii I.	St. Zjedn. (Hawaje)	4 169	2003
Ruapehu	Wyspa Północna	Nowa Zelandia	2 797	1997
Kilauea Crater	Hawaii I.	St. Zjedn. (Hawaje)	1 247	2005
ANTARKTYKA				
Mount Erebus	Wyspa Rossa		3 795	2001

▶ Najważniejsze lodowce

Miejsce występowania	Nazwa lodowca	Państwo	Długość (km)	Pow. (km²)
EUROPA				
Alpy Berneńskie	Grosser Aletschgletscher	Szwajcaria	25	87
Alpy Berneńskie	Fieschergletscher	Szwajcaria	16	41
Alpy Berneńskie	Unteraargletscher	Szwajcaria	16	39
Monte Rosa	Gornergletscher	Szwajcaria	15	67
Mont Blanc	Mer de Glace	Francja	12	34
Alpy Oetztalskie	Gepatsch-Ferner	Austria	11	22
Alpy Berneńskie	Rhônegletscher	Szwajcaria	10	21
Pireneje	Glaciar del Pico de Aneto	Hiszpania	1	1
Kaukaz	Lekziri	Gruzja, Rosja	15	39
Kaukaz	Lednik Karaugom	Gruzja, Rosja	14	47
AZJA				
Himalaje	Rongbuk	Chiny	52	320
Himalaje	Gantori	Indie	30	300
Himalaje	Zemu	Indie	30	130
Himalaje	Durung Drung	Nepal	24	
Himalaje	Gyabrag	Nepal, Chiny	21	
Himalaje	Ngozumpa	Nepal	21	
Himalaje	Kanchenjunga	Nepal	20	460
Karakorum	Siachen	Indie	75	1 150
Karakorum	Biafo	Indie	68	420
Karakorum	Baltoro	Indie	62	755
Karakorum	Hispar	Indie	61	620
Karakorum	Batura	Indie	58	282
Karakorum	Rimo	Indie	45	510
AFRYKA				
Kilimandżaro	Lodowiec Drygalskiego	Tanzania	3	
AMERYKA PÓŁNOCNA				
Grenlandia	Petermanns Gletscher		145	
Grenlandia	Lodowiec Humboldta		113	
Chugach Mountains	Bering Glacier	St. Zjedn. (Alaska)	203	5 800
Góry Świętego Eliasza	Malaspina Glacier	St. Zjedn. (Alaska)	113	4 500
Góry Wrangla	Nabesna Glacier	St. Zjedn. (Alaska)	80	2 006
Alaska	Muldrow Glacier	St. Zjedn. (Alaska)	72	1 903
AMERYKA POŁUDNIOWA				
Andy	Glaciar Uppsala	Chile, Argentyna	60	870
Andy	Ventisquero Bismarck	Chile	50	350
Andy	Ventisquero Alto de Plomo	Argentyna	17	73
Andy	Aconcagua	Argentyna	10	
OCEANIA				
Alpy Południowe	Lodowiec Tasmana	Nowa Zelandia	29	157
Alpy Południowe	Lodowiec Franciszka Józefa	Nowa Zelandia	14	
ANKTARTYDA				
	Lodowiec Lamberta		400	
	Lodowiec Rennicka		250	479
	Lodowiec Beardmore'a		200	337
	Lodowiec Scotta		145	
	Lodowiec Shackletona		145	
	Lodowiec Denmana		113	
	Lodowiec Amundsena		97	
	Lodowiec Tottena		72	

Świat w liczbach

▶ Największe rzeki

Rzeka	Państwo	Kontynent	Powierzchnia dorzecza (tys. km²)	Długość (km)
Amazonka – Ukajali – Río Tombo – Río Ene – Río Apurimac Amazonka – Río Marañón – Río Raura	Peru, Kolumbia, Brazylia	Ameryka Pd.	7 200	7 025 6 400
Nil – Nil Górski – Nil Alberta – Nil Wiktorii – J. Wiktorii – Kagera – Ruvuvu – Ruvyronza/Luvironza	Burundi, Ruanda, Tanzania, Uganda, Sudan, Egipt	Afryka	2 870	6 671
Jangcy – Tontian He – Moron Us He – Tuotuo He	Chiny	Azja	1 808	6 300
Missisipi z Missouri – Red Rock	Stany Zjednoczone	Ameryka Pn.	3 200	5 969
Rzeka Żółta	Chiny	Azja	752	5 464
Ob z Irtyszem	Chiny, Kazachstan, Rosja	Azja	2 990	5 400
La Plata – Parana – Paranaíba	Brazylia, Paragwaj, Argentyna	Ameryka Pd.	3 100	4 700
Mekong	Chiny, Birma, Laos, Tajlandia	Azja	810	4 500
Amur – Argun	Mongolia, Rosja, Chiny	Azja	1 900	4 440
Lena	Rosja	Azja	250	4 400
Kongo – Lualaba	Zambia, Zair, Kongo	Afryka	3 700	4 320
Mackenzie River – Peace River	Kanada	Ameryka Pn.	1 800	4 240
Niger	Gwinea, Mali, Niger, Benin, Nigeria	Afryka	2 100	4 160
Jenisej	Mongolia	Azja	2 600	4 102
Wołga	Rosja	Europa	1 360	3 530
Rio Juruá	Peru, Brazylia	Ameryka Pd.	224	3 280

▶ Największe jeziora

Nazwa jeziora	Położenie	Powierzchnia (km²)
Morze Kaspijskie	Kazachstan, Iran, Rosja, Turkmenistan, Azerbejdżan	376 000
Jezioro Górne	St. Zjedn., Kanada	82 411
Jezioro Wiktorii	Tanzania, Uganda, Kenia	68 000
Lake Huron	Kanada, St. Zjedn.	59 594
Lake Michigan	St. Zjedn.	57 800
Jezioro Aralskie	Kazachstan, Uzbekistan	33 500-36 500
Tanganika	Dem. Rep. Konga, Tanzania, Zambia, Burundi	34 000
Bajkał	Rosja	31 500
Wielkie Jezioro Niedźwiedzie	Kanada	31 079
Niasa	Malawi, Mozambik, Tanzania	30 800
Wielkie Jezioro Niewolnicze	Kanada	28 500
Lake Erie	St. Zjedn., Kanada	25 744
Lake Winnipeg	Kanada	24 600
Lake Ontario	Kanada, St. Zjedn.	19 528
Bałchasz	Kazachstan	17 000-22 000
Czad	Czad, Nigeria, Niger, Kamerun	10 000-26 000
Ładoga	Rosja	17 700
Lake Eyre	Australia	10 000-15 000
Onega	Rosja	9 720
Lake Turkana	Kenia, Etiopia	8 500
Lago de Nicaragua	Nikaragua	8 400
Lago Titicaca	Peru, Boliwia,	8 300
Athabaska Lake	Kanada	7 920
Wener	Szwecja	5 546
Jezioro Sareskie	Tadżykistan	505
Kiwu	Dem. Rep. Konga, Rwanda	480

▶ Najgłębsze jeziora

Nazwa jeziora	Położenie	Głębokość (m)
Bajkał	Rosja	1 620
Tanganika	Dem. Rep. Konga, Tanzania, Zambia, Burundi	1 435
Morze Kaspijskie	Kazachstan, Iran, Rosja, Turkmenistan, Azerbejdżan	1 025
Niasa	Malawi, Mozambik, Tanzania	706
Yssyk-köl	Kirgistan	668
Wielkie Jezioro Niewolnicze	Kanada	600
Danau Toba	Indonezja	529
Jezioro Sareskie	Tadżykistan	505
Kiwu	Dem. Rep. Konga, Rwanda	480

▶ Największe sztuczne zbiorniki

Nazwa zbiornika	Nazwa rzeki	Całkowita pojemność (km³)	Powierzchnia (km²)	Wysokość zapory (m)	Rok zakończenia budowy
Kariba	Zambezi	181	5 364	128	1959
Bracki	Angara	169	5 470	125	1967
Nasera	Nil	169	5 860	111	1970
Akosombo	Wolta	148	8 485	142	1965
Daniel Johnson	Manicouagan	142	1 942	214	1968
Guri	Caroní	138	4 250	106	1986
Williston	Peace	74	1 761	183	1968
Krasnojarski	Jenisej	73	2 130	124	1967
Zejski	Zeja	68	2 420	115	1974
Cabora Bassa	Zambezi	63	2 580	165	1977
La Grande Deux	La Grande	62	3 108	-	1984
Ust Ilimski	Angara	59	1 873	-	1977
Soliński	San	0,47	21	82	1968
Włocławski	Wisła	0,41	70	19	1970
Czorsztyński	Dunajec	0,23	12	56	1997
Jeziorsko	Warta	0,20	42	12	1986

▶ Najwyższe zapory wodne

Kraj	Miejscowość (rzeka)	Wysokość (m)	Rodzaj
Tadżykistan	Rogun (Wachsz)	335	ziemno–kamienna
Tadżykistan	Nurek (Wachsz)	300	ziemna
Szwajcaria	Grande–Dixence	285	betonowa
Gruzja	Inguri (Inguri)	272	betonowa
Kostaryka	Boruca (Río Grande de Terraba)	267	ziemna
Włochy	Vaiont (Vaiont)	262	betonowa
Meksyk	Chicoasén (Grijalva)	261	ziemna
Indie	Tehri (Bhagirathi)	261	ziemna
Meksyk	El Gallinero (Tenasco)	260	betonowa
Indie	Kishau (Tons)	253	betonowa
Szwajcaria	Mauvoisin (Drance de Bagnes)	250	ziemna
Kolumbia	Guavio (Guavio)	246	ziemna
Polska	Solina (San)	82	betonowa
Polska	Pilchowice (Bóbr)	62	kamienna murowana
Polska	Czorsztyn (Dunajec)	60	ziemna
Polska	Rożnów (Dunajec)	49	betonowa

▶ Najważniejsze kanały

Nazwa kanału	Państwo	Długość w km	Rok oddania do użytku
Intracoastal Waterway	St. Zjedn.	4 600	
Kanał Wołżańsko-Bałtycki	Rosja	1 100	1. poł. XIX w., rekonstr. 1964
Kanał Śródlądowy	Niemcy	321,3	
Droga Wodna św. Wawrzyńca	St. Zjedn. – Kanada	304	1959
Kanał Południowy	Francja	241	1681
Kanał Białomorski	Rosja	227	1933
Kanał Sueski	Egipt	180	1940
Kanał Alberta	Belgia	130	1940
Kanał imienia Moskwy	Rosja	128	1937
Kanał Kiloński	Niemcy	98,7	1829
Kanał Panamski	Panama	81,6	1914
Kanał Amsterdam-Ren	Holandia	72	1952
Kanał Gandawski	Belgia	68	1827
Kanał Manchesterski	Wlk. Brytania	58	1894
Kanał Wellandzki	Kanada	44,4	1829
Knał Ren-Skalda	Holandia – Belgia	37	1975
Kanał Brukselski	Belgia	32	1561
Nieuwe Waterweg	Holandia	ok. 30	1872
Kanał Mora Północnego	Holandia	27	1876
Kanał Koryncki	Grecja	6,3	1893

▶ Najważniejsze cieśniny

Nazwa	Lokalizacja	Szerokość (km)	Długość (km)	Głębokość (m)
Mały Belt	Wielki Belt – Zatoka Kilońska	0,5	125	10
Bosfor	Morze Marmara – Morze Czarne	0,7-3,7	30	20-92
Dardanele	Morze Egejskie – Morze Marmara	1,3-18,5	120,5	53-106
Cieśnina Mesyńska	Morze Tyrreńskie – Morze Jońskie	3,3	32	90
Cieśnina Magellana	Ocean Spokojny – Ocean Atlantycki	2,2-45	574	20-1180
Sund	Kattegat – Morze Bałtyckie	4,4-24	102	25
Strait of Belle Isle	Zatoka Św. Wawrzyńca – Morze Labradorskie	16-50	150	75
Cieśnina Gibraltarska	Ocean Atlantycki – Morze Śródziemne	14-44	65	338-1181
Ormuz	Zatoka Perska – Zatoka Omańska	54	195	27,5-71
Wielki Belt	Kattegat – Zatoka Kilońska	10	110	15
Cieśnina Singapurska	Cieśnina Malakka – Morze Południowochińskie	12-36	114	22-62
Bāb al-Mandab	Morze Czerwone – Zatoka Adeńska	26,4	50	182
Cieśnina Sundajska	Ocean Indyjski – Morze Jawajskie	22-112	125	50-1085
Cieśnina Kaletańska	La Manche – Morze Północne	32-180	520	35-172
Cieśnina Beringa	Morze Beringa – Morze Czukockie	35	60	36
Cieśnina Malakka	Morze Andamańskie – Morze Południowochińskie	15-300	937	12-1404
Cieśnina La Pérouse'a	Morze Japońskie – Morze Ochockie	43	90	51-118
Cieśnina Cabota	Zatoka Św. Wawrzyńca – Ocean Atlantycki	107-375	195	477
Palk Strait	Ocean Indyjski – Zatoka Bengalska	55	150	2-9
Cieśnina Otranto	Morze Adriatyckie – Morze Jońskie	75	70	548-1247
Cieśnina Florydzka	Zatoka Meksykańska – Ocean Atlantyck	80	570	2084
Cieśnina Cooka	Morze Tasmana – Ocean Spokojny	22-91	107	97-1092
Cieśnina Torresa	Morze Arafura – Morze Koralowe	150-240	74	7,4-22
Bohai Haixia	Bohai – Zatoka Zachodniokoreańska	120	50	47
Mona Passage	Morze Karaibskie – Ocean Atlantycki	120	100	200
Cieśnina Tajwańska	Morze Południowochińskie – Morze Wschodniochińskie	130-250	360	60-110
Cieśnina Koreańska	Morze Wschodniochińskie – Morze Japońskie	180-220	390	73-230
Cieśnina Bassa	Morze Tasmana – Ocean Indyjski	287	490	51

▶ Najważniejsze pływy morskie

Miejsce występowania	Państwo	Wysokość pływu (m)
Bay of Fundy	Kanada	19,6
Río Gallegos (estuarium)	Argentyna	18,0
Zatoka Frobishera	Kanada	17,4
Severn (estuarium)	Wielka Brytania	16,8
Golfe de Saint-Malo (Saint-Malo)	Francja	15,0
King Sound	Australia	14,0
Zat. Kambajska	Indie	11,9
Kolorado (delta)	Meksyk	12,3

▶ Najwyżej położone koleje

Linia kolejowa	Kraj	Wysokość (m n.p.m.)
Arica – Villa Industrial – El Tacora	Chile	5 182
Callao – Ticlio – Morococha – La Oroya	Peru	4 829
Antofagasta – Talahuasi	Chile	4 821
Río Mulatos – Potosí	Boliwia	4 787
Arequipa – Juliaca – Cuzco	Peru	4 770
Antofagasta – Calama – Collaguasi	Chile	4 572
Cuzco – Puno	Peru	4 530
Río Mulatos – Oruro	Boliwia	4 401
Pikes Peak	Stany Zjednoczone	4 260
Arica – La Paz	Chile – Boliwia	4 257
Oruro – Cochabamba	Boliwia	4 137
Uyuni – Huanchaca	Boliwia	4 114
Antofagasta – Oruro	Chile – Boliwia	3 956
Antofagasta – Socompa – Salta	Chile – Argentyna	3 908
Guayaquil – Quito	Ekwador	3 609
Jungfrau	Szwajcaria	3 454
Butte – Pocatello	Stany Zjednoczone	3 393
Durango – Montrose	Stany Zjednoczone	3 344
Transandino	Argentyna – Chile	3 186
Almosa – Durango	Stany Zjednoczone	3 123
Zermatt – Gornergrat	Szwajcaria	3 089
Bogota – Girardot	Kolumbia	2 984

▶ Najwyżej położone miasta

Miasto	Kraj	Wysokość (m n.p.m.)
Potosí	Boliwia	3 976
Lhasa	Chiny	3 630
La Paz	Boliwia	3 577
Cuzco	Peru	3 399
Quito	Ekwador	2 819
Sucre	Boliwia	2 790
Bogota	Kolumbia	2 644
Toluca	Meksyk	2 640
Cochabamba	Boliwia	2 558
Asmara	Erytrea	2 471
Pachuca	Meksyk	2 426
Addis Abeba	Etiopia	2 362
Arequipa	Peru	2 304
Meksyk	Meksyk	2 300
Xining	Chiny	2 300
Sana	Jemen	2 242
Simla	Indie	2 202
Puebla	Meksyk	2 162
Manizales	Kolumbia	2 140
Santa Fe	Stany Zjednoczone	2 132
Guanajuato	Meksyk	2 050

Skorowidz nazw

Skorowidz zawiera wszystkie nazwy występujące w atlasie na mapach ogólnogeograficznych i politycznych. Nazwy uporządkowane są alfabetycznie bez uwzględniania znaków diakrytycznych nie występujących w języku polskim. Obiekty mające nazwę polską i oryginalną lub posiadające dwie lub więcej nazw lokalnych wymienione są w skorowidzu dwu- lub wielokrotnie, przy czym nazwa polska podana jest w nawiasie np. (Dunaj), Donau, Duna, Dunărea, Dunav. Nazwy złożone z określenia geograficznego i nazwy własnej, np. Morze Czarne, mają w skorowidzu na pierwszym miejscu nazwę własną – Czarne, Morze. Zasady tej nie zastosowano w przypadku nazw miejscowości zaczynających się określeniem geograficznym, np. Mount Vernon. Nazwy występujące na mapie tylko w postaci skróconej, np. Gr. Arber, w skorowidzu otrzymały pełne brzmienie – Grosser Arber. Przy wszystkich rodzajach obiektów (z wyjątkiem miejscowości) podano określenie typu obiektu, np. Alpy – g-y, wyjątkiem są tutaj nazwy geograficzne zawierające w sobie takie określenie, np. Apeniński, Półwysep. Dla nazw miejscowości i dzielnic w indeksie określono również przynależność państwową (w przypadku nazw polskich spisano dodatkowo informację o województwie, a amerykańskich – o stanie).

Położenie nazwy obiektu w atlasie określają numer strony i współrzędne skorowidzowe. Literą został oznaczony słup między południkami a cyfrą arabską pas między równoleżnikami, np. Gdańsk 70-71 A6. Współrzędne skorowidzowe zostały określone w miejscu pierwszej litery opisu na mapie (w przypadku rzek spisano współrzędne nazw znajdujących się najbliżej ujścia). Nazwy dużych obiektów geograficznych (takich jak np. wielkie góry, rzeki czy zatoki) spisano z fizycznych map kontynentów i map oceanów, natomiast nazwy państw i terytoriów zależnych – z politycznych map kontynentów. Współrzędne skorowidzowe postałych nazw określono na podstawie map w większej skali.

Skróty określeń geograficznych

bag. – bagno	g-y – góry	lod. – lodowiec	poj. – pojezierze	st. bad. – stacja badawcza	wyż. – wyżyna
cieśn. – cieśnina	in. – inny	niz. – nizina	przeł. – przełęcz	teryt. zal. – terytorium zależne	zat. – zatoka
dol. – dolina	jask. – jaskinia	oaza – oaza, studnia	przyl. – przylądek	w. – wyspa, atol	zb. – zbiornik
dzieln. – dzielnica	jedn. adm. – jednostka	p. kraj. – park krajobrazowy	pust. – pustynia	wdp. – wodospad, katarakta	
fizjogr. – inna jednostka	administracyjna	p. nar. – park narodowy	r. – ruiny	wulk. – wulkan	
fizjograficzna	jez. – jezioro	płask. – płaskowyż	reg. – region, kraina historyczna	w-y – wyspy i archipelagi	
form. podm. – forma podmorska	kan. – kanał	płw. – półwysep	rz. – rzeka, rzeka okresowa, ued	wybrz. – wybrzeże	
g. – góra, szczyt	kotl. – kotlina	pobrz. – pobrzeże	soln. – solnisko, szott	wysocz. – wysoczyzna	

Skróty nazw państw i regionów

A – Austria	CY – Cypr	GQ – Gwinea Równikowa	MD – Mołdawia	RCH – Chile	TN – Tunezja
ABC – Abchazja	CZ – Czechy	GR – Grecja	MEX – Meksyk	REU - Reunion	TON – Tonga
AFG – Afganistan	D – Niemcy	GRØ – Grenlandia	MH – Monserrat	RG – Gwinea	TR – Turcja
AG – Antigua i Barbuda	DJI – Dżibuti	GUY – Gujana	MK – Macedonia	RH – Haiti	TT – Trynidad i Tobago
AL – Albania	DK – Dania	H – Węgry	MOC – Mozambik	RI – Indonezja	TUV – Tuvalu
AND – Andora	DOM – Dominikana	HN – Honduras	MQ – Martynika	RIM – Mauretania	TWN – Tajwan
ANG – Angola	DY – Benin	HR – Chorwacja	MS – Mauritius	RL – Liban	UA – Ukraina
AR – Armenia	DZ – Algieria	I – Włochy	MV – Malediwy	RM – Madagaskar	UAE – Zjednoczone Emiraty
ARU – Aruba	E – Hiszpania	IL – Izrael	MW – Malawi	RMM – Mali	Arabskie
AS – Samoa Amerykańskie	EAK – Kenia	IND – Indie	MYA – Birma	RN – Niger	USA – Stany Zjednoczone
AUS – Australia	EAT – Tanzania	IR – Iran	N – Norwegia	RO – Rumunia	UZ – Uzbekistan
AV – Anguilla	EAU – Uganda	IRL – Irlandia	NA – Antyle Holenderskie	ROK – Korea Południowa	VAN – Vanuatu
AZ – Azerbejdżan	EC – Ekwador	IRQ – Irak	NAD – Naddniestrze	ROU – Urugwaj	VG – Brytyjskie Wyspy
B – Belgia	ER – Erytrea	IS – Islandia	NAM – Namibia	RP – Filipiny	Dziewicze
BD – Bangladesz	ES – Salwador	J – Japonia	NAU – Nauru	RSM – San Marino	VI – Wyspy Dziewicze Stanów
BDS – Barbados	EST – Estonia	JA – Jamajka	NC – Nowa Kaledonia	RT – Togo	Zjednoczonych
BF – Burkina Faso	ET – Egipt	JOR – Jordania	NCY – Cypr Północny	RUS – Rosja	VN – Wietnam
BG – Bułgaria	ETH – Etiopia	K – Kambodża	NEP – Nepal	RWA – Ruanda	WAG – Gambia
BH – Belize	F – Francja	KAN – Saint Kitts i Nevis	NIC – Nikaragua	S – Szwecja	WAL – Sierra Leone
BHT – Bhutan	FGF – Gujana Francuska	KAR – Górski Karabach	NL – Holandia	SCV – Watykan	WAN – Nigeria
BIH – Bośnia i Hercegowina	FIN – Finlandia	KIB – Kiribati	NZ – Nowa Zelandia	SD – Suazi	WD – Dominika
BOL – Boliwia	FJI – Fidżi	KOR – Korea Północna	OM – Oman	SGP – Singapur	WG – Grenada
BR – Brazylia	FL – Liechtenstein	KOS – Kosowo	P – Portugalia	SK – Słowacja	WL – Saint Lucia
BRN – Bahrajn	FM – Majotta	KS – Kirgistan	PA – Panama	SLO – Słowenia	WS – Samoa
BRU – Brunei	FR – Wyspy Owcze	KSA – Arabia Saudyjska	PAL – Palau	SME – Surinam	WSA – Sahara Zachodnia
BS – Bahamy	FSM – Mikronezja	KWT – Kuwejt	PE – Peru	SN – Senegal	WV – Saint Vincent i Grenadyny
BU – Burundi	G – Gabon	KZ – Kazachstan	PF – Polinezja Francuska	SOL – Wyspy Salomona	XM – Czarnogóra
BY – Białoruś	GB – Wielka Brytania	L – Luksemburg	PK – Pakistan	SP – Somalia	XS – Serbia
C – Kuba	GBA – Alderney	LAO – Laos	PL – Polska	SPL – Somaliland	Y – Jemen
CAM – Kamerun	GBC – Kajmany	LAR – Libia	PLS – Palestyna	SPM – Saint-Pierre i Miquelon	YV – Wenezuela
CDN – Kanada	GBF – Falklandy/Malwiny	LB – Liberia	PNG – Papua-Nowa Gwinea	STP – Wyspy Świętego	Z – Zambia
CH – Szwajcaria	GBG – Guernsey	LS – Lesotho	PR – Portoryko	Tomasza i Książęca	ZA – Republika Południowej
CHN – Chiny	GBJ – Jersey	LT – Litwa	PY – Paragwaj	SUD – Sudan	Afryki
CI – Wybrzeże Kości Słoniowej	GBM – Wyspa Man	LV – Łotwa	Q – Katar	SY – Seszele	ZRE – Demokratyczna
CL – Sri Lanka	GBZ – Gibraltar	M – Malta	RA – Argentyna	SYR – Syria	Republika Konga
CO – Kolumbia	GCA – Gwatemala	MA – Maroko	RB – Botswana	TC – Turks i Caicos	ZW – Zimbabwe
COM – Komory	GE – Gruzja	MAI – Wyspy Marshalla	RC – Tajwan	TCH – Czad	
CR – Kostaryka	GH – Ghana	MAL – Malezja	RCA – Republika	THA – Tajlandia	
CV – Republika Zielonego	GNB – Gwinea Bissau	MAU – Mongolia	Środkowoafrykańska	TJ – Tadżykistan	
Przylądka	GP – Gwadelupa	MC – Monako	RCB – Kongo	TM – Turkmenistan	

Skróty nazw województw na terenie Polski

DŚL – dolnośląskie	ŁDZ – łódzkie	PDL – podlaskie	ŚW – świętokrzyskie
K-P – kujawsko-pomorskie	MAZ – mazowieckie	PKR – podkarpackie	WLP – wielkopolskie
LBL – lubelskie	MŁP – małopolskie	POM – pomorskie	W-M – warmińsko-mazurskie
LBU – lubuskie	OPO – opolskie	ŚL – śląskie	ZPM – zachodniopomorskie

Skróty nazw stanów USA

AK – Alaska	IL – Illinois	NC – Karolina Północna	SC – Karolina Południowa
AL – Alabama	IN – Indiana	ND – Dakota Północna	SD – Dakota Południowa
AR – Arkansas	KS – Kansas	NE – Nebraska	TN – Tennessee
AZ – Arizona	KY – Kentucky	NH – New Hampshire	TX – Teksas
CA – Kalifornia	LA – Luizjana	NJ – New Jersey	UT – Utah
CO – Kolorado	MA – Massachusetts	NM – Nowy Meksyk	VA – Wirginia
CT – Connecticut	MD – Maryland	NV – Nevada	VT – Vermont
DE – Delaware	ME – Maine	NY – Nowy Jork	WA – Waszyngton
FL – Floryda	MI – Michigan	OH – Ohio	WI – Wisconsin
GA – Georgia	MN – Minnesota	OK – Oklahoma	WV – Wirginia Zachodnia
HI – Hawaje	MO – Missouri	OR – Oregon	WY – Wyoming
IA – Iowa	MS – Missisipi	PA – Pensylwania	
ID – Idaho	MT – Montana	RI – Rhode Island	

9 de Julio RA 280-281 F5
25 de Mayo RA 280-281 F5
25 de Mayo ROU 280-281 G4
26 Bakı Komıssarı AZ 180-181 K5
26 Baku Komissarlarly TM 182-183 E7

A

A Cañiza E 130-131 C3
A Coruña E 130-131 C2
A Estrada E 130-131 C3
A Guarda E 130-131 B4
A Gudiña E 130-131 D3
A Lay VN 192-193 E4
A Mezquita E 130-131 D3,4
Aa – rz. 126 E3
Aach D 120-121 D3
Aachen D 126 E4
Aalen D 120-121 F2
A'ālī an-Nīl – jedn. adm. SUD 222-223 F5,6
Aalsmeer NL 126 C2
Aalst B 126 B4
Aalst NL 126 D3
Aalten NL 126 E3
Aalter B 126 B3
Äänekoski FIN 136-137 G6
Aapua S 136-137 f4
Aarau CH 120-121 C3
Aarberg CH 120-121 C3
Aarburg CH 120-121 C3
Aare – rz. 120-121 D3
Aarschot B 126 C4
Aasiaat GRØ 244-245 V3
Āb Band AFG 188-189 I2
Āb Šīrīn IR 184-185 N4
Abā al-Qūr, Wādī – rz. 184-185 I6
Aba CHN 198-199 H5
Aba WAN 220-221 G7
Aba ZRE 224-225 F3
Abacaxis, Rio – rz. 276-277 F5
Abacija – g. 118-119 H6
Abacou, Pointe de l' – przyl. 262-263 G5
Abadab, Ǧabal – g. 222-223 G4
Ābādān IR 187 C1
Ābāde IR 188-189 F2
Abadín E 130-131 D2
Abadla DZ 220-221 E2
Abaetetuba BR 278-279 D3
Abag Qi CHN 202-203 A2
Abaga RUS 178-179 E6
Abagnar Qi CHN 202-203 B1,2
Abaí PY 278-279 B8
Abaiang Atoll – w. 290-291 I,J4
Abaj KZ 182-183 O2
Abaj RUS 176-177 N7
Abaj WAN 220-221 G7
Abajo Peak – g. 252-253 J8
Abakaliki WAN 220-221 G7
Abakan – rz. 176-177 N7
Abakan RUS 176-177 O7
Abala RCB 224-225 C4
Abala RN 220-221 F5
Abalessa DZ 220-221 E4
Abana TR 134-135 O1,2
Abancay PE 276-277 C6
Abancourt F 124-125 H2
Abanga – rz. 224-225 B3
Abano Terme I 120-121 G5
Abant Dağları – g-y 134-135 L,M3
Abant Gölü – jez. 134-135 M3
Abapó BOL 276-277 E7
Abarán E 130-131 J7
Abarqū IR 188-189 F2
Abasha GE 180-181 D2
Abashiri J 202-203 I2
Abasolo MEX 258-259 G5
Abasolo MEX 258-259 I4
Abasolo MEX 258-259 J5
Abast'umani GE 180-181 D3
Abatskoe RUS 176-177 K6
Abava – rz. 140-141 C4
Abay KZ 182-183 J3
Ābaya, Hāyk' – jez. 222-223 G6
Abaza RUS 176-177 O7
'Abbāsābād IR 184-185 N3
Abbāsābād IR 182-183 G8
Abbekås S 138-139 J7
Abbeville F 124-125 H1
Abbeville USA (AL) 248-249 C9
Abbeville USA (LA) 250-251 H11
Abbeyfeale IRL 128-129 D9
Abbiategrasso I 120-121 D5
Abbota, Lodowiec Szelfowy 311 p2
Abbott USA (NM) 250-251 B7
Abbottabad PK 188-189 J2
Abchaskie, Góry 180-181 C1
Abchazja – państwo 106-107 R7
Abčuha BY 140-141 J,K7
'Abd al'azīz, Ǧabal – g-y 184-185 H3
Ābdānān IR 184-185 L5
Abditolu TR 134-135 N6
Abdj TCH 222-223 D5
Abdulino RUS 144-145 L6
Āb-e Īstādeh-ye Moqor – rz. 188-189 I2
Āb-e Šūr – rz. 187 F3
Abéché TCH 222-223 D5
(Abele) LT 140-141 G6
Ābeltī ETH 222-223 G6
Abemama Atoll – w. 290-291 J4
Abenab NAM 226-227 C3
Abengourou CI 220-221 E7
Abenójar E 130-131 G7
Ābenrå DK 138-139 F7
Abensberg D 120-121 G2
Abeokuta WAN 220-221 F7
Aberaeron GB 128-129 I9
Aberdare GB 128-129 J10
Aberdare Range – g-y 224-225 G3
Aberdaron GB 128-129 H9
Aberdeen GB 128-129 K4
Aberdeen USA (ID) 252-253 H5
Aberdeen USA (MD) 248-249 G5
Aberdeen USA (MS) 250-251 J9
Aberdeen USA (NC) 248-249 F7
Aberdeen USA (SD) 250-251 E3
Aberdeen USA (WA) 252-253 C3
Aberfeldy GB 128-129 I5
Aberffraw GB 128-129 I8
Aberfoyle GB 128-129 I5
Aberystwyth GB 128-129 I9
Abez' RUS 144-145 N3
Abgaon – rz. 197 E7
Abhā KSA 188-189 D5
Abhar IR 184-185 M3
Ābhē Bid, Hāyk' – jez. 222-223 H5
Abia – jedn. adm. WAN 220-221 G7
Ābīata, Hāyk' – jez. 222-223 G6
Abibe, Serranía de – g-y 260-261 L8
Abidavičy BY 140-141 L8
Abide TR 134-135 H3
Abide TR 134-135 K5
Abidjan CI 220-221 E8
(Abidžan) CI 220-221 E8
Abilene USA (KS) 250-251 F6
Abilene USA (TX) 250-251 E9
Abingdon GB 128-129 L10
Abingdon USA (VA) 248-249 D,E6
Abington GB 128-129 I6
Abinsk RUS 142-143 R9
Abiquiu USA (NM) 252-253 K8
Abisi WAN 220-221 G7
Abisko S 136-137 e3
Abisyńska, Wyżyna 216 G4
Abitibi, Lake – jez. 244-245 R7
Abja-Paluoja EST 140-141 G3
Abla E 130-131 I8
Abminga AUS 296-297 E4
Abnington Reef – w-y 296-297 H2
Abnūb ET 222-223 F2
Abohar IND 190-191 C2
Aboisso CI 220-221 E7
Aboki EAU 224-225 F3
Abomey DY 220-221 F7
Abong Mbang CAM 224-225 B3
Abony H 114-115 A2
Aborlan RP 197 B7
Abou el Hassan DZ 130-131 M9
Abou Goulem TCH 222-223 D5
Abou-Déïa TCH 222-223 C5
Abovian AR 180-181 F4
Abra, Lago del – jez. 280-281 F6
Abraham's Bay BS 262-263 G2
Abramów PL (LBL) 76-77 D10
Abrams USA (WI) 250-251 J3
Abrau Djurso RUS 142-143 Q9
Abreojos, Punta – przyl. 258-259 C4
Abrolhos, Arquipélago dos – w-y 278-279 F6
Abrova BY 140-141 G9
Abrud RO 114-115 C3
Abruka – w. 140-141 D3
Abruzja – jedn. adm. I 132-133 H6
Absaroka Range – g-y 252-253 I4
Abtenau A 120-121 I3
Abū ad-Duhūr SYR 184-185 G4
Abū al-Abyaḍ – w. 187 E4
Abū 'Ali, Ǧazīrat – w. 188-189 E3
Abū al-'Urūq, Bi'r – oaza 222-223 L10
Abū al-Uusain, Bi'r – oaza 222-223 E3
Abū 'Arīš KSA 188-189 D5
Abū Baḥr – wyż. 188-189 E4
Abū Darba ET 184-185 E7
Abū Dulayq SUD 222-223 F4
Abū Ǧābra SUD 222-223 E5
Abū Ǧirbān SUD 222-223 F4
Abu GNB 220-221 B6
Abū Ǧurdān JOR 186 B5
Abū Ḥadrīya KSA 187 C3
Abū Ḥamad SUD 222-223 F4
Abū Ḥammam SYR 184-185 I4
Abū Hašīm, Bi'r – oaza 222-223 F3
Abu J 204-205 D8
Abū Kabīr ET 184-185 D6
Abū Kamāl SYR 184-185 I4
Abū' Madd, Ra's – przyl. 188-189 C4
Abū Maṭāriq SUD 222-223 E5
Abū Minqār, Bi'r – oaza 222-223 E2
Abū Mūsā, Ǧazīre-ye – w. 187 F4
Abū Nā'im LAR 222-223 C2
Abū Nuǧaym LAR 222-223 C1
Abū Qīr ET 184-185 C6
Abū Qudāf SUD 222-223 F5
Abū Raǧmain, Ǧabal – g-y 184-185 G,H4
Abū Rudays ET 184-185 E7
Abū Šaǧara, Ra's – przyl. 222-223 G3
Abū Saltān ET 222-223 L11
Abū Suhair IRQ 184-185 K6
Abū Ṭarfa JOR 186 B5
Abū Tīǧ ET 222-223 F2
Abū 'Uwaiǧila – oaza 184-185 E6
(Abu Zabi) UAE 187 E4
Abū Zaby UAE 187 E4
Abū Zanīma ET 222-223 F2
(Abudža) WAN 220-221 G7
Abuja WAN 220-221 G7
Abukuma-gawa – rz. 204-205 M5
Abukuma-sanchi – g-y 204-205 M6
Abumombazi ZRE 224-225 D3
Abunā BR 276-277 D5
Abunā, Rio – rz. 276-277 D6
Ābune Yosēf – g. 222-223 G5
Abū'Urūq – oaza 222-223 E5
Abuyog RP 197 E6
Abwong SUD 222-223 F6
Åby S 138-139 M4
Abyad, Al-Baḥr al- – rz. 216 G4,5
Abyaḍ SUD 222-223 E5
Abydos AUS 296-297 B3
Åbygro DK 138-139 F5
Abyj RUS 178-179 G5
Acăbej RUS 180-181 E1
Acacías CO 276-277 C3
Açailândia BR 278-279 D4
Ačair RUS 176-177 K7
Acajutla ES 260-261 E6
Ačajvajam RUS 178-179 M6
Acalayong GQ 224-225 A3
Acámbaro MEX 258-259 I8
Acandí CO 260-261 L8
Acandi CO 276-277 B2
Acaponeta MEX 258-259 G6
Acaponeta, Río – rz. 258-259 G6
Acapulco MEX 258-259 I9
Acará BR 278-279 D3
Açará Miri, Rio – rz. 278-279 D3
Acará, Rio – rz. 278-279 D3
Acaraí, Serra – g-y 278-279 B2
Acaraú BR 278-279 E3
Acari BR 278-279 F4
Acari, Rio – rz. 276-277 C7
Acari, Rio – rz. 276-277 F5
Acarigua YV 276-277 D2
Acâş RO 114-115 C2
Acăţari RO 114-115 O11
Acatenango, Volcán – wulk. 260-261 E5
Acatlán de Osorio MEX 258-259 J,K8
Acayucan MEX 258-259 L8,9
Ačchoj-Martan RUS 180-181 G1
Accomac USA (MD) 248-249 H6
Accra GH 220-221 E7
Acebuches MEX 258-259 H3
Acegua ROU 280-281 H4
Aceh – jedn.adm. RI 194-195 B5
Acehuche E 130-131 E6
Aǧgabat TM 182-183 H7,8
Ach A 120-121 H2
Achacachi BOL 276-277 D7
Achaia – reg. 134-135 C5
Achalpur IND 190-191 D4
Achampet IND 190-191 D5
Achandara ABC 180-181 B1
Achar ROU 280-281 G4
Acharkut AR 180-181 F,G4
Acharrés GR 134-135 E5
Ache – rz. 120-121 F,G3
Ache – rz. 120-121 H3
Achegour – oaza 222-223 B4
Achelóos – rz. 134-135 C5
Acheng CHN 202-203 D1
Achenkirch A 120-121 G3
Achensee – jez. 120-121 G3
Achern D 120-121 D2
Acherón – rz. 134-135 B4
Achi CO 276-277 C2
Achiet-le-Grand F 126 A4
Achill – w. 128-129 C8
Achill Head – przyl. 128-129 C7,8
Achim D 122-123 F3
Achiny RUS 176-177 Q7
Ach'k'asar lerr – g. 180-181 E3
Achladochóri GR 134-135 E2
Achna CY 134-135 O8
Achsau RUS 180-181 E2
Achtarskij liman – zat. 142-143 Q7
Achtoniá, Akrōtíri – przyl. 134-135 F5
Achtuba – rz. 182-183 B3
Achtubinsk RUS 144-145 K7
Achty RUS 180-181 I3
Acıgöl Gölü – jez. 134-135 K6
Acıgöl TR 134-135 K6
Ačinsk RUS 176-177 O6
Acıpayam TR 134-135 K6
Acıpınar TR 134-135 O5
Acireale I 132-133 J11
Ačisu RUS 180-181 I2
Ačit nuur – jez. 198-199 F2
Ackerly USA (TX) 250-251 C9
Acklins Island – w. 262-263 G2
Acoma Indian Reservation – jedn. adm. USA 252-253 K9
Acomayo PE 276-277 C6
Aconcagua, Cerro – g. 272 G8
Aconchi MEX 258-259 D3
Acopiara BR 278-279 E4
Acorizal BR 278-279 B6
Acoyapa NIC 260-261 H7
Acquapendente I 132-133 F6
Acquasanta Terme I 132-133 H6
Acquaviva delle Fonti I 132-133 K8
Acquaviva RSM 127 N14
Acqui Terme I 120-121 D6
Acre – jedn. adm. BR 276-277 C5
Acre, Rio – rz. 276-277 D6
Acri I 132-133 K9
Actéon, Groupe – w-y 290-291 O7
Actopan MEX 258-259 J7
Açu BR 278-279 F4
Açu Crixás, Rio – rz. 278-279 C5
Acuã, Rio – rz. 276-277 E5
Ačuevo RUS 142-143 Q8
Acungui BR 278-279 D7
Ada GH 220-221 F7
Ada USA (MN) 250-251 F2
Ada USA (OK) 250-251 F8
Ada XS 118-119 H2
Adab – r. 184-185 K6
Adagide TR 134-135 I,J5
Adair Cap – przyl. 244-245 R2
Adaja, Río – rz. 130-131 G4
Adak Island – w. 254-255 G5
Adaklı TR 180-181 B5
Adala TR 134-135 J5
Adam OM 188-189 G4
Adama, Góra 280-281 F8
Adama, Szczyt 190-191 M9
Adamana USA (AZ) 252-253 J9
Adamantina BR 278-279 C7
Adamawa – g-y 216 E5
Adamawa – jedn. adm. WAN 222-223 B6
Adamawa – wyż. 224-225 B2
Adamclisi RO 114-115 H5
Adamello – g. 120-121 F4
Adamov CZ 112-113 I6
Adamovka RUS 182-183 H,I1
Adamów PL (LBL) 80-81 E11
Adamów PL (LBL) 76-77 D10
Adamówka PL (PKR) 80-81 E10
Adams, Mount – g. 252-253 D3
Adamsa, Przylądek 311 r,S2
Adamuz E 130-131 G7
'Adan aṣ-Suǧra Y 188-189 D6
'Adan Y 188-189 D6
Adana TR 184-185 F3
Adare IRL 128-129 E9
Adare'a, Przylądek 311 k2
Adar-kul – jez. 182-183 L6
Adarot SUD 222-223 G4
Adatara-yama – wulk. 204-205 M5
Adavale AUS 296-297 G4
Adda – rz. 120-121 E5
Ad-Dab'a ET 222-223 E1
Ad-Dabba SUD 222-223 E,F4
Ad-Dafra – pust. 187 E5
Ad-Daǧǧāra IRQ 184-185 K5
Ad-Ḍahrān KSA 188-189 E3
Ad-Ḍair ET 222-223 F2
Ad-Dakhla WSA 220-221 B4
Addala-Šuchge-lymeėr, góra – g. 180-181 H2
Ad-Dalī' Y 188-189 D6
Ad-Damazīn SUD 222-223 F5
Ad-Dāmir SUD 222-223 F4
Ad-Dammām KSA 188-189 E3
Ad-Dāmūr RL 186 B2
Ad-Darb KSA 188-189 D5
(Ad-Dauha) Q 187 D4
Ad-Dawādimī KSA 188-189 D4
Ad-Dawḥa Q 187 D4
Ad-Daww – pust. 186 D1
Ad-Dibdiba – wyż. 187 B3
Ad-Dilam KSA 188-189 E4
Ad-Dir'īya KSA 188-189 E4
(Addis Abeba) ETH 222-223 G6
Ad-Dīwānīya IRQ 184-185 K5,6
Addo ZA 226-227 E6
Addu, Atol – w-y 196 L12
Ad-Du'ayn SUD 222-223 E5
Ad-Duwaym SUD 222-223 F5
Addy USA (WA) 252-253 E2
Adéelfoi – w-y 134-135 H7
Adel Bagrou RIM 220-221 D5
Adel USA (GA) 248-249 D9
Adel USA (IA) 250-251 G5
Adel USA (OR) 252-253 E5
Adelaide AUS 296-297 F5
Adelaide BS 262-263 E1
Adelaide Peninsula – płw. 244-245 M3
Adelaide River AUS 296-297 E1
Adelajdy, Wyspa 311 R3
Adelboden CH 120-121 C4
Adele Island – w. 290-291 E6
Adeli, Wybrzeże 311 J3
Ademuz E 130-131 J5
(Aden) Y 188-189 E6
Adenau D 126 E4
Adeńska, Zatoka 216 H4
Aderbissinat RN 220-221 G5
Adi – w. 194-195 I6
Ādī Ugrī ER 222-223 G5
Adiaké CI 220-221 E7
Adícora YV 276-277 D1
Adige – rz. 104-105 L6
Adigeni GE 180-181 D3
Ādīgrat ETH 222-223 G5
Adıgüzel Barajı – zb. 134-135 K5
Ādīk'eyih ER 222-223 G5
Adilabad IND 190-191 D5
Adilcevaz TR 180-181 D6
Adir, Bahía de – zat. 258-259 B2
Adirampattinam IND 190-191 D6
Adiri LAR 222-223 B2
'Āḍirīyāt, Ǧabal al- – g-y 186 C5
Adirondack Mountains – g-y 248-249 H2,3
Ādīs Ābeba ETH 222-223 G6
Ādīs Zemen ETH 222-223 G5
Adıyaman TR 184-185 H3
Adjud RO 114-115 H3
Adler RUS 180-181 A1
Admer, Erg d – pust. 220-221 G4
Admiralicji, Góry 311 k2
Admiralicji, Wyspa 254-255 P4
Admiralicji, Wyspy 290-291 G5
Admiralty Gulf – zat. 296-297 C,D1
Admiralty Inlet – zat. 244-245 O2
Ado-Ekiti WAN 220-221 G7
Adok SUD 222-223 E6
Adolfo Lopez Mateos MEX 258-259 F3
Adolfo López Mateos, Presa – zb. 258-259 F5
Adolfo Ruíz Cortinez, Presa – zb. 258-259 E4
Adolphus Reef – w. 299 C2
Adonara – w. 194-195 G7
Adoni IND 190-191 D5
Adoukmar WSA 220-221 C4
Adoumre CAM 224-225 B2
Adour – rz. 124-125 E8
Adra E 130-131 H,I9
'Adrā SYR 186 C2
Adrano I 132-133 I11
Adrar – g-y 220-221 G3
Adrar DZ 220-221 E3
Adrar Ilebgâne – g. 220-221 F5
Adrar Massif – g-y 220-221 C4
Adrar-n-Ahnet – g-y 220-221 F4
Adrasan TR 134-135 L7
Adria I 120-121 H5
Adrian USA (MI) 248-249 C4
Adrian USA (TX) 250-251 C8
Adriatyckie, Morze 104-105 L6,7
Aduana del Sásabe MEX 258-259 D2
Adula – g-y 120-121 D,E4
Adung Long MYA 192-193 C2
Adutiškis LT 140-141 H6
Advent, Isla – w. 260-261 P10
Adverse Well – soln. 296-297 C3
Ādwa ETH 222-223 G5
Adyča – rz. 178-179 F5
(Adyga) – rz. 104-105 L6
Adygalach RUS 178-179 G6
Adygea – jedn. adm. RUS 174-175 O1
Adygejsk RUS 142-143 R,S9
Adzopé CI 220-221 D7
Adżaria – jedn. adm. GE 180-181 C3
Adżaria – jedn. adm. RUS 174-175 O1
Æðuvík FR 127 E4
Aeés F 124-125 E7
Aegna – w. 140-141 F2
Aegviidu EST 140-141 G2
Ænes N 138-139 C2
Ærø – w. 138-139 G8
Ær fy don – rz. 180-181 E2
Ærydony don – rz. 180-181 F2
Aesch CH 120-121 C3
Afanas'evka RUS 142-143 R3
Afántu GR 134-135 J7
Afareaitu PF 299 D5
Afede CAM 222-223 B5
Affollé – wyż. 220-221 C5
Afganistan – państwo 168-169 J6
Afgooye SP 224-225 I3
Afi Mauga – wulk. 298 K11
Āfī OM 187 G5
'Afif KSA 188-189 D4
Afikpo WAN 220-221 G7
Aflou DZ 220-221 F2
Afmadow SP 224-225 H3
Afogados da Ingazoira BR 278-279 F4
Afognak – w. 254-255 L4
Afognak USA (AK) 254-255 L4
Afonso Cláudio BR 278-279 E6,7
Afonçyc ABC 180-181 B1
Afragola I 132-133 I8
Afrak, Pegunungan – g-y 194-195 I6
Afrânio BR 278-279 E4
Āfrēra Terara – wulk. 222-223 H5
Āfrēra Ye Che'ew, Hāyk' – jez. 222-223 H5
Afrikan – w-y 226-227 L8
Afrikanda RUS 136-137 I4
'Afrīn SYR 184-185 G3
Afrykańsko-Antarktyczny, Basen – form. podm. 311 a3
Afrykańsko-Antarktyczny, Grzbiet – form. podm. 308 M13
Afşar TR 134-135 K6
Aftogaj KZ 182-183 P2
Afton USA (OK) 250-251 G7
Afton USA (WY) 252-253 I5
Afuá BR 278-279 C3
'Afula IL 186 B3
Afyon TR 134-135 L5
Āǧā Ǧārī IR 184-185 M6
'Aǧabšīr IR 184-185 K3
Ağaçlı TR 134-135 J2
Agadem RN 222-223 B5
(Agadez) RN 220-221 G5
Agadèz RN 220-221 G5
Agadir MA 220-221 C2
Agaie WAN 220-221 G7
Agalás GR 134-135 B6
Agano-gawa – rz. 204-205 L5
Agar IND 190-191 D4
Agara GE 180-181 E2,3
Agarak AR 180-181 H6
Āgaro ETH 222-223 G6
Agartala IND 190-191 G4
Agashi IND 190-191 C5
Agassiz CDN 252-253 D1
Agate USA (NE) 250-251 C4
Agathonís – w. 134-135 H6
Agats RI 194-195 J7
Agatti – w. 190-191 C6
Agattu Island – w. 254-255 E5
Agawa River – rz. 250-251 L2
Agbaja WAN 220-221 G7
'Agbat al-Haǧǧār JOR 186 B6
Agbend KAR 180-181 H6
Agboville CI 220-221 D7
Ağcabədi AZ 180-181 I4
Ağcakənd AZ 180-181 H4
Ağdābiyā LAR 222-223 D1
Ağdam KAR 180-181 H5
Ağdaş AZ 180-181 I4
Agde F 124-125 J8
Agematsu J 204-205 J7
Agen F 124-125 G7
Agepsta, gora – g. 180-181 B1
Agepsta, mta – g. 180-181 B1
Agersø – w. 138-139 G7
Aggsbach Markt A 120-121 K2
Aghin AR 180-181 E4
Aghnjadzor AR 180-181 F5
Agía Anárgiri GR 134-135 D7
Agía Efstrátios – w. 134-135 G4
Agía Geōrgios – w. 134-135 E6
Agiá GR 134-135 D4
Agía Marína GR 134-135 H6
Agía Marína GR 134-135 H8
Agía Nápa CY 134-135 P8,9
Agía Nikólaos GR 134-135 E3
Agía Pelagía GR 134-135 E7
Agía Rúmeli GR 134-135 E8
Agiabampo, Estero de – zat. 258-259 D4
Agigea RO 114-115 I5
Agighiol RO 114-115 I4
Ağıl TR 134-135 L6
Aginskoe RUS 178-179 A8
Agińsko-Buriacki Obwód Autonomiczny – jedn. adm. RUS 174-175 L4
Ágio Óros – jedn. adm. GR 134-135 F3
Ágio Óros – płw. 134-135 E,F3
Ágios Déka GR 134-135 F,G8
Ágios Efstrátios GR 134-135 F4
Ágios Efstrátios – w. 134-135 F4
Ágios GR 134-135 G8
Ágios Konstantínos GR 134-135 D5
Ágios Matthéos GR 134-135 A4
Ágios Pávlos GR 134-135 D3
Ágios Pétros GR 134-135 B5
Ágios Theodōros NCY 134-135 O,P8
Ágios Triás GR 134-135 D3
Agira I 132-133 I11
Agiú Órus, Kólpos – zat. 134-135 E3
Agkístri – w. 134-135 E6
Ağlasun TR 134-135 L6
Ağlı TR 134-135 O2
Aglona LV 140-141 H5
'Aǧlūn, Ǧabal – g-y 186 B3
'Aǧmān UAE 187 F4
Agmar – oaza 220-221 C3
Agness USA (OR) 252-253 B5

Al-Bayaḍ – wyż. 188-189 E4
Al-Baydā' LAR 222-223 D1
Albbruck D 120-121 C3
Albegna – rz. 132-133 F6
Albemarle Sound – zat. 248-249 G6,7
Albemarle USA (NC) 248-249 E7
Albenga I 120-121 D6
Albentosa E 130-131 K5
Alberche, Río – rz. 130-131 G5
Alberga – rz. 296-297 E4
Alberga AUS 296-297 F4
Albergaria-a-Velha P 130-131 C5
Alberobello I 132-133 L8
Alberoni I 120-121 H5
Albert F 124-125 I1
Albert, Lake – jez. 252-253 D5
Albert Lea USA (MN) 250-251 G,H4
Albert Nile – rz. 224-225 F3
Albert Town BS 262-263 F2
Alberta – jedn. adm. CDN 244-245 I5,6
Alberta, Jezioro 216 F5
Alberta, Kanał 126 C3
Albertirsa H 114-115 W15
Alberton USA (MT) 252-253 G3
Albertville F 120-121 B5
Albertville USA (AL) 248-249 B7
Albeşti RO 114-115 H5
Albeşti RO 114-115 I6
Albeştii de Muscel RO 114-115 F4
Albi F 124-125 I8
Albia USA (IA) 250-251 H5
Albina, Ponta – przyl. 224-225 B7
Albina SME 278-279 C1
Albino I 120-121 E5
Albion USA (IL) 250-251 J6
Albion USA (MI) 248-249 C3
Albion USA (NE) 250-251 E,F5
Al-Biqa' – jedn. adm. RL 186 B2
Al-Bīra RL 186 C1
Al-Birk KSA 188-189 D5
Albiţa RO 114-115 H,I3
Alblasserdam NL 126 C3
Albo, Monte – g-y 132-133 D8
Albocácer E 130-131 L5
Alborán – w. 220-221 E1
Alborán, Isla del – w. 104-105 I8
Alborańskie, Morze 130-131 G9
Ålborg DK 138-139 F,G5,6
Albota RO 114-115 E5
Albstadt D 120-121 D2
Al-Bu'ayrāt al-Hasūn LAR 222-223 C1
Albueca, Río – rz. 130-131 E7
Albufeira P 130-131 C8
Al-Buhayrat – jedn. adm. SUD 222-223 E6
Albula – rz. 120-121 E4
Albuñol E 130-131 H9
Albuquerque, Cayos de – w-y 260-261 J6
Albuquerque USA (NM) 252-253 K9
Al-Buraiğ SYR 186 C1
Al-Burgān KWT 187 B2
Alburquerque E 130-131 D6
Albury-Wodonga AUS 296-297 H6
Al-Busayt – pust. 186 D5
Albuskjell – in. 128-129 P5
Al-Buwaida JOR 186 C3
Al-Buzūn Y 188-189 F5
Alby S 136-137 d6
Alcácer do Sal P 130-131 C7
Alcáçovas P 130-131 C7
Alcafozes P 130-131 D6
Alcalá de Chivert E 130-131 L5
Alcalá de Henares E 130-131 H5
Alcalá del Río E 130-131 E8
Alcalá E 130-131 F8
Alcalá la Real E 130-131 H8
Alcaldedíaz PA 260-261 Q11
Alcamo I 132-133 G11
Alcaná de los Gazules E 130-131 F9
Alcanadre, Río – rz. 130-131 K4
Alcanena P 130-131 C6
Alcañices E 130-131 E4
Alcañiz E 130-131 K4
Alcantara – rz. 132-133 I11
Alcântara BR 278-279 E3
Alcántara E 130-131 E6
Alcántara, Embalse de – zb. 130-131 E6
Alcaraz, Sierra de – g-y 130-131 I7
Alcarraz E 130-131 L4
Alcaudete E 130-131 G8
Alcázar de San Juan E 130-131 H6
Alčevs'k UA 142-143 R5
Alcı TR 134-135 Q4
Alcira E 130-131 K6
Alcoak, Cerro – g. 280-281 E2
Alcoba E 130-131 G6
Alcobaça BR 278-279 F6
Alcobaça P 130-131 B6
Alcoentre P 130-131 B,C6
Alcolea del Pinar E 130-131 I4,5
Alconchel E 130-131 D7
Alcora E 130-131 K5
Alcorcón E 130-131 H5
Alcoutim E 130-131 D8
Alcova USA (WY) 252-253 K5
Alcoy E 130-131 K7
Alcsik – reg. 114-115 Q11
Alcubierre E 130-131 K4
Alcubierre, Sierra de – g-y 130-131 K4
Alcudia – reg. 130-131 G7
Alcúdia, Badía d' – zat. 130-131 O6
Alcúdia E 130-131 O6
Alcudia, Sierra de – g-y 130-131 G7
Aldabra Islands – w-y 216 H6
Aldama MEX 258-259 G3
Aldan – rz. 166-167 Q3
Aldan RUS 178-179 C7
Aldano-Učurskij, chrebet – g-y 178-179 D7
Aldar MAU 198-199 G2
Aldara AR 180-181 H6
Aldbrough GB 128-129 M8
Aldea de Trujillo E 130-131 F6
Aldea del Cano E 130-131 E6
Aldeadávila de la Ribera E 130-131 E4
Aldeburgh GB 128-129 O9
Aldeia Nova de São Bento P 130-131 D8
Aldekerk D 122-123 N11
Aldeno I 120-121 F5
Alderney – w. 128-129 K12
Aldershot GB 128-129 L10
Aldridge-Brownhills GB 128-129 K9
Aledo USA (IL) 250-251 I5
Aleg, Lac d – jez. 220-221 C5
Aleg RIM 220-221 C5
Alegranza – w. 104-105 G10
Alegre, Rio – rz. 278-279 B6
Alegres Mount – g. 252-253 J9
Alegrete BR 278-279 B8
Alegría CO 276-277 C4
Alej – rz. 176-177 M7
Alejandro Selkirk, Isla – w. 280-281 B4
Alejsk RUS 176-177 M7
Alekovo BG 114-115 F6
Aleksandra, Archipelag 240 G,H4
Aleksandra, Wyspa 311 R3
(Aleksandria) ET 222-223 E1
(Aleksandria) UA 142-143 M5
Aleksandrov Gai RUS 144-145 K6
Aleksandrov RUS 144-145 I5
Aleksandrovac XS 118-119 H4
Aleksandrovka RUS 142-143 R7
Aleksandrovo BG 114-115 E6
Aleksandrovo BG 114-115 G7
Aleksandrovskaja RUS 180-181 E,F1
Aleksandrovskij Zavod RUS 178-179 B8
Aleksandrovskoe RUS 176-177 L5
Aleksandrovsk-Sachalinskij RUS 178-179 G8
Aleksandrów Kujawski PL (K-P) 74-75 C6
Aleksandrów Łódzki PL (ŁDZ) 76-77 D7
Aleksandrów PL (LBL) 80-81 E10
Aleksandrów PL (ŁDZ) 76-77 D7
Aleksandry, Ziemia – w. 310 J,i1
Alekseevka KZ 176-177 K7
Alekseevka KZ 176-177 N8
Alekseevka KZ 182-183 P1
Alekseevka RUS 142-143 Q3
Alekseevka RUS 142-143 R3
Alekseevsk RUS 176-177 R6
Aleksı TR 134-135 Q7
Aleksin RUS 144-145 I6
Aleksinac XS 118-119 I4
Alekšycy BY 140-141 E8
Além Paraíba BR 278-279 E7
Ålem S 138-139 M5,6
Alemania RA 280-281 E3
Alemli TR 134-135 P5
Alemunia E 130-131 F3
Ålen N 136-137 c6
Alençon F 124-125 G3
Alenquer BR 278-279 B3
Alenquer P 130-131 B6
Alentejo – reg. 130-131 C8
Alenuihaha Channel – cieśn. 254-255 X9
(Aleppo) SYR 184-185 G3
Aléria F 124-125 Y13
Alert – st. bad. 310 O1
Alerta PE 276-277 C6
Alès F 124-125 J,K7
Ales I 132-133 C9
Aleşd RO 114-115 C2
Alessandria I 120-121 D6
Ålesund N 136-137 B6
Alət AZ 180-181 K5
Aletschorn – g. 120-121 C4
Aleucki, Basen – form. podm. 240 D4
Aleucki, Rów – form. podm. 240 D4
Aleutko RUS 178-179 I9
Aleuty – w-y 240 C4
Alevina, mys – przyl. 178-179 I7
Alexander Bay ZA 226-227 C5
Alexander City USA (AL) 248-249 B8
Alexander USA (ND) 252-253 L,M3
Alexandra NZ 298 C7
Alexandria AUS 296-297 F2
Alexandria Bay USA (NY) 248-249 H2
Alexandria CDN 248-249 H2
Alexandria RO 114-115 F6
Alexandria USA (LA) 250-251 H10
Alexandria USA (MN) 250-251 F,G3
Alexandria USA (VA) 248-249 G5
Alexandria ZA 226-227 E6
Alexandrina, Lake – jez. 296-297 F6
Alexandroúpolī GR 134-135 G3
Alfacs, Port dels – zat. 130-131 L5
Alfajarin E 130-131 K4
Al-Fallūğa IRQ 184-185 J5
Alfambra E 130-131 J5
Alfambra, Río – rz. 130-131 J5
Alfândega da Fé P 130-131 D,E4
Alfarelos P 130-131 C5
Alfarnate E 130-131 G8,9
Alfaro E 130-131 J3
Al-Fāšir SUD 222-223 E5
Al-Fašn ET 222-223 F2
Alfatar BG 114-115 H6
Al-Fāw IRQ 184-185 M6,7
Al-Fayyūm ET 222-223 F2
Alfeld D 122-123 F4,5
Alfenas BR 278-279 D7
Al-Fīfī SUD 222-223 E5
Alfiós – rz. 134-135 C6
Al-Firdān ET 222-223 L10
Alfonsine I 120-121 G6
Alford GB 128-129 K4
Alford GB 128-129 N8
Alfredton NZ 298 F5
Alfreton GB 128-129 L8
Al-Fsāqīn RL 186 B2
Al-Fuğaira UAE 187 G4
Al-Fuḥaiḥīl KWT 187 C2
Al-Fūla SUD 222-223 E5
Al-Fuqahā' LAR 222-223 C2
Al-Furat – rz. 166-167 H6
Algā KZ 182-183 G2
Al-Ğabalayn SUD 222-223 F5
Algabas KZ 182-183 E1
Al-Ğafara KSA 188-189 E4
Al-Ğāfāt OM 187 G5
Al-Ğafr JOR 186 C5
Al-Ğāfūra – pust. 187 D4
Al-Ğahrah KWT 187 B2
Al-Ğaida Y 188-189 F5
Al-Ğamāliyya ET 222-223 K9
Al-Ğamlīyah Q 187 D4
Al-Ğanūbī – jedn. adm. RL 186 B2
Ålgård N 138-139 B4
Algarrobal RCH 280-281 D3
Algarrobo CO 276-277 C1
Algarrobo del Águila RA 280-281 E5
Algarve – reg. 130-131 C8
Al-Ğaṭ KSA 188-189 E3
Al-Ğawf LAR 222-223 D3
Al-Ğaws al-Kabīr LAR 222-223 B1
Al-Ğeballāh KSA 187 B5
Algeciras E 130-131 F9
Algeciras, Zatoka 127 R16
Algemesi E 130-131 K6
Algena ER 222-223 G4
Alger Dz 220-221 F1
Alget'i – rz. 180-181 F3
Alghero I 132-133 C8
(Algier) Dz 220-221 F1
Algieria – państwo 217 C3
Algiersko-Prowansalski, Basen – form. podm. 104-105 J8
Alginet E 130-131 K6
Al-Ğīza ET 222-223 F1
Al-Ğīza JOR 186 B4
Algoabaai – zat. 226-227 E6
Algodor, Río – rz. 130-131 H6
Algoma USA (WI) 250-251 K3
Algona USA (IA) 250-251 G4
Algonquin Park CDN 244-245 Q7
Algorta ROU 280-281 G4
Al-Ğubail KSA 188-189 E3
Al-Ğubaila KSA 187 B4
Al-Ğunayna SUD 222-223 D5
Al-Ğurayd – w. 187 D3
Al-Ğyfayr KSA 187 A4
Al-Ḥabbānīya IRQ 184-185 J5
Al-Ḥābūra OM 188-189 G4
Al-Ḥaḍar IRQ 184-185 J4
Al-Ḥaddār KSA 187 A5,6
Al-Ḥağar al-Ğarbī – g-y 188-189 G4
Al-Ḥağar aš- Šarqī – g-y 188-189 G4
Al-Ḥağar OM 187 H5
Al-Ḥağara – wyż. 188-189 D3
Al-Ḥağarain Y 188-189 E5
Al-Ḥağr KSA 187 B4
Al-Hā'ī IR 184-185 M6
Al-Ḥalīl PS 186 B4
Al-Ḥāliṣ IRQ 184-185 K5
Alhama de Granada E 130-131 H8
Alhama de Murcia E 130-131 J8
Alhama, Río – rz. 130-131 I4
Al-Ḥamād – pust. 188-189 C2
Al-Ḥamāda al-Ḥamrā' – pust. 222-223 B2
Al-Ḥamār IRQ 184-185 K6
Al-Ḥamar KSA 187 A5
Al-Ḥamāsīn KSA 188-189 D4
Alhambra USA (CA) 252-253 E9,10
Al-Ḥamdānīya SYR 184-185 G4
Alhamilla, Sierra de – g-y 130-131 I8,9
Al-Ḥamrā OM 187 G5
Al-Ḥamrā' SYR 186 C1
Al-Ḥamūl ET 184-185 D6
Al-Ḥandaq SUD 222-223 F4
Al-Ḥaql KSA 186 A6
Al-Ḥarğ KSA 187 B4
Al-Ḥāriğa ET 222-223 F2
Al-Ḥarīq KSA 188-189 E4
Al-Ḥāriṯa IRQ 184-185 L6
Al-Ḥarra – pust. 186 D3
Al-Ḥarṭūm Bahrī SUD 222-223 F4
Al-Ḥarṭūm SUD 222-223 F4
Al-Ḥaruğ al-Aswad – wyż. 222-223 C2
Al-Ḥaṣab OM 188-189 G3
Al-Ḥasaka SYR 184-185 I3
Al-Ḥatam – pust. 187 F4
Al-Ḥaulī KWT 187 C2
Al-Ḥaura Y 188-189 E6
Alhaurín el Grande E 130-131 G9
Al-Ḥawātah SUD 222-223 F5
Al-Ḥawr Q 187 D4
Al-Ḥazm Y 188-189 D5
Al-Ḥiğāna SYR 186 C2
Al-Ḥīğāna SYR 186 C2
Al-Hijārah – pust. 104-105 R10
Al-Ḥilla IRQ 184-185 K5
Al-Ḥilla SUD 222-223 E5
Al-Ḥilwah KSA 188-189 E4
Al-Ḥimeida KSA 186 A6
Al-Ḥinnāh KSA 187 C3
Al-Ḥirba as-Samrā JOR 186 C3
Al-Ḥirmil RL 186 C1
Al-Ḥisma – pust. 188-189 C3
Al-Ḥiṣn JOR 186 B3
Alhofen A 120-121 J4
Alhucemas, Peñón de – w. 220-221 E1
Al-Ḥubar KSA 188-189 E3
Al-Ḥudaida Y 188-189 D6
Al-Ḥufrah – pust. 188-189 C3
Al-Hufūf KSA 188-189 E3
Al-Hulaifa as-Suflā KSA 188-189 D3
Al-Ḥumra – pust. 187 F5
Al-Ḥums LAR 222-223 B1
Al-Ḥunayy KSA 187 C4
Al-Ḥunn KSA 187 C5
Al-Ḥuqf – niz. 188-189 G4
Al-Ḥuraiba Y 188-189 E5
Al-Ḥurma KSA 188-189 D4
Al-Husaynyya ET 222-223 K10
Al-Ḥuwaymī Y 188-189 E6
Al-Ḥuwayr Q 187 D3
Ali Bayramlı AZ 180-181 J5
Ali Sabieh DJI 222-223 H5
'Alī Ṣadr IR 184-185 M4
Ali Shan – g. 196 F5
Alia E 130-131 F6
Aliabad AZ 180-181 H3
'Alīābād IR 187 F2
Aliaga E 130-131 K5
Aliağa TR 134-135 I5
Aliákmon – rz. 134-135 D3
Aliákmonas, Límni – zb. 134-135 C3
Alíartos GR 134-135 E5
Alibag IND 190-191 C5
Alibey Adası – w. 134-135 H4
Alibəyli AZ 180-181 G4
Alibəyli KAR 180-181 H5
Alibeyli TR 134-135 P3
Ālībo ETH 222-223 G6
Alibunar XS 118-119 H2
Alicante E 130-131 K7
Alicante, Golfo de – zat. 130-131 K7
Alice – rz. 296-297 G2
Alice Arm CDN 244-245 G5
Alice, Punta – przyl. 132-133 L9
Alice Springs AUS 296-297 E3
Alice Town BS 248-249 F12
Alice USA (TX) 250-251 E12
Alicedale ZA 226-227 E6
Alicia RP 197 D8
Alicudi, Isola – w. 132-133 I10
Aligarh IND 190-191 O11
Alīgūdarz IR 184-185 M5
Alija del Infatado E 130-131 F3
Alijos, Rocas – w-y 250-251 D6
Alima – rz. 224-225 C4
Alimăj RO 114-115 D5
Alimena I 132-133 I11
Alímiá – w. 134-135 I7
Alindao RCA 224-225 D2,3
Alinelva – rz. 136-137 f3
Alingsås S 138-139 I5
Alipur Duar IND 190-191 T11
Alipur PK 188-189 J3
Aliqulular AZ 180-181 I5
Al-'Irqa Y 188-189 E6
Al-Isāwiya KSA 186 D5
Alishan TWN 196 F5
Al-Iskandarīa ET 222-223 E1
Aliskerovo RUS 178-179 L5
Al-Ismā'īliyya ET 222-223 F1
Aliste, Río – rz. 130-131 E4
Alistráti GR 134-135 E2
Alivério GR 134-135 F5
Aliwal North ZA 226-227 E6
Al-Jağbūb LAR 222-223 D2
Aljezur P 130-131 C8
Aljibe – g. 130-131 F9
Aljmaš XS 118-119 F2
Aljustrel P 130-131 C8
Al-Kāb ET 222-223 L10
Al-Kāb SUD 222-223 F4
Al-Kafr SYR 186 C3
Al-Kalbān OM 188-189 G4
Al-Kāmil OM 187 H5
Al-Kanfa KSA 188-189 D3
Al-Karak JOR 186 B4
Al-Karāma JOR 186 B3,4
Al-Kaṯīrī – wyż. 188-189 E5
Al-Kawa SUD 222-223 F5
Alken B 126 D4
Alkenyér RO 114-115 L12
Al-Kidan – pust. 187 E5
Al-Kifl IRQ 184-185 K5
Al-Kir'ānah Q 187 D4
Al-Kiswa SYR 186 C2
Alkmaar NL 126 C2
Alūksne LV 140-141 H,I4
Al-Kūfa IRQ 184-185 K5
Al-Kumait IRQ 184-185 L5
Al-Kuntilla ET 186 A6
Al-Kurdaqa ET 222-223 F2
Al-Kurdī ET 222-223 K9
Al-Kūt IRQ 184-185 K5
Al-Kuwayt KWT 187 C2
Al-La'bān JOR 186 B5
Allach-Jun' RUS 178-179 F6
Allada DY 220-221 F7
Al-Lāḏiqīya SYR 184-185 F4
Allagheny Reservoir – zb. 248-249 F3,4
Al-Lagowa SUD 222-223 E5
Allahabad IND 190-191 P12
Allahüekber Dağları – g-y 180-181 D4
Allanmyo MYA 192-193 C4
Allanridge ZA 226-227 E5
Allar AZ 180-181 J5
Allariz E 130-131 D3
Allassac F 124-125 H6
Allatoona Lake – jez. 248-249 C7
Allauch F 124-125 L8
Allegheny Mountains – g-y 240 M6
Allegheny River – rz. 248-249 F4
Allen, Lough – jez. 128-129 F7
Allende MEX 258-259 I3
Allende MEX 258-259 I5
Allentown USA (PA) 248-249 G,H4
Allentsteig A 120-121 K2
Alleppey IND 190-191 D7
Aller – rz. 122-123 G4
Allerborn L 127 A1
Allgäu – reg. 120-121 F3
Alliance USA (NE) 250-251 C4
Alliance USA (OH) 248-249 E4
Allier – rz. 124-125 J5
Alligator Pond JA 260-261 L4
Allinge-Sandvig DK 138-139 K7
Al-Līṯ KSA 188-189 D4
Al-Liwā' OM 187 G4
Alloa GB 128-129 J5
Allora AUS 296-297 I4
Allos F 120-121 B6
Allquippa USA (PA) 248-249 E4
Al-Luḥayya Y 188-189 D5
Alm – rz. 120-121 I3
Alma CDN 244-245 R7
Alma USA (AR) 250-251 G8
Alma USA (GA) 248-249 D9
Alma USA (MI) 248-249 C3
Alma USA (NE) 250-251 E5
Alma USA (WI) 250-251 I3
Al-Ma'anıya KSA 184-185 J6
Almacellas E 130-131 L4
Almada P 130-131 B7
Almaden AUS 296-297 G2
Almadén de la Plata E 130-131 E8
Almadén E 130-131 G7
Almadenejos E 130-131 G7
Al-Madīna KSA 188-189 C4
Al-Mafraq JOR 186 C3
Almagro E 130-131 H7
Al-Maḥādir Y 188-189 D6
Al-Mahākīk – pust. 187 D5
Al-Maḥalla al-Kubrā ET 222-223 F1
Al-Mahārīq ET 222-223 E,F2
Al-Maḥfid Y 188-189 E6
Al-Maḥmūdīya IRQ 184-185 J5
Al-Mahra – wyż. 188-189 F5
Al-Maḥsamah al-Qadīmah ET 222-223 L10
Almăjului, Munţii – g-y 114-115 C5
Al-Malsūn – wyż. 187 C4
(Al-Manama) BRN 187 D3
Al-Manāma BRN 187 D3
Al-Manāqil SUD 222-223 F5
Almanor Lake – jez. 252-253 D6
Almansa E 130-131 J7
Al-Manṣūrīya Y 188-189 D6
Al-Manzila ET 222-223 K9
Almanzor – g. 130-131 F5
Almanzora, Río – rz. 130-131 I8
Al-Maqwa KWT 187 B2
Almar, Río – rz. 130-131 F5
Al-Marğ LAR 222-223 D1
Almarza E 130-131 I4
Almaş – rz. 114-115 D2,3
Almas BR 278-279 D5
Almas, Rio das – rz. 278-279 D6
Almaş RO 114-115 C3
Almásmező RO 114-115 P12
Al-Maṭaryya ET 222-223 L9
Al-Matmarfag WSA 220-221 C3
Al-Matna SUD 222-223 G5
Almaty KZ 182-183 R5
Al-Mawṣil IRQ 184-185 J3
Al-Mayādīn SYR 184-185 H4
Almazán E 130-131 I4
Al-Mazīra – jedn. adm. SUD 222-223 F5
Almaznyj RUS 176-177 S5
Al-Mazra'a JOR 186 B4
Älmeboda S 138-139 L6
Almeida P 130-131 E5
Almeirim BR 278-279 C3
Almeirim P 130-131 C6
Almelo NL 126 E2
Almenar E 130-131 I4
Almenara BR 278-279 E6
Almenara E 130-131 K6
Almenara, Sierra de – g-y 130-131 J8
Almendra E 130-131 E4
Almendra, Embalse de – zb. 130-131 E4
Almendralejo E 130-131 E7
A'lmendricos E 130-131 I8
Almeria E 130-131 I9
Almería, Golfo de – zat. 130-131 I9
Al'met'evsk RUS 144-145 L5
Älmhult S 138-139 K6
Al-Miḏnab KSA 188-189 D3
Al-Miḥrāḍ – pust. 187 E6
Almina, Punta – przyl. 130-131 F10
Al-Mīnā' RL 186 B1
Al-Mintirib OM 187 H5
Al-Minyā ET 222-223 F2
Al-Miqdādīya IRQ 184-185 K5
Almirante Brown RA 280-281 G5
Almirante PA 260-261 I8
Al-Mirfā' UAE 187 E4
Almiroú, Órmos – zat. 134-135 F8
Almirós GR 134-135 D4
Al-Miš'āb KSA 187 C2
Al-Mismiya SYR 186 C2
Almkogel – g. 120-121 J3
Almodóvar P 130-131 C,D8
Almodóvar del Campo E 130-131 G7
Almodóvar del Pinar E 130-131 J6
Almodóvar del Río E 130-131 F8
Almogía E 130-131 G9
Almond USA (WI) 250-251 J3
Almonte E 130-131 E8
Almonte, Río – rz. 130-131 E6
Almora IND 190-191 D3
Almoradí E 130-131 K7
Almorchón E 130-131 F7
Almorox E 130-131 G5
Älmsta S 138-139 O3
Al-Mubarraz KSA 188-189 E3
Al-Muḍailif KSA 188-189 D5
Al-Muḍairib OM 188-189 G4
Almudébar E 130-131 K3
Al-Muglad SUD 222-223 E5
Al-Muḥā Y 188-189 D6
Al-Muḥaylī LAR 222-223 D1
Al-Mukallā Y 188-189 E6
Al-Mulailiḥ KSA 188-189 C4
Almuñecar E 130-131 H9
Almus Barajı – zb. 184-185 G1
Almus TR 184-185 G1
Al-Musalla OM 187 H5
Al-Musayyib IRQ 184-185 J5
Al-Muṯannā – jedn. adm. IRQ 184-185 K6
Al-Muwailiḥ KSA 188-189 C3
Al-Muwaqqar JOR 186 C4
Al-Muzahimiya KSA 187 B4
Alnif MA 220-221 E2
Alnwick GB 128-129 L6
Alocén E 130-131 I5
Aloepie SME 278-279 B2
Alofi – w. 290-291 K6
Al-Oīr – oaza 222-223 E4
Aloja LV 140-141 F4
Along IND 190-191 G3
Alongshan CHN 198-199 L1
Alor – w. 194-195 G7

Anai Mudi – g. 190-191 D6
Anajás BR 278-279 C3
Anajatuba BR 278-279 E3
Anakapalle IND 190-191 E5
Anaklia GE 180-181 C2
Anaktuvik Pass USA (AK) 254-255 L2
Analalava RM 226-227 I2
Analayelona – g. 226-227 H4
Anamã, Lago – jez. 276-277 E4
Anamas Dağı – g. 134-135 M5,6
Anambas, Kepulauan – w-y 194-195 D5
Anambra – jedn. adm. WAN 220-221 G7
Anamizu J 204-205 I5
Anamosa USA (IA) 250-251 I4
Anamu, Rio – rz. 278-279 B2
Anamur Burnu – przyl. 134-135 N8
Anamur TR 134-135 N7
Anan J 204-205 G9
Anan J 204-205 J7
Ananás BR 278-279 D4
Anand IND 190-191 C4
Anandpur IND 190-191 F4
Anan'evo KS 182-183 R5
Ananindeua BR 278-279 D3
Anan'jiv UA 142-143 I,J6
Anantapur IND 190-191 D6
Anantnag IND 190-191 D2
Anapa RUS 144-145 I8
Anapo – rz. 132-133 J11
Anápolis BR 278-279 D6
Anapú, Rio – rz. 278-279 C3
Anār Dare AFG 188-189 H2
Anār IR 188-189 G2
Anārak IR 188-189 F2
Anastasia Island – w. 248-249 E10
Anastasievka RUS 142-143 R6
Anatahan – w. 290-291 G3
Anatolijska, Wyżyna 104-105 P7
Anatom – w. 299 L14
Anatone USA (WA) 252-253 F3
Anatsono, Helodrano – zat. 226-227 H4
Anättijärvi – jez. 136-137 H5
Añatuya RA 280-281 F3
Anauá, Rio – rz. 276-277 E3
Anavgaj RUS 178-179 J7
Anavilhanas, Arquipélago das – w-y 276-277 E4
Anávra GR 134-135 C4
Anaypazarı TR 134-135 O7
Anazarbos – r. 184-185 F3
'Anbarān IR 180-181 J6
Ance LV 140-141 D4
Ancenis F 124-125 E4
Anchieta BR 278-279 E7
Anchorage USA (AK) 254-255 M3
Anchuras E 130-131 F6
Ancião P 130-131 C6
Ancohuma, Nevado de – g. 272 G6
Ancona I 132-133 H5
Ancón de Sardinas, Bahía de – zat. 276-277 A3
Ancón PE 276-277 B6
Ancud, Golfo de – zat. 280-281 D6
Ancud RCH 280-281 D6
Anda – w. 197 E9
Anda CHN 198-199 L2
Andacollo RA 280-281 D5
Andahuaylas PE 276-277 C6
Andalgalá RA 280-281 E3
Åndalsnes N 136-137 b6
Andalusia USA (AL) 248-249 B9
Andaluzia – jedn. adm. E 130-131 E8
Andaluzyjska, Nizina 130-131 D8
Andaman Południowy – w. 192-193 B5
Andaman Północny – w. 192-193 B5
Andaman Środkowy – w. 192-193 B5
Andamany – w-y 166-167 M8
Andamany i Nikobary – jedn. adm. IND 192-193 B5
Andamański, Basen – form. podm. 192-193 B6
Andamańskie, Morze 166-167 M8
Andapa RM 226-227 I2
Andaraí BR 278-279 E5
Andarax, Río – rz. 130-131 I8
Andau A 120-121 L3
Andavaka, Tanjon – przyl. 226-227 I5
Andeer CH 120-121 E4
Andegawenia – reg. 124-125 F4
Andemos-les-Bains F 124-125 E7
Andenes N 136-137 d3
Andenne B 126 D4
Andéramboukane RMM 220-221 F5
Anderlecht B 126 C4
Anderlues B 126 C4
Andermatt CH 120-121 D4
Andernach D 122-123 D6
Anderson River – rz. 244-245 G3
Anderson USA (IN) 248-249 B4
Anderson USA (MO) 250-251 G7
Anderson USA (SC) 248-249 D7
Andersonville USA (GA) 248-249 C8
Andevoranto RM 226-227 I3
Andfjorden – zat. 136-137 d,E3
Andhra Pradesh – jedn. adm. IND 190-191 D6
Andijskoe Kojsu – rz. 180-181 H2
Andilamena RM 226-227 I3
Andilanatoby RM 226-227 I3
Andīmešk IR 184-185 M5
Andırın TR 184-185 G3
Andizan UZ 182-183 O6
Andoas Nuevo EC 276-277 B4
Andong ROK 202-203 E3
Andongwei CHN 200-201 E3
Andora – państwo 106-107 J7
(Andora) AND 127 H9
Andorra E 130-131 K4,5
Andorra la Vella AND 127 H9
Andover GB 128-129 L10
Andøya – w. 136-137 d3
Andradina BR 278-279 C7
Andratx E 130-131 N6
Andreapol' RUS 140-141 M5
Andreevka KZ 182-183 S,T4
Andrejanova, Wyspy 254-255 G5
Andrelândia BR 278-279 D7
Andrespol PL (ŁDZ) 76-77 D7
Andrew – in. 128-129 O4
Andrews USA (OR) 252-253 E5
Andrews USA (SC) 248-249 F8
Andrews USA (TX) 250-251 C9
Andria I 132-133 K7
Andriamena RM 226-227 I3
Andrieşeni RO 114-115 H2
Andrijivka UA 142-143 P4
Andrijivka UA 142-143 P6
Andrijivka UA 142-143 Q6
Andringitra – g-y 226-227 I4
Andrjuškino RUS 178-179 I5
Androka RM 226-227 H4,5
Ándros – w. 134-135 F5,6
Ándros GR 134-135 F6
Andros Island – w. 240 N7
Andros Town BS 262-263 E1
Androscoggin River – rz. 248-249 J2
Androth – w. 190-191 C6
Andru EST 140-141 F3
Andrušivka UA 142-143 H3
(Andruszówka) UA 142-143 H3
Andrychów PL (MŁP) 78-79 F7
Andrzejewo PL (MAZ) 76-77 C10
Andsnes N 136-137 F2
Andūhğerd IR 187 O1
Andújar E 130-131 G7
Andulo ANG 224-225 C6
Anduze F 124-125 J,K7,8
Andy – g-y 272 F5
Andyjskie, Góry 180-181 H2
Aneby S 138-139 K5
Anéfis SP 220-221 E5
Anegada – w. 262-263 K4
Anegada, Bahía – zat. 280-281 F6
Anegada Passage – cieśn. 262-263 K5
Anegada, Punta – przyl. 260-261 J9
Anécho RT 220-221 F7
Aneityum – w. 290-291 J7
Anelgauhat VAN 299 L14
Añelo RA 280-281 E5
Aneto, Pico de – g. 104-105 J7
Aney RN 222-223 B4
Aneytioum – w. 299 L14
Anfeng CHN 200-201 F3
Anfo I 120-121 F5
Anfu CHN 200-201 D5
Ang Mo Kio – dzieln. SGP 196 J8
Angamos, Punta – przyl. 272 F7
Angar RI 194-195 I6
'Anğar RL 186 B2
Angara – rz. 166-167 M4
Angarsk RUS 176-177 Q7
Angarskie, Góry 176-177 P6,7
Angas Downs AUS 296-297 E3
Angaur – w. 290-291 F4
Ånge S 136-137 d6
Angeghakot AR 180-181 G5
Angel de la Guarda, Isla – w. 258-259 C3
Angel, Pico – g. 258-259 H6
Angel, Salto del – wdp. 276-277 E2
Angeles RP 197 C4
Ängelholm S 138-139 I6
Angelina Sam Rayburn Reservoir zb. 250-251 G10
Angelniemi FIN 140-141 D1
Anger A 120-121 K3
Angera I 120-121 D5
Angerbach – rz. 122-123 O11
Angereb, Wenz – rz. 222-223 G5
Ångermanälven – rz. 136-137 E6
Angermünde D 122-123 J3
Angern an der March A 120-121 L2
Angerrville F 124-125 H3
Angers F 124-125 F4
Ängesön – w. 136-137 F6
Anghiari I 132-133 F5
Angical BR 278-279 D5
Angicos BR 278-279 F4
Angielska, Nizina 128-129 M8
Angístro GR 134-135 E2
Angkor – r. 192-193 D5
Angle Inlet USA (MN) 250-251 G1
Anglesey – w. 128-129 I8
Anglet F 124-125 E8
Angleton USA (TX) 250-251 G11
Anglia – jedn. adm. IRL 128-129 K7
Angliers CDN 248-249 F1
Anglure F 124-125 J3
Angmagssalik GRØ 244-245 X3
Ango ZRE 224-225 E5
Angoche, Ilha – w. 226-227 G3
Angoche MOC 226-227 H3
Angohrān IR 187 G3
Angol RCH 280-281 D5
Angola – państwo 217 E7
Angola USA (IN) 248-249 C4
Angolski, Basen – form. podm. 308 M9
Angostura, Presa de la – zb. 258-259 E2
Angostura, Presa de la – zb. 260-261 D5
Angoulême F 124-125 G6
Angra do Heroísmo P 220-221 J10
Angra dos Reis BR 278-279 E7
Angrapa – rz. 140-141 C7
Angras Juntas NAM 226-227 C5
Angren UZ 182-183 N6
Angu ZRE 224-225 D3
Anguang CHN 202-203 C1
Angueira, Rio – rz. 130-131 E4
Angüés E 130-131 K3
Anguilla – teryt. zal. GB 273 G3
Anguilla Cays – w-y 262-263 D2
Angul IND 190-191 E4
Anğuman, Kowtal-e – przeł. 182-183 N9
Angumu ZRE 224-225 E3,4
Anguo CHN 200-201 D2
Anguticha RUS 176-177 N4
Anh Sơn VN 192-193 D4
Anholt – w. 138-139 H6
Anhua CHN 200-201 C4
Anhui – jedn. adm. CHN 200-201 D4
Ani J 204-205 M3
Aniak USA (AK) 254-255 K3
Anias – oaza 226-227 C4
Aniche F 126 B4
Anicuns BR 278-279 C6
Anići HR 118-119 O11
Anie, Pic d' – g. 130-131 K3
Anie, Pico de – g. 130-131 K3
Anié RT 220-221 F7
Aniene – rz. 132-133 H7
Animas Peak – g. 252-253 J11
Animas USA (NM) 252-253 J10,11
Anina RO 114-115 B4
Aninoasa RO 114-115 D5
Anipmeza AR 180-181 E4
Anisij, mys – przyl. 178-179 F3
Aniujskie, Góry 178-179 K5
Aniva, mys – przyl. 178-179 G9
Aniva RUS 178-179 G9
Aniva, zaliv – zat. 178-179 G9
Aniwa – w. 299 L13
(Aniza) – rz. 120-121 J2
Anjalankoski FIN 140-141 H1
Anjar IND 190-191 B,C4
Anjou, Wyspy 166-167 Q,R2
Anjozorobe RM 226-227 I3
Anju KOR 202-203 D3
Anjujsk RUS 178-179 K5
Anjum NL 126 E1
Anka WAN 220-221 G6
Ankang CHN 200-201 C3
Ankara Çayı – rz. 134-135 N4
Ankara TR 134-135 N3,4
Ankaratra – g-y 226-227 I3
Ankarsrum S 138-139 M5
Ankazoabo RM 226-227 H4
Ankazobe RM 226-227 I3
Anklam D 122-123 J3
Anklesvan IND 190-191 C4
Ankober ETH 222-223 G6
Ankofa – g. 226-227 I3
(Ankona) I 132-133 H5
Ankoriiky, Helodrano – zat. 226-227 H3
Ankoro ZRE 224-225 E5
Ankou CHN 200-201 B3
Ankpa WAN 220-221 G7
Anllóns, Río – rz. 130-131 C2
Anlong Bouyeizu Miaozu Zizhixian CHN 200-201 B5
Anlóng Vêng K 192-193 D5
Anlu CHN 200-201 D4
Anma-do – w. 202-203 D4
Anmyŏndo – w. 202-203 D3
Ann – in. 128-129 P8
Ann Arbor USA (MI) 248-249 C3,4
Ann, Cape – przyl. 248-249 J3
Ann, Cape – przyl. 311 e3
Anna Creek AUS 296-297 F4
Anna EST 140-141 G2
Anna María, Cayos – w-y 260-261 K2
Anna María, Golfo de – zat. 260-261 K2
Anna Paulowna NL 126 C2
Anna Point – przyl. 298 I9
Annaba DZ 220-221 G1
Annaberg A 120-121 K3
Annaberg-Buchholz D 122-123 J6
An-Nabaṭīya jedn. adm. RL 186 B2
An-Nabk SYR 186 C1
Annaburg D 122-123 J5
An-Nağaf IRQ 184-185 J6
An-Nāḥiya IRQ 184-185 I4
An-Naḥl ET 222-223 F2
Annai GUY 276-277 F3
Annaka J 204-205 K6
Annamskie, Góry 166-167 N8
Annan – rz. 128-129 J6
Annapolis USA (MD) 248-249 G5
Annapurna – g. 190-191 Q10
An-Nāqūra RL 186 A2
An-Nāṣirīya IRQ 184-185 L6
An-Naṣirīya SYR 186 C2
An-Nawfalūyah LAR 222-223 C1
Annean, Lake – jez. 296-297 B4
Annecy F 120-121 A,B5
Annemasse F 120-121 B4
Annency, Lac d' – jez. 120-121 B5
Annenieki LV 140-141 D5
Annet – w. 128-129 G12
Annette USA (AK) 254-255 P4
An-Nil al-Abyaḍ – jedn. adm. SUD 222-223 F5
An-Nil al-Azraq – jedn. adm. SUD 222-223 F5
Anniston USA (AL) 248-249 B8
Annobón – w. 216 D6
Annopol PL (LBL) 80-81 E9
Annot F 120-121 B6
Annotto Bay JA 260-261 L3
An-Nu'airīya KSA 187 B3
An-Nuhūd SUD 222-223 E5
An-Nuqra KSA 188-189 D3
Áno Merá GR 134-135 G6
Áno Poría GR 134-135 E2
Anoia, Río – rz. 130-131 M4
Anoka USA (MN) 250-251 H3
Anole SP 224-225 H4
Anoré BR 278-279 C6
Anori BR 276-277 E4
Anógia GR 134-135 F8
Anópolis GR 134-135 F8
Anping CHN 200-201 D2
Anpu CHN 200-201 C6
Anpu Gang – zat. 200-201 C6
Anqing CHN 200-201 E4
Anqiu CHN 200-201 E2
Anrath D 122-123 N11
Ansai CHN 200-201 C2
Ansbach D 122-123 G7
Anse d'Hainault RH 262-263 F4
Anse-à-Pitre RH 262-263 G,H4
Änseba Shet' – rz. 222-223 G4
Anseküla EST 140-141 D3
Ansfelden A 120-121 J2
Anshan CHN 200-201 F1
Anshun CHN 200-201 B5
Ansley USA (NE) 250-251 E5
Anson USA (TX) 250-251 E9
Ansŏng ROK 202-203 D3
Ansonga RMM 220-221 F5
Ansprung D 122-123 Y15
Anstruther GB 128-129 K5
Ansvar S 136-137 f4
Ant Atoll – w. 290-291 H4
Anta, Cachoeira – wdp. 278-279 D5
Anta PE 276-277 C6
Antabamba PE 276-277 C6
Antakya TR 184-185 G3
Antalaha RM 226-227 J2
Antalieptė LT 140-141 G6
Antalya Körfezi – zat. 104-105 P8
Antalya TR 134-135 L7
Antananarivo RM 226-227 I3
(Antananarywa) RM 226-227 I3
Antarktyczny, Półwysep 311 S3
Antas, Rio das – rz. 278-279 C8
Antelao – g. 120-121 H4
Antelope Nine ZW 226-227 E4
Antelope USA (TX) 250-251 E9
Anten – jez. 138-139 I4
Antequera E 130-131 G8
Antermoia – g. 120-121 G4
Antero, Mount – g. 252-253 K7
Anthony Lagoon AUS 296-297 E2
Anthony USA (KS) 250-251 F7
Anthony USA (NM) 252-253 K10
Antibes, Cap d´ – przyl. 124-125 N8
Antibes F 124-125 N8
Anticosti Island – w. 244-245 T7
Antifer, Cap d´ – przyl. 124-125 F2
Antigo USA (WI) 250-251 J3
Antigua – w. 272 G3
Antigua i Barbuda – państwo 273 G3
Antiguo Morelos MEX 258-259 J6
Antíkira GR 134-135 D5
Antikýthīra – w. 134-135 E8
Antikýthīra, Stenón – cieśn. 134-135 E8
Antilla C 260-261 M2
Antimari, Rio – rz. 276-277 D5
Antímilos – w. 134-135 E7
Antíno GR 134-135 C5
Antiocheia – r. 134-135 L,M5
Antioquia CO 276-277 B2
Antipajuta RUS 176-177 L4
Antípaxi – w. 134-135 A,B4
Antíparos – w. 134-135 F6
Antipowka RUS 182-183 A2
Antipsara – w. 134-135 G5
Ántisa GR 134-135 G4
Antisana, Cerro – wulk. 276-277 B4
Antlers USA (OK) 250-251 G8
Antofagasta de la Sierra RA 280-281 E3
Antofagasta RCH 280-281 D2
Antofalla, Volcán – wulk. 280-281 E3
Antol USA (ID) 252-253 F3
Antongila, Helodranon – zat. 226-227 I3
Antonibé RM 226-227 I2,3
Antonin PL (WLP) 74-75 D5
Antonina BR 278-279 D8
Antoniny UA 142-143 F4
Antônio Lemos BR 278-279 C3
Antonito USA (CO) 252-253 L8
Antonivka UA 142-143 L7
Antonovka KZ 182-183 T4
Antonovo BG 114-115 G6
Antonovo KZ 182-183 D2
Antopal' BY 140-141 F9
(Antopol) BY 140-141 F9
Antón Lizardo, Punta de – przyl. 258-259 L8
Antón PA 260-261 J8
Antón Recio C 260-261 J1
Antracyt UA 142-143 S5
Antrain F 124-125 E3
Antrim GB 128-129 G7
Antrodoco I 132-133 G6
Antsahampano RM 226-227 I2
Antsalova RM 226-227 H3
Antsirabe RM 226-227 I3
Antsirabe RM 226-227 J2
Antsiraka, Lahatanjon – przyl. 226-227 I3
Antsiranana, Helodranon – zat. 226-227 I2
Antsiranana RM 226-227 I2
Antsla EST 140-141 H4
Antsohihy RM 226-227 I2
Antu CHN 202-203 E2
Antubia GH 220-221 E7
Antuco, Volcán – wulk. 280-281 D5
Antwerpen B 126 C3
Antyatlas – g-y 220-221 D3
Antyle Holenderskie – teryt. zal. NL 273 G3
Antyle, Małe – w-y 272 G3
Antyle, Wielkie – w-y 240 N7,8
Antyliban – g-y 186 C2
Antypodów, Wyspy 290-291 J9
Anučino RUS 178-179 E10
Anupgarh IND 190-191 C3
Anuradhapura CL 190-191 M9
Anuta – w. 290-291 I,J6
Anveh IR 187 F3
Anvik USA (AK) 254-255 J3
Anxi CHN 198-199 G3
Anxi CHN 200-201 E5
Anxiang CHN 200-201 C4
Anxious Bay – zat. 296-297 E5
Anyama CI 220-221 D7
Anyang CHN 200-201 D2
A'nyêmaqên Shan – g-y 198-199 G4
Anyer Kidul RI 194-195 L10
Anyirawase GH 220-221 E7
Anykščiai LT 140-141 G6
Anyós AND 127 I9
Anyuan CHN 200-201 D5
Anyuan CHN 200-201 D5
Anyue CHN 200-201 B4
Anzegem B 126 B4
Anžero-Sudžensk RUS 176-177 N6
Anzerskij, ostrov – w. 144-145 I3
Anzio I 132-133 G7
Anzob, Ağbai – przeł. 182-183 M7
Anzorej RUS 180-181 E1
Aoba – w. 290-291 I6
Aodanga – oaza 222-223 C4
Aohan Qi CHN 202-203 B2
Aoiz E 130-131 J3
Aomen CHN 200-201 D6
Aomori J 204-205 M2
Aonae J 202-203 G2
Aonla IND 190-191 O10
Aono-yama – g. 204-205 D8
Aorangi Range – g-y 298 F5
Aore – w. 299 K11
Aosta I 120-121 C5
Aoudaghost – r. 220-221 C5
Aouderas RN 220-221 G5
Aougoundou, Lac – jez. 220-221 E5
Aouk, Bahr – rz. 216 E,F5
Aoulef DZ 220-221 F3
Aoumou NC 299 J14
Aousard – oaza 220-221 C4
Aoya J 204-205 F7
Aoyama J 204-205 I8
Aozi TCH 222-223 C3
Aozou TCH 222-223 C3
Aóos – rz. 134-135 B3
Apa Barajı – zb. 134-135 N6
Apa, Río – rz. 278-279 B7
Apa TR 134-135 N6
Apača RUS 178-179 J8
Apache Junction USA (AZ) 252-253 I10
Apache USA (OK) 250-251 E8
Apahida RO 114-115 M10
Apalachee Bay – zat. 248-249 C10
Apalachicola River – rz. 248-249 C9
Apalachicola USA (FL) 248-249 C10
Apan MEX 258-259 J8
Apanagyfalu RO 114-115 N9
Apanas, Lago de – jez. 260-261 H6
Apaporis, Río – rz. 276-277 C4
Aparan AR 180-181 F4
Aparani jrambar – zb. 180-181 F4
Aparecida do Taboado BR 278-279 C7
Aparri RP 197 C2
Apaščia – rz. 140-141 F5
Apataki – w. 290-291 N6
Apatin XS 118-119 F2
Apatity RUS 144-145 H3
(Apatyty) RUS 144-145 H3
Apatzingán de la Constitución MEX 258-259 H8
Apaújfalu RO 114-115 O11
Ape LV 140-141 H4
Apedia, Rio – rz. 276-277 E6
Apeldoorn NL 126 D,E2
Apen D 122-123 D3
Apenin Liguryjski – g-y 120-121 D6
Apeniny – g-y 104-105 L7
Apeniny Południowe – g-y 132-133 I7
Apeniny Północne – g-y 120-121 E6
Apeniny Środkowe – g-y 132-133 G5
Apeniński, Półwysep 104-105 L7
Apere, Río – rz. 276-277 D7
Apex USA (NC) 248-249 F7
Aphrodisias – r. 134-135 J6
Api – g. 190-191 E3
Api – wulk. 194-195 F7
Apia WS 298 L11
Apiacá, Rio – rz. 278-279 B5
Apiacás, Serra dos – g-y 278-279 B4
Apiaú, Rio – rz. 276-277 E3
Apitpac MEX 258-259 M9
Apizaco MEX 258-259 J8
Apizaioya MEX 258-259 H5
Aplinskij, porog – wdp. 176-177 P6
Apo, Mount – g. 166-167 P9
Apo, Mount – wulk. 197 E8
Apodi BR 278-279 F4
Apoera SME 278-279 B1
Apolakiá GR 134-135 I7
Apold RO 114-115 O11
Apolda D 122-123 H5
Apolec RUS 140-141 M4
Apolima – w. 298 K11
Apolima Strait – cieśn. 298 K11
Apolinario Saravia RA 280-281 F2
Apolo BOL 276-277 D6
Apolonia – r. 118-119 G7
Apolonía GR 134-135 E3
Apon, Río – rz. 262-263 G8
Aporé, Rio – rz. 278-279 C6
Apostle Islands – w-y 250-251 I2
Apostolove UA 142-143 M6
(Apostołowo) UA 142-143 M6
Apostólou Andrea, Akrōtíri – przyl. 134-135 P8
Apoteri GUY 276-277 F3
Apozol MEX 258-259 H7
Apólonas GR 134-135 G6
Appalachy – g-y 240 M6
Åppelbo S 138-139 J2
Appenzell – jedn. adm. CH 120-121 E3
Appenzell CH 120-121 E3
Appiano I 120-121 G4
Appingedam NL 126 E1
Apple Valley USA (CA) 252-253 F9
Appleby in Westmorland GB 128-129 K7
Appleton USA (MN) 250-251 G3
Appleton USA (WI) 250-251 J3
Appomattox USA (VA) 248-249 F6
Approuague, River – rz. 278-279 C2
Apricena I 132-133 J7
Aprilci BG 114-115 E7
Aprilia I 132-133 G7

Arthur's Town BS 262-263 F1
Artibonite – rz. 262-263 G4
Artigas ROU 280-281 G4
Artigasi – st. bad. 311 m4
Art'ik AR 180-181 E,F4
Artillery Lake – jez. 244-245 K4
(Artiomowsk) UA 142-143 Q,R5
Artix F 124-125 F8
Artjärvi FIN 140-141 G,H1
Artois – reg. 124-125 H1
Artuki BY 140-141 L9
Artvin TR 180-181 C3
Artyba' RUS 176-177 N7
Artyk RUS 178-179 H6
Artyom AZ 180-181 L4
Artzvashen AR 180-181 G4
Aru, Kepulauan – w-y 290-291 F5
Aru ZRE 224-225 F3
Arua EAU 224-225 F3
Aruba – teryt. zal. NL 273 F,G3
Aruba – w. 272 F,G3
Arudy F 124-125 F8
Arue PF 299 D5
Arumã BR 276-277 E4
Arun – rz. 190-191 S11
Arunachal Pradesh – jedn. adm. IND 190-191 G3
Aruppukkottai IND 190-191 D7
Arus, Tanjung – przyl. 194-195 G5
Arusha Chini EAT 224-225 G4
Arusha EAT 224-225 G4
Arut – rz. 194-195 E6
Arutua – w. 290-291 N6
Aruwimi – rz. 216 F5
Arvada USA (CO) 252-253 L7
Arvajhèèr MAU 198-199 H2
Arve – rz. 120-121 B4
Arvi IND 190-191 D4
Arvida CDN 244-245 R7
Arvidsjaur S 136-137 e5
Årvik N 136-137 B6
Arvika S 138-139 I3
Arwangwa – rz. 224-225 E,F6
Arxan CHN 198-199 L2
Aryān IR 182-183 G9
Arys KZ 182-183 M5
Arzamas RUS 144-145 J5
Arzanah – w. 187 E4
Aržano HR 118-119 R13
Arzew DZ 220-221 E1
Arzfeld D 126 E4
Arzignano I 120-121 G5
Arzni AR 180-181 F4
As B 126 D4
Aš CZ 112-113 E5
Asa KZ 182-183 N5
Aša RUS 144-145 M5,6
Åsa S 138-139 H,I5
Asaba WAN 220-221 G7
Asad Ābād IR 182-183 H9
Asad, Buhairat al- – zb. 184-185 H3
Asadābād IR 184-185 L4
Aşağı Ayıblı AZ 180-181 G4
Aşağı AZ 180-181 G6
Aşağı AZ 180-181 H4
Aşağı Nüvədi AZ 180-181 J6
Aşağı Şabalıd AZ 180-181 I3
Aşağı Surra AZ 180-181 J5
Aşağıpınarbaşi TR 134-135 N5
Aşağitefen TR 134-135 J5
Asahi J 204-205 L4
Asahi J 204-205 L4
Asahi J 204-205 M7
Asahi-dake – g. 202-203 H2
Asahikawa J 202-203 H2
Asaka UZ 182-183 O6
Āsalē – jez. 222-223 H5
Asālem IR 184-185 M3
Asamankese GH 220-221 E7
Asama-yama – wulk. 204-205 K6
Asamblea MEX 258-259 B3
Asane N 138-139 B2
Asansol IND 190-191 S13
Aśāqif, Ğabal al- – g. 186 D3
Ásar IS 136-137 I14
Åsarna S 136-137 D6
Asbeck D 122-123 R11
Asbest RUS 144-145 N5
Asbestos CDN 244-245 R7
Asbury Park USA (NJ) 248-249 I4
Ascención BOL 276-277 E7
Ascensión, Bahía de la – zat. 260-261 G3
Ascensión MEX 258-259 I5
Ascër – rz. 140-141 M8
Aschach an der Donau A 120-121 I2
Aschaffenburg D 122-123 E6
Ascheberg D 122-123 D5
Aschersleben D 122-123 H5
Aschileu RO 114-115 L9,10
Asciano I 132-133 F5
Aščibutak RUS 182-183 H1
Ascoli Piceno I 132-133 H6
Ascoli Satriano I 132-133 J7
Ascona CH 120-121 D4
Ascope PE 276-277 B5
Aščyköl – jez. 182-183 L4
Aščysu – rz. 182-183 S2
Āseb ER 222-223 H5
Åseda S 138-139 L5
Asedjrad – g-y 220-221 F4
Āsela ETH 222-223 G6
Åsele S 136-137 E5
Åsen S 138-139 J1
Asenovgrad BG 114-115 E7,8
Aseri EST 140-141 H2
Aševo RUS 140-141 K4
Åsgårdstrand N 138-139 G3
Asgəran AZ 180-181 H5
Ash Fork USA (AZ) 252-253 H9
Ashalim IL 186 A5
Ashburn USA (GA) 248-249 C,D9
Ashburton – rz. 290-291 D7
Ashburton Downs AUS 296-297 B3
Ashburton NZ 298 D6
Ashdod IL 186 A4
Ashdown USA (AR) 250-251 G9
Asheboro USA (NC) 248-249 F7
Asherton USA (TX) 250-251 D11
Asheville USA (NC) 248-249 D7
Ashford AUS 296-297 I4
Ashford GB 128-129 N10
Ashford USA (AL) 248-249 C9
Ashford USA (WA) 252-253 C3
Ashibe J 204-205 B9
Ashibetsu J 202-203 H2
Ashida-gawa – rz. 204-205 F8
Ashigashiya CAM 222-223 B5
Ashikaga J 204-205 L6
Ashio J 204-205 L6
Ashiya J 204-205 C9
Ashizuri-misaki – przyl. 202-203 F4
Ashland, Mount – g. 252-253 C5
Ashland USA (AL) 248-249 B8
Ashland USA (KS) 250-251 E7
Ashland USA (KY) 248-249 D5
Ashland USA (ME) 248-249 K1
Ashland USA (MT) 252-253 K4
Ashland USA (NE) 250-251 F5
Ashland USA (OH) 248-249 D4
Ashland USA (OR) 252-253 C5
Ashland USA (VA) 248-249 G6
Ashland USA (WI) 250-251 I2
Ashley River – rz. 248-249 E8
Ashley USA (ND) 250-251 E3
Ashmore and Cartier Islands – jedn. adm. AUS 296-297 C1
Ashmore Island – w. 290-291 D6
Ashokan Reservoir – zb. 248-249 H4
Ashotsk AR 180-181 E3
Ashqelon IL 186 A4
Ashtabula Lake – jez. 250-251 F2
Ashtabula USA (OH) 248-249 E4
Ashtarak AR 180-181 F4
Ashti IND 190-191 D,E5
Ashton USA (ID) 252-253 I4
Ashuanipi Lake – jez. 244-245 S6
'Āṣī, Nahr al- – rz. 184-185 G4
Asia, Kepulauan – w-y 194-195 I5
Asiago I 120-121 G5
Asid Gulf – zat. 197 D5
Asientos MEX 258-259 H6
Asike RI 194-195 K7
Asikkala FIN 138-139 V1
Asilah MA 220-221 D1
Asinara, Golfo dell' – zat. 132-133 C7
Asinara, Isola – w. 132-133 B7
Asinhal P 130-131 D8
Asino RUS 176-177 N6
Asintorf BY 140-141 L7
Asipovičy BY 140-141 J8
Asīr IR 187 E3
Aska FIN 136-137 g4
Askainen FIN 140-141 C1
Aşkale TR 180-181 B5
Askanija-Nova UA 142-143 M7
'Askarān IR 184-185 N5
Askeby S 138-139 L4
Asker N 138-139 G3
Askeran KAR 180-181 H5
Askersund S 138-139 K4
Askim N 138-139 H3
Askiz RUS 176-177 N7
Askja – g. 104-105 F2
Askja – wulk. 136-137 M13
Askola FIN 140-141 G1
Askøy – w. 138-139 A2
Askvoll N 136-137 B7
Aşlama TR 134-135 Q5
Aslanapa TR 134-135 K4
Asler SP 220-221 E5
(Asmara) ER 222-223 G4
Åsmark N 138-139 G1
Asmera ER 222-223 G4
Ašmjanka – rz. 140-141 H7
Ašmjany BY 140-141 G7
Ašmūn ET 184-185 D6
Åsnen – jez. 138-139 K6
Asni MA 220-221 D2
Asō J 204-205 M6
Asola I 120-121 F5
Asolo I 120-121 G5
Āsosa ETH 222-223 F5
Asoteriba, Ğabal – g. 222-223 G3
Aspach A 120-121 I2
Aspang Markt A 120-121 K3
Aspariegos E 130-131 F4
Aspe E 130-131 K7
Aspeå S 136-137 E6
Aspen USA (CO) 252-253 K7
Aspendos – r. 134-135 M6,7
Aspermont USA (TX) 250-251 D9
Aspet F 124-125 G8
Aspindza GE 180-181 E3
Aspiring, Mount – g. 298 C7
Asralt – g. 198-199 I2
Assa – rz. 180-181 G1
Aš-Šabakā IRQ 184-185 J6
As-Sabḫa SYR 184-185 H4
Assabu J 202-203 G2
Assad, Buhajrat al- – jez. 166-167 G6
Aṣ-Ṣafā – g. 186 D3
Aṣ-Ṣafā – pust. 186 C2
Aš-Šafalaḥīya KSA 188-189 E3
Aṣ-Ṣaff ET 222-223 F2
Aṣ-Ṣafī JOR 186 B4
Aṣ-Ṣafīḥ SYR 184-185 I3
Aṣ-Ṣafīra SYR 184-185 G3
Aš-Šaiḫ Humayd KSA 188-189 B3
Aš-Šaiḫ 'Uṯmān Y 188-189 D6
Assal, Lac – jez. 222-223 H5
As-Salamīya KSA 188-189 E4
Aṣ-Ṣāliḥiyya ET 222-223 L10
Aṣ-Ṣalimīyah KWT 187 C2
As-Sallūm ET 222-223 E1
As-Salman IRQ 184-185 K6
As-Salṭ JOR 186 B3
As-Salwā KSA 188-189 F4
Assam – jedn. adm. IND 190-191 G3
Aš-Ša'm UAE 187 F3,4
As-Sāma – pust. 187 D6
As-Samā'ina ET 222-223 K10
Aš-Šamālī – jedn. adm. RL 186 B1
Aš-Šamālīya – jedn. adm. SUD 222-223 E4
As-Samāwa IRQ 184-185 K6
As-Sanām – pust. 187 D6
Aṣ-Ṣanamayn SYR 186 C2
Assaq, Oued – rz. 220-221 C3,4
Aš-Šāriqa UAE 187 F4
Aš-Šarqāt IRQ 184-185 J4
Assateague Island – w. 248-249 H5
Aš-Šaṭra IRQ 184-185 K6
Aš-Šaṭṭ ET 222-223 M12
Asse – rz. 120-121 B7
Asse B 126 C4
Assemini I 132-133 C9
Assen NL 126 E1
Assenede B 126 B3
Assens DK 138-139 F7
Asseria – r. 118-119 C3
Aš-Šharqīyah – pust. 187 H5
Ássia NCY 134-135 O8
As-Sīb OM 187 H5
Aš-Šīdīyya JOR 186 B6
As-Sidr ET 184-185 E7
As-Sidr LAR 222-223 C1
As-Siğn SYR 186 C3
Aš-Šiçr Y 188-189 E6
As-Šināfīya IRQ 184-185 K6
As-Sinballāwain ET 184-185 D6
Assiniboia CDN 244-245 K7
Assiniboine, Mount – g. 244-245 I6
Assiniboine River – rz. 240 K4,5
Assinié CI 220-221 E7
Assis BR 278-279 C7
Assis Brasil BR 276-277 C6
Aš-Šiṣar – oaza 188-189 F5
Assisi I 132-133 G5
Asso I 120-121 E5
Assodé RN 220-221 G5
Aš-Šu'aiba IRQ 187 B1
Aš-Šu'ba KSA 184-185 K7
Aš-Šubaikīya KSA 188-189 D3
As-Sufāl Y 188-189 E6
As-Suḫna SYR 184-185 H4
As-Sulaymānīah IRQ 184-185 K4
As-Sulaymānīah – jedn. adm. IRQ 184-185 K4
As-Sulayyil KSA 188-189 E4
Aṣ-Ṣulb – wyż. 187 C4
As-Sulṭān LAR 222-223 C1
As-Sumaiḥ SUD 222-223 E6
Aš-Šumlūl KSA 187 B3
Aṣ-Ṣummān – wyż. 188-189 E3
Assumption Island – w. 226-227 K9
Aš-Šuqqān – pust. 187 C6
Assur – r. 184-185 J4
Aš-Šūra IRQ 184-185 J3,4
Aš-Šuraik SUD 222-223 F4
As-Suwaira IRQ 184-185 K5
As-Suwairiqīya KSA 188-189 C4
As-Suwaq OM 188-189 G4
Aš-Šuwār SYR 184-185 I4
Aṣ-Ṣuwaydā' SYR 186 C3
Aš-Šuwayrif LAR 222-223 B2
As-Suways ET 222-223 F1,2
Åsta – rz. 138-139 G1
Astakída – w. 134-135 H8
Astana KZ 182-183 N1
Astara AZ 180-181 J6
Asten NL 126 D3
Asterbro S 138-139 L6
Asti I 120-121 D6
Astillero PE 276-277 C6
Asto, Monte – g. 124-125 Y13
Astola Island – w. 188-189 H4
Astoria USA (OR) 252-253 B3
Åstorp S 138-139 I6
Astove Island – w. 216 H7
Astra RA 280-281 E7
Astrachan' RUS 144-145 K7
Astrahanka KZ 182-183 M1
Astrašycki Haradok BY 140-141 I7
Astravec BY 140-141 G7
Astraxanka AZ 180-181 J4
Astroga E 130-131 E3
Astroŭna BY 140-141 K6
Astryna BY 140-141 F8
Astudillo E 130-131 G3
Asturia – jedn. adm. E 130-131 E2
Asturianos E 130-131 E3
Astypálaia – w. 134-135 G,H7
Astypálaia GR 134-135 H7
(Asuan) ET 222-223 F3
Asūdasty KZ 182-183 L1
Asuisui, Cape – przyl. 298 K11
Asuka – st. bad. 311 D2
Asuke J 204-205 J7
Asuncion – w. 290-291 G3
Asunción, Bahía de la – zat. 258-259 B4
Asunción Nochixtlán MEX 258-259 K9
Asunción PY 278-279 B8
Asunción Tlaxiaco MEX 258-259 K9
Åsunden – jez. 138-139 L4
Asveja – jez. 140-141 G6,7
Asveja BY 140-141 I5
Asvejskae, ozero – jez. 140-141 J5
Aswa – rz. 224-225 F3
Aswān ET 222-223 F3
Asyma RUS 178-179 D6
Asyūṭ ET 222-223 F2
(Asyż) I 132-133 G5
(Aszchabad) TM 182-183 H7,8
At Ṭā'if KSA 188-189 D4
Ata – w. 299 G9
Atacama, Salar de – soln. 280-281 E2
Atafu Atoll – w. 290-291 K5
Atakama – pust. 280-281 D,E1
Atakamski, Rów – form. podm. 306-307 N11
Atakor – g-y 220-221 G4
Atakpamé RT 220-221 F7
Atalaia do Norte BR 276-277 C4
Atalánti GR 134-135 D,E5
Atalaya PE 276-277 C6
Atalho P 130-131 C7
Atam WAN 224-225 A2,3
Atamanovo RUS 176-177 O6
Atambua RI 194-195 G7
Atami J 204-205 L7
Atammik GRØ 244-245 V4
Atan AR 180-181 F4
Atapirire YV 276-277 E2
Atas Bogd – g. 198-199 G3
Atascadero USA (CA) 252-253 D9
Atašiene LV 140-141 H5
Atasta MEX 258-259 M8
Atasu KZ 182-183 N2
Atata – w. 299 F9
Atatürk Barajı – zb. 184-185 H2
Ataxal AZ 180-181 G4
'Aṭbara – rz. 216 G4
'Aṭbara SUD 222-223 F4
Atbasar KZ 176-177 J7
At-Bašy KS 182-183 P6
Atchafalaya Bay – zat. 250-251 I11
Atchison USA (KS) 250-251 G6
Atea E 130-131 J4
Atebubu GH 220-221 E7
Aṭel RO 114-115 N,O11
Atenguillo, Río – rz. 258-259 G7
(Ateny) GR 134-135 E6
Aterno – rz. 132-133 H6
Atessa I 132-133 I6
Ath B 126 D1
Áth Troim IRL 128-129 G8
Athabasca CDN 244-245 J6
Athabasca River – rz. 240 J4
(Athabaska) – rz. 240 J4
Athabaska Lake – jez. 244-245 J5
Athamánon, Óri – g-y 134-135 C4
Athboy IRL 128-129 F8
Athena USA (OR) 252-253 E4
Athenry IRL 128-129 E8
Athens USA (AL) 248-249 B7
Athens USA (GA) 248-249 D8
Athens USA (OH) 248-249 D,E5
Athens USA (PA) 248-249 G4
Athens USA (TN) 248-249 C7
Athens USA (TX) 250-251 G9
Athéras GR 134-135 B5
Athiémè BF 220-221 E6
Athiémè DY 220-221 F7
Athīna GR 134-135 E5,6
Athi-River EAK 224-225 G4
Athlone IRL 128-129 E8
Áthōs – g. 134-135 F3
Athy IRL 128-129 F,G9
'Ati SUD 222-223 E5
Ati TCH 222-223 C5
Atiak EAU 224-225 F3
Atico PE 276-277 C7
Atienza E 130-131 H,I4
Atikokan CDN 244-245 N7
Atikonak Lake – jez. 244-245 S,T6
Atimonan RP 197 C4
Atina I 132-133 H7
Atiparaná, Rio – rz. 276-277 D4
Atitlán, Lago de – jez. 260-261 E5
Atitlán, Volcán – wulk. 260-261 E5
Atiu – w. 290-291 M7
Atka Island – w. 254-255 G5
Atka RUS 178-179 I6
Atka USA (AK) 254-255 H5
Atkaracalar TR 134-135 O3
Atkarsk RUS 144-145 J6
Atkins USA (AR) 250-251 H8
Atkinson USA (NE) 250-251 E4
Atlandı TR 134-135 N5
Atlanta USA (GA) 248-249 C8
Atlanta USA (MI) 248-249 C2
Atlantic Beach USA (FL) 248-249 E9
Atlantic Beach USA (NC) 248-249 G7
Atlantic City USA (NJ) 248-249 H5
Atlantic City USA (WY) 252-253 J5
Atlantic USA (IA) 250-251 G5
Atlantic USA (NC) 248-249 G7
Atlantis Seamount – form. podm. 308 J4
Atlantycka, Nizina 240 M6
Atlas – g-y 216 C3
Atlas Saharyjski – g-y 220-221 E2
Atlas Średni – g-y 220-221 D2
Atlas Tellski – g-y 220-221 E2
Atlas Wysoki – g-y 220-221 D2
Atlasova, ostrov – w. 178-179 I8
Atlin CDN 244-245 F5
Atlin Lake – jez. 244-245 F5
'Atlit IL 186 A3
Atlixco MEX 258-259 J8
Atmakur IND 190-191 D5
Atmakur IND 190-191 D6
Atmore USA (AL) 248-249 B9
Atna N 136-137 c7
Atō J 204-205 D8
Atocha BOL 276-277 D8
Atoka USA (OK) 250-251 F8
Átokos – w. 134-135 B5
Atomic City USA (ID) 252-253 H5
Atotonilco MEX 258-259 H5
Atoyac de Alvarez MEX 258-259 I9
Atoyac, Río – rz. 258-259 J8
Atoyac, Río – rz. 258-259 K9
Atrai – rz. 190-191 T12
Atrak Rūd – rz. 182-183 G8
Ätrån – rz. 138-139 I6
Ätrāsk S 136-137 F5
Atrato, Rio – rz. 276-277 B2
Atrauli IND 190-191 O10
Atri I 132-133 H6
'Atrun, Bi'r al- – oaza 222-223 E4
Atrūš IRQ 184-185 J3
Atsukeshi J 202-203 I2
Atsumi J 204-205 J8
Atsumi J 204-205 L4
Atsumi-hanto – płw. 204-205 J8
Atsuta J 202-203 H2
Atsutoko J 202-203 I2
At-Ṭafila JOR 186 B5
Aṭ-Ṭamad ET 186 A6
At-Ṭamad KSA 188-189 C3
At-Ta'mīn – jedn. adm. IRQ 184-185 J4
Attapu LAO 192-193 E4,5
Attar, Oued el – rz. 220-221 F2
Attawapiskat CDN 244-245 P6
Attawapiskat Lake – jez. 244-245 O6
Attawapiskat River – rz. 244-245 P6
At-Tawīl – pust. 184-185 H7
At-Ṭayyiba JOR 186 B5
Attersee – jez. 120-121 I3
Attert – rz. 126 D5
Attert B 127 A2
Attica USA (KS) 250-251 E7
Attnang-Puchheim A 120-121 I3
Attu Island – w. 254-255 E5
Attu USA (AK) 254-255 E5
Aṭ-Ṭūr ET 222-223 F2
Attur IND 190-191 D6
At-Turba Y 188-189 D6
Aṭ-Ṭuwayšah SUD 222-223 E5
Attyka – reg. 134-135 E5
Atuel, Río – rz. 280-281 E5
Atuntaqui EC 276-277 B3
Åtvidaberg S 138-139 M4
Atwater USA (CA) 252-253 D8
Atwood USA (KS) 250-251 D6
Atyrau KZ 182-183 D3
Au A 120-121 E,F3
Au Gres USA (MI) 248-249 D2
Au Haut, Isle – w. 248-249 K2
Au Sable Point – przyl. 250-251 K2
Au Sable River – rz. 248-249 C2
Aua – w. 290-291 G5
Auaris, Rio – rz. 276-277 E3
Auasberge – g-y 226-227 C4
Aub D 122-123 F,G7
Aubagne F 124-125 L8
Aubange B 126 D5
Aubange L 127 A2
Aube – rz. 124-125 K3
Aubel B 126 D4
Aubenas F 124-125 K7
Aubenton F 124-125 K2
Aubigny-en-Artois F 126 A4
Aubigny-sur-Nère F 124-125 I4
Aubin F 124-125 I7
Aubonne CH 120-121 B4
Aubrack – g-y 124-125 I7
Aubrey Cliffs – g-y 252-253 H9
Aubry Lake – jez. 244-245 G3
Auburn USA (AL) 248-249 C8
Auburn USA (CA) 252-253 D7
Auburn USA (IN) 248-249 C4
Auburn USA (ME) 248-249 J2
Auburn USA (NE) 250-251 G5
Auburn USA (NY) 248-249 G3
Auburn USA (WA) 252-253 C3
Auburndale USA (FL) 248-249 E10
Aubusson F 124-125 I6
Auçan, Cerro – g. 280-281 E2
Auce LV 140-141 D5
Auch F 124-125 G8
Auchi WAN 220-221 G7
Auchterarder GB 128-129 J5
Auckland Islands – w-y 290-291 I10
Auckland NZ 298 F3
Aude – rz. 124-125 I9
Auden CDN 244-245 O6
Audierne F 124-125 B3
Audincourt F 120-121 B3
Audreville F 124-125 D,E2
Audruicq F 124-125 I1
Aue – rz. 122-123 E4
Aue D 122-123 I6
Auerbach D 122-123 I6
Auerbach in der Oberpfalz D 122-123 H7
Auerswalde D 122-123 W14
Auffay F 124-125 H2
Augathella AUS 296-297 H4
Augrabiesvalle – wdp. 226-227 D5
Augsburg D 120-121 F2
Augusta AUS 296-297 A5
Augusta, Cabo – przyl. 276-277 B1
Augusta, Golfo di – zat. 132-133 J11
Augusta I 132-133 J11
Augusta USA (AR) 250-251 I8
Augusta USA (GA) 248-249 D8
Augusta USA (KS) 250-251 F7
Augusta USA (ME) 248-249 K2
Augusta USA (MS) 250-251 J10
Augustenberg – g. 127 G7
Augustine Island – w. 254-255 L4
Augustowska, Puszcza – in. 72-73 B11
Augustowski, Kanał 72-73 B10
Augustów PL (PDL) 72-73 B11
Augustus Island – w. 296-297 C2
Augustus, Mount – g. 296-297 B3
Augustusburg D 122-123 X14
Auk – in. 128-129 O,P5
Auld, Lake – jez. 296-297 C3
Auleja LV 140-141 I5
Aulendorf D 120-121 E3
Aulla I 120-121 E,F6
Aulnay F 124-125 F5,6
Aulneau Peninsula – płw. 250-251 G1
Aulnoye-Aymeries F 126 B4
Aumale F 124-125 H2
Aumont-Aubrac F 124-125 J7
Auneau F 124-125 H3
Auning DK 138-139 G6
Aunis – reg. 124-125 E,F5
Auob – rz. 226-227 C5
Auponhia RI 194-195 H6
Aups F 124-125 M8
Aur – w. 194-195 C5
Aur Atoll – w. 290-291 J4
Aura FIN 140-141 D1
Auraiya IND 190-191 O11
Aurangabad IND 190-191 C4,5
Aurangabad IND 190-191 R12
Auray F 124-125 D4
Aurdal N 138-139 F2
Aure N 136-137 C6

Bahamska, Mała Ławica – form. podm. 248-249 F11
Bahamska, Wielka Ławica – form. podm. 262-263 D1
Bahamy – państwo 273 F2
Bahamy – w-y 240 N7
Baḥar iċ-Ċagħaq M 127 L12
Bahār IR 184-185 M4
Bahata Černeščyna UA 142-143 O5
Bahau MAL 192-193 D7
Bahawalnagar PK 188-189 J2,3
Bahawalpur PK 188-189 J3
Bahdanaŭ BY 140-141 H7
Bäherden TM 182-183 G7
Baherove UA 142-143 P8
Bahia – jedn. adm. BR 278-279 E5
Bahía Blanca RA 280-281 F5
Bahía de Caráquez EC 276-277 A4
Bahía Honda C 260-261 I1
Bahía, Islas de la – w-y 260-261 G4
Bahía Kino MEX 258-259 D3
Bahía Laura RA 280-281 E7
Bahía Tortugas MEX 258-259 B4
Bahías, Cabo dos – przyl. 280-281 E6
Bahir Dar ETH 222-223 G5
Bahla OM 187 G5
Bahlui – rz. 114-115 H2
Bahman Yārī IR 187 D2
Baḥr al-Ǧabal – jedn. adm. SUD 222-223 F6
Bahr Aouk – rz. 224-225 D1
Bahr Oulou – rz. 224-225 D1,2
Bahraich IND 190-191 P11
Bahrajn – państwo 168-169 H7
Bahrajnu, Zatoka 187 D4
Bahrāmǧerd IR 187 G2
Bahrajn – w. 104-105 T10
Baḥrīya, Al-Wāḥāt al- – oaza 222-223 E2
Baḫsen – rz. 180-181 E1
Baḫsen RUS 180-181 E1
Bāḫtarān IR 184-185 L4
Baḫtegān, Daryāče-ye – jez. 187 E2
Bahty KZ 176-177 M8
Bahumín CZ 112-113 K6
Baḫūn, Kūh-e – g. 187 G3
Bahušėŭsk BY 140-141 K7
Bai Shui – rz. 200-201 B4
Baia de Aramă RO 114-115 C4,5
Baia de Arieș RO 114-115 L11
Baia de Traição BR 278-279 F4
Baia dos Tigres ANG 224-225 B7
Baia Mare RO 114-115 D2
Baia RO 114-115 G2
Baia Sprie RO 114-115 D2
Baião BR 278-279 D3
Baïbokoum TCH 222-223 C6
Baicheng CHN 198-199 D3
Baicheng Tao'an CHN 198-199 L2
Băicoi RO 114-115 F4
Baie-Comeau CDN 244-245 S7
Baiersbronn D 120-121 D2
Baie-Saint-Paul CDN 244-245 R7
Baigezhuang CHN 200-201 E2
Ba'īǧī IRQ 184-185 J4
Baiḥān al-Qaṣāb Y 188-189 E6
Baihe CHN 200-201 C3
Baihugou CHN 200-201 E1
Baiju CHN 200-201 F3
Baile Átha Cliath – jedn. adm. IRL 128-129 A1
Baile Átha Cliath IRL 128-129 G8
Băile Govora RO 114-115 E4
Băile Herculane RO 114-115 C5
Băile Olănești RO 114-115 E4
Băile Tușnad RO 114-115 Q11
Bailén E 130-131 H7
Băilești RO 114-115 D5,6
Bailleul F 126 A4
Baillie Island – w. 244-245 G2
Bailong Jiang – rz. 200-201 A3
Bailundo ANG 224-225 C6
Bainbridge USA (GA) 248-249 C9
Bainbridge USA (OH) 248-249 D5
Bain-de-Bretagne F 124-125 E4
Bainet RH 262-263 G4
Baing RI 194-195 G8
Bainville USA (MT) 252-253 L2
Baiona E 130-131 B3
Baipu CHN 200-201 F3
Baiquan CHN 198-199 M2
Bā'ir JOR 186 C5
Ba'ir, Wādī – rz. 186 D5
Bairab Co – jez. 190-191 E1
Bairadão BR 278-279 B3
Bairagnia IND 190-191 R11
Baird Inlet – zat. 254-255 J3
Baird Mountains – g-y 254-255 J2
Baird USA (TX) 250-251 E9
Bairin Youqi CHN 202-203 B2
Bairin Zuoqi CHN 202-203 B2
Bairnsdale AUS 296-297 H6
Bais RP 197 D7
Baise – rz. 124-125 G8
Baisha CHN 200-201 C7
Baisha TWN 196 E5
Baisha Yu – w. 196 E5
Baishanji CHN 200-201 E3
Baishui CHN 200-201 B3
Băișoara RO 114-115 L10
Băița RO 114-115 C3,4
Baitadi NEP 190-191 P10
Baitazi CHN 202-203 C2
Baixiang CHN 200-201 D2
Baixo Guandu BR 278-279 E6
Baiyang Dian – jez. 200-201 D2
Baiyin CHN 198-199 H4
Baiyrķum KZ 182-183 M5
Baiyü CHN 198-199 G5
Baiyu Shan – g-y 200-201 C2
Baja H 114-115 V,W16
Bajan MAU 198-199 I2
Bajan MAU 198-199 J2
Bajan Ul Hot CHN 202-203 B1
Bajanaŭil KZ 182-183 P1
Bajanbulag MAU 198-199 G2
Bajanbulag MAU 198-199 I2
Bajancogt MAU 176-177 R8
Bajandaj RUS 176-177 R7
Bajandzürh MAU 198-199 I2
Bajang IND 190-191 E3
Bajangol MAU 198-199 F2
Bajanhongor MAU 198-199 G2
Bajanhošuu MAU 198-199 F2
bajanölgijski, ajmak – jedn. adm. MAU 198-199 E2
Bajantohom MAU 198-199 H2
Bajasgalant MAU 198-199 J2
Bajawa RI 194-195 G7
Bajdaracka, Zatoka 176-177 I4
Bajdarag gol – rz. 198-199 G2
Bajganin KZ 182-183 F2
Bajiazi CHN 202-203 C2
Bajimba, Mount – g. 290-291 G7
Bajina Bašta XS 118-119 G4
Bajķadam KZ 182-183 M,N5
Bajkal BG 114-115 E6
Bajkal RUS 176-177 Q7
Bajkalovsk RUS 176-177 M3
Bajkal'sk RUS 176-177 Q7
Bajkalskie, Góry 166-167 N4
Bajkał – jez. 166-167 N4
Bajkit RUS 176-177 P5
Bajķongyr Ġaryš Ajlaġi – in. 182-183 J3
Bajķongyr KZ 182-183 J4
Bajkošar KZ 182-183 S2
Bajmak RUS 144-145 M6
Bajmok XS 118-119 G2
Bajo Boquete PA 260-261 I8
(Bajonna) F 124-125 E8
Bajram Curri AL 118-119 H5
Bajranggarh IND 190-191 D4
Bajšint MAU 176-177 N,O8
Bajžansaj KZ 182-183 M5
Bak H 120-121 L4
Bakal RUS 144-145 M6
Bakala RCA 224-225 D2
Bakałarzewo PL (PDL) 72-73 A10
Baķanas – rz. 182-183 S3
Baķanas KZ 182-183 R4
Bakar HR 118-119 M10
Bakarac HR 118-119 N10
Bakčar RUS 176-177 M6
Bakel SN 220-221 C6
Bakelalan MAL 196 P15
Baker – teryt. zal. USA 292-293 K4
Baker Island – w. 290-291 K4
Baker Lake – jez. 244-245 M4
Baker Lake CDN 244-245 M4
Baker, Mount – g. 252-253 D2
Baker USA (CA) 252-253 F9
Baker USA (MT) 252-253 L3
Baker USA (NV) 252-253 G7
Baker USA (OR) 252-253 F4
Bakersfield USA (CA) 252-253 E9
Bakhmaro GE 180-181 D3
Bakhtiarpur IND 190-191 R12
Baki AZ 180-181 K4
Bakir – rz. 134-135 H,I5
Bakkaflói – zat. 136-137 m12
Bako ETH 222-223 G6
Bako MAL 196 N16
Bakongan RI 194-195 B5
Bakouma RCA 224-225 D2
Bakov nad Jizerou CZ 112-113 G5
Bakoye – rz. 220-221 C6
Baksan – rz. 180-181 E1
Baksan RUS 180-181 E1
Bakšty BY 140-141 G,H8
Baktalórántháza H 114-115 B1
(Baku) AZ 180-181 K4
Bakung – w. 192-193 D7
Bakuriani GE 180-181 E3
Bakurts'ikhe GE 180-181 G3
Bakwa Mbule ZRE 224-225 D4
Bal Balle SP 224-225 H3
Bala CDN 248-249 F2
Bala GB 128-129 J9
Bala RO 114-115 C5
Bala SN 220-221 C6
Bâlâ TR 134-135 O4
Balaani GE 180-181 F2
Balabac – w. 197 A8
Balabac RP 197 B8
Balabac Strait – cieśn. 166-167 O9
Ba'labakk RL 186 C2
Balabalangan, Kepulauan – w-y 194-195 F6
Balaban Çayı – rz. 134-135 O4
Balăbănești RO 114-115 H3
Balabio – w. 299 J14
Balabyne UA 142-143 N6
Balachivka UA 142-143 M5
Balachta RUS 176-177 O6
Bălăcița RO 114-115 D5
Balad al-Mala IRQ 184-185 J4
Balagannoe RUS 178-179 H7
Balaghat IND 190-191 E4
Balaguer E 130-131 L4
Balaing MYA 192-193 B3
Balaka MW 224-225 F6,7
Balakən AZ 180-181 H3
Balaklava AUS 296-297 F5
Balakovo RUS 144-145 K6
Balallan GB 128-129 G3
Bal'amā JOR 186 C3
Balama MOC 226-227 G2
Balambangan – w. 194-195 F4
Bălan RO 114-115 Q10
Balanga RP 197 C4
Balangir IND 190-191 E4
Balara TR 134-135 N7
Balasore IND 190-191 F4
Balašov RUS 144-145 J6
Balassagyarmat H 112-113 L7
Balaton – jez. 104-105 M6
Balaton USA (MN) 250-251 G3
Balatonfüred H 114-115 U16
Balatonlelle H 114-115 U16
Balatonszentgyörgy H 120-121 M4
Bălăușeri RO 114-115 O11
Balavásár RO 114-115 O11
Balayan Bay – zat. 197 C5
Balazote E 130-131 I7
Bálazsfalva RO 114-115 M11
Balbek – r. 186 C1
(Balbek) RL 186 C2
Balbierkisi LT 140-141 E7
Balbina BR 276-277 E,F4
Balbina, Represa de – zb. 276-277 E4
Balboa, Cerro – g. 260-261 Q11
Balboa PA 260-261 K8
Balbriggan IRL 128-129 G8
Balcad SP 224-225 H3
Balcani RO 114-115 G3
Balcanoona AUS 296-297 F5
Balcarce RA 280-281 G5
Balčik BG 114-115 I6
Balcılar TR 134-135 H3
Balclutha NZ 298 C8
Bald Knob USA (AR) 250-251 I8
Bald Mount – g. 252-253 G5
Bald Mount – g. 252-253 G8
Baldo, Monte – g. 120-121 F5
Baldone LV 140-141 F5
Baldwin USA (FL) 248-249 D9
Baldwin USA (MI) 248-249 B3
Baldwyn USA (MS) 250-251 J8
Baldy Mount – g. 252-253 H4
Baldy Peak – g. 252-253 I10
Bale HR 118-119 L10
Baleary – jedn. adm. E 130-131 L6
Baleary – w-y 104-105 J8
Baleh – rz. 196 O16
Baleia, Ponta da – przyl. 278-279 F6
Balej RUS 178-179 B8
Balen B 126 D3
Baleni RO 114-115 F5
Băleni RO 114-115 H4
Baler Bay – zat. 197 C4
Baler RP 197 C4
Balesin – w. 197 D4
Balfate HN 260-261 G5
Balfour CDN 252-253 F1
Bălgarevo BG 114-115 I6
Bălgarovo BG 114-115 H7
Balgazyn RUS 176-177 P7
Balgo AUS 296-297 D3
Bălgraski Izvor BG 114-115 E6
Balḥāf Y 188-189 E6
Balharshah IND 190-191 D5
Balho DJI 222-223 H5
Balholm N 138-139 C1
Bali – jedn.adm. RI 194-195 E7
Bali – w. 166-167 O10,11
Bali CAM 224-225 A2
Bali, Selat – cieśn. 194-195 R11
Balı TR 134-135 K4
Baliangao RP 197 D7
Baligród PL (MŁP) 80-81 F10
Balīḫ, Nahr al- – rz. 184-185 H3
Balijskie, Morze 194-195 E,F7
Balık Gölü – jez. 180-181 E5
Balıkesir TR 134-135 I4
Balikpapan RI 194-195 F6
Baliksi KZ 182-183 D,E3
Balimbing RP 197 B9
Balin CHN 198-199 L2
Balingen D 120-121 D2
Balingian MAL 196 O15
Balingshe TWN 196 G4
Balinț RO 114-115 B4
Balintang – w. 197 D2
Balintang Channel – cieśn. 197 C2
Baliqçılar AZ 180-181 J6
Balisa EAU 224-225 F3
Baliza BR 278-279 C6
Balk NL 126 D2
Balķaš KZ 182-183 P3
Balkašino KZ 176-177 J7
Ballaban AL 118-119 G7
Ballachulish GB 128-129 H5
Balladonia AUS 296-297 C5
Ballaghaderreen IRL 128-129 E8
Ballarat AUS 296-297 G6
Ballater GB 128-129 J4
Ballé RMM 220-221 D5
Ballenas, Bahía de – zat. 258-259 C4
Ballenas, Canal de las – cieśn. 258-259 C3
Ballendorf D 122-123 V13
Ballenstedt D 122-123 H5
Balleny'ego, Wyspy 311 K3
Ballı TR 134-135 H3
Ballia IND 190-191 R12
Ballina IRL 128-129 D7
Ballinasloe IRL 128-129 E8
Ballinger USA (TX) 250-251 E10
Ballinluig GB 128-129 J5
Ballinrobe IRL 128-129 D8
Ballinskelligs Bay – zat. 128-129 C10
Ballinskelligs IRL 128-129 C10
Ballona – w. 290-291 H6
Ball's Pyramid – w. 290-291 H8
Ballsh AL 118-119 G7
Ballum NL 126 D1
Bally IND 190-191 S,T13
Ballybunion IRL 128-129 D9
Ballycastle GB 128-129 G6
Ballyclare GB 128-129 G7
Ballygawley GB 128-129 F7
Ballyhaunis IRL 128-129 D,E8
Ballyheige IRL 128-129 D9
Ballyheigue Bay – zat. 128-129 C9
Ballymena GB 128-129 G7
Ballymoney GB 128-129 G6
Ballyshannon IRL 128-129 E7
Ballyteige Bay – zat. 128-129 G10
Balme I 120-121 C5
Balmorhea USA (TX) 250-251 C10
Balod IND 190-191 E4
Balombo ANG 224-225 B6
Balonne – rz. 296-297 H4
Balotra IND 190-191 C3
Balpahari Reservoir – zb. 190-191 S12
Balrampur IND 190-191 P11
Balranald AUS 296-297 G5
Balrujsk BY 140-141 J8
Balș RO 114-115 E5
Balsas BR 278-279 D4
Balsas MEX 258-259 I8
Balsas, Rio – rz. 240 K8
Balsas, Rio das – rz. 278-279 D4
Bal'šavik BY 140-141 L9
Balsorano I 132-133 H7
Balsthal CH 120-121 C3
Balta RO 114-115 C5
Balta USA (ND) 250-251 D1
Baltanás E 130-131 G4
Baltar E 130-131 D4
Baltaro Glacier – lod. 182-183 R9
Baltasar Brum ROU 280-281 G4
Bâlteni RO 114-115 D5
Bălți MD 114-115 H,I2
Baltijsk RUS 140-141 A7
Balṭim ET 184-185 D6
Baltimore IRL 128-129 D10
Baltimore USA (MD) 248-249 G5
Baltit IND 190-191 C1
Baltoji Vokė LT 140-141 F7
Baltrum – w. 122-123 D3
Baluarte, Río – rz. 258-259 G6
Balui – rz. 196 O,P15
Balurghat IND 190-191 T12
Bálványosváralja RO 114-115 M9
Balvi LV 140-141 I4
(Balwierzyszki) LT 140-141 E7
Balya TR 134-135 I4
Balygycan RUS 178-179 I6
Balykčy KS 182-183 P5
Balyktykol KZ 182-183 N2
Balyq Suw – rz. 180-181 D1
Balzar EC 276-277 A4
Balzers FL 127 G7
Bałchasz – jez. 166-167 K5
(Bałchasz) KZ 182-183 P3
Bałkan Środkowy – g-y 114-115 D7
Bałkan Wschodni – g-y 114-115 G7
Bałkan Zachodni – g-y 114-115 C6
Bałkany – g-y 104-105 N7
Bałkański, Półwysep 104-105 N7
Bałq – rz. 180-181 D1
Bałtów PL (ŚW) 76-77 D9
Bałtyckie, Morze 104-105 M4
(Bałtyjsk) RUS 140-141 A7
Bam Co – jez. 190-191 G2
Bam IR 187 H2
Bama WAN 222-223 B5
Bama Yaozu Zizhixian CHN 200-201 B5
Bamaga AUS 296-297 G1
Bamako RMM 220-221 D6
Bamanghati IND 190-191 S13
Bamba RMM 220-221 E5
Bambamarca PE 276-277 B5
Bambana, Río – rz. 260-261 H6
Bambang RP 197 C3
Bambari RCA 224-225 D2
Bamberg D 122-123 G7
Bambesa ZRE 224-225 E3
Bambio RCA 224-225 C3
Bamboi GH 220-221 E7
Bamboo AUS 296-297 C3
Bambouti RCA 224-225 E2
Bambouto – g. 224-225 A2
Bambui BR 278-279 D7
Bambujka RUS 178-179 A7
Bamburgh GB 128-129 L6
Bamda CHN 192-193 C1
Bamdırma Körfezi – zat. 134-135 I,J3
Bamemi IRQ 184-185 J3
Bameveld NL 126 D2
Bamiancheng CHN 202-203 C2
Bamingui – rz. 224-225 C2
Bamingui RCA 224-225 D2
Bamnet Narong THA 192-193 D4
Bampton GB 128-129 J11
Bampūr IR 187 I3
Bampūr, Rūd-e – rz. 187 H3
Bamrūd-e Solfā IR 188-189 G2
Bāmyān AFG 188-189 I2
Ban Amnat THA 192-193 D4
Ban Bua Yai THA 192-193 D4
Ban Chak LAO 192-193 E5
Ban Chiang Dao THA 192-193 C4
Ban Chum Phae THA 192-193 D4
Ban Gnommarat Keo LAO 192-193 E4
Ban Hat Yai THA 192-193 D6
Ban Hatkham LAO 192-193 D4
Ban Hatlek THA 192-193 D5
Ban Hin Heup LAO 192-193 D4
Ban Hinkhan LAO 192-193 D4
Ban Houayxay LAO 192-193 D3
Ban Hua Hin THA 192-193 D5
Ban Hut Taphu LAO 192-193 D4
Ban Kadian LAO 192-193 E5
Ban Mae Sariang THA 192-193 C4
Ban Mae Sot MYA 192-193 C4
Ban Na Inh Noi LAO 192-193 D4
Ban Na Kok LAO 192-193 D4
Ban Nabo LAO 192-193 E4
Ban Nakala LAO 192-193 D4
Ban Nale LAO 192-193 D4
Ban Nang Sata THA 192-193 D6
Ban Nape LAO 192-193 D,E4
Ban Nathon THA 192-193 C6
Ban Nou LAO 192-193 D3
Ban Pak Khlong THA 192-193 C,D5
Ban Pak Nam THA 192-193 C5
Ban Pakhhop LAO 192-193 D4
Ban Phai THA 192-193 D4
Ban Phon LAO 192-193 E4
Ban Phônkho LAO 192-193 D4
Ban Phutthaisong THA 192-193 D4
Ban Sai Yok THA 192-193 C5
Ban Salou LAO 192-193 E4
Ban Sattahip THA 192-193 D5
Ban Si Racha THA 192-193 D5
Ban Sièou LAO 192-193 D4
Ban Ta Ruang THA 192-193 D5
Ban Tam THA 192-193 D4
Ban Tassèng LAO 192-193 E5
Ban Tha Chang THA 192-193 C6
Ban Tha Song Yang THA 192-193 C4
Ban Thabôk LAO 192-193 D4
Ban Thap Phung THA 192-193 C5
Ban Tôp LAO 192-193 E4
Ban Vang-An LAO 192-193 D4
Ban Waeng Noi THA 192-193 D4
Ban Wang Saphung THA 192-193 D4
Ban Xoutouat LAO 192-193 F5
Ban Yang Chun THA 192-193 C5
Bana Patuca HN 260-261 H5
Banā, Wādī – rzv. 188-189 D6
Banabuiu, Açude – zb. 278-279 F4
Banabuiú, Rio – rz. 278-279 F4
Banaga WAN 220-221 G6
Banagher IRL 128-129 E8
Banagi EAT 224-225 F4
Banahao – wulk. 197 C4
Banalia ZRE 224-225 E3
Banamba RMM 220-221 D6
Banana AUS 296-297 H3
Banana Islands – w-y 220-221 C7
Bananowa, Wyspa 278-279 C5
Banarlı TR 134-135 I2
Banās, Ra's – przyl. 222-223 G3
Banat – reg. 118-119 H2
Banatsko Aranđelovo XS 118-119 H1
Banatsko Novo Selo XS 118-119 H3
Banaz Çayı – rz. 134-135 K5
Banaz TR 134-135 K5
Banbar CHN 190-191 G2
Banbridge GB 128-129 G7
Banbury GB 128-129 L9
Bancoran – w. 197 B8
Bancsroft CDN 244-245 Q7
Band RO 114-115 N10
Banda – w. 194-195 H,I6
Banda Aceh RI 194-195 A4
Banda IND 190-191 P12
Banda, Kepulauan – w-y 194-195 H6
Banda, Morze 166-167 P10
Banda, Punta – przyl. 258-259 A2
Bandae GH 220-221 E7
Bandai-san – wulk. 204-205 L5
Bandama – rz. 220-221 D7
Bandama Blanc – rz. 220-221 D7
Bandama Rouge – rz. 220-221 D7
(Bandar) IND 190-191 E5
Bandar MOC 226-227 F3
Bandar Murcaayo SP 222-223 I5
Bandar Sri Aman MAL 194-195 E5
Bandar-e Anzalī IR 184-185 M3
Bandar-e Čārak IR 187 F3
Bandar-e Deilam IR 187 D1
Bandar-e Emām Womeinī IR 187 C1
Bandar-e Genāve IR 187 C2
Bandar-e Ḥamīr IR 187 F3
Bandar-e Lenge IR 187 F3
Bandar-e Māhšahr IR 184-185 M6
Bandar-e Moqām IR 187 E3
Bandar-e Rīg IR 187 D2
Bandar-e Torkemān IR 182-183 E8
Bandar-e'Abbās IR 187 F3
Bandar-e-Būšehr IR 187 D2
Bandau MAL 196 Q13
Band-e Amir, Rūd-e – rz. 188-189 I1
Bande E 130-131 C3
Bandeira, Pico da – g. 272 I7
Bandeirante BR 278-279 C5
Bandera RA 280-281 F3
Bandera USA (TX) 250-251 E11
Banderas, Bahía de – zat. 258-259 F7
Banderilla MEX 258-259 K8
Bandgaon IND 190-191 R13
Bandhogarh IND 190-191 E4
Bandiagara RMM 220-221 E6
Bandikui IND 190-191 D3
Bandīnī IR 187 H4
Bandipur NEP 190-191 Q10,11
Bandırma TR 134-135 I,J3
Bandol F 124-125 L8
Bandon IRL 128-129 D,E10
Bandon USA (OR) 252-253 B5
Bandundu ZRE 224-225 C4
Bandung RI 194-195 M10
(Bandżul) WAG 220-221 B6
Bāne IR 184-185 K4
Băneasa RO 114-115 F5
Băneasa RO 114-115 H3,4
Băneasa RO 114-115 H5
Banes C 260-261 M2
Banff CDN 244-245 I6
Banff GB 128-129 K4
Banfora BF 220-221 E6
Bang Mun Nak THA 192-193 D4
Bang Saphan Noi THA 192-193 C5
Bang Saphan Yai THA 192-193 C5
Bangalore IND 190-191 D6
Bangar RP 197 C3
Bangassou RCA 224-225 D2,3
Banġāzī LAR 222-223 C1
Bangdag Co – jez. 190-191 E2
Bangfai – rz. 192-193 E4
Banggai – w. 194-195 G6
Banggai, Kepulauan – w-y 166-167 P10
Banggi – w. 194-195 F4
Banghiang – rz. 192-193 E4
(Bangi) RCA 224-225 C3
Bangil RI 194-195 P10
Bangjun CHN 200-201 E1
Bangka – w. 166-167 N10
Bangka – w. 194-195 H5
Bangkai, Tanjung – przyl. 194-195 D5
Bangkalan RI 194-195 P10
Bangkatu – w. 192-193 C7
Bangkinang RI 194-195 C5
Bangko RI 194-195 C6
(Bangkok) THA 192-193 D5
Bangladesz – państwo 168-169 L7S
Bangnóles-de 'Orne F 124-125 F3
Bangolo CI 220-221 D7
Bangor GB 128-129 H7
Bangor GB 128-129 I8

Batorz PL (LBL) 80-81 E10
Batouri CAM 224-225 B3
Båtsfjord N 136-137 H2
Batsto USA (NJ) 248-249 H5
Battaloba TR 134-135 O3
Batticaloa CL 190-191 M9
Battipaglia I 132-133 I8
Battle Creek USA (MI) 248-249 C3
Battle Harbour CDN 244-245 U6
Battle Mountain USA (NV) 252-253 F6
Battleford CDN 244-245 J,K6
Battonya H 114-115 B3
Batu – g. 216 G5
Batu – w. 197 C8
Batu Gajah MAL 192-193 D7
Batu, Kepulauan – w-y 194-195 B6
Batu MAL 194-195 C5
Batu, Tanjong – przyl. 196 R15
Batuata – w. 194-195 G7
Batui, Pegunungan – g-y 194-195 G6
Batui RI 194-195 G6
Batumi GE 180-181 C3
Baturaja RI 194-195 C6
Baturetno RI 194-195 O11
Baturino RUS 176-177 M6
Baturinskaja RUS 142-143 S8
Baturité BR 278-279 F3
Baturyn UA 142-143 L2
Bau MAL 196 N16
Baubau RI 194-195 G7
Bauchi WAN 220-221 G6
Baud F 124-125 C4
Bauda – rz. 72-73 A7
Bauda IND 190-191 E4
Baudette USA (MN) 250-251 G1
Baudó, Rio – rz. 276-277 B2
Baudó, Serranía del – g-y 276-277 B2
Baugé F 124-125 F4
Bauld Cap – przyl. 244-245 U6
Baulmes CH 120-121 B4
Baume-les-Damesl F 120-121 B3
Baunei I 132-133 D8
Bauru BR 278-279 D7
Bauru ZRE 224-225 D3
Bauska LV 140-141 F5
Bauta C 260-261 I1
Baūtíno KZ 182-183 D4
Bautuan Bay – zat. 197 E7
Bautzen D 122-123 K5
Bauya WAL 220-221 C7
Bauyržan KZ 182-183 N5
Bavda IND 190-191 C5
Bavħandarlı AZ 180-181 H3
Båven – jez. 138-139 N3,4
Baviácora MEX 258-259 D3
Bavispe MEX 258-259 E2
Bavispe, Río de – rz. 258-259 E2
Bavly RUS 144-145 L6
Bavra AR 180-181 E3
Bawal – w. 194-195 D6
Bawaria – jedn. adm. D 122-123 G7
Bawarska, Wyżyna 104-105 K,L6
Bawean – w. 194-195 P9
Bawku GH 220-221 E6
Bawlake MYA 192-193 C4
Bawli Bazar MYA 192-193 B3
Baxley USA (GA) 248-249 D9
Baxoi CHN 192-193 C1
Bay CHN 198-199 D3
Bay City USA (MI) 248-249 D3
Bay City USA (TX) 250-251 G11
Bay, Laguna de – jez. 197 C4
Bay Minette USA (AL) 250-251 K10
Bay Springs USA (MS) 250-251 J10
Bay'ah OM 187 G4
Bayamo C 260-261 L2
Bayamón PR 262-263 J4
Bayan AZ 180-181 I3
Bayan CHN 202-203 D1
Bayan Gol CHN 200-201 B1
Bayan Har Shan – g-y 198-199 G5
Bayan Hof CHN 200-201 B2
Bayan Mod CHN 200-201 B1
Bayan Obo CHN 200-201 C1
Bayan Us CHN 200-201 C1
Bayanga Didi RCA 224-225 C2
Bayano, Lago – zb. 260-261 K8
Bayard USA (NE) 250-251 C5
Bayat TR 134-135 L4,5
Bayawan RP 197 D7
Bayāz IR 187 F1
Baybay RP 197 E6
Bayboro USA (NC) 248-249 G7
Bayburt TR 180-181 B4
Baydhabo SP 224-225 H3
Bayeux BR 278-279 G4
Bayeux F 124-125 F2
Bayfield USA (WI) 250-251 I2
Bayimli AZ 180-181 I4
Bayındır Barajı – zb. 134-135 O4
Bayındır TR 134-135 I5
Baykurt CHN 182-183 P7
Bayo Point – przyl. 197 C6
Bayombong RP 197 C3
Bayonne F 124-125 E8
Bayor, Tanjung – przyl. 194-195 F6
Bayram TR 134-135 P5
Baýramaly TM 182-183 J8
Bayramiç TR 134-135 H4
Bayreuth D 122-123 H7
Bayrischzell D 120-121 H3
Bayrūt RL 186 B2
Bays, Lake of – jez. 248-249 F2
Bayt Faǧǧār PS 186 B4
Bayt Laḥm PS 186 B4
Bayt Sīrā PS 186 B4
Baytown USA (TX) 250-251 G11
Baza E 130-131 I8
(Bazalia) UA 142-143 F4
Bazalija UA 142-143 F4
Bazancourt F 124-125 K2
Bazar AZ 180-181 H3
Bazar UA 142-143 I2
Bazardjuzi, gora – g. 180-181 I3
Bazardüzü dağı – g. 180-181 I3
Bāzargān IR 180-181 F5
Bazartöbe KZ 182-183 D2
Bazaruto, Ilha do – w. 226-227 G4
Bazas F 124-125 F7
Bazhao Yu – w. 196 E5
Bazhong CHN 200-201 B4
Baziaş RO 114-115 B5
Bazin, Rivière – rz. 248-249 H1
Bazmān IR 187 I3
Bazmān, Kūh-e – g. 187 I2
Bazna RO 114-115 N11
Bāzoft, Āb-e – rz. 184-185 M5
Bazumskie, Góry 180-181 F4
(Bazylea) CH 120-121 C3
Bazylea-Miasto – jedn. adm. CH 120-121 J7
Bazylea-Okręg – jedn. adm. CH 120-121 I7
Bądkowo PL (K-P) 74-75 C6
Bąkowa Góra PL (ŁDZ) 76-77 D7
Be, Nosy – w. 226-227 I2
Beach Haven USA (NJ) 248-249 H5
Beach USA (ND) 250-251 B,C2
Beach USA (ND) 252-253 L3
Beachport AUS 296-297 F6
Beachy Head – przyl. 128-129 N11
Beacon USA (NY) 248-249 I4
Beagle Bay AUS 296-297 C2
Beagle Gulf – zat. 296-297 E1
Beagle Reef – form. podm. 296-297 C2
Bealanana RM 226-227 I2
Beale, Cape – przyl. 252-253 B2
Beampingaratra – g-y 226-227 I4,5
Bear Island – w. 128-129 C10
Bear Lake – jez. 252-253 I5
Bear Lake CDN 244-245 G5
Bear Paw Mountains – g-y 252-253 J2
Bear Peninsula – płw. 311 o2
Bear USA (ID) 252-253 F4
Bearden USA (AR) 250-251 H9
Beardmore CDN 244-245 O7
Beardmore'a, Lodowiec 311 k1
Beardstown USA (IL) 250-251 I5
Béarn – reg. 124-125 F8,9
Bearskin Lake CDN 244-245 N6
Beas – zb. 190-191 D2
Beas, Tranco de – zb. 130-131 I7
Beasain E 130-131 I2
Beata, Cabo – przyl. 262-263 H5
Beata, Isla – w. 262-263 H5
Beatrice – in. 128-129 J3
Beatrice USA (NE) 250-251 F5
Beatton River – rz. 244-245 H5
Beatty USA (NV) 252-253 F8
Beatty USA (OR) 252-253 D5
Beattyville USA (KY) 248-249 D6
Beaty, Grzbiet – form. podm. 262-263 G5
Beau Bassin-Rox Hill MS 226-227 O12
Beaucaire F 124-125 K8
Beauce – reg. 124-125 H3
Beauceville CDN 248-249 J1
Beauchêne Island – w. 280-281 G8
Beaudesert AUS 296-297 I4
Beaufort Island – w. 311 k2
Beaufort MAL 194-195 F4
Beaufort USA (NC) 248-249 G7
Beaufort USA (SC) 248-249 E8
Beaufort West ZA 226-227 D6
Beauforta, Morze 310 r2
Beaugency F 124-125 H4
Beaulieu-sur-Dordogne F 124-125 H6
Beauly GB 128-129 I4
Beaumaris GB 128-129 I8
Beaumont B 126 C4
Beaumont F 120-121 A2
Beaumont USA (MS) 250-251 J10
Beaumont USA (TX) 250-251 G10
Beaumont-de-Lomagne F 124-125 G,H8
Beaumont-sur-Oise F 124-125 H,I2
Beaumont-sur-Oise F 124-125 V10
Beaune F 124-125 K4
Beauraing B 126 C4
Beaurepaire F 124-125 K6
Beausejour CDN 244-245 M6
Beausoleil – dzieln. MC 127 U18
Beautemps Beaupré – w. 299 J14
Beauvais F 124-125 I2
Beauvoir-sur-Mer F 124-125 D,E5
Beaver Bay USA (MN) 250-251 H2
Beaver City USA (NE) 250-251 D5
Beaver Dam USA (WI) 250-251 J4
Beaver Falls USA (PA) 248-249 E4
Beaver Island – w. 248-249 B,C2
Beaver Island – w. 280-281 F8
Beaver Lake – jez. 250-251 E7
Beaver River – rz. 252-253 K,L2
Beaver USA (OK) 250-251 D7
Beaver USA (UT) 252-253 H7
Beaverdell CDN 252-253 E1
Beaverlodge CDN 244-245 H5
Beaverton CDN 248-249 F2
Beaverton USA (OR) 252-253 C4
Beawar IND 190-191 C3
Beba Veche RO 114-115 A3
Bébédjia TCH 222-223 C6
Bebedouro BR 278-279 D7
Beberibe BR 278-279 F3
Béboto TCH 222-223 C6
Bebra D 122-123 F6
Bebrene LV 140-141 G5
Bebrovo BG 114-115 F6,7
Becal MEX 260-261 E2
Beccles GB 128-129 O9
Bečej XS 118-119 G2
Beceni RO 114-115 G4
Becerreá E 130-131 D3
Bech L 127 B2
Béchar DZ 220-221 E2
Becharof Lake – jez. 254-255 K4
Bechateur TN 132-133 D11
Bechet RO 114-115 D6
Bechyně CZ 112-113 G6
Beckley USA (WV) 248-249 E6
Beckum D 122-123 E5
Beckwourth Pass – przeł. 252-253 D7
Beclean RO 114-115 N9
Bécon-les-Granits F 124-125 E4
Bečov nad Teplou CZ 112-113 E5
(Bécsújhely) A 120-121 L3
Bečva – rz. 112-113 J6
Bedale GB 128-129 L7
Bédar E 130-131 I8
Bedburg-Hau D 126 E3
Beddouza, Cap – przyl. 220-221 D2
Bedelē ETH 222-223 G6
Bederkesa D 122-123 E3
Bedēsa ETH 222-223 H6
Bedford CDN 248-249 I2
Bedford GB 128-129 M9
Bedford USA (IA) 250-251 G5
Bedford USA (IN) 248-249 B5
Bedford USA (PA) 248-249 F4
Bedford USA (VA) 248-249 F6
Bediani GE 180-181 F3
Bedlno PL (ŁDZ) 76-77 C7
Bednja – rz. 118-119 D1
Bedok – dzieln. SGP 196 J9
Bedourie AUS 296-297 F3
Bedout Island – w. 290-291 D6
Beebe USA (AR) 250-251 H8
Beech Grove USA (IN) 248-249 B,C5
Beechy Point USA (AK) 254-255 L1
Beekbergen NL 126 D2
Beelitz D 122-123 I4
Beenleigh AUS 296-297 I4
Be'er 'Ada – oaza 186 A5
Be'er Menuḥa IL 186 B5
Be'er Ora IL 186 A6
Be'er Sheva' IL 186 A4
Beernem B 126 B3
Beerse B 126 C3
Beeskow D 122-123 J4
Beethovena, Półwysep 311 R2
Beetsterzwaag NL 126 E1
Beetzendorf D 122-123 H4
Beeville USA (TX) 250-251 F11
Befale ZRE 224-225 D3
Befandriana RM 226-227 I3
Bega – rz. 114-115 C4
Bega AUS 296-297 H,I6
Begejci XS 118-119 H2
Begen' KZ 176-177 L7
Beğestān IR 188-189 G2
Bègles F 124-125 F7
Begna – rz. 138-139 G2
Begumgonj BD 192-193 B3
Begunicy RUS 140-141 K2
Begur, Cap de – przyl. 130-131 O4
Béhague, Pointe – przyl. 278-279 C2
Behara RM 226-227 I4
Behbahān IR 187 D1
Behrəmtəpə AZ 180-181 I5
Behšahr IR 182-183 E8
Bei Jiang – rz. 200-201 D5
Bei Shan – g-y 198-199 F3
Bei'an CHN 198-199 M2
Beian N 136-137 C6
Beibei CHN 200-201 B4
Beica de Jos RO 114-115 O10
Beidaihe CHN 200-201 E2
Beidamen CHN 202-203 D2
Beidawu Shan – g. 196 F6
Beigang – rz. 196 F5
Beigang TWN 196 F5
Beigi ETH 222-223 F6
Beihai CHN 200-201 C6
Beiji Shan – w. 200-201 F5
Beijng CHN 200-201 D1
Beiliu CHN 200-201 C6
Beilngries D 120-121 G1
Beimen TWN 196 F5
Beïnamar TCH 222-223 B6
Beinan TWN 196 G6
Beinazhu Shan – g. 196 F5
Beinn Bhan – g. 128-129 H4
Beinwil am See CH 120-121 D3
Beipiao CHN 200-201 F1
Beira – reg. 130-131 C5
Beira MOC 226-227 G3
Beit Bridge ZW 226-227 E4
Beiuş RO 114-115 C3
Beizhen CHN 200-201 F1
Beja P 130-131 D8
Beja RUS 176-177 O7
Béja TN 220-221 G1
Bejaïa DZ 220-221 F1
Béjar E 130-131 F5
Bejneu KZ 182-183 F4
(Bejrut) RL 186 B2
Bejsce PL (ŚW) 80-81 E8
Bejsugskij liman – zat. 142-143 R7
Bekaa, Dolina 186 C1
Békás – g. 114-115 Q10
Bekasi RI 194-195 M10
Bekdaç TM 182-183 E6
Békés – jedn. adm. H 114-115 X16
Bekés H 114-115 A3
Békéscsaba – jedn. adm. H 114-115 Y16
Békéscsaba H 114-115 A,B3
Bekija – reg. 118-119 S14
Bekily RM 226-227 I4
Bekkai J 202-203 I2
Bekkaria DZ 132-133 C13
Bekkjarvik N 138-139 A2
Beklemiševo RUS 178-179 A8
Bekobod TJ 182-183 M6
Bek'oji ETH 222-223 G6
Bel Air – g. 124-125 D3
Bela Crkva XS 118-119 I3
Bela IND 190-191 Q12
Bela Palanka XS 118-119 J4
Bela PK 188-189 I3
Bela Vista BR 278-279 B7
Bela Vista MOC 226-227 F5
Belaazërsk BY 140-141 F9
Belaga MAL 194-195 E5
Bel'agaš KZ 176-177 L,M7
Belaikarangan RI 196 M,N16
Belaja – rz. 104-105 T4
Belaja – rz. 178-179 M5
Belaja Glina RUS 144-145 J7
Belaja, gora – g. 178-179 M5
Belaja Gora RUS 178-179 H5
Belaja Kalitva RUS 144-145 J7
Belaja RUS 142-143 O2
Belaklija UA 142-143 P4
Belalcázar E 130-131 F7
Belampalli IND 190-191 D5
Belanya TR 134-135 J6
Belasica – g-y 118-119 J6
Belauring RI 194-195 G7
Belavežskaja Pušča, Nacyjanal'ny Park – p. nar. 76-77 C11
Belawan RI 194-195 B5
Bélbor RO 114-115 P9
Belceşti RO 114-115 H2
Belcher Islands – w-y 240 M4
Belchite E 130-131 K4
Belcik TR 184-185 G2
Belčin BG 114-115 D7
Belcourt USA (ND) 250-251 E1
Belderg IRL 128-129 D7
Beldibi TR 134-135 L7
Beldibi TR 134-135 N7
Belebelka RUS 140-141 L4
Beledweyne SP 224-225 I3
Belegiš XS 118-119 H2
Belej HR 118-119 M11
Belel CAM 224-225 B2
Belém BR 278-279 D3
Belem de San Francisco BR 278-279 F4
Belén CO 276-277 B3
Belén PY 278-279 B7
Belén RCH 280-281 E1
Belen USA (NM) 252-253 K9
Belene BG 114-115 E6
Bélep, Îles – w-y 290-291 I6
Belesar, Embalse de – zb. 130-131 D3
Belev RUS 144-145 H2
Belfast GB 128-129 H7
Belfast Lough – zat. 128-129 H7
Belfast USA (ME) 248-249 K2
Belfield USA (ND) 250-251 C2
Bēlfodiyo ETH 222-223 F5
Belford GB 128-129 K6
Belfort F 120-121 B3
Belgaum IND 190-191 C5
Belgia – państwo 106-107 J5
Belgica, Góry 311 d2
Belgioioso I 120-121 E5
Belgorod RUS 144-145 I6
(Belgrad) XS 118-119 H3
Belgrano RA 280-281 E7
Belhaven USA (NC) 248-249 G7
Belhirane DZ 220-221 G2
Beli Drim – rz. 118-119 H5
Béli GNB 220-221 C6
Beli HR 118-119 M10
Beli Izvor BG 114-115 D6
Beli Manastir XS 118-119 F2
Beli Timok – rz. 118-119 J4
Belica BG 114-115 D8
Belica BY 140-141 G8
Belica RUS 142-143 O2
Beličij, ostrov – w. 178-179 F8
Belick BY 140-141 L9
Belidži RUS 144-145 K8
Belimbing, Tanjong – przyl. 196 M16
Belin RO 114-115 Q12
Belin-Beliet F 124-125 E7
Belinga G 224-225 B3
Belinskij RUS 144-145 J6
Belinţ RO 114-115 B4
Belinyu RI 194-195 D6
Beliş RO 114-115 C,D3
Belitung – w. 166-167 N10
Beliu RO 114-115 C3
Belize – państwo 273 E3
Belize ANG 224-225 B4
Belize BH 260-261 F4
Belize, Río – rz. 260-261 F4
Beljaevka RUS 182-183 F1
Beljaevo RUS 140-141 L6
Beljanica – g-y 118-119 I3
Belka – rz. 140-141 K,L4
Bel'kači RUS 178-179 E7
Bel'kovskij, ostrov – w. 178-179 E3
Bell Ville RA 280-281 F4
Bella – g. 130-131 E5
Bella Coola CDN 244-245 G6
Bella Unión ROU 280-281 G4
Bella Vista PY 278-279 B7
Bellagio I 120-121 E5
Bellaire USA (OH) 248-249 E4,5
Bellaire USA (TX) 250-251 G11
Bellano I 120-121 E4
Bellaria-Igea Marina I 120-121 H6
Bellary IND 190-191 D5,6
Belle Fourche River – rz. 252-253 L5
Belle Fourche USA (SD) 250-251 B,C3
Belle Fourche USA (WY) 252-253 L4
Belle Glade USA (FL) 248-249 E11
Belle Isle – w. 244-245 U,V6
Belle Isle, Strait of – cieśn. 240 O,P5
Belle Plaine USA (IA) 250-251 H5
Belle Plaine USA (MN) 250-251 H3
Bellefontaine USA (OH) 248-249 C,D4
Bellegarde F 124-125 I4
Bellegarde F 124-125 K8
Bellegarde-sur-Valserine F 120-121 A4
Belleherbe F 120-121 B3
Belle-Île – w. 124-125 C4
Bellême F 124-125 G3
Bellen – jez. 138-139 L5
Belleterre CDN 248-249 F1
Bellevaux F 120-121 B4
Belleville CDN 244-245 Q8
Belleville USA (IL) 250-251 J6
Belleville USA (KS) 250-251 F6
Bellevue AUS 296-297 G2
Bellevue F 124-125 K2
Bellevue USA (IA) 250-251 I4
Bellevue USA (NE) 250-251 G5
Bellevue USA (WA) 252-253 C,D3
Belley F 124-125 L6
Bellingham GB 128-129 K6
Bellingham USA (WA) 252-253 C2
Bellingshausen – st. bad. 311 m4
Bellingshausena, Basen – form. podm. 311 O3
Bellingshausena, Morze 311 p3
Bellinzona CH 120-121 E4
Bello CO 276-277 B2
Bellows Falls USA (VT) 248-249 I3
Bellpat PK 188-189 I3
Belluno I 120-121 H4
Bellville USA (TX) 250-251 F10,11
Bélmez E 130-131 F7
Belmond USA (IA) 250-251 H4
Belmonte BR 278-279 F6
Belmonte E 130-131 E2
Belmonte E 130-131 I6
Belmonte P 130-131 D5
Belmopan BH 260-261 F4
Belmullet IRL 128-129 C7
Belo Horizonte BR 278-279 D6
Belo jezero – jez. 118-119 H2
Belogor'e RUS 176-177 J5
Belogorsk RUS 176-177 N6
Belogorsk RUS 178-179 D8
Belogradčik BG 114-115 C6
Belogradec BG 114-115 H6
Beloha RM 226-227 H5
Beloit USA (KS) 250-251 E6
Beloit USA (WI) 250-251 J4
Belojarskij RUS 176-177 J5
Belomorsk RUS 144-145 H4
Belorado E 130-131 H3
Beloreček RUS 144-145 I8
Belorečensk RUS 144-145 L5
Beloreck RUS 144-145 M6
Beloslav BG 114-115 H6
Belot, Lac – jez. 244-245 G3
Beloti GE 180-181 F2
Belotinci BG 114-115 C,D6
Belo-Tsiribihina RM 226-227 H3
Belousovka KZ 176-177 M7
Belovo BG 114-115 D,E7
Belovo RUS 176-177 N7
Belovodskoe KS 182-183 O5
Belozersk RUS 144-145 I5
Belpasso I 132-133 J11
Belpech F 124-125 H8
Belper GB 128-129 L8
Belsk Duży PL (MAZ) 76-77 D8
Belt USA (MT) 252-253 I3
Belted Range – g-y 252-253 F8
Belton Lake – jez. 250-251 E10
Belton USA (TX) 250-251 F10
Belturbet IRL 128-129 F7
Beludżystan – jedn. adm. PK 188-189 H3
Beluran MAL 194-195 F4
Beluru MAL 196 P15
Beluš'e RUS 144-145 K3
Belušić XS 118-119 H4
Belvedere Marittimo I 132-133 J9
Belvès F 124-125 G,H7
Belvidere USA (IL) 250-251 J4
Belyj Jar RUS 176-177 M6
Belyj Kolodez' RUS 142-143 R3
Belz UA 142-143 C3
Belzig D 122-123 I4
Bēła Woda D 112-113 G4
Bełchatów PL (ŁDZ) 76-77 D7
Bełdany, Jezioro 72-73 B9
Bełt Fehmarn – cieśn. 138-139 G,H8
Bełt, Mały – cieśn. 138-139 F7
Bełt Samsø – cieśn. 138-139 G6,7
Bełt, Wielki – cieśn. 138-139 G7
(Bełz) UA 80-81 E11
Bełżec PL (LBL) 80-81 E11
Bełżyce PL (LBL) 76-77 D10
Bemaraha, Lembalemban'i – wyż. 226-227 H3
Bemarivo – rz. 226-227 I3
Bembe ANG 224-225 B5
Bembesi ZW 226-227 E3,4
Bembèzar, Embalse de – zb. 130-131 F7,8
Bembèzar, Río – rz. 130-131 F7
Bemidji USA (MN) 250-251 G2
Bemu RI 194-195 I6
Ben Gardane TN 220-221 H2
Bên Hai VN 192-193 E4
Ben Macdhui – g. 226-227 E6
Ben Mehidi DZ 132-133 B12
Ben Nevis – g. 104-105 H4
Bên Thuy VN 192-193 E4
Bên Tre VN 192-193 E5
Bena Dibele ZRE 224-225 D4
Bena Makima ZRE 224-225 D4
Bena USA (MN) 250-251 G2
Benabarre E 130-131 L3
Benaguacil E 130-131 K6
Benalla AUS 296-297 H6
Benaoján E 130-131 F9
(Benares) IND 190-191 Q12
Benasal E 130-131 K5
Benavente E 130-131 F3
Benavides BOL 276-277 D6
Benavides de Órbigo E 130-131 E3
Benavides USA (TX) 250-251 E12
Benbecula – w. 128-129 F4
Bencha CHN 200-201 F3
Bend USA (OR) 252-253 D5
Bendaja LB 220-221 C7
Bendemeer AUS 296-297 I5
Bender-Bayla SP 222-223 J6
Bendering AUS 296-297 B5
Bendern FL 127 G6
Bendigo AUS 296-297 G6
Bendorf D 122-123 D6
Bendovan burnu – przyl. 180-181 K5
Bene AL 118-119 H6
Bene Berak IL 186 A3
Bēne LV 140-141 E5
Benediktbeuern D 120-121 G3

Skorowidz nazw

420

Big Bay – zat. 299 K11
Big Bay de Noc – zat. 248-249 B2
Big Bay USA (MI) 248-249 B1
Big Beaver CDN 250-251 B1
Big Beaver House CDN 244-245 N6
Big Bell AUS 296-297 B4
Big Belt Mountains – g-y 252-253 I3
Big Cypress Seminole Indian Reserve jedn. adm. USA 248-249 E11
Big Cypress Swamp – bag. 248-249 E11
Big Delta USA (AK) 254-255 M3
Big Dry Creek – rz. 252-253 K3
Big Falls USA (MN) 250-251 G,H1
Big Fork River – rz. 250-251 G,H2
Big Hatchet Peak – g. 252-253 J11
Big Hole River – rz. 252-253 H4
Big Island – w. 244-245 R4
Big Lake – jez. 248-249 L2
Big Lake USA (TX) 250-251 D10
Big Lost River – rz. 252-253 H5
Big Muddy Creek – rz. 252-253 L2
Big Muddy Lake – jez. 252-253 L2
Big Pine Key USA (FL) 248-249 E11
Big Pine Mount – g. 252-253 E9
Big Pine USA (CA) 252-253 E8
Big Piney USA (WY) 252-253 I5
Big Rapids USA (MI) 248-249 C3
Big River CDN 244-245 K6
Big Sable Point – przyl. 250-251 K3
Big Sandy Creek – rz. 250-251 C6
Big Sandy River – rz. 252-253 J6
Big Sandy USA (MT) 252-253 I2
Big Sioux River – rz. 250-251 F4
Big Smoky Valley – dol. 252-253 F7
Big Snowy Mountains – g-y 252-253 J3
Big Spring USA (TX) 250-251 D9
Big Stone Lake – jez. 250-251 F3
Big Trout Lake CDN 244-245 O6
Big Wells USA (TX) 250-251 E11
Big Wood Cay – w. 262-263 E1
Big Wood River – rz. 252-253 G5
Biga Çayı – rz. 134-135 I3
Biga TR 134-135 I3
Bigadiç TR 134-135 J4
Biganos F 124-125 E7
Bigfork USA (MN) 250-251 H2
Bigge – w. 296-297 C1
Biggenden AUS 296-297 I4
Biggleswade GB 128-129 M9
Bighorn Lake – jez. 252-253 J,K4
Bighorn Mountains – g-y 252-253 J,K4
Bighorn River – rz. 252-253 K4
Bighorn USA (MT) 252-253 K3
Bignasco CH 120-121 D4
Bignona SN 220-221 B6
Bihać BIH 118-119 C3
Bihar – jedn. adm. IND 190-191 E4
Bihar IND 190-191 R12
Biharamulo EAT 224-225 F4
Biharia RO 114-115 B2
Bihariganj IND 190-191 S12
Biharkeresztes H 114-115 B2
Bihor – g. 114-115 C3
Bihor – jedn. adm. RO 114-115 C2
Bihoro J 202-203 I2
Bihorski, Masyw 114-115 C3
Bihosava BY 140-141 I6
Bihun' UA 140-141 J10
Biincagan nuur – jez. 198-199 G2
Bija – rz. 176-177 N7
Bijagós, Arquipélago dos – w-y 220-221 B6
Bijaipur IND 190-191 E5
Bijapur IND 190-191 D5
Bijauri NEP 190-191 Q10
Bijawar IND 190-191 D4
Bij-Chem – rz. 176-177 P7
Bije – wyż. 216 E7
Bijela BIH 118-119 F3
Bijela XM 118-119 V16
Bijele Poljane XM 118-119 V15
Bijele Rudine – reg. 118-119 V15
Bijeljina BIH 118-119 F,G3
Bijelo Polje XM 118-119 G4
Bijiang CHN 192-193 C2
Bijie CHN 200-201 B5
Bijji IND 190-191 E5
Bijoutier – w. 226-227 L9
Bijsk RUS 176-177 N7
Bikaner IND 190-191 C3
Bikar Atoll – w. 290-291 J3
Bikava LV 140-141 I5
Bikfayyā RL 186 B2
Bikin – rz. 178-179 F9
Bikin RUS 178-179 E9
Bikini Atoll – w. 290-291 I3
Bikoro ZRE 224-225 C4
Bikou CHN 200-201 B3
Bikubiti – g. 222-223 C3
Bila Cerkva UA 142-143 I4
Bīlā ET 184-185 D6
Bila Krynycja UA 142-143 M6
Bilād 'Ammār – wyż. 188-189 E6
Bilād Banī Bū Hasan OM 188-189 G4
Bilaj RO 114-115 M11
Bilanga BF 220-221 F6
Bilangbilangan – w. 196 R16
Bilara IND 190-191 C3
Bilaspur IND 190-191 E4
Bilati ZRE 224-225 E4
Bilato RI 194-195 G5
Bilbais ET 184-185 D6
Bilbao E 130-131 H2
Bilbilis – r. 130-131 J4
Bilbo E 130-131 H2
Bilbor RO 114-115 P9
Bilciureşti RO 114-115 F5
Bilecik TR 134-135 L3
Bileća BIH 118-119 U15
Bilećko jezero – zb. 118-119 U15
Biled RO 114-115 B4
Bilen'ke UA 142-143 Q5
Biləsuvar AZ 180-181 J5
Biləv AZ 180-181 G5
Bilgəh AZ 180-181 K4
Bilhorod – Dnistrovskyj UA 142-143 I7
Bili – rz. 224-225 D3
Bili ZRE 224-225 E3
Bilibino RUS 178-179 L5
Bilikköl – jez. 182-183 N5
Bilin MYA 192-193 C4
Bílina CZ 112-113 F5
Biliran – w. 197 E6
Bilisht AL 118-119 H7
Biljača XS 118-119 I5
Biljajivka UA 142-143 I,J7
Bilje XS 118-119 F2
Biljutaj RUS 176-177 R7
Bilkorovyči UA 140-141 I10
Bill USA (WY) 252-253 L5
Billabalong AUS 296-297 B4
Billabong – rz. 296-297 G5,6
Billingen – g. 138-139 J4
Billings RUS 178-179 M4,5
Billings USA (MT) 252-253 J4
Billingsa, mys – przyl. 178-179 N4,5
Billy Chinook, Lake – jez. 252-253 D4
Bilma, Grand Erg de – pust. 222-223 B4
Bilma RN 222-223 B4
Bilo – g. 118-119 J5
Bīlo ETH 222-223 G6
Biloela AUS 296-297 I3
Bilogora – g-y 118-119 D1
Bilohir'ja UA 142-143 F3,4
Bilohirs'k UA 142-143 N8
Biloku GUY 276-277 F3
Bilokurakyne UA 142-143 R4
Biloluc'k UA 142-143 S4
Bilopillja UA 142-143 N2
Bilousivka UA 142-143 L4
Bílovec CZ 78-79 F5
Bilovods'k UA 142-143 S4
Biloxi USA (MS) 250-251 J10
Bilozerka UA 142-143 L7
Bilozers'ke UA 142-143 Q5
Bilozir'ja UA 142-143 K4
Bilqās ET 184-185 D6
Bil's'ka Volja UA 140-141 G10
Biltine TCH 222-223 D5
Bilto N 136-137 F3
Bilyc'ke UA 142-143 P5
Bilyj Kolodjaz' UA 142-143 Q3
Bilyky UA 142-143 N4
Bilylivka UA 142-143 I4
Bilzen B 126 D4
Biła – rz. 80-81 E11
Biłgoraj PL (LBL) 80-81 E10
Bimbae ANG 224-225 C6
Bimbila GH 220-221 F7
Bimini Islands – w-y 248-249 F12
Bin Kanīmah, Ğabal – g-y 222-223 C2,3
Bin Xian CHN 200-201 C3
Bin Xian CHN 200-201 E2
Bin Xian CHN 202-203 D1
Binaced E 130-131 K4
Bina-Etawa IND 190-191 D4
Binalbagan RP 197 D6
Bīnālūd, Kūh-e – g-y 182-183 H8
Binarowa PL (MŁP) 80-81 F9
Binasco I 120-121 D5
Binatang MAL 196 N15
Binche B 126 C4
Binder TCH 222-223 B6
Bindura ZW 226-227 F3
Binəqədi AZ 180-181 K4
Binford USA (ND) 250-251 E2
Binga, Monte – g. 216 G7,8
Binga ZW 226-227 E3
Bingara AUS 296-297 I4
Bingaram – w. 190-191 C6
Bingen D 122-123 D7
Bingham Canyon USA (UT) 252-253 H,I6
Bingham USA (ME) 248-249 K2
Bingöl Dağları – g-y 180-181 C5
Bingöl TR 180-181 B6
Binh Dinh VN 192-193 E4
Binh Gia VN 192-193 E3
Binh Khê VN 192-193 E5
Binh Liêu VN 192-193 E3
Binh Sơn VN 192-193 E4
Binhai CHN 200-201 E3
Bini Erda – oaza 222-223 C3
Binic F 124-125 D3
Binjai RI 194-195 B5
Binna, Raas – przyl. 222-223 J5
Binnaway AUS 296-297 H5
Bint Ğubail RL 186 B2
Bintan – w. 194-195 C5
Bintang – g. 192-193 D6
Bintuhan RI 194-195 C6
Bintulu MAL 194-195 E5
Bintuni, Teluk – zat. 194-195 I6
Binubusan RP 197 C5
Binyang CHN 200-201 C6
Binzhou CHN 200-201 E2
Bío Bío – rz. 280-281 D5
Bioče XM 118-119 W15
Bioco, Isla de – w. 216 D5
Biograd HR 118-119 C4
Biokovo – g-y 118-119 R14
Bioska XS 118-119 G4
Biougra MA 220-221 D2
Biq'at Bet Natofa – dol. 186 B3
Bique, Punta – przyl. 260-261 Q12
Bi'r al-Ğilbāna ET 222-223 L10
Bi'r 'Asākir Y 188-189 E5
Bir Djedid DZ 220-221 G2
Bir El Ater DZ 220-221 G2
Bi'r Hasana ET 184-185 E6
Bir IND 190-191 D5
Bīr IR 187 H4
Bir Lhassenne Ould Hamed RIM 220-221 D3
Bīr Mogreïn RIM 220-221 C3
Bi'r Zaltan LAR 222-223 C2
Bi'r Zikrīt Q 187 D4
Bira – rz. 178-179 E9
Bira RUS 178-179 E9
Birab RI 194-195 J7
Birāk LAR 222-223 B2
Birakan RUS 178-179 E9
Bir-Anzarane – oaza 220-221 B4
Birao RCA 224-225 D1
Bīraq, Kūh-e – g-y 188-189 H3
Biratnagar NEP 190-191 S11
Birchip AUS 296-297 G6
Birchiş RO 114-115 C4
Bircza PL (MŁP) 80-81 F10
Bird – w. 226-227 L,M8
Bird City USA (KS) 250-251 D6
Bird Island – w. 296-297 I3
Birecik TR 184-185 H3
Bireuen RI 194-195 B4
Bīrğand IR 188-189 G2
Bir-Gandouz WSA 220-221 B4
Birganj NEP 190-191 R11
Bir-Ghbalou DZ 130-131 O9
Biri – rz. 222-223 E6
Birigui BR 278-279 C7
Birikčul' RUS 176-177 N7
Birinči Čegem RUS 180-181 E1
Birinci Udullu AZ 180-181 J4
Birini RCA 224-225 D2
Biriri WAN 222-223 B5
Birjakovo RUS 144-145 J5
Birjusinsk RUS 176-177 P6
Birkenfeld D 122-123 D7
Birkenhead GB 128-129 J8
Birkenhead Howick NZ 298 F3
Birkfeld A 120-121 K3
Birkiani GE 180-181 G2
Birkirkara M 127 L12
Birkkarspitze – g. 120-121 G3
Birky UA 142-143 O4
Bir-Lahlou – oaza 220-221 D3
Birlik KZ 182-183 O4
Birma – państwo 168-169 M7
Birmingham GB 128-129 K9
Birmingham USA (AL) 250-251 K9
Birmitrapur IND 190-191 E4
Birnhorn – g. 120-121 H3
Birnie Island – w. 290-291 K5
Birnin-Gaoure RN 220-221 F6
Birnin-Kebbi WAN 220-221 F6
Birnin-Konni RN 220-221 G6
Birobidžan RUS 178-179 E9
Birofel'd RUS 178-179 E9
Birong RP 197 A7
Birr IRL 128-129 E,F8
Birrīm, Ğazīrat – w. 188-189 C3
Birs – rz. 120-121 C3
Birsfelden CH 120-121 C3
Birsk RUS 144-145 M5
Birštonas LT 140-141 E7
(Birsztany) LT 140-141 E7
Birten D 122-123 N10
Birtle CDN 244-245 L6
Biržai LT 140-141 F5
Birži LV 140-141 G5
(Birże) LT 140-141 F5
Birżebbuġa M 127 M13
Bisa – w. 194-195 H6
Bīša KSA 188-189 D4
Bisaccia I 132-133 J7
Bisalpur IND 190-191 O10
Bisanga WAN 222-223 B5
Bisbee USA (AZ) 252-253 J11
Biscarrosse et de Parentis, Lac de jez. 124-125 E7
Biscarrosse F 124-125 E7
Biscarrosse-Plage F 124-125 E7
Biscayne Bay – zat. 248-249 E12
Bisceglie I 132-133 K7
Bischofshofen A 120-121 I3
Bischofswerde D 122-123 J5
Bischwiller F 120-121 C2
Biscotasi Lake – jez. 248-249 E1
Biscotasing CDN 248-249 D1
Biševo – w. 118-119 P15
Biševski kanal – cieśn. 118-119 P14
Bisha ER 222-223 G4
Bishnupur IND 190-191 S13
Bishop – w. 128-129 G12
Bishop Auckland GB 128-129 L7
Bishop USA (CA) 252-253 E8
Bishop's Stortford GB 128-129 N10
Bishopville USA (SC) 248-249 E7
Bishui CHN 198-199 L1
Bisicho Lake – jez. 244-245 H5
Bisina, Lake – jez. 224-225 F3
Biskajska, Zatoka 104-105 I7
Biškek KS 182-183 P5
Biskopicy D 112-113 F4
Biskra DZ 220-221 G2
Biskupia Kopa – g. 78-79 E5
Biskupiec PL (POM) 72-73 B8
Biskupiec PL (W-M) 72-73 B7
Biskupin PL (K-P) 74-75 C5
Bislig Bay – zat. 197 F7
Bislig RP 197 F7
Bismarck USA (ND) 250-251 D2
Bismarcka, Archipelag 290-291 G5
Bismarcka, Góry 290-291 G5
Bismarcka, Morze 290-291 G5
Bismuna, Laguna – zat. 260-261 I5
Bismuna Tara NIC 260-261 I5
Biso EAU 224-225 F3
Bisoca RO 114-115 G4
Bison USA (SD) 250-251 C3
Bīsotūn IR 184-185 L4
Bissamcuttack IND 190-191 E5
Bissau GNB 220-221 B6
Bistineau, Lake – jez. 250-251 H9
Bistrcioara – rz. 114-115 P,Q9
Bistreţ RO 114-115 D6
Bistriţa – rz. 114-115 N9
Bistriţa Auria – rz 114-115 F2
Bistriţa Bârgăului RO 114-115 O9
Bistriţa RO 114-115 O9
Bistriţa-Năsăud – jedn. adm. RO 114-115 E2
Biszcza PL (LBL) 80-81 E10
(Biszkek) KS 182-183 P5
Bisztynek PL (POM) 72-73 A8
Bitam G 224-225 B3
Bitata ETH 222-223 G6
Bitburg D 126 E5
Bitche F 120-121 C1
Bitea, Ouadi – rz. 222-223 D5
Bitik TR 134-135 N3
Bitkine TCH 222-223 C5
(Bitków) UA 142-143 D5
Bitlis TR 184-185 I,J2
Bitola MK 118-119 I6
Bitonto I 132-133 K7
Bitoraj – g. 118-119 O10
Bitovnja – g-y 118-119 E4
Bitra Par – w. 190-191 C6
Bitterfeld D 122-123 I5
Bitterfontein ZA 226-227 C6
Bitterroot River – rz. 252-253 G,H3
Bitterrot Range – g-y 252-253 G3
Bitti I 132-133 D8
Biu WAN 222-223 B5
Bivolu – g. 114-115 Q9
Bivona I 132-133 H11
Biwa-ko – jez. 204-205 I7
Biwiraka PNG 194-195 K7
Bixad RO 114-115 D2
Biyang CHN 200-201 D3
Bīye K'obē ETH 222-223 H5
Bīžanābād IR 187 H2
Bizen J 204-205 G8
(Bizerta) TN 220-221 G1
Bizerte TN 220-221 G1
Bizerte – jez. 132-133 D11
Bjahoml' BY 140-141 I7
Bjala BG 114-115 F6
Bjala BG 114-115 H7
Bjala Slatina BG 114-115 D6
Bjalyje Čučavičy BY 140-141 H9
Bjalyničy BY 140-141 K7,8
Bjalynkavičy BY 140-141 M8
Bjarèzina – rz. 140-141 K9
Bjarnanes IS 136-137 m13
Bjaroza BY 140-141 G9
Bjarozaŭka BY 140-141 G8
Bjästa S 136-137 e6
Bjelasica – g-y 118-119 G5
Bjelašnica – g-y 118-119 F4
Bjelolasica – g-y 118-119 N10
Bjelovar HR 118-119 D2
Bjerkvik N 136-137 E3
Björbo S 138-139 K2
Bjoreio – rz. 138-139 D2
Björklinge S 138-139 N2
Björköby FIN 136-137 F6
Björna S 136-137 e6
Bjørnafjorden – zat. 138-139 B2
Björnbjorg FIN 138-139 R1
Bjørnøya – st. bad. 310 K2
Bjurholm S 136-137 e6
Bla RMM 220-221 D6
Blachownia PL (ŚL) 78-79 E6
Black Bay – zat. 250-251 J1
Black Butte Lake – jez. 252-253 C7
Black Coast – wybrz. 311 R2
Black Duck River – rz. 244-245 N,O5
Black Hills – g-y 250-251 B3
Black Lake – jez. 244-245 K5
Black Mesa – g-y 250-251 C7
Black Mesa – g-y 252-253 I8
Black Mount – g. 248-249 D6
Black Mountains – g-y 252-253 G9
Black Mountains – g-y 128-129 I,J10
Black Mountains – g-y 128-129 J9,10
Black Nossop – rz. 226-227 C4
Black Range – g-y 252-253 K10
Black River – rz. 250-251 I3
Black River – rz. 252-253 J10
Black River Falls USA (WI) 250-251 I3
Black River JA 260-261 K3,4
Black Rock – w. 280-281 I8
Black Rock Desert – pust. 252-253 E6
Black Volta – rz. 220-221 E7
Blackall AUS 296-297 H3
Blackbull AUS 296-297 G2
Blackburn GB 128-129 K8
Blackburn, Mount – g. 254-255 N3
Blackduck USA (MN) 250-251 G2
Blackfeet Indian Reservation – jedn. adm. USA 252-253 H2
Blackfoot Reservoir – zb. 252-253 I5
Blackfoot River – rz. 252-253 H3
Blackfoot USA (ID) 252-253 H5
Blackhear, Lake – jez. 248-249 C9
Blackpool GB 128-129 J8
Blacksod Bay – zat. 128-129 C7
Blackstone Hill NZ 298 C7
Blackstone River – rz. 244-245 E4
Blackstone USA (VA) 248-249 F6
Blacktown AUS 296-297 I5
Blackwater – rz. 128-129 E9
Blackwater IRL 128-129 G9
Blackwell USA (OK) 250-251 F7
Blackwell USA (TX) 250-251 D9
Bladon Springs USA (AL) 250-251 J10
Bláfjall – g. 136-137 M13
Blagaj BIH 118-119 E3
Blagaj BIH 118-119 T14
Blagnac F 124-125 H8
Blagodarnyj RUS 144-145 J7
Blagodatnoe RUS 142-143 N2
Blagoevgrad BG 114-115 D7
Blagoevo RUS 144-145 K4
Blagoveščenka RUS 176-177 M7
Blagoveščensk RUS 144-145 L5
Blagoveščensk RUS 178-179 D8
Blahodatne UA 142-143 K5
Blain F 124-125 E4
Blainville-sur-l'Eau F 120-121 B2
Blair Athol AUS 296-297 H3
Blair Atholl GB 128-129 J5
Blair USA (NE) 250-251 F5
Blairgowrie GB 128-129 J5
Blairsden USA (CA) 252-253 D7
Blake Point – przyl. 250-251 J1
Blake'a, Grzbiet – form. podm. 248-249 G10
Blake'a, Płaskowyż – form. podm. 308 E4
Blakeney GB 128-129 O9
Blakeney Point – przyl. 128-129 N,O8,9
Blakley USA (GA) 248-249 C9
Blama WAL 220-221 C7
Blambangan, Semenanjung – płw. 194-195 P,R11
Blanc, Mount – g. 104-105 K6
Blanc, Réservoir – zb. 248-249 I1
Blanc Sablon CDN 244-245 U6
Blanca, Bahía – zat. 280-281 F5
Blanca, Bahía de – zat. 258-259 B3
Blanca, Costa – wybrz. 130-131 K8
Blanca, Laguna – jez. 280-281 D8
Blanca Peak – g. 240 K6
Blanca, Punta – przyl. 258-259 G8
Blanca, Sierra – g. 250-251 B10
Blanche, Lake – jez. 296-297 F4
Blanco, Cabo – przyl. 260-261 H8
Blanco, Cabo – przyl. 276-277 A4
Blanco, Cape – przyl. 252-253 B5
Blanco, Lago – jez. 280-281 D8
Blanco, Rio – rz. 276-277 C5
Blanco, Río – rz. 276-277 E6
Blanco, Río – rz. 280-281 D4
Blanco USA (TX) 250-251 F10
Blanda – rz. 136-137 I13
Blandford GB 128-129 K11
Blanding USA (UT) 252-253 J8
Blanes E 130-131 N4
Blaney Park USA (MI) 248-249 C1
Blangpidie RI 192-193 C7
Blangy-sur-Bresie F 124-125 H2
Blanice – rz. 112-113 F6
Blankaholm S 138-139 M5
Blankenberg D 122-123 H3
Blankenberge B 126 A3
Blankenburg D 122-123 G,H5
Blankenheim D 126 E4
Blanki, Jezioro 72-73 A8
Blansko CZ 112-113 I6
Blantas – rz. 194-195 O,P10,11
Blantyre MW 224-225 F7
Blåskavlen – g. 138-139 D1,2
Blatec MK 118-119 J6
Blåtjallshotten – g. 136-137 D5
Blatná CZ 112-113 F6
Blato HR 118-119 R15
Blato na Cetini HR 118-119 R14
Blaubeuren D 120-121 E2
Blaufelden D 122-123 F,G7
Blåvands Huk – przyl. 138-139 D7
Blavet – rz. 124-125 C4
Blaye F 124-125 F6
Blaye-les Mines F 124-125 H7
Blayney AUS 296-297 H5
Blaze, Point – przyl. 296-297 D1
Bleckede D 122-123 G3
Bled SLO 120-121 J4
Bledsoe USA (TX) 250-251 C9
Bledzew, Jezioro – zb. 74-75 C3
Bledzew PL (LBU) 74-75 C3
Bleialf D 126 E4
Bleiburg A 120-121 J4
Bleicherode D 122-123 G5
Blejeşti RO 114-115 F5
Blekinge län – jedn. adm. S 138-139 K6
Blenheim CDN 248-249 E3
Blenheim NZ 298 E5
Bléone – rz. 120-121 B6
Blessing USA (TX) 250-251 F11
Blh – rz. 112-113 M7
Blida DZ 220-221 F1
Blidene LV 140-141 D5
Blidinje jezero – jez. 118-119 S13
Blind River CDN 248-249 D1
Blinisht AL 118-119 G6
Blinman AUS 296-297 F5
Blinnenhorn – g. 120-121 D4
Bliskie, Wyspy 254-255 E5
Bliss USA (ID) 252-253 G5
Blitar RI 194-195 P10
Blitta RT 220-221 F7
Blizanów PL (WLP) 74-75 D6
Bliznaci BG 114-115 H6
Blizne PL (MŁP) 80-81 F9,10
Bliżyn PL (ŚW) 76-77 D8
Block Island – w. 248-249 J3
Bloemfontein ZA 226-227 E5
Bloemhof ZA 226-227 D,E5
Bloemhofdam – zb. 226-227 E5
Blois F 124-125 H4
Blokzijl NL 126 D2
Blönduós IS 136-137 L13
Bloody Foreland – przyl. 128-129 E6
Bloomfield South USA (NE) 250-251 F4
Bloomfield USA (IA) 250-251 H5
Bloomfield USA (IN) 248-249 B5
Bloomfield USA (NM) 252-253 K8
Bloomington USA (IL) 250-251 J5
Bloomington USA (IN) 248-249 B5
Bloomington USA (MN) 250-251 G3
Bloomsburg USA (PA) 248-249 G4
Blora RI 194-195 O10
Blossburg USA (PA) 248-249 G4
Blouberg – g. 226-227 E4
Blountstown USA (FL) 248-249 C9
Blovice CZ 112-113 F6
Blowing Rock USA (NC) 248-249 E6
Bludenz A 120-121 E3
Blue Hills TC 262-263 G3
Blue Mesa Reservoir – zb. 252-253 K7
Blue Mount – g. 252-253 D6
Blue Mount Pass – przeł. 252-253 F5
Blue Mountain – g. 250-251 G8
Blue Mountains – g-y 252-253 E4
Blue Rapids USA (KS) 250-251 F6
Blue Ridge USA (GA) 248-249 C7
Blue River CDN 244-245 I6

Borgorose I 132-133 H6
Borgosesia I 120-121 D5
Borgóbeszterce RO 114-115 O9
Borgóprund RO 114-115 O9
Borgund N 138-139 D,E1
Borisoglebsk RUS 144-145 J6
Borisovka RUS 142-143 O3
Borj El Khadra TN 220-221 G2
Borj Jenein TN 220-221 G2
Borja E 130-131 J4
Borja PE 276-277 B4
Borja PY 278-279 B8
Borjas Blancas E 130-131 L4
Borjas, Sierra de – g-y 258-259 C3
Borjomi GE 180-181 E3
Borkavičy BY 140-141 J6
Borken D 122-123 F5
Borken D 126 E3
Borki PL (LBL) 76-77 D10
Borkowice PL (MAZ) 76-77 D8
Borku – reg. 222-223 C4
Borkum – w. 126 E1
Borlänge S 138-139 L2
Borlu TR 134-135 J5
Bormida – rz. 120-121 D6
Bormio I 120-121 F4
Borna D 122-123 I5
Borndiep – cieśn. 126 D1
Borne Sulinowo PL (ZPM) 70-71 B4
Borneo – w. 166-167 N9
Bornes, Serra de – g-y 130-131 D4
Bornheim D 126 E4
Bornholm – jedn. adm. DK 138-139 L7
Bornholm – w. 104-105 M4
Bornholmska, Cieśnina 138-139 K7
Borno I 120-121 F5
Bornos E 130-131 F9
Bornova TR 134-135 H,I5
Bornuur MAU 198-199 I2
Boro – rz. 222-223 E6
Borobudur – r. 194-195 N10
Borocay – w. 197 C,D5,6
Borodino UA 142-143 I7
Borodjanka UA 142-143 I3
(Borodzianka) UA 142-143 I3
Borogoncy RUS 178-179 E6
Borohoro Shan – g-y 198-199 D3
Boroko RI 194-195 G5
Boromlija UA 142-143 N3
Boromo BF 220-221 E6
Borondi IND 190-191 E5
Borongan RP 197 E6
Boronów PL (ŚL) 78-79 E6
Bororen AUS 296-297 I3
Boroskrakkó RO 114-115 L,M11
Borotou CI 220-221 D7
Borova – rz. 142-143 R4
Borova UA 142-143 I3
Borova UA 142-143 Q4
Borovan BG 114-115 D6
Borovany CZ 112-113 G7
Borove UA 140-141 H10
Boroviči RUS 144-145 H5
Boroviči RUS 140-141 K4
Borovljanka RUS 176-177 M7
Borovo BG 114-115 F6
Borovo HR 118-119 G2
Borovoj RUS 136-137 h5
Borovskoj KZ 144-145 N6
Borowa PL (PKR) 80-81 E9
(Borowicze) RUS 144-145 H5
Borowie PL (MAZ) 76-77 D9
Borów PL (DŚL) 78-79 E4
Borralha P 130-131 C4
Borrby S 138-139 K7
Borroloola AUS 296-297 F2
Borşa RO 114-115 E2
Borşa RO 114-115 M10
Borščiv UA 142-143 E5
Borsec RO 114-115 Q9,10
Børselv N 136-137 G2
Borsh AL 118-119 G7
Borsod-Abaúj-Zemplén – jedn. adm. H 114-115 X14
Borstendorf D 122-123 X14
Borsunlu AZ 180-181 H4
Borszczowoczne, Góry 178-179 B8
(Borszczów) UA 142-143 E5
Borszék RO 114-115 Q9,10
Borta CHN 198-199 D2
Borth D 122-123 O10
Bort-les-Orgues F 124-125 I6
Borūǧerd IR 184-185 M5
Bor-Uzuur MAU 198-199 F2
Boryslav UA 142-143 C4
(Borysław) UA 80-81 F11
(Borysoglebsk) RUS 144-145 J6
(Borysów) BY 140-141 J7
Boryspil' UA 142-143 J3
(Boryspol) UA 142-143 J3
Borzechów PL (LBL) 76-77 D10
Borzęcin PL (MŁP) 80-81 E8
Borzja RUS 178-179 B8
Borzna UA 142-143 L2
Borzonasca I 120-121 E6
Börzsöny – g-y 112-113 K8
Borzytuchom PL (POM) 70-71 A5
Bosa I 132-133 C8
Bosaga KZ 182-183 O3
Bosanci RO 114-115 G2
Bosanska Dubica BIH 118-119 D2
Bosanska Gradiška BIH 118-119 E2
Bosanska Kostajnica BIH 118-119 D2
Bosanska Krupa BIH 118-119 D3
Bosanska Rača BIH 118-119 G3
Bosanski Brod HR 118-119 E2
Bosanski Grahovo BIH 118-119 D3
Bosanski Novi BIH 118-119 C,D2
Bosanski Petrovac BIH 118-119 D3
Bosanski Šamac BIH 118-119 F2,3
Boscastle GB 128-129 I11
Bosco Chiesanuova I 120-121 G5
Bose CHN 200-201 B6
Bosfor – cieśn. 104-105 O7
Bosilegrad XS 118-119 J5
Bosilovo MK 118-119 J6
Boskovice CZ 112-113 I6
Boslerl USA (WY) 252-253 K6
Bosna – g-y 114-115 H7
Bosna – rz. 118-119 F3
Bošnjakovo RUS 178-179 G9
Bosobolo ZRE 224-225 C3
Bōso-hantō – płw. 204-205 L7
Bosoli RB 226-227 E4
Bosque Bonito MEX 258-259 G2
Bošrūye IR 188-189 G2
Bossangoa RCA 224-225 C2
Bossembélé RCA 224-225 C2
Bossentélé RCA 224-225 C2
Bossier City USA (LA) 250-251 G9
Bosso – rz. 220-221 F6
Bosso RN 222-223 B5
Bossolasco I 120-121 C6
Bostan CHN 190-191 E1
Bostan PK 188-189 I2
Bostānābād IR 184-185 L3
Bostandyk KZ 182-183 N5
Bosten Hu – jez. 198-199 E3
Boston GB 128-129 M,N8,9
Boston Mountains – g-y 250-251 G8
Boston USA (MA) 248-249 J3
Bosut XS 118-119 G3
Boswell USA (OK) 250-251 F,G9
Bośnia i Hercegowina – państwo 106-107 M7
Botad IND 190-191 C4
Botan Çayı – rz. 184-185 J2,3
Botava BY 140-141 H9
Boteå S 136-137 E6
Boteni RO 114-115 E4
Botev – g. 104-105 N7
Botevgrad BG 114-115 D7
Botfalu RO 114-115 Q12
Bothaville ZA 226-227 E5
Bothulie ZA 226-227 E6
Bothwell AUS 296-297 H7
Boticas P 130-131 D4
Botijeve UA 142-143 O7
Botin – g. 118-119 U14
Botletle – rz. 226-227 D3,4
Botlich RUS 180-181 H2
Botnicka, Zatoka 104-105 M3
Botoroaga RO 114-115 F5
Botoşani RO 114-115 G2
(Botoszany) RO 114-115 G2
Botou CHN 200-201 E2
Botrange – g. 126 E4
Botswana – państwo 217 F8
Botte Donato – g. 132-133 K9
Bottineau USA (ND) 250-251 D1
Bottle Creek TC 262-263 H2,3
Bottrop D 126 E3
Botucatu BR 278-279 D7
Botun MK 118-119 H6
Bou Arada TN 132-133 D12
Bou Bernous, Hassi – oaza 220-221 E3
Boû Djébéha SP 220-221 E5
Bou Hodjar DZ 132-133 C12
Bou Ismaïl DZ 130-131 N9
Bou Kadir DZ 130-131 M9
Bou Maad, Djebel – g. 130-131 N9
Bou Merdas TN 132-133 E13
Bou Mertala – oaza 220-221 D4
Bou Naceur, Jbel – g. 220-221 E2
Boû Nâga – oaza 220-221 E5
Boû Nâga RIM 220-221 C5
Bou Saada DZ 220-221 F1
Bou Salem TN 132-133 C12
Bouaflé CI 220-221 D7
Bouaké CI 220-221 D7
Bouala RCA 224-225 C2
Boualem DZ 220-221 F2
Bouali RCA 224-225 C3
Bouânane MA 220-221 E2
Bouar RCA 224-225 C2
Bouârfa MA 220-221 E2
Bouca RCA 224-225 C2
Boucau F 124-125 E8
Bouchegouf DZ 132-133 B12
Boudenib MA 220-221 E2
Boudeuse – w. 226-227 L9
Boudji RCB 224-225 C4
Boudouaou DZ 130-131 O9
Bouenza – rz. 224-225 B4
Boufarik DZ 130-131 N,O9
Bougainville, Cape – przyl. 296-297 D1
Bougainville, Détroit de – cieśn. 299 K12
Bougainville Reef – w-y 296-297 H2
Bougainville'a, Wyspa 290-291 H5
Boughessa SP 220-221 F4
Bougoumen TCH 222-223 C5
Bougouni RMM 220-221 D6
Bougtob DZ 220-221 E2
Bouillon B 126 D5
Bouin F 124-125 D,E5
Bouira DZ 220-221 F1
Bou-Izakarn MA 220-221 D3
Boujdour WSA 220-221 B3
Boukra WSA 220-221 C3
Boula-Ibib CAM 224-225 B2
Boulaide L 127 A2
Boulal RMM 220-221 D5
Boulari, Passes de – cieśn. 299 K15
Boulder City USA (NV) 252-253 G9
Boulder Peak – g. 252-253 C6
Boulder USA (CO) 252-253 L6,7
Boulder USA (MT) 252-253 H3
Boulel RMM 220-221 D5
Bouli SN 220-221 C5
Boulia AUS 296-297 F3
Boulodne-sur-Gesse F 124-125 G8
Boulogne-Billancourt F 124-125 V11
Boulogne-sur-Mer F 124-125 H1
Bouloupari NC 299 J14
Boulsa BF 220-221 E6
Boumalne-Du-Dadès MA 220-221 D2
Bouna CI 220-221 E7
Boundary Peak – g. 252-253 E8
Boundiali CI 220-221 D7
Boung LAO 192-193 D3
Bounkiling SN 220-221 B6
Bountiful USA (UT) 252-253 I6
Bounty Islands – w-y 290-291 J9
Bounty Trough – form. podm. 290-291 J9
Bøur FR 127 D4
Boura BF 220-221 E6
Bourail NC 299 J14
Bourbon-Lancy F 124-125 J5
Bourbonne-les-Bains F 120-121 A3
Bourem RMM 220-221 E5
Bourg F 124-125 F6
Bourganeuf F 124-125 H5,6
Bourg-de-Visa F 124-125 G7
Bourg-en-Bresse F 124-125 L5
Bourges F 124-125 I4
Bourget, Lac du – jez. 120-121 A5
Bourg-et-Comin F 124-125 J2
Bourgneuf-en-Retz F 124-125 E4
Bourgouin-Jallieu F 124-125 K6
Bourg-Saint-Andéol F 124-125 K7
Bourg-Saint-Maurice F 120-121 B5
Bourg-Saint-Pierre CH 120-121 C5
Bourgueil F 124-125 F,G4
Bourjine TN 132-133 E13
Bourke AUS 296-297 H4,5
Bourmont F 120-121 A2
Bournemouth GB 128-129 L11
Bourrah CAM 222-223 B5
Bourscheid L 127 A2
Bourzanga BF 220-221 E6
Boussac F 124-125 I5
Boussé BF 220-221 E6
Boussières F 120-121 A3
Bousso TCH 222-223 C5
Boutilimit RIM 220-221 C5
Boutonne – rz. 124-125 F5
Bouvet Fracture Zone – form. podm. 308 M13
Bouveta, Wyspa 308 M13
Bouza RN 220-221 G6
Bovalino Marina I 132-133 K10
Bovill USA (ID) 252-253 F3
Bovino I 132-133 J7
Bovolone I 120-121 G5
Bow Island CDN 244-245 J6
Bow River – rz. 252-253 I1
Bowbells USA (ND) 250-251 C1
Bowen AUS 296-297 H2
Bowersa, Grzbiet – form. podm. 240 C,D4
Bowie USA (AZ) 252-253 J10
Bowie USA (MD) 248-249 G5
Bowie USA (TX) 250-251 F9
Bowling Green USA (KY) 248-249 B6
Bowling Green USA (MO) 250-251 H6
Bowling Green USA (OH) 248-249 D4
Bowling Green USA (VA) 248-249 G5,6
Bowman Island – w. 311 H3
Bowman USA (ND) 250-251 C2
Bowmanville CDN 248-249 F2,3
Bowmore GB 128-129 G6
(Bowo) CHN 192-193 C2
Bowokan, Kepulauan – w-y 194-195 G6
Bowral AUS 296-297 I5
Box Butte Reservoir – zb. 250-251 C4
Box Elde USA (MT) 252-253 I2
Box Elder Creek – rz. 252-253 J3
Boxberg D 74-75 D2
Boxholm S 138-139 L4
Boxing CHN 200-201 E2
Boxmeer NL 126 D3
Boxtel NL 126 D3
Boyabat TR 134-135 P2
Boyalı TR 134-135 O2,3
Boyang CHN 200-201 E4
Boyce USA (LA) 250-251 H10
Boyle IRL 128-129 E7,8
Boynton Beach USA (FL) 248-249 E11
Boys Town USA (NE) 250-251 F5
Boysen Reservoir – zb. 252-253 K5
Boysen USA (WY) 252-253 J5
Boyuibe BOL 276-277 E8
Böyük Hinaldağ – g. 180-181 G4
Boz Burnu – przyl. 134-135 J3
Boz Dağ – g. 134-135 K6
Boz Dağ – g. 134-135 O4
Boz Dağlar – g-y 134-135 I5
Bozac TR 134-135 L3
Bozan TR 134-135 M4
Bozaščy tübek – płw. 182-183 D4
Bozburun Dağı – g. 134-135 L,M6
Bozburun TR 134-135 J7
Bozcaada – w. 134-135 G4
Bozdağ – g. 134-135 J5
Bozdağ silsiləsi – g-y 180-181 H4
Bozdoğan TR 134-135 J6
Bozel F 120-121 B5
Bozeman USA (MT) 252-253 I4
Bozen I 120-121 G4
Boževac XS 118-119 I3
Božica XS 118-119 J5
Bozieni MD 114-115 I3
Bozkır TR 134-135 N6
Bozkurt TR 134-135 K6
Bozok Yaylası – wyż. 134-135 P3
Bozoum RCA 224-225 C2
Bozovici RO 114-115 B5
Boztepe TR 134-135 P4
Božurište BG 114-115 C,D7
Bozüyük TR 134-135 L4
Bozyaka TR 134-135 M6
Bożego Narodzenia, Wyspa 290-291 L4
Bóbr – rz. 74-75 D3
(Bóbr) – rz. 140-141 J7
Bóbrka PL (PKR) 80-81 F9
(Bóbrka) UA 142-143 D4
Bódava – rz. 112-113 M7
Bra I 120-121 C6
Brabancja – jedn. adm. B 126 C4
Brabancja Północna – jedn. adm. NL 126 D3
Brabova RO 114-115 D5
Brač – w. 118-119 Q,R14
Bracciano I 132-133 F6
Bracciano, Lago di – jez. 132-133 F6
Bracebridge CDN 248-249 F2
Braciav UA 142-143 H5
Bracigovo BG 114-115 E7
Bräcke S 136-137 d6
Brackettville USA (TX) 250-251 D11
Brački kanal – cieśn. 118-119 R14
Bracki, Zbiornik 166-167 N4
Braço Menor do Rio Araguaia – rz. 278-279 C5
Brad RO 114-115 C3
Bradano – rz. 132-133 K8
Brădeni RO 114-115 O11
Bradenton USA (FL) 248-249 D11
Bradford CDN 248-249 E2
Bradford GB 128-129 L8
Bradford USA (PA) 248-249 F4
Brady USA (TX) 250-251 E10
Brae – in. 128-129 O3
Braemar GB 128-129 J4
Braga P 130-131 C4
Bragadiru RO 114-115 F6
Bragado RA 280-281 F5
Bragança BR 278-279 D3
Bragança P 130-131 E4
Bragança Paulistá BR 278-279 D7
Braguny RUS 180-181 G1
Brăhăşeşti RO 114-115 H3
Brahin BY 140-141 L10
Brahinka – rz. 140-141 L10
Brahmanbaria BD 190-191 G4
Brahmaputra – rz. 166-167 L,M7
Brahynivka UA 142-143 P5
Brăila RO 114-115 H,I4
Brăilei, Balta – bag. 114-115 H,I5
(Braiła) RO 114-115 H,I4
Braine-l'Alleud B 126 C4
Brainerd USA (MN) 250-251 G2
Brajiliv UA 142-143 G,H4
Brajina – g. 118-119 I5
(Brajłów) UA 142-143 G,H4
Brake D 122-123 E3
Brake D 122-123 F5
Brålanda S 138-139 I4
Bralin PL (WLP) 78-79 D5
Brallo di Pregola I 120-121 E6
Brálos GR 134-135 D5
Bram F 124-125 I8
Bramming DK 138-139 E7
Bran – przeł. 114-115 F4
Branca BR 278-279 D7
Brancaleone Marina I 132-133 K10,11
Branchville USA (SC) 248-249 E8
Branco, Cabo – przyl. 272 J5
Branco, Ilhéu – w. 220-221 K12
Branco, Rio – rz. 272 G4,5
Branco, Rio – rz. 276-277 E5
Branco, Rio – rz. 276-277 E6
Branco, Rio – rz. 278-279 D5
Brâncovenesti RO 114-115 O10
Brandberg – g. 216 E8
Brandbu N 138-139 G2
Brande DK 138-139 F7
Brandenburg D 122-123 I4
Brandenburgia – jedn. adm. D 122-123 I4
Brand-Erbisdorf D 122-123 J6
Brandfort ZA 226-227 E5
Brändö FIN 140-141 B1
Brandon Bay – zat. 128-129 C9
Brandon CDN 244-245 L,M7
Brandon, Mount – g. 128-129 C9
Brandon USA (FL) 248-249 D11
Brandon USA (MS) 250-251 J9
Brandov D 122-123 Y15
Brandval N 138-139 H2
Brandvlei ZA 226-227 D6
Brandýs nad Labem-Stará Boleslav CZ 112-113 G5
Brănesti RO 114-115 G5
Branford USA (FL) 248-249 D9
Branice PL (OPO) 78-79 E5
Braniewo PL (W-M) 72-73 A7
Braniştea RO 114-115 F5
Branson USA (CO) 250-251 C7
Branson USA (MO) 250-251 H7
Brantford CDN 244-245 P8
Brantley USA (AL) 248-249 B9
Brantôme F 124-125 G6
Brañuelas E 130-131 E3
Brânzeni MD 114-115 H1
Branzoll I 120-121 G4
Brańsk PL (PDL) 76-77 C10
Brańszczyk PL (MAZ) 76-77 C9
Bras-d'Asse F 120-121 B7
Brasiléia BR 276-277 D6
Brasília BR 278-279 D6
Braslaŭ BY 140-141 H6
Brăšljanica BG 114-115 E6
(Brasław) BY 140-141 H6
Braşov RO 114-115 Q12
Brass WAN 220-221 G8
Brassac-les-Mines F 124-125 J6
Brasschaat B 126 C3
Brastavaţu RO 114-115 E6
Braszów RO 114-115 Q12
Bratca RO 114-115 C3
Brateş, Lacul – jez. 114-115 H4
Brateş RO 114-115 R12
Bratislava SK 112-113 J7
Bratogoš – g. 118-119 V15
Bratovoeşti RO 114-115 D5
Bratsk RUS 176-177 Q6
Brats'ke UA 142-143 K6
Brattleboro USA (VT) 248-249 I3
Brattvaerhavet – zat. 136-137 b6
(Bratysława) SK 112-113 J7
Braunau am Inn A 120-121 H2
Braunschweig D 122-123 G4
Bräunsdorf D 122-123 X14
Brava, Costa – wybrz. 130-131 O4
Brava, Ilha – w. 220-221 K13
Bravicea MD 114-115 I2
Bråviken – zat. 138-139 M4
Bravo del Norte, Rio – rz. 240 K7
Brawley USA (CA) 252-253 G10
Bray IRL 128-129 G,H8
Bray Island – w. 244-245 Q3
Bray ZA 226-227 D5
Brayşa RL 186 C1
Bray-sur-Seine F 124-125 J3
Braza – rz. 194-195 J7
Brazatortas E 130-131 G7
Brazeau CDN 244-245 I6
Brazi RO 114-115 F5
Brazil USA (IN) 248-249 B5
Brazos River – rz. 250-251 F10
Brazylia – państwo 273 G5
Brazylijska, Wyżyna 272 I6
Brazylijski, Basen – form. podm. 308 J10
Brazzaville RCB 224-225 B4
Brąszewice PL (ŁDZ) 74-75 D6
Brčko BIH 118-119 F3
Brda – rz. 70-71 B5
Brdo – g. 112-113 J6
Brdy – g-y 112-113 F6
Breaksea Sound – zat. 298 A7
Bream Bay – zat. 298 F2
Breaza RO 114-115 F4
Breaza RO 114-115 O10
Brebes RI 194-195 N10
Brebes, Tanjung – przyl. 194-195 N10
Brécey F 124-125 E3
Brechin GB 128-129 K5
Brecht B 126 C3
Breckenridge USA (MN) 250-251 F2
Breckenridge USA (TX) 250-251 E9
Brecknock, Península – płw. 280-281 D8
Břeclav CZ 112-113 I7
Brecon Beacons – g. 128-129 J10
Brecon GB 128-129 J9,10
Brécy F 124-125 I4
Breda NL 126 C3
Bredaryd S 138-139 J5
Bredasdorp ZA 226-227 D6
Bredenbruch D 122-123 S11
Bredene B 126 A,B3
Brederis A 127 G6
Bredsjö S 138-139 K3
Bredstedt D 122-123 E2
Bredy RUS 144-145 M6
Bree B 126 D3
Breede – rz. 226-227 D6
Breen River – rz. 248-249 C6
Breg – rz. 120-121 D2
Bregalnica – rz. 118-119 J6
Bregava – rz. 118-119 T14
(Bregencja) A 120-121 E3
Bregenz A 120-121 E3
Bregovo BG 114-115 C5
Bréhal F 124-125 E3
Bréhat, Île de – w. 124-125 D3
Breiðafjörður – zat. 104-105 D2
Breiðavik IS 136-137 K13
Breil-sur-Roya F 120-121 C7
Breisach am Rhein D 120-121 C2
Breitengussbach D 122-123 G6
Brejinho de Nazaré BR 278-279 D5
Brejo BR 278-279 E3
Brejo Velho BR 278-279 E5
Brekken N 136-137 c6
Brema – jedn. adm. D 122-123 E3
(Brema) D 122-123 E3
Bremangerlandet – w. 136-137 a7
Brembo – rz. 120-121 E5
Bremen D 122-123 E3
Bremen USA (GA) 248-249 C8
Bremerhaven D 122-123 E3
Bremerton USA (WA) 252-253 C3
Bremervörde D 122-123 E3
Bremnes N 138-139 B3
Bremond USA (TX) 250-251 F10
Brenham USA (TX) 250-251 F10
Brenica BG 114-115 E6
Brenna PL (ŚL) 78-79 F6
Brennero, Passo del – przeł. 120-121 G3
Brennerpaß – przeł. 120-121 G3
Breno I 120-121 F5
Brenta – g. 120-121 F4
Brenta – rz. 120-121 H5
Brenta, Gruppo di – g-y 120-121 F4
Brentwood GB 128-129 N10
Brenzone I 120-121 F5
Breń – rz. 80-81 E9
Brescia I 120-121 F5
Breskens NL 126 B3
Bresnica XS 118-119 H4
Bressanone I 120-121 G4
Bressay – w. 128-129 L,M1
Bressuire F 124-125 F5
Brèst BY 140-141 E9
Brest F 124-125 B3
Brestak BG 114-115 H6
Brestova HR 118-119 M10
Brestovac XS 118-119 I4
Bretania – jedn. adm. F 124-125 B7
Bretania – reg. 124-125 C3
Breţcu RO 114-115 G3
Breteuil F 124-125 G3
Breteuil F 124-125 I2
Breton Islands – w-y 250-251 J11
Breton Sound – cieśn. 250-251 J11
Bretoński, Półwysep 104-105 I6
Bretten D 120-121 D1
Breueh – w. 194-195 A4
Breukelen NL 126 C2
Brevard USA (NC) 248-249 D7
Breves BR 278-279 C3
Brevoort Lake – jez. 248-249 C1
Brewarrina AUS 296-297 H4,5
Brewer USA (ME) 248-249 K2
Brewerville LB 220-221 C7

Bunan Gega MAL 196 N16
Bunbury AUS 296-297 A,B5
Bunclody IRL 128-129 G9
Buncrana IRL 128-129 F6
Bundaberg AUS 296-297 I3
Bünde D 122-123 E4
Bundi IND 190-191 D3
Bundooma AUS 296-297 E3
Bundoran IRL 128-129 E7
Bunë – rz. 118-119 G6
Buneşti RO 114-115 P11
Bungadi ZRE 224-225 E3
Bungay GB 128-129 O9
Bungera, Oaza – reg. 311 H3
Bungo-suidō – cieśn. 202-203 F4
Bungo-takada J 204-205 D9
Buni WAN 222-223 B5
Bunia ZRE 224-225 F3
Bunkeya ZRE 224-225 E6
Bunkie USA (LA) 250-251 H10
Bunkris S 138-139 J1
Bunneh, Ğazīre-ye – w. 187 C1
Bunnell USA (FL) 248-249 E10
Bunting – w. 192-193 C6
Buntok RI 194-195 E6
Bunyu – w. 196 Q15
Buol RI 194-195 G5
Buôn Mê Thuôt VN 192-193 E5
Buor-Chaja, guba – zat. 178-179 D,E4
Buor-Chaja, mys – przyl. 178-179 F4
Buor-Sysy RUS 178-179 G5
Buqayq KSA 188-189 E3
Būr Fu'ad ET 222-223 L9
Bur RUS 176-177 R6
Būr Safāğa ET 222-223 F2
Būr Sa'īd ET 222-223 F1
Būr Sūdān SUD 222-223 G3,4
Bura EAK 224-225 H4
Buraan SPL 222-223 I5
Buraida KSA 188-189 D3
Būrālān IR 180-181 F5
Buram SUD 222-223 E5
Burannoe RUS 182-183 F1
Burāq SYR 186 C2
Buras USA (LA) 250-251 J11
Burbank USA (CA) 252-253 E9
Burbonia – reg. 124-125 J5
Burchala RUS 178-179 H6
Burco SPL 222-223 I6
Burdalyk TM 182-183 K7
Burdekin – rz. 296-297 H3
Burdekin Falls – wdp. 296-297 H3
Burdur Gölü – jez. 134-135 L6
Burdur TR 134-135 L6
Burdwan IND 190-191 S13
Burdwood Bank – form. podm. 308 F13
Burē ETH 222-223 G5
Bureja – rz. 166-167 P,Q4
Bureja RUS 178-179 D9
Burejskie, Góry 166-167 Q5
Büren D 122-123 E5
Bürencogt MAU 198-199 J2
Burènhajrhan MAU 198-199 F2
Burevestnik KZ 182-183 J1
Burg an Fehmarn D 122-123 H2
Burg D 122-123 H4
Burg Reuland B 126 D4
Burg Stargard D 122-123 J3
Burga RUS 140-141 N3
Burgas BG 114-115 H7
Burgaska, Zatoka 114-115 H7
Burgaskie, Jezioro 114-115 H7
Burgaw USA (NC) 248-249 F7
Burgdorf CH 120-121 C3
Burgdorf D 122-123 G4
Burgenland – jedn. adm. A 120-121 L3
Burgeo CDN 244-245 U7
Burgersdorp ZA 226-227 E6
Burghausen D 120-121 H2
Burgillos del Cerro E 130-131 E7
Burgio I 132-133 H11
Burgos E 130-131 H3
Burgos MEX 258-259 J5
Burgos RP 197 C2
Burgstädt D 122-123 W14
Burgstall I 120-121 G4
Burgsvik S 138-139 N5
Burguillo, Embalse de – zb. 130-131 G5
Burgundia – jedn. adm. F 124-125 B7
Burgundia – reg. 124-125 K4
Burgundzki, Kanał 124-125 K4
Burhaniye TR 134-135 H4
Burhaniye TR 134-135 J6
Burhanpur IND 190-191 D4
Burias – w. 197 D5
Burias Pass – cieśn. 197 D5
Buribaj RUS 144-145 M6
Burica, Cabo – przyl. 260-261 I8
Buriram THA 192-193 D4,5
Buriti BR 278-279 E3
Buriti Bravo BR 278-279 E4
Burjacja – jedn. adm. RUS 174-175 K4
Burjaky UA 142-143 H4
Burjasot E 130-131 K6
Burkand'ja RUS 178-179 H6
Burkburnett USA (TX) 250-251 E,F8
Burke – rz. 296-297 F3
Burke Island – w. 311 o2
Burkersdorf D 122-123 U14
Burkersdorf D 122-123 Y14
Burkesville USA (KY) 248-249 B,C6
Burketown AUS 296-297 F2
Burkeville USA (VA) 248-249 F6
Burkhardswalde D 122-123 Y13
Burkhardtsdorf D 122-123 W15
Burkina Faso – państwo 217 C4
Burkitti KZ 182-183 P2
Burk's Falls CDN 244-245 Q7
Burley USA (ID) 252-253 H5
Burlingame USA (CA) 252-253 C8
Burlingame USA (KS) 250-251 G6
Burlington CDN 248-249 E3
Burlington Fort USA (IA) 250-251 I5
Burlington USA (CO) 250-251 C6
Burlington USA (KS) 250-251 G6
Burlington USA (NC) 248-249 F6,7
Burlington USA (VT) 248-249 I2
Burlington USA (WA) 252-253 C2
Burlington USA (WI) 250-251 J4
Burnet USA (TX) 250-251 E10
Burney, Monte – g. 280-281 D8
Burney USA (CA) 252-253 D6
Burnie AUS 296-297 H7
Burnley GB 128-129 K8
Burns USA (OR) 252-253 E5
Burnside, Lake – jez. 296-297 C4
Burnt Ground BS 262-263 F2
Burnt River – rz. 252-253 E,F4
Burntwood River – rz. 244-245 L,M5
Buron RUS 180-181 E2
Burqin CHN 198-199 E2
Burra AUS 296-297 F5
Burray – w. 128-129 K3
Burrel AL 118-119 H6
Burren Junction AUS 296-297 H4,5
Burrendong Reservoir – zb. 296-297 H5
Burriana E 130-131 K6
Burrinjuck Reservoir – zb. 296-297 H5,6
Burro, Serranías del – g-y 258-259 H3
Burrow Head – przyl. 128-129 I7
Burrundie AUS 296-297 F1
Bursa TR 134-135 K3
Burscheid D 122-123 Q12
Bürstadt D 122-123 E7
Burštyn UA 142-143 D4
Burt Lake – jez. 248-249 C2
Burt Well – soln. 296-297 E3
Burtnieks – jez. 140-141 F4
Burton Head – g. 128-129 L7
Burton upon Trent GB 128-129 L9
Burtonport IRL 128-129 E7
Burträsk S 136-137 F5
Buru – w. 166-167 P10
Buru – w. 194-195 H6
Buruanga RP 197 C6
Burubajtal KZ 182-183 O4
Burul'ča – rz. 142-143 N8
Burullus, Buhairat al- – jez. 184-185 D6
Burultakay CHN 198-199 E2
Burūm Y 188-189 E6
Burundi – państwo 217 F6
Burunoba TR 134-135 O6
Bururu ZRE 224-225 C3
Burustach RUS 178-179 G6
Burutu WAN 220-221 G7
Burwell USA (NE) 250-251 E5
Burwick GB 128-129 K3
Bury GB 128-129 K8
Bury Saint Edmunds GB 128-129 N9
Buryn' UA 142-143 M2
Burzenin PL (ŁDZ) 74-75 D6
Burzet F 124-125 K7
Burzil Pass – przeł. 190-191 C2
Būš ET 184-185 D7
Busby USA (MT) 252-253 K4
Busca I 120-121 C6
Būšehr – jedn. adm. IR 188-189 F3
Bushat AL 118-119 G6
Bushimaie – rz. 224-225 D5
Bushkill USA (PA) 248-249 H4
Bushmills GB 128-129 G6
Busia EAU 224-225 F3
Busigny F 124-125 J1
Businga ZRE 224-225 D3
Busira – rz. 224-225 C4
(Busk) UA 142-143 D3
Bus'k UA 142-143 D3
Buskerud – jedn. adm. N 138-139 F2
Buško jezero – zb. 118-119 R,S13
Busko-Zdrój PL (ŚW) 80-81 E8
Busongola EAT 224-225 F5
Buṣrá aš-Šām SYR 186 C3
Bussang F 120-121 B3
Busselton AUS 296-297 B5
Busseto I 120-121 F6
Bussol', proliv – cieśn. 178-179 I9
Bussolengo I 120-121 F5
Bussoleno I 120-121 C5
Bussum NL 126 D2
Bustach, ozero – jez. 178-179 G4
Bustamante, Bahía – zat. 280-281 E7
Buşteni RO 114-115 F4
Bustillos, Laguna – jez. 258-259 F3
Busto Arsizio I 120-121 D5
Būston TJ 182-183 M6
Buštyno UA 142-143 C5
Busu Djanoa ZRE 224-225 D3
Busuanga – w. 197 C5
Busuanga RP 197 B5
Büsum D 122-123 E2
Buszmenów, Kraj – reg. 226-227 C5
Buta Ranquil RA 280-281 E5
Buta ZRE 224-225 E3
Butajīra ETH 222-223 G6
Butak – wulk. 194-195 P10,11
Butan BG 114-115 D6
Butang Group – w-y 192-193 C6
Butare RWA 224-225 E4
Butaritari Atoll – w. 290-291 J4
Bute, Sound of – cieśn. 128-129 H6
Butea RO 114-115 G2
Butembo ZRE 224-225 E3
Buteni RO 114-115 C3
Butenky UA 142-143 M4
Butera I 132-133 I11
Butere EAK 224-225 F3
Buthrotum – r. 118-119 H8
Butiá BR 278-279 C9
Butler USA (AL) 250-251 J9
Butler USA (GA) 248-249 C8
Butler USA (MO) 250-251 G6
Butler USA (PA) 248-249 E4
Butoieşti RO 114-115 D5
Buton – w. 166-167 P10
Butovo BG 114-115 F6
Butriht AL 118-119 G8
Butte USA (MT) 252-253 H4
Butterworth MAL 194-195 C4
Butterworth ZA 226-227 E6
Buttes, Sierra – g. 252-253 D7
Büttgen D 122-123 O12
Button Bay – zat. 244-245 N5
Butuan RP 197 E7
Butzbach D 122-123 E6
Bützow D 122-123 H3
Buuhoodle SPL 222-223 I6
Buulo Berde SP 224-225 I3
Buur Gaabo SP 224-225 H4
Buur Hakaba SP 224-225 H3
Buxar IND 190-191 Q12
Buxtehude D 122-123 F3
Buxton GB 128-129 L8
Buyo CI 220-221 D7
Buyo, Lac du – zb. 220-221 D7
Büyük Kemikli Burnu – przyl. 134-135 H3
Büyük Menderes – rz. 104-105 O8
Büyükçöpler TR 134-135 O4
Büyükeğri Dağı – g. 134-135 O7
Büyükkarıştıran TR 134-135 I2
Büyük-Oturak TR 134-135 K5
Buzançais F 124-125 H5
Buzancy F 124-125 K2
Buzău – rz. 114-115 H4
Buzău RO 114-115 G4
Buzaymah LAR 222-223 D3
Buzen J 204-205 D9
Buzet HR 118-119 L10
Búzi – rz. 226-227 F3,4
Büzmeyin TM 182-183 H7
Buzoeşti RO 114-115 E5
Buzovna AZ 180-181 L4
Buzuluk RUS 144-145 L6
(Bużumbura) ZRE 224-225 E4
Bwrgen NL 126 D3
Byakar BHT 190-191 U11
Byam Martin Channel – cieśn. 310 Q2
Byam Matin Island – w. 244-245 L1,2
Byblos – r. 186 B1
Bycen' BY 140-141 G9
Bychaŭ BY 140-141 L8
Bychawa PL (LBL) 76-77 D10
(Bychów) BY 140-141 L8
Byczyna PL (OPO) 78-79 D6
Bydgoski, Kanał 70-71 B5
Bydgoszcz PL (K-P) 70-71 B6
Bydrino RUS 176-177 Q7
Bygdin N 138-139 E1
Bygland N 138-139 D4
Byglandsfjord N 138-139 D4
Byk – rz. 142-143 P5
Bykle N 138-139 D3
Bykov RUS 178-179 G9
Bykovo RUS 182-183 A2
Bykovskij RUS 178-179 D4
Byllym RUS 180-181 E1
Bylnice CZ 112-113 J6
Bylota, Wyspa 244-245 Q2
Bylym RUS 180-181 E1
Byng Inlet CDN 248-249 E2
Byramgore Reef – w. 190-191 C6
Byrda, Lodowiec 311 k1
Byrkjedal N 138-139 C4
Byrknesøy – w. 138-139 A2
Byro AUS 296-297 B4
Byrock AUS 296-297 H5
Byron Bay AUS 296-297 I4
Byrona, Przylądek 296-297 I4
Byrranga, Góry 166-167 L2
Byske S 136-137 F5
Byskeälven – rz. 136-137 F5
Byssa RUS 178-179 E8
Bystra – g. 80-81 F7
Bystra PL (MŁP) 80-81 F7
Bystré SK 112-113 N7
Bystrecovo RUS 140-141 J4
Bystřica CZ 112-113 J6
Bystřice CZ 112-113 G6
Bystryj Istok RUS 176-177 M7
Bystrzyca – rz. 80-81 F11
(Bystrzyca) – rz. 114-115 N,O9
Bystrzyca – rz. 76-77 D10
Bystrzyca – rz. 78-79 D4
Bystrzyca Kłodzka PL (DŚL) 78-79 E4
(Bystrzyca, Złota) – rz. 114-115 F2
Bystrzyckie, Góry 48-49 E3
Bytantaj – rz. 178-179 D,E5
Bytča SK 112-113 K6
Bytkiv UA 142-143 D5
Bytnica PL (LBU) 74-75 C3
Bytom Odrzański PL (LBU) 74-75 D3
Bytom PL (ŚL) 78-79 E6
Bytoń PL (K-P) 74-75 C6
Bytów, Jezioro – zb. 70-71 A5
Bytów PL (POM) 70-71 A5
Bytyńskie, Jezioro 74-75 C4
Byurakan AR 180-181 F4
Byxelkrok S 138-139 N5
Byzyņñy RUS 180-181 E1
Bżegale RUS 180-181 E,F1
Bzip'i – rz. 180-181 B1
Bzip'i ABC 180-181 B1
Bzura – rz. 76-77 C8
Bzyp – rz. 180-181 B1
Bzyp ABC 180-181 B1
Bzypijskie, Góry 180-181 B1

C

Ca Mau VN 192-193 D6
Ca Mau, Mui przyl. 192-193 D6
Caaguazú PY 278-279 B8
Caala ANG 224-225 C6
Caatinga – fizjogr. 272 H5
Caatinga BR 278-279 D6
Caazapá PY 278-279 B8
Cabaçal, Rio – rz. 278-279 B6
Cabaiguán C 260-261 K1
Cabalete Alabat – w. 197 C4
Caballas PE 276-277 B7
Caballo Reservoir – zb. 252-253 K10
Caballo USA (NM) 252-253 K10
Caballococha PE 276-277 C4
Caballos GCA 260-261 E4
Caballos Mestenos, Llano de los – płask. 258-259 G3
Cabañas C 260-261 I1
Cabanatuan RP 197 C4
Cabaneta, Pic de la – g. 127 J9
Cabano CDN 244-245 S7
Cabanuan RP 197 D5
Čabar HR 118-119 N9
Cabaraya, Cerro – wulk. 276-277 D7
Cabarroguis RP 197 C3
Căbeşti RO 114-115 C3
Cabeza del Buey E 130-131 F7
Cabezo Gordo – g. 130-131 D8
Cabezón de Liébana E 130-131 G2
Cabezuela del Valle E 130-131 F5
Cabimas YV 276-277 C1
Cabinda ANG 224-225 B5
Cabinet Mountains – g-y 252-253 F2
Cabingaan – w. 197 C9
Cable USA (WI) 250-251 I2
Cabo Blanco RA 280-281 E7
Cabo BR 278-279 F,G4
Cabo Delgado – jedn. adm. MOC 226-227 G2
Cabo Frio BR 278-279 E7
Cabo Ledo ANG 224-225 B5
Cabo Pantoja PE 276-277 B,C4
Cabo Raso RA 280-281 E6
Čabo Vidio – przyl. 130-131 E2
Cabollera, Peña – g. 130-131 H4
Cabonero el Mayor E 130-131 G4
Cabonga, Réservoir – zb. 244-245 Q7
Cabool USA (MO) 250-251 H,I7
Caboolture AUS 296-297 I4
Cabora Bassa, Lago de – zb. 216 G7
Caborca MEX 258-259 C2
Cabota, Cieśnina 240 O,P5
Cabra – w. 197 B5
Cabra E 130-131 G8
Cabranes E 130-131 F2
Cabras I 132-133 C9
Cabras, Rio – rz. 130-131 D,E5
Cabrera – g. 130-131 J4
Cabrera – w. 130-131 N,O6
Cabrera DOM 262-263 H4
Cabrera, Sierra de la – g-y 130-131 E3
Cabriel, Río – rz. 130-131 J6
Cabuago RP 197 C3
Cabulauan – w. 197 C6
Čabulja – g-y 118-119 S,T13
Cabuya CR 260-261 H8
Caçador BR 278-279 C8
Cacahuatepec MEX 260-261 A4
Čačak XS 118-119 H4
Cacao FGF 278-279 C2
Caçapava do Sul BR 278-279 C9
Caccamo I 132-133 H11
Caccia, Capo – przyl. 132-133 B8
Cáceres BR 278-279 B6
Cáceres CO 260-261 M9
Cáceres E 130-131 E6
Cáceres PA 260-261 Q12
Čačèrsk BY 140-141 L9
Čačèvičy BY 140-141 K8
Cachari RA 280-281 G5
Cache Creek – rz. 252-253 C7
Cache Creek CDN 244-245 H6
Cache Peak – g. 252-253 H5
Cachi RA 280-281 E3
Cachi, Nevado de – g. 280-281 E2
Cachimbo BR 278-279 C4
Cachimbo, Serra do – g-y 278-279 B4
Cachoeira Alta BR 278-279 C6
Cachoeira BR 278-279 F5
Cachoeira do Arari BR 278-279 D3
Cachoeira do Sul BR 278-279 C9
Cachoeiro de Itapemirim BR 278-279 E7
Cachopo P 130-131 D8
Cachos, Punta – przyl. 280-281 D3
Cacina GNB 220-221 B6
Caciporé, Cabo – przyl. 278-279 C2
Caciporé, Rio – rz. 278-279 C2
Cacoal BR 276-277 E6
Cacolo ANG 224-225 C6
Caconda ANG 224-225 B6
Cacoum C 260-261 L2
Caculé BR 278-279 E5
Caculuvar – rz. 224-225 B7
Cacumba, Ilha – w. 278-279 F6
Cacuso ANG 224-225 C5
Cadajás BR 276-277 E4
Cadale SP 224-225 I3
Čadan RUS 176-177 O7
Čadca SK 112-113 K6
Caddo Lake – jez. 250-251 G9
Caddo USA (OK) 250-251 F8
Cadenberge D 122-123 E3
Cadenet F 124-125 L8
Cadereytá de Montes MEX 258-259 I7
Cadí, Serra del – g-y 130-131 M3
Cadibona, Colle di – przeł. 120-121 D6
Cadillac CDN 252-253 J1
Cadillac F 124-125 F7
Cadillac USA (MI) 248-249 C2
Cádiz E 130-131 E9
Cadiz Lake – jez. 252-253 G9
Cadiz RP 197 D6
Cadiz USA (CA) 252-253 G9
Cadiz USA (KY) 248-249 B6
Cadiz USA (OH) 248-249 E4
Cadore – reg. 120-121 H4
Cadours F 124-125 G,H8
Čaek KS 182-183 P6
Caen F 124-125 F2
Caernarfon Bay – zat. 128-129 H,I8
Caernarfon GB 128-129 I8
Caerphilly GB 128-129 J10
Caesaera Scugog, Lake – jez. 248-249 F2
Caete BR 278-279 E6,7
Caeté, Rio – rz. 276-277 D5,6
Caetité BR 278-279 E5
Caeysburg LB 220-221 C7
Cagaannuur MAU 198-199 E2
Cagaannuur MAU 198-199 K2
Cagaan-Olom MAU 198-199 G2
Cágan Aman RUS 182-183 B3
Cagayan – rz. 197 C3
Cagayan – w. 197 C7
Cagayan de Oro RP 197 E7
Cagayan Islands – w-y 197 C7
Cagayan RP 197 B8
Cagayan Sulu – w. 197 B8
Čağčarān AFG 188-189 H,I2
Čagda RUS 178-179 E7
Çağlayan TR 184-185 G3
Cagli I 132-133 G5
Cagliari I 132-133 D9
Cagliari, Golfo di – zat. 132-133 D9
Čaglin HR 118-119 E2
Cagnes-sur-Mer F 124-125 N8
Čagoda RUS 144-145 H5
Cagraray – w. 197 D5
Caguán, Rio – rz. 276-277 C3
Caguas PR 262-263 J4
Çagyl TM 182-183 F6
Čāh Bahā IR 188-189 H3
Čāh Bahār, Ḫalīğ-e – zat. 187 I4
Caha Mountains – g-y 128-129 D10
Cahaba River – rz. 248-249 B8
Čahār Maḥāll va Baḫtīārī – jedn. adm. IR 188-189 F2
Čāhār Rūstā'ī IR 187 D2
Cahirciveen IRL 128-129 C10
Cahore Point – przyl. 128-129 G9
Cahors F 124-125 H7
Cahuinari, Rio – rz. 276-277 C4
Cahuita, Punta – przyl. 260-261 I8
Cahul MD 114-115 I4
Cai Bau, Dao – w. 192-193 E3
Cai Nước VN 192-193 E6
Caia MOC 226-227 F,G3
Caia, Rio – rz. 130-131 D6,7
Caiabis, Serra dos – g-y 278-279 B5
Caiapônia BR 278-279 C6
Caiapó, Rio – rz. 278-279 C6
Caiapó, Serra do – g-y 278-279 C6
Caiazzo I 132-133 I7
Caibarién C 260-261 K1
Caicara YV 262-263 L9
Caicara YV 276-277 D2
Caicos Bank – form. podm. 262-263 H3
Caicó BR 278-279 F4
Cailungo di Sotto RSM 127 O14
Caimanera C 260-261 M2
Caimanero MEX 258-259 F6
Caimanero, Laguna del – jez. 258-259 F6
Caimito, Río – rz. 260-261 P12
Cainde ANG 224-225 B7
Caine, Río – rz. 276-277 D7
Căineni RO 114-115 E4
Cainsville USA (MO) 250-251 H5
Caiore – rz. 132-133 I7
Cairda, Wybrzeże 311 a2
Cairngorm Mountains – g-y 128-129 J4
Cairns AUS 296-297 H2
Cairnwell, The – przeł. 128-129 J5
Cairo Montenotte I 120-121 D6
Cairo USA (GA) 248-249 C9
Cairo USA (IL) 250-251 J7
Caisteán an Bharraigh IRL 128-129 D8
Caiundo ANG 224-225 C7
Caizhai CHN 200-201 E2
Cajabamba PE 276-277 B5
Cajamarca PE 276-277 B5
Cajarc F 124-125 H7
Cajàzeiras BR 278-279 F4
Čajbucha RUS 178-179 J6
Cajdamska, Kotlina 198-199 F4
Čajetina XS 118-119 G4
Cajidiocan RP 197 D5
Čajkovskij RUS 144-145 L5
Čajniče BIH 118-119 F,G4
Cajobabo C 260-261 M2
Caju, Ilha do – w. 278-279 E3
Cajurichic MEX 258-259 E3
Cajvana RO 114-115 F2
Caka CHN 198-199 G4
Caka Yannu – jez. 198-199 G4
Çakal TR 134-135 Q2
Çakıllı TR 134-135 K4
Çakmak Dağı – g-y 180-181 D5
Çakmak TR 134-135 P6
Čakovec HR 118-119 D1
Çal TR 134-135 K,L5
Çal TR 134-135 K5
Cala E 130-131 E8
Calabar WAN 220-221 G7
Calabozo YV 276-277 D2
Calaburra, Punta de – przyl. 130-131 G9
Calaceite E 130-131 L5
Calacoto BOL 276-277 D7
Calafat RO 114-115 C6
Calafate RA 280-281 D8
Calagua Islands – w-y 197 D4
Calahorra E 130-131 J3
Calais CDN 244-245 S7,8
Calais F 124-125 H1
Calais USA (ME) 248-249 L2
Calalaste, Sierra de – g-y 280-281 E3
Calama RCH 280-281 E2
Calamar CO 276-277 B1
Calamar CO 276-277 C3
Calamba RP 197 D6,7
Calamian Group – w-y 166-167 O8
Calamocha E 130-131 J5
Calamonte E 130-131 E7
Călan RO 114-115 D4
Calañas E 130-131 D8
Calandagan – w. 197 C6
Calandula ANG 224-225 C5

Carboneras de Guadazaón E
130-131 J6
Carboneras E 130-131 J8,9
Carboneras, Cerro – g. 258-259 I8
Carbonia I 132-133 C9
Carbonin I 120-121 H4
Carbonne F 124-125 H8
Carbó MEX 258-259 D3
Carbón, Cabo – przyl. 262-263 I4
Carcagente E 130-131 K6
Çarçanny TM 182-183 L8
Carcar RP 197 D6,7
Carcare I 120-121 D6
Carcassonne F 124-125 I8
Carche – g. 130-131 J7
Carcross CDN 244-245 E4
Çardak TR 134-135 K6
Cárdenas C 260-261 J1
Cárdenas MEX 258-259 J6
Cárdenas MEX 258-259 M8
Cardenas, Bahía de – zat.
260-261 J1
Cardenete E 130-131 J6
Çardı TR 134-135 K4
Cardiel, Lago – jez. 280-281 D7
Cardiff GB 128-129 J10
Cardigan Bay – zat. 128-129 H9
Cardigan GB 128-129 I9
Cardinal CDN 248-249 H2
Cardston CDN 252-253 H1
Cardwell AUS 296-297 H2
Carei RO 114-115 C2
Careiro BR 276-277 E4
Careiro de Várzea BR 276-277 F4
Carentan F 124-125 E2
Carevdar HR 118-119 D1
Carevo BG 114-115 H7
Carey USA (ID) 252-253 H5
Carey, Lake – jez. 290-291 E7
Cargèse F 124-125 X13
Carhaix-Plouguer F 124-125 C3
Carhué RA 280-281 F5
Cari Laufquen Grande, Lago – jez.
280-281 E6
Cariacica BR 278-279 E7
Cariaco YV 276-277 E1
Cariaco, Fosa de – form. podm.
262-263 K8
Cariaco, Golfo de – zat. 276-277 E1
Cariamanga EC 276-277 B4
Cariango ANG 224-225 C6
Cariati I 132-133 K9
Caribana, Punta – przyl. 260-261 L8
Caribon Mountains – g-y 244-245 I5
Cariboo Mountains – g-y 244-245 H6
Caribou CDN 244-245 S7
Caribou Island – w. 250-251 K,L2
Caribou USA (ME) 248-249 K1
Carigara Bay – zat. 197 E6
Carigara RP 197 E6
Carignan F 124-125 L2
Carignano I 120-121 C6
Čārīkār AFG 188-189 I1
Carimir BG 114-115 E7
Carinde MOC 226-227 F3
Cariñena E 130-131 J4
Carinhanha, Rio – rz. 278-279 E5
Carini I 132-133 H10
Carinola I 132-133 I7
Caripito YV 276-277 E1
Cariri BR 278-279 B3
Cariris Novos, Serra dos – g-y
278-279 E4
Cariús BR 278-279 F4
Carizzal CO 276-277 C1
Çärjev TM 182-183 J7
Carlet E 130-131 K6
Carleton Place CDN 248-249 G2
Carleton, Mount – g. 248-249 J1
Cârlibaba RO 114-115 F2
Carlin USA (NV) 252-253 F6
Carlingford IRL 128-129 G7
Carlingford Lough – zat. 128-129 G7
Carlinville USA (IL) 250-251 I6
Carlisle GB 128-129 J7
Carlisle Island – w. 254-255 H5
Carlisle USA (AR) 250-251 H,I8
Carlisle USA (PA) 248-249 G4
Carlit, Pic – g. 124-125 H9
Carloforte I 132-133 C9
Carlos Casares RA 280-281 F5
Carlos Chagas BR 278-279 E6
Carlow – jedn. adm. IRL 128-129 A1
Carlow IRL 128-129 F9
Carlsbad USA (CA) 252-253 F10
Carlsbad USA (NM) 250-251 B9
Carlyle CDN 244-245 L7
Carmacks CDN 244-245 E4
Carmagnola I 120-121 C6
Carman CDN 250-251 E1
Carmangay CDN 252-253 H1
Carmarthen GB 128-129 I10
Carmathen Bay – zat. 128-129 I10
Carmaux F 124-125 I7
Carmel Head – przyl. 128-129 I8
Carmelita GCA 260-261 E4
Carmelo ROU 280-281 G4
Carmen del Paraná PY 278-279 B8
Carmen, Isla – w. 258-259 D5
Carmen, Isla del – w. 258-259 N8
Carmen, Laguna del – zat.
258-259 M8
Carmen, Río del – rz. 258-259 F2
Carmen, Sierra del – g-y 258-259 H3
Cármenes E 130-131 F3
Carmensa RA 280-281 E5
Carmi USA (IL) 250-251 J6
Carmichael USA (CA) 252-253 D7
Carmona E 130-131 F8
Carn Ban – g. 128-129 I4,5
Carna Pumpa D 112-113 G4
Carnac F 124-125 C4
Carnamah AUS 296-297 B4
Carnarvon – g-y 290-291 D7
Carnarvon AUS 296-297 A3
Carnarvon AUS 296-297 H3
Carnarvon ZA 226-227 D6
Carnatic Shoal – form. podm. 197 A6
Čarnaŭčycy BY 140-141 E9
Carnduff CDN 250-251 D1
Carnegie USA (OK) 250-251 E8
Carnegie, Grzbiet – form. podm.
272 E5
Carnegie, Lake – jez. 290-291 E7
Carnero – g. 258-259 I5
Carnia – reg. 120-121 H4
Carnikava LV 140-141 E4
Čarnjany BY 140-141 F9
Carnot RCA 224-225 C2
Carnot, Cape – przyl. 296-297 E,F6
Carnsore Point – przyl. 128-129 G9
Caro – g. 130-131 L5
Caro USA (MI) 248-249 D3
Carol City USA (FL) 248-249 E11,12
Carolina Beach USA (NC)
248-249 G7
Carolina BR 278-279 D4
Carolina PR 262-263 J,K4
Carolina ZA 226-227 E5
Caroline Island – w. 290-291 M,N5
Caroní, Río – rz. 276-277 E2
Carora YV 276-277 C1
Carouge CH 120-121 B4
Carp CDN 248-249 G2
Carp USA (NV) 252-253 G8
Carpaneto Piac I 120-121 E6
Carpen RO 114-115 D5
Carpenter USA (WY) 252-253 L6
Carpentras F 124-125 L7,8
Carpi I 120-121 F6
Carpina BR 278-279 F4
Cărpineni MD 114-115 I3
Cărpiniș RO 114-115 A4
Carpinone I 132-133 I7
Carpinteria USA (CA) 252-253 E9
Carrabelle USA (FL) 248-249 C10
Carraipía CO 262-263 G8
Carral E 130-131 C2
Carralvo MEX 258-259 I,J4
Carrantuohill – g. 128-129 D10
Carrara I 120-121 F6
Carrascosa del Campo E 130-131 I5,6
Carrazeda de Ansiães P 130-131 D4
Carreria PY 278-279 B7
Carriacou – w. 262-263 M7
Carriçal CV 220-221 L12
Carrick on Shannon IRL 128-129 E8
Carrickfergus GB 128-129 H7
Carrick-on-Suir IRL 128-129 F9
Carrieton AUS 296-297 F5
Carrington USA (ND) 250-251 E2
Carriozo USA (NM) 252-253 K10
Carrión de Calatrava E 130-131 H6
Carrión de los Condes E 130-131 G3
Carrión, Río – rz. 130-131 G3
Carrizal Bajõ RCH 280-281 D3
Carrizal, Río – rz. 258-259 J6
Carrizo Springs USA (TX)
250-251 D11
Carroll Inlet – zat. 311 p2
Carroll USA (IA) 250-251 G4
Carrollton USA (GA) 248-249 C8
Carrollton USA (IL) 250-251 I6
Carrollton USA (KY) 248-249 C5
Carrollton USA (MO) 250-251 H6
Carron – rz. 128-129 I4
Carron, Loch – zat. 128-129 H4
Çarşamba TR 184-185 G1
Çarşambasuyu – rz. 134-135 N6
Carson City USA (NV) 252-253 E7
Carson Sink – soln. 252-253 E7
Cărta RO 114-115 O12
Cartagena CO 276-277 B1
Cartagena E 130-131 K8
Cartago CO 276-277 B3
Cartago CR 260-261 I8
Cartaxo P 130-131 B,C6
Cartaya E 130-131 D8
Cartelle E 130-131 C3
Carter Bar – g. 128-129 K6
Carter Mount – g. 252-253 D6
Carter USA (WY) 252-253 I6
Carter, Mount – g. 296-297 G1
Cartersville USA (GA) 248-249 C7
Carterton NZ 298 F5
Carthaga USA (MO) 250-251 G7
Carthage USA (AR) 250-251 H8
Carthage USA (IL) 250-251 I5
Carthage USA (MS) 250-251 I,J9
Carthage USA (NC) 248-249 F7
Carthage USA (NY) 248-249 H2
Carthage USA (TX) 250-251 G9
Cartier CDN 248-249 DE1
Cartier Island – w. 290-291 E6
Cartyle Lake – jez. 250-251 J6
Caruarú BR 278-279 F4
Carúpano YV 276-277 E1
Carutapera BR 278-279 D3
Caruthersville USA (MO) 250-251 J7
Cărvarica BG 114-115 C7
Carvin F 124-125 I1
Carvoeiro BR 276-277 E4
Carvoeiro, Cabo – przyl. 130-131 B6
Carway CDN 252-253 H1
Carwright CDN 244-245 U6
Çarxi AZ 180-181 J3
Cary – rz. 128-129 K10
Cary USA (NC) 248-249 F7
Caryčanka UA 142-143 N5
Čaryškoe RUS 176-177 M7
Casa BR 278-279 D7
Casa Branca P 130-131 C7
Casa Grande USA (AZ) 252-253 H10
Casablanca Ma 220-221 D2
Casale Monferrato I 120-121 D5
Casalmaggiore I 120-121 F5
Casalpusterlengo I 120-121 E5
Casamany, Pic de – g. 127 I9
Casanare, Rio – rz. 276-277 C2
Casarano I 132-133 L8,9
Casas de Juan Nuñez E 130-131 J6
Casas Grandes MEX 258-259 E2
Casas Grandes, Río – rz. 258-259 E2
Casas MEX 258-259 J6
Casas-Ibáñez E 130-131 J6
Casayo E 130-131 D,E3
Cascadas, Río las – rz. 260-261 Q11
Cascade Locks USA (OR)
252-253 C4
Cascade Reservoir – zb. 252-253 G4
Cascade USA (ID) 252-253 F4
Cascade USA (MT) 252-253 H3
Cascais P 130-131 B7
Cascajal C 260-261 J1
Cascavel BR 278-279 C7,8
Cascavel BR 278-279 F3
Cascina I 132-133 E5
Casco Bay – zat. 248-249 J3
Căşeiu RO 114-115 M9
Caselle Torinese I 120-121 C5
Caseros RA 280-281 F5
Caserta I 132-133 I7
Casey – st. bad. 311 h3
Casey'a, Zatoka 311 E3
Caseyr, Raas – przyl. 222-223 J5
Cashel IRL 128-129 F9
Cashel ZW 226-227 F3
Cashmere USA (WA) 252-253 D3
Casiguran Sound – zat. 197 C4
Casilda C 260-261 J2
Casilda RA 280-281 F4
Casildai, Ensenada de – zat.
260-261 J2
Casimcea RO 114-115 I5
Casina I 120-121 F6
Casino AUS 296-297 I4
Casiquiare, Río – rz. 276-277 D3
Casita MEX 258-259 D2
Časiv Jar UA 142-143 Q5
Čáslav CZ 112-113 H6
Casma PE 276-277 B5
Casma, Rio – rz. 276-277 B5
Čašmaimiron UZ 182-183 L7
Čašniki BY 140-141 K7
Casoli I 132-133 I6
Casoria I 132-133 I8
Caspe E 130-131 K4
Casper USA (WY) 252-253 K5
Casquets – w. 128-129 K12
Cass Lake USA (MN) 250-251 G2
Cass NZ 298 D6
Cass USA (WV) 248-249 F5
Cassai – rz. 216 F6
Cassano allo Ionio I 132-133 K9
Cassel F 126 A4
Casselton USA (ND) 250-251 F2
Cassiar CDN 244-245 G5
Cassiar Mountains – g-y 244-245 F5
Cassilândia BR 278-279 C6
Cassinelle I 120-121 D6
Cassinga ANG 224-225 C7
Cassino I 132-133 H7
Cassoday USA (KS) 250-251 F7
Cassville USA (MO) 250-251 G7
Cast – g. 130-131 F2
Castanhal BR 278-279 D3
Castanheira BR 278-279 B5
Castanho BR 276-277 E3
Castaño Viejo RA 280-281 E4
Castaños – g. 130-131 F5
Castaños MEX 258-259 I4
Castasegna CH 120-121 E4
Casteggio I 120-121 D5
Castejón E 130-131 J3
Castel di Sangro I 132-133 H7
Castel Island – w. 262-263 F2
Castel San Giovanni I 120-121 E5
Castelaau-de-Médoc F 124-125 F6,7
Castelbuono I 132-133 H11
Casteletown GBM 128-129 I7
Castelfiorentino I 132-133 F5
Castelfranco Emilia I 120-121 G6
Castelfranco Veneto I 120-121 G5
Casteljaloux F 124-125 F7
Castellabate I 132-133 I8
Castellammare del Golfo I
132-133 G10
Castellammare di Stabia I 132-133 I8
Castellammare, Golfo di – zat.
132-133 G10
Castellana Grotte I 132-133 K8
Castellane F 120-121 B7
Castellaneta I 132-133 K8
Castellar de Nuch E 130-131 M,N3
Castellazzo Bormida I 120-121 D6
Castelli RA 280-281 F3
Castelli RA 280-281 G5
Castello I 127 O15
Castello Incasio de Ingapirca – r.
276-277 B4
Castello Tesino I 120-121 G4
Castellote E 130-131 K5
Castelló d'Empúries E 130-131 N,O3
Castellón de la Plana E 130-131 L5,6
Castelnaudary F 124-125 H8
Castelnau-Monteratier F 124-125 H7
Castelnovo ne'Monti I 120-121 F6
Castelo – r. 130-131 C4
Castelo BR 278-279 E7
Castelo Branco P 130-131 D6
Castelo do Bode, Barragem do – zb.
130-131 C6
Castelo do Piauí BR 278-279 E4
Castelsardo I 132-133 C8
Castelsarrasin F 124-125 G7
Casteltermini I 132-133 H11
Castelvetrano I 132-133 G11
Casters F 124-125 I8
Casterton AUS 296-297 G6
Castets F 124-125 E8
Casteura E 130-131 F7
Castiglion Fiorentino I 132-133 F5
Castiglione dei Pepoli I 120-121 G6
Castiglione del Lago I 132-133 F5
Castiglione della Pescaia I 132-133 E6
Castiglione delle Stiviere I 120-121 F5
Castilla PE 276-277 A5
Castilla, Playa de – wybrz. 130-131 E8
Castillejos RP 197 B4
Castilletes CO 262-263 H8
Castillon-la-Bataille F 124-125 F7
Castillonnès F 124-125 G7
Castillos ROU 280-281 H4
Castillón MEX 258-259 H3
Castle Dale USA (UT) 252-253 I7
Castle Douglas GB 128-129 J7
Castle Peak – g. 252-253 G4
Castle Rock USA (CO) 252-253 L7
Castle Rock USA (SD) 250-251 C3
Castle Rock USA (WA) 252-253 C3
Castlebar IRL 128-129 D8
Castlebay GB 128-129 F5
Castleblayney IRL 128-129 G7
Castlegar CDN 244-245 I7
Castleisland IRL 128-129 D9
Castlemaine AUS 296-297 G6
Castlepoint NZ 298 G5
Castlerea IRL 128-129 E8
Castlewood USA (SD) 250-251 F3
Castocontrigo E 130-131 E3
Castrejón, Embalse de – zb.
130-131 G6
Castricum NL 126 C2
Castries WL 262-263 M6
Castro BR 278-279 C7
Castro Daire P 130-131 C5
Castro de Rei E 130-131 D2
Castro del Río E 130-131 G8
Castro Marim P 130-131 D8
Castro RCH 280-281 D6
Castro Verde P 130-131 C8
Castrodeza E 130-131 F4
Castrojeriz E 130-131 G3
Castronuevo E 130-131 F4
Castrop Rauxel D 122-123 R10
Castrop Rauxel-Habinghorst
– dzieln. D 122-123 R10
Castrop Rauxel-Ickern – dzieln. D
122-123 R10
Castropol E 130-131 D,E2
Castroreale I 132-133 I10
Castro-Urdiales E 130-131 H2
Castroverde E 130-131 D2
Castrovillari I 132-133 J9
Castroville USA (TX) 250-251 E11
Castrovirreyna PE 276-277 B6
Casula MOC 226-227 F3
Cat Ba, Dao – w. 192-193 E3
Cat Cays – w-y 248-249 F12
Cat Island – w. 262-263 F1
Çat TR 180-181 C5
Cața RO 114-115 P11
Čata SK 112-113 K8
Catacamas HN 260-261 H5
Catacaos PE 276-277 A5
Catacocha EC 276-277 A4
Cataguases BR 278-279 E7
Catahoula Lake – jez. 250-251 H10
Çatak Çayı – rz. 184-185 J3
Catalã BR 278-279 D6
Catalan Bay – zat. 127 S16
Catalan Bay Village GBZ 127 S16
Çatalca TR 134-135 J2
Catalina RCH 280-281 E3
Catalina, Isla – w. 262-263 I4
Catalina, Punta – przyl. 280-281 E8
Çatallar TR 134-135 K7
Catamarca RA 280-281 E3
Catandanes – w. 166-167 P8
Catandica MOC 226-227 F3
Catanduva BR 278-279 D7
Catania I 132-133 J11
Catanzaro I 132-133 K10
Catarina USA (TX) 250-251 E11
Catarman RP 197 E5
Catastrophe, Cape – przyl.
296-297 F6
Catavi BOL 276-277 D7
Catawba River – rz. 248-249 E7
Catbalogan RP 197 E6
Caté MEX 258-259 M9
Cateel Bay – zat. 197 F8
Cateel RP 197 F8
Catemaco MEX 258-259 L8
Catemaco, Lago – jez. 258-259 L8
Catende BR 278-279 F4
Catete, Rio – rz. 278-279 C4
Cathcart ZA 226-227 E6
Cathedral Mount – g. 250-251 C10
Catió GNB 220-221 B6
Catirina – g. 132-133 D8
Cativá PA 260-261 P10
Çatlıbük TR 134-135 J4
Çatlyk TM 182-183 I8
Cato Island – w. 290-291 H7
Catoche, Cabo – przyl. 240 M7
Caton Island – w. 254-255 J5
Catonsville USA (MD) 248-249 G5
Catorce MEX 258-259 I6
Catorce, Sierra de – g-y 258-259 I6
Catota ANG 224-225 C6
Catria – g. 132-133 G5
Catriló RA 280-281 F5
Catrimani BR 276-277 E3
Catrimani, Rio – rz. 276-277 E3
Catskill Mountains – g-y 248-249 H3
Catskill USA (NY) 248-249 H3
Cattolica Eraclea I 132-133 H11
Cattolica I 120-121 H7
Catuane MOC 226-227 F5
Čatyr-Köl – jez. 182-183 P6
Čatyrtaš KS 182-183 P6
Cauaburi, Rio – rz. 276-277 D3
Cauayan RP 197 D7
Cauca, Río – rz. 272 F4
Caucaia BR 278-279 F3
Caucasia CO 276-277 B2
Caucedo, Cabo – przyl. 262-263 I4
Caudete E 130-131 J7
Caudry F 124-125 J1
Cauit Point – przyl. 197 F7
Caulnes F 124-125 D3
Caulonia I 132-133 K10
Čaun – rz. 178-179 M5
Caungula ANG 224-225 C5
Cauquenes RCH 280-281 D5
Caura, Río – rz. 276-277 E2
Caurés, Rio – rz. 276-277 E4
Căușani MD 114-115 J3
Caussade F 124-125 H7
Cautário, Rio – rz. 276-277 E6
Cauterets F 124-125 F9
Cauto, Río – rz. 260-261 L2
Cauvery Falls – wdp. 190-191 D6
Cava de Tirreni I 132-133 I8
Cavadinești RO 114-115 H3
Cavaglià I 120-121 D5
Cavaillon F 124-125 L8
Cavalcante BR 278-279 D5
Cavalese I 120-121 G4
Cavalier USA (ND) 250-251 F1
Cavalleria, Cap de – przyl.
130-131 P5
Cavalli Islands – w-y 298 F2
Cavally – rz. 220-221 D7,8
Cavambe EC 276-277 B3
Cavan – jedn. adm. IRL 128-129 A1
Cavan IRL 128-129 F7,8
Cavarzere I 120-121 H5
Çavdarhisar TR 134-135 K4
Çavdır TR 134-135 K6
Cave City USA (KY) 248-249 C6
Cave Run Lake – jez. 248-249 D5,6
Cavezzo I 120-121 G6
Caviaga I 120-121 E5
Caviana, Ilha – w. 278-279 C2
Cavili – w. 197 C7
Cavite RP 197 C4
Cavnic RO 114-115 D2
Cavoli, Isola dei – w. 132-133 D9
Cavour I 120-121 C6
Cavtat HR 118-119 U15
Çavuş Burnu – przyl. 134-135 L7
Çavuş TR 134-135 M6
Çavuşcu Gölü – jez. 134-135 M5
Çavuşçu TR 134-135 M5
Čavusy BY 140-141 L8
Caxias BR 278-279 E3
Caxias do Sul BR 278-279 C8
Caxito ANG 224-225 B5
Cay Sal Bank – form. podm.
262-263 C2
Çay TR 134-135 L5
Cayağzı TR 134-135 Q2
Cayambe, Volcán – wulk.
276-277 B3
Caybagi Dere – rz. 180-181 F6
Cayce USA (SC) 248-249 E8
Çaycuma TR 134-135 N2
Çayeli TR 180-181 B3
Cayenne FGF 278-279 C1
Cayeux-sur-Mer F 124-125 H1
Çaygören Barajı – zb. 134-135 J4
Çayırbaşı TR 180-181 D4
Çayırhan TR 134-135 M3
Çayırlı TR 184-185 H2
Çayirliahmetçıler TR 134-135 M3
Çayırova NCY 134-135 O,P8
Çaykara TR 180-181 B4
Çaykavak Geçidi – przeł. 134-135 P6
Çaylar TR 180-181 C5
Cayman Brac – w. 260-261 K3
Caynabo SPL 222-223 I6
Cayo Agua, Isla – w. 260-261 I8
Cayuga CDN 248-249 E3
Cayuga Lake – jez. 248-249 G3
Cazalla de la Sierra E 130-131 F8
Cazals F 124-125 H7
Cazan – przeł. 114-115 C5
Cazaux et de Sanquinet, Lac de
– jez. 124-125 E7
Cazaux F 124-125 E7
Cazères F 124-125 G8
Cazin BIH 118-119 C3
Čazma HR 118-119 D2
Cazombo ANG 224-225 D6
Cazones, Río – rz. 258-259 J7
Cazorla E 130-131 H8
Cazorla YV 276-277 D2
Cea, Río – rz. 130-131 F3
Ceadâr-Lunga MD 114-115 I3
Ceahlău – g. 114-115 Q10
Ceahlău, Munții – g-y 114-115 Q10
Ceanu Mare RO 114-115 M10
Ceará – jedn. adm. BR 278-279 E,F3
Ceatharlach IRL 128-129 F9
Ceatherlach – jedn. adm. IRL
128-129 A1
Cebaco, Isla – w. 260-261 J9
Cebala Bou Ammar TN 132-133 E12
Ceballos MEX 258-259 G,H4
Čebarkul' RUS 144-145 M,N6
Čeboksary RUS 144-145 K5
Cebolla E 130-131 G6
Cebollar RA 280-281 E3
Cebollatí, Río – rz. 280-281 G4
Cebollera – g. 130-131 I3
Céboruco, Volcán – wulk.
258-259 G7
Cəbrayıl KAR 180-181 I5
Cebreros E 130-131 G5
Čebrykove UA 142-143 I,J6
Čebsara RUS 144-145 I5
Cebu – w. 166-167 P8,9
Cebu RP 197 D6
Ceccano I 132-133 H7
Čečel'nyk UA 142-143 I5
Cècèrleg MAU 198-199 H2
Cecerleg MAU 176-177 O8
Čechov RUS 178-179 G9
Čechovo RUS 140-141 B7
Cecil USA (OR) 252-253 E4
Cecina – rz. 132-133 E5
Cecina I 132-133 E5
Cedar Bluff Reservoir – zb.
250-251 E6
Cedar Bluff USA (VA) 248-249 E6
Cedar City USA (UT) 252-253 H8
Cedar Creek Reservoir – zb.
250-251 F9

Ch'arents'avan AR 180-181 F4
Chari – rz. 216 E4,5
Charikot NEP 190-191 S11
Charimkotan, ostrov – w. 178-179 I9
Chariton River – rz. 250-251 H5
Chariton USA (IA) 250-251 H5
Charity GUY 276-277 F2
Charkiv UA 142-143 P3
(Charków) UA 142-143 P3
Charleroi B 126 C4
Charles City USA (IA) 250-251 H4
Charles Island – w. 244-245 Q4
Charles Mound – g. 250-251 I4
Charles, Cape – przyl. 248-249 H6
Charlesbourg CDN 248-249 J1
Charleston Peak – g. 252-253 G8
Charleston USA (IL) 250-251 J6
Charleston USA (MO) 250-251 J7
Charleston USA (MS) 250-251 I,J8
Charleston USA (SC) 248-249 E8
Charleston USA (WV) 248-249 E5
Charlestown KAN 262-263 L5
Charleville AUS 296-297 H4
Charleville-Mèzières F 124-125 K2
Charlevoix USA (MI) 248-249 C2
Charlieu F 124-125 K5
Charlotte Amalie VI 262-263 K4
Charlotte Harbor – zat. 248-249 D11
Charlotte USA (MI) 248-249 C3
Charlotte USA (NC) 248-249 E7
Charlottenberg S 158-159 I3
Charlottesville USA (VA) 248-249 F5
Charlottetown CDN 244-245 T7
Charlotteville TT 262-263 M8
Charlovka RUS 144-145 I3
Charlton Island – w. 244-245 P6
Charlu RUS 136-137 h7
Charly F 124-125 J2,3
Charmes F 120-121 B2
Charmey CH 120-121 C4
Charollais, Monts du – g-y 124-125 K5
Charolles F 124-125 K5
Charovsk RUS 144-145 J4
Charsadda PK 188-189 J2
Charsonville F 124-125 H4
Charsznica PL (MŁP) 80-81 E7
Charters Towers AUS 296-297 H3
Chartres F 124-125 H3
Chartum – jedn. adm. SUD
222-223 F4
(Chartum Północny) SUD
222-223 F4
(Chartum) SUD 222-223 F4
Charzykowskie, Jezioro 70-71 B5
Chás RA 280-281 G5
Chasan RUS 178-179 E10
Chascomús RA 280-281 G5
Chaska USA (MN) 250-251 H3
Chasŏng KOR 202-203 D2
Chasseneuil-sur-Bonnieure F
124-125 G6
Chatanga – rz. 166-167 N2
Chatanga RUS 176-177 Q3
Chatańska, Zatoka 176-177 R3
Château-Arnoux F 120-121 B6
Châteaubriant F 124-125 E4
Château-Chinon F 124-125 J4
Château-du-Loir F 124-125 G4
Châteaudun F 124-125 H3
Château-Gontier F 124-125 F4
Château-Landon F 124-125 I3
Château-la-Valliére F 124-125 G4
Châteaulin F 124-125 B3
Châteaumeillant F 124-125 H5
Châteauneuf-du-Faou F 124-125 B3
Châteauneuf-la-Forêt F 124-125 H6
Châteauneuf-sur-Charente F
124-125 F6
Châteauneuf-sur-Cher F 124-125 I5
Châteauneuf-sur-Loire F 124-125 I4
Châteaureenard F 124-125 I4
Châteaurenard F 124-125 K8
Château-Renault F 124-125 G4
Châteauroux F 124-125 H5
Château-Salins F 120-121 B2
Château-Thierry F 124-125 J2
Châteauvillain F 124-125 K3
Châtelaillon-Plage F 124-125 E5
Châtelaudren F 124-125 C3
Châtelet B 126 C4
Châtelguyon F 124-125 I6
Châtellerault F 124-125 G5
Chatham CDN 244-245 P8
Chatham CDN 244-245 S7
Chatham GB 128-129 N10
Chatham Island – w. 290-291 J9
Chatham Islands – w-y 290-291 K9
Chatham Rise – form. podm.
290-291 J9
Chatham Strait – cieśn. 254-255 P4
Chatham USA (MA) 248-249 K4
Chatham USA (VA) 248-249 F6
Chatham, Isla – w. 280-281 D8
Châtillon I 120-121 C5
Châtillon-Coligny F 124-125 I4
Châtillon-en-Diois F 124-125 L7
Châtillon-sur-Indre F 124-125 H4,5
Châtillon-sur-Seine F 124-125 K4
Chatin, Ierr – g. 180-181 F3
Chatom USA (AL) 250-251 J10
Chatra IND 190-191 R12
Chatra NEP 190-191 S11
Chatsworth USA (GA) 248-249 C7
Chattahochee River – rz. 248-249 C9
Chattahoochee USA (FL) 248-249 C9
Chattanooga USA (TN) 248-249 C7
Chattarpur IND 190-191 R12
Chatteris GB 128-129 N9
Chatynicy BY 140-141 H9
Chatyrka RUS 178-179 N6
Châu Ðoc VN 192-193 E5
Chau Kung To – w. 196 B2
Chaubara PK 188-189 J2
Chaudes-Aigues F 124-125 I,J7
Chaudfontaine B 126 D4
Chaudiére, Rivière – rz. 248-249 J2
Chauffailles F 124-125 K5
Chauffayer F 120-121 A6
Chaufour-Notre-Dame F 124-125 F3
Chauk MYA 192-193 B3
Chaulnes F 126 A5
Chaumont F 124-125 L3
Chaumont Porcien F 126 C5
Chaumont-Gistoux B 126 C4
Chaumont-sur-Loire F 124-125 G,H4
Chaumpont-l'Evente F 124-125 F2
Chaŭndo – w. 202-203 D4
Chauny F 124-125 J2
Chauparan IND 190-191 R12
Chausa IND 190-191 Q12
Chausey, Îles – w. 124-125 D3
Chaussin F 124-125 L5
Chautauqua Lake – jez. 248-249 F3
Chauvigny F 124-125 G5
Chauvin USA (LA) 250-251 I11
Chaval BR 278-279 E3
Chavanges F 124-125 K3
Chaves BR 278-279 D3
Chaves P 130-131 D4
Chavuma Z 224-225 D6
Chawuma Falls – wdp. 224-225 D6
Chayuan CHN 200-201 D5
Chazelles-sur-Lyon F 124-125 K6
Chąśno PL (ŁDZ) 76-77 C7
Che Kei Shan – g. 196 B2
Cheaha Mountain – g. 248-249 B8
Cheb CZ 112-113 E5
Cheboygan USA (MI) 248-249 C2
Checa E 130-131 J5
Chech, Erg – pust. 216 C3
Checheng TWN 196 F5
Checheng TWN 196 F6
Chech'on ROK 202-203 E3
Checotah USA (OK) 250-251 G8
Chéddra TCH 222-223 C5
Cheduba Island – w. 192-193 B4
Cheektowaga USA (NY) 248-249 F3
Cheepie AUS 296-297 G4
Chef-Boutonne F 124-125 F5
Chefchaouene MA 220-221 D1
Chegga RIM 220-221 D3
Chegutu ZW 226-227 F3
Chehalis USA (WA) 252-253 C3
Cheiron – g. 120-121 B7
Cheju haehyŏp – cieśn. 202-203 D4
Cheju ROK 202-203 D4
Cheju-do – jedn. adm. ROK
202-203 D5
Cheju-do – w. 166-167 P6
Chek Chue – dzieln. CHN 196 C2
Chek Mun Hoi Hap – cieśn. 196 C1
Chek Mun Wan – zat. 196 C1
Chela, Serra de – g-y 224-225 B7
Chelan Lake – jez. 252-253 D2
Chelan USA (WA) 252-253 D3
Chelia, Djebel – g. 216 D2
Chella E 130-131 K6,7
Chelles F 124-125 I3
Chelmsford CDN 248-249 D,E1
Chelmsford GB 128-129 N10
Chelsea AUS 296-297 H6
Chelsea USA (OK) 250-251 G7
Cheltenham GB 128-129 K10
Chelva E 130-131 J6
Chełm PL (LBL) 76-77 D11
Chełm Śląski PL (ŚL) 78-79 E7
Chełmek PL (MŁP) 78-79 E7
Chełmiec PL (MŁP) 80-81 F8
Chełmińskie, Pojezierze 48-49 B5
Chełmno PL (K-P) 70-71 B6
Chełmo – g. 76-77 D7
Chełmski Park Krajobrazowy
76-77 D11
Chełmy, Park Krajobrazowy 78-79 D3
Chełmża PL (K-P) 70-71 B6
Chełmżyńskie, Jezioro 70-71 B6
Chemax MEX 260-261 G2
Chemba MOC 226-227 F3
Chemehuevi Indian Reservation
– jedn. adm. USA 252-253 G9
Chemillé F 124-125 F4
Chemnitz – rz. 122-123 W14
Chemnitz D 122-123 I6
Chemult USA (OR) 252-253 C,D5
Chen Xian CHN 200-201 D5
Chenab – rz. 166-167 K6
Chenachane DZ 220-221 E3
Chenachane, Oued – rz. 220-221 E3
Ch'ench'a ETH 222-223 G6
Chencoyi MEX 260-261 E3
Chendanpuzi CHN 202-203 C2
Chénérailles F 124-125 H,I5
Cheney USA (WA) 252-253 F3
Cheng Xian CHN 200-201 B3
Cheng'an CHN 200-201 D2
Chengbihe Shuiku – zb. 200-201 B5
Chengbu Miaozu Zizhixian CHN
200-201 C5
Chengcheng CHN 200-201 C3
Chengde CHN 200-201 E1
Chengdu CHN 192-193 D1
Chenggong TWN 196 G5
Chenghai CHN 200-201 E6
Chengjiang CHN 192-193 D3
Chengkou CHN 200-201 C4
Chengmai CHN 200-201 C7
Chengshan Jiao – przyl. 200-201 F2
Chengwu CHN 200-201 D3
Chengxi Hu – jez. 200-201 D3
Chengzitan CHN 200-201 F2
Cheniu Dao – w. 200-201 E,F3
Chennai IND 190-191 E6
Chenoa USA (IL) 250-251 J5
Chenonceaux F 124-125 G4
Chentawobu CHN 202-203 D2
Chentej – g-y 198-199 I2
chentejski, ajmak – jedn. adm. MAU
198-199 I2
Chenxi CHN 200-201 C5
Cheo Reo VN 192-193 E5
Chépénéhé NC 299 K14
Chepes RA 280-281 E4
Chepo PA 260-261 K8
Chequamegon Bay – zat. 250-251 I2
Cher – rz. 124-125 G4
Cherán MEX 258-259 I8
Cherangany Hills – g-y 224-225 G3
Cheraw USA (SC) 248-249 E7
Cherbaniani Reef – w. 190-191 C6
Cherbourg F 124-125 E2
Cherchell DZ 220-221 F1
Chergui, Chott ech – soln. 216 C,D2
Chória DZ 132-133 B13
Cheriyam – w. 190-191 C6
Cherokee Indian Reserve
– jedn. adm. USA 248-249 D7
Cherokee Lake – jez. 248-249 D6
Cherokee Sound BS 248-249 G11
Cherokee USA (IA) 250-251 G4
Chéroy F 124-125 J3
Cherpuči RUS 178-179 F8
Cherrapunji IND 190-191 G3
Cherry Creek USA (SD) 250-251 D3
Cherryvale USA (KS) 250-251 G7
Cherson UA 142-143 L7
Chersonísu GR 134-135 G8
(Chersoń) UA 142-143 L7
Chert E 130-131 L5
Chesapeake Bay – zat. 240 N6
Chesapeake USA (VA) 248-249 G6
Chesley CDN 248-249 E2
Chester GB 128-129 K8
Chester USA (CA) 252-253 D6
Chester USA (IL) 250-251 J7
Chester USA (MT) 252-253 I2
Chester USA (PA) 248-249 H5
Chester USA (SC) 248-249 E7
Chesterfield GB 128-129 L8
Chesterfield Inlet – zat. 244-245 N4
Chesterfield Inlet CDN 244-245 N4
Chesterfield Islands – w-y
290-291 H7
Chesterfield, Nosy – w. 226-227 H3
Chesterville CDN 248-249 H2
Chesuncook Lake – jez. 248-249 J1
Cheta Chatanga – rz. 176-177 Q3
Cheta RUS 176-177 P,Q3
Chetaibi DZ 220-221 G1
Chetlat – w. 190-191 C6
Chetopa USA (KS) 250-251 G7
Chetrosu MD 114-115 H1
Chetumal MEX 260-261 F3
Chetumal, Bahía de – zat. 260-261 F3
Chetwynd CDN 244-245 H5
Cheung Chau – dzieln. CHN 196 B2
Cheung Chau – w. 196 B2
Chevagnes F 124-125 J5
Chevak USA (AK) 254-255 I3
Cheviot Hills – g-y 128-129 K6
Cheviot USA (OH) 248-249 C5
Cheviot, The – g. 128-129 K6
Chevreuse F 124-125 U11
Che'w Bahir – jez. 222-223 G7
Cheyenne River – rz. 250-251 C3
Cheyenne River Indian Reservation
– jedn. adm. USA 250-251 D3
Cheyenne USA (OK) 250-251 E8
Cheyenne USA (WY) 252-253 L6
Cheyenne Wells USA (CO)
250-251 C6
Cheyne Bay – zat. 296-297 B5
Chęciny PL (ŚW) 80-81 E8
Chęcińsko-Kielecki Park Krajobrazowy
80-81 E8
Chhabra IND 190-191 D4
Chhatak BD 190-191 C3
Chhatarpur IND 190-191 D3,4
Chhindwara IND 190-191 D4
Chhota Udepur IND 190-191 C4
Chi – rz. 192-193 D4
Chi Ma Wan – zat. 196 B2
Chialamberto I 120-121 C5
Chiampo I 120-121 G5
Chiang Kham THA 192-193 D4
Chiang Khan THA 192-193 D4
Chiang Khong THA 192-193 D3
Chiang Mai THA 192-193 C4
Chiang Rai THA 192-193 C4
Chiange ANG 224-225 B7
Chiangsaen THA 192-193 C3
Chianti – fizjogr. 132-133 F5
Chiapa de Corzo MEX 258-259 M9
Chiapa, Río – rz. 258-259 M9
Chiapas – jedn. adm. MEX
258-259 M9
Chiaramonte Gulfi I 132-133 I11
Chiaravalle Centrale I 132-133 K10
Chiareggio I 120-121 E4
Chiari I 120-121 E5
Chiat'ura GE 180-181 E2
Chiautla de Tapie MEX 258-259 J8
Chiavari I 120-121 E6
Chiavenna I 120-121 E4
Chiba J 204-205 M7
Chibed RO 114-115 O10
Chibemba ANG 224-225 B7
Chibia ANG 224-225 B7
Chibiny – g-y 136-137 I3,4
Chibougamau CDN 244-245 R6,7
Chiburi-jima – w. 204-205 F7
Chibwe Z 224-225 E6
Chica, Isla – w. 260-261 F1
Chicago Heights USA (IL) 250-251 K5
Chicago USA (IL) 250-251 K5
Chicapa – rz. 224-225 D5
Chicen USA (AK) 254-255 N3
Chichancanab, Laguna – jez.
260-261 F3
Chichaoua MA 220-221 D2
Chichas, Cordillera de – g-y
276-277 D7
Chiché, Río – rz. 278-279 C4
Chichén Itzá – r. 260-261 F2
Chichester GB 128-129 M11
Chichibu J 204-205 L7
Chickamauga Lake – jez. 248-249 C7
Chickasha USA (OK) 250-251 E8
Chiclana de la Frontera E 130-131 E9
Chiclayo PE 276-277 B5
Chico USA (CA) 252-253 D7
Chico, Río – rz. 280-281 D8
Chico, Río – rz. 280-281 E7
Chicoana RA 280-281 E3
Chicoma Mount – g. 252-253 K8
Chicomo MOC 226-227 F4
Chicontepec MEX 258-259 J7
Chicopee USA (MA) 248-249 I3
Chicoutimi CDN 244-245 R7
Chicualacuala MOC 226-227 F4
Chidley Cap – przyl. 244-245 T4
Chiêm Hoa VN 192-193 D,E3
Chiemsee – jez. 120-121 H3
Chiengi Z 224-225 E5
Chienti – rz. 132-133 H5
Chieri I 120-121 C5
Chiesa in Valmalenco I 120-121 E4
Chiese – rz. 120-121 F5
Chieti I 132-133 I6
Chièvres B 126 B4
Chifeng CHN 202-203 B2
Chifre, Serra do – g-y 278-279 E6
Chiginagak, Mount – g. 254-255 K4
Chignik USA (AK) 254-255 K4
Chigorodó CO 276-277 B2
Chiguayante RCH 280-281 D5
Chigubo MOC 226-227 F4
Chihuahua MEX 258-259 F3
Chiîinău MD 114-115 I2
Chik Ballapur IND 190-191 D6
Chikhli IND 190-191 D4
Chikmagalur IND 190-191 D6
Chikushino J 204-205 C9
Chikwawa MW 224-225 F7
Chilai Pi – przyl. 196 G4
Chilas IND 190-191 C1
Chilaw CL 190-191 L9
Chilca PE 276-277 B6
Chilca, Cordillera de – g-y
276-277 C6,7
Childers AUS 296-297 I4
Childersburg USA (AL) 248-249 B8
Childress USA (TX) 250-251 D8
Chile – państwo 273 F9
Chile Chico RCH 280-281 D7
Chilecito RA 280-281 E3
Chilengue, Serra do – g-y
224-225 B,C6
Chilia Veche RO 114-115 J4
Chilibre PA 260-261 Q11
Chilibre, Río – rz. 260-261 Q11
Chilibrillo, Río – rz. 260-261 Q11
Chilijski, Basen – form. podm.
306-307 M11
Chilijskie, Wyniesienie – form. podm.
306-307 M11
Chilika Lake – jez. 190-191 F5
Chililabombwe Z 224-225 E6
Chiliomódi GR 134-135 D6
Chilkoot, Przełęcz 244-245 E5
Chillagoe AUS 296-297 G2
Chillán RCH 280-281 D5
Chillcothe USA (IL) 250-251 J5
Chillicothe USA (MO) 250-251 H6
Chillicothe USA (OH) 248-249 D5
Chillicothe USA (TX) 250-251 E8
Chilliwack CDN 252-253 D1
Chilly USA (ID) 252-253 G4,5
Chilmari BD 190-191 T12
Chiloane, Ilha – w. 226-227 F,G4
Chiloé, Isla de – w. 272 F9
Chilok – rz. 178-179 A8
Chilok RUS 176-177 R,S7
Chilonga Z 224-225 F6
Chiloquin USA (OR) 252-253 D5
Chilpancingo de los Bravo MEX
258-259 I9
Chiltern Hills – g-y 128-129 L10
Chilumba MW 224-225 F6
Chilwa, Lake – jez. 226-227 G3
Chimadítis, Límni – jez. 134-135 C3
Chimaltenango GCA 260-261 E5
Chimán PA 260-261 K8
Chimbero RCH 280-281 D3
Chimborazo – g. 272 F5
Chimbote PE 276-277 B5
Chimki RUS 144-145 I5
Chimoio MOC 226-227 F3
Chin – jedn. adm. MYA 192-193 B3
Chin Hills – g-y 192-193 B3
Chína – w. 134-135 I8
China Lake USA (CA) 252-253 F9
China MEX 258-259 J5
China, Tanjong – przyl. 196 J9
Chinacates – g. 258-259 F5
Chinajá GCA 260-261 E4
Chinandega NIC 260-261 G6
Chinari AR 180-181 G4
Chinati Peak – g. 250-251 B10,11
Chinatú, Río – rz. 258-259 F4
Chincha Alta PE 276-277 B6
Chinchilla AUS 296-297 I4
Chinchilla de Monte Aragón E
130-131 I7
Chinchorro, Banco – form. podm.
260-261 G3
Chinchón E 130-131 H5
Chinde MOC 226-227 G3
Chin-do – w. 202-203 D4
Chindo ROK 202-203 D4
Chindu CHN 198-199 G5
Chindwin – rz. 192-193 B3
Chingan, Mały – g-y 166-167 P4
Chingan, Wielki – g-y 166-167 O5
Chingleput IND 190-191 E6
Chingola Z 224-225 E6
Chinguetti RIM 220-221 C4
Chinhae ROK 202-203 E4
Chinhoyi ZW 226-227 F3
Chiniot PK 188-189 J2
Chinipas MEX 258-259 E4
Chinju ROK 202-203 D4
Chinko – rz. 222-223 D6
Chinle USA (AZ) 252-253 J8
Chino J 204-205 K7
Chinon F 124-125 G4
Chinook Trough – form. podm.
306-307 I3
Chinook USA (MT) 252-253 J2
Chinsali Z 224-225 F6
Chinsura IND 190-191 T13
Chintalnar IND 190-191 E5
Chinteche MW 224-225 F6
Chinteni RO 114-115 M10
Chinú CO 260-261 M8
Chiny – państwo 168-169 L6
Chiny B 126 D5
Chińska, Nizina 166-167 O6
Chiochiș RO 114-115 N10
Chioggia I 120-121 H5
Chíos – w. 134-135 G5
Chios GR 134-135 H5
Chióna GR 134-135 C5
Chipata Z 224-225 F6
Chipepo Z 224-225 E7
Chiperceni MD 114-115 I2
Chiphu K 192-193 E5
Chiping CHN 200-201 E2
Chipinge ZW 226-227 F4
Chipiriri, Río – rz. 276-277 D7
Chiplun IND 190-191 C5
Chiposhya, Lac – jez. 224-225 E6
Chippenham GB 128-129 K10
Chippewa Falls USA (WI) 250-251 I3
Chippewa Lake – jez. 250-251 I2
Chippewa River – rz. 250-251 H,I3
Chipping Norton GB 128-129 L9,10
Chipuriro ZW 226-227 F3
Chiputneticook Lake – jez.
248-249 L2
Chiquian PE 276-277 B5
Chiquimula GCA 260-261 E,F5
Chiquinquirá CO 276-277 C2
Chiquitos, Llanos de – niz. 276-277 E7
Chira, Río – rz. 276-277 B4
Chirala IND 190-191 D5
Chiredzi ZW 226-227 F4
Chirfa RN 222-223 B3
Chiricahua Mountains – g-y
252-253 J10
Chiricahua Peak – g. 252-253 J11
Chiriet-Lunga MD 114-115 I3
Chiriguaná CO 276-277 C2
Chiriguanos RA 280-281 F2
Chirimena YV 276-277 D1
Chiriquí Grande PA 260-261 I8
Chiriquí PA 260-261 I8
Chiriquí, Golfo de – zat. 260-261 I8
Chiriquí, Laguna de – zat. 260-261 I8
Chiriutnea MD 114-115 I3,4
Chirnogeni RO 114-115 I6
Chiromo MW 224-225 G7
Chirpăr RO 114-115 O12
Chirripó Grande, Cerro – g.
260-261 H8
Chirripó, Río – rz. 260-261 I7
Chirsova MD 114-115 I3
Chirua, Lago – jez. 226-227 G3
Chirundu Z 224-225 E7
Chisasibi CDN 244-245 Q6
Chiscani RO 114-115 H4
Chișcăreni MD 114-115 H,I2
Chisenga MW 224-225 F5,6
Chishtian Mandi PK 188-189 J3
Chishui CHN 200-201 B4
Chișineu-Criș RO 114-115 B3
Chislaviči RUS 140-141 M7
Chisone – rz. 120-121 C6
Chissamba MOC 226-227 F2
Chiștelnița MD 114-115 I2
Chitado ANG 224-225 B7
Chita-hantō – płw. 204-205 I8
Chitalwana IND 190-191 C3
Chitembo ANG 224-225 C6
Chitina River – rz. 254-255 N3
Chitina USA (AK) 254-255 M3
Chitipa MW 224-225 F5
Chitmanikarbaripara BD 192-193 B3
Chitose J 202-203 H2
Chitradurga IND 190-191 D6
Chitré PA 260-261 J9
Chittagong BD 190-191 G4
Chittaurgarh IND 190-191 C4
Chittor IND 190-191 D6
Chiumbe – rz. 224-225 C6
Chiume ANG 224-225 D7
Chiusa I 120-121 G4
Chiusdino I 132-133 F5
Chiusi I 132-133 F5
Chiuta, Lago – jez. 226-227 G2
Chiuta, Lake – jez. 226-227 G2
Chiv RUS 180-181 I3
Chiva E 130-131 K6
Chiva UZ 182-183 I6
Chivacoa YV 276-277 D1
Chivasso I 120-121 C5
Chivato, Punta – przyl. 258-259 D4
Chivay PE 276-277 C7
Chivhu ZW 226-227 F3
Chivilcoy RA 280-281 F4
Chiyoda J 204-205 E8
Ch'khorotsku GE 180-181 D2
Ch'kort'oli ABC 180-181 C2
Chlef DZ 220-221 F1
Chlef, Oued – rz. 130-131 L9
Chlewiska PL (MAZ) 76-77 D8
Chlumec nad Cidlinou CZ 112-113 H5
Chłop, Jezioro 74-75 C2
Chłopice PL (MŁP) 80-81 F10
Chmay B 126 C4
Chmel'nyc'kyj UA 142-143 F4
Chmelnyk UA 142-143 G,H4
Chmel'ove UA 142-143 K5
(Chmielnicki) UA 142-143 F4
Chmielnik PL (ŚW) 80-81 E8
Chmielnik Rzeszowski PL (MŁP)
80-81 F10
(Chmielnik) UA 142-143 G,H4
Chmielno PL (POM) 70-71 A6
Chmosty – rz. 140-141 N6
Cho Chŏn VN 192-193 E3

Clearwater Mountains – g-y 252-253 G4
Clearwater River – rz. 244-245 J5
Clearwater River – rz. 252-253 F3
Clearwater USA (FL) 248-249 D11
Cleburne USA (TX) 250-251 F9
Clejani RO 114-115 F5
Clémency L 127 A2
Clementi – dzieln. SGP 196 I9
Clemont AUS 296-297 H3
Clendenin USA (WV) 248-249 E5
Cleopatra Needle – g. 197 B6
Clerke Reef – w. 290-291 D6
Clermont F 124-125 I2
Clermont-en-Argonne F 124-125 K2
Clermont-Ferrand F 124-125 I6
Cléron F 120-121 A3
Clervaux L 127 B1
Clerve – rz. 126 E4
Cles I 120-121 G4
Cleve AUS 296-297 F5
Cleveland Heights USA (OH) 248-249 E4
Cleveland USA (MS) 250-251 I9
Cleveland USA (OH) 248-249 D4
Cleveland USA (OK) 250-251 F7
Cleveland USA (TN) 248-249 C7
Cleveland USA (TX) 250-251 G10
Cleveland, Mount – g. 252-253 G2
Clevelândia BR 278-279 C8
Clew Bay – zat. 128-129 D8
Clifden IRL 128-129 C,D8
Cliff USA (NM) 252-253 J10
Clifon USA (KS) 250-251 F6
Clifton Forge USA (VA) 248-249 F6
Clifton Hills AUS 296-297 F4
Clifton USA (AZ) 252-253 J10
Clifton USA (WY) 252-253 L5
Climax CDN 252-253 J1
Climax USA (CO) 252-253 K7
Clinch Mountain – g-y 248-249 D6
Clinch River – rz. 248-249 D6
Clines Corner USA (NM) 252-253 L9
Clingmans Dome – g. 248-249 D7
Clinton CDN 248-249 D,E3
Clinton USA (AR) 250-251 H8
Clinton USA (IA) 250-251 I5
Clinton USA (IL) 250-251 J5
Clinton USA (IN) 248-249 B5
Clinton USA (KY) 250-251 J7
Clinton USA (MO) 250-251 G,H6
Clinton USA (MS) 250-251 I9
Clinton USA (NC) 248-249 F7
Clinton USA (OK) 250-251 E8
Clinton USA (SC) 248-249 D7
Clinton-Colden Lake – jez. 244-245 K4
Clipperton, Ile – w. 240 K8
Clippertona, Krawędź – form. podm. 290-291 O4
Clisham – g. 128-129 F3,4
Clisson F 124-125 E4
Clitheroe GB 128-129 K8
Člja RUS 178-179 G8
Clocolan ZA 226-227 E5
Clogherhead IRL 128-129 G8
Clonakilty Bay – zat. 128-129 E10
Clonakilty IRL 128-129 D10
Cloncurry – rz. 296-297 G2
Cloncurry AUS 296-297 G3
Clones IRL 128-129 F7
Clonmel IRL 128-129 F9
Cloppenburg D 122-123 D4
Cloquet USA (MN) 250-251 H2
Clorinda RA 280-281 G3
Cloud Peak – g. 252-253 K4
Cloudy Bay – zat. 298 F5
Cloverdale USA (CA) 252-253 C7
Cloverport USA (KY) 248-249 B6
Clovis USA (CA) 252-253 E8
Clovis USA (NM) 250-251 C8
Cloyna AUS 296-297 I4
Cluain Meala IRL 128-129 F9
Cluj-Napoca RO 114-115 M10
Cluny AUS 296-297 F3
Cluny F 124-125 K5
Cluses F 120-121 B4
Clusone I 120-121 E5
Clutha River – rz. 298 C7
Clyde – rz. 128-129 J6
Clyde CDN 244-245 S2
Clyde USA (ME) 248-249 K2
Clyde, Firth of – zat. 128-129 I6
Cmolas PL (PKR) 80-81 E9
Cna – rz. 140-141 H9
Coachella Canal – kan. 252-253 G10
Coahuayana MEX 258-259 H8
Coahuayutla de Guerro MEX 258-259 I8
Coahuila – jedn. adm. MEX 258-259 H4
Coalcomán de Matamoros MEX 258-259 H8
Coalcomán, Sierra de – g-y 258-259 H8
Coaldale USA (NV) 252-253 F7
Coalgate USA (OK) 250-251 F8
Coalinga USA (CA) 252-253 D8
Coamo PR 262-263 J4
Coaraci BR 278-279 E5
Coari BR 276-277 E4
Coari, Lago de – jez. 276-277 E4
Coari, Rio – rz. 276-277 E5
Coatbridge GB 128-129 J6
Coatepec MEX 258-259 K8
Coatepeque GCA 260-261 D5
Coatesville USA (PA) 248-249 G4,5
Coatsa, Wyspa 240 M3
Coatsów, Ziemia – reg. 311 a2
Coatzacoalcos MEX 258-259 L8
Coatzacoalcos, Río – rz. 258-259 L9
Coba de Serpe – g. 130-131 C2
Cobadin RO 114-115 I5
Cobalt CDN 244-245 P7
Cobán GCA 260-261 E5
Çobandede TR 180-181 C5
Çobanli TR 184-185 H1
Cobar AUS 296-297 H5
Cobden CDN 248-249 G2
Cobh IRL 128-129 E10
Cobija BOL 276-277 D6
Cobolga, gora – g. 180-181 H2
Cobourg CDN 244-245 Q8
Cobourg Peninsula – płw. 296-297 E1
Cobram AUS 296-297 H6
Cobre USA (NV) 252-253 G6
Cobres, Rio – rz. 130-131 C,D8
Coburg D 122-123 G6
Coca, Pizzo di – g. 120-121 E4
Coca, Rio – rz. 276-277 B4
Cocachacra PE 276-277 C7
Cocal BR 278-279 E3
Cocalito PA 260-261 K9
Cocentaina E 130-131 K7
Cochabamba BOL 276-277 D7
Coche, Isla – w. 262-263 L8
Cochin IND 190-191 D7
Cochinoca RA 280-281 E2
Cochinos, Bahía de – zat. 260-261 J1
Cochran USA (GA) 248-249 D8
Cochrane CDN 244-245 P7
Cochrane, Lago – jez. 280-281 D7
Cocigüina, Punta – przyl. 260-261 F6
Cockburn AUS 296-297 G5
Cockburn Bank – form. podm. 128-129 C12
Cockburn Island – w. 248-249 D1,2
Cockburn Town BS 262-263 F1
Cockburn Town TC 262-263 H3
Cockermouth GB 128-129 J7
Cocklebiddy Motel AUS 296-297 D5
Coco Channel – cieśn. 192-193 B5
Coco Solo PA 260-261 P10
Coco, Cayo – w. 260-261 K1
Coco, Río – rz. 240 M8
Cocoa Beach USA (FL) 248-249 E10
Cocoa USA (FL) 248-249 E10
Cocobeach G 224-225 A3
Cocoli PA 260-261 Q12
Cocolí, Río – rz. 260-261 Q12
Coconino Plateau – wyż. 252-253 H9
Cocoro Cuyo – w. 197 C6
Cocula MEX 258-259 G7
Cocumita, Cãno – rz. 262-263 L9
Cocuy, Sierra Nevada del – g. 276-277 C2
Cod – in. 128-129 P4
Cod, Cape – przyl. 248-249 K4
Codăeşti RO 114-115 H3
Codeces del Monte E 130-131 G4
Codera, Cabo – przyl. 276-277 D1
Codfish Island – w. 298 B8
Codigoro I 120-121 H6
Codlea RO 114-115 P12
Codogno I 120-121 E5
Codó BR 278-279 E3
Codrington AG 262-263 M5
Codroipo I 120-121 H,I5
Codru – g-y 114-115 D2
Codru-Moma, Munţii – g-y 114-115 C3
Cody USA (WY) 252-253 J4
Coelho Neto BR 278-279 E3
Coen AUS 296-297 G1
Coeroeni Rivier – rz. 278-279 B2
Coesfeld D 126 F3
Coëtivy – w. 226-227 M9
Coeur d'Alene Indian Reservation – jedn. adm. USA 252-253 F3
Coeur d'Alene Lake – jez. 252-253 F3
Coeur d'Alene USA (ID) 252-253 F3
Coevorden NL 126 E2
Coffee Bay ZA 226-227 E6
Coffeyville USA (KS) 250-251 G7
Coffs Harbour AUS 296-297 I5
Cofre de Perote, Cerro – g. 258-259 K8
Çoğadak IR 187 D2
Cogâlnic – rz. 114-115 I3
Cogealac RO 114-115 I5
Coggiola I 120-121 C,D5
Coghinas – rz. 132-133 C8
Coghinas, Lago – jez. 132-133 C8
Cognac F 124-125 F6
Cogne I 120-121 C5
Cogo GQ 224-225 A,B3
Cogolin F 124-125 M8
Çoğun TR 134-135 O4
Cohocton River – rz. 248-249 G3
Cohoes USA (NY) 248-249 I3
Cohoha Sud, Lac – jez. 224-225 E4
Coiba, Isla – w. 240 M9
Coicos Passage – cieśn. 262-263 G2,3
Coig, Río – rz. 280-281 D8
Coihaique RCH 280-281 D7
Coimbatore IND 190-191 D6
Coimbra P 130-131 C5
Coín E 130-131 G9
Coipasa, Laguna de – jez. 276-277 D7
Coipasa, Salar de – soln. 276-277 D7
Cöjbalsan MAU 188-199 J2
Cojedes, Río – rz. 262-263 I9
Cojimíes EC 276-277 A3
Çojocna RO 114-115 M10
Čojr MAU 198-199 I2
Çojutepeque ES 260-261 F6
Čoka XS 118-119 H2
Čokpar KZ 182-183 P5
Čokurdach RUS 178-179 H4
Colac AUS 296-297 G6
Colares P 130-131 B7
Colatina BR 278-279 E6
Cölbe D 122-123 E6
Colbecka, Przylądek 311 M2
Colbún RCH 280-281 D5
Colby USA (KS) 250-251 D6
Colca, Río – rz. 276-277 C7
Colchester GB 128-129 N10
Cold Bay USA (AK) 254-255 J4
Colditz D 122-123 W13
Coldstream GB 128-129 K6
Coldwater USA (KS) 250-251 E7
Coldwater USA (MI) 248-249 C3,4
Colebrook USA (NH) 248-249 J2
Coleen River – rz. 254-255 N2
Colegã P 130-131 C6
Coleman – rz. 296-297 G1,2
Coleman CDN 252-253 G1
Coleman USA (TX) 250-251 E10
Coleraine AUS 296-297 G6
Coleraine GB 128-129 F,G6
Coleridge CDN 252-253 I1
Coleridge, Lake – jez. 298 D6
Coles, Punta – przyl. 276-277 C7
Colesberg ZA 226-227 D6
Coleville USA (CA) 252-253 D,E7
Colfax USA (LA) 250-251 H10
Colfax USA (WA) 252-253 F3
Colgrave Sound – cieśn. 128-129 M1
Colhué Huapí, Lago – jez. 280-281 E7
Colibaşi RO 114-115 G5
Colico I 120-121 E4
Coligny F 124-125 L5
Colima MEX 258-259 H8
Colima, Volcán de – wulk. 240 K8
Colina RCH 280-281 D4
Colinas BR 278-279 E4
Colinas do Tocantins BR 278-279 D4
Coll – w. 128-129 G5
Collabonna, Lake – jez. 296-297 F4
Collanzo E 130-131 F2
College Park USA (MD) 248-249 G5
College Station USA (TX) 250-251 F10
College USA (AK) 254-255 M3
Collegno I 120-121 C5
Collesalvetti I 132-133 E5
Collie AUS 296-297 B5
Collier Bay – zat. 296-297 C2
Collierville USA (TN) 250-251 J8
Collinée F 124-125 D3
Collingwood CDN 248-249 E2
Collingwood NZ 298 E5
Collins USA (MS) 250-251 J10
Collinson Peninsula – płw. 244-245 L2
Collinsville AUS 296-297 H3
Collinsville USA (AL) 248-249 C7
Collinsville USA (IL) 250-251 J6
Collinsville USA (OK) 250-251 G7
Collm – g. 122-123 I5
Collo DZ 220-221 G1
Collooney IRL 128-129 E7
Colmar F 120-121 C2
Colmenar de Oreja E 130-131 H5
Colmenar E 130-131 G9
Colmenar Viejo E 130-131 H5
Colmnitz D 122-123 Y14
Colnett MEX 258-259 A2
Colnett, Bahía de – zat. 258-259 A2
Colnett, Cabo – przyl. 258-259 A2
Cologna Veneta I 120-121 G5
Coloma USA (CA) 252-253 D7
Colombey-les-Belles F 120-121 A2
Colombo CL 190-191 L9
Colombres E 130-131 G2
Colona AUS 296-297 E5
Colonel Hill BS 262-263 F2
Colonia 25 de Mayo RA 280-281 E5
Colonia del Sacramento ROU 280-281 G4
Colonia Las Heras RA 280-281 E7
Colonia Morelos MEX 258-259 E2
Colonial Beach USA (VA) 248-249 G5
Colonial Heights USA (VA) 248-249 G6
Colonna, Capo – przyl. 132-133 L9
Colonsay – w. 128-129 G5
Colorado Aqueduct – kan. 252-253 G9
Colorado City USA (TX) 250-251 D9
Colorado CR 260-261 I7
Colorado Desert – pust. 252-253 F10
Colorado River – rz. 240 J6
Colorado River – rz. 240 L6
Colorado River Indian Reservation – jedn. adm. USA 252-253 G9
Colorado Springs USA (CO) 252-253 L7
Colorado, Río – rz. 272 G8
Colorado, Rio – rz. 276-277 E6
Colorados, Archipélago de los – w-y 260-261 H1
Colorados, Cerro – g. 280-281 E3
Colos P 130-131 C8
Colotepec MEX 260-261 B5
Colotlán MEX 258-259 H6
Colón C 260-261 J1
Colón PA 260-261 K8
Colón RA 280-281 F4
Colón RA 280-281 G4
Colón, Isla de – w. 260-261 I8
Colón, Montañas de – g-y 260-261 G,H5
Čolpon-Ata KS 182-183 R5
Colquechaca BOL 276-277 D7
Columbia Falls USA (MT) 252-253 G2
Columbia Mountains – g-y 244-245 H6
Columbia River – rz. 240 I5
Columbia USA (CA) 252-253 D7
Columbia USA (KY) 248-249 C6
Columbia USA (LA) 250-251 H9
Columbia USA (MO) 250-251 H6
Columbia USA (MS) 250-251 J10
Columbia USA (NC) 248-249 G7
Columbia USA (PA) 248-249 G4
Columbia USA (SC) 248-249 E7,8
Columbia USA (TN) 248-249 B7
Columbia, Cape – przyl. 240 L,M1
Columbia, Mount – g. 244-245 I6
Columbia, Sierra – g-y 258-259 B3
Columbiana Calera USA (AL) 250-251 K9
Columbiana USA (AL) 248-249 B8
Columbretes, Islas – w-y 130-131 L6
Columbus USA (GA) 248-249 C8
Columbus USA (IN) 248-249 C5
Columbus USA (KS) 250-251 G7
Columbus USA (MS) 250-251 J9
Columbus USA (MT) 252-253 J4
Columbus USA (NE) 250-251 E,F5
Columbus USA (NM) 252-253 K11
Columbus USA (OH) 248-249 D4,5
Columbus USA (TX) 250-251 F11
Columbus USA (WI) 250-251 J4
Colunga E 130-131 F2
Colusa USA (CA) 252-253 D7
Colville Channel – cieśn. 298 F3
Colville Indian Reservation – jedn. adm. USA 252-253 E2
Colville Lake – jez. 244-245 G3
Colville Ridge – form. podm. 290-291 J8
Colville River – rz. 254-255 L2
Colville, Cape – przyl. 298 F3
Colwyn Bay GB 128-129 J8
Coma de Varilles, Pic de la – g. 127 I9
Comacchio I 120-121 H6
Comacchio, Valli di – jez. 120-121 H6
Comai CHN 192-193 B2
Čomakovci BG 114-115 D6
Comalcalco MEX 258-259 M8
Comallo RA 280-281 D6
Comana RO 114-115 G5
Comana RO 114-115 P12
Comandante Fontana RA 280-281 F3
Comandău RO 114-115 F,G4
Comăneşti RO 114-115 G3
Comarapa BOL 276-277 E7
Comarnic RO 114-115 F4
Comătel RO 114-115 N12
Comayagua HN 260-261 F5
Combeaufontaine F 120-121 A3
Comblain-au-Pont B 126 D4
Combol – w. 192-193 D7
Comburt TR 134-135 K5
Comedero MEX 258-259 F5
Comeglians I 120-121 H4
Comemoração, Rio – rz. 276-277 E6
Comense I 120-121 E5
Comet AUS 296-297 H3
Comfort USA (TX) 250-251 E10,11
Comilla IND 190-191 G4
Comillas E 130-131 G2
Comines F 126 A4
Comino, Capo – przyl. 132-133 D8
Comiso I 132-133 I11,12
Comitán MEX 258-259 M9
Comloşu Mare RO 114-115 A4
Commandante Ferraz – st. bad. 311 m4
Commentry F 124-125 I5
Commerce USA (TX) 250-251 G9
Commercy F 120-121 A2
Commitee Bay – zat. 244-245 O3
Como Grande – g. 104-105 L7
Como I 120-121 E5
Como, Lago di – jez. 120-121 E4
Comodoro BR 278-279 A5
Comodoro Rivadavia RA 280-281 E7
Comoé – rz. 216 C4
Comondú MEX 258-259 C4
Comonfort MEX 258-259 I7
Compiègne F 124-125 I2
Compostela MEX 258-259 G7
Comps-sur-Artuby F 120-121 B7
Comrat MD 114-115 I3
Comstock USA (TX) 250-251 D11
Con Cuông VN 192-193 D4
Con Son – w. 192-193 E6
Cona CHN 192-193 B2
Conakry RG 220-221 C7
Conambo, Rio – rz. 276-277 B4
Conara Junction AUS 296-297 H7
Conca – rz. 120-121 H7
Concarneau F 124-125 B4
Conceição BR 278-279 F4
Conceição da Barra BR 278-279 F6
Conceição do Araguaia BR 278-279 D4
Conceição do Mato Dentro BR 278-279 E6
Conceição do Maú BR 276-277 E3
Conceição do Tocantins BR 278-279 D5
Concepción BOL 276-277 D6
Concepción BOL 276-277 E7
Concepción del Oro MEX 258-259 I5
Concepción del Uruguay RA 280-281 G4
Concepción PE 276-277 B6
Concepción PY 278-279 B7
Concepción RA 280-281 E3
Concepción RCH 280-281 D5
Concepción, Laguna – jez. 276-277 E7
Concepción, Punta – przyl. 258-259 D4
Concepción, Volcán – wulk. 260-261 H7
Conception Bank – form. podm. 308 K4
Conception Island – w. 262-263 F2
Conception, Point – przyl. 240 I6
Conchagua, Volcán de – wulk. 260-261 F6
Conchas Dam USA (NM) 250-251 B8
Conches F 124-125 G3
Concho River – rz. 250-251 D10
Concho USA (AZ) 252-253 J9
Conchos, Río – rz. 258-259 G3
Concord USA (CA) 252-253 D7,8
Concord USA (NC) 248-249 E7
Concord USA (NH) 248-249 J3
Concordia CO 276-277 C3
Concordia RA 280-281 G4
Concordia USA (KS) 250-251 E6
Concórdia BR 276-277 D4
Conda USA (ID) 252-253 H,I5
Condamine – rz. 296-297 I4
Condat F 124-125 I6
Conde BR 278-279 F5
Conde sur-l'Escaut F 126 B4
Condeixa-a-Nova P 130-131 C5
Condé-sur-Noireau F 124-125 F3
Condeúba BR 278-279 E5
Condobolin AUS 296-297 H5
Condom F 124-125 G7,8
Condon USA (OR) 252-253 D4
Condor, Cordillera del – g-y 276-277 B4,5
Condoto CO 276-277 B2
Cone Mountain – g. 254-255 K2
Conegliano I 120-121 H5
Conejos MEX 258-259 G4
Conflans-sur-Lanterne F 120-121 B3
Confusion Montains – g-y 252-253 H7
Confuso, Río – rz. 278-279 B7
Công Plông VN 192-193 E5
Congaree River – rz. 248-249 E8
Congaz MD 114-115 I3
Congjiang CHN 200-201 C5
Congo – rz. 216 E6
Congo Canyon – form. podm. 308 M8
Congonhas BR 278-279 E7
Congress USA (AZ) 252-253 H9
Conil de la Frontera E 130-131 E9
Conillera, Illa – w. 130-131 N,O6
Conímbriga – r. 130-131 C5
Coniston CDN 248-249 E1
Conn, Lough – jez. 128-129 D7
Connaught – reg. 128-129 D8
Conneaut USA (OH) 248-249 E3,4
Connecticut – jedn. adm. USA 241 N5
Connell USA (WA) 252-253 E3
Connerré F 124-125 G3
Connersvile USA (IN) 248-249 C5
Connesville USA (PA) 248-249 F5
Connor IND 190-191 D6
Connors Pass – przeł. 252-253 G7
Čonogol MAU 198-199 K2
Cononaco EC 276-277 B4
Cononaco, Rio – rz. 276-277 B4
Conop RO 114-115 B3
Conquista BOL 276-277 D6
Conquista BR 278-279 D6
Conrad Fracture Zone – form. podm. 308 K13
Conrad USA (MT) 252-253 H2
Conroe USA (TX) 250-251 G10
Conroe, Lake – jez. 250-251 G10
Consdorf L 127 B2
Conselheiro BR 278-279 E7
Conselheiro Pena BR 278-279 E6
Consett GB 128-129 K7
Consolación del Sur C 260-261 I1
Constanța RO 114-115 I5
Constantina E 130-131 F8
Constantine DZ 220-221 G1
Constitución RCH 280-281 D5
Consuegra E 130-131 H6
Consul CDN 244-245 K7
Contact USA (NV) 252-253 G6
Contai IND 190-191 F4
Contamana PE 276-277 C5
Contas, Rio de – rz. 278-279 E5
Contolens F 124-125 G5,6
Contoy, Isla – w. 260-261 G2
Contramaestre C 260-261 L2
Contraviesa, Sierra de – g-y 130-131 H9
Contreras, Embalse de – zb. 130-131 J6
Contreras, Islas – w-y 260-261 I9
Contres F 124-125 H4
Contrexéville F 120-121 A2
Contumazá PE 276-277 B5
Contwoyto Lake – jez. 244-245 J3
Conversano I 132-133 K8
Conway Reef – w. 290-291 J7
Conway USA (AR) 250-251 H8
Conway USA (NH) 248-249 J2,3
Conway USA (TX) 250-251 D8
Conway, Lake – jez. 296-297 F4
Conwaylsle of Palms USA (SC) 248-249 F8
Conwy Bay – zat. 128-129 I,J8
Conwy GB 128-129 J8
Conyers USA (GA) 248-249 D8
Coober Pedy AUS 296-297 E4
Cooch Behar IND 190-191 T11
Cook AUS 296-297 E5
Cook Ice Shelf – lod. 311 j3
Cook Inlet – zat. 240 F4
Cook USA (MN) 250-251 H2
Cook, Bahía – zat. 280-281 D9
Cook, Baie de – zat. 299 D4
Cook, Récif de – w. 299 I13
Cooka, Cieśnina 290-291 J8
Cooka, Góra 290-291 I9
Cooka, Wyspy 290-291 L6
Cooke, Mount – g. 296-297 B5
Cookes Peak – g. 252-253 K10
Cookeville USA (TN) 248-249 C6
Cookshire CDN 248-249 J2
Cookstown GB 128-129 F7
Cooktown AUS 296-297 H2
Coolabah AUS 296-297 H5
Coolgardie AUS 296-297 C5
Coolibah AUS 296-297 E2
Coolidge USA (AZ) 252-253 I10
Coolin USA (ID) 252-253 F2
Cooma AUS 296-297 H6
Coon Rapids USA (IA) 250-251 G5
Coonabarabran AUS 296-297 H5
Coonamble AUS 296-297 H5
Coonana AUS 296-297 C5
Coondambo AUS 296-297 F5
Coondapoor IND 190-191 C6
Cooper Creek – rz. 296-297 G4
Cooper River – rz. 248-249 F8
Cooper USA (TX) 250-251 G9
Cooper's Town BS 248-249 G11
Cooperstown USA (ND) 250-251 E,F2
Cooperstown USA (NY) 248-249 H3
Coorabie AUS 296-297 E5
Coorow AUS 296-297 B4

Delarām AFG 188-189 H2
Delarof Island – w. 254-255 G5
(Delatyn) UA 142-143 D5
Delaware – jedn. adm. USA 241 N6
Delaware Bay – zat. 248-249 H5
Delaware Lake – jez. 248-249 D4
Delaware River – rz. 248-249 H3,4
Delaware USA (OH) 248-249 D4
Delbrück D 122-123 E5
Delémont CH 120-121 C3
Delenii RO 114-115 N11
Delet – zat. 140-141 B1
Delfinat – reg. 124-125 L6
Delft Island – w. 190-191 L9
Delft NL 126 C2
Delfy – r. 134-135 D5
Delfzijl NL 126 E1
Delgada, Punta – przyl. 280-281 F6
Delgado, Cabo – przyl. 216 H7
Delger mörön – rz. 198-199 G1,2
Delgo SUD 222-223 F3
Delhi – jedn. adm. IND 190-191 B5
Delhi IND 190-191 N10
Delhi USA (CO) 252-253 L8
Delhi USA (LA) 250-251 I9
Delhi USA (NY) 248-249 H3
Deli – w. 194-195 L10
Deli Jovan – g-y 118-119 J3
Deli Tepesi – g. 134-135 O2
Deli, Pualu – w. 196 I9
Della – rz. 132-133 G11
Deliblat – reg. 118-119 H2
Deliblato XS 118-119 H,I3
Deliçay TR 180-181 E5
Delice Irmağı Çayı – rz. 134-135 P3
Délices FGF 278-279 C2
Dəlidağ – g. 180-181 H5
Delīgān IR 184-185 N5
Dəlilər AZ 180-181 H4
Délimbé RCA 224-225 D2
Dəliməmmədli AZ 180-181 H4
Delingha CHN 198-199 G4
Delitzsch D 122-123 I5
Deljatyn UA 142-143 D5
Deljun-Oronskij, porog – wdp. 178-179 B7
Deljun-Uranskij chrebet – g-y 178-179 A7
Dell Rapids USA (SD) 250-251 F4
Dellensjöarna – jez. 136-137 E7
Dellwig D 122-123 S11
Dellys DZ 220-221 F1
Delmarva Peninsula – płw. 248-249 H6
Delmenhorst D 122-123 E3
Delnice HR 118-119 N10
Delorain CDN 250-251 D1
Deloraine AUS 296-297 H7
Delorme Lake – jez. 244-245 R6
Delos – r. 134-135 G6
Delphi USA (IN) 248-249 B4
Delray Beach USA (FL) 248-249 E11
Delsbo S 138-139 M1
Delta – jedn. adm. WAN 220-221 G7
Delta USA (CO) 252-253 K7
Delta USA (UT) 252-253 H7
Delvada IND 190-191 C4
Delvinë AL 118-119 H8
Demanda, Sierra de la – g-y 130-131 H3
Demänovská jaskyňa Slobody – jask. 112-113 L6
Demawend – g. 166-167 I6
Demba ZRE 224-225 D5
Dembecha ETH 222-223 G5
Dembī Dolo ETH 222-223 F6
Demer – rz. 126 C3,4
Demidov RUS 140-141 M6
(Demidówka) UA 142-143 E3
Deming USA (NM) 252-253 K10
Demini, Rio – rz. 276-277 E3
Demirci Dağı – g-y 134-135 J4,5
Demirci TR 134-135 J4,5
Demirci TR 134-135 M4
Demirkent TR 180-181 C4
Demirköprü Barajı – zb. 134-135 J5
Demirköy TR 134-135 I2
Demirşıh TR 134-135 P3
Demirtaş TR 134-135 M7
Dem'janovo RUS 144-145 K4
Demjansk RUS 140-141 N4
Dem'janskoe RUS 176-177 J6
Demmin D 122-123 I3
Demnate MA 220-221 D2
Demokratyczna Republika Konga – państwo 217 E6
Demonte I 120-121 C6
Demopolis USA (AL) 250-251 K9
Dempo – wulk. 194-195 C6
Demrek Çayı – rz. 134-135 J5
Demta RI 194-195 J6
Demuryne UA 142-143 P5
Demydivka UA 142-143 E3
Den Burg NL 126 C1
Den Ham NL 126 E2
Den Helder NL 126 C2
Den Oever NL 126 D2
Denain F 124-125 J1
Denan ETH 222-223 H6
Denbigh GB 128-129 J8
Dendang RI 194-195 D6
Dendermonde B 126 C3
Déndi G 224-225 B4
Denekamp NL 126 F2
Denevița MD 114-115 I3
Deng Xian CHN 200-201 D3
Dengchuan CHN 192-193 C2
Dengfeng CHN 200-201 D3
Dengkou CHN 200-201 B1
Dênggên CHN 198-199 G5
Denguiro RCA 224-225 D2
Dengyoufang CHN 200-201 D1
Denham AUS 296-297 A4
Denham Sound – zat. 296-297 A4
Denham, Mount – g. 260-261 L3
Denia E 130-131 L7
Deniliquin AUS 296-297 G6
Deniskoviči RUS 140-141 M9
Denison USA (IA) 250-251 G4
Denison USA (TX) 250-251 F9
Dənizkənari AZ 180-181 K4
Denizli TR 134-135 K6
Denmana, Lodowiec 311 g3
Denmark AUS 296-297 B5,6
Denmark USA (SC) 248-249 E8
Denmark USA (WI) 250-251 K3
Dennery WL 262-263 M7
Dennis Island – w. 226-227 M8
Dennisa Hills – g-y 224-225 G3
Denov UZ 182-183 L7
Denpasar RI 194-195 E7
Dent, Semenanjung – płw. 196 R14
Denta RO 114-115 B4
Denton USA (MD) 248-249 H5
Denton USA (MT) 252-253 I3
Denton USA (TX) 250-251 F9
d'Entrecasteaux Islands – w-y 290-291 G5
Denu GH 220-221 F7
Denver USA (CO) 252-253 L7
Deogarh IND 190-191 E4
Deoghar IND 190-191 S12
Deolali IND 190-191 C5
Deoria IND 190-191 Q11
Dependencia Rossa – teryt. zal. N7 311 M3
Depoe Bay USA (OR) 252-253 B4
Depok RI 194-195 M10
Depsang IND 190-191 D1
Depytatskij RUS 178-179 F5
Dêqên CHN 192-193 C2
Deqing CHN 200-201 E4
Der Grabow – zat. 122-123 I2
Dera Bugti PK 188-189 I3
Dera Ismail Khan PK 188-189 J2
Deransko jezero – jez. 118-119 T14
Đeravica – g. 118-119 G,H5
Deražnja UA 142-143 G4
Derbent RUS 144-145 K8
Derbent UZ 182-183 L7
Derbissaka RCA 224-225 D2
Derbno D 74-75 D2
Derby AUS 296-297 C2
Derby GB 128-129 L9
Derdepoort ZA 226-227 E4
(Dereczyn) BY 140-141 F8
Dereköy TR 134-135 I2
Dereköy TR 134-135 I4
Derg, Lough – jez. 128-129 E8,9
Dergači RUS 144-145 K6
(Dergacze) UA 142-143 O3
Derhači UA 142-143 O3
Derik TR 184-185 I3
Derinkuyu TR 134-135 P5
Derjugina, vpadina – form. podm. 178-179 H8
Der, Lac du – zb. 124-125 K3
Dermanci BG 114-115 E6
Dermott USA (AR) 250-251 I9
Dernekpazari TR 180-181 A,B4
Dernieres, Isles – w-y 250-251 J10
Deroit USA (MI) 248-249 C,D3
Dêrong CHN 192-193 C2
Derryveagh Mountains – g-y 128-129 E7
Derudeb SUD 222-223 G4
Derval F 124-125 E4
Dervéni GR 134-135 D5
Derventa BIH 118-119 E2,3
Derveze TM 182-183 H6
Deryneia CY 134-135 O8
Deržavinsk KZ 182-183 L1
Des Lacs River – rz. 250-251 C,D1
Des Moines River – rz. 250-251 H5
Des Moines USA (IA) 250-251 H5
Des Moines USA (NM) 250-251 C7
Des Plaines USA (IL) 250-251 J4
Dés RO 114-115 M9
Desa RO 114-115 D6
Desaguadero, Río – rz. 276-277 D7
Descartes F 124-125 G4,5
Deschutes River – rz. 252-253 D4
Desē ETH 222-223 G5
Deseado, Río – rz. 280-281 E7
Desemboque MEX 258-259 C2
Desenzano del Garda I 120-121 F5
Desert Center USA (CA) 252-253 G10
Desert Valley – dol. 252-253 E6
Deserta Grande – w. 104-105 F9
Desertas, Ilhas – w-y 104-105 F9
Deshnoke IND 190-191 C3
Desio I 120-121 E5
Deskáti GR 134-135 C4
Desna – rz. 142-143 J3
Desnățui – rz. 114-115 D5
Desno HR 118-119 D2
Desolación, Isla – w. 272 E,F10
Desolation Point – przyl. 197 E6
Despotikó – w. 134-135 F7
Despotovac XS 118-119 I3
Desroches – w. 226-227 L9
Dessalines RH 262-263 G4
Dessau D 122-123 I5
Dəstə AZ 180-181 G6
Desteghil Sar – g. 182-183 P8
Desterrada, Isla – w. 260-261 E1
Destiana E 130-131 E3
Desventurados – w. 306-307 m10
Deszczno PL (LBU) 74-75 C3
Det Udom THA 192-193 D5
Deta RO 114-115 B4
Detmold D 122-123 E5
Détroit d'Honguedo – cieśn. 244-245 S,T7
Detroit Lakes USA (MN) 250-251 G2
Detva SK 112-113 L7
Deurne NL 126 D3
Deutschlandsberg A 120-121 K4
Deutschneudorf D 122-123 Y15
Deutzen D 122-123 U13
Deva – rz. 130-131 G2
Deva E 130-131 I2
Deva RO 114-115 C4
Devakottai IND 190-191 D7
Dévaványa H 114-115 A2
Deveboynu Burnu – przyl. 134-135 I7
Deveboynu Tepesi – g. 184-185 H1
Dəvəç AZ 180-181 J,K3
Develi TR 184-185 F2
Deventer NL 126 E2
Deverd, Cap – przyl. 299 F,J14
Deveron – rz. 128-129 K4
Devesa E 130-131 F3
Devesel RO 114-115 C5
Devetak – g-y 118-119 F4
Devil's Bridge GB 128-129 I9
Devils Gate – przeł. 252-253 D7
Devil's Hole – form. podm. 104-105 I4
Devils Lake – jez. 250-251 E1,2
Devils Lake USA (ND) 250-251 E1
Devil's Point BS 262-263 F1
Devils Tower USA (WY) 252-253 L4
Devin BG 114-115 E8
Devine USA (TX) 250-251 E11
Devira IL 186 A4
Devizes GB 128-129 K10
Devnja BG 114-115 H6
Devoll – rz. 118-119 H7
Devolli – reg. 118-119 H7
Devon Island – w. 240 L2
Devonport AUS 296-297 H7
Devonport NZ 298 F3
Devrek Çayı – rz. 134-135 M2
Devrek TR 134-135 N2
Devrekâni – rz. 134-135 O2
Devrekâni TR 134-135 O2
Devrez Çayı – rz. 134-135 O3
Dewangiri BHT 190-191 G3
Dewas IND 190-191 D4
Dewa-sanchi – g-y 204-205 L4
Dewetsdorp ZA 226-227 E5
Dewey Lake – jez. 248-249 D6
Dewsbury GB 128-129 L8
Dexing CHN 200-201 E4
Dexter USA (MO) 250-251 J7
Deyang CHN 200-201 B4
Dey-Dey Lake – jez. 296-297 E4
Deyhūk IR 188-189 G2
Deyyer IR 187 D3
Dez, Rūd-e – rz. 184-185 M5
Deza E 130-131 I4
Dezfūl IR 184-185 M5
Dezghinge MD 114-115 I3
Dezhou CHN 200-201 E2
Dębe PL (MAZ) 76-77 C8
Dębe Wielkie PL (MAZ) 76-77 C9
Dębica PL (PKR) 80-81 E9
Dębki PL (POM) 70-71 A6
Dęblin PL (LBL) 76-77 D9
Dębnica Kaszubska PL (POM) 70-71 A5
Dębno PL (MŁP) 80-81 F8
Dębno PL (MŁP) 80-81 F8
Dębno PL (ZPM) 74-75 C2
Dębowa Góra 70-71 B5
Dębowa Kłoda PL (LBL) 76-77 D11
Dębowa Łąka PL (K-P) 72-73 B7
Dębowe Góry 72-73 B10
Dębowiec PL (PKR) 80-81 F9
Dębowiec PL (ŚL) 78-79 F6
Dhabarua IND 190-191 Q11
Dhaka BD 190-191 T13
Dham-Er-Rhyn WSA 220-221 D3
Dhamtari IND 190-191 E4
Dhanbad IND 190-191 S13
Dhangarhi NEP 190-191 P10
Dhankuta NEP 190-191 S11
Dhanuskodi IND 190-191 D7
Dhar IND 190-191 D4
Dharan Bazar NEP 190-191 S11
Dharmanager IND 192-193 B3
Dharmapuri IND 190-191 D6
Dharmavaram IND 190-191 D6
Dharmsala IND 190-191 D2
Dharwar IND 190-191 C5
Dhaulagiri – g. 166-167 L7
Dhebar Lake – jez. 190-191 C4
Dhenkanal IND 190-191 F4
Dhërmi AL 118-119 G7
Dhesan – rz. 190-191 D4
Dhiinsoor SP 224-225 H3
Dholpur IND 190-191 D3
Dhond IND 190-191 C5
Dhone IND 190-191 D5
Dhoraji IND 190-191 B,C4
Dhrangadhra IND 190-191 C4
Dhrol IND 190-191 B,C4
Dhubri IND 190-191 T11
Dhule IND 190-191 C4
Dhulian IND 190-191 S12
Dhünn – rz. 122-123 R12
Dhursa Mareeb SP 224-225 I2
Dhuudo SP 222-223 J6
Di BF 220-221 E6
Di Linh VN 192-193 E5
Dī Qār – jedn. adm. IRQ 184-185 L6
Día – w. 134-135 G8
Dia LB 220-221 C7
Diabali RMM 220-221 D6
Diabelska Wyspa 278-279 C1
Diablo – g. 258-259 G4
Diablo Heights PA 260-261 Q12
Diablo Mount – g. 252-253 D5
Diablo Range – g-y 252-253 D8
Diafarabé RMM 220-221 E6
Diahot – rz. 299 J14
Diaka – rz. 220-221 E6
Dialaka RMM 220-221 C6
Diamante BR 278-279 F4
Diamante RA 280-281 F4
Diamantina – rz. 290-291 G7
Diamantina BR 278-279 E6
Diamantina Fracture Zone – form. podm. 290-291 C8
Diamantina, Chapada – g-y 278-279 E5
Diamantino BR 278-279 B5
Diamond Harbour IND 190-191 S13
Diamond Lake USA (OR) 252-253 C5
Diamond Mountains – g-y 252-253 G6
Diamond Peak – g. 252-253 C5
Diamond Peak – g. 252-253 F,G7
Diamond Peak – g. 252-253 J6
Dian Chi – jez. 192-193 D3
Dianbai CHN 200-201 C6
Diane Bank – form. podm. 296-297 H2
Dianfa CI 220-221 D7
Dianji CHN 200-201 F2
Dianjiang CHN 200-201 B4
Diano d'Alba I 120-121 C6
Diano Marina I 120-121 D7
Dianópolis BR 278-279 D5
Diapaga BF 220-221 F6
Diaratá GR 134-135 D3
Diavolitsi GR 134-135 C6
Dibā UAE 187 G4
Dibāb OM 188-189 G4
Dībage IRQ 184-185 J4
Dībān JOR 186 B4
Dibaya ZRE 224-225 D5
Dibble'a, Lodowiec 311 i3
Dibella – oaza 222-223 B4
Dibga ZRE 224-225 E3
Dibič BG 114-115 G,H10
Dībīlē ETH 222-223 H6
Dibis SUD 222-223 D5
Diboll USA (TX) 250-251 G10
Dibrova UA 140-141 I10
Dibrugarh IND 190-191 G3
Dibs, Bi'r – oaza 222-223 E3
Dibsī Farağ SYR 184-185 H4
Dibulla CO 262-263 G8
Dickens USA (TX) 250-251 D9
Dickinson USA (ND) 250-251 C2
Dickson USA (TN) 248-249 B6
Dicle Nehri – rz. 184-185 I3
Dicomano I 120-121 G7
Dicsőszentmárton RO 114-115 N11
Didam NL 126 E3
Didēsa, Wenz – rz. 222-223 G6
Didi Borbalo, mta – g. 180-181 G2
Didicas – w. 197 D2
Didimótiho GR 134-135 H2
Didinga, Hills – g-y 222-223 F7
Didwana IND 190-191 C3
Dídyma GR 134-135 E6
Didyr BF 220-221 E6
Die F 124-125 L7
Diébougou BF 220-221 E6
Dieburg D 122-123 E7
Diego de Almagro, Isla – w. 280-281 C8
Diego Garcia Island – w. 309 R5
Diego Ramírez, Islas – w-y 280-281 E9
Diéma RMM 220-221 D6
Diemel – rz. 122-123 F5
Điên Biên Phu VN 192-193 D3
Diên Châu VN 192-193 E4
Dienné RMM 220-221 E6
Diepenbeek B 126 D4
Diepholz D 122-123 E4
Dieppe F 124-125 G1,2
Dierdorf D 122-123 D6
Dieren NL 126 E2
Dierks USA (AR) 250-251 G8
Diest B 126 D4
Dietfurt an der Altmühl D 122-123 H7
Dietikon CH 120-121 D3
Dieulefit F 124-125 L7
Dieuze F 120-121 B2
Dieveniškės LT 140-141 G7
Diever NL 126 E2
Dieżniewa, Przylądek 166-167 U,V3
Diffa RN 222-223 B5
Differdange L 127 A2
Digby CDN 244-245 S8
Dighton USA (KS) 250-251 D6
Diğla – rz. 166-167 G,H6
Dignano HR 118-119 L11
Digne F 120-121 B6
Digor TR 180-181 E4
Digora RUS 180-181 F1
Digoræ RUS 180-181 F1
Digos RP 197 E8
Digranes – przyl. 136-137 m12
Digul – rz. 194-195 J,K7
Dihang – rz. 190-191 G3
Dihōk IRQ 184-185 J3
Dihtjari UA 142-143 L3
Dijiatai CHN 200-201 A2
Dijon – rz. 220-221 D6,7
Dijon F 124-125 L4
Dik TCH 222-223 C6
Dikati RB 226-227 E4
Dikhil DJI 222-223 H5
Dikili TR 134-135 H4
Dikli LV 140-141 G4
Diklos mta – g. 180-181 G2
Dikmen Dağı – g. 134-135 O2
Dikodougou CI 220-221 D7
Diksmuide B 126 A3
Dikson RUS 176-177 M3
Dikti Óros – g-y 134-135 G8
Dikwa WAN 222-223 B5
Dil Burnu – przyl. 134-135 H6
Dīla ETH 222-223 G6
Dildarde Burnu – przyl. 134-135 M7
Dilek Dağı – g. 180-181 B4
Dili RI 194-195 H7
Dilijan AR 180-181 F4
Diliska GE 180-181 E3
Dillenburg D 122-123 E6
Dilley USA (TX) 250-251 E11
Dilling SUD 222-223 E5
Dillingen an der Donau D 120-121 F2
Dillingham USA (AK) 254-255 K4
Dillon USA (MT) 252-253 H4
Dillon USA (SC) 248-249 F7
Dillwyn USA (VA) 248-249 F6
Dilolo ZRE 224-225 D6
Dilos – w. 134-135 G6
Dilsen B 126 D3
Dimako CAM 224-225 B3
Dimas C 260-261 H1
Dimas MEX 258-259 F6
Dima q SYR 186 C2
Dimbach A 120-121 J2
Dimbelenge ZRE 224-225 D5
Dimbokro CI 220-221 D7
Dimboola AUS 296-297 G6
Dimitrovgrad BG 114-115 F7
Dimitrovgrad RUS 144-145 K6
Dimitrovgrad XS 118-119 J4
Dimla BD 190-191 T11
Dimlang – g. 216 E5
Dimmitt USA (TX) 250-251 C8
Dimnice – jask. 118-119 M9
Dimona IL 186 B4
Dimovo BG 114-115 C6
Dimpo – oaza 226-227 D4
Dimtu ETH 222-223 H6
Dímunarfjørður – cieśn. 127 E5
Dinagat – w. 197 E6
Dinajpur BD 190-191 T12
Dinan F 124-125 D,E3
Dinapur IND 190-191 R12
Dinar TR 134-135 L5,6
Dindar – rz. 216 G4
Dindigul IND 190-191 D6
Dinek TR 134-135 N6
Ding Xian CHN 200-201 D2
Dingalan Bay – zat. 197 C4
Ding'an CHN 200-201 C7
Dingbian CHN 200-201 B2
Dingelstädt D 122-123 G5
Dinggyê CHN 190-191 S10
Dingla NEP 190-191 S11
Dingle Bay – zat. 128-129 C9,10
Dingle IRL 128-129 C9
Dingle S 138-139 H4
Dingli M 127 L12
Dingnan CHN 200-201 D5
Dingolfing D 120-121 H2
Dingtao CHN 200-201 D3
Dinguiraye RG 220-221 C6
Dingwall GB 128-129 I4
Dingxi CHN 200-201 B3
Dingxing CHN 200-201 D2
Dingyuan CHN 200-201 E3
Dingzi Gang – zat. 200-201 F2
Dingzikou CHN 198-199 F4
Đinh Lâp VN 192-193 E3
Dinhata IND 190-191 T11
Dinkel – rz. 126 E2
Dinskaja RUS 142-143 S8
Dinslaken D 126 E3
Dinslaken-Hiesfelde – dzieln. D 122-123 P10
Dinslaken-Lohberg – dzieln. D 122-123 P10
Dintel – rz. 126 C3
Diogo – w. 197 C,D1
Dioïla RMM 220-221 D6
Diois – g-y 124-125 L7
Dioklea – r. 118-119 W16
Diona – oaza 222-223 D4
Dionísio Cerqueira BR 278-279 C8
Diosig RO 114-115 B2
Diouloulou SN 220-221 B6
Dioundiou RN 220-221 F6
Diourbel SN 220-221 B6
Dipkarpaz NCY 134-135 P8
Diplo PK 188-189 I4
Dipolog RP 197 D7
Dipoyraz Dağı – g. 134-135 M6
Dippach L 127 A,B2
Dippoldiswalde D 122-123 Z14
Dīrat at-Tulūl – pust. 186 C2
Dirdal N 138-139 C4
Dirē Dawa ETH 222-223 H6
Diré RMM 220-221 E5
Dirfi – g-y 134-135 E5
Diriamba NIC 260-261 G7
Dirico ANG 224-225 D7
Dirico NAM 226-227 D3
Dirillo – rz. 132-133 I11
Dirk Harrtog Island – w. 290-291 C7
Dirkou RN 222-223 B4
Dirmil TR 134-135 K6,7
Dirranbandi AUS 296-297 H4
Disa IND 190-191 C4
Disappointment, Cape – przyl. 252-253 B3
Disappointment, Lake – jez. 290-291 E7
Disautel USA (WA) 252-253 E2
Discovery Reef – form. podm. 194-195 E2
Discovery Tablemount – form. podm. 308 M12
Disentis CH 120-121 D4
Disgrazia, Monte – g. 120-121 E4
Disko Bugt – zat. 310 n3
Disko Ø – w. 244-245 U3
Dismal Swamp – bag. 248-249 G6
Dišnā ET 222-223 F2
Dispur IND 190-191 G3
Disraëli CDN 248-249 J2
Diss GB 128-129 N,O9
Disteghil – g. 190-191 D1
Distrato GR 134-135 C3,4
Disuq ET 184-185 D6
Dit – w. 197 C6
Ditinn RG 220-221 C6
Ditrău RO 114-115 Q10
Ditró RO 114-115 Q10
Ditsiane RB 226-227 E4
Dittaino – rz. 132-133 I11
Dittersdorf D 122-123 A14
Diu IND 190-191 C4
Diuata Mountains – g-y 197 E7
Divača SLO 120-121 I,J5
Divan – g-y 118-119 E4

Èl'ban RUS 178-179 F8
Elbasan AL 118-119 H6
Elbaşı TR 184-185 G2
Elbe – rz. 104-105 L5
Elbergen NL 126 E2
Elbert USA (CO) 252-253 L7
Elbert, Mount – g. 240 K6
Elberta USA (MI) 248-249 B2
Elberton USA (GA) 248-249 D7
Elbe-Seitenkanal – kan. 122-123 G4
Elbeuf F 124-125 G2
Elbistan TR 184-185 G2
Elbląg PL (W-M) 72-73 A7
Elbląski, Kanał 72-73 A7
Elbow Lake USA (MN) 250-251 F3
Elbrus – g. 104-105 R7
(Elbrus) – g. 144-145 J8
Èl'brus RUS 180-181 D1
Èl'brus RUS 180-181 D1
Èl'brusskij RUS 180-181 D1
Elburg NL 126 D2
Elburs – g-y 166-167 H,I6
Elche de la Sierra E 130-131 I,J7
Elche E 130-131 K7
Elcho Island – w. 296-297 F1
Èl'chotovo RUS 180-181 F1
Elchovka RUS 144-145 L6
Elda E 130-131 K7
Elde – rz. 122-123 H3
Eldfisk – in. 128-129 P5
Eldforsen S 138-139 K2
Èl'dikan RUS 178-179 E6
Eldingen D 122-123 G4
Eldon USA (MO) 250-251 H6
Eldorado USA (TX) 250-251 D10
Eldoralowa Falls USA (IA) 250-251 H4
Eldoret EAK 224-225 G3
Elec RUS 144-145 I6
Eleckij RUS 144-145 N3
Electra USA (TX) 250-251 E9
Electric Mills USA (MS) 250-251 J9
Eleftherúpolis GR 134-135 F3
Elehred IR 180-181 H6
Eleja LV 140-141 E5
Elek – rz. 182-183 G2
Elektrėnai LT 140-141 F7
Èlektrostal' RUS 144-145 I5
Elemi TR 134-135 Q2
Elena BG 114-115 F7
Elephant Butte Reservoir – zb. 252-253 K10
Elephant Island – w. 311 S3
Elephant Pass CL 190-191 M9
Eleşkirt TR 180-181 D5
Elešnica BG 114-115 D8
Ələt tirəşi – g-y 180-181 J4
Eleusína GR 134-135 E5
(Eleusis) GR 134-135 E5
Eleuthera Island – w. 262-263 E1
Elgin GB 128-129 J4
Elgin USA (IL) 250-251 J4
Elgin USA (ND) 250-251 D2
Elgin USA (OR) 252-253 E4
Elgin USA (TX) 250-251 F10
Èl'ginskij RUS 178-179 G6
Elgiński, Płaskowyż 178-179 F5
Èl'gjaj RUS 178-179 B6
Elgon, Mount – g. 216 G5
El-Guettara – oaza 220-221 E4
Èl'gygytgyn, ozero – jez. 178-179 M5
El-Hajeb MA 220-221 D2
Elhovo BG 114-115 G7
Elías Calles, Presa – zb. 258-259 E3
Əlicançay – rz. 180-181 I3
Elida – reg. 134-135 C6
Elida USA (NM) 250-251 C9
Elikónas Óros – g-y 134-135 D5
Elila – rz. 224-225 E4
Elim USA (AK) 254-255 J3
Elimäki FIN 140-141 H1
Elingampangu ZRE 224-225 D4
Elisabetha ZRE 224-225 D3
Elisejna BG 114-115 D6
Eliseu Martins BR 278-279 E4
(Elista) RUS 144-145 J7
Èlista RUS 144-145 J7
Elixku CHN 182-183 R7
Elizabeth AUS 296-297 F5
Elizabeth City USA (NC) 248-249 G6
Elizabeth Reef – w. 290-291 H7,8
Elizabeth USA (NJ) 248-249 H4
Elizabethton USA (TN) 248-249 D6
Elizabethtown USA (KY) 248-249 B6
Elizabethtown USA (NC) 248-249 F7
Elizarovo RUS 176-177 J5
Elizavetovka RUS 142-143 R7
Elizondo E 130-131 J2
Elizovo RUS 178-179 J8
El-Jadida MA 220-221 D2
Elk City USA (ID) 252-253 G4
Elk City USA (OK) 250-251 E8
Elk Creek USA (CA) 252-253 C7
Elk Lake CDN 248-249 E1
Elk Mount – g. 252-253 K6
Elk Mountains – g-y 252-253 I,J8
Elk Point USA (SD) 250-251 F4
Elk River – rz. 250-251 K8
Elk River USA (ID) 252-253 F3
Elk River USA (MN) 250-251 H3
Elkader USA (IA) 250-251 I4
El-Kelâa-Des-Srarhna MA 220-221 D2
Elkhart USA (IN) 248-249 C4
Elkhart USA (KS) 250-251 D7
El-Khemis DZ 130-131 O,P9
Elkhorn River – rz. 250-251 F5
Elkhorn USA (WI) 250-251 J4
Elkin USA (NC) 248-249 E6
Elkins USA (NM) 250-251 B9
Elkins USA (WV) 248-249 F5
Elkland USA (PA) 248-249 G4
Elko CDN 252-253 G1
Elko USA (NV) 252-253 G6
El-Ksar-El-Kbir MA 220-221 D1,2
Elkton USA (KY) 248-249 B6
Elkton USA (MD) 248-249 G,H5
Elkton USA (OR) 252-253 C5
Elkton USA (SD) 250-251 F3
Elkton USA (VA) 248-249 F5
Elkwater – g. 252-253 I2
Ellange L 127 B2
Ellat RI 194-195 I7
Ellen, Mount – g. 252-253 I7
Ellendale USA (ND) 250-251 E2
Ellensburg USA (WA) 252-253 D3
Ellesmere Port GB 128-129 K8
Ellesmere, Lake – jez. 298 E6
Ellesmere'a, Wyspa 240 M2
Ellice River – rz. 244-245 K3
Ellijay USA (GA) 248-249 C7
Ellington FJI 299 B2
Ellinwood USA (KS) 250-251 E6
Elliot AUS 296-297 E2
Elliot Lake CDN 248-249 D1
Elliot ZA 226-227 E6
Ellis USA (KS) 250-251 E6
Elliston AUS 296-297 F5
Ellisville USA (MS) 250-251 J10
Ellmauer Halt – g. 120-121 H3
Ellsworth USA (KS) 250-251 E6
Ellsworth USA (ME) 248-249 K2
Ellswortha, Góry 311 P,p2
Ellswortha, Ziemia – reg. 311 R2
Ellwangen D 120-121 E2
Elm CH 120-121 E4
Elma Dağı – g. 134-135 N4
Elma USA (WA) 252-253 C3
Elmadağı TR 134-135 O4
El-Mahbas WSA 220-221 D3
Elmakuz Dağı – g. 134-135 N,O7
El-Malah, Oued – rz. 130-131 O9
Elmalı Dağı – g. 134-135 K7
Elmalı Dağı – g-y 134-135 K7
Elmalı TR 134-135 K7
Elmalıdere TR 180-181 D5
El-Marsa DZ 130-131 L9
El-Meridj DZ 132-133 B13
Elmina GH 220-221 E7
Elmira USA (NY) 248-249 G3
Elmo USA (MT) 252-253 G3
Elmore AUS 296-297 G6
Elmshorn D 122-123 F3
Elne F 124-125 I,J9
Elorza YV 276-277 D2
El-Ouata DZ 220-221 E3
Eloy USA (AZ) 252-253 I10
Eloyes F 120-121 B2
Elquí, Río – rz. 280-281 D3,4
Èl'ša – rz. 140-141 M6
Elsberry USA (MO) 250-251 I6
Elsdorf D 126 E4
Elsen Nur – jez. 198-199 F4
Elsfleth D 122-123 E3
Èl'sk BY 140-141 J10
Elst NL 126 D3
Elsterwerda D 122-123 J5
Eltanin Fracture Zone – form. podm. 290-291 L9
Eltendorf A 120-121 K,L3
Eltham NZ 298 F4
Eltmann D 122-123 G7
Èl'ton RUS 182-183 B2
Èl'ton, ozero – jez. 182-183 B2
Eluanbi TWN 196 F7
Eluru IND 190-191 E5
Elva EST 140-141 H3
Elvas P 130-131 D7
Elven F 124-125 D4
Elverum N 138-139 H2
Elvo – rz. 120-121 D5
Elvseter N 138-139 H1
Elwell, Lake – zb. 252-253 I2
Elwood USA (IN) 248-249 B4
Elwood USA (NE) 250-251 E5
Elx E 130-131 K7
Ely GB 128-129 N9
Ely USA (MN) 250-251 I2
Ely USA (NV) 252-253 G7
Elyria USA (OH) 248-249 D,E4
Elz – rz. 120-121 C2
Elzach D 120-121 D2
Elze D 122-123 F4
Elżbiety, Przylądek 166-167 R4
Ełckie, Pojezierze 48-49 A,B9
Ełk – rz. 72-73 B10
Ełk PL (W-M) 72-73 B10
Emae – w. 299 L12
Emajõgi – rz. 140-141 H3
Emäjoki – rz. 136-137 g,H5
Emām Tāqī IR 182-183 H9
Emān – rz. 138-139 M5
Emanželinsk RUS 144-145 N6
(Emba) – rz. 182-183 F3
Embarcación RA 280-281 F2
Embari, Rio – rz. 276-277 D4
Embi KZ 182-183 G2
Embira, Rio – rz. 276-277 C5
Emborcação, Represa de – zb. 278-279 D6
Embrun F 120-121 B6
Embu EAK 224-225 G4
Emca RUS 144-145 J4
Emden D 122-123 D3
Emerald AUS 296-297 H3
Emero, Río – rz. 276-277 D6
Emerson CDN 244-245 M7
Emery USA (UT) 252-253 I7
Emet TR 134-135 K4
Emi Koussi – g. 216 E4
Emigrant Pass – przeł. 252-253 F6
Emigrant Peak – g. 252-253 I4
(Emilczyn) UA 142-143 G3
Emilia-Romania – jedn. adm. I 132-133 D4
Emin CHN 198-199 D2
Emine, Nos – przyl. 114-115 H7
Eminence USA (MO) 250-251 I7
Emir Dağları – g-y 134-135 M5
Emirdağ TR 134-135 M4
Emissi, Torso – g. 222-223 C3
Emlichheim D 126 E2
Emmaboda S 138-139 L6
Emmaste EST 140-141 D3
Emmaus USA (PA) 248-249 H4
Emmaville AUS 296-297 I4
Emme – rz. 120-121 C4
Emmeloord NL 126 D2
Emmen CH 120-121 D3
Emmen NL 126 E2
Emmendingen D 120-121 C2
Emmental – reg. 120-121 C4
Emmer – rz. 122-123 F5
Emmerich D 126 E3
Emmet USA (ID) 252-253 F5
Emmetsburg USA (IA) 250-251 G4
Emo CDN 250-251 G1
Emőd H 114-115 X15
Emona BG 114-115 H7
Emory Peak – g. 250-251 C11
Empa CY 134-135 N9
Empalme MEX 258-259 D3
Empangeni ZA 226-227 F5
Empexa, Salar de – soln. 276-277 D8
Empire USA (MI) 248-249 B2
Èmpoli I 132-133 E5
Emporia USA (KS) 250-251 F6
Emporia USA (VA) 248-249 G6
Empónas GR 134-135 I7
Empúries – r. 130-131 N3
Empúries E 130-131 N,O3
Ems – rz. 122-123 D4
Emscher – rz. 122-123 R10
Emsdetten D 122-123 D4
Emumägi – g. 140-141 H3
Emusud CHN 202-203 E2
Emva RUS 144-145 L4
'En Gedi IL 186 B4
'En Ḥazeva IL 186 B5
'En Ṭamar IL 186 B5
'En Yahav IL 186 B5
Ena J 204-205 J7
Enånger S 138-139 N1
Enard Bay – zat. 128-129 H3
Enarotali RI 194-195 J6
Enašimskij Polkan, gora – g. 176-177 O5
Enbetsu J 202-203 H1
Encamp AND 127 I9
Encampment USA (WY) 252-253 K6
Encantada, Cerro de la – g. 258-259 B2
Encantada, Isla – w. 258-259 B2,3
Encarnación de Diaz MEX 258-259 H7
Encarnación PY 278-279 B8
Enchi GH 220-221 E7
Encinal USA (TX) 250-251 E11
Encinasola E 130-131 D7
Encinillas MEX 258-259 F3
Encinillas, Laguna – jez. 258-259 F3
Encinitas USA (CA) 252-253 F10
Encino USA (NM) 252-253 L9
Encontrados YV 276-277 C2
Encounter Bay – zat. 296-297 F6
Encruzilhada do Sul BR 278-279 C9
Encs H 112-113 N7
Ende RI 194-195 G7
Endelave – w. 138-139 G7
Enderbury Island – w. 290-291 K5
Enderby, Ziemia – reg. 311 E3
Enderlin USA (ND) 250-251 F2
Endicott Mountains – g-y 254-255 L2
Endicott USA (NY) 248-249 G3
Endimari, Rio – rz. 276-277 D5
Ene, Río – rz. 276-277 C6
Eneabba AUS 296-297 A4
Ènergetik RUS 144-145 M6
Enerhodar UA 142-143 N6
Enez TR 134-135 H3
Enfield USA (NC) 248-249 G6
Engaño, Cabo – przyl. 262-263 I4
Engaño, Cape – przyl. 166-167 P8
Engaru J 202-203 H1
Engelberg CH 120-121 D4
Engelhartszell A 120-121 I2
Èngel's RUS 144-145 K6
Engelwood USA (CO) 252-253 L7
Engerneset N 138-139 I1
Enggano – w. 194-195 C7
Enghien B 126 C4
Engizek Dağları – g-y 184-185 G3
Engkilili MAL 196 N16
Englee CDN 244-245 U6
Englehart CDN 248-249 E1
Englewood USA (KS) 250-251 E7
English Bazar IND 190-191 T12
English River CDN 250-251 I1
English USA (IN) 248-249 B5
Englisha, Wybrzeże 311 R2
Enguera E 130-131 K7
Enguidanos E 130-131 J6
Engure LV 140-141 E4
Engures ezers – jez. 140-141 D4
Engwierum NL 126 E1
Enid USA (OK) 250-251 F7
Enina BG 114-115 F7
Enisej – rz. 166-167 L3
Enisejsk RUS 176-177 O6
Enisejskaja ravnina – niz. 176-177 N5
Eniwa J 202-203 H2
Eniwetok Atoll – w. 290-291 H3
Enkhuizen NL 126 D2
Enkirch D 122-123 D7
Enköping S 138-139 N3
Enmedio, Arrecife – w. 258-259 K7
Ènmelen RUS 178-179 O5
Enmore GUY 276-277 F2
Enna I 132-133 I11
Ennadai Lake – jez. 244-245 L4
Ennedi – wyż. 216 F4
Ennepe – rz. 122-123 R11
Ennepetal D 122-123 D5
Enngonia AUS 296-297 H4
Ennis IRL 128-129 E9
Ennis USA (MT) 252-253 H4
Ennis USA (TX) 250-251 F9
Enniscorthy IRL 128-129 G9
Enniskillen GB 128-129 F7
Ennistymon IRL 128-129 D9
Enns – rz. 120-121 J2
Enns A 120-121 J2
Ennstaler Alpen – g-y 120-121 J3
Eno FIN 136-137 h6
Enonkoski FIN 136-137 H6
Enontekiö FIN 136-137 f3
Enotaevka RUS 182-183 B3
Enping CHN 200-201 D6
Enravessada, Roca – g. 127 H9
Enridaville TN 132-133 E12
Enrile RP 197 C3
Enrique Carbó RA 280-281 G4
Enriquillo DOM 262-263 H5
Enriquillo, Lagune de – jez. 262-263 H4
Enschede NL 126 E2
Ensenada MEX 258-259 A2
Enshi CHN 200-201 C4
Enshū-nada – zat. 204-205 J8
Entebbe EAU 224-225 F3,4
Entenbühl – g. 122-123 I7
Enterprise CDN 244-245 I4
Enterprise USA (AL) 248-249 C9
Enterprise USA (OR) 252-253 F4
Enterprise USA (UT) 252-253 H8
Entiat Lake – jez. 252-253 D3
Entinas, Punta de las – przyl. 130-131 I9
Entlebuch CH 120-121 D3,4
Entraunes F 120-121 B6
Entraygues-sur-Truyère F 124-125 I7
Entre Ríos – jedn. adm. RA 280-281 G4
Entre Ríos BOL 276-277 E8
Entre Rios BR 278-279 C4
Entre Ríos, Cordillera – g-y 260-261 G5,6
Entrecasteaux, Récifs d' – w-y 299 I13
Entrevaux F 120-121 B7
Entroncamento P 130-131 C6
Enugu WAN 220-221 G7
Ènurmino RUS 178-179 P5
Envermeu F 124-125 H2
Envigado CO 276-277 B2
Envira BR 276-277 C5
Enying H 114-115 V16
Enz – rz. 120-121 D2
Enza – rz. 120-121 F6
Enzan J 204-205 K7
Enzesfeld A 120-121 K,L3
Enzien RCB 224-225 C4
Eojba – rz. 118-119 L,M10
Epáno Aréna – g. 134-135 B3
Epanomí GR 134-135 D3
Epe NL 126 D,E2
Epe WAN 220-221 F7
Epecuén, Lago – jez. 280-281 F5
Epehy F 124-125 I1
Epéna RCB 224-225 C3
Epernay F 124-125 J2,3
Ephraim USA (UT) 252-253 I7
Epi – w. 290-291 I6
Epidaur – r. 134-135 E6
Épinal F 120-121 B2
Epir – jedn. adm. GR 134-135 B4
Epira GUY 276-277 F2
Episkopi CY 134-135 N9
Episkopís, Kólpos – zat. 134-135 N9
Epitálio GR 134-135 C6
Eporium USA (PA) 248-249 F4
Eppan I 120-121 G4
Eppendorf D 122-123 X14
Eppingen D 120-121 D1
Epsom and Ewell GB 128-129 M10
Epuyén RA 280-281 D6
Eqlīd IR 188-189 F2
Equatorial Channel – cieśn. 196 L12
Equeurdreville F 124-125 E2
Er Hai – jez. 192-193 D2
Er Raoui, Erg – pust. 220-221 E2,3
Era – rz. 132-133 E5
Eraclea I 120-121 H5
Eräjärvi FIN 138-139 U1
Eräliev KZ 182-183 D5
Eran RP 197 A7
Erandique HN 260-261 F5
Eraneker NL 126 D1
Eratiní GR 134-135 D5
Erátira GR 134-135 C3
Erba I 120-121 E5
Erbaa TR 184-185 G1
Erben Tablemount – form. podm. 290-291 O1
Erbendorf D 122-123 H7
Erbent TM 182-183 H7
Erbeskopf – g. 122-123 C7
Erbet IRQ 184-185 K4
Erbogačën RUS 176-177 R5
Erçek Gölü – jez. 180-181 E6
Erçek TR 180-181 E6
Erciş TR 180-181 E5
Erciyes Dağı – g. 166-167 G6
Ercsi H 114-115 V15
Érd H 114-115 V15
Erdaogou CHN 198-199 F5
Erdek Körfezi – zat. 134-135 I3
Erdek TR 134-135 I3
Erdemli TR 134-135 P7
Èrdènèt MAU 198-199 H2
Erding D 120-121 G2
Erdmannsdorf D 122-123 X14
Èrdnievskij RUS 144-145 K7
Erdőszentgyörgy RO 114-115 O11
Erdre – rz. 124-125 E4
Erebato, Río – rz. 276-277 E2
Erebus, Mount – g. 311 k2
Erech – r. 184-185 K6
Erechim BR 278-279 C8
Ereencav MAU 198-199 K2
Ereğli TR 134-135 M2
Ereğli TR 134-135 P6
Erejmentau KZ 176-177 K7
Erëma RUS 176-177 R5
Eremitu RO 114-115 O10
Eren Çayı – rz. 134-135 K6
Erenhot CHN 198-199 J3
Erenler Dağı – g. 134-135 M6
Erentepe TR 180-181 C6
Eresma, Río – rz. 198-199 G4
Eresós GR 134-135 G4
Erétria GR 134-135 D4
Erevan AR 180-181 F4
Erfelek TR 134-135 P2
Erfjord N 138-139 C3
Erfoud MA 220-221 E2
Erfstadt D 126 E4
Erfurt D 122-123 H5
Erg er Raoui – pust. 104-105 I9,10
Ergani TR 184-185 H2
Ergene Nehri – rz. 134-135 H2
Ergig, Bahr – rz. 222-223 C5
Ērgli LV 140-141 G5
Ergoldsbach D 120-121 H2
Ergun He – rz. 198-199 L1
Ergun Youqi CHN 198-199 K,L1
Eria, Río – rz. 130-131 E3
Eriba SUD 222-223 G4
Eribol, Loch – zat. 128-129 I3
Eriboll GB 128-129 I3
Erice I 132-133 G10
Eričeira P 130-131 B6,7
Ericht, Loch – jez. 128-129 I5
Erick USA (OK) 250-251 E8
Erie USA (KS) 250-251 G7
Erie USA (PA) 248-249 E3
Erie, Lake – jez. 248-249 D4
Erikoússa – w. 134-135 A4
Erikub Atoll – w. 290-291 I4
Erillas – g. 130-131 F7
Erimanthos – rz. 134-135 C6
Erimo Seamount – form. podm. 202-203 H2
Erimo-misaki – przyl. 202-203 H2
Erin USA (TN) 248-249 B6
Erisort, Loch – zat. 128-129 G3
Erithré GR 134-135 E5
Erkelenz D 126 E3
Erken – jez. 138-139 O3
Erkilet TR 184-185 F2
Erkowit SUD 222-223 G4
Erkrath D 122-123 P12
Erl A 120-121 H3
Erlangen D 122-123 H7
Erlanger USA (KY) 248-249 C5
Erlau D 122-123 W13
Erlbach D 122-123 W13
Erldunda AUS 296-297 E4
Erlin TWN 196 F5
Ermaki RUS 176-177 R6
Érmellék – reg. 114-115 B2
Ermelo NL 126 D2
Ermelo ZA 226-227 F5
Ermenek Çayı – rz. 134-135 N7
Ermenek TR 134-135 N,O7
Ermenonville F 124-125 V10
Ermúpolis GR 134-135 F6
Ernakulam IND 190-191 D6,7
Erne, Lower Lough – jez. 128-129 F7
Erne, Upper Lough – jez. 128-129 F7
Ernée F 124-125 F3
Ernei RO 114-115 O10
Ernest Island – w. 298 B8
Ernest Legouvé Reef – form. podm. 290-291 M8
Ernstbrunn A 120-121 L2
Erode IND 190-191 D6
Erofej Pavlovič RUS 178-179 C8
Eromanga – w. 299 L13
Eromanga AUS 296-297 G4
Erongo Mountains – g-y 226-227 B4
Eröö gol – rz. 176-177 R8
Erpengdianzi CHN 202-203 D2
Erquy F 124-125 D3
Errego MOC 226-227 G3
Erro – rz. 120-121 D6
Erro E 130-131 J3
Erromango – w. 290-291 I6
Erronan – w. 299 M13
Erseb – rz. 226-227 D4
Ersekë AL 118-119 H7
Eršiči RUS 140-141 N8
Erskine USA (MN) 250-251 F2
Eršov RUS 144-145 K6
Erstein F 120-121 C2
Erstfeld CH 120-121 D4
Ert RUS 178-179 D6
Èrti'l RUS 144-145 J6
Ertis – rz. 166-167 K4
Ertis – rz. 176-177 L7
Ertis KZ 176-177 L7
Ertix He – rz. 198-199 E2
Ertuğrul TR 134-135 I4
Ertuğrul TR 134-135 N5
Erval BR 278-279 C9
Ervalla S 138-139 K,L3
Ervidel P 130-131 C7,8
Erytrea – państwo 217 G4
(Erywań) AR 180-181 F4
Erzen – rz. 118-119 G6
Ėrzin RUS 176-177 P7
Erzincan TR 184-185 H2
Erzsébetváros RO 114-115 O11
Erzurum TR 180-181 C5
Es Mercadal E 130-131 O6
Es Sabria TN 220-221 G2
Esan-misaki – przyl. 202-203 H2
Esashi J 202-203 G2
Esashi J 202-203 H1
Esashi J 204-205 N3
Esbjerg DK 138-139 E7
Esca, Río – rz. 130-131 J,K3
Escada BR 278-279 F4
Escairón E 130-131 D3
Escalante Desert – pust. 252-253 H8
Escalante River – rz. 252-253 I8

443

Glenboro CDN 250-251 E1
Glencoe USA (MN) 250-251 G3
Glendale USA (AZ) 252-253 H10
Glendale USA (CA) 252-253 E9
Glendale USA (NV) 252-253 G8
Glendive USA (MT) 252-253 L3
Glendo Reservoir – zb. 252-253 L5
Glenelg AUS 296-297 F5,6
Glenfield USA (ND) 250-251 E2
Glenhope NZ 298 E5
Glenmora USA (LA) 250-251 H10
Glenmorgan AUS 296-297 H4
Glenns Ferry USA (ID) 252-253 G5
Glenorchy AUS 296-297 H7
Glenrio USA (NM) 250-251 C8
Glenrock USA (WY) 252-253 L5
Glenrothes GB 128-129 J5
Glens Falls USA (NY) 248-249 H3
Glenties IRL 128-129 E7
Glenville USA (WV) 248-249 E5
Glenwood Springs USA (CO) 252-253 K7
Glenwood USA (AR) 250-251 G,H8
Glenwood USA (IA) 250-251 G5
Glenwood USA (MN) 250-251 G3
Gletsch CH 120-121 D4
Glidden USA (WI) 250-251 I2
Glina HR 118-119 D2
Gliniany PL (ŚW) 80-81 E9
(Gliniany) UA 142-143 D4
Glinna PL (ZPM) 70-71 B2
Glinne, Przełęcz 78-79 F7
Glinojeck PL (MAZ) 76-77 C8
Glittertind – g. 136-137 C7
Gliwice PL (ŚL) 78-79 E6
Gliwicki, Kanał 78-79 E6
Gllave AL 118-119 G7
Globe USA (AZ) 252-253 I10
Glodeanu Sărat RO 114-115 G5
Glodeni MD 114-115 H2
Glödnitz A 120-121 J4
Gloggnitz A 120-121 K3
Glomfjord N 136-137 D4
Glommersträsk S 136-137 e5
Glonn D 120-121 G3
Glorieuses, Iles – w-y 226-227 K10
Gloucester AUS 296-297 I5
Gloucester GB 128-129 K10
Gloucester USA (MA) 248-249 J3
Gloucester USA (VA) 248-249 G6
Glover Reef – form. podm. 260-261 G4
Gloversville USA (NY) 248-249 H3
Glória BR 278-279 F4
Glubokoe KZ 176-177 M7
Glücksburg D 122-123 F2
Glückstadt D 122-123 F3
Gluggarnir – g. 127 E5
Gluš' RUS 140-141 J3
Gluškovo RUS 142-143 N2
Glyngøre DK 138-139 E6
Głębinowskie, Jezioro – zb. 78-79 E5
(Głębokie) BY 140-141 I6
Głodowy, Step – pust. 182-183 L4
Głogów Małopolski PL (PKR) 80-81 E9
Głogów PL (DŚL) 74-75 D4
Głogówek PL (OPO) 78-79 E5
Głomia – rz. 70-71 B4
Głotowo PL (POM) 72-73 B8
Głowacz – g. 70-71 B3
Głowaczów PL (MAZ) 76-77 D9
Głowno PL (ŁDZ) 76-77 D7
Główczyce PL (POM) 70-71 A5
Głubczyce PL (OPO) 78-79 E5
Głubczycki, Płaskowyż – fizjogr. 48-49 E4
Głuchołazy PL (OPO) 78-79 E5
Głuchów PL (ŁDZ) 76-77 D8
(Głuchow) UA 142-143 M2
Głuszyca PL (DŚL) 78-79 E4
Głuszyńskie, Jezioro 74-75 C6
Gmelinka RUS 182-183 B1
Gmünd A 120-121 I4
Gmünd A 120-121 J,K2
Gmunden A 120-121 I3
Gnarp S 136-137 E6
Gnesau A 120-121 I,J4
Gniew PL (POM) 70-71 B6
Gniewino PL (POM) 70-71 A6
Gniewkowo PL (K-P) 74-75 C6
Gniewoszów PL (MAZ) 76-77 D9
Gniezno PL (WLP) 74-75 C5
Gnieźnieńskie, Pojezierze 48-49 C4
Gnjilane KOS 118-119 I5
Gnoien D 122-123 I3
Gnojnik PL (MŁP) 80-81 F8
Gnojno PL (ŚW) 80-81 E8
Gnowangerup AUS 296-297 B5
Go Công VN 192-193 E5
Go Quao VN 192-193 D,E6
Goa – jedn. adm. IND 190-191 B5
Goalpara IND 190-191 U11
Goaso GH 220-221 E7
Goba ETH 222-223 G6
Goba MOC 226-227 F5
Gobabis NAM 226-227 C4
Gobernador E 130-131 H8
Gobernador Gregores RA 280-281 D,E7
Gobi – pust. 198-199 H3
Gobi – reg. 166-167 M5
gobijsko-ałtajski, ajmak – jedn. adm. MAU 198-199 F2
Gobō J 204-205 H9
Gobo, Col de – przeł. 222-223 C3
Gobrang CHN 190-191 F2
Gobza – rz. 140-141 M6
Goçäoba TM 182-183 F6
Goçbeyli TR 134-135 I4
Goce Delčev BG 114-115 D8
Goch D 126 E3
Goczałkowice-Zdrój PL (ŚL) 78-79 F6
Goczałkowickie, Jezioro – zb. 78-79 F6
Göd H 114-115 W15
Godavari – rz. 166-167 K8
Goddo SME 278-279 B2
Godē ETH 222-223 H6
Godeanu, Munţii – g-y 114-115 C4
Godeč BG 114-115 C6,7
Gödemesterháza RO 114-115 P9,10
Gödene TR 134-135 L7
Goderich CDN 244-245 P8
Goderville F 124-125 G2
Godfreys Tank – soln. 296-297 D3
Godhavn GRØ 244-245 U3
Godhra IND 190-191 C4
Godineşti RO 114-115 C4
Godkowo PL (W-M) 72-73 A7
Gödöllő H 114-115 W15
Godoy Cruz RA 280-281 E4
Godów PL (ŚL) 78-79 F6
Gods Lake – jez. 244-245 M6
Gods River – rz. 244-245 N5
Godthåb GRØ 244-245 V4
Godzianów PL (ŁDZ) 76-77 D8
Godziesze Wielkie PL (WLP) 74-75 D6
Godziszów PL (LBL) 80-81 E10
Goedereede NL 126 B,C3
Goélands, Lac aux – jez. 244-245 T5
Goes NL 126 B3
Gofsa TN 220-221 G2
Gog ETH 222-223 F6
Gogama CDN 244-245 P7
Gō-gawa – rz. 204-205 F7,8
Göğenç TR 134-135 N5
Gogi lerr – g. 180-181 G5
Gogland, ostrov – w. 140-141 H1
Goglio I 120-121 D4
Gogolevka RUS 140-141 M7
Gogolin PL (OPO) 78-79 E6
Gogounou DY 220-221 F6
Gogri IND 190-191 S12
Gogrial SUD 222-223 E6
Gogui RIM 220-221 D5
Gohoku J 204-205 F9
Göhren D 122-123 U14
Goiana BR 278-279 G4
Goiandira BR 278-279 D6
Goianésia BR 278-279 D6
Goiânia BR 278-279 D6
Goiás – jedn. adm. BR 278-279 C5
Goiás BR 278-279 C6
Goirle NL 126 D3
Goito I 120-121 F5
Gojeb, Wenz – rz. 222-223 G6
Gojō J 204-205 H8
Gojōme J 204-205 M2,3
Gojra PK 188-189 J2
Gök Tepe – g. 134-135 K7
Gökbel – g. 134-135 J6
Gökbel Geçidi – przeł. 134-135 J6
Gökçadağ TR 134-135 J,K4
Gökçeada – w. 134-135 G3
Gokçeağac TR 134-135 P2
Gökçekaya Barajı – zb. 134-135 M3,4
Gökdepe TM 182-183 G,H7
Gökdere TR 180-181 B6
Gökırmak – rz. 134-135 P2
Gökoğlan TR 180-181 C5
Gökova Körfezi – zat. 134-135 I7
Göksu Çayı – rz. 134-135 K3
Göksu Çayı – rz. 184-185 G3
Göksu Nehri – rz. 184-185 F3
Göksu TR 180-181 D5
Göksun TR 184-185 G2
Göktaş TR 180-181 C3
Göktepe TR 134-135 J6
Göktepe TR 134-135 O6
Gokwe ZW 226-227 E3
Gol Bax SP 224-225 H4
Gol N 138-139 E2
Golada E 130-131 D3
Golaghat IND 190-191 G3
Golaj AL 118-119 H5
Golan, Wzgórza – wyż. 186 B2
Golbāf IR 187 G2
Gölbaşı Barajı – zb. 134-135 K3
Gölbaşı TR 134-135 N4
Golbey F 120-121 B2
Golchen D 122-123 J3
Golconda USA (NV) 252-253 F6
Gölcük TR 134-135 I4
Golčův Jeníkov CZ 112-113 H6
Golczewo PL (ZPM) 70-71 B2
Gold Beach USA (OR) 252-253 B5
Gold Coast AUS 296-297 I4
Gold Hill – g. 260-261 Q11
Gold Point USA (NV) 252-253 F8
Goldberg D 122-123 H3
Golden Bay – zat. 298 E5
Golden CDN 244-245 I6
Golden Gate – cieśn. 252-253 C8
Golden Meadow USA (LA) 250-251 I11
Goldendale USA (WA) 252-253 D4
Goldeni RO 114-115 N,O10
Goldfield USA (NV) 252-253 F8
Goldsboro USA (NC) 248-249 F7
Goldsworthy, Mount – g. 296-297 B3
Goldthwaite USA (TX) 250-251 E10
Göldüzü TR 180-181 E6
Göle TR 180-181 D4
Golejewko PL (WLP) 74-75 D5
Golema planina – g-y 114-115 D6,7
Golemo Selo XS 118-119 I5
Goleniów PL (ZPM) 70-71 B2
Goleš BG 114-115 H6
Golešnica – g-y 118-119 I6
Golestān – jedn. adm. IR 188-189 F1
Goleszów PL (ŚL) 78-79 F6
Goleta USA (CA) 252-253 D9
Golfe de Sagoneagone F 124-125 X13
Golfito CR 260-261 I8
Golfo Aranci I 132-133 D8
Gölhisar Gölü – jez. 134-135 K6
Goli – g. 118-119 M10
Goli Otok – w. 118-119 N11
Goliad USA (TX) 250-251 F11
Goliam Perelik – g. 114-115 E8
Golica BG 114-115 H7
Golija – g-y 118-119 H4
Golin Baixing CHN 202-203 C1
Golina PL (WLP) 74-75 C6
Goljak – g-y 118-119 I5
Goljam Manastir BG 114-115 G7
Goljama Želiazna BG 114-115 E7
Gollel ZA 226-227 F5
Göllersdorf A 120-121 L2
Gölmarmara TR 134-135 I5
Golmud CHN 198-199 F,G4
Golo – rz. 124-125 Y13
Golo – w. 197 C5
Gölören TR 134-135 O6
Golovin USA (AK) 254-255 J3
Goloviţa, Lacul – jez. 114-115 I5
Golpāyegān IR 184-185 N5
Gölpazarı TR 134-135 L3
Gols A 120-121 L3
Golspie GB 128-129 J4
Golssen D 122-123 J5
Golubac XS 118-119 I3
Golub-Dobrzyń PL (K-P) 72-73 B7
Golubovci XM 118-119 W16
Golubovka KZ 176-177 K7
Golynki RUS 140-141 M7
Golyšmanovo RUS 176-177 J6
Gołańcz PL (WLP) 74-75 C5
Gołąb PL (LBL) 76-77 D9
Gołcza PL (MŁP) 80-81 E7
Gołdap PL (W-M) 72-73 A10
Gołdap, Jezioro 72-73 A10
Gołdapa – rz. 72-73 A10
Gołdopiwo, Jezioro 72-73 A9
Gołotczyzna PL (MAZ) 76-77 C8
Gołuchów PL (WLP) 74-75 D5
Gołymin-Ośrodek PL (MAZ) 76-77 C8
Goma ZRE 224-225 E4
Gomati – rz. 190-191 Q11
Gombari ZRE 224-225 E3
Gombe RN 220-221 H6
Gombori GE 180-181 G3
Gomborskie, Góry 180-181 G3
Gomera – w. 220-221 B3
Gomīšān IR 182-183 F8
Gomjenica – rz. 118-119 D3
Gomo CHN 190-191 E2
Gomo Co – jez. 190-191 F2
Gomoh IND 190-191 R13
Gomunice PL (ŁDZ) 76-77 D7
Gonābād IR 188-189 G2
Gonaïves RH 262-263 G4
Gonam – rz. 178-179 D7
Gonâve, Golfe de la – zat. 262-263 G4
Gonâve, Île de la – w. 262-263 G4
Gonbad-e Kabūd IR 182-183 H8
Gonbad-e Qabūs IR 182-183 F8
Gonda IND 190-191 Q11
Gondal IND 190-191 C4
Gonder ETH 222-223 G5
Gönderme Geçidi – przeł. 180-181 E5
Gondey TCH 222-223 C6
Gondia IND 190-191 E4
Gondoma P 130-131 C4
Gönen Çayı – rz. 134-135 I4
Gönen TR 134-135 I3
Gong Xian CHN 200-201 B4
Gong'an CHN 200-201 B6
Gongbogyamda CHN 192-193 B2
Gongchangling CHN 202-203 C2
Gongga Shan – g. 166-167 N6,7
Gongguan CHN 200-201 C6
Gonghe CHN 198-199 G,H4
Gonghui CHN 200-201 D1
Gongliu CHN 198-199 D3
Gongola – rz. 220-221 H6
Gongpengzi CHN 202-203 D1
Gongshuling CHN 202-203 B2
Gongtan CHN 200-201 C4
Gongzhuling CHN 202-203 D2
Goniądz PL (PDL) 72-73 B10
Gonja EAT 224-225 G4
Gonjo CHN 198-199 G5
Gonohe J 204-205 N2
Gōnoura J 204-205 B9
Gonzales USA (TX) 250-251 F11
González MEX 258-259 J6
Goochland USA (VA) 248-249 F6
Goodenough, Cape – przyl. 311 I3
Goodhouse ZA 226-227 C5
Gooding USA (ID) 252-253 G5
Goodland USA (FL) 248-249 D12
Goodland USA (KS) 250-251 C6
Goodlettsville USA (TN) 248-249 B6
Goodnews Bay USA (AK) 254-255 J4
Goodrich USA (ND) 250-251 D,E2
Goodridge USA (MN) 250-251 F,G1
Goole GB 128-129 M8
Goolgowi AUS 296-297 H5
Goomalling AUS 296-297 B5
Goondiwindi AUS 296-297 H4
Goonyella AUS 296-297 H3
Goor NL 126 E2
Goose Bay CDN 244-245 T6
Goose Lake – jez. 252-253 D6
Goosenest – g. 252-253 C6
Gooty IND 190-191 D5
Gopalganj IND 190-191 R11
Gopalpur IND 190-191 F5
Gopło, Jezioro 74-75 C6
Göppingen D 120-121 E2
Goraj PL (LBL) 80-81 E10
Goranboy AZ 180-181 H4
Goražde BIH 118-119 F4
Gorce – g-y 48-49 F7
Gorczański Park Narodowy 80-81 F8
Gorda, Punta – przyl. 252-253 B6
Gorda, Punta – przyl. 260-261 I1
Gorda, Punta – przyl. 260-261 I5
Gordeevka RUS 140-141 M9
Gördes Çayı – rz. 134-135 J5
Gördes TR 134-135 J5
Gordium – r. 134-135 N4
Gördoğlu TR 134-135 O5
Gordola CH 120-121 D4
Gordon – rz. 296-297 H7
Gordon USA (GA) 248-249 D8
Gordon USA (NE) 250-251 C4
Gordon USA (WI) 250-251 I2
Gordon, Lake – jez. 296-297 H7
Gordona I 120-121 E4
Gordonsville USA (VA) 248-249 F5
Gordonvale AUS 296-297 H2
Gore Bay CDN 248-249 D1,2
Gorē ETH 222-223 G6
Gore NZ 298 C8
Goré TCH 222-223 C6
Gore USA (ME) 248-249 J2
Goreda RI 194-195 I6
Görele TR 184-185 H1
Gorelovka GE 180-181 E3
Göreme – r. 134-135 P5
Gorenja Straža SLO 120-121 K5
Gorey IRL 128-129 G9
Gorgadji BF 220-221 E6
Gorgān IR 182-183 F8
Görgényhodák RO 114-115 O10
Gorgona, Isla – w. 276-277 B3
Gorgona, Isola – w. 132-133 D5
Gorgora ETH 222-223 G5
Gorgoram WAN 222-223 B5
Gorgos, Río – rz. 130-131 K7
Gorgova RO 114-115 J4
Gori GE 180-181 F3
Gorin RUS 178-179 F8
Gorinchem NL 126 D3
Goris AR 180-181 H5
Gorizia I 120-121 I5
Gorj – jedn. adm. RO 114-115 D5
Gorjačegorsk RUS 176-177 N6
Gorjačij Ključ RUS 142-143 R9
Gorjani XS 118-119 F2
Gorjašča, vulkan – wulk. 178-179 I9
Gorki RUS 176-177 J4
Gor'koe-Perešeečnoe, ozero – jez. 176-177 L7
Gorkowski, Zbiornik 104-105 R4
Gørlev DK 138-139 G,H7
Gorlice PL (MŁP) 80-81 F9
Görlitz D 122-123 K5
(Gorłówka) UA 142-143 Q5
Gorna Breznica BG 114-115 D8
Gorna Orjahovica BG 114-115 F6
Gorna Studena BG 114-115 F6
Gornau D 122-123 X14
Gornergletscher – lod. 120-121 C4,5
Gorneşti RO 114-115 O10
Gornja Radgona SLO 120-121 K4
Gornja Trepča XM 118-119 V15
Gornjak RUS 176-177 M7
Gornje Jelenje HR 118-119 N10
Gornji Humac HR 118-119 R14
Gornji Kokoti XM 118-119 W16
Gornji Milanovac XS 118-119 H3,4
Gornji Muć HR 118-119 Q13
Gornji Okrug HR 118-119 Q14
Gornji Seget HR 118-119 Q13
Gornji Vakuf BIH 118-119 E4
Gorno Pavlikene BG 114-115 E6
Gorno-Altajsk RUS 176-177 N7
(Gornoałtajsk) RUS 176-177 N7
Gorno-Čujskij RUS 178-179 A7
Gornoslinkino RUS 176-177 J6
Gornovodnoe RUS 202-203 F2
(Gornozawodzk) RUS 178-179 G9
Gorodec RUS 144-145 J5
Gorodec RUS 140-141 K3
Gorodišče RUS 140-141 N2
Gorodišče RUS 142-143 R2
Gorom-Gorom BF 220-221 E6
Gorongosa – rz. 226-227 F4
Gorongosa, Serra da – g. 226-227 F3
Gorontalo RI 194-195 G5
Gorontalo, Teluk – zat. 194-195 G6
Gorrakhpur IND 190-191 Q11
Gorron F 124-125 E,F3
Goršečnoe RUS 142-143 Q2
Gorski Kotar – g-y 118-119 M10
Görsu TR 134-135 K3
Gort IRL 128-129 E8
Gortyna – r. 134-135 F8
Goru – g. 114-115 G4
Gorumahisani IND 190-191 S13
Gorumna Island – w. 128-129 C8
Gōryān AFG 188-189 H2
Gorzegno I 120-121 D6
Görzke D 122-123 I4
Gorzkie, Małe Jezioro 222-223 M11
Gorzkie, Wielkie Jezioro 222-223 L11
Gorzkowice PL (ŁDZ) 76-77 D7
Gorzków PL (LBL) 80-81 E10
Gorzowska, Kotlina 48-49 C1
Gorzów Śląski PL (OPO) 78-79 D6
Gorzów Wielkopolski PL (LBU) 74-75 C3
Gorzyce PL (PKR) 80-81 E9
Gorzyce PL (ŚL) 78-79 F6
(Gorżdy) LT 140-141 C6
Gosen J 204-205 L5
Gosford-Woy Woy AUS 296-297 I5
Goshen USA (IN) 248-249 C4
Goshogawara J 204-205 M2
Goshute Indian Reservation – jedn. adm. USA 252-253 G7
Goslar D 122-123 G5
Gospić HR 118-119 C3
Gosport GB 128-129 L11
Gossau CH 120-121 E3
Gossi RMM 220-221 E5
Gossinga SUD 222-223 E6
Gössnitz D 122-123 U14
Göstesin TR 134-135 P5
Gostinu RO 114-115 G5
Gostiščevo RUS 142-143 P3
Gostivar MK 118-119 H6
Göstling an der Ybbs A 120-121 J3
Gostycyn PL (K-P) 70-71 B5
Gostynin PL (MAZ) 76-77 C7
Gostynińsko-Włocławski Park Krajobrazowy 76-77 C7
Gostyń PL (WLP) 74-75 D4
Goszczanów PL (ŁDZ) 74-75 D6
Goszczyn PL (MAZ) 76-77 D8
Gościeradów Ukazowy PL (LBL) 80-81 E9
Gościkowo PL (LBU) 74-75 C3
Gościno PL (ZPM) 70-71 A3
Göta älv – rz. 138-139 I4
Gota ETH 222-223 H6
Gøta FR 127 E4
Göta Kanal – kan. 138-139 K4
Götaland – reg. 138-139 I5
Göteborg S 138-139 H5
Gotemba J 204-205 K7
Götene S 138-139 J4
Gotenica SLO 118-119 N9
Goteniški Snežnik – g. 118-119 N9
Goteşti MD 114-115 I3
Gotha D 122-123 G6
Gothenburg USA (NE) 250-251 D5
Gotlandia – w. 104-105 M4
Gotō-rettō – w-y 202-203 E4
Gotska Sandön – w. 138-139 P4
Götsu J 204-205 E7,8
Göttingen D 122-123 F5
Gottsdorf D 120-121 I2
Gouaix F 124-125 J3
Gouaro, Baie de – zat. 299 J14
Goubangzi CHN 200-201 F1
Gouda NL 126 C2
Goudiri SN 220-221 C6
Goudomp SN 220-221 B6
Goudoumaria RN 222-223 B5
Goúdoura, Akrōtíri – przyl. 134-135 G9
Gough Island – w. 308 L12
Gouin, Réservoir – zb. 244-245 Q7
Gouina, Chutes de – wdp. 220-221 C6
Goulburn AUS 296-297 H5
Goulburn Islands – w-y 296-297 E1
Gould USA (AR) 250-251 I8
Goulda, Zatoka 311 s2
Goulimine MA 220-221 C3
Goulmima MA 220-221 E2
Goumbou RMM 220-221 D6
Gouménissa GR 134-135 D3
Gounda – rz. 224-225 D2
Goundam RMM 220-221 E5
Goundi TCH 222-223 C6
Gourara – pust. 220-221 E3
Gouraya DZ 130-131 M9
Gouraye RIM 220-221 C6
Gourcy BF 220-221 E6
Gourdon F 124-125 H7
Gouré RN 222-223 B5
Gourin F 124-125 C3
Gourits – rz. 226-227 D6
Gourma-Rharous RMM 220-221 E5
Gournay-en-Bray F 124-125 H2
Gournía – r. 134-135 G8
Gouro TCH 222-223 C4
Gourrama MA 220-221 E2
Goursélik RN 222-223 B5
Gouveia P 130-131 D5
Gouverneur USA (NY) 248-249 H2
Gouzeaucourt F 126 B4
Gouzen F 124-125 I5
Gövdərə AZ 180-181 J6
Gove, Barragem do – zb. 224-225 C6
Govedari HR 118-119 S15
Govena, mys – przyl. 178-179 L7
Govena, poluostrov – płw. 178-179 L6
Govenlock CDN 252-253 J1
Governador Valadares BR 278-279 E6
Government Camp USA (OR) 252-253 C4
Governor Generoso RP 197 E,F8
Governor's Harbour BS 262-263 E1
Govind Ballabh Pant Sagar – zb. 190-191 E4
Govind Sagar – zb. 190-191 D2
Gowanda USA (NY) 248-249 F3
Gowarczów PL (ŚW) 76-77 D8
Gowienica – rz. 70-71 B2
Goworowo PL (MAZ) 76-77 C9
Gowrie USA (IA) 250-251 G4
Gowurdak TM 182-183 K,L8
Goya RA 280-281 G3
Göyçay – rz. 180-181 I4
Göyçay AZ 180-181 I4
Göylər Çöl AZ 180-181 J4
Goyllarisquizga PE 276-277 B6
Göynük Çayı – rz. 180-181 B5
Göynük TR 134-135 L3
Göynük TR 180-181 B5
Goyoum CAM 224-225 B2
Goz-Beïda TCH 222-223 D5
Gozdnica PL (LBU) 74-75 D3
Gozdowo PL (MAZ) 76-77 C7
Gozha Co – jez. 190-191 E1
Gözlü TR 134-135 N5
Gozo – w. 127 K11
Gómez Farías MEX 258-259 E3
Gómez Farías MEX 258-259 I5
Gómez Palacio MEX 258-259 H5
Gómez Rendón EC 276-277 A4
Gór Opawskich, Park Krajobrazowy 78-79 E5
Gór Słonnych, Park Krajobrazowy 80-81 F10
Gór Sowich, Park Krajobrazowy 78-79 E4
Gór Stołowych, Park Narodowy 78-79 E4
Góra Kalwaria PL (MAZ) 76-77 C9
Góra PL (DŚL) 74-75 D4
Góra PL (K-P) 74-75 C6
Góra Świętej Anny PL (OPO) 78-79 E6
Góra Świętej Anny, Park Krajobrazowy 78-79 E6
Góra Świętej Małgorzaty PL (ŁDZ) 76-77 C7
Górażdże PL (OPO) 78-79 E6
Górecko Kościelne PL (LBL) 80-81 E10

Grüna D 122-123 W14
Grünau im Almtal A 120-121 I3
Grunau NAM 226-227 C5
Grünbach am Schneeberg A 120-121 K3
Grünberg D 122-123 E6
Grundsund S 138-139 G4
Grundy Center USA (IA) 250-251 H4
Grundy USA (VA) 248-249 D6
Grünwald D 120-121 G2
Grunwald PL (POM) 72-73 B8
Gruta PL (K-P) 70-71 B6
Grutness GB 128-129 L2
Gruver USA (TX) 250-251 D7
Gruža XS 118-119 H4
Gruzdžiai LT 140-141 E5
Gruzja – państwo 106-107 R7
Grybów PL (MŁP) 80-81 F8
Gryfice PL (ZPM) 70-71 B3
Gryfino PL (ZPM) 70-71 B2
Gryfów Śląski PL (DŚL) 78-79 D3
Gryt S 138-139 M4
Grythyttan S 138-139 K3
Grytøya – w. 136-137 E3
Grytskär – w. 136-137 F6
Gryzonia – jedn. adm. CH 120-121 E4
Gryżyński Park Krajobrazowy 74-75 C3
Grzegorzew PL (WLP) 74-75 C6
Grzmiąca PL (ZPM) 70-71 B4
(Grzymałów) UA 142-143 E4
Gstaad CH 120-121 C4
Gua IND 190-191 F4
Guabito PA 260-261 I8
Guacanayabo, Golfo de – zat. 260-261 K2
Guachiria, Rio – rz. 276-277 C2
Guachochic MEX 258-259 F4
Guadajoz, Río – rz. 130-131 G8
Guadalajara E 130-131 H5
Guadalajara MEX 258-259 H7
Guadalaviar, Río – rz. 130-131 J5
Guadalbarbo, Río – rz. 130-131 F7
Guadalcacín, Embalse de – zb. 130-131 F9
Guadalcanal – w. 290-291 H6
Guadalcázar MEX 258-259 I6
Guadalén, Embalse del – zb. 130-131 H7
Guadalén, Río – rz. 130-131 H7
Guadalentín, Río – rz. 130-131 I,J8
Guadalhorce, Embalse de – zb. 130-131 F,G9
Guadalhorce, Río – rz. 130-131 G9
Guadalmena, Embalse del – zb. 130-131 H7
Guadalmena, Río – rz. 130-131 I7
Guadalope, Río – rz. 130-131 K5
Guadalquivir, Río – rz. 104-105 H8
Guadalupe E 130-131 F6
Guadalupe MEX 258-259 F2
Guadalupe MEX 258-259 H6
Guadalupe Peak – g. 250-251 B10
Guadalupe River – rz. 250-251 F11
Guadalupe USA (CA) 252-253 D9
Guadalupe, Isla de – w. 240 I7
Guadalupejo, Río – rz. 130-131 F6
Guadamejud, Río – rz. 130-131 I5
Guadarrama E 130-131 G5
Guadarrama, Sierra de – g-y 130-131 G5
Guadazaón, Río – rz. 130-131 J6
Guadeloupe Passage – cieśn. 262-263 L5
Guadelupe MEX 258-259 I5
Guadelupe Mountains – g-y 252-253 L10
Guadiana – rz. 130-131 G6
Guadiana Menor, Río – rz. 130-131 H8
Guadiana, Río – rz. 104-105 H8
Guadiana, Río – rz. 130-131 D8
Guadiato, Río – rz. 130-131 F7
Guadiela, Río – rz. 130-131 I5
Guadix E 130-131 H8
Guadjira, Río – rz. 130-131 E7
Guafo, Isla – w. 280-281 C6
Guagua Pichincha, Volcán – wulk. 276-277 B3,4
Guaíba BR 278-279 C9
Guaillabamba, Rio – rz. 276-277 B3
Guaimaca HN 260-261 G5
Guáimaro C 260-261 L2
Guainia, Río – rz. 276-277 D3
Guaira BR 278-279 C7
Guaitecas, Islas – w-y 280-281 C6
Guajaba, Cayo – w. 260-261 L2
Guajará-Mirim BR 276-277 D6
Guajira, Peninsula de la – płw. 272 F3
Gualán GCA 260-261 F5
Gualdo Tadino I 132-133 G5
Gualeguay RA 280-281 G4
Gualeguaychú RA 280-281 G4
Gualicho, Salina del – soln. 280-281 E6
Guallatiri – g. 276-277 D7
Guallatiri – wulk. 280-281 E1
Guam – teryt. zal. USA 292-293 G3
Guam – w. 290-291 G3
Guam Xian CHN 198-199 H5
Guamá, Rio – rz. 278-279 D3
Guamblin, Isla – w. 280-281 C6
Guamo C 260-261 L2
Guamo CO 276-277 B3
Guamúchil MEX 258-259 E5
Guamuhaya, Macizo de – g-y 260-261 J1
Guamure YV 276-277 D2
Guan MAL 192-193 F7
Guan Shan – g. 196 F5
Guan Xian – kotl. 198-199 H5
Guan Xian CHN 200-201 D2
Guanacaste, Cordillera de – g-y 260-261 H7
Guanaceví MEX 258-259 F5
Guanahacabibes, Bahía de – zat. 260-261 H1
Guanahacabibes, Península – płw. 260-261 H2
Guanaja, Isla de – w. 260-261 H4
Guanajay C 260-261 I1
Guanajuato MEX 258-259 I7
Guanal, Punta de – przyl. 260-261 I2
Guanambi BR 278-279 E5
Guanare YV 276-277 D2
Guanare, Río – rz. 276-277 D2
Guanarito YV 276-277 D2
Guanay BOL 276-277 D7
Guancen Shan – g-y 200-201 C,D2
Guancheng CHN 200-201 F4
Guandi Shan – g. 200-201 C2
Guandian CHN 200-201 E3
Guandu CHN 200-201 D5
Guane C 260-261 H1
Guang'an CHN 200-201 B4
Guangchang CHN 200-201 E5
Guangde CHN 200-201 E4
Guangdong – jedn. adm. CHN 200-201 C6
Guangfeng CHN 200-201 E4
Guangfu TWN 196 G5
Guanghai CHN 200-201 D6
Guanghai Wan – zat. 200-201 D6
Guanghan CHN 200-201 B4
Guanghua CHN 200-201 C3
Guangji CHN 200-201 D4
Guangling CHN 200-201 D2
Guanglu Dao – w. 200-201 F2
Guangming Ding – g. 200-201 E4
Guangnan CHN 200-201 B5
Guangning CHN 200-201 D6
Guangrao CHN 200-201 E2
Guangshan CHN 200-201 D3,4
Guangxi – jedn. adm. CHN 200-201 B6
Guangyuan CHN 200-201 B3
Guangze CHN 200-201 E5
Guangzhou CHN 200-201 D6
Guánica PR 262-263 J4
Guánico Abajo PA 260-261 J9
Guanipa, Río – rz. 276-277 E2
Guanmian Shan – g-y 200-201 C4
Guannan CHN 200-201 E3
Guanoca YV 276-277 E1
Guanshan TWN 196 F5,6
Guanshui CHN 202-203 D2
Guanta YV 262-263 K8
Guanta YV 276-277 E1
Guantánamo Bay Naval Base – in. 273 F3
Guantánamo C 260-261 M2
Guantánamo, Bahía de – zat. 260-261 L,M3
Guantao CHN 200-201 D2
Guantien TWN 196 F5
Guanting Shuiku – zb. 200-201 D1
Guanxi TWN 196 G4
Guanyang CHN 200-201 C5
Guanyin TWN 196 F3,4
Guanyun CHN 200-201 E3
Guapay – rz. 276-277 E7
Guapí CO 276-277 B3
Guápiles CR 260-261 I7
Guaporé, Río – rz. 272 G6
Guaqui BOL 276-277 D7
Guará, Rio – rz. 278-279 D5
Guarabira BR 278-279 F4
Guaraí BR 278-279 D4
Guaranda EC 276-277 B4
Guarantã do Norte BR 278-279 B4
Guarapana YV 262-263 H8
Guarapo, Isla – w. 260-261 P10
Guarapuava BR 278-279 C8
Guaraqueçaba BR 278-279 D8
Guaratuba BR 278-279 D8
Guarayos BOL 276-277 D6
Guarda P 130-131 D5
Guarda-Mor BR 278-279 D6
Guardavalle I 132-133 K10
Guardián Brito, Isla – w. 280-281 D8
Guardo E 130-131 F3
Guardunha, Serra – g-y 130-131 D5
Guareña E 130-131 E7
Guaribas, Cachoeira – wdp. 278-279 C3
Guárico, Embalse de – zb. 276-277 D2
Guarico, Punta – przyl. 260-261 M2
Guárico, Río – rz. 262-263 J9
Guarulhos BR 278-279 D7
Guarumal PA 260-261 J9
Guarus BR 278-279 E7
Guasave MEX 258-259 E5
Guascama, Punta – przyl. 276-277 B3
Guasdualito YV 276-277 C2
Guastalla I 120-121 F6
Guatemala GCA 260-261 E5
Guatizalema, Río – rz. 130-131 K3
Guatraché RA 280-281 F5
Guaviare, Río – rz. 272 F4
Guaxupé BR 278-279 D7
Guayabal C 260-261 L2
Guayaguayare TT 262-263 M8
Guayalejo, Río – rz. 258-259 J6
Guayama PR 262-263 J4,5
Guayambre, Río – rz. 260-261 G5,6
Guayaneco, Archipiélago – w-y 280-281 C7
Guayapan, Quebrada de – rz. 258-259 F5
Guayape, Río – rz. 260-261 G5
Guayaquil EC 276-277 A4
Guayaquil, Golfo de – zat. 276-277 A4
Guayaramerin BOL 276-277 D6
Guayas, Rio – rz. 276-277 B3
Guayatayoc, Salar de – soln. 280-281 E2
Guaymas MEX 258-259 D3,4
Guaymas, Cerro – g. 258-259 D3
Guaymasi, Estero de – zat. 258-259 D4
Guazacapán GCA 260-261 E5
Guba Dolgaja RUS 144-145 M2
Guba ETH 222-223 G5
Ğūbā SUD 222-223 F7
Guba ZRE 224-225 E6
Gubacha RUS 144-145 M5
Ğubail RL 186 B1
Gubany RUS 140-141 L5
Ğubayš SUD 222-223 E5
Ğubba KSA 188-189 D3
Gubbio I 132-133 G5
Guben D 122-123 K5
Guber – rz. 72-73 A9
Gubin D 112-113 G4
Gubin PL (LBU) 74-75 D2
Gubkin RUS 144-145 I6
Güble TR 134-135 O2
Guča XS 118-119 H4
Guçgi – rz. 182-183 J9
Guçgy TM 182-183 J9
Gucheng CHN 200-201 C3
Gucheng CHN 200-201 D2
Gudalur IND 190-191 D6
Gúdar, Sierra de – g-y 130-131 K5
Gudaut'a ABC 180-181 B1
Ğudayydat Hāmir IRQ 184-185 I6
Gudenå – rz. 138-139 F6
Gudermes RUS 144-145 K8
Gudgenby AUS 296-297 H6
Gudivada IND 190-191 E5
Gudiyattam IND 190-191 D6
Gudouta ABC 180-181 B1
Güdü TR 134-135 N3
Gudui CHN 200-201 C3
Gudur IND 190-191 E6
Gudurdag, gora – g. 180-181 H3
Gudvangen N 138-139 C2
Gudžiai LT 140-141 F7
Gudżarat – jedn. adm. IND 190-191 B,C4
Guebwiller F 120-121 C3
Guécke-dou RG 220-221 C7
Guéjar, Río – rz. 276-277 C3
Guelb er Richât – g. 220-221 C4
Guelma DZ 220-221 G1
Guelph CDN 244-245 P8
Guémar F 120-121 C2
Guéméné-Penfao F 124-125 E4
Guéméné-sur-Scorff F 124-125 C3
Guémez MEX 258-259 J6
Güeñes E 130-131 H2
Guenguel, Río – rz. 280-281 D7
Guer F 124-125 D4
Guéra, Pic de – g. 222-223 C5
Guérande F 124-125 D4
Guercif Ma 220-221 E2
Güere, Río – rz. 262-263 K9
Guéréda TCH 222-223 D5
Guéret F 124-125 H5
Guérin Kouka RT 220-221 F7
Guernsey – teryt. zal. GB 124-125 C,D2
Guernsey – w. 128-129 K12
Guernsey Reservoir – zb. 252-253 L5
Guerrara DZ 220-221 F2
Guerrero – jedn. adm. MEX 258-259 I9
Guerrero MEX 258-259 I3
Guerrero, Cayos – w-y 260-261 I6
Guest Island – w. 311 M2
Gueugnon F 124-125 J,K5
Gueydan USA (LA) 250-251 H10,11
Guéyo CI 220-221 D7
Gueyze F 124-125 F,G7
Gufudalur IS 136-137 k13
Guga RUS 178-179 F8
Gugark AR 180-181 G2
Gugē – g. 222-223 G6
Guglionesi I 132-133 I7
Gugu – g. 114-115 C4
Guguan – w. 290-291 G3
Gugut'i GE 180-181 F3
Gui Jiang – rz. 200-201 C5
Gui Xian CHN 200-201 C6
Guiar Khan PK 188-189 J2
Guibéroua CI 220-221 D7
Guichen F 124-125 D,E4
Guichi CHN 200-201 E4
Guider CAM 222-223 B5,6
Guiding CHN 200-201 B5
Guidong CHN 200-201 D5
Guidonia-Montecelio I 132-133 G6
Guiengola – r. 260-261 C4
Guiglo CI 220-221 D7
Guijá MOC 226-227 F4
Guiji Shan – g-y 200-201 F4
Guijuelo E 130-131 F5
Guildford GB 128-129 M10
Guilin CHN 200-201 C5
Guillaumes F 120-121 B6
Guillestre F 120-121 B6
Guiluan Dao – w. 196 G4
Guilvinec F 124-125 B4
Guimar E 220-221 B3
Guimarães BR 278-279 E3
Guimarães P 130-131 C4
Guimaras Strait – cieśn. 197 D6
Guin USA (AL) 250-251 J8
Guinchos Cay – w. 262-263 D2
Guindulman RP 197 E7
Güines C 260-261 I1
Guînes F 124-125 H1
Guingamp F 124-125 C3
Guinguineo SN 220-221 B6
Guipavas F 124-125 B3
Guiping CHN 200-201 C6
Guir – oaza 220-221 E5
Guir, Hamada du – pust. 104-105 I9
Guir, Oued – rz. 220-221 E2
Güira de Macurijes C 260-261 I1
Guiratinga BR 278-279 C6
Güiria YV 276-277 E1
Guiscard F 126 A5
Guise F 124-125 J2
Guishan Dao – w. 196 G4
Guitiriz E 130-131 C2
Guitri CI 220-221 D7
Guiuan RP 197 E6
Guixi CHN 200-201 E4
Guiyang CHN 200-201 B5
Guiyang CHN 200-201 D5
Guizhou – jedn. adm. CHN 198-199 H6
Gujana – państwo 273 G,H4
Gujana Francuska – teryt. zal. F 273 H4
Gujańska, Wyżyna 272 G4
Gujański, Basen – form. podm. 308 G6
Gujańskie, Wyniesienie – form. podm. 272 I4
Gujenna – reg. 124-125 F7
Gujranwala PK 188-189 J2
Gujrat PK 188-189 J2
Gukovo RUS 142-143 S5,6
Gul Kach PK 188-189 I2
Gul Lake CDN 244-245 K6
Gul, Tanjong – przyl. 196 H9
Gulbene LV 140-141 H4
Gulberga IND 190-191 D5
Gul'ča KS 182-183 O6
Gülcük TR 134-135 K3
Gulen N 138-139 B1
Güləzi AZ 180-181 J3
Gulfport USA (MS) 250-251 J10
Gulgong AUS 296-297 H5
Gulian CHN 198-199 L1
Gulin CHN 200-201 B4
Guliston UZ 182-183 M6
Gulja CHN 198-199 D3
Gulja RUS 178-179 C8
Guljanci BG 114-115 E6
Gulkana USA (AK) 254-255 M3
Gullabo S 138-139 L6
Gullbringusysla – jedn. adm. IS 136-137 k14
Gullspång S 138-139 J3,4
Güllü Dağları – g-y 180-181 D4
Güllük Körfezi – zat. 134-135 I6
Güllük TR 134-135 I6
Gülnar TR 134-135 O7
Gulong CHN 202-203 D1
Gülpınar TR 134-135 G4
Gulrip'shi ABC 180-181 B2
Gulryps' ABC 180-181 B2
Gülšat KZ 182-183 P3
Gülşehir TR 134-135 P5
Gulsvik N 138-139 F2
Gulu EAU 224-225 F3
Gulwe EAT 224-225 G5
Gumdag TM 182-183 F7
Gumel WAN 220-221 G6
Gumist'a ABC 180-181 C1
Gummersbach D 122-123 D5
Gummi WAN 220-221 G6
Gümse RUS 180-181 H1
Ğumūm KSA 188-189 C4
Gümüşhacıköy TR 134-135 P3
Gümüşhane TR 184-185 H1
Gümüşler Barajı – zb. 134-135 P5,6
Gumysta ABC 180-181 C1
Guna IND 190-191 D4
Ğunayfa ET 222-223 L11
Gunda RUS 178-179 A8
Gundagai AUS 296-297 H5
Gundelfingen an der Donau D 120-121 F2
Gundih RI 194-195 O10
Gundji ZRE 224-225 D3
Güney TR 134-135 J,K5
Güneyce TR 180-181 B4
Güneysu TR 180-181 B4
Gungu ZRE 224-225 C5
Gunib RUS 180-181 H2
Gunisao River – rz. 244-245 M6
Ğuniya RL 186 B2
Gunma – jedn. adm. J 204-205 K,L6
Gunnbjørna, Góra 310 m3
Gunnedah AUS 296-297 H5
Gunnerus Ridge – form. podm. 311 d3
Gunnison River – rz. 252-253 J7
Gunnison USA (CO) 252-253 K7
Gunnison USA (UT) 252-253 I7
Ğunqalī – jedn. adm. SUD 222-223 F6
Gunt – rz. 182-183 O8
Guntakal IND 190-191 D5
Guntersdorf A 120-121 L2
Guntersville Lake – jez. 248-249 C7
Guntersville USA (AL) 248-249 B7
Guntin E 130-131 D3
Guntur – wulk. 194-195 M10
Guntur IND 190-191 E5
Gunungapi – w. 194-195 H7
Gunungsitoli RI 194-195 B5
Gunungtua RI 194-195 B5
Gunupur IND 190-191 E5
Günyüzü TR 134-135 M4
Günz – rz. 120-121 F2
Günzburg D 120-121 F2
Gunzenhausen D 120-121 F1
Guo He – rz. 200-201 D3
Guojiatun CHN 200-201 E1
Guoyang CHN 200-201 E3
Gupis IND 190-191 C1
Gura Humorului RO 114-115 F2
Gura Ocniței RO 114-115 F4,5
Gura Teghii RO 114-115 G4
Gurahonț RO 114-115 C3
Gurban Obo CHN 198-199 J3
Gürbulak TR 180-181 F5
Gurdaspur IND 190-191 C2
Gurdon USA (AR) 250-251 H9
Güre TR 134-135 K5
Gureis IND 182-183 P9
Gur'evsk RUS 140-141 B7
Ğurf ad-Dārāwīš JOR 186 B5
Gurgaon IND 190-191 N10
Gürgən AZ 180-181 L4
Gurghiului, Munții – g-y 114-115 P10
Gurguéia, Rio – rz. 278-279 D5
Gurguéia, Rio – rz. 278-279 E4
Gurha IND 190-191 C3
Guri, Embalse de – zb. 272 G4
Gurjaani GE 180-181 G3
Gurk – rz. 120-121 J4
Gurk A 120-121 J4
Gurkha NEP 190-191 R10
Gurlan UZ 182-183 I6
Güroymak TR 180-181 C6
Gürpinar TR 184-185 J2
Gurskoe RUS 178-179 F8
Gurskøy – w. 136-137 B6
Gürün TR 184-185 G2
Gurupá BR 278-279 C3
Gurupi BR 278-279 D5
Gurupi, Cabo – przyl. 278-279 D3
Gurupi, Rio – rz. 278-279 D3
Gusakovo RUS 140-141 L5
Gus -Chrustal'nyj RUS 144-145 J5
Gusev RUS 140-141 D7
Gushan CHN 202-203 C3
Gushi CHN 200-201 D3
Gushiegu GH 220-221 E6,7
Gusinaja, guba – zat. 178-179 H,I4
Gusino RUS 140-141 M7
Gusinoozersk RUS 176-177 R7
Guspini I 132-133 C9
Gusswerk A 120-121 K3
Gustav Holm, Kap – przyl. 244-245 Z3
Gustavsfors S 138-139 I3
Gustavus USA (AK) 254-255 O4
Gustine USA (CA) 252-253 D8
Güstrow D 122-123 I3
Gusum S 138-139 M4
Guthrie USA (KY) 248-249 B6
Guthrie USA (OK) 250-251 F8
Guthrie USA (TX) 250-251 D9
Gutian CHN 200-201 E5
Gutian Shuiku – zb. 200-201 E5
Gutiérrez Zamora MEX 258-259 K7
Gutland – reg. 127 A2
Guton, gora – g. 180-181 H3
Guttenberg USA (IA) 250-251 I4
Gütersloh D 122-123 E5
Gutu ZW 226-227 F3
Gutyjskie, Góry 114-115 D2
Güvem TR 134-135 N3
Guwlymayak TM 182-183 E6
Guxhagen D 122-123 F5
Guyandotte River – rz. 248-249 D5,6
Guyang CHN 200-201 C1
Guymon USA (OK) 250-251 D7
Ğūyom IR 187 E2
Guyong CHN 192-193 C2
Guyra AUS 296-297 I5
Guyuan CHN 200-201 B2
Guyuan CHN 200-201 D1
Güzeloluk TR 134-135 O7
Güzelsu TR 134-135 M7
Güzelsu TR 184-185 J2
Güzelyurt Körfezi – zat. 134-135 N8
Güzelyurt NCY 134-135 N8
Guzhen CHN 200-201 E3
Guzmán MEX 258-259 F2
Guzmán, Laguna – jez. 258-259 F2
Guzor UZ 182-183 K7
Guzów PL (MAZ) 76-77 C8
Gvardejsk RUS 140-141 C7
Gvazda RUS 142-143 T3
Gvozd HR 118-119 C2
Gwa MYA 192-193 B4
Gwaai – rz. 226-227 E3
Gwaai ZW 226-227 E3
Gwabegar AUS 296-297 H5
(Gwadalkiwir) – rz. 104-105 H8
Gwādar IR 188-189 H3
Gwadbawa WAN 220-221 F6
Gwadelupa – teryt. zal. F 273 G3
Gwadelupa – w. 272 G3
(Gwadiana) – rz. 104-105 H8
Gwalia AUS 296-297 C4
Gwalior IND 190-191 D3
Gwanda ZW 226-227 F4
Gwandu WAN 220-221 F6
Gwane ZRE 224-225 E3
Gwaram WAN 220-221 G6
Gwatemala – państwo 273 D3
Gwatemalski, Basen – form. podm. 240 L8
Gwda – rz. 70-71 B4
Gweebarra Bay – zat. 128-129 D,E6,7
Gweru ZW 226-227 E3
Gwiazdy, Jezioro 70-71 B5
Gwinea – państwo 217 B4
Gwinea Bissau – państwo 217 B4
Gwinea Równikowa – państwo 217 D5
Gwinea, Dolna – reg. 216 E5
Gwinea, Górna – reg. 216 C5
Gwinejska, Zatoka 216 C5
Gwinejski, Basen – form. podm. 308 L7
Gwinejskie, Wyniesienie – form. podm. 308 L8
(Gwoździec) UA 142-143 E5
Gwydir – rz. 296-297 H4
Gy F 120-121 A3
Gya La – przeł. 190-191 R10
Gyal H 114-115 W15
Gyalu RO 114-115 L10
Gyaring CHN 198-199 G4
Gyaring Co – jez. 190-191 F2
Gyaring Hu – jez. 198-199 G5
Gyarishing IND 190-191 H3
Gyáros – w. 134-135 F6
Gyda RUS 176-177 L3
Gydajska, Zatoka 176-177 L3
Gydanskaja, grjada – wyż. 176-177 K4
Gydański, Półwysep 166-167 K2
Gyékényes H 120-121 M4
Gyêmdong CHN 192-193 B2

Harlingen NL 126 D1
Harlingen USA (TX) 250-251 F12
Harlow GB 128-129 N10
Harlowton USA (MT) 252-253 J3
Hărman RO 114-115 Q12
Harmanli BG 114-115 F8
Harmil – w. 222-223 H4
Harmony USA (MN) 250-251 H4
Harnai PK 188-189 I2
Harney, Basin – kotl. 252-253 D5
Harney Lake – jez. 252-253 E5
Harney Peak – g. 250-251 B,C4
Härnösand S 136-137 e6
Haro E 130-131 I3
Haro, Cabo – przyl. 258-259 D4
Haročyčy BY 140-141 K9
Harodnaja BY 140-141 H10
Haroldswick GB 128-129 M1
Háromszék – reg. 114-115 Q12
Harper LB 220-221 D8
Harper USA (KS) 250-251 E7
Harpers Ferry USA (WV) 248-249 F5
Harpstedt D 122-123 E4
Harput TR 184-185 H2
Harqin Qi CHN 200-201 E1
Harquahala Mountains – g-y 252-253 H10
Harran TR 184-185 H3
Harrand PK 188-189 I3
Ḥarrat Nawāṣīf – g-y 188-189 D4
Harricana River – rz. 244-245 Q6
Harriman USA (TN) 248-249 C6,7
Harrington Harbour CDN 244-245 T6
Harris – g-y 298 C7
Harris – w. 128-129 F,G4
Harris, Sound of – cieśn. 128-129 F4
Harrisburg USA (AR) 250-251 I8
Harrisburg USA (IL) 250-251 J7
Harrisburg USA (NE) 250-251 C5
Harrisburg USA (OR) 252-253 C4
Harrisburg USA (PA) 248-249 G4
Harrismith AUS 296-297 B5
Harrismith ZA 226-227 E5
Harrison Bay – zat. 254-255 L1
Harrison Lake – jez. 252-253 C2
Harrison USA (AR) 250-251 H7
Harrison USA (ID) 252-253 F3
Harrison USA (NE) 250-251 C4
Harrisonburg USA (VA) 248-249 F5
Harrisonville USA (MO) 250-251 G6
Harrisville USA (MI) 248-249 D2
Harrodsburg USA (KY) 248-249 C6
Harrogate GB 128-129 L7,8
Har Rūd – rz. 184-185 M3,4
Harsbruck D 122-123 H7
Harsefeld D 122-123 F3
Harşit Çayı – rz. 184-185 H1
Hârşova RO 114-115 H,I5
Harsprånget S 136-137 e4
Harstad N 136-137 E3
Hart Lake – jez. 252-253 E5
Hart River – rz. 244-245 E4
Hart USA (MI) 248-249 B3
Harta H 114-115 V16
Hartberg A 120-121 K3
Hartenstein D 122-123 V15
Hartford City USA (IN) 248-249 C4
Hartford USA (AL) 248-249 C9
Hartford USA (AR) 250-251 G8
Hartford USA (CT) 248-249 I4
Hartford USA (KY) 248-249 B6
Hartha D 122-123 W13
Hârtibaciu – rz. 114-115 N12
Hartington USA (NE) 250-251 F4
Hartkjølen – g. 136-137 D5
Hartland GB 128-129 I11
Hartland Point – przyl. 128-129 I10
Hartlepool GB 128-129 L7
Hartley USA (TX) 250-251 C8
Hartmannsdorf D 122-123 U15
Hartmannsdorf D 122-123 W14
Hartmannsdorf D 122-123 Z14
Hârtoape MD 114-115 I3
Hartola FIN 138-139 X1
Harts Range AUS 296-297 E,F3
Hartselle USA (AL) 248-249 B7
Hartsville USA (SC) 248-249 E7
Hartsville USA (TN) 248-249 B6
Hartswater ZA 226-227 D5
Hartville USA (MO) 250-251 H7
Hartwell Lake – jez. 248-249 D7
Hartwell USA (GA) 248-249 D7
Haruna-san – g. 204-205 K6
Har-Us MAU 198-199 F2
Har-Us nuur – jez. 198-199 F2
Hārūt Rūd – rz. 188-189 H2
Harūt Y 188-189 F5
Harūz IR 188-189 G2
Harvard USA (IL) 250-251 J4
Harvey – w-y 290-291 M6
Harvey AUS 296-297 B5
Harvey Bay – zat. 296-297 I3
Harvey USA (ND) 250-251 E2
Harwich GB 128-129 O10
Hary S.Truman Lake – jez. 250-251 G6
Haryana – jedn. adm. IND 190-191 D3
Haryn' – rz. 140-141 H10
Harz – g-y 104-105 K,L5
Harzgerode D 122-123 H5
Harzwiller F 120-121 B2
Hāš IR 188-189 H3
Ḥasā, Wādī al- – rz. 186 B5
Ḥasā, Wādī al- – rz. 186 D5
Hašaat MAU 198-199 H2
Hasaki J 204-205 M7
Hasan Dağı – g. 134-135 P5
Hasançeleb TR 184-185 G,H2
Hasanlar Barajı – zb. 134-135 M2,3
Hasanlar TR 134-135 P4
Hasavjurt RUS 144-145 K8
Ḥāṣbayyā RL 186 B2
Hase – rz. 122-123 D4
Häselgerh A 120-121 F3
Haselünne D 122-123 D4
Hashimoto J 204-205 H8
Haskell USA (OK) 250-251 G8
Haskell USA (TX) 250-251 D,E9
Haskovo BG 114-115 F8
Hasköy TR 134-135 H2
Hasköy TR 180-181 C6
Hasköy TR 180-181 D4
Hasle DK 138-139 K7
Haslemere GB 128-129 M10
Haslev DK 138-139 H7
Haslital – reg. 120-121 D4
Ḥašm al-Qirba SUD 222-223 F5
Hăşmaş, Munţii – g-y 114-115 Q10
Hăşmaşul Mare – g. 114-115 Q10
Hasparren F 124-125 E8
Haspra UA 142-143 N9
Haspres F 126 B4
Ḥaš Rūd – rz. 188-189 H2
Ḥaṣṣ, Ǧabal al- – g. 184-185 G4
Hassan IND 190-191 D6
Hassela S 136-137 E6
Hasselt B 126 D4
Hassfurt D 122-123 G6
Hassi Bahbah DZ 220-221 F1,2
Hassi Inifel DZ 220-221 F3
Hassi Messaoud DZ 220-221 G2
Hassi R'mellaghouat DZ 220-221 F2
Hassi Serouenout DZ 220-221 E3
Hässleholm S 138-139 J6
Haštgerd IR 184-185 N4
Hastings GB 128-129 N11
Hastings NZ 298 G4
Hastings Range – g-y 296-297 I5
Hastings USA (MI) 248-249 C3
Hastings USA (MN) 250-251 H3
Hastings USA (NE) 250-251 E5
Hastrūd IR 184-185 L3
Hästveda S 138-139 J6
Hasvik N 136-137 F2
Ḥaṣwayl Y 188-189 F5
Hat Sa LAO 192-193 D3
Hatansuudal MAU 198-199 G3
Hatay – jedn. adm. TR 184-185 G3
Hatch USA (NM) 252-253 K10
Hatches Creek AUS 296-297 F3
Hatderwijk NL 126 D2
Haţeg RO 114-115 C4
Haterk AZ 180-181 H4
Hatfield AUS 296-297 G5
Hatgal MAU 198-199 H1
Hath IND 190-191 E4
Hathras IND 190-191 O11
Hatip TR 134-135 N6
Hato Mayor DOM 262-263 I4
Hattarvík FR 127 E4
Hattem NL 126 E2
Hatteras Inlet – cieśn. 248-249 H7
Hatteras USA (NC) 248-249 H7
Hatteras, Cape – przyl. 240 N6
Hattiesburg New USA (MS) 250-251 J10
Hattingen D 122-123 Q11
Hattingen-Welper – dzieln. D 122-123 Q11
Hattula FIN 138-139 U1
Ḥātūnābād IR 187 F1
Hatunsaray TR 134-135 N6
Hatutu – w. 290-291 N,O5
Hatvan H 114-115 W15
Haubourdin F 126 A4
Haugastøl N 138-139 D2
Hauge N 138-139 B3
Hauge N 138-139 C4
Haugesund N 138-139 A3
Haugsdorf A 120-121 L2
Hauho FIN 138-139 U1
Hauhungaroa Range – g-y 298 F4
Haŭja – rz. 140-141 G8
Haukadalur IS 136-137 L13
Haukaliseter N 138-139 D3
Haukeligrend N 138-139 D3
Haukivest – jez. 136-137 g,H6
Haungpa MYA 192-193 C2
Hauraki Gulf – zat. 298 F3
Ḥaur Fakkān UAE 187 G4
Ḥaurān, Wādī – rz. 184-185 I5
Hauroko, Lake – jez. 298 B7
Hausa WSA 220-221 C3
Hausjärvi FIN 140-141 F1
Hausruck – g-y 120-121 I2
Haute-Normandie – jedn. adm. F 124-125 B7
Hautes Fagnes – g-y 126 D4
Hautmont F 124-125 J1
Hauz-Han suvhovdani – zb. 182-183 I8
Havad RO 114-115 O10,11
Havalı KAR 180-181 H5
Havana USA (FL) 248-249 C9
Havana USA (IL) 250-251 I,J5
Havana USA (ND) 250-251 E2,3
Havant GB 128-129 L11
Havârna RO 114-115 G1
Havasu, Lake – jez. 252-253 G9
Havasupai Indian Reservation – jedn. adm. USA 252-253 H8
Havel – rz. 122-123 I4
Havelange B 126 D4
Havelberg D 122-123 H4
Havelland – reg. 122-123 I4
Havelock – w. 192-193 B5
Havelock CDN 248-249 F2
Havelock North NZ 298 G4
Havelock NZ 298 E5
Havelock USA (NC) 248-249 G7
Haven USA (KS) 250-251 E7
Haverfordwest GB 128-129 I10
Haverhill USA (MA) 248-249 J3
Haveri IND 190-191 D6
Havirga MAU 198-199 J2
Havířov CZ 112-113 K6
Havličkův Brod CZ 112-113 H6
Havøysund N 136-137 f2
Havre Saint-Pierre CDN 244-245 T6
Havre USA (MT) 252-253 J2
Havrenvelisultan TR 134-135 L5
Havsa TR 134-135 H2
Havtoni AZ 180-181 J6
Havza TR 184-185 F1
Hawaii – w. 290-291 M3
Hawaje – jedn. adm. USA 254-255 V9
Hawaje – w-y 290-291 K2
Hawajski, Grzbiet – form. podm. 290-291 J2
Ḥāwāk, Kowtal-e – przeł. 182-183 M9
(Hawana) C 260-261 I1
Hawańska, Zatoka 260-261 I1
Ḥawār, Ǧazīre – w. 187 D4
Hawarden USA (IA) 250-251 F4
Ḥawārīn SYR 186 D1
Ḥawašīya, Wādī – rz. 184-185 E7
(Hawela) – rz. 122-123 I4
Hawera NZ 298 F4
Ḥawf Y 188-189 F5
Hawi USA (HI) 254-255 X9
Hawick GB 128-129 J6
Hawk Juncition CDN 250-251 L1
Hawk Springs Reservoir – zb. 252-253 L6
Hawkdun Range – g-y 298 C7
Hawke Bay – zat. 290-291 J8
Hawke Bay – zat. 298 G4
Hawke, Cape – przyl. 296-297 I5
Hawke's Bay – jedn. adm. NZ 298 G4,5
Hawkes, Mount – g. 311 S,s1
Hawkesbury CDN 248-249 H2
Hawksnest Point – przyl. 262-263 F1
Hawley USA (MN) 250-251 F2
Hawng Luk MYA 192-193 C3
(Hawr) F 124-125 F2
Ḥawr Ḥammām OM 188-189 G4
Hawthorne USA (FL) 248-249 D10
Hawthorne USA (NV) 252-253 E7
Hawzēn ETH 222-223 G5
Haxat Hudag CHN 198-199 J3
Haxby USA (MT) 252-253 K3
Haxtun USA (CO) 250-251 C5
Hay – rz. 296-297 F3
Hay AUS 296-297 G5
Hay Cap – przyl. 244-245 Q2
Hay River – rz. 244-245 I5
Hay River CDN 244-245 I4
Hay Springs USA (NE) 250-251 C5
Hayange F 124-125 L2
HaYarden – rz. 186 B3
Hayasui-seto – cieśn. 204-205 D9
Haybān SUD 222-223 F5
Haydar Dağı – g-y 134-135 M6
Haydarlı TR 134-135 L5
Hayden USA (AZ) 252-253 I10
Hayden USA (CO) 252-253 K6
Hayes Center USA (NE) 250-251 D5
Hayes River – rz. 244-245 N5
Hayes USA (SD) 250-251 D3
Hayes, Mount – g. 254-255 M3
Hayesa, Półwysep 310 O2
Hayfork USA (CA) 252-253 C6
Haykadzor AR 180-181 E4
Hayl, Wādī al- – rz. 186 D2
Haymana TR 134-135 N4
Haymana Yaylası – wyż. 134-135 N4
Haynes USA (ND) 250-251 C2
Haynesville USA (LA) 250-251 H9
Hayrabolu TR 134-135 I2
Hayravank AR 180-181 F,G4
Hays USA (KS) 250-251 E6
Hays USA (MT) 252-253 J3
Haysville USA (KS) 250-251 F7
Hayward USA (CA) 252-253 C,D8
Hayward USA (WI) 250-251 H2
Hayyā SUD 222-223 G4
Hazar Gölü – jez. 184-185 H2
Ḥazarābād IR 182-183 E8
Hazard USA (KY) 248-249 D6
Hazaribagh IND 190-191 R13
Hazebrouck F 124-125 I1
Hazelton CDN 244-245 G5
Hazen Bay – zat. 254-255 I3
Hazlehurst USA (GA) 248-249 D9
Hazlehurst USA (MS) 250-251 I10
Hazleton USA (PA) 248-249 G,H4
Hazlett, Lake – jez. 296-297 D3
Hazorasp UZ 182-183 I6
Hażlach PL (ŚL) 78-79 F6
Hbayyid, Wādī al- – rz. 188-189 C2
Hdzen' BY 140-141 L10
He Devil Mount – g. 252-253 F4
He Xian CHN 200-201 C5
He Xian CHN 200-201 E4
Heafford Junction USA (WI) 250-251 J3
Healdsburg USA (CA) 252-253 C7
Healesville AUS 296-297 H6
Heard Island – w. 309 r10
Hearne USA (TX) 250-251 F10
Hearst CDN 244-245 P7
Heart River – rz. 250-251 D2
Heath – rz. 276-277 D6
Heavener USA (OK) 250-251 G8
Hebbronville USA (TX) 250-251 E12
Hebei – jedn. adm. CHN 200-201 D1
Hebel AUS 296-297 H4
Heber City USA (UT) 252-253 I6
Heber Springs USA (AR) 250-251 H8
Heber USA (AZ) 252-253 I9
Hebez RUS 180-181 D1
Hebi CHN 200-201 D3
Hebian CHN 200-201 D2
Hebron CDN 244-245 T5
(Hebron) PS 186 B4
Hebron USA (ND) 250-251 C,D2
Hebron USA (NE) 250-251 F5
Hebrydy – w-y 128-129 F5
Hebrydy Wewnętrzne – w-y 128-129 G6
Hebrydy Zewnętrzne – w-y 128-129 E5
Hebrydzkie, Morze 104-105 H4
Heby S 138-139 M3
Hechi CHN 200-201 B5
Hechingen D 120-121 D,E2
Hecho E 130-131 K3
Hechuan CHN 200-201 B4
Hechun CHN 200-201 C6
Heckenmarkt A 120-121 L3
Hecla USA (SD) 250-251 E3
Hedaru EAT 224-225 G4
Hédé F 124-125 E3
Hede S 136-137 D6
Hede Shuiku – zb. 200-201 C6
Hedemora S 138-139 L2
Hedmark – jedn. adm. N 136-137 c7
Hedo-misaki – przyl. 202-203 L7
Hee NL 126 D2
Heemskerk NL 126 C2
Heemstede NL 126 C2
Heerenveen NL 126 D2
Heerhugowaard NL 126 C2
Heerlen NL 126 D4
Heesch NL 126 D3
Heeten NL 126 E2
Heeze NL 126 D3
Ḥefa IL 186 A3
Ḥefa, Mifraẓ – zat. 186 A3
Hefei CHN 200-201 E4
Hefeng CHN 200-201 C4
Heffingen L 127 B2
Heflin USA (AL) 248-249 C8
Hegang CHN 198-199 M2
Hégen RO 114-115 O11
Hegura-jima – w. 204-205 J5
Hegyeshalom H 120-121 M3
Hehlawangspitz – g. 127 G7
Heho MYA 192-193 C3
Hei Ling Chau – w. 196 B2
Heichengzi CHN 202-203 C2
Heide D 122-123 E2
Heidelberg D 122-123 E7
Heidelberg ZA 226-227 D6
Heidenau D 122-123 J6
Heidenheim an der Brenz D 120-121 F2
Heidenreichstein A 120-121 K2
Heiderscheid L 127 A2
Hei-gawa – rz. 204-205 N3
Heigun-to – w. 204-205 D,E9
Heihe CHN 178-179 D8
Heilbad D 122-123 F5
Heilbron ZA 226-227 E5
Heilbronn D 120-121 E1
Heiligenbaus D 126 E3
Heiligenblut A 120-121 H3
Heiligenhafen D 122-123 G2
Heiligenkreuz im Lafnitztal A 120-121 L3
Heiligenstadt D 122-123 F5
Heilong Jiang – rz. 198-199 N2
Heilongjiang – jedn. adm. CHN 198-199 L1
Heiloo NL 126 C2
Heimaey – w. 136-137 L14
Heimbach D 126 E4
Heimdal – in. 128-129 P2
Heimenkirch D 120-121 E3
Heinävesi FIN 136-137 H6
Heinerscheid L 127 B1
Heino NL 126 E2
Heinola FIN 138-139 X1
Heinsberg D 126 E3
Ḥeirābād IR 187 F2
Heishan CHN 200-201 F1
Heishantou CHN 198-199 F3
Heishantou CHN 202-203 B2
Heishui CHN 202-203 B2
Heist-op-den-Berg B 126 C3
Hei-zaki – przyl. 204-205 O3
Hejian CHN 200-201 E2
Hejiang CHN 200-201 B4
Hejin CHN 200-201 C3
Héjjasfalva RO 114-115 O11
Hejnice CZ 78-79 E3
Heka CHN 198-199 G4
Həkəri – rz. 180-181 H5
Hekimhan TR 184-185 G,H2
Hekinan J 204-205 J8
Hekla – g. 104-105 E3
Hekla – wulk. 136-137 I13
Hekou CHN 198-199 H4
Hekou CHN 200-201 D6
Hekou CHN 192-193 D3
Hekouji CHN 200-201 E3
Hel PL (POM) 70-71 A6
Helagsfjället – g. 136-137 D6
Helan CHN 200-201 B2
Helan Shan – g-y 200-201 B2
Helcate Strait – cieśn. 244-245 F6
Helebje IRQ 184-185 K4
Helem IND 190-191 G3
Helen Island – w. 290-291 F4
Helen Reef – w. 194-195 I5
Helena USA (AR) 250-251 I8
Helena USA (MT) 252-253 H3
Helensburgh GB 128-129 I5
Helensville NZ 298 E,F3
Ḥeleẓ IL 186 A4
Helgaå – rz. 138-139 J,K6
Helgaland – płw. 136-137 D5
Helgasjön – jez. 138-139 K6
Helgenäs S 138-139 M4
Helgoland – w. 122-123 D2
Helgolandzka, Zatoka 122-123 D,E2,3
(Heliopolis) ET 184-185 D6
Hella IS 136-137 L14
Hella N 138-139 C1
Helle, Rūd-e – rz. 187 D2
Helle, Rūd-e – rz. 187 D2
Hellendoom NL 126 E2
Hellental D 126 E4
Hellevoetsluis NL 126 B3
Hellin E 130-131 J7
Hellmonsödt A 120-121 J2
Hells Canyon – dol. 252-253 F4
Hell-Vill RM 226-227 I2
Helm – g. 118-119 M11
Helmand, Rūd-e – rz. 166-167 J6
Helme – rz. 122-123 H5
Helmond NL 126 D3
Helmsdale – rz. 128-129 I,J3
Helmsdale GB 128-129 J3
Helmstedt D 122-123 G4
Helong CHN 202-203 D1
Helong CHN 202-203 E2
Helper USA (UT) 252-253 I7
Helsingborg S 138-139 I6
Helsingør DK 138-139 I6
Helsinki FIN 140-141 F1
Helska, Mierzeja 70-71 A6
Helston GB 128-129 H11
Heltermaa EST 140-141 E3
(Heluan) ET 222-223 F2
Hemau D 120-121 G1
Hemel Hempstead GB 128-129 M10
Hemer D 122-123 T11
Héming F 120-121 B2
Hemphill USA (TX) 250-251 G10
Hempstead USA (NY) 248-249 I4
Hempstead USA (TX) 250-251 F10
Hemsby GB 128-129 O9
Hemse S 138-139 O5
Hemsedal N 138-139 E2
Hen and Chickens Islands – w-y 298 F2
Henan – jedn. adm. CHN 200-201 C7
Henan CHN 198-199 H5
Henares, Río – rz. 130-131 H5
Henashi-zaki – przyl. 204-205 L2
Henbury AUS 296-297 E3
Hencida H 114-115 B2
Hendaye F 124-125 E8
Hendek TR 134-135 L3
Henderson NZ 298 F3
Henderson RA 280-281 F5
Henderson USA (KY) 248-249 B6
Henderson USA (NC) 248-249 F6
Henderson USA (NV) 252-253 G8
Henderson USA (TN) 250-251 J8
Henderson USA (TX) 250-251 G9
Hendersonlsland – w. 290-291 P7
Hendersonville USA (NC) 248-249 D7
Hendīǧān IR 187 C1
Hendīǧān, Rūd-e – rz. 187 C1
Hendorābī, Ǧazīre-ye – w. 187 E3
Hendrik Vorwoerddam – zb. 226-227 E6
Heng Shan – g. 200-201 D5
Heng Shan – g-y 200-201 D2
Heng Xian CHN 200-201 C6
Hengām, Ǧazīre-ye – w. 187 F3
Hengchun TWN 196 F6,7
Hengdong CHN 200-201 D5
Hengelo NL 126 E2
Hengelo NL 126 E2
Hengshan CHN 200-201 C2
Hengshan CHN 200-201 D5
Hengshui CHN 200-201 D2
Hengyang CHN 200-201 C,D5
Heničes'k UA 142-143 N7
Hénin-Beaumont F 124-125 I1
Henley NZ 298 D7,8
Henlopen, Cape – przyl. 248-249 H5
Hennan S 136-137 E6
Henndorf am Wallersee A 120-121 I3
Hennebont F 124-125 C4
Hennenman ZA 226-227 E5
Hennessey USA (OK) 250-251 F7
Hennigsdorf D 122-123 I4
Henning USA (MN) 250-251 G2
Henretty Marii, Przylądek 244-245 P5
Henricheemont F 124-125 I4
Henrietta USA (TX) 250-251 E9
Henry Lawrence Island – w. 192-193 B5
Henry Mountains – g-y 252-253 I7
Henry, Cape – przyl. 248-249 H6
Henryetta USA (OK) 250-251 F8
Henryków PL (DŚL) 78-79 E4
Henstedt-Ulzburg D 122-123 F3
Hentiesbaai NAM 226-227 B4
Henzada MYA 192-193 B,C4
Heping CHN 200-201 D5
Heping TWN 196 F4
Heppenheim an der Bergstrasse D 122-123 E7
Heppner USA (OR) 252-253 D4
Hepstedt D 122-123 F3
Hepu CHN 200-201 C6
Hepu CHN 200-201 D4
Hequ CHN 200-201 C2
Hequing CHN 192-193 C,D2
Héraðsflói – zat. 136-137 m,N13
Héraðsvötn – rz. 136-137 I13
Herakleia – r. 134-135 I6
Herald Cays – w-y 296-297 H2
Hérault – rz. 124-125 J8
Herbert Island – w. 254-255 H5
Herbertville NZ 298 G5
Herbeumont B 126 D5
Herbignac F 124-125 D4
Herborn D 122-123 E6
Herby PL (ŚL) 78-79 E6
Herca UA 142-143 F5
Herceg novi XM 118-119 V16
Herdecke D 122-123 R11
Herdman Seamount – form. podm. 308 L12
Heredia CR 260-261 H8
Hereford GB 128-129 K9
Hereford USA (CO) 252-253 L6
Hereford USA (TX) 250-251 C8
Herefoss N 138-139 E4
Héréhérétue Atoll – w. 290-291 N6
Herencia E 130-131 H6
Herent B 126 C4
Herentals B 126 C3
Herford D 122-123 E4
Héricourt F 120-121 B3
Heringen D 122-123 G5

Honkajoki FIN 136-137 f7
Honningsvåg N 136-137 G2
Honokaa USA (HI) 254-255 Y9
Honokahua USA (HI) 254-255 X9
Honolulu USA (HI) 254-255 X9
Honrubia E 130-131 I6
Honshu Ridge – form. podm. 290-291 G3
Honsiu – w. 166-167 Q6
Hontianské Nemce SK 112-113 K7
Hoockera, Wyspa 176-177 G1,2
Hood Point – przyl. 296-297 B5
Hood, Mount – g. 252-253 D4
Hoodsport USA (WA) 252-253 C3
Hooge – w. 122-123 E2
Hoogeveen NL 126 E2
Hoogezand-Sappemeer NL 126 E1
Hooghly – rz. 190-191 S14
Hooglade B 126 B3,4
Hoogsrtaten B 126 C3
Hoogstede D 126 E2
Hoogvliet NL 126 C3
Hook Head – przyl. 128-129 F,G9,10
Hook Ridge – form. podm. 240 G5
Hooker Creek AUS 296-297 E2
Hooker USA (OK) 250-251 D7
Hoolehua USA (HI) 254-255 X9
Hoomaar NL 126 C3
Hoonah USA (AK) 254-255 O4
Hoopa Valley Indian Reservation – jedn. adm. USA 252-253 B6
Hooper Bay USA (AK) 254-255 I3
Hooper USA (WA) 252-253 E3
Hoopeston USA (IL) 250-251 J5
Hoorn NL 126 D2
Hoover Dam – zb. 252-253 G9
Hopa TR 180-181 C3
Hopârta RO 114-115 M11
Hope CDN 244-245 H7
Hope USA (AR) 250-251 H9
Hope USA (AZ) 252-253 H10
Hope, Ben – g. 128-129 I3
Hopelchén MEX 260-261 F3
Hopes Advance Cap – przyl. 244-245 S4
Hopetoun AUS 296-297 C5
Hopetoun AUS 296-297 G6
Hopetown ZA 226-227 D5
Hopewell USA (VA) 248-249 G6
Hopi Indian Reservation – jedn. adm. USA 252-253 I9
Hopkins, Lake – jez. 296-297 D3
Hopkinsville USA (KY) 248-249 B6
Hopong MYA 192-193 C3
Hopseidet N 136-137 g2
Hoqin Zuoyi Zhongqi CHN 202-203 C1
Hoquiam USA (WA) 252-253 B,C3
Horadiz AZ 180-181 I5
Horasan TR 180-181 D4
Ḩorāsān – jedn. adm. IR 188-189 G2
Horaždovice CZ 112-113 F6
Hörby S 138-139 J7
Horcajo de los Montes E 130-131 G6
Horcajo de Santiago E 130-131 H6
Horconcitos PA 260-261 I8
Hordaland – jedn. adm. N 138-139 B2
Horezu RO 114-115 D4
Horgen CH 120-121 D3
Horgeşti RO 114-115 H3
Horgo MAU 176-177 P8
Horgos KZ 182-183 T4
Horgoš XS 118-119 G1
Hořice CZ 112-113 H5
Horie J 204-205 E9
Horinger CHN 200-201 C1
Horinghausen D 122-123 E5
Horisti GR 134-135 F2
Horki BY 140-141 L7
Horlicka, Góry 311 O1
Horlivka UA 142-143 Q5
Ḩormak IR 188-189 H2
Hormozgān – reg. 187 F3
Horn A 120-121 K2
Horn Head – przyl. 128-129 E6
Horn Island – w. 250-251 J10
Horn N 136-137 c5
Horn Plateau – wyż. 244-245 H4
Horn, Przylądek – przyl. 272 G10
Hornád – rz. 112-113 M7
Hornavan – jez. 136-137 E4
Hornbjarg – przyl. 104-105 E2
Hornby NZ 298 E6
Horncastle GB 128-129 M8
Horneburg D 122-123 F3
Hornell USA (NY) 248-249 G3
Hornepayne CDN 244-245 O,P7
Horní Cerekev CZ 112-113 H6
Horní Dvořiště CZ 112-113 G7
Horní Planá CZ 112-113 G7
Horní Slavkov CZ 112-113 E5
Horni Wujezd D 74-75 D2
Hornisgrinde – g. 120-121 D2
Hornostajivka UA 142-143 M6
Hornostajivka UA 142-143 O8
Hornostajpil' UA 140-141 L10
Hornsea GB 128-129 M8
Hornu B 126 B4
Hörnum D 122-123 E2
Horný Benešov CZ 112-113 J6
Horochiv UA 142-143 D3
(Horochów) UA 142-143 D3
Horodenka UA 142-143 E5
Horodkivka UA 142-143 H5
Horodło PL (LBL) 80-81 E11
(Horodnica) UA 142-143 G3
Horodnja UA 140-141 M10
Horodnycja UA 142-143 G3
(Horodok) BY 140-141 K6
Horodok UA 142-143 C4
Horodok UA 142-143 F4
Horodyšče UA 142-143 K4
(Horodyszcze) BY 140-141 G8
(Horodyszcze) BY 140-141 K8
(Horodzianka) BY 140-141 J8
(Horodziej) BY 140-141 H8
Horokanai J 202-203 H1
Horonobe J 202-203 H1
Hořovice CZ 112-113 F6
Horqin Youyi Qianqi CHN 198-199 L2
Horqin Youyi Zhongqi CHN 202-203 C1
Horqin Zuoyi Houqi CHN 202-203 C2
Horqueta PY 278-279 B7
Hörn S 138-139 J7
Ḩorramābād IR 184-185 M5
Ḩorramšahr IR 187 C1
Horse – w. 128-129 L2
Horse Cave USA (KY) 248-249 C6
Horse Creek – rz. 252-253 L6
Horse Mount – g. 252-253 J9,10
Horsechead Lake – jez. 250-251 E2
Horsens DK 138-139 F7
Horseshoe Bend USA (ID) 252-253 F4,5
Horsham AUS 296-297 G6
Horsham GB 128-129 M10
Horšovský Týn CZ 112-113 E6
Horst NL 126 E3
Horta P 220-221 I10
Horten N 138-139 G3
Hortobágy – reg. 114-115 B2
Hortobágyfalva RO 114-115 N12
Horton USA (KS) 250-251 G6
Hortu TR 134-135 O6
Hortu TR 134-135 O7
Ḩorvot Avedat – r. 186 A5
Ḩorvot Shivta – r. 186 A5
Horw CH 120-121 D3,4
Hory BY 140-141 M7
Horyn – rz. 140-141 H10
Horyniec-Zdrój PL (PKR) 80-81 E11
Horzum TR 134-135 K6
Hosa'ina ETH 222-223 G6
Hosanger N 138-139 B2
Hošča UA 142-143 F3
Hoscheid L 127 B2
Hose Mountains – g-y 196 O,P15
Ḩoseinābād IR 184-185 L4
Ḩoseinīye-ye Ḩoda Dād IR 184-185 M5
Hosenofu – oaza 222-223 D3
Hoseré Pené – g. 224-225 B2
Hoséré Vokré – g. 224-225 B2
Hoshiarpur IND 190-191 D2
Hösööt MAU 198-199 E2
Hospet IND 190-191 D5
Hospital RCH 280-281 D4
Hossegoro F 124-125 E8
Hosszúaszó RO 114-115 M11
Hosszúpályi H 114-115 B2
Hosszútelke RO 114-115 M11,12
Ḩōst AFG 188-189 I2
Hoste, Isla – w. 280-281 E9
Hostinné CZ 112-113 H5
Hostomel' UA 142-143 I,J3
Hostyńskie, Góry 112-113 J6
Hot Creek Range – g-y 252-253 F7
Hot Springs USA (AR) 250-251 H8
Hot Springs USA (SD) 250-251 B,C4
Hot Springs USA (VA) 248-249 F5
Hot Springs USA (WY) 252-253 I4
Hot Sulphur Springs USA (CO) 252-253 K7
Hot THA 192-193 C4
Hotagen – jez. 136-137 d5,6
Hotaka-yama – g. 204-205 K,L6
Hotamış Gölu – jez. 134-135 O6
Hotamiş TR 134-135 O6
Hotan CHN 198-199 C4
Hotan He – rz. 198-199 D4
Hotarele RO 114-115 G5
Hotazel ZA 226-227 D5
Hoti RI 194-195 I6
Hoting S 136-137 d5
Hotspur Seamount – form. podm. 278-279 F6
Hottah Lake – jez. 244-245 H,I3
Hotte, Massif de la – g-y 262-263 F4
Hotton B 126 D4
Houailou NC 299 J14
Houat, Île de – w. 124-125 C4
Houbao CHN 202-203 D2
Houdan F 124-125 H3
Houeillés F 124-125 F7
Houffalize B 126 D4
Houghton Lake – jez. 248-249 C2
Houghton Lake USA (MI) 248-249 C2
Houghton USA (MI) 248-249 A1
Houghton-le-Spring GB 128-129 L7
Houlong TWN 196 F4
Houlton USA (ME) 248-249 K1
Houma CHN 200-201 C3
Houma TON 299 F9
Houma TON 299 G9
Houma USA (LA) 250-251 I11
Houmt Souk TN 220-221 H2
Houndé BF 220-221 E6
Hourn, Loch – zat. 128-129 H4
Hourtin F 124-125 E6
Hourtin-Carcans, Lac d – jez. 124-125 E6
Houston CDN 244-245 G6
Houston USA (MO) 250-251 H7
Houston USA (MS) 250-251 J9
Houston USA (TX) 250-251 G11
Houston, Lake – jez. 250-251 G10
Houten NL 126 D2
Houthalen-Helchteren B 126 D3
Houthulst B 126 A3,4
Houtman Abrolhos – form. podm. 296-297 A4
Houtman Rocks – w. 290-291 C7
Houtskari FIN 140-141 C1
Houyet B 126 D4
Hov DK 138-139 G7
Hovaling TJ 182-183 M,N7
Hovd MAU 198-199 F2
Hovdehytta N 138-139 D3
Hove GB 128-129 M11
Ḩoveize IR 184-185 L6
Hövelhof D 122-123 E5
Hoverla – g. 142-143 D5
Hoveton GB 128-129 O9
Hovin N 138-139 E,F3
Hövöör MAU 198-199 J2
Hövsan AZ 180-181 L4
Hövsgol MAU 198-199 I3
Hövüün MAU 198-199 H3
Howar, Wādī – rz. 222-223 D4
Howard AUS 296-297 I4
Howard City USA (MI) 248-249 B3
Howard Island – w. 296-297 E1
Howard USA (KS) 250-251 F7
Howe USA (ID) 252-253 H5
Howe, Cape – przyl. 290-291 G,H8
Howeai, Lake – jez. 298 C7
Howell USA (MI) 248-249 C3
Howick Falls – wdp. 226-227 E5
Howick ZA 226-227 E5
Howland – teryt. zal. USA 292-293 K4
Howland Island – w. 290-291 K4
Howrah IND 190-191 S13
Howth IRL 128-129 G8
Hoxie USA (AR) 250-251 I7
Hoxie USA (KS) 250-251 D6
Höxter D 122-123 F5
Hoxud CHN 198-199 E3
Ḩoy IR 180-181 F6
Hoy – w. 128-129 J3
Hoy Sound – cieśn. 128-129 J3
Hoya D 122-123 E4
Hoyachine-san – g. 204-205 N3
Høyanger N 138-139 C1
Hoyerswerda D 122-123 K5
Høylandet N 136-137 c5
Hoyos E 130-131 E5
Hoyran TR 134-135 L5
Höytiäinen – jez. 136-137 H6
Hoža BY 140-141 E8
Hozat TR 184-185 H2
(Hoża) BY 72-73 B11
Hódmezővásárhely H 114-115 A3
Hólar IS 136-137 I13
Hólmavik IS 136-137 L13
Hpa Lai MYA 192-193 C3
Hpaan MYA 192-193 C4
Hracholusky – zb. 112-113 F6
Hradec Králové CZ 112-113 H5
Hradec nad Moravicí CZ 78-79 F5
Hrádek nad Nisou CZ 78-79 E2
Hradiště – g. 112-113 F5
Hradyz'k UA 142-143 L4
Hrandzičy BY 140-141 E8
Hranice CZ 112-113 J6
Hrasno – reg. 118-119 T14
Hrastovlje HR 118-119 L10
Hrazdan – rz. 180-181 F4
Hrazdan AR 180-181 F4
Hrebenne PL (LBL) 80-81 E11
Hrebinka UA 142-143 L3
Hrebinky UA 142-143 J4
Hřensko CZ 112-113 G5
Hrèsk BY 140-141 I8
Hriňová SK 112-113 L7
Hrisohu Körfezi – zat. 134-135 N8
Hrisó GR 134-135 E2
Hrodna BY 140-141 E8
Hromtau KZ 182-183 H1
Hron – rz. 112-113 K7
Hronov CZ 78-79 E4
Hrubieszów PL (LBL) 80-81 E11
Hrvace HR 118-119 R13
Hryciv UA 142-143 G3,4
(Hryców) UA 142-143 G3,4
Hryhorivka UA 142-143 O5
Hrymaliv UA 142-143 E4
Hrynjava UA 142-143 D6
Hryškivci UA 142-143 H4
Hsenwi MYA 192-193 C3
Hsipaw MYA 192-193 C3
Hsiseng MYA 192-193 C3
Hu Xian CHN 200-201 C3
Hua Shan – g. 200-201 C3
Hua Xian CHN 200-201 D3
Hua Xian CHN 200-201 D6
Huab – rz. 226-227 B4
Huacaraje BOL 276-277 E6
Huachacalla BOL 276-277 D7
Huachi CHN 200-201 C2
Huachinera MEX 258-259 E2
Huacho PE 276-277 B6
Huacrachuco PE 276-277 B5
Huade CHN 200-201 D1
Huadian CHN 202-203 D2
Huagaruancha – g. 276-277 B6
Huahiné Iti – w. 290-291 M6
Huahiné Nui – w. 290-291 M6
Huahua, Río – rz. 260-261 H5
Huai He – rz. 166-167 O6
Huai'an CHN 200-201 D1
Huai'an CHN 200-201 E3
Huaibei CHN 200-201 E3
Huaibin CHN 200-201 D3
Huaidezhen CHN 202-203 D2
Huaihua CHN 200-201 C5
Huaiji CHN 200-201 D6
Huaillas, Cerro – g. 276-277 D7
Huainan CHN 200-201 E3
Huaining CHN 200-201 E4
Huairen CHN 200-201 D2
Huairou CHN 200-201 E1
Huaiyang CHN 200-201 D3
Huaiyin CHN 200-201 E3
Huaiyuan CHN 200-201 B5
Huajlai CHN 200-201 D1
Huajuapan de León MEX 258-259 K9
Hualapai Mountains – g-y 252-253 G,H9
Hualapai Peak – g. 252-253 H9
Hualapal Indian Reservation – jedn. adm. USA 252-253 G9
Hualian TWN 196 G5
Huallaga, Río – rz. 276-277 B5
Huallanca PE 276-277 B5
Huamachuco PE 276-277 B5
Huamanrazo – g. 276-277 B6
Huambo ANG 224-225 C6
Huan Jiang – rz. 200-201 B2
Huan Xian CHN 200-201 B2
Huanan CHN 198-199 N2
Huan'an CHN 200-201 D3
Huancane PE 276-277 C,D7
Huancapl PE 276-277 C6
Huancavelica PE 276-277 B6
Huancayo PE 276-277 B6
Huang He – rz. 166-167 N6
Huang Shan – g-y 200-201 E4
Huang Xian CHN 200-201 F2
Huangbei CHN 200-201 D5
Huangbizhuang Shuiku – zb. 200-201 D2
Huangchuan CHN 200-201 D3
Huanggang CHN 200-201 D4
Huanggang Shan – g. 200-201 E5
Huanggangliang – g. 202-203 B2
Huanghua CHN 200-201 E2
Huanghuadian CHN 202-203 C2
Huangling CHN 200-201 C3
Huangliu CHN 200-201 C7
Huanglong CHN 200-201 C3
Huangmao Jian – g. 200-201 E5
Huangnihe CHN 202-203 E2
Huangpi CHN 200-201 D4
Huangpu CHN 200-201 C6
Huangqiao CHN 200-201 F3
Huangshan CHN 200-201 E4
Huangshi CHN 200-201 D4
Huangyan CHN 200-201 F4
Huangyuan CHN 198-199 H4
Huangzi Gang – form. podm. 200-201 F3
Huanjiang CHN 200-201 C5
Huanren CHN 202-203 D2
Huanta PE 276-277 C6
Huantai CHN 200-201 E2
Huánuco PE 276-277 B5,6
Huanzo, Cordillera de – g-y 276-277 C6
Huapi, Serranías – g-y 260-261 H6
Huaqiao CHN 200-201 F4
Huara RCH 280-281 D1
Huaral PE 276-277 B6
Huari PE 276-277 B5
Huarmey PE 276-277 B6
Huarong CHN 200-201 D4
Huásabas MEX 258-259 E3
Huascarán, Nevado de – g. 272 F5
Huasco RCH 280-281 D3
Huasco, Río – rz. 280-281 D3
Huasco, Salar de – soln. 280-281 E2
Huatabampo MEX 258-259 D4
Huatusco de Chicuellar MEX 258-259 K8
Huauchinango MEX 258-259 J7
Huaura, Río – rz. 276-277 B6
Huáutla de Jiménez MEX 258-259 K8
Huautla MEX 258-259 J7
Huayambamba, Río – rz. 276-277 B5
Huayin CHN 200-201 C3
Huaying Shan – g-y 200-201 B4
Huaynamota, Río – rz. 258-259 G6
Huayuan CHN 200-201 C4
Huayuan CHN 200-201 D4
Ḩubayta, Bi'r – oaza 222-223 L,M11
Hubbard Creek Reservoir – zb. 250-251 E9
Hubbard Lake – jez. 248-249 D2
Hubei – jedn. adm. CHN 200-201 C4
Huben A 120-121 H4
Hublidharwar IND 190-191 D5
Hubynycha UA 142-143 O5
Huch'ang KOR 202-203 D2
Hückelhoven D 126 E3
Hucqueliers F 124-125 H1
Huczwa – rz. 80-81 E11
Huddersfield GB 128-129 L8
Huddinge S 138-139 N,O3
Hude D 122-123 E3
Hudenisht AL 118-119 H7
Hüdenvesi – jez. 140-141 E1
Hudiksvall S 138-139 N1
Hudiksvallsfjord – zat. 138-139 N1
Hudson Bay CDN 244-245 L6
Hudson Canyon – form. podm. 248-249 I5
Hudson River – rz. 240 N5
Hudson USA (CO) 252-253 L6
Hudson USA (NY) 248-249 I3
Hudson USA (WI) 250-251 H3
Hudsona, Cieśnina 240 N3
Hudsona, Zatoka 240 G3
Hudson's Hope CDN 244-245 H5
Huê VN 192-193 E4
Huebra, Río – rz. 130-131 E4
Huedin RO 114-115 C3
Huehuetenango GCA 260-261 E5
Huejottlán MEX 258-259 F4
Huejúcar MEX 258-259 H6
Huejuquilla el Alto MEX 258-259 H6
Huejutla de Reyes MEX 258-259 J7
Huelegoat F 124-125 C3
Huelma E 130-131 H8
Huelva E 130-131 D8
Huelva, Río – rz. 130-131 E8
Huenque, Río – rz. 276-277 C,D7
Huequi, Volcán – wulk. 280-281 D6
Huércal-Overa E 130-131 I8
Huerta del Rei E 130-131 H4
Huertecillas MEX 258-259 I5
Huerva, Río – rz. 130-131 J4
Huesca E 130-131 K3
Huéscar E 130-131 I8
Hueso, Mountains – g-y 252-253 L11
Hueso, Sierra del – g-y 258-259 G2
Huetamo de Nuñez MEX 258-259 I8
Huete E 130-131 I5
Ḩufrat Naḩās SUD 222-223 D5,6
Ḩuftarøy – w. 138-139 A2
Hughenden AUS 296-297 G3
Hughes USA (AK) 254-255 L2
Hughes USA (AR) 250-251 I8
Hugo USA (CO) 250-251 C6
Hugo USA (OK) 250-251 G8
Hugoton USA (KS) 250-251 D7
Hugou CHN 200-201 E3
Hui Xian CHN 200-201 D3
Hui'an CHN 200-201 E5
Hui'anbu CHN 200-201 B2
Huiarau Range – g-y 298 G4
Hŭich'on KOR 202-203 D2
Huidong CHN 200-201 D6
Huidong CHN 192-193 D2
Huila, Nevado de – g. 276-277 B3
Huilai CHN 200-201 E6
Huile PA 260-261 Q11
Huili CHN 192-193 D2
Huimanguillo MEX 258-259 M9
Huimin CHN 200-201 E2
Huinan CHN 202-203 D2
Huinca Renancó RA 280-281 F4
Huining CHN 200-201 B3
Huishui CHN 200-201 B5
Huissen NL 126 D3
Huiten Nur – jez. 198-199 F4
Huitong CHN 200-201 C5
Huittinen FIN 138-139 S1
Huivuilay, Isla – w. 258-259 D4
Huixtla MEX 260-261 D5
Huizache MEX 258-259 I6
Huize CHN 192-193 D2
Huizen NL 126 D2
Huizhou CHN 200-201 D6
Hukou CHN 200-201 E4
Hukuntsi RB 226-227 D4
Hulah Lake – jez. 250-251 F7
Hulan CHN 202-203 D1
Hulan Ergi CHN 198-199 L2
Hulbert USA (MI) 248-249 C1
Hulin CHN 198-199 N2
Hulín CZ 112-113 J6
Huljajpole UA 142-143 P6
Hull CDN 244-245 Q7
Hull Island – w. 290-291 K5
Hulla, Lodowiec 311 N2
Hullo EST 140-141 E2,3
Hülscheid D 122-123 S11
Hulst NL 126 B,C3
Hultsfred S 138-139 L5
Huludao CHN 200-201 F1
Hulun Nur – jez. 166-167 O5
Ḩulwān ET 222-223 F2
Hum – g. 118-119 R15
Hum BIH 118-119 F4
Hum BIH 118-119 U15
Hum Dečic – g. 118-119 W16
Huma CHN 198-199 M1
Humacao PR 262-263 K4
Humahuaca RA 280-281 E2
Humaitá BOL 276-277 D6
Humaitá BR 276-277 E5
Humansdorp ZA 226-227 D6
(Humań) UA 142-143 I,J5
Humbe ANG 224-225 B7
Humber – zat. 128-129 M8
Humble USA (TX) 250-251 G11
Humboldt Bay – zat. 252-253 B6
Humboldt CDN 244-245 K,L6
Humboldt Lake – jez. 252-253 E6
Humboldt River – rz. 252-253 G6
Humboldt USA (IA) 250-251 G4
Humboldt USA (TN) 250-251 J8
Humboldt, Massif du – g-y 299 K14
Humboldta, Lodowiec 310 O2
Humboldto USA (KS) 250-251 G7
Hume, Lake – zb. 296-297 H6
Humedad, Isla – w. 260-261 O11
Humenné SK 112-113 N7
Humina – reg. 118-119 S14
Humka – g. 118-119 D2
Hümme D 122-123 F5
Humphrey Point USA (AK) 254-255 N2
Humphreys Peak – g. 252-253 H9
Humpolec CZ 112-113 H6
Humppila FIN 140-141 E1
Hūn LAR 222-223 C2
Húnaflói – zat. 104-105 E2
Hunan – jedn. adm. CHN 200-201 C5
Huncabamba PE 276-277 B5
Hunchun CHN 202-203 E2
Hundorp N 136-137 C7
Hunedoara – jedn. adm. RO 114-115 C4
Hunedoara RO 114-115 C4
Hünfeld D 122-123 F6
Hưng Yên VN 192-193 E3
Hunga – w. 299 G6
Hunga Ha'apai – w. 299 F8
Hunga Tonga – w. 299 F8
Hungerford AUS 296-297 G4
Hŭngnam KOR 202-203 D3
Hungry Horse Reservoir – zb. 252-253 H2
Hung-Tan MYA 192-193 C3
Ḩūnīk IR 188-189 G2
Hunjiang CHN 202-203 D2
Hunsrück – g-y 122-123 C7
Hunstanton GB 128-129 N9
Hunt CHN 202-203 C1
Hunt Mount – g. 252-253 J4
Hunte – rz. 122-123 E4
Hunter – rz. 296-297 H,I5
Hunter Islands – w-y 290-291 G9
Hunter Ridge – form. podm. 290-291 J7
Hunter, Île – w. 290-291 J7
Huntingburg USA (IN) 248-249 B5
Huntingdon and Godmanchester GB 128-129 M9
Huntingdon USA (PA) 248-249 F4
Huntingdon USA (TN) 250-251 J8
Huntington Beach USA (CA)

Jasień PL (LBU) 74-75 D3
Jasikan CI 220-221 D7
Jasikan GH 220-221 F7
(Jasina) UA 142-143 D5
Jasinga RI 194-195 M10
Jasinja UA 142-143 D5
(Jasiodła) – rz. 140-141 F9
Jasionówka PL (PDL) 72-73 B11
Jaškino RUS 144-145 L6
Jaškino RUS 176-177 M6
Jaškul' RUS 144-145 K7
Jasło PL (PKR) 80-81 F9
Jasna Góra – dzieln. PL (ŚL) 78-79 E6
Jasna poljana BG 114-115 H7
Jasne UA 142-143 F4
Jasnogorsk RUS 144-145 I6
Jasnohirka UA 142-143 Q5
Jasnyj RUS 178-179 D8
Jason Islands – w-y 280-281 F8
Jasper CDN 244-245 I6
Jasper USA (AL) 248-249 B8
Jasper USA (AR) 250-251 H8
Jasper USA (FL) 248-249 D9
Jasper USA (GA) 248-249 C7
Jasper USA (IN) 248-249 B5
Jasper USA (TX) 250-251 H10
(Jassy) RO 114-115 H2
Jastarnia PL (POM) 70-71 A6
Jastków PL (LBL) 76-77 D10
Jastrebac – g-y 118-119 I4
Jastrebarsko HR 118-119 C2
Jastrebinka – g. 118-119 T14
Jastrebovka RUS 142-143 Q2
Jastrowie PL (WLP) 70-71 B4
Jastrowskie, Jezioro – zb. 70-71 B4
Jastrząb PL (MAZ) 76-77 D8
Jastrzębia Góra – dzieln. PL (POM) 70-71 A6
Jastrzębia PL (MAZ) 76-77 D9
Jastrzębie-Zdrój PL (ŚL) 78-79 F6
Jasynuvata UA 142-143 Q5
Jászapáti H 114-115 A2
Jászárokszállás H 114-115 A2
Jászladány H 114-115 A2
Jász-Nagykun-Szolnok – jedn. adm. H 114-115 X15
Jaśliska PL (PKR) 80-81 F9
Jaśliski Park Krajobrazowy 80-81 F9
Jaświły PL (PDL) 72-73 B10
Jata, Ilha de – w. 220-221 B6
Jataí BR 278-279 C6
Jatali, plato – płask. 176-177 P4
Jatapu, Rio – rz. 276-277 F4
Jatatè, Río – rz. 258-259 N9
Jati PK 188-189 I4
Jatibonico C 260-261 K2
Jatiluhur – jez. 194-195 M10
Játiva E 130-131 K6,7
Jatobá, Rio – rz. 278-279 C5
Jatt IL 186 A,B3
Jaú BR 278-279 D7
Jaú, Rio – rz. 276-277 E4
Jauaperi, Rio – rz. 276-277 E4
Jauerling – g. 120-121 K2
Jauja PE 276-277 B6
Jaumave MEX 258-259 J6
(Jaunde) CAM 224-225 B3
Jaungulbene LV 140-141 H4
Jaunjelgava LV 140-141 F5
Jaunpiebalga LV 140-141 H4
Jaunpur IND 190-191 Q12
Jauru BR 278-279 B6
Jauru, Rio – rz. 278-279 B6
Jauru, Rio – rz. 278-279 C6
Java GE 180-181 E2
Java-Atoll – w. 290-291 H,I5
Javalón – g. 130-131 J5
Javan TJ 182-183 M7
Javari, Rio – rz. 276-277 C5
Jávea E 130-131 L7
Javier, Isla – w. 280-281 C7
Javlenka KZ 176-177 J7
Javor – g-y 118-119 F3
Javorie – g-y 112-113 L7
Javoriv UA 142-143 C4
Javornik – g. 120-121 K4
Javornik – g-y 118-119 F3
Javornik CZ 112-113 I5
Javorniki – g-y 120-121 J5
Javr – rz. 136-137 H3
Javron-lés-Chapelles F 124-125 F3
Jawa – w. 166-167 N10
Jawa Barat – jedn. adm. RI 194-195 M11
Jawa Tengah – jedn. adm. RI 194-195 N10
Jawa Timur – jedn. adm. RI 194-195 O11
Jawai – rz. 190-191 C3
Jawajski, Rów – form. podm. 309 a5
Jawajskie, Morze 166-167 N,O10
Jawhar IND 190-191 C4,5
Jawor PL (DŚL) 78-79 D4
Jawornik Polski PL (MŁP) 80-81 F10
Jaworniki – g-y 112-113 K6
(Jaworów) UA 142-143 C4
Jaworze PL (ŚL) 78-79 F6
Jaworzno PL (ŚL) 78-79 E7
Jaworzyna – g. 80-81 F8
Jaworzyna Śląska PL (DŚL) 78-79 E4
Jay Em USA (WY) 252-253 L5
Jay USA (OK) 250-251 G7
Jaya, Puncak – g. 290-291 F5
Jayanca PE 276-277 B5
Jayapura RI 194-195 K6
Jayawijaya, Pegunungan – g-y 194-195 J6
Jaynagar Majilpur IND 190-191 T13
Jaypur IND 190-191 E5
Jayton USA (TX) 250-251 D9
Jazvina BY 140-141 K6
J.B.Thomas, Lake – jez. 250-251 D9
Jean Rabel RH 262-263 G4
Jeanerette USA (LA) 250-251 I11
Jebba WAN 220-221 F7
Jebel RO 114-115 B4
Jebel TM 182-183 E,F7
Jebiniana TN 220-221 H1
Jebri PK 188-189 I3
Jedburgh GB 128-129 K6
Jedeïda TN 132-133 D12
Jedlicze PL (PKR) 80-81 F9
Jedlina-Zdrój PL (DŚL) 78-79 E4
Jedlińsk PL (MAZ) 76-77 D9
Jedlnia-Letnisko PL (MAZ) 76-77 D9
Jednorożec PL (MAZ) 72-73 B9
Jedwabne PL (PDL) 72-73 B10
Jedwabno PL (POM) 72-73 B8
(Jedyńce) MD 114-115 H1
Jeesiö FIN 136-137 G4
Jeetze – rz. 122-123 H4
Jeffers USA (MN) 250-251 G3
Jefferson City USA (MO) 250-251 H6
Jefferson, Mount – g. 252-253 C4
Jefferson, Mount – g. 252-253 F7
Jefferson River – rz. 252-253 H4
Jefferson USA (GA) 248-249 D7
Jefferson USA (IA) 250-251 G5
Jefferson USA (NC) 248-249 E6
Jefferson USA (TX) 250-251 G9
Jefferson USA (WI) 250-251 J4
Jeffersonville USA (IN) 248-249 B5
Jega WAN 220-221 F6
Jegălia RO 114-115 H5
Jegrznia – rz. 72-73 B10
Jegun F 124-125 G8
Jejkowice PL (ŚL) 78-79 E6
Jejuí-Guazú, Río – rz. 278-279 B7
Jēkabpils LV 140-141 G5
(Jekaterynburg) RUS 144-145 N5
Jekkyl Island – w. 248-249 E9
Jelanec' UA 142-143 K6
Jelcz-Laskowice PL (DŚL) 78-79 D5
Jelenia Góra PL (DŚL) 78-79 E3
Jeleniewo PL (PDL) 72-73 A10
Jeleniowski Park Krajobrazowy 80-81 E9
Jeleśnia PL (ŚL) 78-79 F7
Jelgava LV 140-141 E5
Jeli MAL 192-193 D6
Jelica – g-y 118-119 H4
Jellico USA (TN) 248-249 C6
Jelsa HR 118-119 R14
Jelysejivka UA 142-143 P6
Jelyzavethradka UA 142-143 K5
(Jełgawa) LV 140-141 E5
Jemaja – w. 194-195 D5
Jember RI 194-195 P11
Jemen – państwo 168-169 H8
Jemez Pueblo USA (NM) 252-253 K9
Jemielnica PL (OPO) 78-79 E6
Jemielno PL (DŚL) 74-75 D4
Jemil'čyne UA 142-143 G3
Jemma WAN 220-221 G6
Jemmal TN 132-133 E13
Jemnice CZ 112-113 H6,7
Jena D 122-123 H6
Jena USA (LA) 250-251 H10
Jenbach A 120-121 G3
Jendouba TN 220-221 G1
Jendouba TN 132-133 C12
(Jenisej) – rz. 166-167 L3
(Jenisej, Mały) – rz. 176-177 P7
(Jenisej, Wielki) – rz. 176-177 P7
Jenisejska, Zatoka 176-177 L3
Jenisejskie, Góry 176-177 O5
Jenkins USA (KY) 248-249 D6
Jennersdorf A 120-121 K4
Jennings USA (LA) 250-251 H10
Jennings USA (MT) 252-253 G2
Jenny Lind Island – w. 244-245 L3
Jens Munk Island – w. 244-245 P3
Jensen Beach USA (FL) 248-249 E11
Jensen USA (UT) 252-253 J6
Jequié BR 278-279 E5
Jequitai, Rio – rz. 278-279 E6
Jequitinhonha BR 278-279 E6
Jequitinhonha, Rio – rz. 278-279 E6
Jerada Ma 220-221 E2
Jerba, Île de – w. 220-221 H2
Jérémie RH 262-263 F4
Jeremoabo BR 278-279 F5
Jerez de Garcia Salinas MEX 258-259 H6
Jerez de la Frontera E 130-131 E9
Jerez de los Caballeros E 130-131 E7
Jeri WAN 220-221 H7
Jeri WAN 222-223 B6
Jericho AUS 296-297 H3
Jerilderie AUS 296-297 H6
Jerisós GR 134-135 E3
Jerissa TN 132-133 C13
Jerma – rz. 118-119 J4,5
Jermaka, Wyniesienie – form. podm. 310 L,k1
Jermakove UA 142-143 N8
Jermuk AR 180-181 G5
Jerolim – w. 118-119 Q14
Jerome USA (ID) 252-253 G5
(Jerozolima) IL/PS 186 B4
Jerramungup AUS 296-297 B5
Jersey – teryt. zal. GB 124-125 D2
Jersey – w. 128-129 K12
Jersey City USA (NJ) 248-249 H,I4
Jerseyville USA (IL) 250-251 I6
Jerumenha BR 278-279 E4
(Jerycho) PS 186 B4
Jerzego, Jezioro 224-225 E,F3,4
Jerzego V, Wybrzeże 311 j3
Jerzego VI, Cieśnina 311 r2,3
Jerzego VI, Wodospad 276-277 E2
Jerzego, Ziemia – w. 310 J1
Jerzmanowa PL (DŚL) 74-75 D4
Jerzmanowice PL (MŁP) 80-81 E7
Jerzu I 132-133 D9
Jesenice CZ 112-113 F5
Jesenice SLO 120-121 I4
Jeseník CZ 112-113 J5
Jesenské SK 112-113 L7
Jesi I 132-133 H5
Jesioniki – g-y 112-113 J5
Jessen D 122-123 I5
Jessheim N 138-139 G,H2
Jessnitz D 122-123 I5
Jessore BD 190-191 T13
Ještěd – g. 78-79 E2
Jesup USA (GA) 248-249 D9
Jesús Carranza MEX 258-259 L9
Jesús María MEX 258-259 H6
Jesús María RA 280-281 F4
Jetmore USA (KS) 250-251 D6
Jetpur IND 190-191 C4
Jette B 126 C4
Jeumont F 126 C4
Jever D 122-123 D3
Jevnaker N 138-139 G2
Jevpatorija UA 142-143 L,M8
Jewett USA (TX) 250-251 F10
(Jewie) LT 140-141 F7
Jeypore IND 190-191 E5
Jezerni hory – g. 112-113 F6
Jezero BIH 118-119 D3
Jeziora PL (K-P) 74-75 C6
Jeziorak, Jezioro 72-73 B7
Jeziorany PL (POM) 72-73 B8
Jeziorka – rz. 76-77 D8
Jeziorsko, Jezioro – zb. 74-75 D6
(Jeziorsy) LT 140-141 H6
(Jeziory) BY 140-141 F8
Jeziorzany PL (LBL) 76-77 D10
Jeznas LT 140-141 F7
(Jezno) LT 140-141 F7
Jeżewo PL (K-P) 70-71 B6
Jeżowe PL (PKR) 80-81 E10
Jeżów PL (ŁDZ) 76-77 D7
Jeżów Sudecki PL (DŚL) 78-79 E3
Jędrzejów PL (ŚW) 80-81 E8
Jha Jha IND 190-191 S12
Jhajjar IND 190-191 N10
Jhang PK 188-189 J2
Jhansi IND 190-191 D3
Jhapa NEP 190-191 S11
Jharsuguda IND 190-191 E4
Jhatpat PK 188-189 I3
Jhawani NEP 190-191 R11
Jhelum PK 188-189 J2
Jhenida BD 190-191 T13
Jhusi IND 190-191 Q12
Ji Xian CHN 200-201 C2
Ji Xian CHN 200-201 D2
Ji Xian CHN 200-201 D3
Ji Xian CHN 200-201 E1
Jia Xian CHN 200-201 C2
Jia Xian CHN 200-201 D3
Jiading CHN 200-201 F4
Jiahe CHN 200-201 D5
Jiali TWN 196 F5
Jialing Jiang – rz. 200-201 B4
Jialon CHN 202-203 D2
Jiamusi CHN 198-199 N2
Ji'an CHN 200-201 D5
Ji'an CHN 202-203 D2
Jian TWN 196 G4,5
Jiana RO 114-115 C5
Jianchang CHN 200-201 E1
Jianchang CHN 202-203 D2
Jiande CHN 200-201 E4
Jiang'an CHN 200-201 B4
Jiangba CHN 200-201 E3
Jiangbiancun CHN 200-201 D5
Jiangcheng CHN 192-193 D3
Jiange CHN 200-201 B3
Jianghua Yaozu Zizhixian CHN 200-201 C5
Jiangjin CHN 200-201 B4
Jiangjunmiao CHN 198-199 F3
Jiangle CHN 200-201 E5
Jiangmen CHN 200-201 D6
Jiangshan CHN 200-201 E4
Jiangsu – jedn. adm. CHN 200-201 E3
Jiangxi – jedn. adm. CHN 200-201 D5
Jiangyin CHN 200-201 F4
Jiangyou CHN 200-201 B4
Jianhe CHN 200-201 C5
Jian'ou CHN 200-201 E5
Jianping CHN 200-201 E1
Jianridun CHN 202-203 C2
Jianshan CHN 200-201 D4
Jianshi CHN 200-201 C4
Jianshui CHN 192-193 D3
Jianyang CHN 200-201 B4
Jianyang CHN 200-201 E5
Jiaohe CHN 200-201 D2
Jiaohe CHN 202-203 D2
Jiaolai He – rz. 202-203 C2
Jiaoling CHN 200-201 E5
Jiaonan CHN 200-201 E3
Jiaozhou CHN 200-201 E2
Jiaozhou Wan – zat. 200-201 F2,3
Jiaozuo CHN 200-201 D3
Jiapiogu CHN 202-203 D2
Jiasa CHN 192-193 D3
Jiashan CHN 200-201 E3
Jiashan CHN 200-201 F4
Jiashi CHN 182-183 R7
Jiawang CHN 200-201 E3
Jiaxing CHN 200-201 F4
Jiayi TWN 196 F5
Jiayin CHN 198-199 M2
Jibei Dao – w. 196 E5
Jibert RO 114-115 O11,12
Jibou RO 114-115 L9
Jicarilla Apache Indian Reservation – jedn. adm. USA 252-253 K8
Jicarón, Isla – w. 260-261 J9
Jichieng CHN 202-203 D2
Jičín CZ 112-113 H5
Jido IND 192-193 B,C2
Jidvei RO 114-115 N11
Jieshi CHN 200-201 D6
Jieshi Wan – zat. 200-201 D6
Jieshou CHN 200-201 D3
Iešjavrre – jez. 136-137 G3
Jiexi CHN 200-201 D6
Jiexiu CHN 200-201 C,D2
Jieyang CHN 200-201 D6
Jigani IND 190-191 T12
Jigawa – jedn. adm. WAN 220-221 G6
Jiggalong AUS 296-297 C3
Jigüey, Bahía de – zat. 260-261 K1
Jiguilpan de I. P. MEX 258-259 H8
Jihlava CZ 112-113 H6
Jijel DZ 220-221 G1
Jijia – rz. 114-115 H2
Jijia CHN 200-201 C6
Jijiga ETH 222-223 H6
Jiju CHN 192-193 D2
Jiku TWN 196 F5
Jilan TWN 196 G4
Jilava RO 114-115 G5
Jilavelleana RO 114-115 G5
Jilemnice CZ 78-79 E3
Jilib SP 224-225 H3
Jilin – jedn. adm. CHN 202-203 D2
Jilin CHN 202-203 D2
Jilong TWN 196 G3
Jiloy AZ 180-181 L4
Jīma ETH 222-223 G6
Jimaguayú, Presa – zb. 260-261 K,L2
Jimani DOM 262-263 G4
Jimbolia RO 114-115 A4
Jimena de la Frontera E 130-131 F9
Jimena E 130-131 H8
Jiménez del Teul MEX 258-259 G,H6
Jiménez MEX 258-259 G4
Jimilco – g. 258-259 H5
Jimin CHN 198-199 K2
Jiminghe CHN 200-201 D4
Jimo CHN 200-201 F2
Jin Xian CHN 200-201 F1
Jinan CHN 200-201 E2
Jincheng CHN 200-201 D3
Jindřichův Hradec CZ 112-113 H6
Jinfo Shan – g. 200-201 B4
Jing CHN 198-199 D3
Jing He – rz. 200-201 C3
Jing Xian CHN 200-201 C5
Jing Xian CHN 200-201 E4
Jing'an CHN 200-201 D4
Jing'anji CHN 200-201 E3
Jingbian CHN 200-201 C2
Jingchuan CHN 200-201 B3
Jingdezhen CHN 200-201 E4
Jinggu CHN 192-193 D3
Jinghai CHN 200-201 E2
Jinghe CHN 198-199 D3
Jinghong CHN 192-193 D3
Jingle CHN 200-201 C2
Jingmen CHN 200-201 D4
Jingpo CHN 202-203 E1
Jingpo Hu – jez. 202-203 E2
Jingtai CHN 200-201 A2
Jingtieshan CHN 198-199 G4
Jingxi CHN 200-201 B6
Jingyu CHN 202-203 D2
Jingyuan CHN 200-201 B2
Jingzhi CHN 200-201 E2
Jinhe CHN 198-199 L1
Jinhua CHN 200-201 E4
Jining CHN 200-201 D1
Jining CHN 200-201 E3
Jinja EAU 224-225 F3
Jinjia Gang – form. podm. 200-201 F3
Jinjiang CHN 200-201 E4
Jinjiang CHN 192-193 D2
Jinlingxi CHN 200-201 F1
Jinmen Dao – w. 200-201 E5
Jinmu Jiao – przyl. 200-201 C7
Ji-no-shima – w. 204-205 C9
Jinotega NIC 260-261 H6
Jinping CHN 200-201 C5
Jinsha CHN 200-201 B5
Jinshan TWN 196 G3
Jinshi CHN 200-201 C4
Jinta CHN 198-199 G3
Jintan CHN 200-201 E4
Jintiancum CHN 200-201 C6
Jintotolo – w. 197 D6
Jintotolo Channel – cieśn. 197 D6
Jinxi CHN 200-201 D5
Jinxi CHN 200-201 F1
Jinxian CHN 200-201 E4
Jinxiang CHN 200-201 E3
Jinxiu Yaozu Zizhixian CHN 200-201 C5
Jinyun CHN 200-201 F4
Jinzhai CHN 200-201 D4
Jinzhau Wan – zat. 200-201 F2
Jinzhou CHN 200-201 F1
Jinzhou CHN 200-201 F2
Ji-Paraná , Rio – rz. 276-277 E5
Ji-Paraná BR 276-277 E6
Jipijapa EC 276-277 A4
Jirin Gol CHN 198-199 K3
Jirlău RO 114-115 H4
Jishou CHN 200-201 C4
Jiu – rz. 114-115 D5
Jiuantu CHN 202-203 E2
Jiudengkou CHN 200-201 B2
Jiufeng Shan – g-y 200-201 E5
Jiujiang CHN 200-201 E4
Jiulian Shan – g-y 200-201 D5
Jiuling Shan – g-y 200-201 D4
Jiulong CHN 200-201 D6
Jiulong CHN 196 B2
Jiumei TWN 196 F5
Jiumiao CHN 202-203 C2
Jiuquan CHN 198-199 G4
Jiushan Liedao – w-y 200-201 F4
Jiushouzhang CHN 200-201 D2
Jiutai CHN 202-203 D1
Jiuwan Dashan – g-y 200-201 C5
Jiuxian CHN 200-201 D3
Jiuxiangcheng CHN 200-201 D3
Jiuxu CHN 200-201 B5
Jiuyuhang CHN 200-201 E4
Jixi CHN 200-201 E4
Jixi CHN 202-203 E1
Jizera – g. 78-79 E3
Jizō-zaki – przyl. 204-205 F7
Joaçaba BR 278-279 C8
Joal-Fadiout SN 220-221 B6
João Pessoa BR 278-279 G4
João Pinheiro BR 278-279 D6
Joaquin Victoria Gonzáles RA 280-281 F3
Job Peak – g. 252-253 E7
Jobabo C 260-261 L2
Jōban – dzieln. J 204-205 M6
Jobo Point – przyl. 197 F7
Joconoxtle MEX 258-259 G6
Jodhpur IND 190-191 C3
Jodiya IND 190-191 B4
Jodłowa PL (PKR) 80-81 F9
Jodłownik PL (MŁP) 80-81 F8
Jodoigne B 126 C4
Joensuu FIN 136-137 H6
Joerg Plateau – płask. 311 r2
Jōetsu J 204-205 K5
Jœuf F 124-125 M2
Jōge J 204-205 F8
Jõgeva EST 140-141 H3
Jōhana J 204-205 I6
Johannesburg USA (CA) 252-253 F9
Johannesburg ZA 226-227 E5
Johanngeorgenstadt D 122-123 I6
Jöhlingen D 120-121 D1,2
John Day River – rz. 252-253 D4
John Day USA (OR) 252-253 E4
John H. Kerr Reservoir – zb. 248-249 F6
John o'Groat's GB 128-129 J,K3
John Redmond Reservoir – zb. 250-251 G6
Johnson City USA (TN) 248-249 D6
Johnson City USA (TX) 250-251 E10
Johnson, Pico de – g. 258-259 C3
Johnson USA (KS) 250-251 D7
Johnston – teryt. zal. USA 292-293 L3
Johnston Atoll – w. 290-291 L3
Johnston, Chutes – wdp. 224-225 E6
Johnston, Lake – jez. 296-297 C5
Johnstown USA (NY) 248-249 H3
Johnstown USA (PA) 248-249 F4
Johor – jedn. adm. MAL 192-193 D7
Johor Baharu MAL 194-195 C5
Johor, Selat – cieśn. 196 I,J8
Jõhvi EST 140-141 I2
Joigny F 124-125 J3,4
Joinvile BR 278-279 D8
Joinville F 124-125 K3
Joinville Island – w. 311 S3
Jojutla MEX 258-259 J8
Jokioinen FIN 140-141 E1
Jokkmokk S 136-137 e4
(Jokohama) J 204-205 L7
Jökulsá á Brú – rz. 136-137 m13
Jola WAN 222-223 B6
Joliet USA (IL) 250-251 J5
Joliette CDN 244-245 R7
Jolo – w. 166-167 P9
Jolo Group – w-y 197 C9
Jolo RP 197 C8
Jomala FIN 140-141 A1
Jomalig – w. 197 D4
Jombang RI 194-195 P10
Jomda CHN 198-199 G5
Jomfruland – w. 138-139 F4
Jonathán, Point – przyl. 260-261 F4
Jonava LT 140-141 F6
Jondal N 138-139 C2
Jonê CHN 198-199 H5
Jones Bank – form. podm. 128-129 E12
Jones Mountains – g-y 311 P2
Jonesa, Cieśnina 244-245 O1
Jonesboro USA (AR) 250-251 I8
Jonesboro USA (IL) 250-251 J7
Jonesboro USA (LA) 250-251 H9
Jonesport USA (ME) 248-249 L2
Jonesville USA (LA) 250-251 H10
Joniec PL (MAZ) 76-77 C8
Joniškėlis LT 140-141 F5
Joniškis LT 140-141 E5
Jönköping S 138-139 I5
Jönköpings län – jedn. adm. S 138-139 J5
Jonkowo PL (POM) 72-73 B8
Jonosuando S 136-137 F4
Jonquiere CDN 244-245 R7
Jonsered S 138-139 I5
Jonzac F 124-125 F6
Joński, Basen – form. podm. 104-105 M8
Jońskie, Morze 104-105 M8
Jońskie, Wyspy 104-105 M7,8
Joplin USA (MO) 250-251 G7
(Jordan) – rz. 186 B3
Jordan, Lake – jez. 248-249 B8
Jordan River – rz. 252-253 F5
Jordan USA (MT) 252-253 K3
Jordan Valley USA (OR) 252-253 F5
Jordania – państwo 168-169 G7
Jordânia BR 278-279 E6
Jordanów PL (MŁP) 80-81 F7
Jordanów Śląski PL (DŚL) 78-79 E4
Jordão BR 276-277 C5
Jordão, Rio – rz. 278-279 C8
Jorge Montt, Isla – w. 280-281 C8
Jorhat IND 190-191 G3
Jork, Półwysep 290-291 G6
Jork, Przylądek 290-291 F6
Jörn S 136-137 F5
Joroinen FIN 136-137 g6
Jørpeland N 138-139 C3
Jorski, Płaskowyż 180-181 G5
Joru WAL 220-221 C7
Jorullo, Volcán – wulk. 258-259 I8
Jos WAN 220-221 G7
Jošanička Banja XS 118-119 H4
José de San Martín RA 280-281 D6
Jose Panganiban RP 197 D4

459

Kocaeli – jedn. adm. TR 134-135 K3
Kocaeli TR 134-135 K,L3
Kocakatran Dağı – g-y 134-135 H4
Kočane XS 118-119 I4
Kočani MK 118-119 J6
Kočansko ezero – zb. 118-119 J6
Kocapınar TR 180-181 E5
Koçarlı TR 134-135 I6
Kocasu – rz. 134-135 K4
Kočegarovo RUS 178-179 B6
Koceljevo XS 118-119 G3
Kočenevo RUS 176-177 M7
Kočerin BIH 118-119 S14
Kočerinovo BG 114-115 D7
Koçgerli AZ 180-181 H,I4
Kočetovka RUS 142-143 P2
Kočevaja RUS 176-177 K5
Kočevje SLO 120-121 J5
Kočevska Reka SLO 118-119 N9
Koch Island – w. 244-245 Q3
Koch Peak – g. 252-253 I4
Kŏch'a-gundo – w-y 202-203 D4
Kochanava BY 140-141 K7
Kŏch'ang ROK 202-203 D4
Kochanowice PL (ŚL) 78-79 E6
Kochel am See D 120-121 G3
Kocher – rz. 122-123 F7
Kōchi J 204-205 F9
Kocierzew Południowy PL (ŁDZ) 76-77 C7
Kocjubyns'ke UA 142-143 I3
Kock PL (LBL) 76-77 D10
Kočki RUS 176-177 M7
Kočkor-Ata KS 182-183 O6
Kočkorka KS 182-183 P5
Kočmes RUS 144-145 N3
Kočubej RUS 144-145 K8
Koczała PL (POM) 70-71 B5
(Koczin) IND 190-191 D7
Koda GE 180-181 F3
Kōda J 204-205 E8
Kodar, chrebet – g-y 178-179 B7
Kodarma IND 190-191 R12
Koden PL (LBL) 76-77 D11
Kodiak Island – w. 240 F4
Kodiak USA (AK) 254-255 L4
Kodinar IND 190-191 C4
Kodino RUS 144-145 I4
Kodinsk RUS 176-177 P6
Kodok SUD 222-223 F6
Kodomari J 204-205 M1
Kodomari-misaki – przyl. 204-205 L1
Kodori – rz. 180-181 C1
Kodorska, Przełęcz 180-181 G2
Kodorskie, Góry 180-181 C2
Kodra UA 142-143 I3
Kodrąb PL (ŁDZ) 76-77 D7
Kodyma – rz. 142-143 I,J6
Kodyma UA 142-143 H5
Koes NAM 226-227 C5
Koettlitz Glacier – lod. 311 j2
Kofa Mountains – g-y 252-253 G10
Kofarnihon TJ 182-183 M7
Kofçaz TR 134-135 I2
Koffiefontein ZA 226-227 D5
Kofínou CY 134-135 O9
Köflach A 120-121 K3
Koforidua GH 220-221 E7
Kōfu J 204-205 K7
Koga J 204-205 L6
Kogaluc River – rz. 244-245 Q5
Kogaluk River – rz. 244-245 T5
Kogawa J 204-205 N3
Køge DK 138-139 I7
Koge J 204-205 G7
Køge-Bugt – zat. 138-139 I7
Kogi – jedn. adm. WAN 220-221 G7
Kogon UZ 182-183 K7
Koğūr IR 184-185 N3
Kohalom RO 114-115 P11
Kohat PK 188-189 J2
Kohgīlūye va Būyer Aḥmad – jedn. adm. IR 188-189 F2
Kohila EST 140-141 F2
Kohima IND 190-191 G3
Kohler Range – g-y 311 o2
Kohlu PK 188-189 I3
Köhnə Bilgəh burnu – przyl. 180-181 L4
Kohren-Sahlis D 122-123 V13
Kohtla-Järve EST 140-141 I2
Kohu Dağı – g-y 134-135 K7
Kohŭng ROK 202-203 D4
Kohunlich – r. 260-261 F3
Koidu-Sefadu WAL 220-221 C7
Koilere – jez. 136-137 h6
Koivu FIN 136-137 G4
Kojandy KZ 182-183 P2
Kojda RUS 144-145 J3
Kŏje ROK 202-203 E4
Kŏjedo – w. 202-203 E4
Ko-jima – w. 204-205 L1
Kojnare BG 114-115 D6
Kojori GE 180-181 F3
Kojtas KZ 176-177 K7
Kōka J 204-205 I8
(Kokand) UZ 182-183 N6
Kokanee Peak – g. 252-253 F2
Kökar FIN 140-141 B2
Kökarsfjärden – zat. 140-141 B2
Kök-Art KS 182-183 P6
Kokava nad Rimavicou SK 112-113 L7
Kokawa J 204-205 H8
(Kokczetaw) KZ 176-177 J7
Kokelv N 136-137 G2
Kokemäki FIN 138-139 R1
Kokenau RI 194-195 J6
Kök-Janggak KS 182-183 O6
Kokkaynar KZ 182-183 O5
Kokkilai CL 190-191 M9
Kokkola FIN 136-137 f6
Koknese LV 140-141 G5
Koko WAN 220-221 G7
Kokomo USA (IN) 248-249 B4
Kokoro DY 220-221 F7
Kokosowa, Wyspa 240 M9
Kokosowe, Wyspy 309 a6
Kokosowe, Wyspy 192-193 B5
Kokosowy, Basen – form. podm. 166-167 M10
Kokosowy, Grzbiet – form. podm. 240 L9
Kokosowy, Grzbiet – form. podm. 309 a5
Kokpek KZ 182-183 S5
Kökpektí KZ 176-177 M8
Koksan KOR 202-203 D3
Köksaraj KZ 182-183 L5
Kökšetau KZ 176-177 J7
Koksoak River – rz. 244-245 R5
Kokstad ZA 226-227 E6
Koksu – rz. 182-183 S4
Köksū KZ 182-183 R4
Köktal KZ 182-183 S4
Kokterek KZ 182-183 C2
Koktokay CHN 198-199 E2
Kokubu J 202-203 E5
Kokuj RUS 178-179 B8
Kola – rz. 136-137 I3
Kola RUS 144-145 H3
Kolabira IND 190-191 E4
Kolahon LB 220-221 C7
Kolaka RI 194-195 G6
Kolar IND 190-191 D6
Kolari FIN 136-137 f4
Kolárovo SK 112-113 J8
Kolašin XM 118-119 G5
Kolatsel'ga RUS 136-137 h7
Kolayat IND 190-191 C3
Kolback S 138-139 M3
Kölbay KZ 182-183 S4
Kolbudy Górne PL (POM) 70-71 A6
Kolbuszowa PL (PKR) 80-81 E9
Kolčanovo RUS 140-141 N1
Kolchozobod TJ 182-183 M8
Kol'čugino RUS 144-145 I5
Kolda SN 220-221 C6
Kolding DK 138-139 F7
Kole ZRE 224-225 D4
Koléa DZ 130-131 N9
Kolendo RUS 178-179 G8
Kolenté RG 220-221 C6
Koler S 136-137 F5
Kölesd H 118-119 F1
Koležma RUS 144-145 H,I4
Kolga EST 140-141 G2
Kolga laht – zat. 140-141 G2
Kolga-Jaani EST 140-141 G3
Kol'gompja, mys – przyl. 140-141 J2
Kolguev, ostrov – w. 104-105 R2
Kolhapur IND 190-191 C5
Kolhom NL 126 C2
Kolia CI 220-221 D7
Kōlī-Cagylteņiz – jez. 176-177 K7
Kolicko MK 118-119 S,T14
Koliganek USA (AK) 254-255 K4
Kolimvári GR 134-135 E8
Kolin CZ 112-113 H5
Koljučinskaja guba – zat. 310 b3
Kolka LV 140-141 D4
Kolkasrags – przyl. 140-141 D4
Kolky UA 140-141 G10
Kolky UA 140-141 H10
Kollerschlag A 120-121 I2
Kolleru Lake – jez. 190-191 E5
Kollo RN 220-221 F6
Kollum NL 126 E1
Kolmanskop NAM 226-227 C5
Köln D 126 E4
Kolneńska, Wysoczyzna 48-49 B9
Kolno, Jezioro 72-73 B11
Kolno PL (PDL) 72-73 B9
Kolno PL (W-M) 72-73 B9
Kolo ZRE 224-225 C5
Koloa – w. 299 H6
Koloa USA (HI) 254-255 V9
Koločava UA 142-143 C5
Koločep – w. 118-119 T15
Koločepski kanal – cieśn. 118-119 T15
Kolodnja – dzieln. RUS 140-141 N7
Kologriv RUS 144-145 J5
Kolokani RMM 220-221 D6
Koloko BF 220-221 D6
Kolomak UA 142-143 O4
Kolombangara – w. 290-291 H5
(Kolombo) CL 190-191 L9
Kolomna RUS 144-145 I5
Kolomyja UA 142-143 D5
Kolondiéba RMM 220-221 D6
(Kolonia) D 126 E4
Kolono RI 194-195 G6
Kolonodale RI 194-195 G6
Kolonowskie PL (OPO) 78-79 E6
Kolorado – jedn. adm. USA 241 K6
(Kolorado) – rz. 240 J6
Kolorado, Wyżyna 240 J6
Kolosovka RUS 176-177 K6
Kolovai TON 299 F9
Kolozero – jez. 136-137 I3
Kolozs RO 114-115 M10
Kolozsborsa RO 114-115 M10
Kolpa – rz. 120-121 K5
Kolpaševo RUS 176-177 M6
Kolpino RUS 144-145 H5
Kolpino RUS 140-141 L2
Kolpny RUS 142-143 Q1
Kolpur PK 188-189 I3
Kolska, Zatoka 144-145 H3
Kolski, Półwysep 104-105 P,Q2
Kolsko PL (LBU) 74-75 D3
Kolsva S 138-139 L3
Koltur – w. 127 D5
Koltur FR 127 E5
Kolubara – rz. 118-119 H3
Kolumadulu, Atol – w-y 196 L11
Kolumbia – państwo 273 F4
(Kolumbia) – rz. 240 I5
Kolumbia Brytyjska – jedn. adm. CDN 244-245 G5
Kolumbii, Dystrykt – jedn. adm. USA 241 N6
Kolumbii, Wyżyna 240 J5
Kolumbijski, Basen – form. podm. 272 F3
Koluszki PL (ŁDZ) 76-77 D7
Koluvere EST 140-141 F3
Kolva – rz. 144-145 M3
Kolvica RUS 144-145 H3
Kolwezi ZRE 224-225 D,E6
Kolymskoe RUS 178-179 J5
Kołaczkowo PL (WLP) 74-75 C5
Kołaczyce PL (PKR) 80-81 F9
Kołaki Kościelne PL (PDL) 72-73 B10
Kołbacz PL (ZPM) 70-71 B2
Kołbaskowo PL (ZPM) 70-71 B2
Kołbiel PL (MAZ) 76-77 C9
Kołczygłowy PL (POM) 70-71 A5
(Kołki) UA 140-141 G10
(Kołki) UA 140-141 H10
Koło PL (WLP) 74-75 C6
Kołobrzeg PL (ZPM) 70-71 A3
Kołyma – rz. 166-167 S3
Kołymska, Nizina 178-179 I5
Kołymskie, Góry 166-167 T3
Kom – g. 114-115 D6
Kom – g. 118-119 R15
Kom – rz. 224-225 B3
(Kom Ombo) ET 222-223 F3
Komádi H 114-115 B2
Komadougou Gana – rz. 222-223 D6
Komadougou Yobe – rz. 222-223 B5
Koma-ga-take – g. 204-205 J7
Koma-ga-take – g. 204-205 M3
Koma-ga-take – wulk. 202-203 H2
Komandorskaja, Kotlovina – form. podm. 178-179 L7
Komandorskie, Wyspy 166-167 T4
Komańcza PL (MŁP) 80-81 F10
Komarevo BG 114-115 E6
Komarnica – rz. 118-119 F5
Komárno SK 112-113 K8
Komarno UA 142-143 C4
Komárom H 112-113 K8
Komárom-Esztregom – jedn. adm. H 114-115 V15
Komarovka RUS 176-177 O6
Komarówka Podlaska PL (LBL) 76-77 D10
Komarów-Osada PL (LBL) 80-81 E11
Komatipoort ZA 226-227 F5
Komatsu J 204-205 F9
Komatsu J 204-205 I6
Komatsushima J 204-205 G9
Komba – w. 194-195 G7
Komba ZRE 224-225 D3
Kombongou BF 220-221 F6
Kome Island – w. 224-225 F4
Komenda CI 220-221 E8
Komi – jedn. adm. RUS 174-175 E3
Komin HR 118-119 S,T14
Kominternivs'ke UA 142-143 J7
Komi-Permiacki Okręg Autonomiczny – jedn. adm. RUS 174-175 F3,4
Komissarovo RUS 202-203 E1
Komiža HR 118-119 Q14
Kommunary RUS 140-141 L1
Kommunizm KZ 182-183 I4
Komo – w. 299 C3
Komodo – w. 194-195 F7
Komono RCB 224-225 B4
Komorniki PL (WLP) 74-75 C4
Komoro J 204-205 K6
Komory – państwo 217 E6
Komory – w-y 216 H7
Komoryn, Przylądek 166-167 K9
Komorzno PL (OPO) 78-79 D6
Komotini GR 134-135 G2
Komovi – g-y 118-119 G5
Kompanijivka UA 142-143 L5
Kompasberg – g. 216 F9
Kompot RI 194-195 G5
Komprachcice PL (OPO) 78-79 E5
(Komrat) MD 114-115 I3
Komsa RUS 176-177 N5
Komsomol, Cy-k – zat. 182-183 D4
Komsomol KZ 182-183 E3
Komsomol KZ 182-183 H1
Komsomolec, ostrov – w. 166-167 M,N1
Komsomolobot TJ 182-183 M7
(Komsomolsk nad Amurem) RUS 178-179 F8
Komsomol'sk RUS 176-177 N6
Komsomol's'k UA 142-143 M4
Komsomol's'ke UA 142-143 H4
Komsomol's'ke UA 142-143 P4
Komsomol's'ke UA 142-143 Q6
Komsomol'skij RUS 144-145 N3
Komsomol'skij RUS 178-179 M5
Komsomol'sk-na-Amure RUS 178-179 F8
Komsomol'sk-na-Pečore RUS 144-145 M4
Komsomol'skoj Pravdy, ostrova – w-y 310 e2
Komsomol's'kyj UA 142-143 P6
Komu TR 134-135 K7
Kömür Burnu – przyl. 134-135 H5
Kömürköy dağı – g. 180-181 J6
Kömürlü TR 180-181 D4
Komyšnja UA 142-143 M3
Komyšuvacha UA 142-143 O6
Komyš-Zorja UA 142-143 P6
Kön – rz. 182-183 M2
Kon Tum VN 192-193 E5
Kona RMM 220-221 E6
Konakovo RUS 144-145 I5
Konakpınar TR 134-135 I4
(Konakry) RG 220-221 C7
Konārak IR 187 I4
Konarzyny PL (POM) 70-71 B5
Konavli – reg. 118-119 U15
Konawa USA (OK) 250-251 F8
Konče MK 118-119 J6
Konda – rz. 144-145 N4
Kondagaon IND 190-191 E5
Kōndəlәnçay – rz. 180-181 I5
Kondinin AUS 296-297 B5
Kondinskaja nizmennost' – niz. 176-177 I5
Kondinskoe RUS 176-177 J6
Kondoa EAT 224-225 G4
Kondopoga RUS 144-145 H4
Kondoros H 114-115 A3
Kondrat'evo RUS 140-141 I,J1
Kondrat'evo RUS 176-177 P6
Kondratovskaja RUS 144-145 J4
Kondratowice PL (DŚL) 78-79 E4
Koné NC 299 J14
Koné, Passes de – cieśn. 299 J14
Koneck PL (K-P) 74-75 C6
Konečnaja KZ 176-177 L7
Konergino RUS 178-179 O5
Köneürgenç TM 182-183 H5
Konevec – w. 140-141 L1
Konevo RUS 144-145 I4
Kŏng – rz. 192-193 E5
Kong CI 220-221 E7
Kŏng, Kaôh – w. 192-193 D5
Kong Kemul – g. 196 Q16
Konga, Kotlina 216 E5
Konga S 138-139 K6
Kongju ROK 202-203 D3
Kongo – państwo 217 H7
(Kongo) – rz. 210 E0
Kongo Boumba G 224-225 B3
Kongola NAM 226-227 D3
Kongolo ZRE 224-225 E5
Kongor SUD 222-223 F6
Kongoussi BF 220-221 E6
Kongsberg N 138-139 F3
Kongsfjord N 136-137 H2
Kongsvinger N 138-139 I2
Kongur Ögüz KS 182-183 O6
Kongwa EAT 224-225 G5
Koni ZRE 224-225 E6
Koniaków PL (ŚL) 78-79 F6
Konibodom TJ 182-183 N6
Konice CZ 112-113 I6
Koniecpol PL (ŚL) 80-81 E7
Königsfeld D 122-123 V13
Königslütter an Elm D 122-123 G4
Königssee – jez. 120-121 H3
Königswartha D 74-75 D2
Königswinter D 122-123 D6
Konijska, Równina – wyż. 134-135 N6
Konimeh UZ 182-183 K6
Konin PL (WLP) 74-75 C6
Konirolen KZ 182-183 S4
Konispol AL 118-119 H8
Koniusza PL (MŁP) 80-81 E8
Köniz CH 120-121 C4
Konj – g. 118-119 R13
Konjavo BG 114-115 C7
Konjuh – g-y 118-119 F3
Könkänäälven – rz. 136-137 F3
Konkaviĉy BY 140-141 J9
Konkče, Daryā-ye – rz. 182-183 M8
Konkwesso WAN 220-221 F6
Könnern D 122-123 H5
Konnevesi – jez. 136-137 g6
Konolfingen CH 120-121 C4
Konongo GH 220-221 E7
Konopiska PL (ŚL) 78-79 E7
Konopnica PL (ŁDZ) 78-79 D6
Konoša RUS 144-145 I4
Konošanovo RUS 176-177 R6
Kōnosu J 204-205 L6
Konso ETH 222-223 G6
(Konstanca) RO 114-115 I5
Konstancin-Jeziorna PL (MAZ) 76-77 C8,9
Konstantin BG 114-115 G7
(Konstantyna) DZ 220-221 G2
Konstantynów Łódzki PL (ŁDZ) 76-77 D7
Konstantynów PL (LBL) 76-77 C11
(Konstantynówka) UA 142-143 Q5
Konstanz D 120-121 E3
Konstjantynivka UA 142-143 Q5
Kontagora WAN 220-221 F6
Kontcha CAM 224-225 B2
Kontich B 126 C3
Kontiolahti FIN 136-137 H6
Kontjomäki FIN 136-137 H5
Kontop UA 142-143 M2
Konya TR 134-135 N6
Konyart KZ 182-183 P3
Konyševka RUS 142-143 O2
Konz D 126 E5
Konza EAK 224-225 G4
Konžakovskij Kamen', gora – g. 104-105 U4
Końskie PL (ŚW) 76-77 D8
Końskowola PL (LBL) 76-77 D10
Koocanusa, Lake – jez. 252-253 G2
Kookradong – g. 190-191 G4
Kooksijde Bad B 126 A3
Kooloonong AUS 296-297 G5
Koosa EST 140-141 H3
Kooskia USA (ID) 252-253 F3
Kootenay Bay CDN 252-253 F1
Kootenay Lake – jez. 252-253 F2
Kootenay River – rz. 252-253 G2
Kootwijk NL 126 D2
Kop Geçidi – przeł. 180-181 B4
Kopa KZ 182-183 P5
Kopajhorod UA 142-143 G5
Kopal TR 180-181 D5
Kopań, Jezioro 70-71 A4
Kopaonik – g-y 118-119 H4
Kopargaon IND 190-191 C5
Kopbirlik KZ 182-183 R3
(Kopciowo) LT 140-141 E8
Kopejsk RUS 144-145 N5
(Kopenhaga) DK 138-139 I7
Koper SLO 118-119 L9
Koper SLO 120-121 I5
Kopervik N 138-139 A,B3
Köpetdag – g-y 166-167 H6
Kop'evo RUS 176-177 N7
Kopidlno CZ 78-79 E3
Köping S 138-139 L3
Kopište – w. 118-119 R15
Koplik AL 118-119 G5
Kopor'e RUS 140-141 K2
Koporskaja guba – zat. 140-141 J2
Koppal IND 190-191 D5
Koppang N 138-139 H1
Koppány – rz. 114-115 U,V16
Koppenni – g. 127 D4
Koprivec BG 114-115 F6
Koprivnica HR 118-119 D1
Kopřivnice CZ 112-113 K6
Koprski Zaliv – zat. 118-119 L9
Köprü Irmağı – rz. 134-135 M6
Köprüköy TR 134-135 O4
Köprülü TR 134-135 N7
Köprüören TR 134-135 K4
Koprzywianka – rz. 80-81 E9
Koprzywnica PL (ŚW) 80-81 E9
Kopyčynci UA 142-143 E4
(Kopyczyńce) UA 142-143 E4
(Kopyl) BY 140-141 I8
Kopylska, Grzęda – wysocz. 140-141 H8
Kopys' BY 140-141 L7
Korab – g. 118-119 H6
Korab – g-y 118-119 H6
Koracha IND 190-191 E4
Korakŭl UZ 182-183 J7
Koralowe, Morze 290-291 H6
Koralowy, Basen – form. podm. 296-297 H1
Koralpe – g-y 120-121 J4
Korana – rz. 118-119 C2
Korat – niz. 192-193 D4
Korba IND 190-191 E4
Korba TN 132-133 E12
Korbach D 122-123 E5
Korbielów PL (ŚL) 78-79 F7
Korbouli GE 180-181 E2
Korcë AL 118-119 H7
Korčula – w. 118-119 R15
Korčula HR 118-119 S15
Korčulanski kanal – cieśn. 118-119 R14
(Korcza) AL 118-119 H7
Korczew PL (MAZ) 76-77 C10
Korczyna PL (PKR) 80-81 F9
Kordel D 126 E5
(Kordoba) E 130-131 G8
Kordovo RUS 176-177 O7
Kordyliera Biała – g-y 276-277 B5
Kordyliera Centralna – g-y 104-105 H7
Kordyliera Czarna – g-y 276-277 B5
Kordyliera Północna – g-y 262-263 H4
Kordyliera Środkowa – g-y 260-261 H7
Kordyliera Środkowa – g-y 262-263 H4
Kordyliera Środkowa – g-y 272 F5
Kordyliera Wschodnia – g-y 272 F5
Kordyliera Zachodnia – g-y 272 E,F5
Korea Południowa – państwo 168-169 P6
Korea Północna – państwo 168-169 P5
Koreańska, Cieśnina 166-167 P6
Koreański, Półwysep 166-167 P5,6
Korec' UA 142-143 F,G3
(Korelicze) BY 140-141 G8
Korenevo RUS 142-143 N2
Korenovsk RUS 142-143 S8
Korf RUS 178-179 L6
Korfa, zaliv – zat. 178-179 L6
Korfantów PL (OPO) 78-79 E5
Korfirnihon – rz. 182-183 M8
Korfu – w. 134-135 A4
Korfu GR 134-135 A4
Korğalžyn KZ 182-183 M,N1
Korğasyn KZ 182-183 L2
Korgun TR 134-135 O3
Korhogo CI 220-221 D7
Kori Creek – zat. 190-191 B4
Koriacka Sopka – g. 178-179 J8
Koriacki Okręg Autonomiczny – jedn. adm. RUS 174-175 R3
Koriackie, Góry 166-167 U3
Koríni GR 134-135 D5
Koriša KOS 118-119 H5
Korita BIH 118-119 U14
Korita HR 118-119 T15
Kōriyama J 204-205 M5
Korjukivka UA 142-143 L2
Korkana FIN 136-137 H5
Korkino RUS 144-145 N6
Korkodon – rz. 178-179 J5,6
Korkut TR 180-181 C6
Korkuteli TR 134-135 L6
Korla CHN 198-199 E3
Korliki RUS 176-177 M5
Kormakíti, Akrōtíri – przyl. 134-135 N8
Kormanga RUS 136-137 h5
Kormati – w. 118-119 N11
Körmend H 120-121 L3
Kornat – w. 118-119 C4
Korneevka KZ 182-183 P1
Korneuburg A 120-121 L2
Kornowac PL (ŚL) 78-79 E6
Kornwalia – reg. 128-129 H11
Kornwestheim D 120-121 D2
Kornyn UA 142-143 I3
Koro – w. 290-291 J6
Koro CI 220-221 D7
Koro RMM 220-221 E6
Koro Toro TCH 222-223 C4
Koroča RUS 142-143 Q3
Köroglu Dağları – g-y 134-135 M3
Köroğlu Tepesi – g. 134-135 M3
Korogwe EAT 224-225 G5
Korolevščina RUS 140-141 M6
Korolevu FJI 299 A3
Koromačno HR 118-119 M11
Koromandelskie, Wybrzeże 190-191 E6,7

Krokowa PL (POM) 70-71 A6
Krokstrand N 136-137 D,d4
Krolevec' UA 142-143 M2
Kroměříž CZ 112-113 J6
Krompachy SK 112-113 M7
Kronach D 122-123 H6
Krông Kaôh Kông THA
192-193 D5
Kronli IND 190-191 H3
Kronobergs län – jedn. adm. S
138-139 J6
Kronocka Sopka – g. 178-179 K7
Kronocka, Zatoka 178-179 K8
Kronockie, Jezioro 178-179 J8
Kronockij, mys – przyl. 178-179 K8
Kronštad RUS 144-145 G4
(Kronsztad) RUS 144-145 G4
Kronwa MYA 192-193 C4
Kroonstad ZA 226-227 E5
Kröpelin D 122-123 H2
Kropotkin RUS 144-145 J7
Kropotkin RUS 178-179 B7
Kropp D 122-123 F2
Krosno Odrzańskie PL (LBU)
74-75 C3
Krosno PL (PKR) 80-81 F9
Krosno PL (POM) 72-73 A8
Krossofossen – wdp. 138-139 E3
Krościenko nad Dunajcem PL (MŁP)
80-81 F8
Krościenko Wyżne PL (PKR)
80-81 F9
Krośnice PL (DŚL) 74-75 D5
Krośniewice PL (ŁDZ) 76-77 C7
Krotoszyce PL (DŚL) 78-79 D4
Krotoszyn PL (WLP) 74-75 D5
Krottenkopf – g. 120-121 G3
Krovíli GR 134-135 G3
Kroya RI 194-195 N10
(Kroże) LT 140-141 D6
Króla Chrystiana IX, Ziemia – reg.
310 N3
Króla Chrystiana X, Ziemia – reg.
310 m2
Króla Fryderyka VI, Wybrzeże
244-245 X4
Króla Fryderyka VIII, Ziemia – reg.
310 M2
Króla Karola, Ziemia – w-y 310 j2
Króla Leopolda, Góra 296-297 C2
Króla Williama, Wyspa 244-245 M3
Królewski, Kanał 140-141 F9
Królewski PL (PKR) 80-81 E9
(Królewszczyzna) BY 140-141 I6
Królowej Adelajdy, Wyspy 272 F10
Królowej Aleksandry, Góry 311 K1
Królowej Charlotty, Cieśnina
244-245 G6
Królowej Charlotty, Wyspy 240 H4
Królowej Elżbiety, Góry 311 K1
Królowej Elżbiety, Wyspy 240 I2
Królowej Elżbiety, Zatoka
244-245 F,G6
Królowej Fabioli, Góry 311 d2
Królowej Marii, Wybrzeże 311 H3
Królowej Maud, Góry 311 N1
Królowej Maud, Zatoka 244-245 L3
Królowej Maud, Ziemia – reg. 311 b2
Krpušnjak – g. 118-119 Q13
Krrabë – g-y 118-119 G6
Krrabë AL 118-119 G6
Krš – g-y 118-119 I,J3
Kršan HR 118-119 M10
Krško SLO 120-121 K5
Krstača – g. 118-119 H4,5
Krugersdorp ZA 226-227 E5
Krugloe RUS 142-143 S6
Kruhlae BY 140-141 K7
Krui RI 194-195 C7
Kruiningen NL 126 C3
Krujë AL 118-119 G6
Kruklanki PL (W-M) 72-73 A9
Kruleŭščyna BY 140-141 I6
Krumau am Kamp A 120-121 K2
Krumbach D 120-121 F2
Krummenhennersdorf D 122-123 Y14
Krumovgrad Popsko BG 114-115 F8
Krumovica – rz. 114-115 F8
Krumovo BG 114-115 G7
Krung Thep THA 192-193 D5
Krupac XS 118-119 J4
Krupačko jezero – jez. 118-119 V15
Krupanj XS 118-119 G3
Krupina SK 112-113 L7
Krupinica – rz. 112-113 K,L7
Krupki BY 140-141 J7
Krupnik BG 114-115 C,D8
Krupp RUS 140-141 I4
Krupski Młyn PL (ŚL) 78-79 E6
Krusă DK 138-139 F8
Kruščičko jezero – zb. 118-119 C3
Kruševac XS 118-119 I4
Kruševo HR 118-119 P13
Kruševo MK 118-119 I6
Kruszwica PL (K-P) 74-75 C6
Kruszyna PL (ŚL) 78-79 E7
Kruszyniany PL (PDL) 72-73 B11
Kruszyńskie, Jezioro 70-71 B5
Kruth F 120-121 B3
Krutynia – rz. 72-73 B9
Kružberk – zb. 112-113 J6
Kružberk CZ 112-113 J6
Kruzensztern, Cieśnina 178-179 I9
Kruzof Island – w. 254-255 O4
Kryčaŭ BY 140-141 M8
Krylovo RUS 140-141 C7
Kryłów PL (LBL) 80-81 E12
Krym – jedn. adm. UA 142-143 M,N8
Krym – płw. 104-105 P6
Krymne UA 140-141 F10
Krymsk RUS 144-145 I8
Krymskie, Góry 142-143 M,N9
Krynica Morska PL (POM) 72-73 A7
Krynica-Zdrój PL (MŁP) 80-81 F8
Krynice PL (LBL) 80-81 E11
Krynki PL (PDL) 72-73 B11
Krynyčky UA 142-143 N5
Krypno Kościelne PL (PDL) 72-73 B10
Krystaliczne, Góry 224-225 B3
(Krystynopol) UA 142-143 D3
Kryva Ruda UA 142-143 L4
Kryve Ozero UA 142-143 J6
Kryvičy BY 140-141 H7
Kryvyj Rih UA 142-143 M6
Kryžopil' UA 142-143 H5
Krzczonowski Park Krajobrazowy
76-77 D10
Krzczonów PL (LBL) 80-81 E10
(Krzemieniec) UA 142-143 E3
Krzemieniewo PL (WLP) 74-75 D4
Krzemieniucha – g. 72-73 A10
Krzemieńczucki, Zbiornik 104-105 P6
(Krzemieńczuk) UA 142-143 M4
Krzemionki Opatowskie PL (ŚW)
80-81 E9
Krzepice PL (ŚL) 78-79 E6
Krzesiński Park Krajobrazowy
74-75 C2
Krzeszowice PL (MŁP) 80-81 E7
Krzeszów PL (DŚL) 78-79 E4
Krzeszów PL (PKR) 80-81 E10
Krzeszyce PL (LBU) 74-75 C3
Krzęcin PL (ZPM) 70-71 B3
Krzna – rz. 76-77 C11
Krzna Południowa – rz. 76-77 D10
Krzna Północna – rz. 76-77 D10
Krzycki Rów – rz. 74-75 D3
(Krzyczew) BY 140-141 M8
Krzykosy PL (WLP) 74-75 C5
Krzymów PL (WLP) 74-75 C6
Krzynia, Jezioro – zb. 70-71 A5
Krzynowłoga Mała PL (MAZ) 72-73 B8
Krzywcza PL (MŁP) 80-81 F10
Krzywda PL (LBL) 76-77 D10
(Krzywicze) BY 140-141 H7
Krzywiń PL (WLP) 74-75 D4
(Krzywy Róg) UA 142-143 M6
Krzyż Wielkopolski PL (WLP) 74-75 C4
Krzyżanowice PL (ŚL) 78-79 F6
Krzyżanów PL (ŁDZ) 76-77 C7
Krzyżowa, Przełęcz 180-181 F2
K'sani – rz. 180-181 F2
Ksar Chellala DZ 220-221 F1
Ksar El Boukhari DZ 220-221 F1
Ksar es Seghir MA 130-131 F10
Ksar Hellal TN 132-133 F13
Ksawerów Lutomiersk PL (ŁDZ)
76-77 D7
Ksen'evka RUS 178-179 B8
Kšenskij RUS 142-143 Q2
Książ Wielki PL (MŁP) 80-81 E8
Książ Wielkopolski PL (WLP)
74-75 C5
Książański Park Krajobrazowy
78-79 E4
Książęca, Wyspa 216 D5
Książęce, Wyspy 134-135 J3
Książki PL (K-P) 72-73 B7
Księcia Alberta, Góry 311 j,K2
Księcia Alberta, Zatoka 244-245 I2
Księcia Edwarda, Wyspa
– jedn. adm. CDN 244-245 T7
Księcia Edwarda, Wyspa 240 O5
Księcia Edwarda, Wyspa 309 p9
Księcia Haralda, Wybrzeże 311 d3
Księcia Karola, Góry 311 F2
Księcia Karola, Wyspa 244-245 Q3
Księcia Olafa, Wybrzeże 311 d,E3
Księcia Patryka, Wyspa 240 H,I2
Księcia Regenta, Zatoka 244-245 N2
Księcia Walii, Cieśnina 244-245 H,I2
Księcia Walii, Przylądek 254-255 I3
Księcia Walii, Wyspa 240 H4
Księcia Walii, Wyspa 240 K,L2
Księcia Walii, Wyspa 296-297 G1
Księżniczki Astrid, Wybrzeże 311 C2
Księżniczki Charlotty, Zatoka
296-297 G1
Księżniczki Marty, Wybrzeże 311 B2
Księżniczki Ragnhildy, Wybrzeże
311 c2
Księżpol PL (LBL) 80-81 E10
Ksour Essaf TN 132-133 E,F13
Kstovo RUS 144-145 J5
Ktezyfont – r. 184-185 K5
Kuala Belait BRU 196 O14
Kuala Dungun MAL 194-195 C5
Kuala Kerai MAL 192-193 D6
Kuala Ketil MAL 192-193 D6
Kuala Kubu Baharu MAL 192-193 D7
Kuala Lipis MAL 192-193 D7
Kuala Lumpur MAL 194-195 C5
Kuala Lumpur (Terytorium Federalne)
– jedn.adm. MAL 194-195 A8
Kuala Medemit MAL 196 P14
Kuala Nerang MAL 192-193 D6
Kuala Pahang MAL 192-193 D7
Kuala Penyu MAL 196 P14
Kuala Rompin MAL 194-195 C5
Kuala Terengganu MAL 194-195 C4
Kualakapuas RI 194-195 E6
Kualakeriau RI 194-195 E5
Kualakurun RI 194-195 E6
Kualasimpang RI 194-195 B5
Kualatungkal RI 194-195 C6
Kuamut MAL 196 Q14
Kuancheng CHN 200-201 E1
Kuandian CHN 202-203 D2
(Kuando) – rz. 216 F7
(Kuango) – rz. 216 E6
Kuango, Pointe – przyl. 224-225 A4
Kuantan MAL 194-195 C5
(Kuanza) – rz. 216 E7
Kuba – państwo 273 E2
Kuba – w. 240 M7
Kuba RUS 180-181 E1
Kubači RUS 180-181 I2
Kuban' – rz. 104-105 Q6,7
(Kubango) – rz. 224-225 C6
Kubańska, Nizina 104-105 Q6
Kubbum SUD 222-223 D5
Kuberganja RUS 178-179 G5
Kubieńskie, Jezioro 144-145 I5
Kubokawa J 202-203 F4
Kūbonān IR 188-189 G2
Kubrat BG 114-115 G6
Kubu RI 194-195 D6
Kubumesaai RI 196 P16
Kucajske planina – g-y 118-119 I4
Kuçevë AL 118-119 G7
Kučevo XS 118-119 I3
Kuching MAL 194-195 E5
Kuchinoerabu-shima – w. 202-203 L6
Kuchva – rz. 140-141 I4
Kučište HR 118-119 S15
Küçük Gölü – jez. 134-135 O4
Küçükkuyu TR 134-135 H4
Küçükmenderes – rz. 134-135 H4
Küçükmenderes Nehri – rz.
134-135 I5
Küçüksu TR 184-185 J2
Kučurhan NAD 114-115 J3
Kučurhan UA 142-143 I,J7
Kučurhans'kyj lyman – jez.
142-143 I7
Kuczbork-Osada PL (MAZ) 72-73 B8
Kudahuvadu Channel – cieśn.
196 L11
Kudaka-jima – w. 202-203 K7
Kudamatsu J 204-205 D9
Kudan WAN 220-221 C6
Kudara TJ 182-183 O7
Kudat MAL 194-195 F4
Kudeb – rz. 140-141 I4
Kudirkos-Naumiestis LT 140-141 D7
Kudowa-Zdrój PL (DŚL) 78-79 E4
Kudremukh – g. 190-191 C6
Kudrjavcivka UA 142-143 K6
Kuduarra Well – soln. 296-297 D3
Kudu-Kjuël' RUS 178-179 C7
Kudus RI 194-195 O10
Kudymkar RUS 144-145 L5
Kudzsir RO 114-115 L12
Kufália GR 134-135 D3
Kufi – rz. 134-135 K5
Kufra, Al-Wāḥāt al- – oaza
222-223 D3
Kufstein A 120-121 H3
Kuga J 204-205 E8
Kūga UZ 182-183 L7
Kugaly KZ 182-183 S4
Kuguno J 204-205 J6
Kūh Mobārak IR 187 G4
Kūh, Ra's al- – przyl. 187 G4
Kūhak IR 188-189 H3
Kūhdašt IR 184-185 L5
Kūhestak IR 187 G3
Kūhistoni Badachšon – jedn. adm. TJ
182-183 N7
Kuhmo FIN 136-137 H5
Kuhmoinen FIN 138-139 V1
Kühnhaide D 122-123 X15
Kühnsdorf A 120-121 J4
Kūhpāye IR 188-189 F2
Kūhrang, Āb-e – rz. 184-185 N5
Kuibis NAM 226-227 C5
(Kuilu) – rz. 216 E6
Kuiseb – rz. 226-227 C4
Kuito ANG 224-225 C6
Kuiu Island – w. 254-255 P4
Kuivajoki – rz. 136-137 G5
Kuivastu EST 140-141 E3
Kujawski PL (K-P) 76-77 C6
Kujawskie, Pojezierze 48-49 C5
Kujbyšev KZ 176-177 J7
Kujbyšev RUS 176-177 L6
Kujbyševe UA 142-143 P6
Kujbyševo RUS 142-143 R6
Kujbyszewski, Zbiornik 104-105 S5
Kūjġan KZ 182-183 P4
Kuji J 204-205 N2
Kujiadong CHN 202-203 C2
Kujto, ozero – jez. 144-145 H4
Kūjtoš UZ 182-183 L6
Kujtun RUS 176-177 Q7
Kujumba RUS 176-177 P5
Kujū-san – g. 202-203 E4
Kukaklek Lake – jez. 254-255 K4
Kukalaya, Río – rz. 260-261 I5,6
Kukawa WAN 222-223 B5
Kūkdala UZ 182-183 L7
Kukës AL 118-119 H5,6
Kuklen BG 114-115 E7
Kuklia CY 134-135 N9
Kukon UZ 182-183 M6
Kūkūdaġ – g. 180-181 G5
Kukuj RUS 140-141 N4
Kukujevci XS 118-119 G2
Kükullovár RO 114-115 N11
Kuku-nor – jez. 166-167 N6
Kukur SUD 222-223 F5
Kūl, Rūd-e – rz. 187 F3
Kula – g. 118-119 N10
Kula – g. 118-119 W15
Kula BG 114-115 C6
Kula Kangri – g. 190-191 T,U10
Kula TR 134-135 J5
Kula TR 134-135 P3
Kula XS 118-119 G2
(Kulab) TJ 182-183 M8
Kulachi PK 188-189 J2
Kulagin KZ 182-183 D2
Kulakši KZ 182-183 F3
Kulanak KS 182-183 P6
Kulandag – g-y 182-183 F6
Kūlandy, a-l – w. 182-183 C4
Kulandy KZ 182-183 H3
Kūlanötpes – rz. 182-183 N1
Kular, chrebet – g-y 178-179 E5
Kular RUS 178-179 E4
Kulassein – w. 197 C8
Kulata BG 114-115 D8
Kulaura BD 190-191 G4
Kulautuva LT 140-141 E7
Kuldīga LV 140-141 C,D5
Kul'dino RUS 178-179 I5
Kulebaki RUS 144-145 J5
Kulesze Kościelne PL (PDL)
72-73 B10
Kulevi GE 180-181 C2
Kulgera AUS 296-297 E4
Kuli – oaza 226-227 D4
Kuli RUS 180-181 I3
Kuliai LT 140-141 C6
Kulice PL (ZPM) 70-71 B3
(Kulików) UA 142-143 D3
Kullaa FIN 138-139 S1
Kullen – przyl. 138-139 I6
Kulob TJ 182-183 M8
Kuloj – rz. 144-145 J4
Kuloj RUS 144-145 J4
Kuloj RUS 144-145 J4
Kulp TR 180-181 C6
Kūlsary KZ 182-183 F3
Kultsjön – jez. 136-137 d5
Kultuk RUS 176-177 Q7
Kulu – rz. 178-179 H6
Kulu RUS 178-179 H6
Kulu TR 134-135 N4
Kulunda RUS 176-177 L7
Külüs AZ 180-181 G5
Kulusuk GRØ 244-245 Y3
Kulusutaj RUS 178-179 B8
Kulykiv UA 142-143 D3
Kulykivka UA 140-141 M10
Kułundyńska, Równina – niz.
176-177 L7
Kułundyńskie, Jezioro 176-177 L7
Kum Çayı – rz. 134-135 I5
Kūm Umbū ET 222-223 F3
Kuma – rz. 104-105 R7
Kuma J 204-205 E9
Kumagaya J 204-205 L6
Kumai RI 194-195 E6
Kumai, Teluk – zat. 194-195 E6
Kumaishi J 202-203 G2
Kumak RUS 144-145 M6
Kumamba, Kepulauan – w-y
194-195 J6
Kumamoto J 202-203 E4
Kumanica XS 118-119 H4
Kumano J 204-205 I9
Kumano-nada – zat. 204-205 I9
Kumanovo MK 118-119 I5
Kumara Junction NZ 298 D6
Kumarina Mine AUS 296-297 B3
Kumasi GH 220-221 E7
Kumba CAM 224-225 A3
Kumbakonam IND 190-191 D6
Kumbe RI 194-195 K7
Kumbher NEP 190-191 P10
Kumbla IND 190-191 C6
Kumbo CAM 224-225 B2
Kumbryjskie, Góry 128-129 J7
Kümch'ŏn ROK 202-203 D3
Kum-Döbö KS 182-183 P5
Kŭmdŏk KOR 202-203 E2
Kume J 204-205 F7
Kümeğan IR 184-185 M4
Kume-jima – w. 202-203 K7
Kumenan J 204-205 F,G8
Kumertau RUS 144-145 L6
Kŭmgang KOR 202-203 D3
Kŭmhwa KOR 202-203 D3
Kumi EAU 224-225 F3
Kumihama J 204-205 G7
Kuminskij RUS 176-177 J6
Kumkale TR 134-135 H3,4
Kumla S 138-139 L3
Kumlinge FIN 140-141 B1
Kumluca TR 134-135 L7
Kummerow D 122-123 I3
Kummerower See – jez. 122-123 I3
Kumo FIN 138-139 R1
Kumon Taungdan – g-y 192-193 C2
Kumora RUS 178-179 A7
Kumpar, Rt – przyl. 118-119 L11
Kumru TR 184-185 G1
Kumta IND 190-191 C6
Kumuch RUS 180-181 H2
Kumul CHN 198-199 F3
Kümüx CHN 198-199 E3
Kumya KOR 202-203 D3
Kumzār OM 188-189 G3
Kunágota H 114-115 A,B3
Kunak MAL 196 R14
Kunanaggi Well – soln. 296-297 C3
Kunašir, ostrov – w. 178-179 H10
Kunaszyrska, Cieśnina 178-179 H10
Kunch IND 190-191 D3
Kunda EST 140-141 H2
Kundur – w. 192-193 D7
Kunduz Dağı – g. 134-135 P2
(Kunene) – rz. 216 E7
Kunene – rz. 226-227 B3
Kunes N 136-137 g2
Künesi CHN 198-199 D3
Kungälv S 138-139 H5
Kungila SUD 222-223 F5
Küngirod UZ 182-183 H5
Küngöj Alatoo – g-y 182-183 R5
Kungsbacka S 138-139 H5
Kungshamn S 138-139 G4
Kungsör S 138-139 L3
Kungu ZRE 224-225 C3
Kungur RUS 144-145 M5
Kungurri AUS 296-297 H3
Kungurtug RUS 176-177 P7
Kunhegyes H 114-115 A2
Kunhing MYA 192-193 C3
Kunice PL (DŚL) 78-79 D4
Kunigami J 202-203 K7
Kunisaki J 204-205 D9
Kunisaki-hantō – płw. 204-205 D9
Kun'ja – rz. 140-141 L5
Kun'ja RUS 140-141 L5
Kun'je UA 142-143 Q4
Kunlun – g-y 166-167 K6
Kunmadaras H 114-115 A2
Kunming CHN 192-193 D2
Kunneppu J 202-203 H2
Kun'nui J 202-203 H2
Kunoy – w. 127 E4
Kunoy FR 127 E4
Kunów PL (ŚW) 80-81 E9
Kunsan ROK 202-203 D3,4
Kunshan CHN 200-201 F4
Kunszentmárton H 114-115 A3
Kununurra AUS 296-297 D2
Kunwi ROK 204-205 A6
Kunya WAN 220-221 G6
Künzelsau D 122-123 F7
Kuocang Shan – g-y 200-201 F4
Kuohijärvi – jez. 138-139 U1
Kuolojarvi RUS 136-137 H4
Kuonara RUS 178-179 B,C5
Kuop Atoll – w. 290-291 G4
Kuopio FIN 136-137 g6
Kuorboaivi – g. 136-137 g3
Kuorevesi FIN 136-137 G7
Kuortane FIN 136-137 f6
Kuoxing TWN 196 F4
Kupa – rz. 118-119 C2
Kupang RI 194-195 G7,8
Kupari HR 118-119 U15
Kupčiv UA 140-141 F10,11
Kupferberg D 122-123 R12
(Kupiańsk) UA 142-143 Q4
Kupino RUS 176-177 L7
Kupiškis LT 140-141 F6
(Kupiszki) LT 140-141 F6
Kupjans'k UA 142-143 Q4
Kup'jans'k-Vuzlovyj UA 142-143 Q4
Kuprava LV 140-141 I4
Kupreanof Island – w. 254-255 P4
Kupres BIH 118-119 E3,4
Kuqa CHN 198-199 D3
Kür – rz. 166-167 H5
Kür AZ 180-181 H4
Kür Daşı adası – w. 180-181 K5
Kür Deh IR 187 E2
Kür dili – płw. 180-181 K5
Kür Dili AZ 180-181 K6
Kur"ja RUS 144-145 M4
(Kura) – rz. 166-167 H5
Kura Nehri – rz. 180-181 D3
Kurach – rz. 180-181 I3
Kurach RUS 180-181 I3
Kuragino RUS 176-177 O7
Kurahashi-jima – w. 204-205 E8
Kūrāndap IR 187 H3
Kuranec BY 140-141 H7
Kurańska, Nizina 180-181 I4
Kurashiki J 204-205 F8
Kurayn – w. 187 C3
Kurayoshi J 204-205 F7
Kurçala RUS 180-181 H1
Kurčaloj RUS 180-181 H1
Kurčanskaja RUS 142-143 Q8
Kurčanskij liman – jez. 142-143 Q8
Kurčatov RUS 142-143 O2
Kurčum KZ 176-177 M8
Kürdəmir AZ 180-181 J4
Kürdhacı KAR 180-181 H5
Kurduvadilndi IND 190-191 D5
Kurdystan – jedn. adm. IR 188-189 E1
Kure – w. 290-291 K2
Küre Dağları – g-y 134-135 N2
Kure J 204-205 E8
Küre TR 134-135 O2
Kurejka – rz. 176-177 N4
Kurejka RUS 176-177 N4
Kürəkçay – rz. 180-181 H4
Kuressaare EST 140-141 D3
Kurgan RUS 144-145 O5
Kurgiakh IND 190-191 D2
Kurgolovo RUS 140-141 I2
Kurġonteppa TJ 182-183 M7
Kuria Muria – zat. 188-189 G5
Kuriate – w. 132-133 F13
Kurigram BD 190-191 T12
Kurikka FIN 136-137 F6
Kurikoma J 204-205 M4
Kurikoma-yama – g. 204-205 M3
Kurilsk RUS 178-179 H9
Kuril'skoe, ozero – jez. 178-179 J8
Kurin' UA 142-143 L2
Kurinawas, Río – rz. 260-261 H6
Kuriyama J 204-205 L6
Kurkliai LT 140-141 G6
Kurkur – oaza 222-223 F3
Kurlandia – reg. 140-141 C5
Kurlandzka, Wysoczyzna
140-141 C,D5
Kurmfurġon UZ 182-183 L8
Kurnool IND 190-191 D5
Kurobe J 204-205 J6
Kurobe-gawa – rz. 204-205 J6
Kurohime-yama – g. 204-205 J6
Kuroishi J 204-205 M2
Kuroiso J 204-205 M6
Kuromatsunai J 202-203 G2
Kurońska, Mierzeja 140-141 B6
Kuroński, Zalew – zat. 140-141 B6,7
Kurort Hartha D 122-123 Y14
Kurort Kipsdorf D 122-123 Z14
Kurort Schmalkalden D 122-123 G6
Kurort Seiffen D 122-123 Y15
Kurortne UA 142-143 O9
Kuro-saki – przyl. 204-205 N4
Kuro-saki – przyl. 204-205 N,O3
Kurose J 204-205 E8
Kuro-shima – w. 202-203 L6
Kurovicy RUS 140-141 K2
Kurow NZ 298 D7
Kurozwęki PL (ŚW) 80-81 E9
Kurów PL (LBL) 76-77 D10
Kurpiowska, Równina – fizjogr.
48-49 B8
Kürpöd RO 114-115 O12
Kurri Kurri-Weston AUS 296-297 I5
Kursela IND 190-191 S12
Kuršėnai LT 140-141 D5
Kürsəngi AZ 180-181 K5
Kurseong IND 190-191 T11

Laçın KAR 180-181 H5
Lâçin TR 134-135 P3
Lacjum – jedn. adm. I 132-133 G6
Lackawana USA (NY) 248-249 F3
Lackowa – g. 80-81 F9
Laclede USA (MO) 250-251 H6
Lac-Megnatic CDN 248-249 J2
Lacon USA (IL) 250-251 J5
Laconi I 132-133 C9
Laconia USA (NH) 248-249 J3
Lacq F 124-125 F8
Ladang, Tanjong – przyl. 196 K8
Ladd Reef – form. podm. 194-195 E4
Lădeşti RO 114-115 E5
Ladinger Spitze – g. 120-121 J4
Ladismith ZA 226-227 D6
Lādīz IR 188-189 H3
Ladner CDN 252-253 C1
Ladong CHN 200-201 C5
Ladožskoe Ozero RUS 140-141 M1
Ladrillero, Golfo – zat. 280-281 C7
Ladrillo, Punta – przyl. 260-261 K2
Ladrones, Islas – w-y 260-261 I9
Laduškin RUS 140-141 B7
Lady Evelyn Lake – jez. 248-249 E1
Lady Newnes Ice Shelf – lod. 311 K2
Ladysmith CDN 252-253 B1
Ladysmith USA (WI) 250-251 I3
Ladysmith ZA 226-227 E5
Ładyženka KZ 182-183 M1
Ladyžyn UA 142-143 I5
Ladyžynka UA 142-143 I5
Lae Atoll – w. 290-291 I4
Laem Ngop THA 192-193 D5
Laem Sok THA 192-193 D5
Lærdalsøyri N 138-139 D1
Læsø – w. 138-139 H5
Lafa CHN 202-203 D2
Lafayette, Mount – g. 248-249 I,J2
Lafayette USA (AL) 248-249 C8
Lafayette USA (IN) 248-249 B4
Lafayette USA (LA) 250-251 I10
Laffān, Ra's – przyl. 187 D4
Lafia WAN 220-221 G7
Lafiagi WAN 220-221 F7
Lafitte USA (LA) 250-251 I11
Lafleche CDN 252-253 K1
Lafnitz – rz. 120-121 L3
Lāft-e Nou IR 187 F3
Laga – rz. 224-225 G3
Lagan – rz. 138-139 J6
Lagan' RUS 144-145 K7
Laganá, Kólpos – zat. 134-135 B6
Lagarfljót – rz. 136-137 m13
Lagarterita PA 260-261 P11
Lagarto, Isla – w. 260-261 P11
Lagawe RP 197 C3
Lage D 122-123 E5
Lågen – rz. 138-139 F1
Lågen – rz. 138-139 F3
Lagh Bor – rz. 224-225 H3
Laghouat DZ 220-221 F2
Lagit, Kep i – przyl. 118-119 G6
Lago Posadas RA 280-281 D7
Lagoa da Pedra BR 278-279 D3
Lagoa P 130-131 C8
Lagoa Vermelha BR 278-279 C8
Lagodekhi GE 180-181 H3
Lagon Occidental – rz. 224-225 C2
Lagonoy Gulf – zat. 197 D5
Lagos – jedn. adm. WAN 220-221 F7
Lagos de Moreno MEX 258-259 I7
Lagos P 130-131 C8
Lagos WAN 220-221 F7
Lagosa EAT 224-225 E,F5
Lagouira WSA 220-221 B4
Lagós GR 134-135 G3
Lagrán E 130-131 I3
Lagrange AUS 296-297 C2
Lagrange USA (IN) 248-249 C4
Lagrasse F 124-125 I8
Laguardia E 130-131 I3
Laguiole F 124-125 I7
Laguna Beach USA (CA) 252-253 F10
Laguna BR 278-279 D8
Laguna Chapala MEX 258-259 B3
Laguna Dam – zb. 252-253 G10
Laguna de Perlas NIC 260-261 H,I6
Laguna Grande PE 276-277 B6
Laguna Grande RA 280-281 D7
Laguna Indian Reservation
– jedn. adm. USA 252-253 K9
Laguna USA (NM) 252-253 K9
Lagunas PE 276-277 B5
Lagunas RCH 280-281 D2
Lagunillas BOL 276-277 E7
Lagunillas YV 276-277 C1,2
Lagunowe, Wyspy 290-291 J5
Lahad Datu MAL 194-195 F4,5
Lahaina USA (HI) 254-255 X9
Lahaniá GR 134-135 I8
Laharpur IND 190-191 P11
Lahat RI 194-195 C6
Lahe MYA 192-193 C2
Lahepere laht – zat. 140-141 E2
Lahewa – w. 192-193 C7
Lahfān, Bi'r – oaza 184-185 E6
Lahıc AZ 180-181 J4
Lahiğ Y 188-189 D6
Lāhīğān IR 184-185 M3
Lahilimta, mta – g. 180-181 D2
Lahišyn BY 140-141 G9
Lahn – rz. 122-123 D6
Lahojsk BY 140-141 I7
Laholm S 138-139 I6
Laholmsbukten – zat. 138-139 G6
Lahontan Reservoir – zb. 252-253 E7
Lahore PK 188-189 J2
Lahr D 120-121 C2
Lahti FIN 140-141 G1
Lahtyšy BY 140-141 H9
Lahuy – w. 197 D5
l'Ahzar, Vallée de – dol. 220-221 F5
Lai Châu VN 192-193 D3
Laï TCH 222-223 C6
Lai'an CHN 200-201 E3
Laibin CHN 200-201 C6
Laichingen D 120-121 E2
Laifeng CHN 200-201 C4
L'Aigle F 124-125 G3
Laignes F 124-125 K4
L'Aiguillon-sur-Mer F 124-125 E5
Laihia FIN 136-137 F6
Lai-hka MYA 192-193 C3
Laingsburg ZA 226-227 D6
Lainioälven – rz. 136-137 F4
Laino S 136-137 F4
Lairg GB 128-129 I3,4
Lais RP 197 E8
Laisamis EAK 224-225 G3
Laissac F 124-125 I7
Laitila FIN 140-141 C1
Laives I 120-121 G4
Laiwu CHN 200-201 E2
Laiwui RI 194-195 H6
Laixi CHN 200-201 F2
Laiyang CHN 200-201 F2
Laiyuan CHN 200-201 D2
Laizhou Wan – zat. 200-201 E2
Laja, Laguna de la – jez. 280-281 D5
Laja, Río – rz. 258-259 I7
Lajamanu AUS 296-297 E2
Lajanurhesi GE 180-181 D2
Laje, Cachoeira da – wdp. 278-279 C3
Lajeado BR 278-279 C8
Lajes BR 278-279 C8
Lajes BR 278-279 F4
Lajes do Pico P 220-221 I10
Lajkovac XS 118-119 G3
Lajtamak RUS 176-177 J6
Lak AZ 180-181 I4
Lakajai – jez. 140-141 G6
Lakandranon – kan. 226-227 I4
Lakaträsk S 136-137 F4
Lake Andes USA (SD) 250-251 E4
Lake Benton USA (MN) 250-251 F3
Lake Butler USA (FL) 248-249 D10
Lake Cargelligo AUS 296-297 H5
Lake Charles USA (LA) 250-251 H10
Lake City USA (CO) 252-253 K8
Lake City USA (FL) 248-249 D9
Lake City USA (MI) 248-249 C2
Lake City USA (MN) 250-251 H3
Lake City USA (SC) 248-249 F8
Lake City USA (SD) 250-251 F3
Lake Cowichan CDN 244-245 G7
Lake Delton USA (WI) 250-251 I4
Lake Eyre Basin – niz. 296-297 F4
Lake George USA (CO) 252-253 K,L7
Lake Grace AUS 296-297 B5
Lake Harbour CDN 244-245 S4
Lake Havasu City USA (AZ)
252-253 G9
Lake Itasca USA (MN) 250-251 G2
Lake Jackson USA (TX) 250-251 G11
Lake King AUS 296-297 B5
Lake Mills USA (IA) 250-251 H4
Lake Nash AUS 296-297 F3
Lake Placid USA (FL) 248-249 E11
Lake Placid USA (NY) 248-249 I2
Lake Preston USA (SD) 250-251 F3
Lake Providence USA (LA) 250-251 I9
Lake Pukaki NZ 298 C,D7
Lake Tekapo NZ 298 D7
Lake USA (IA) 250-251 G4
Lake USA (WY) 252-253 I4
Lake Village USA (AR) 250-251 I9
Lake Wales USA (FL) 248-249 E11
Lake Worth USA (FL) 248-249 E,F11
Lakeland USA (FL) 248-249 D10
Lakeland USA (GA) 248-249 D9
Lakemba – w. 290-291 J6
Lakemba Passage – cieśn. 299 C3
Lakeport USA (CA) 252-253 C7
Lakes Entrance AUS 296-297 H6
Lakeside USA (UT) 252-253 H6
Lakeview Mount – g. 252-253 D2
Lakeview USA (MI) 248-249 C3
Lakeview USA (MT) 252-253 H4
Lakeview USA (OR) 252-253 D5
Lakewood USA (CO) 252-253 L7
Lakewood USA (NJ) 248-249 H4
Lakewood USA (NM) 250-251 B9
Lakewood USA (OH) 248-249 D4
Lakhnadon IND 190-191 D4
Lakhpat IND 190-191 B4
Laki – g. 136-137 M13
Laki BG 114-115 E8
Lakin USA (KS) 250-251 D7
Lakkadiwy – w-y 196 L10
Lakki PK 188-189 J2
Lakolk DK 138-139 E7
Lakonia – reg. 134-135 D7
Lakońska, Zatoka 134-135 D7
Lakor – w. 194-195 H7
Lákos GR 134-135 A4
Lakota CI 220-221 D7
Lakota USA (ND) 250-251 E1
Laksefjorden – zat. 136-137 g2
Lakselv N 136-137 G2
Laksham BD 192-193 B3
Lakshmikantapur IND 190-191 T13
Laktaši BIH 118-119 E3
Laktyšy, vadaschovyšče – zb.
140-141 H9
Lala Musa PK 188-189 J2
Lala RP 197 D8
Lalafuta – rz. 224-225 E6
Lalapaşa TR 134-135 H2
Lalara G 224-225 B3
Lalendorf D 122-123 I3
Lalevade-d'Ardèche F 124-125 K7
Lālezār, Kūh-e – g. 187 G2
Lalganj IND 190-191 Q12
Lālī IR 184-185 M5
Lalībela ETH 222-223 G5
Lalin CHN 202-203 D1
Lalin E 130-131 C3
Lalinde F 124-125 G7
Lalitpur IND 190-191 D4
Lal-Lo RP 197 C2
Lalmanir Hat BD 190-191 T12
La'l-ō-Sarğangal AFG 188-189 I2
Lalova MD 114-115 I2
Lalzit, Gjiri i – zat. 118-119 G6
Lam Pao, Reservoir – zb. 192-193 D4
Lam Phu THA 192-193 D4
Lam Thakong, Reservoir – zb.
192-193 D4
Lâm Viên, Cao Nguyên – wyż.
192-193 E5
Lama BD 190-191 G4
Lama, ozero – jez. 176-177 O4
Lamag MAL 196 Q14
Lamalanga VAN 299 L11
Lamap VAN 299 K12
Lamar USA (MO) 250-251 G7
Lamas PE 276-277 B5
Lamas TR 134-135 P7
Lamastre F 124-125 K7
Lamato – rz. 132-133 K10
Lamawan CHN 200-201 C1
Lambach A 120-121 I2
Lamballe F 124-125 D3
Lambaréné G 224-225 B4
Lambasa FJI 299 B2
Lambay Island – w. 128-129 H8
Lambayeque PE 276-277 A5
Lambert USA (MT) 252-253 L3
Lamberta, Lodowiec 311 F3
Lambert's Bay ZA 226-227 C6
Lambro – rz. 120-121 E5
Lambton, Cape – przyl. 244-245 H2
Lambumbu Bay – zat. 299 K12
Lame Deer USA (MT) 252-253 K4
Lamé TCH 222-223 B6
Lamego P 130-131 D4
Lamesa USA (TX) 250-251 C9
Lamezia Terme-Nicastro I
132-133 K10
Lamezia Terme-Sambiase – dzieln. I
132-133 J10
Lamezia Terme-Sant' Eufemia Lamezi
dzieln. I 132-133 J10
Lamia GR 134-135 D5
Lamido WAN 220-221 H7
Lamieux Islands – w-y 244-245 T4
Lamitan RP 197 D8
Lamma – w. 196 B2
Lammhult S 138-139 K5
Lammi FIN 138-139 U1
Lamon Bay – zat. 197 C4
Lamone – rz. 120-121 G6
Lamongan RI 194-195 P10
Lamoni USA (IA) 250-251 H5
Lamont USA (WY) 252-253 K5
Lamotrek Atoll – w. 290-291 G4
Lamotte-Beuvron F 124-125 I4
Lampa PE 276-277 C7
Lampa RCH 280-281 D4
Lampang THA 192-193 C4
Lampasas USA (TX) 250-251 E10
Lampazos de Naranjo MEX
258-259 I4
Lampedusa I 132-133 G13
Lampedusa, Isola di – w. 132-133 G13
Lampertheim D 122-123 E7
Lampeter GB 128-129 I9
Lamphun THA 192-193 C4
Lámpia – g. 134-135 C6
Lámpia GR 134-135 C6
Lampione, Isola di – w. 132-133 G13
Lampman CDN 250-251 C1
Lamprechtshausen D 120-121 H2
Lampung – jedn.adm. RI 194-195 C7
Lamu EAK 224-225 H4
Lamutskoe RUS 178-179 L5
Lamy USA (NM) 252-253 K,L9
Lan – rz. 140-141 I9
Lan Dao – w. 200-201 D6
Lan Xian CHN 200-201 C2
Lan Yu – w. 196 G6
Lana I 120-121 G4
Lana, Río de la – rz. 258-259 L9
Lanai – w. 290-291 M2
Lanai City USA (HI) 254-255 X9
Lanaja E 130-131 K4
Lanak La – przeł. 190-191 D2
Lanaken B 126 D4
Lanao, Lake – jez. 197 E8
Lanbi – w. 192-193 C5
Lancang CHN 192-193 C3
Lancang Jiang – rz. 192-193 C1
Lancaster CDN 248-249 H2
Lancaster GB 128-129 K7
Lancaster USA (CA) 252-253 E,F9
Lancaster USA (NH) 248-249 I2
Lancaster USA (OH) 248-249 D5
Lancaster USA (PA) 248-249 G4
Lancaster USA (SC) 248-249 E7
Lancaster USA (WI) 250-251 I4
Lancastera, Cieśnina 240 L2
Lanch'khut'i GE 180-181 C2
Lanciano I 132-133 I6
Lanckorona PL (MŁP) 80-81 F7
Lancun CHN 200-201 F2
Lancy CH 120-121 A4
Lančyn UA 142-143 D5
Land Glacier – lod. 311 m2
Lândana ANG 224-225 B5
Landau an der Isar D 120-121 H2
Landau in der Pfalz D 122-123 D7
Landay AFG 188-189 H2
Landeck A 120-121 F3
Landen B 126 D4
Lander – rz. 296-297 E3
Lander USA (WY) 252-253 J5
Landerneau F 124-125 B3
Landeryd S 138-139 J5
Landes – reg. 124-125 E8
Landete E 130-131 J6
Landfall Island – w. 192-193 B5
Landivisiau F 124-125 B3
Landor AUS 296-297 B3
Landösjön – jez. 136-137 D6
Landquart CH 120-121 E4
Landrecies F 126 B4
Land's End – przyl. 104-105 H5
Landsberg am Lech D 120-121 F2
Landshut D 120-121 H2
Landskrona S 138-139 I7
Landstuhl D 122-123 D7
(Landwarów) LT 140-141 F7
Lanersbach A 120-121 G3
Lanett USA (AL) 248-249 C8
Lang Bian – g. 192-193 E5
Lang Chanh VN 192-193 D3
Lang Shan – g-y 200-201 B1
Lang Són VN 192-193 E3
La'nga Co – jez. 190-191 E2
Langa de Duero E 130-131 H4
Langå DK 138-139 F6
Langádia GR 134-135 C6
Långan – rz. 136-137 d6
Langanes – płw. 136-137 m12
Langano, Hāyk' – jez. 222-223 G6
Langao CHN 200-201 C3
Langar TJ 182-183 O8
Langara RI 194-195 G6
Langarud IR 184-185 N4
Långban S 138-139 J3
Langdon USA (ND) 250-251 E1
Langeace F 124-125 J6
Langeais F 124-125 G4
Langedijk NL 126 C2
Långeland – w. 138-139 G7
Längelmävesi – jez. 138-139 U1
Langen D 122-123 E7
Langenau D 122-123 Y14
Langenberg – g. 122-123 E5
Langenburg D 122-123 F7
Langenfeld D 122-123 P12
Langenhagen D 122-123 F4
Langenhessen D 122-123 U14
Langenleuba-Niederhain D
122-123 U,V14
Langenleuba-Oberhain D
122-123 V14
Langenlois A 120-121 K2
Langenstriegis D 122-123 X14
Langenthal CH 120-121 C3
Langenzenn D 122-123 G7
Langeoog – w. 122-123 D3
Langesundsfjorden – zat.
138-139 F4
Langfang Anci CHN 200-201 E2
Langgên Zangbo – rz. 190-191 E2
Langhirano I 120-121 F6
Langholm GB 128-129 J6
Langholt IS 136-137 M14
Langjia Gang – form. podm.
200-201 F3
Langjökull – lod. 136-137 L13
Langkawi – w. 194-195 B4
Langkesi, Kepulauan – w-y
194-195 G7
Langklip ZA 226-227 C,D5
Langkon MAL 196 Q13
Langlo Crossing AUS 296-297 H4
Langnau im Emmental CH
120-121 C3
Langoge F 124-125 J7
Langono F 124-125 F7
Langøya – w. 136-137 d3
Langquaid D 120-121 H2
Langres – wyż. 124-125 K4
Langres F 124-125 L4
Langsa RI 194-195 B5
Langset N 138-139 H2
Langshan CHN 200-201 B1
Långshyttan S 138-139 M2
Långträsk S 136-137 F5
Langtry USA (TX) 250-251 D11
Languedoc-Roussillon – jedn. adm. F
124-125 B7
Langwedel D 122-123 F4
Langwedocja – reg. 124-125 I8
Langxi CHN 200-201 E4
Langzhong CHN 200-201 B4
Laniel CDN 248-249 F1
Lanín, Volcán – wulk. 280-281 D5
Lanivci UA 142-143 F4
Lankao CHN 200-201 D3
Lannabruk S 138-139 K3
Lannemezan F 124-125 G8
Lannilis F 124-125 B3
Lannion F 124-125 C3
Lanping CHN 192-193 C2
Lanqa KSA 184-185 J7
Lansdale USA (PA) 248-249 H4
Lansdowne House CDN 244-245 O6
L'Anse Indian Reserve – jedn. adm.
USA 248-249 A1
L'Anse USA (MI) 248-249 A1
Lansford USA (ND) 250-251 D1
Lansing USA (IA) 250-251 I4
Lansing USA (MI) 248-249 C3
Länsi-Suomi – jedn. adm. FIN
136-137 f6
Lanškroun CZ 112-113 I6
Lanta – w. 192-193 C6
Lantang CHN 200-201 D6
Lantau – w. 196 A2
Lanterna HR 118-119 L10
Lantian CHN 200-201 C3
Lantosque F 120-121 C7
Lanús RA 280-281 G4
Lanusei I 132-133 D9
Lanuza Bay – zat. 197 F7
Lanuza RP 197 F7
Lanxi CHN 198-199 M2
Lanxi CHN 200-201 E4
Lanzarote – w. 104-105 G10
Lanzhou CHN 200-201 A2
Lanzo Torinese I 120-121 C5
Lao Cai VN 192-193 D3
Laoag RP 197 C2
Laoang RP 197 E5
Laobian CHN 202-203 C2
Laodicea – r. 134-135 J6
Laoha He – rz. 202-203 C2
Laohutun CHN 200-201 F2
Laoighis – jedn. adm. IRL
128-129 A2
Laois – jedn. adm. IRL 128-129 A2
Laon F 124-125 J2
Laonung – rz. 196 F6
Laos – państwo 168-169 N7,8
Laoshan CHN 200-201 F2
Laoshan Wan – zat. 200-201 F2
Laoshawan CHN 198-199 E3
Laounalang VAN 299 L13
Lapa BR 278-279 D8
Lapac – w. 197 C9
Lapachito RA 280-281 F3
LapaciČy BY 140-141 L8
Lapalisse F 124-125 J5
Laparan – w. 197 B9
Lápas GR 134-135 C5
Lapawai USA (ID) 252-253 F3
Lapeer USA (MI) 248-249 D3
Lapinjärvi FIN 140-141 H1
Lapinlahti FIN 136-137 g6
Lápithos NCY 134-135 O8
Lapońska, Wyżyna 104-105 O2
Lapovo XS 118-119 H3
Lappa AUS 296-297 G,H2
Lappajärvi – jez. 136-137 f6
Lappajärvi FIN 136-137 f6
Lappe FIN 136-137 f6
Lappe S 138-139 L3
Lappeenranta FIN 138-139 Z1,2
Lappfjärd FIN 136-137 F6
Lappi – jedn. adm. FIN 136-137 G,g4
Lappi FIN 138-139 R1
Lapri RUS 178-179 C7
Laprida RA 280-281 F5
Lâpseki TR 134-135 H3
Lapua FIN 136-137 f6
Lăpuş RO 114-115 D2
Lăpuşna RO 114-115 P10
Lapwäärtti FIN 136-137 F6
L'Aquila I 132-133 H6
Lār IR 187 F3
Lara – rz. 114-115 L10
Lara RO 114-115 M10
Larabanga GH 220-221 E7
Laracha E 130-131 C2
Larache MA 220-221 D1
Laragne-Montéglin F 124-125 L7
Larāk, Ğazīre-ye – w. 187 G3
Laramie Mountains – g-y 252-253 K5
Laramie Peak – g. 252-253 L5
Laramie River – rz. 252-253 L6
Laramie USA (WY) 252-253 L6
Laranjal do Jari BR 278-279 C3
Laranjeiras do Sul BR 278-279 C8
Larantuka RI 194-195 G7
Larat – w. 194-195 I7
Larat RI 194-195 I7
Larba DZ 130-131 O9
L'Arbaa Naït Irathen DZ 130-131 P9
L'Arbresle F 124-125 K6
Lärbro S 138-139 O5
L'Arcahaie RH 262-263 G4
Larche, Col de – przeł. 120-121 B6
Larche F 120-121 B6
Lardos, Akrōtírí – przyl. 134-135 J7,8
Laredo E 130-131 H2
Laredo MEX 258-259 J4
Laredo USA (TX) 250-251 E12
Lares PR 262-263 J4
Largentière F 124-125 J,K7
L'Argentière-la-Bessée F 120-121 B6
Largo, Cayo – w. 260-261 J2
Lari I 132-133 E5
Lārī IR 180-181 I6
Lariang – rz. 194-195 F6
Lārīğān IR 180-181 I5
Larimore USA (ND) 250-251 F2
Lárisa GR 134-135 D4
Lar'jak RUS 176-177 M5
Larkana PK 188-189 I3
Lârnaka CY 134-135 O9
Larnaka Kórfezi – zat. 134-135 O9
Lárnakos, Kólpos – zat. 134-135 O9
Larnax CY 134-135 O9
Larne GB 128-129 G7
Larne Lough – zat. 128-129 H7
Larned USA (KS) 250-251 E6
Laro CAM 224-225 B2
Larochette L 127 B2
Larraona E 130-131 I3
Larrimah AUS 296-297 E2
Larsa Christensena, Wybrzeże 311 F3
Larsen Bay USA (AK) 254-255 L4
Larsena, Lodowiec Szelfowy 311 r3
Laruns F 124-125 F9
Larvik N 138-139 G3
Larvotto – dzieln. MC 127 U18
Larzicourt F 124-125 K3
Las Animas MEX 258-259 H4
Las Animas USA (CO) 250-251 C7
Las Bakońskí – g-y 114-115 U16
Las Bawarski – g-y 122-123 I7
Las Bonitas YV 276-277 D2
Las Bregencki – g-y 120-121 E3
Las Cabezas de San Juan E
130-131 F8,9
Las Canoas, Punta de – przyl.
258-259 B3
Las Cejas RA 280-281 F3
Las Conchas, Embalse de – zb.
130-131 C3,4
Las Cruces USA (NM) 252-253 K10
Las Cumbres PA 260-261 Q11
Las Czeski – g-y 104-105 L5
Las Delicias MEX 258-259 H4
Las Flores RA 280-281 G5
Las Frankoński – g-y 122-123 H6
Las Górnopalatynacki – g-y 122-123 I7
Las Herreras MEX 258-259 G5
Las Horquetas RA 280-281 D7
Las Huacas – r. 260-261 H7
Las Lomitas RA 280-281 F2

Longphort – jedn. adm. IRL 128-129 C1
Longphort IRL 128-129 F8
Longpujungan RI 196 P15
Longquan CHN 200-201 E4
Longquan Shan – g-y 200-201 B4
Longreach AUS 296-297 G3
Longs Peak – g. 252-253 L6
Longshan CHN 200-201 C4
Longshen Gezu Zizhixian CHN 200-201 B6
Longshou Shan – g-y 198-199 H4
Longtown GB 128-129 K6
Longueau F 124-125 I2
Longué-Jumelles F 124-125 F4
Longuyon F 126 D5
Longview USA (TX) 250-251 G9
Longview USA (WA) 252-253 C3
Longwangmiao CHN 202-203 C3
Longwy F 124-125 L2
Longxi CHN 200-201 B3
Longxi Shan – g. 200-201 E5
Longyan CHN 200-201 E5
Longyearbyen N 174-175 B2
Longyou CHN 200-201 E4
Longzhen CHN 198-199 M2
Longzhou CHN 200-201 B6
Lonigo I 120-121 G5
Löningen D 122-123 D4
Lonkin MYA 192-193 C2
Lønsdal N 136-137 g4
Lons-le-Saunier F 124-125 L5
Lonton MYA 192-193 C2,3
Looc RP 197 D5
Looe GB 128-129 I11
Lookout, Cape – przyl. 248-249 G7
Lookout, Cape – przyl. 252-253 B4
Lookout Mount – g. 252-253 J9
Lookout Pass – przeł. 252-253 G3
Loomalasin – g. 224-225 G4
Loop Head – przyl. 128-129 C9
Lop Buri THA 192-193 D5
Lop CHN 198-199 D4
Lop Nur – jez. 166-167 M5
Lopar HR 118-119 N11
Lopătari RO 114-115 G4
Lopatina, gora – g. 178-179 G8
Lopatka, mys – przyl. 166-167 S4
Lopatyn UA 142-143 D3
Lopča RUS 178-179 C7
Lopévi – w. 299 L12
Lopez, Cap – przyl. 216 D6
Lopez Collada MEX 258-259 B2
Lopez, Point – przyl. 252-253 C8
Lopez RP 197 D5
Lopnur CHN 198-199 E3
Lopori – rz. 224-225 D3
Loppersum NL 126 E1
Lopphavet – zat. 136-137 F2
Loppi FIN 140-141 F1
Lopud – w. 118-119 T15
Lopud HR 118-119 T15
Lopudska vrata – cieśn. 118-119 T15
Lopydino RUS 144-145 L4
Lora del Río E 130-131 F8
Lora, Hamun-i – soln. 188-189 I3
Lorain USA (OH) 248-249 D4
Lorca E 130-131 J8
Lord Auckland – form. podm. 197 A6
Lord Howe Island – w. 290-291 H8
Lorda Howe'a, Wyniesienie – form. podm. 290-291 I7
Lordsburg USA (NM) 252-253 J10
Loreley – g. 122-123 D6
Lorena BR 278-279 D6
Lorentzweiler L 127 B2
Loreto BR 278-279 D,E4
Loreto CO 276-277 C4
Loreto MEX 258-259 D4,5
Loreto MEX 258-259 I6
Loreto RP 197 E6
Loretto USA (TN) 248-249 B7
Lorica CO 276-277 B2
Lorient F 124-125 C4
Loriguilla, Embalse de – zb. 130-131 J6
Loring USA (MT) 252-253 K2
Loris USA (SC) 248-249 F7,8
Lorn, Firth of – zat. 128-129 G5
Lorne AUS 296-297 G6
Lörrach D 120-121 C3
Lorris F 124-125 I4
Los Alamitos, Sierra de – g-y 258-259 H4
Los Alamos MEX 258-259 H3
Los Alamos USA (NM) 252-253 K9
Los Amates GCA 260-261 F5
Los Andes RCH 280-281 D4
Los Angeles Aqueduct – kan. 252-253 E9
Los Ángeles RCH 280-281 D5
Los Angeles USA (CA) 252-253 E9,10
Los Arcos E 130-131 I3
Los Banos USA (CA) 252-253 D8
Los Barrios E 130-131 F9
Los Blancos RA 280-281 F2
Los Blanquilla, Isla – w. 276-277 E1
Los Burros MEX 258-259 D5
Los Chiles CR 260-261 H7
Los Corchos MEX 258-259 F,G7
Los Dolores MEX 258-259 D5
Los Frailes, Islas – w-y 262-263 L8
Los Gatos USA (CA) 252-253 C8
Los Herreras MEX 258-259 J4,5
Los Lagos RCH 280-281 D5
Los Lunas USA (NM) 252-253 K9
Los Menucos RA 280-281 E6
Los Mochis MEX 258-259 E5
Los Monegros – reg. 130-131 K4
Los Monjes, Islas – w-y 276-277 C1
Los Monos – r. 258-259 I8
Los Monos RA 280-281 D7
Los Navalmorales E 130-131 G6
Los Palacios y Villafranca E 130-131 E,F8
Los Pirpintos RA 280-281 F3
Los Remedios MEX 258-259 F,G5
Los Reyes de Salgado MEX 258-259 H8
Los S 138-139 L1
Los Santos PA 260-261 J9
Los Tablas PA 260-261 J9
Los Teques YV 276-277 D1
Los Testigos – w-y 262-263 L8
Los Toldos RA 280-281 F4,5
Los Vientos RCH 280-281 D2
Los Vilos RCH 280-281 D4
Loša – rz. 140-141 I8
Losada, Rio – rz. 276-277 C3
Losap Atoll – w. 290-291 H4
Losevo RUS 140-141 L1
Lošinj – w. 118-119 M11
Lošinjski kanal – cieśn. 118-119 M11
Losinoborskoe RUS 176-177 N6
Loskopdam – zb. 226-227 E5
Lošnica BY 140-141 J7
Lossiemouth GB 128-129 J4
Lössnitz D 122-123 V15
Lost River Range – g-y 252-253 G,H4
Lost Trail Pass – przeł. 252-253 H4
Lostwithiel GB 128-129 I11
Losynivka UA 142-143 K3
Lot – rz. 124-125 G7
Lota RCH 280-281 D5
Lotagipi Swamp – bag. 222-223 F6,7
Lotaryngia – jedn. adm. F 124-125 B7
Lotaryngia – reg. 124-125 L2
Loto ZRE 224-225 D4
Lotofaga WS 298 L11,12
Lotrului, Munţii – g-y 114-115 D4
Lotta – rz. 136-137 H3
Louang Namtha LAO 192-193 D3
Louangphrabang LAO 192-193 D4
Loubomo RCB 224-225 B4
Louchi RUS 144-145 H3
Loudéac F 124-125 D3
Loudi CHN 200-201 C5
Loudima RCB 224-225 B4
Loudon USA (TN) 248-249 C7
Loudrefing F 120-121 B2
Loudun F 124-125 F4,5
Loué F 124-125 F3,4
Loufan CHN 200-201 C2
Louga SN 220-221 B5
Loughborough GB 128-129 L9
Loughrea IRL 128-129 E8
Louhans F 124-125 L5
Louis Trichardt ZA 226-227 E4
Louisa Reef – form. podm. 194-195 E4
Louisa USA (KY) 248-249 D5
Louisburg USA (KS) 250-251 G6
Louisburgh IRL 128-129 D8
Louisiana Point – przyl. 250-251 H11
Louisiana USA (MO) 250-251 I6
Louisville USA (GA) 248-249 D8
Louisville USA (KY) 248-249 C5
Louisville USA (MS) 250-251 J9
Loulé P 130-131 C8
Loulle F 120-121 A4
Loulouni RMM 220-221 D6
Louny CZ 112-113 F5
Loup City USA (NE) 250-251 E5
Loup River – rz. 250-251 E5
Lourdes F 124-125 F8
Lourenço BR 278-279 C2
Loures P 130-131 B7
Loúros – rz. 134-135 B4
Lourtier CH 120-121 C4
Lousã P 130-131 C5
Lousã, Serra da – g-y 130-131 C5
Louth – jedn. adm. IRL 128-129 C1
Louth AUS 296-297 H5
Louth GB 128-129 N8
Louviers F 124-125 H2
Lovac' – rz. 140-141 L6
Lövånger S 136-137 F5
Lovászi H 120-121 L4
Lovat' – rz. 140-141 M4
Lovćen – g-y 118-119 V16
Loveč BG 114-115 E6
Lovel USA (WY) 252-253 J4
Loveland Pass – przeł. 252-253 K7
Loveland USA (CO) 252-253 L6
Lovelo USA (NV) 252-253 E6
Løvenørm, Kap – przyl. 244-245 Y4
Lovere I 120-121 E,F5
Lövestad S 138-139 J7
Lövéte RO 114-115 Q11
Loviisa FIN 140-141 H1
Lovinac HR 118-119 C3
Loving USA (NM) 250-251 B9
Lovington USA (NM) 250-251 C9
Lovios E 130-131 C4
Lovište HR 118-119 R14
Lovište, Rt – przyl. 118-119 R14
Lovosice CZ 112-113 G5
Lovozero, ozero – jez. 144-145 I3
Lovozero RUS 144-145 I3
Lovran HR 118-119 M10
Lovreč HR 118-119 R14
Lovrečica HR 118-119 L10
Lovrenc na Pohorju SLO 120-121 K4
Lovrin RO 114-115 A4
Lövstabruk S 138-139 N2
Low CDN 248-249 H2
Lowa – rz. 224-225 E4
Lowa ZRE 224-225 E4
Lowell USA (MA) 248-249 J3
Löwenberg D 122-123 J4
Lower Arrow Lake – jez. 252-253 E2
Lower Brule Indian Reservation – jedn. adm. USA 250-251 D3
Lower Hutt NZ 298 F5
Lower Lake – jez. 252-253 E6
Lower Peirce Reservoir – jez. 196 I8
Lowestoft GB 128-129 O9
Lowman USA (ID) 252-253 G4
Lowther Island – w. 244-245 L2
Lowville USA (NY) 248-249 H3
Loxton AUS 296-297 G5
Loxton ZA 226-227 D6
Lož SLO 120-121 J5
(Lozanna) CH 120-121 B4
Lozère, Mont – g. 124-125 J7
Ložišće HR 118-119 Q14
Loznica BG 114-115 G6
Loznica XS 118-119 G3
Lozno-Oleksandrivka UA 142-143 R4
Lozova UA 142-143 P5
Lozovac HR 118-119 C4
Lozove UA 142-143 G4
Lozovik XS 118-119 I3
Lozoya, Río – rz. 130-131 H5
Lozoyuela E 130-131 H5
Loz'va – rz. 144-145 N4
Lu Shan – g. 200-201 D4
Lu Tao – w. 196 G6
Luabo MOC 226-227 G3
Luahoko – w. 299 G7
Lualaba – rz. 216 F6
Lualika – rz. 224-225 D4
Luama – rz. 216 F6
Lu'an CHN 200-201 E4
Luan He – rz. 200-201 E1
Luan Xian CHN 200-201 E2
Luanchuan CHN 200-201 C3
Luanco E 130-131 F2
Luand, Thale – jez. 192-193 D6
Luanda ANG 224-225 B5
Luando – rz. 224-225 C6
Luanginga – rz. 224-225 D6
Luangue – rz. 224-225 C5
Luangwa – rz. 216 G7
Luangwa Z 224-225 E7
Luannan CHN 200-201 E2
Luanping CHN 200-201 E1
Luanshya Z 224-225 E6
Luapula – rz. 216 F7
Luarca E 130-131 E2
Luau ANG 224-225 D6
Luba GQ 224-225 A3
Lubaantun – r. 260-261 F4
Lubaczów PL (PKR) 80-81 E11
Lubaczówka – rz. 80-81 E11
Lubāna LV 140-141 H5
Lubang – w. 197 B5
Lubang Islands – w-y 197 B5
Lubango ANG 224-225 B6,7
Lubanie PL (K-P) 74-75 C6
(Lubań) BY 140-141 J9
(Lubań) BY 140-141 J9
Lubań PL (DŚL) 78-79 D3
Lubao ZRE 224-225 E5
Lubartów PL (LBL) 76-77 D10
Lubasz PL (WLP) 74-75 C4
Lubawa PL (W-M) 72-73 B7
Lubawka PL (DŚL) 78-79 E3
Lubawka, Przełęcz 78-79 E4
Lubawski, Garb – fizjogr. 48-49 B6
Lubbeek B 126 C4
Lübben D 122-123 J5
Lübbenau D 122-123 K5
Lubbock USA (TX) 250-251 D9
(Lubcza) BY 140-141 G8
Lubec USA (ME) 248-249 L2
Lübeck D 122-123 G3
Lubecka, Zatoka 122-123 G2
Lubefu ZRE 224-225 D4
Lubei CHN 202-203 C1
(Lubeka) D 122-123 G3
Lubelska, Wyżyna 48-49 D9
Lubelskie, Polesie – fizjogr. 48-49 D10
Lubenec CZ 112-113 F5
Lubenia PL (PKR) 80-81 F9
Lübenka KZ 182-183 E,F1
Lubéron – g-y 124-125 L8
Lubiąż PL (DŚL) 78-79 D4
Lubic – w. 197 C6
Lubichowo PL (POM) 70-71 B6
Lubicz PL (K-P) 70-71 B6
Lubie, Jezioro 70-71 B3
Lubie, Jezioro 74-75 C3
Lubień PL (K-P) 76-77 C7
Lubień PL (MŁP) 80-81 F7
(Lubień Wielki) UA 142-143 C4
(Lubierce) RUS 144-145 I5
(Lubieszów) UA 140-141 G10
Lubiewo PL (K-P) 70-71 B6
Lubięcin PL (LBU) 74-75 D3
Lubij D 112-113 G4
Lubilash – rz. 224-225 D5
Lubin D 112-113 G4
Lubin PL (DŚL) 78-79 D4
Lubiń PL (WLP) 74-75 D4
Lubiszyn PL (LBU) 74-75 C2
Lubkowskie, Jezioro 74-75 C3
(Lublana) SLO 120-121 J4
Lublin PL (LBL) 76-77 D10
Lubliniec PL (ŚL) 78-79 E6
Lubnān – jedn. adm. RL 186 B2
Lubniewice PL (LBU) 74-75 C3
Lubniewsko, Jezioro 74-75 C3
Lubnjow' D 112-113 F4
Lubny UA 142-143 L3,4
Lubochnia PL (ŁDZ) 76-77 D7
Lubok Antu MAL 196 N16
Lubomia PL (ŚL) 78-79 E6
Lubomierz PL (DŚL) 78-79 D3
Lubomino PL (POM) 72-73 A8
(Luboml) UA 140-141 E10
Luboń PL (WLP) 74-75 C4
Luboń Wielki – g. 80-81 F7
Luboraz D 74-75 D2
Luborzyca PL (MŁP) 80-81 E8
Lubostroń PL (K-P) 74-75 C5
Lubowidz PL (MAZ) 72-73 B7
(Lubowla) SK 112-113 M6
Lubraniec PL (K-P) 74-75 C6
Lubrza PL (LBU) 74-75 C3
Lubrza PL (OPO) 78-79 E5
Lubsko PL (LBU) 74-75 D2
Lubsza – rz. 74-75 D2
Lubsza PL (OPO) 78-79 E5
Lübtheen D 122-123 H3
Lubuagan RP 197 C3
Lubudi ZRE 224-225 E5
Lubuklinggau RI 194-195 C6
Lubuksikaping RI 194-195 B5
Lubumbashi ZRE 224-225 E6
Lubuskie, Pojezierze 48-49 C1
(Lubusz) D 122-123 K4
Lubutu – rz. 224-225 E4
Lubutu ZRE 224-225 E4
Lubycza Królewska PL (LBL) 80-81 E11
Lubz D 122-123 H3
Lucala ANG 224-225 C5
Lucapa ANG 224-225 D5
Lucaya BS 248-249 F11
Lucca I 120-121 F7
Luce Bay – zat. 128-129 I7
Lucea JA 260-261 K3
Lucedale USA (MS) 250-251 J10
Lučegorsk RUS 178-179 E9
Lucena del Cid E 130-131 K5
Lucena E 130-131 G8
Lucena RP 197 C5
Luc-en-Diois F 124-125 L7
Lučenec SK 112-113 L7
Lucenilla, Peninsula de – płw. 258-259 F5
Lucera I 132-133 J7
(Lucerna) CH 120-121 D3
Lucerne USA (CA) 252-253 C7
Lucero MEX 258-259 F2
Lucha Franco PA 260-261 Q11
Luchang CHN 192-193 D2
Lucheringo – rz. 226-227 G2
Lüchow D 122-123 H4
Luchuan CHN 200-201 C6
Luciara BR 278-279 C5
Luciąża – rz. 76-77 D7
Lucie River – rz. 278-279 B2
Lucin USA (UT) 252-253 H6
Lucinda AUS 296-297 H2
Lucipara, Kepulauan – w-y 194-195 H7
Lucira ANG 224-225 B6
Luc'k UA 142-143 E3
Lucka D 122-123 U13
Luckau D 122-123 J5
Luckenwalde D 122-123 J4
Lucknow IND 190-191 P11
Luco dei Marsi I 132-133 H7
Luçon F 124-125 E5
Lučosa – rz. 140-141 L7
Lucrecia, Cabo – przyl. 260-261 M2
Lucusse ANG 224-225 D6
Lucy F 120-121 B2
(Lucyn) LV 140-141 I5
Ludberg HR 118-119 D1
Lüdenscheid D 122-123 D5
Lüderitz NAM 226-227 B5
Lüderitza, Zatoka 226-227 B5
Ludhiana IND 190-191 D2
Ludias – rz. 134-135 D3
Lüdinghausen D 122-123 D5
Ludington USA (MI) 248-249 B2,3
Ludlow GB 128-129 K9
Ludlow USA (CA) 252-253 F9
Ludlow USA (SD) 250-251 C3
Ludlow USA (VT) 248-249 I3
Ludogorie – reg. 114-115 G6
Ludowici USA (GA) 248-249 E9
Luduș RO 114-115 N10
Ludvika S 138-139 L2
Ludwigsburg D 120-121 D2
Ludwigsfelde D 122-123 J4
Ludwigshafen an Rhein D 122-123 D,E7
Ludwigshafen D 120-121 E3
Ludwigslust D 122-123 H3
Ludwigsstadt D 122-123 H6
Ludwin PL (LBL) 76-77 D10
Ludza LV 140-141 I5
Ludźmierz PL (MŁP) 80-81 F7
Luebo ZRE 224-225 D5
Lueki ZRE 224-225 E4
Luembe – rz. 224-225 D5
Luena – rz. 224-225 D6
Luena ANG 224-225 C6
Luena ZRE 224-225 E5
Lueng Shuen Wan – w. 196 D1
Lueta RO 114-115 Q11
Lueti – rz. 224-225 D7
Lüeyang CHN 200-201 B3
Lufeng CHN 200-201 D6
Lufira – rz. 224-225 E5
Lufkin USA (TX) 250-251 G10
Lufubu – rz. 224-225 F5
Lug XS 118-119 F2
Luga – rz. 140-141 J2
Luga RUS 144-145 G5
Lugang TWN 196 F4
Lugano CH 120-121 D,E4
Lugano, Lago di – jez. 120-121 D4,5
Luganville VAN 299 K11
Lugards Falls – wdp. 216 G6
Lugau D 122-123 U,W15
Lugbhadh – jedn. adm. IRL 128-129 C1
Lugela MOC 226-227 G3
Lugenda – rz. 226-227 G2
Lughaye SPL 222-223 H5
Lugnaquillia – g. 128-129 G9
Lugo E 130-131 D2
Lugo I 120-121 G6
Lugoj RO 114-115 B,C4
Lugovoe KZ 182-183 O5
Lugovoj RUS 176-177 J6
Lugovskij RUS 178-179 A7
Lugu CHN 190-191 E2
Lugus – w. 197 C9
Luhačovice CZ 112-113 J6
Luhans'k UA 142-143 S5
Luhe CHN 200-201 E3
Luhyny UA 140-141 J10
Lui – rz. 224-225 C5,D7
Luia ANG 224-225 D5
Luiana – rz. 224-225 D7
Luiana ANG 224-225 D7
Luilu – rz. 216 F6
Luimbale ANG 224-225 B6
Luimneach – jedn. adm. IRL 128-129 A1
Luimneach IRL 128-129 E9
Luing – w. 128-129 H5
Luino I 120-121 D4
Luintra E 130-131 D3
Luinyanti – rz. 226-227 D3
Luirojoki – rz. 136-137 g4
Luis Correia BR 278-279 E3
Luis Moya MEX 258-259 H6
Luishia ZRE 224-225 E6
Luizjady – w-y 290-291 H6
Luizjana – jedn. adm. USA 241 L6
Luján RA 280-281 G4
Lujiang CHN 200-201 E4
Lukafu ZRE 224-225 E6
Lukaškin Jar RUS 176-177 L5
Lukavac BIH 118-119 F3
Lukavica BIH 118-119 F3
Lukengo ZRE 224-225 E5
Lukenie – rz. 216 F6
Lukeville USA (AZ) 252-253 H11
Lukhambi IND 192-193 B2,3
Luki BY 140-141 H8
Lukiv UA 140-141 F10
(Lukka) I 120-121 F7
Lukoč – rz. 118-119 T14
Lukoléla ZRE 224-225 C4
Lukoml' BY 140-141 K7
Lukove AL 118-119 G8
Lukovit BG 114-115 E6
Lukovo HR 118-119 N11
Lukovo XS 118-119 I4
Luksemburg – jedn. adm. B 126 D4
Luksemburg – państwo 106-107 K5,6
Lüksemburq AZ 180-181 H4
(Luksor) ET 222-223 F2
Lukuga – rz. 224-225 E5
Lukula ZRE 224-225 B5
Lukulu – rz. 224-225 F5,6
Lukulu Z 224-225 D6
Lukunor Atoll – w. 290-291 H4
Luleå S 136-137 f5
Luleälven – rz. 104-105 N2
Lüleburgaz TR 134-135 I2
Lüliang CHN 192-193 D2
Lüliang Shan – g-y 200-201 C3
Luling USA (TX) 250-251 F11
Lulong CHN 200-201 E2
Lulonga – rz. 216 E5,6
Lulu, Emi – g. 222-223 B3
Lulua – rz. 216 F6
Luma Cassai ANG 224-225 C6
Lumai ANG 224-225 D6
Lumajang RI 194-195 P11
Lumajangdong Co – jez. 190-191 E2
Lumbala ANG 224-225 D6
Lumbala Nguimbo ANG 224-225 D6
Lumbarda HR 118-119 S15
Lumbe – rz. 224-225 D7
Lumberton USA (MS) 250-251 J10
Lumberton USA (NC) 248-249 F7
Lumbier E 130-131 J3
Lumbis RI 194-195 F5
Lumbo MOC 226-227 H2
Lumbrales E 130-131 E5
Lumbres F 124-125 I1
Lumby CDN 244-245 I6
Lumding IND 190-191 G3
Lumeje ANG 224-225 D6
Lumi PNG 194-195 K6
Lumparland FIN 140-141 B1
Lumphăt K 192-193 E5
Lumpkin USA (GA) 248-249 C8
Lumsden NZ 298 C7
Lun HR 118-119 N11
Lun MAU 198-199 I2
Lun, Rt – przyl. 118-119 N11
Luna USA (NM) 252-253 J10
Lunan Bay – zat. 128-129 K5
Lunbei TWN 196 F5
Lunca Braudului RO 114-115 P9,10
Lunca Corbului RO 114-115 E5
Lunca de Sus RO 114-115 Q10
Lunca RO 114-115 N10
Luncaviţa RO 114-115 I4
Lund S 138-139 I7
Lund USA (UT) 252-253 H7,8
Lundazi Z 224-225 F6
Lunderseter N 138-139 I2
Lundevatn – jez. 138-139 C4
Lundi – rz. 226-227 F4
Lundu MAL 196 M16
Lundy Island – w. 128-129 I10
Lune – rz. 128-129 K7
Lüneburg D 122-123 G3
Lüneburska, Pustać – fizjogr. 122-123 F3
Lunel F 124-125 J,K8
Lünen D 122-123 D5
Lünen-Brambauer – dzieln. D 122-123 R10
Lunéville F 120-121 B2
Lunga – rz. 224-225 E6
Lungau – reg. 120-121 I3
Lunggar CHN 190-191 E2
Lungi WAL 220-221 C7
Lungleh IND 190-191 G4
Lungué-Bungo – rz. 224-225 D6
Lungwebungu – rz. 224-225 D6
Luni – rz. 190-191 C3
Luni IND 190-191 C3
Lunin BY 140-141 H9
Luninec BY 140-141 H9
Luning USA (NV) 252-253 E7
Lunino RUS 144-145 K6
Lunjevacă – g-y 118-119 D3
Lunna BY 140-141 F8
Lunsar WAL 220-221 C7
Lunsemfwa – rz. 224-225 E6
Lunsemfwa Falls – wdp. 224-225 E6

Magdalena MEX 258-259 D2
Magdalena, Río – rz. 272 F3,4
Magdalena USA (NM) 252-253 K9
Magdaleny, Wyspy 244-245 T7
Magdeburg D 122-123 H4
Magdelaine Cays – w-y 296-297 I2
Magee, Island – w. 128-129 H7
Magee USA (MS) 250-251 J10
Magelang RI 194-195 O10
Magellana, Cieśnina 272 F10
Magenta I 120-121 D5
Magerøya – w. 136-137 G,g2
Mage-shima – w. 202-203 L6
Magetan RI 194-195 O10
Maggio – rz. 120-121 D4
Maggiorasca, Monte – g. 120-121 E6
Maggiore, Lago – jez. 120-121 D4
Maghama RIM 220-221 C5
Magharoskari GE 180-181 F2
Maghera GB 128-129 G7
(Magierów) UA 142-143 C3
Mágina, Sierra – g-y 130-131 H8
Magione I 132-133 C5
Magistral'nyj RUS 176-177 R6
Maglaj BIH 118-119 F3
Magland F 120-121 B4
Maglavit RO 114-115 D5,6
Măglenik – g-y 114-115 F8
Maglić – g. 118-119 F4
Maglie I 132-133 M8
Măgliž BG 114-115 F7
Magnā KSA 188-189 B,C3
Magnac-Laval F 124-125 H5
Magnesia – r. 134-135 I5
Magnita – g. 104-105 U5
Magnitogorsk RUS 144-145 M6
Magnolia USA (AR) 250-251 H9
Magnolia USA (MS) 250-251 I10
Magnor N 138-139 I3
Magnuszew PL (MAZ) 76-77 D9
Magny-en-Vexin F 124-125 H2
Magog CDN 244-245 R7
Magong TWN 196 E5
Magra – rz. 120-121 E6
Magrath CDN 252-253 H1
Magro, Río – rz. 130-131 J,K6
Magruder Mount – g. 252-253 F8
Magsingal RP 197 B,C3
Magu EAT 224-225 F4
Magumeri WAN 222-223 B5
Magura Orawska – g-y 112-113 L6
Măgura Tarcău – g. 114-115 R10
Magurski Park Narodowy 80-81 F9
Mağusa NCY 134-135 O,P8
Maguse Lake – jez. 244-245 M4
Magwe – jedn. adm. MYA 192-193 B3
Magwe MYA 192-193 B3,4
Magyarbodza RO 114-115 Q,R12
Magyarcserged RO 114-115 M11
Magyarfrata RO 114-115 N10
Magyargorbó RO 114-115 L10
Magyarigen RO 114-115 L11
Magyarpalatka RO 114-115 M10
Magyarpeterd RO 114-115 L10
Magyarsolymos RO 114-115 M11
Magyarszentpál RO 114-115 L10
Magyarzsombor RO 114-115 L10
Maha Sarakham THA 192-193 D4
Mahābād IR 184-185 K3
Mahabo RM 226-227 H4
Mahad IND 190-191 C5
Mahadday Weyn SP 224-225 H,I3
Mahaena, Passe de – cieśn. 299 E5
Mahaena PF 299 E5
Mahagi ZRE 224-225 F3
Mahaiatea PF 299 D5
Mahaicony GUY 276-277 F2
Mahajamba – rz. 226-227 I3
Mahajamba, Helodranon'i – zat. 226-227 I2
Mahajan IND 190-191 C3
Mahajanga RM 226-227 I3
Mahajilo – rz. 226-227 I3
Mahakam – rz. 194-195 F5
Mahalapye RB 226-227 E4
Mahallāt IR 184-185 N5
Mahambet KZ 182-183 D3
Māhān IR 187 G1
Mahanadi – rz. 166-167 L7
Mahane Zofar IL 186 A5
Mahanoro RM 226-227 I3
Maharajganj IND 190-191 P11
Maharajganj IND 190-191 R11
Maharashtra – jedn. adm. IND 190-191 C5
Mahari Mountains – g. 224-225 E5
Mahasamund IND 190-191 E4
Mahatsinjo RM 226-227 I3
Mahattat al-Kübrī ET 222-223 L11
Mahattat aš-Šallūfa ET 222-223 L11
Mahavavy – rz. 226-227 I3
Mahavelona RM 226-227 I3
Mahaxai LAO 192-193 E4
Mahbubnagar IND 190-191 D5
Mahdah OM 187 F,G4
Mahdalynivka UA 142-143 N5
Mahdia TN 220-221 H1
Mahé – w. 226-227 M8
Mahe IND 190-191 D6
Mahébourg MS 226-227 O12
Mahendragiri – g. 190-191 E5
Mahenge EAT 224-225 G5
Maheriv UA 142-143 C3
Mahesana IND 190-191 C4
Mahfar al-Busayya IRQ 184-185 K6
Mahfar al-Hammām SYR 184-185 H3
Mahi – rz. 190-191 C4
Mahia Peninsula – płw. 298 G4
Māhīdašt IR 184-185 L4
Mahide E 130-131 E4
Mahilëŭ BY 140-141 K8
Mahim IND 190-191 C5
Mahina PF 299 E5
Mahlaing MYA 192-193 C3
Mahma – oaza 187 A2
Mahmiya SUD 222-223 F4
Mahmūdābād IR 182-183 D8
Mahmūd-e 'Erāqī AFG 188-189 I2
Mahmudia RO 114-115 I4
Mahmur IRQ 184-185 J4
Mahne IR 188-189 G2
Mahnomen USA (MN) 250-251 F2
Maho CL 190-191 M9
Mahora E 130-131 J6
Mahres TN 220-221 G2
Mahrūq, Wādī al- – rz. 186 C4
Māhūs SYR 184-185 F4
Mahuva IND 190-191 C4
Mai – w. 299 L12
Maia P 130-131 C4
Maiá, Pic – g. 127 J9
Maiana Atoll – w. 290-291 J4
Maiao – w. 290-291 M6
Maicao CO 276-277 C1
Maici, Rio – rz. 276-277 E5
Maicuru, Rio – rz. 278-279 C3
Maidān Ikbiz SYR 184-185 G3
Maidenhead GB 128-129 L10
Maidstone GB 128-129 N10
Maiduguri WAN 222-223 B5
Maihar IND 190-191 E4
Maiko – rz. 224-225 E4
Maikoor – w. 194-195 I7
Mailani IND 190-191 P10
Mailhebiau – g. 124-125 J7
Main – rz. 104-105 K6
Main Channel – cieśn. 248-249 D2
Mainburg D 120-121 G2
Mai-Ndobe, Lac – jez. 216 E6
Maine – jedn. adm. USA 241 N,O5
Maine – reg. 124-125 F3
Maine, Gulf of – zat. 240 O5
Maingkaing MYA 192-193 B,C3
Mainit, Lake – jez. 197 E7
Mainit RP 197 E7
Mainland – w. 128-129 J2
Mainland – w. 128-129 L,M1
Mainling CHN 192-193 B2
Mainpuri IND 190-191 O11
Maintenon F 124-125 H3
Maintirano RM 226-227 H3
Mainua FIN 136-137 g5
Mainz D 122-123 E7
Maio, Ilha de – w. 220-221 L12
Maipo, Volcán – wulk. 272 G8
Maipú RA 280-281 G5
Maipú, Río – rz. 280-281 G5
Maipures CO 276-277 D2
Maipuri Landing GUY 276-277 F3
Maiquetia YV 276-277 D1
Maira – rz. 120-121 C6
Mairabari IND 190-191 G3
Maisān – jedn. adm. IRQ 184-185 L6
Maishkal – w. 192-193 B3
Maišiagala LT 140-141 G7
Maisian AR 180-181 E4
Maissau A 120-121 K2
Maitencillo RCH 280-281 D4
Maithon Reservoir – zb. 190-191 S13
Maitland AUS 296-297 F5
Maitland AUS 296-297 I5
Maitland, Lake – jez. 296-297 C4
Maitum S 136-137 e4
Maíz Grande, Isla de – w. 260-261 I6
Maíz, Islas del – w-y 260-261 I6
Maíz Pequeña, Isla de – w. 260-261 I6
Maizuru J 204-205 H7
Maja – rz. 178-179 E7
Maja e Jezercës – g. 118-119 G5
Majari, Rio – rz. 276-277 E3
Majavatn N 136-137 D5
Majdan PL (PKR) 80-81 E9
Majdan UA 142-143 C5
Majdanper XS 118-119 I3
Majé, Serranía de – g-y 260-261 K8
Majene RI 194-195 F6
Majes, Rio – rz. 276-277 C7
Majevica – g-y 118-119 F3
Majī ETH 222-223 G6
Majja RUS 178-179 D6
Majkain KZ 176-177 L7
Majkamys KZ 182-183 R3
Majkop RUS 144-145 J8
Majluu-Ssuu KS 182-183 O6
Majmak KZ 182-183 N5
Majn – rz. 178-179 M6
Majoli SME 278-279 B2
Majorka – w. 104-105 J8
Majotta – teryt. zal. F 217 H7
Majseeŭščyna BY 140-141 J7
Majsk RUS 176-177 L6
Majske RUS 180-181 F1
Majskij RUS 180-181 F1
Majskij RUS 178-179 D8
Majuro Atoll – w. 290-291 J4
Mak – w. 192-193 D5
Makabana RCB 224-225 B4
Makabe J 204-205 M6
Makah Indian Reservation – jedn. adm. USA 252-253 B2
Makalanabedi RB 226-227 D4
Makale RI 194-195 F6
Makalu – g. 190-191 S11
Makamba BU 224-225 E4
Makanči KZ 176-177 M8
Makandjia RCA 224-225 C3
Makanruši, ostrov – w. 178-179 I9
Makanya EAT 224-225 G4
Makar'ev RUS 144-145 J5
Makarewa NZ 298 C8
Makarfi WAN 220-221 G6
Makariv UA 142-143 I3
Makarov RUS 178-179 G9
Makarov Seamount – form. podm. 166-167 S7
Makarowa, Basen – form. podm. 310 o,P1
(Makarów) UA 142-143 I3
Makarska HR 118-119 R14
(Makasar) RI 194-195 F6
Makasarska, Cieśnina 166-167 O10
Makat KZ 182-183 E3
Makatea – w. 290-291 N6
(Makau) CHN 200-201 D6
Makau, Specjalny Region Administracyjny Chin CHN 200-201 D7
Makaw MYA 192-193 C2
Makawao USA (HI) 254-255 X9
Makaza – przeł. 134-135 G2
Makaza RUS 180-181 G2
Makažoj RUS 180-181 G2
Makemo – w. 290-291 N6
Makeni WAL 220-221 C7
Make'on VAN 299 K11
Makfalva RO 114-115 O10
Makgadikgadi Pans Game Reservoir soln. 226-227 E4
Makhinjauri GE 180-181 C3
Makhtesh Ramon – g-y 186 A5
Maki J 204-205 K5
Maki RI 194-195 I6
Makian – wulk. 194-195 H5
(Makiejewka) UA 142-143 Q,R5
Makijivka UA 142-143 K3
Makijivka UA 142-143 Q,R5
Makindu EAK 224-225 G4
Makinsk KZ 176-177 K7
Makkah KSA 188-189 C4
Mak Klintoka, ostrov – w. 010 I1,2
Makkovik CDN 244-245 U5
Makkum NL 126 D1
Maklautsi – rz. 226-227 E4
Maklautsi RB 226-227 E4
Makmene Ben Amar DZ 220-221 E2
Makokou G 224-225 B3
Makongai – w. 299 B2
Makongolosi EAT 224-225 F5
Makoua RCB 224-225 C4
Makov SK 112-113 K6
Makovo MK 118-119 I6
Makovskoe, ozero – jez. 176-177 M4
Makó H 114-115 A3
Maków Mazowiecki PL (MAZ) 76-77 C8,9
Maków PL (ŁDZ) 76-77 D8
Maków Podhalański PL (MŁP) 80-81 F7
Makrá – w. 134-135 G7
Makrakómi GR 134-135 D4,5
Makran Nadbrzeżny – g-y 188-189 H3
Makran Środkowy – g-y 188-189 H3
Makrany BY 140-141 F10
Makri IND 190-191 E5
Makronīsi – w. 134-135 F6
Maksimkin Jar RUS 176-177 N6
Maksut KZ 176-177 M8
Maksymovyči UA 140-141 K10
Makthar TN 220-221 G1
Makthar TN 132-133 D13
Mākū IR 180-181 F5
Makum IND 190-191 H3
Makunduchi EAT 224-225 G5
Makunguwira EAT 224-225 G6
Makurazaki J 202-203 E5
Makurdi WAN 220-221 G7
Makuru – w. 299 L12
Makušino RUS 176-177 J6
Makuye IR 187 E2
Mal di Ventre, Isola di – w. 132-133 B9
Mala Bilozerka UA 142-143 N,O6
Mala Danylivka UA 142-143 P3
Mala Divycja UA 142-143 K3
Mala Kapela – g-y 118-119 C2
Mala PE 276-277 B6
Mala, Punta – przyl. 260-261 K9
Mala Vyska UA 142-143 K5
Malabang RP 197 D8
Malabarskie, Wybrzeże 190-191 C6
Malabo GQ 224-225 A3
Malabuñgan RP 197 A7
Malacky SK 112-113 J7
Malad City USA (ID) 252-253 H5
Maladeta – g-y 130-131 L3
Maladzečna BY 140-141 H7
Málaga CO 276-277 C2
(Malaga) E 130-131 G9
Málaga E 130-131 G9
Malagón E 130-131 H6
Malaia RO 114-115 D,E4
Malaimbandy RM 226-227 I4
Malaita – w. 290-291 I5
Malaja Kudara RUS 176-177 R7
Malaja Kuonamka – rz. 176-177 S3
Malaja Sos'va – rz. 144-145 N4
Malaja Višera RUS 144-145 H5
Malajski, Półwysep 166-167 M9
Malakāl SUD 222-223 F6
Malakanagiri IND 190-191 E5
Malakand PK 188-189 J2
Malakka, Cieśnina 166-167 M9
Malakoff USA (TX) 250-251 F,G9
Malakula – w. 299 K12
Malalaling RB 226-227 D5
Malalhue RCH 280-281 D5
Malampaya Sound – cieśn. 197 B6
Malanchwane – oaza 226-227 D4
Malang RI 194-195 P10
Malangen – cieśn. 136-137 E3
Malangwa NEP 190-191 R11
Malanje ANG 224-225 C5
Malanów PL (WLP) 74-75 D6
Malanville DY 220-221 F6
Mälaren – jez. 138-139 M3
Malargüe RA 280-281 E5
Malartic CDN 244-245 Q7
Malaryta BY 140-141 F10
Malaspina Glacier – lod. 254-255 N3,4
Malaspina RA 280-281 E6
(Malaty) LT 140-141 G6
Malatya TR 184-185 H2
Malaucène F 124-125 L7
Malawali – w. 194-195 F4
Malawi – państwo 217 G7
Malaybalay RP 197 E7
Malāyer IR 184-185 M4
Malazgirt TR 180-181 D5
Malbazza RN 220-221 G6
Malberg D 126 E4
Malbon AUS 296-297 F3
Malbooma AUS 296-297 E5
Malbork PL (POM) 72-73 A7
Malbun FL 127 G7
Malchin D 122-123 I3
Malchiner See – jez. 122-123 I3
Malching D 120-121 I2
Malcolm AUS 296-297 C4
Malczyce PL (DŚL) 78-79 D4
Maldegem B 126 B3
Malden Island – w. 290-291 M5
Malden USA (MO) 250-251 I7
Maldon GB 128-129 N10
Maldonado ROU 280-281 G5
Male, Atol – w-y 196 L11
Male I 120-121 F4
Male MAL 196 L11
Male Orjule – w. 118-119 N12
Male Południowe, Atol – w-y 196 L11
Male Srakane – w. 118-119 M11
Maléas, Akrōtīri – przyl. 104-105 N8
Malechowo PL (ZPM) 70-71 A4
Malediwy – państwo 168-169 K10
Malegaon IND 190-191 C4
Malek do Kand, Kūh-e – g. 108-109 I10
Malek SUD 222-223 F6
Malekula – w. 290-291 I6
Malema MOC 226-227 G2
Maleniec PL (ŚW) 76-77 D8
Malente D 122-123 G2
Malesherbes F 124-125 I3
Malestroit F 124-125 D4
Maletsunyane Falls – wdp. 226-227 E5
Malevo BG 114-115 F8
Malewidy – w-y 309 r5
Malezja – państwo 168-169 N9
Malfa I 132-133 I10
Malgabek RUS 180-181 F1
Malgomaj – jez. 136-137 E5
Malgrat E 130-131 N4
Malha – oaza 222-223 E4
Malheur Lake – jez. 252-253 E5
Malheur River – rz. 252-253 E,F5
Mali – państwo 217 C4
Mali – w. 192-193 C5
Mali Brijuni – w. 118-119 L11
Mali i Nëmërçkes – g-y 118-119 H7
Mali Lošinj HR 118-119 M11
Mali Rajinac – g. 118-119 N11
Mali RG 220-221 C6
Mali Ston HR 118-119 T15
Mali ZRE 224-225 E4
Mália GR 134-135 G8
Malian He – rz. 200-201 B3
Malicorne-sur-Sarthe F 124-125 F4
Maligan MAL 196 P14
Malij Kunalej RUS 176-177 R7
Malije Aŭcjuki BY 140-141 K9
Malije Karmakuli – st. bad. 310 I2
Malıköy TR 134-135 N4
Málilla S 138-139 L5
Malima – w. 299 C2
Malimba, Monts – g-y 224-225 E5
Malin Head – przyl. 128-129 F6
(Malin) UA 142-143 I3
Malinau RI 194-195 F5
Malindang, Mount – g. 197 D7
Malindi EAK 224-225 H4
Malingping RI 194-195 L,M10
Malino – g. 194-195 G5
Malinovka RUS 140-141 H6
Malinovoe Ozero RUS 176-177 L7
Malinska HR 118-119 M10
Maliq AL 118-119 H7
Malita RP 197 E8
Maliwun MYA 192-193 C5
Maljen – g. 118-119 G,H3
Malka – rz. 180-181 D1
Malka RUS 180-181 E1
Malkapur IND 190-191 D4
Malkara TR 134-135 H3
Malke RUS 180-181 E1
Malki RUS 178-179 J8
Malko Šarkovo, jazovir – zb. 114-115 G7
Malko Tărnove BG 114-115 H7,8
Mallacoota AUS 296-297 H6
Mallaig GB 128-129 H4
Mallakaster – reg. 118-119 G7
Mallanga – oaza 222-223 D4
Mallawī ET 222-223 F2
Mallersdorf D 120-121 H2
Malles Venosta I 120-121 F4
Mallét BR 278-279 C8
Mallicolo – w. 299 K12
Mallnitz A 120-121 I4
Mållongen – jez. 138-139 L1
Mallow IRL 128-129 E9
Mallowa Well – soln. 296-297 C3
Malmand, Kūh-e – g-y 188-189 H2
Malmédy B 126 D4
Malmesbury GB 128-129 K10
Malmesbury ZA 226-227 C6
Malmköping S 138-139 M3
Malmö S 138-139 J7
Malmyž RUS 144-145 L5
Malnaș RO 114-115 Q11
Málnás RO 114-115 Q11
Malo – w. 299 K11
Malo – w. 197 F9
Malo more – zat. 118-119 S14,15
Maloarchangel'sk RUS 144-145 I6
Malobbi SME 278-279 B2
Maloca BR 278-279 C8
Maloelap Atoll – w. 290-291 J4
Malog Stona, Kanal – cieśn. 118-119 S,T15
Maloja CH 120-121 E4
Malokaterynivka UA 142-143 O6
Malokuril'skoe RUS 178-179 H10
Malole Z 224-225 F5,6
Malolos RP 197 C4
Malombe, Lake – jez. 224-225 F6
Malone USA (NY) 248-249 H2
Malonga ZRE 224-225 D6
Malotkavičy BY 140-141 G9
Malovăț RO 114-115 C5
Måløy N 136-137 B7
Maložujka RUS 144-145 I4
Malpartida de Cáceres E 130-131 E6
Malpartida de Plasencia E 130-131 E6
Malpaso MEX 258-259 M9
Malpelo, Isla de – w. 272 E4
Malpica de Bergantiños E 130-131 B,C2
Mālpils LV 140-141 F5
Mäls FL 127 G7
Mals I 120-121 F4
Malsfeld D 122-123 F5
Malta – państwo 106-107 L8
Malta – rz. 120-121 I3
Malta – rz. 140-141 H5
Malta – w. 104-105 L8
Malta, Il-Fliegu ta' – cieśn. 127 K12
Malta LV 140-141 I5
Malta USA (ID) 252-253 H5
Malta USA (MT) 252-253 K2
Maltahöhe NAM 226-227 C4
Maltańska, Cieśnina 132-133 I12
Maltepe NCY 134-135 O8
Malton GB 128-129 M7
Ma'lūlā SYR 186 C2
Malumfashi WAN 220-221 G6
Malung S 138-139 J2
Maluso RP 197 C8
Malūt SUD 222-223 F5
Malvern USA (AR) 250-251 H8
Malwa Plateau – wyż. 190-191 D4
Malwiny – w-y 308 G13
Malxe – rz. 74-75 D2
Malý Dunaj – rz. 112-113 J7
Malya EAT 224-225 F4
Malygina, proliv – cieśn. 176-177 J,K3
Malyj Enisej – rz. 176-177 P7
Malyj Ljachovskij, ostrov – w. 178-179 F4
Malyj, ostrov – w. 140-141 I1
Malyj Šantar, ostrov – w. 178-179 F8
Malyj Tjuters, ostrov – w. 140-141 H2
Malyje Delbety RUS 182-183 A3
Malykaj RUS 178-179 B6
Malyn UA 142-143 I3
Mała Ina – rz. 70-71 B3
Mała Inagua – w. 262-263 G3
Mała Ławica Sole – form. podm. 104-105 G6
Mała Panew – rz. 78-79 E6
Mała Wełna – rz. 74-75 C5
Mała Wieś PL (MAZ) 76-77 C8
Małaszewicze PL (LBL) 76-77 C11
Małchańskie, Góry 176-177 R7
Małdyty PL (W-M) 72-73 B7
Małgorzaty, Szczyt 216 G5
Małkinia Górna PL (MAZ) 76-77 C9
Małków PL (ŁDZ) 74-75 D6
Małogoszcz PL (ŚW) 80-81 E8
Małomice PL (LBU) 74-75 D3
Małopolska, Wyżyna 48-49 E7
(Małoryta) BY 140-141 F10
Małoziemielska, Tundra – niz. 144-145 L3
Małujowice PL (OPO) 78-79 E5
Mały Andaman – w. 192-193 B5
Mały Aniuj – rz. 178-179 K5
Mały Kajman – w. 260-261 J3
Mały Nikobar – w. 192-193 B6
Mały Płock PL (PDL) 72-73 B10
Mały Tajmyr – w. 176-177 R2
Mama RUS 178-179 A7
Mamaia RO 114-115 I5
(Mamaja) RO 114-115 I5
Mamakhin Khotar RUS 180-181 G1
Mamanguape BR 278-279 F,G4
Mamanutha Group – w-y 299 A2
Mamasın Barajı – zb. 134-135 P5
Mamba J 204-205 K6
Mambahenauhan – w. 197 B8
Mambajao RP 197 E7
Mambasa ZRE 224-225 E3
Mamberamo – rz. 194-195 J6
Mambéré – rz. 224-225 C2
Mambolo WAL 220-221 C7
Mambrui EAK 224-225 H4
Mamburao RP 197 C5
Mamede, Serra de – g-y 130-131 D6
Mamedkala RUS 180-181 J2
Mamers F 124-125 G3
Mamfe CAM 224-225 A2
Mamiña RCH 280-281 E2
Mamisońska, Przełęcz 180-181 E2
Mamljutka KZ 176-177 J6
Mammola I 132-133 K10
Mammoth Spring USA (AR) 250-251 I7
Mammoth USA (AZ) 252-253 I10
Mamonovo RUS 140-141 B7
Mamoré, Río – rz. 272 G6
Mamori BR 276-277 D4
Mamoriá BR 276-277 D5
Mamoritanas, Rio – rz. 276-277 D4
Mamou RG 220-221 C6
Mamoudzou FR 226-227 I2
Mampawah RI 194-195 D5
Mampikony RM 226-227 I3
Mampodre – g. 130-131 F2
Mampoko ZRE 224-225 C3
Mampong GH 220-221 E7
Mamry, Jezioro 72-73 A9
Mamuju RI 194-195 F6
Mamuno RB 226-227 D4
Mamure TR 134-135 Q3
Mamurogawa J 204-205 M4

Marijampolė LT 140-141 D7
Marília BR 278-279 C7
Marimba ANG 224-225 C5
Marin E 130-131 C3
Marina di Arbus I 132-133 C9
Marina di Campo I 132-133 E6
Marina di Massa I 120-121 F6,7
Marina di Ravenna I 120-121 H6
Mar'ina Horka BY 140-141 I8
Marina HR 118-119 Q13
Marinduque – w. 197 C5
Marineland USA (FL) 248-249 E10
Marinette USA (WI) 250-251 J3
Maringa – rz. 216 F5
Maringá BR 278-279 C7
Marinha Grande P 130-131 B6
Marino I 132-133 G7
Mar'insko RUS 140-141 J3
Marion Downs AUS 296-297 F3
Marion Island – w. 309 p9
Marion, Lake – jez. 248-249 E8
Marion Lake – jez. 250-251 F6
Marion Reef – w. 290-291 H6
Marion USA (AL) 248-249 B8
Marion USA (IA) 250-251 H4
Marion USA (IL) 250-251 J7
Marion USA (IN) 248-249 C4
Marion USA (KS) 250-251 F6
Marion USA (KY) 248-249 AB6
Marion USA (ND) 250-251 F2
Marion USA (OH) 248-249 D4
Marion USA (SC) 248-249 F7
Marion USA (VA) 248-249 E6
Maripasoula FGF 278-279 C2
Mariposa USA (CA) 252-253 D8
Mariquina RCH 280-281 D5
Marisa RI 194-195 G5
Mariscal Estigarribia PY 278-279 A7
Mariupol' UA 142-143 Q6
Mariusa, Caño – rz. 262-263 M9
Mariusa, Isla – w. 276-277 E2
Marivān IR 184-185 L4
Märjamaa EST 140-141 F3
Mar'janivka UA 142-143 D3
Mar'janskaja RUS 142-143 R8
Mar'jinka UA 142-143 Q6
Marka SP 224-225 H3
Markab al-Hufna – r. 186 C3
Markala RMM 220-221 D6
Markara AR 180-181 F4
Markaryd S 138-139 J6
Markazī – jedn. adm. IR 188-189 F2
Marked Tree USA (AR) 250-251 I8
Markelo NL 126 E2
Marken – reg. 126 D2
Markermeer – jez. 126 D2
Markersdorf D 122-123 W14
Market Drayton GB 128-129 K9
Market Rasen GB 128-129 M8
Markham CDN 248-249 F3
Marki PL (MAZ) 76-77 C9
Markivka UA 142-143 S4
Markizy – w-y 290-291 N5
Markkina FIN 136-137 f3
Markleeville USA (CA) 252-253 D7
Marklowice PL (ŚL) 78-79 E6
Marknesse NL 126 D2
Markounda RCA 224-225 C2
Markovo RUS 176-177 R6
Markovo RUS 178-179 L6
Markowa PL (PKR) 80-81 E10
Markoy BF 220-221 E6
Marks RUS 144-145 K6
Marks USA (MS) 250-251 I8
Marksville USA (LA) 250-251 H10
Marktheidenfeld D 122-123 F7
Marktoberdorf D 120-121 F3
Marktredwitz D 122-123 I6
Markusy PL (W-M) 72-73 A7
Markuszów PL (LBL) 76-77 D10
Marl D 126 F3
Marlagne – reg. 126 C4
Marlasi RI 194-195 I7
Marlborough – jedn. adm. NZ
298 E5
Marlborough AUS 296-297 H3
Marlborough GB 128-129 L10
Marle F 124-125 J2
Marlera, Rt – przyl. 118-119 M11
Marlin USA (TX) 250-251 F10
Marlinton USA (WV) 248-249 E5
Marlow D 122-123 I2
Marlow USA (OK) 250-251 F8
Marmagao IND 190-191 C5
Marmande F 124-125 G7
Marmara Adası – w. 134-135 I3
Marmara Gölü – jez. 134-135 I5
Marmara, Morze 104-105 O7
Marmara TR 134-135 I3
Marmaraereğlisi TR 134-135 I,J3
Marmaris TR 134-135 J7
Marmarth USA (ND) 250-251 C2
Marmet USA (WV) 248-249 E5
Marmion Lake – jez. 250-251 H1
Marmirolo I 120-121 F5
Marmolada – g. 120-121 G4
Marmot Island – w. 254-255 L4
Marmoutier F 120-121 C2
Marmul OM 188-189 G5
(Marna) – rz. 124-125 J2
Marna-Ren, Kanał 124-125 K3
Marnay F 120-121 A3
Marne – rz. 124-125 J2
Marne D 122-123 E3
Marneuli GE 180-181 F3
Maro TCH 222-223 C6
Maroa YV 276-277 D3
Maroantsetra RM 226-227 I3
Marokau – w. 290-291 N6
Maroko – państwo 217 B,C3
Marolambo RM 226-227 I4
Maroma – g. 130-131 G,H9
Maromokotro – g. 216 H7
Marondera ZW 226-227 F3
Maroni, River – rz. 278-279 C1
Maroochydore-Mooloolaba AUS
296-297 I4
Maros – rz. 114-115 A3
Marosbogát RO 114-115 N11
Marosborgó RO 114-115 O9
Maroshéviz RO 114-115 P10
Maros-Körös köze – reg.
114-115 X16
Maroslele H 114-115 A3
Marosludas RO 114-115 N10
Marosoroszfalu RO 114-115 O10
Marossárpatak RO 114-115 N,O10
Marosszentimre RO 114-115 M11
Marostica I 120-121 G5
Marosújvár RO 114-115 M11
Marosvásárhely RO 114-115 N10
Marosvécs RO 114-115 O10
Marot PK 188-189 J3
Marotiri, Îles – w-y 290-291 N7
Marotta I 120-121 I7
Maroua CAM 222-223 B5
Marouini, River – rz. 278-279 C2
Marovoay RM 226-227 I3
Marowijne, River – rz. 278-279 C1
Márpisa GR 134-135 G6
Marqadā SYR 184-185 I4
Marquesas Keys – w-y 248-249 D12
Marquette USA (MI) 248-249 B1
Marquez USA (TX) 250-251 F10
Marquise F 124-125 H1
Marra, Gabal – g. 222-223 D5
Marrakech Ma 220-221 D2
(Marrakesz) Ma 220-221 D2
Marrān KSA 188-189 D4
Marrângua, Lagoa – jez. 226-227 F4
Marrāt KSA 188-189 E4
Marrawah AUS 296-297 G7
Marree AUS 296-297 F4
Marromeu MOC 226-227 G3
Marroqui, Cabo – przyl. 104-105 H8
Marrupa MOC 226-227 G2
Mars Hill USA (ME) 248-249 K1
Marsā al-'Alam ET 222-223 F2
Marsa al-Burayqah LAR 222-223 C1
Marsā Matrūḥ ET 222-223 E1
Marsabit EAK 224-225 G3
Marsala I 132-133 G11
Marşani RO 114-115 E5
Marsaskala M 127 M12
Marsaxlokk, Il-Bajja ta' – zat. 127 M13
Marsaxlokk M 127 M12
Marsberg D 122-123 E5
Marsciano I 132-133 G6
Marsdiep – cieśn. 126 C2
Marseille F 124-125 K8
Marseille-en-Beauvaisis F 124-125 H2
Marsfjadet – g. 136-137 d5
Marsh AUS 296-297 G6
Marsh Harbor BS 248-249 G11
Marsh Island – w. 250-251 H11
Marsh Lake – jez. 244-245 F4
Marsh Peak – g. 252-253 I6
Marshall LB 220-221 C7
Marshall Seamount – form. podm.
290-291 I3
Marshall USA (AK) 254-255 J3
Marshall USA (AR) 250-251 H8
Marshall USA (IL) 250-251 J6
Marshall USA (MN) 250-251 G3
Marshall USA (MO) 250-251 H6
Marshall USA (NC) 248-249 D7
Marshall USA (TX) 250-251 G9
Marshalla, Wyspy 290-291 I3
Marshalltown USA (IA) 250-251 H4
Marshfield USA (MO) 250-251 H7
Marshfield USA (WI) 250-251 I3
Marstal DK 138-139 G8
Marsum NL 126 D1
(Marsylia) F 124-125 K8
Marta – rz. 132-133 F6
Martaban MYA 192-193 C4
Martakert KAR 180-181 H4
Martanesh – reg. 118-119 H6
Martapura RI 194-195 C6
Martapura RI 194-195 F6
Martelange B 126 D5
Marten BG 114-115 G6
Martfeld D 122-123 E4
Mártha Mále GR 134-135 G8
Martha's Vineyard – w. 248-249 J3
Martí C 260-261 L2
Martigné F 124-125 F3
Martigné-Ferchaud F 124-125 E4
Martigny CH 120-121 C4
Martigny-les-Gerbonveux F
120-121 A2
Martigues F 124-125 K8
Martim Longo P 130-131 D8
Martin Brod BIH 118-119 C3
Martin, Lake – jez. 248-249 C8
Martin, Río – rz. 130-131 K5
Martin SK 112-113 K6
Martin USA (SD) 250-251 C4
Martin USA (TN) 250-251 J7
Martina Franca I 132-133 L8
Martina, Półwysep 311 O2
Martinborough NZ 298 F5
Martínez de la Torre MEX 258-259 K8
Martinique Passage – cieśn.
262-263 M6
Mărtiniș RO 114-115 P11
Martins Ferry USA (OH) 248-249 E4
Martinsberg A 120-121 J2
Martinsburg USA (WV) 248-249 F5
Martinšćica HR 118-119 M11
Martinsdale USA (MT) 252-253 I3
Martinsville USA (IN) 248-249 B5
Martinsville USA (VA) 248-249 E6
Martisovo RUS 140-141 M5
Martoban, Zatoka 192-193 C4
Martok KZ 182-183 F,G1
Marton NZ 298 F5
Martorell E 130-131 M4
Martos E 130-131 G8
Martre, Lac la – jez. 244-245 I4
Marttila FIN 140-141 D1
Martūbah LAR 222-223 D1
Martuni AR 180-181 G4
Martuni KAR 180-181 I5
Martvijivka UA 142-143 N6
Martvili GE 180-181 D2
Martwa Wisła – rz. 70-71 A6
Martwe, Morze – jez. 166-167 G6
Martynika – teryt. zal. F 273 G3
Martynika – w. 272 G3
Martynovo KZ 182-183 D1
Martynovyči UA 140-141 K10
Maru – w. 194-195 I7
Maruchskij pereval – przeł.
180-181 C1
Marudi MAL 194-195 E5
Marudu, Teluk – zat. 194-195 F4
Mā'rūf AFG 188-189 I2
Marugame J 204-205 F8
Maruhis ugheltehili – przeł.
180-181 C1
Maruko J 204-205 K6
Marum, Mount – g. 299 L12
Marum NL 126 E1
Marumba EAT 224-225 G6
Marumori J 204-205 M5
Marungu – g-y 224-225 E5
Maruoka J 204-205 I6
(Marusza) – rz. 104-105 N6
Marutéa – w. 290-291 N6
Marutea – w. 290-291 O7
Maruti PNG 194-195 K6
Marv Dašt IR 187 E2
Marvão P 130-131 D6
Marvejols F 124-125 J7
Marvine, Mount – g. 252-253 I7
Mary Kathleen AUS 296-297 F,G3
Mary TM 182-183 I8
Maryal Bai SUD 222-223 E6
Maryang CHN 182-183 P8
Maryborough AUS 296-297 G6
Maryborough AUS 296-297 I4
Marydale ZA 226-227 D5
Maryhill USA (WA) 252-253 D4
Maryland – jedn. adm. USA 241 N6
Marynivka UA 142-143 J6
Maryport GB 128-129 J7
Marysville USA (CA) 252-253 D7
Marysville USA (KS) 250-251 F6
Marysville USA (OH) 248-249 D4
Maryville USA (TN) 248-249 C7
Marzo, Cabo – przyl. 276-277 B2
Marzūq, Ḥamādat – pust. 222-223 B2
Marzūq LAR 222-223 B2
Masa E 130-131 H3
Masāhīm, Kūh-e – g. 187 F1
Masajów, Step – wyż. 224-225 G4
Masaka EAU 224-225 F4
Masalembo, Kepulauan – w-y
194-195 R9
Masalima, Kepulauan – w-y
194-195 F7
Masallı AZ 180-181 J5
Masallı Göytəpə AZ 180-181 J5
Masamba RI 194-195 F6
Masan ROK 202-203 E4
Masandra UA 142-143 N9
Masasi EAT 224-225 G6
Masaya NIC 260-261 G7
Masbate – w. 197 D5
Masbate RP 197 D5
Mascara DZ 220-221 F1
Mascota MEX 258-259 G7
Mascote BR 278-279 F6
Masela – w. 194-195 H,I7
Maseru LS 226-227 E5
Masescha FL 127 G7
Masese Z 224-225 D7
Masfjorden N 138-139 B2
Mašġarah RL 186 B2
Mašğed-e Soleimān IR 184-185 M6
Mašhad IR 188-189 G1
Masham GB 128-129 L7
Mashan CHN 200-201 B6
Masherbrum – g. 190-191 D1
Mashike J 202-203 H2
Mashkel, Hamun-i – soln. 188-189 H3
Mashonaland Nord – jedn. adm. ZW
226-227 E3
Mashonaland South – jedn. adm. ZW
226-227 F3
Mashū-ko – jez. 202-203 I2
Masi – w. 299 C3
Masi N 136-137 f3
Masi-Manimba ZRE 224-225 C4
Masin RI 194-195 J7
Masinloc RP 197 B4
Maṣīra, Ğazīrat – w. 166-167 I7,8
Maṣīra, Ḫalīğ – zat. 188-189 G5
Mašīrān IR 180-181 I6
Masis AR 180-181 F4
Mašivka UA 142-143 N4
Maskanah SYR 184-185 G3
Maskareny – w-y 226-227 N12
Maskareński, Basen – form. podm.
309 q6
Maskareński, Grzbiet – form. podm.
309 q5
Maskat – reg. 188-189 G4
(Maskat) OM 188-189 G4
Maskawa – rz. 74-75 C5
Masku FIN 140-141 D1
Maskūtān IR 187 H3
Masland USA (NE) 250-251 C4
Maslinica HR 118-119 Q14
Maslinovik – w. 118-119 P13
Masljanskij RUS 176-177 J6
Masłowice PL (ŁDZ) 76-77 D7
Masłów PL (ŚW) 80-81 E8
Masoala, Saikanosy – płw.
226-227 J3
Masoalo, Tanjona – przyl.
226-227 J3
Masohi RI 194-195 H6
Mason Bay – zat. 298 B8
Mason City USA (IA) 250-251 H4
Mason USA (TX) 250-251 E10
Masqaṭ OM 188-189 G4
Mašra'ar Raqq SUD 222-223 E6
Massa Fiscaglia I 120-121 H6
Massa I 120-121 F6
Massa Lombarda I 120-121 G6
Massa Marittima I 132-133 E5
Massachusetts Bay – zat. 248-249 J3
Massachusetts – jedn. adm. USA
241 N5
Massafra I 132-133 L8
Massaguet TCH 222-223 C5
Massakory TCH 222-223 C5
Massangena MOC 226-227 F4
Massapê BR 278-279 E3
Massara MOC 226-227 F3
Massarosa I 120-121 F7
Massat F 124-125 H9
(Massaua) ER 222-223 G4
Massava RUS 144-145 N4
Massay F 124-125 H4
Masse – w. 290-291 N5
Massena USA (NY) 248-249 H2
Massenya TCH 222-223 C5
Massering – oaza 226-227 D4
Masset CDN 244-245 F6
Masseube F 124-125 G8
Massey CDN 248-249 D1
Massiaru EST 140-141 F3,4
Massillon USA (OH) 248-249 E4
Massina RMM 220-221 D6
Massinga MOC 226-227 G4
Massingii MOC 226-227 F4
Massona, Wyspa 311 g3
Maştağa AZ 180-181 L4
Masterton NZ 298 F5
Mastic Point BS 262-263 D1
Mastok BY 140-141 L8
Mastung PK 188-189 I3
Masty BY 140-141 F8
Mašuа – rz. 140-141 F5
Masuda J 204-205 D8
Masuguru EAT 224-225 G6
Mašuk, gora – g. 178-179 L5,6
Masurai – g. 194-195 C6
Masvingo ZW 226-227 F3
Maşyāf SYR 184-185 G4
Maszewo PL (LBU) 74-75 C2
Maszewo PL (ZPM) 70-71 B3
Maślana Góra 80-81 F9
Mat – rz. 118-119 G6
Mata Mata ZA 226-227 D5
Matabeleland North – jedn. adm. ZW
226-227 E3
Matabeleland South – jedn. adm. ZW
226-227 E4
Matachel, Río – rz. 130-131 E7
Matachewan CDN 248-249 E1
Matacuni, Río – rz. 276-277 D3
Matadi ZRE 224-225 B5
Matador USA (TX) 250-251 D9
Matagalpa NIC 260-261 H6
Matagami CDN 244-245 Q7
Mataghis AZ 180-181 H4
Matagorda Bay – zat. 250-251 F11
Matagorda Island – w. 250-251 F11
Matagorda Peninsula – płw.
250-251 G11
Matagorda USA (TX) 250-251 F11
Mataiea PF 299 E5
Mataive – w. 290-291 M6
Mataj KZ 182-183 S4
Matak – w. 192-193 E7
Matakana Island – w. 298 G3
Matala ANG 224-225 B6
Mátala GR 134-135 F8,9
Matale CL 190-191 M9
Matalebreras E 130-131 I4
Matallana E 130-131 F3
Matam SN 220-221 C5
Matamatá, Cachoeira – wdp.
276-277 E5
Matamata NZ 298 F3
Matamey RN 220-221 G6
Matamoros MEX 258-259 H5
Matamoto EAT 224-225 G5
Ma'ṭan as-Sāra – oaza 222-223 D3
Ma'ṭan Bišara – oaza 222-223 D3
Matana, Danau – jez. 194-195 G6
Matancilla RCH 280-281 D4
Matandu – rz. 224-225 G5
Matane CDN 244-245 S7
Matangula MOC 226-227 F2
Matankari RN 220-221 F6
Matanuska USA (AK) 254-255 M3
Matanzas C 260-261 J1
Matão, Serra do – g-y 278-279 C5
Matapalo, Cabo – przyl. 260-261 I8
Matape, Río – rz. 258-259 D3
Matapedia CDN 244-245 S7
Matara CL 190-191 M9
Mataram RI 194-195 F7
Mataranka AUS 296-297 E1
Matarinao Bay – zat. 197 E6
Matarka MA 220-221 E2
Mataró E 130-131 N4
Matarraña, Río – rz. 130-131 L5
Mataso – w. 299 L12
Matata NZ 298 G3
Matathawa – w. 299 A2
Matatula, Cape – przyl. 298 M12
Mataura NZ 298 C8
Mataurá, Rio – rz. 276-277 E5
Mataura River – rz. 298 C8
Matautu WS 298 K12
Matauvau, Passe – cieśn. 299 D5
Matava, Baie de – zat. 299 D4
Matavai WS 298 K11
Matavanu – wulk. 298 K11
Matawai NZ 298 G4
Matawin, Rivière – rz. 248-249 I1
Matbaḫ, Ra's al- – przyl. 187 D4
Matcha TJ 182-183 M7
Mateguá BOL 276-277 E6
Matehuala MEX 258-259 I6
Matei FJI 299 C2
Matemoros MEX 258-259 K5
Matera I 132-133 K8
Maternilos, Punta – przyl. 260-261 L2
Matese – g-y 132-133 I7
Mátészalka H 114-115 C2
Matetsi ZW 226-227 E3
Mateur TN 132-133 D11
Mathematicians Seamount
– form. podm. 290-291 R3
Mathews USA (VA) 248-249 G6
Mathi I 120-121 C5
Mathiston USA (MS) 250-251 J9
Mathráki – w. 134-135 A4
Mathura IND 190-191 N11
Mati RP 197 F8
Matianxu CHN 200-201 D5
Matias Romero MEX 258-259 L9
Maticora, Río – rz. 262-263 H8
Matignon F 124-125 D3
Matillas, Lake – jez. 258-259 M9
Matina CR 260-261 I7,8
Matinenda Lake – jez. 248-249 D1
Matinha BR 278-279 D3
Matinicus – w. 248-249 K3
Matiši LV 140-141 F4
Matka, Ezero – zb. 118-119 I6
Matka MK 118-119 I6
Matlabas ZA 226-227 E4
Matli PK 188-189 I4
Matlock GB 128-129 L8
Matmata TN 220-221 G2
Matna F 124-125 F6
Mato Grosso – jedn. adm. BR
278-279 B5
Mato Grosso – płask. 272 H6
Mato Grosso – reg. 278-279 B5
Mato Grosso do Sul – jedn. adm. BR
278-279 B6
Mato Verde BR 278-279 E6
Matobe RI 194-195 C6
Matočkin Šar, proliv – cieśn. 310 i2
Matos, Río – rz. 276-277 D6
Matoury FGF 278-279 C1,2
Matouzhen CHN 200-201 E3
Mátra – g-y 114-115 A2
Matraḥ OM 188-189 G4
Matre N 138-139 B2
Matrei in Osttirol A 120-121 H3
Matrmelos, Rio dos – rz. 276-277 E5
Matroosberg – g. 226-227 C6
Matru WAL 220-221 C7
Matsalu laht – zat. 140-141 E3
Matsapa SD 226-227 F5
Matsmoto J 204-205 K6
Matsue J 204-205 E7
Matsumae J 202-203 G2
Matsusaka J 204-205 I8
Matsushima J 204-205 M4
Matsuura J 204-205 B9
Matsuyama J 204-205 E9
Matsuzaki J 204-205 K8
Matt CH 120-121 E4
Matta – g. 127 G7
Mattagami Lake – jez. 248-249 E1
Mattamuskeet Lake – jez. 248-249 G7
Mattancheri IND 190-191 D7
Mattawa CDN 244-245 Q7
Mattawamkeag USA (ME) 248-249 K2
Matterhorn – g. 252-253 G6
Matterhorn – g. 104-105 K6
Mattertal – rz. 120-121 C4
Matthew, Île – w. 290-291 J7
Matthew Town BS 262-263 F,G3
Mattighofen A 120-121 I2
Mattō J 204-205 I6
Mattoon USA (IL) 250-251 J6
Mattsmyra S 138-139 L1
Matua, ostrov – w. 178-179 I9
Matubatuka ZA 226-227 F5
Matucana PE 276-277 B6
Matuku – w. 299 B3
Matulji HR 118-119 M10
Maturei Vavao – w. 290-291 O7
Maturín YV 276-277 E2
Matusiv UA 142-143 K4
Matutuang – w. 197 E9
Matutum – wulk. 197 E8
Matveev Kurgan RUS 142-143 R6
Matykaly BY 140-141 E9
Matykil , ostrov – w. 178-179 J7
Matzen A 120-121 L2
Mau IND 190-191 Q12
Mau Ranipur IND 190-191 D3
Maua MOC 226-227 G2
Maubara RI 194-195 G7
Maubeuge F 124-125 J1
Ma-ubin MYA 192-193 C3
Maud Seamount – form. podm. 311 C3
Maue-Ele MOC 226-227 F4
Mauerkirchen A 120-121 H2
Maués BR 276-277 F4
Maués-Açu, Rio – rz. 276-277 F4
Maug Islands – w-y 290-291 G2
Maui – w. 290-291 M2
Mauke – w. 290-291 M7
Maukkadaw MYA 192-193 B3
Maule, Laguna del – jez. 280-281 D5
Mauléon F 124-125 F5
Mauléon-Licharre F 124-125 F8
Maumee River – rz. 248-249 C4
Maumee USA (OH) 248-249 C4
Maumere RI 194-195 G7
Maun – w. 118-119 B3
Maun RB 226-227 D3
Mauna Kea – g. 254-255 Y10
Mauna Loa – wulk. 254-255 Y10
Mauna Loa USA (HI) 254-255 X9
Maungu EAK 224-225 G4
Maunoir, Lac – jez. 244-245 H3
Maupihaa – w. 290-291 M6
Maupin USA (OR) 252-253 D4
Maupiti – w. 290-291 M6
Maurawan IND 190-191 P11

Skorowidz nazw

Moincêr CHN 190-191 E2
Moindou NC 299 J14
Moinești RO 114-115 G3
Moirans F 124-125 L6
Mõisaküla EST 140-141 G3
Moissac F 124-125 H7
Moïssala TCH 222-223 C6
Moitaco YV 276-277 E2
Mojácar E 130-131 J8
Mojave Desert – pust. 252-253 E9
Mojave River – rz. 252-253 F9
Mojave USA (CA) 252-253 E9
Mojero – rz. 176-177 Q4
Mojinķūm – pust. 182-183 P4
Mojkovac XM 118-119 G5
Mojo ETH 222-223 G6
Mojocoya BOL 276-277 E7
Mojokerto RI 194-195 P10
Moju BR 278-279 D3
Moju, Rio – rz. 278-279 D3
Mojynty KZ 182-183 O3
Możesza, Góra 184-185 E7
Moka River – rz. 298 F4
Mokameh IND 190-191 R12
Mokau NZ 298 F4
Mokil Atoll – w. 290-291 I4
Mokila ZRE 224-225 C4
(Mokka) Y 188-189 D6
Moklakan RUS 178-179 B8
Moknine TN 220-221 H1
Mokobody PL (MAZ) 76-77 O10
Mokolo CAM 222-223 B5
Mokošica HR 118-119 U15
Mokp'o ROK 202-203 D4
Mokra gora – g-y 118-119 H5
Mokre, Jezioro 72-73 B9
Mokrin XS 118-119 H2
Mokrsko PL (ŁDZ) 78-79 D6
Mokwa WAN 220-221 G7
Mol B 126 D3
Mol XS 118-119 H2
Mola di Bari I 132-133 L7
Molái GR 134-135 D7
Molalla USA (OR) 252-253 C4
Molas del Norte, Punta – przyl. 260-261 G2
Molas Lake Pass – przeł. 252-253 J8
Molat – w. 118-119 B3
Molatón – g. 130-131 J6,7
Molčanovo RUS 176-177 M6
Mold GB 128-129 J8
Moldava nad Bodvou SK 112-113 N7
Molde N 136-137 b6
Moldo-Too – g-y 182-183 O,P6
Moldova – rz. 114-115 G2
Moldova Nouă RO 114-115 B5
Moldova-Sulița RO 114-115 F2
Moldoveanu – g. 104-105 N6
Moldovița RO 114-115 F2
Môle, Cap du – przyl. 262-263 G4
Molenbeek-Sint-Jean B 126 C4
Molendo do Minho P 130-131 B4
Molepolele RB 226-227 D4
Molėtai LT 140-141 G6
Molfā IR 180-181 G6
Molfetta I 132-133 K7
Molibagu RI 194-195 G5
Molina de Aragón E 130-131 J5
Molina de Segura E 130-131 J7
Molina RCH 280-281 D5
Moline USA (IL) 250-251 I5
Molinella I 120-121 G6
Molini I 120-121 G,H4
Molinicos E 130-131 I7
Molino Lacy MEX 258-259 B3
Molinos RA 280-281 E3
Moliro ZRE 224-225 F5
Molise – jedn. adm. I 132-133 I7
Moliterno I 132-133 J8
Molkom S 138-139 J3
Möll – rz. 120-121 I4
Mollakənd AZ 180-181 J4
Mollendo PE 276-277 C7
Möllenhagen D 122-123 I3
Mollerusa E 130-131 L4
Mollis CH 120-121 E3
Mölln D 122-123 G3
Molltorp S 138-139 K4
Mölndal S 138-139 H5
Moločans'k UA 142-143 O6
Moločna – rz. 142-143 O6
Moločnyj lyman – zat. 142-143 O7
Molocue – rz. 226-227 G3
Molodežnaja – st. bad. 311 E3
Molodežnyj KZ 182-183 O1
Molodi RUS 140-141 L5
Molodižne UA 142-143 L5
Molodogvardejskoe KZ 176-177 K7
Molodohrardijs'k UA 142-143 S5
Molokai – w. 290-291 M2
Molong AUS 296-297 H5
Molongda – rz. 178-179 K5
Molopo – rz. 216 F8
Moloskovicy RUS 140-141 K2
Moloundou CAM 224-225 C3
Molsheim F 120-121 C2
Molteno ZA 226-227 E6
Molu – w. 194-195 I7
Moluckie, Morze 166-167 P9,10
Moluki – w-y 166-167 P9,10
Molūkī IR 188-189 H1
Molunat HR 118-119 U16
Molvoticy RUS 140-141 N4
(Mołczadź) BY 140-141 G8
(Mołdawa) – rz. 114-115 G2
Mołdawia – państwo 106-107 O6
Mołdawia – reg. 114-115 G2
(Mołodeczno) BY 140-141 H7
Moma – rz. 178-179 H5
Moma MOC 226-227 G3
Moma ZRE 224-225 D5
Momaligi WAL 220-221 C7
Mombasa EAK 224-225 G4
Mombi New IND 190-191 G4
Mombo EAT 224-225 G4,5
Momboyo – rz. 224-225 C4
Mombum RI 194-195 J7
Momčilgrad BG 114-115 F8
Momi FJI 299 A2
Momnaça BR 278-279 E4
Momoach L 127 B2
Momotombo, Volcán – wulk. 260-261 G6
Mompog Pass – cieśn. 197 D5
Mompono ZRE 224-225 D3
Mompós CO 276-277 C2
Momskie, Góry 178-179 G5
Momyšūly KZ 182-183 N5
Mon – jedn. adm. MYA 192-193 C4
Mon – rz. 192-193 B3
Møn – w. 138-139 I8
Mon S 138-139 H4
Mona, Isla – w. 262-263 J4
Mona Passage – cieśn. 262-263 I4,5
Monach Islands – w-y 128-129 E4
(Monachium) D 120-121 G2
Monacia-d'Aullène F 124-125 Y14
Monadhliath Mountains – g-y 128-129 I4
Monadyr KZ 182-183 N2
Monaghan – jedn. adm. IRL 128-129 C1
Monaghan IRL 128-129 F7
Monahans USA (TX) 250-251 C10
Monako – państwo 106-107 K7
Monako, Zatoka 127 U18
Monako-Ville – dzieln. MC 127 U19
Monango USA (ND) 250-251 E2
Monantali, Lac de – zb. 220-221 C6
Monapo MOC 226-227 G3
Monarch Pass – przeł. 252-253 K7
Monashee Mountains – g-y 244-245 I7
Monasterace Marina I 132-133 K10
Monasterys'ka UA 142-143 E4
(Monasterzyska) UA 142-143 E4
Monastir TN 220-221 H1
Monastyrščina RUS 140-141 M7
Monastyryšče UA 142-143 I4
Monatélé CAM 224-225 B3
Monbetsu J 202-203 H1
Moncalieri I 120-121 C6
Moncalvo I 120-121 D5
Monção BR 278-279 D3
Monção E 130-131 C3
Moncayo, Sierra del – g-y 130-131 I,J4
Mončegorsk RUS 144-145 H3
Mönchengladbach D 126 E3
Mönchengladbach-Wickrath – dzieln. D 122-123 N12
Mönchengladbach-Wickrathberg – dzieln. D 122-123 N12
Monchique, Serra de – g-y 130-131 C8
Moncks Corner USA (SC) 248-249 E8
Monclova MEX 258-259 I4
Moncoutour F 124-125 F5
Moncton CDN 244-245 S7
Mondego, Cabo – przyl. 130-131 B5
Mondego, Rio – rz. 130-131 C5
Mondercange L 127 A,B2
Mondoñedo E 130-131 D2
Mondoubleau F 124-125 G3,4
Mondovì I 120-121 C6
Mondragon F 124-125 K7
Mondragone I 132-133 H7
Mondsee – jez. 120-121 I3
Mondsee A 120-121 I3
Mondy RUS 176-177 Q7
Moneasa RO 114-115 C3
Moneglia I 120-121 E6
Monegrillo E 130-131 K4
Monemvasía GR 134-135 E7
Moneron, ostrov – w. 178-179 G9
Monesi I 120-121 C6
Monessen USA (PA) 248-249 F4
Monesterio E 130-131 E7
Monestier-de-Clermont F 124-125 L7
Monett USA (MO) 250-251 G7
Money Island – w. 194-195 E2
Monfalcone I 120-121 I5
Monferrato – reg. 120-121 C6
Monflanquin F 124-125 G7
Monforte da Beira P 130-131 D6
Monforte de Lemos E 130-131 D3
Monforte P 130-131 D6
Mong Cai VN 192-193 E3
Möng Hang MYA 192-193 C3
Möng Hpayak MYA 192-193 C3
Möng Hsat MYA 192-193 C3
Möng La MYA 192-193 C3
Möng Lin MYA 192-193 C3
Möng Mau MYA 192-193 C4
Möng Mit MYA 192-193 C3
Möng Nai MYA 192-193 C3
Möng Pan MYA 192-193 C3
Möng Ping MYA 192-193 C3
Mong Pu MYA 192-193 C3
Möng Si MYA 192-193 C3
Mong Ton MYA 192-193 C3
Mong Wi MYA 192-193 C3
Möng Yai MYA 192-193 C3
Mong Yawng MYA 192-193 C,D3
Möng Yu MYA 192-193 C3
Monga ZRE 224-225 D3
Mongala – rz. 224-225 C,D3
Mongalla SUD 222-223 F6
Monger, Lake – jez. 296-297 B4
Monghyr IND 190-191 S12
Mongo TCH 222-223 C5
Mongolia – państwo 168-169 M5
Mongolia Wewnętrzna – jedn. adm. CHN 198-199 G3
Mongolia Zewnętrzna – reg. 198-199 H3
Mongolküre CHN 198-199 D3
Mongolska, Wyżyna 166-167 L6
Mongono GQ 224-225 B3
Mongonu WAN 222-223 B5
Mongororo TCH 222-223 D5
Mongu Z 224-225 D7
Mönh Hajrhan – g. 198-199 F2
Mönhbulag MAU 176-177 Q8
Monhegan – w. 248-249 K3
Monheim D 120-121 F2
Monheim D 126 E3
Monino RUS 140-141 L4
Mõniste EST 140-141 H4
Monistrol-sur-Loire F 124-125 K6
Monitor Range – g-y 252-253 F7
Monkey Bay MW 224-225 F6
Monkoto ZRE 224-225 D4
Monleras E 130-131 E4
Monmouth GB 128-129 K10
Monmouth USA (IL) 250-251 I5
Monmouth USA (OR) 252-253 C4
Mono – rz. 220-221 F7
Mono Lake – jez. 252-253 E7,8
Mono, Punta del – przyl. 260-261 I7
Monobe-gawa – rz. 204-205 F9
Monomoy Point – przyl. 248-249 K4
Monopoli I 132-133 L8
Monor RO 114-115 O10
Monorfalya RO 114-115 O10
Monólithos GR 134-135 I7
Monóvar E 130-131 J7
Monreale I 132-133 H10
Monroe City USA (MO) 250-251 H6
Monroe Lake – jez. 248-249 B5
Monroe USA (GA) 248-249 D8
Monroe USA (LA) 250-251 H,I9
Monroe USA (MI) 248-249 D4
Monroe USA (NC) 248-249 E7
Monroe USA (WA) 252-253 D3
Monroe USA (WI) 250-251 J4
Monroeville USA (AL) 248-249 B9
Monrovia LB 220-221 C7
Monroy E 130-131 E6
Monroyo E 130-131 K5
Mons B 126 B4
Møns Klint – g. 138-139 I7,8
Monsanto P 130-131 D5
Monschau D 126 E4
Monselice I 120-121 G5
Monster NL 126 C2
Mönsterås S 138-139 L,M5
Mont Cenis, Col du – przeł. 120-121 B5
Montabaum D 122-123 D6
Montáchez, Sierra de – g-y 130-131 E6
Montafia I 120-121 D6
Montagna F 124-125 J8
Montagnac F 124-125 L,M8
Montagnana I 120-121 G5
Montagne-au-Perche F 124-125 G3
Montagne-sur-Gironde F 124-125 F6
Montague, Isla – w. 258-259 B2
Montague Island – w. 254-255 M4
Montague USA (MI) 248-249 B3
Montaigu F 124-125 E5
Montajtas KZ 182-183 M5
Montalbán E 130-131 K5
Montalbano Ionico I 132-133 K8
Montalcino I 132-133 F5
Montalegre P 130-131 D4
Montalto – g. 132-133 J10
Montalto di Castro I 132-133 F6
Montalto Ligure I 120-121 C7
Montalto Uffugo I 132-133 K9
Montalvão P 130-131 D6
Montana – jedn. adm. USA 241 J5
Montana BG 114-115 D6
Montánchez E 130-131 E6
Montargil, Barragem de – zb. 130-131 C6
Montargil P 130-131 C6
Montargis F 124-125 I3
Montaro, Río – rz. 276-277 C6
Montasio, Jof di – g. 120-121 I4
Montauban F 124-125 D3
Montauban F 124-125 H7
Montauk Point – przyl. 248-249 J4
Montauk USA (NY) 248-249 J4
Montbard F 124-125 K4
Montbéliard F 120-121 B3
Montblanc E 130-131 L4
Montbovon CH 120-121 B4
Montbron F 124-125 G6
Montceau-les-Mines F 124-125 K5
Montcornet F 124-125 J2
Montcoutant F 124-125 F5
Montcuq F 124-125 H7
Mont-de-Marsan F 124-125 F8
Montdidier F 124-125 I2
Mont-Dore F 124-125 I6
Mont-Dore NC 299 K15
Monte Albán – r. 258-259 K9
Monte Alegre BR 278-279 C3
Monte Alegre de Goiás BR 278-279 D5
Monte Azul BR 278-279 E6
Monte Bello Islands – w-y 296-297 A3
Monte Carlo – dzieln. MC 127 U18
Monte Caseros RA 280-281 G4
Monte Comán RA 280-281 E4
Monte Creek CDN 244-245 I6
Monte Cristi DOM 262-263 H4
Monte Dinero RA 280-281 E8
Monte Escobedo MEX 258-259 H6
Monte, Laguna del – jez. 280-281 F5
Monte Líbano CO 260-261 M8
Monte Lindo, Río – rz. 278-279 B7
Monte Lirio PA 260-261 P11
Monte Negro, Quedas de – wdp. 226-227 B3
Monte Plata DOM 262-263 I4
Monte Quemado RA 280-281 F3
Monte Redondo P 130-131 C6
Monte Sant' Angelo I 132-133 K7
Monte Santo BR 278-279 F5
Monte Santu, Capo – przyl. 132-133 D8
Monte Vista USA (CO) 252-253 K8
Monteagle USA (TN) 248-249 B7
Monteagudo BOL 276-277 E7
Monteagudo de las Vicarias E 130-131 I4
Montealegre del Castillo E 130-131 J7
Montebello Ionico I 132-133 J11
Montebelluna I 120-121 H5
Montecastrilli I 132-133 G6
Montecatini Terme I 120-121 F7
Montech F 124-125 G,H7,8
Montechiaro d'Asti I 120-121 D5
Montecristi EC 276-277 A4
Montecristo, Isola di – w. 132-133 E6
Montefalco I 132-133 G6
Montefiascone I 132-133 F6
Montefiorino I 120-121 F6
Montefrio E 130-131 G8
Montegiardino RSM 127 O15
Montego Bay – zat. 260-261 K3
Montego Bay JA 260-261 K3
Montegranaro I 132-133 H5
Montehermoso E 130-131 E5
Montejinni AUS 296-297 E2
Montélimar F 124-125 K7
Montella I 132-133 J8
Montellano E 130-131 F8,9
Montemolín E 130-131 E7
Montemorelos MEX 258-259 J5
Montemor-o-Novo P 130-131 C7
Montemor-o-Velho P 130-131 B,C5
Montemuro – g. 130-131 C5
Montendre F 124-125 F6
Montenegro BR 278-279 C8
Montepuez – rz. 226-227 G2
Montepuez MOC 226-227 G2
Montepulciano I 132-133 F5
Monterau-Faut-Yonne F 124-125 I,J3
Montereale I 132-133 H6
Montereuil-Bellay F 124-125 F4
Monterey Bay – zat. 252-253 C8
Monterey USA (CA) 252-253 D8
Monterey USA (TN) 248-249 C6
Monterey USA (VA) 248-249 F5
Montería CO 276-277 B2
Montero BOL 276-277 E7
Monterotondo I 132-133 G6
Monterrey MEX 258-259 I5
Montes Claros BR 278-279 E6
Montescaglioso I 132-133 K8
Montevarchi I 132-133 F5
Montevideo ROU 280-281 G5
Montevideo USA (MN) 250-251 G3
Montgenèvre, Col de – przeł. 120-121 B5,6
Montgilbert F 120-121 B5
Montgomery GB 128-129 J9
Montgomery Pass – przeł. 252-253 E8
Montgomery USA (AL) 248-249 B8
Montguyon F 124-125 F6
Montherme F 126 C5
Monthey CH 120-121 B4
Monticelli d'Ongina I 120-121 E5
Monticello USA (AR) 250-251 H,I9
Monticello USA (FL) 248-249 D9
Monticello USA (GA) 248-249 D8
Monticello USA (IL) 250-251 J5,6
Monticello USA (IN) 248-249 B4
Monticello USA (MS) 250-251 I10
Monticello USA (NY) 248-249 H4
Monticello USA (UT) 252-253 J8
Montichiari I 120-121 F5
Montier-en-Der F 124-125 K3
Montiers-sur-Saulx F 124-125 L3
Montignac F 124-125 H6
Montigny-lès-Metz F 120-121 B1
Montigny-le-Tilleul B 126 C4
Montigny-sur-Aube F 124-125 K4
Montijo E 130-131 E7
Montijo, Golfo de – zat. 260-261 J9
Montijo P 130-131 C7
Montilla E 130-131 G8
Mont-Laurier CDN 244-245 Q7
Montluçon F 124-125 I5
Montluel F 124-125 K6
Montmagny CDN 244-245 R7
Montmédy F 124-125 L2
Montmélian F 120-121 B5
Montmirail F 124-125 J3
Montmoreau-Saint-Cybard F 124-125 F6
Monto AUS 296-297 I3
Montodine I 120-121 E5
Montoire-sur-le-Loir F 124-125 G4
Montone – rz. 120-121 H6
Montorio al Vomano I 132-133 H6
Montoro E 130-131 G7
Montpelier USA (ID) 252-253 I5
Montpelier USA (VT) 248-249 I2
Montpellier F 124-125 J8
Montpon-Ménésrérol F 124-125 G6,7
Montreal CDN 244-245 R7
Montréal F 124-125 G8
Montreal Island – w. 248-249 C1
Montreal River – rz. 250-251 L2
Montréjeau F 124-125 G8
Montreuil F 124-125 H1
Montreux CH 120-121 B4
Montrevel-en-Bresse F 124-125 K5
Montrichard F 124-125 H4
Montriond F 120-121 B4
Montrose – in. 128-129 O4
Montrose GB 128-129 K5
Montrose USA (AR) 250-251 I9
Montrose USA (CO) 252-253 J7
Montsant, Serra de – g-y 130-131 L4
Montsec, Serra de – g-y 130-131 L3
Montsent – g. 130-131 L3
Montseny, Serra de – g-y 130-131 N4
Montserrat – teryt. zal. GB 273 G3
Montsinéry FGF 278-279 C1
Montsûrs F 124-125 F3
Montuosa, Isla – w. 260-261 I9
Monument Valley – dol. 252-253 J8
Monumental Buttes – g. 252-253 G3
Monville F 124-125 G,H2
Monviso – g. 120-121 C6
Monywa MYA 192-193 B3
Monza I 120-121 E5
Monze Z 224-225 E7
Monzón E 130-131 L4
Mońki PL (PDL) 72-73 B10
Moonie AUS 296-297 H4
Moonta AUS 296-297 F5
Moora AUS 296-297 B5
Moorabbin AUS 296-297 H6
Moorcroft USA (WY) 252-253 L4
Moore Haven USA (FL) 248-249 E11
Moore, Lake – jez. 296-297 B4
Moore Reefs – w-y 296-297 H2
Moore USA (TX) 250-251 E11
Moorea – w. 290-291 M6
Moore's Islands – w. 248-249 G11
Moorhead USA (MN) 250-251 F2
Moorhead USA (MS) 250-251 I9
Moorhead USA (MT) 252-253 K4
Moormerland D 122-123 D3
Moorsburg an der Isar D 120-121 G2
Moose Factory CDN 244-245 P6
Moose Jaw CDN 244-245 K6
Moose Lake USA (MN) 250-251 H2
Moose River – rz. 244-245 L6,7
Moose River – rz. 244-245 P6
Moose River CDN 244-245 P6
Moose USA (WY) 252-253 I5
Moosehead Lake – jez. 248-249 J2
Moosomin CDN 244-245 L6,7
Moosonee CDN 244-245 P6
Mopeia MOC 226-227 G3
Mopelia – w. 290-291 M6
Mopti RMM 220-221 E6
Moquegua PE 276-277 C7
Mor Dağı – g. 184-185 J,K3
Mora CAM 222-223 B5
Mora de Rubielos E 130-131 K5
Mora E 130-131 H6
Mora P 130-131 C7
Mora River – rz. 252-253 L9
Mora S 138-139 K2
Mora USA (MN) 250-251 H3
Morač – rz. 140-141 I9
Morač BY 140-141 I9
Morača – rz. 118-119 W16
Moračka kapa – g. 118-119 G5
Moradabad IND 190-191 O10
Morafenobe RM 226-227 H,I3
Moraime E 130-131 B2
Morakovo XM 118-119 G5
Moral de Calatrava E 130-131 H7
Moraleja E 130-131 E5
Morales GCA 260-261 F5
Morales, Laguna – zat. 258-259 K6
Moramanga RM 226-227 I3
Moran USA (KS) 250-251 G7
Morané – w. 290-291 O7
Morano sul Po I 120-121 D5
Morant Bay JA 260-261 L4
Morant Cays – w-y 260-261 M4
Morant Point – przyl. 260-261 L4
Moraoué – rz. 220-221 D7
Morar, Loch – jez. 128-129 H5
Morari Co – jez. 190-191 D2
Moratalla E 130-131 I,J7
Moratuwa CL 190-191 L9
Morava – rz. 104-105 M6
Morava – rz. 118-119 I3
Morava BG 114-115 F6
Moravatío de Ocampo MEX 258-259 I8
Moravica – rz. 118-119 H4
Moravská Třebová CZ 112-113 I6
Moravské Budějovice CZ 112-113 H6
Moravský Krumlov CZ 112-113 I6
(Morawa) – rz. 104-105 N7
(Morawa) – rz. 112-113 I7
Morawa – rz. 78-79 E4
Morawa AUS 296-297 B4
(Morawa Południowa) – rz. 118-119 I4
(Morawa Zachodnia) – rz. 118-119 H4
Morawica – rz. 112-113 J6
Morawica PL (ŚW) 80-81 E8
Morawska, Brama – fizjogr. 48-49 F4
Moray Firth – zat. 104-105 I4
Morąg PL (W-M) 72-73 B7
Morbegno I 120-121 E4
Mörbylånga S 138-139 M6
Morcenx F 124-125 F7,8
Mordaga CHN 198-199 L1
Mordelles F 124-125 D3
Morder CDN 244-245 M7
Mordialloc AUS 296-297 G6
Mordwa – jedn. adm. RUS 174-175 E4
Mordy PL (MAZ) 76-77 C10
More Assynt – g. 128-129 H,I3
More, Ben – g. 128-129 I5
Møre og Romsdal – jedn. adm. N 136-137 b6
Mor'e RUS 140-141 L1
Moreau River – rz. 250-251 D3
Morecambe and Heysham GB 128-129 K7
Morecambe Bay – zat. 128-129 J8
Moree AUS 296-297 H4
Morée F 124-125 G,H4
Morehead City USA (NC) 248-249 G7
Morehead PNG 194-195 K7
Morehead USA (KY) 248-249 D5
Mörel CH 120-121 C4
Moreland USA (ID) 252-253 H5
Morelia CO 276-277 B3
Morelia MEX 258-259 I8
Morella AUS 296-297 G3
Morella E 130-131 K5
Morelos – jedn. adm. MEX 258-259 J8
Morelos MEX 258-259 F4
Morena, Sierra – g-y 104-105 H8
Morenci USA (AZ) 252-253 J10
Moreni RO 114-115 F4
Moreno, Bahía – zat. 280-281 D2
Moresby Channel – cieśn. 196 L10
Moresby Island – w. 244-245 F6
Moreton AUS 296-297 G1
Moreton Island – w. 290-291 H7
Moret-sur-Loing F 124-125 I3

Skorowidz nazw

478

Mulegé MEX 258-259 C4
Mulegns CH 120-121 E4
Muleshoe USA (TX) 250-251 C8
Mulhacén – g. 104-105 I8
Mülhausen D 122-123 N11
Mülheim an der Rhein D 126 E3
Mulhouse F 120-121 C3
Muliană GR 134-135 H8
Mulifanua WS 298 L11
Muling CHN 202-203 E1
Muling CHN 202-203 E1
Mulinu'u, Cape – przyl. 298 K11
Mull – w. 128-129 G5
Mull, Sound of – cieśn. 128-129 G,H5
Mullaittivu CL 190-191 M9
Mullaley AUS 296-297 H5
Mullan USA (ID) 252-253 G3
Mullen USA (NE) 250-251 D4,5
Müllera, Góry 194-195 E5
Mullet, The – płw. 128-129 C7
Mullewa AUS 296-297 B4
Müllheim D 120-121 C3
Mullingar IRL 128-129 F8
Mullins USA (SC) 248-249 F7
Müllrose D 74-75 C2
Mullsjö S 138-139 J5
Mullumbimby AUS 296-297 I4
Mulobezi Z 224-225 E7
Mulongo ZRE 224-225 E5
Mulrany IRL 128-129 D8
Mülsen Sankt Jakob D 122-123 V15
Multai IND 190-191 D4
Multan PK 188-189 J2
Multia FIN 136-137 G6
Mulu, Gunung – g. 196 P14
Mulungushi Dam – zb. 224-225 E6
Mulvane USA (KS) 250-251 F7
Mūmān IR 187 I4
Mumbai IND 190-191 C5
Mumbotuta Falls – wdp. 224-225 E6
Mumbwa Z 224-225 E6
Mümliswil CH 120-121 C3
Mumra RUS 144-145 K7
Muna – rz. 178-179 C5
Muna – w. 194-195 G7
Muna MEX 260-261 F2
Munabao IND 190-191 C3
Munakata J 204-205 C9
Muñana E 130-131 F5
Munayly KZ 182-183 F3
Münchberg D 122-123 H6
Munchen CHN 192-193 D2
München D 120-121 G2
Münchenberg D 122-123 J4
Münchhausen D 122-123 J5
Munch'ŏn KOR 202-203 D3
Muncie USA (IN) 248-249 C4
Muncy USA (PA) 248-249 G4
Munday USA (TX) 250-251 E9
Mundheim N 138-139 B2
Mundiwindi AUS 296-297 C3
Mundo Novo BR 278-279 E5
Mundo, Río – rz. 130-131 I7
Mundŏk KOR 202-203 D3
Munera E 130-131 I6,7
Mungali IND 190-191 E4
Mungana AUS 296-297 G2
Mungári MOC 226-227 F3
Mungbere ZRE 224-225 E3
Mungindi AUS 296-297 H4
Mungo ANG 224-225 C6
Munhango ANG 224-225 C6
Munia – w. 299 C2
Munias de Paredes E 130-131 E3
Muniesa E 130-131 K4
Munim, Rio – rz. 278-279 E3
Munising USA (MI) 248-249 B1
Munkelv N 136-137 H3
Munkfors S 138-139 J3
Munku-Sardyk, gora – g. 176-177 Q7
Münnerstadt D 122-123 G6
Muñoz Gamero, Península – płw. 280-281 D8
Munsfjället – g. 136-137 d5
Münsingen CH 120-121 C4
Münsingen D 120-121 E2
Munster – reg. 128-129 D9
Münster CH 120-121 D4
Münster D 122-123 D5
Munster D 122-123 G4
Munster F 120-121 C2
Münsterland – reg. 122-123 C,D5
Múnta, Akrōtíri – przyl. 134-135 B5
Muntadgin AUS 296-297 B5
Muntele Mare – g. 114-115 D3
Muntele Şes – g-y 114-115 C2
Muntenia – reg. 114-115 E5
Muntrav, Rt – przyl. 118-119 L10
Munzur Çayı – rz. 184-185 H2
Munzur Dağları – g-y 184-185 H2
Muojärvi – jez. 136-137 H5
Mương Te VN 192-193 D3
Mương Tong VN 192-193 D3
Muonio S 136-137 f4
Muonioälven – rz. 136-137 f4
Muotathal CH 120-121 D3,4
Mupa ANG 224-225 C7
Muping CHN 200-201 F2
Muqdisho SP 224-225 I3
Müqtədir AZ 180-181 J3
Mur – rz. 120-121 K4
Mur de-Bretagne F 124-125 D3
Mur Hadriana – r. 128-129 K6
(Mura) – rz. 120-121 L4
Muradiye TR 180-181 E6
Murai Reservoir – jez. 196 I8
Murair, Ğezîret – w. 222-223 G3
Murajsa, Ras al- – przyl. 104-105 N9
Murakami J 204-205 L4
Murakeresztúr H 120-121 L4
Murallón, Cerro – g. 280-281 D7
Muramatsu J 204-205 L5
Muramvya BU 224-225 E4
Murań – rz. 112-113 M7
Muráň SK 112-113 M7
Muranga EAK 224-225 G4
Muraši RUS 144-145 K5
Murat Çayı – rz. 180-181 D5
Murat Dağı – g. 134-135 K5
Murat Nehri – rz. 166-167 G,H6
Murat TR 180-181 E5
Muratlı TR 134-135 I2
Murat-sur-Vèbre F 124-125 I8
Murau A 120-121 J3
Muravera I 132-133 D9
Murayama J 204-205 M4
Murça P 130-131 D4
Murchison – rz. 290-291 D7
Murchison, Mount – g. 298 D6
Murchison Mountains – g-y 298 B7
Murchison NZ 298 D5
Murcia E 130-131 J7,8
Murcja – reg. 130-131 I7
(Murcja) E 130-131 J7,8
Murdo USA (SD) 250-251 D4
Mureck A 120-121 K4
Mürefte TR 134-135 I3
Murei SUD 222-223 D5
Mureș – jedn. adm. RO 114-115 E3
Mureș – rz. 104-105 N6
Mureșenii Bârgaului RO 114-115 O9
Muret F 124-125 H8
Murfreesboro USA (AR) 250-251 H8,9
Murfreesboro USA (NC) 248-249 G6
Murfreesboro USA (TN) 248-249 D7
Murg CH 120-121 E3
Murgab – rz. 182-183 O7
Murgap – rz. 182-183 J8
Murgap TM 182-183 I8
Murgaš – g. 114-115 D7
Murgaš MK 118-119 I5
Murgaševo MK 118-119 I6
Murgași RO 114-115 D5
Murgeni RO 114-115 H3
Murgha Kibzai PK 188-189 I2
Murġob TJ 182-183 O7
Murgon AUS 296-297 I4
Murgoo AUS 296-297 B4
Murgul TR 180-181 C3
Muri CH 120-121 C4
Muria – g. 194-195 O10
Muriaé BR 278-279 E7
Murialdo I 120-121 D6
Muriege ANG 224-225 D5
Murillo Atoll – w. 290-291 H4
Müritz – jez. 122-123 I3
Murmansk RUS 144-145 H3
(Murmańsk) RUS 144-145 H3
Murmańska, Ławica – form. podm. 310 J2
Murmaši RUS 136-137 I3
Murnau D 120-121 G3
Murngána – g. 134-135 B4
Muro E 130-131 O6
Muro F 124-125 X,Y13
Muro Lucano I 132-133 J8
Murom RUS 144-145 J5
Muromcevo RUS 176-177 L6
Muroran J 202-203 H2
Muros E 130-131 B3
Muros y Noya, Ria de – zat. 130-131 B3
Muroto J 202-203 F4
Muroto-zaki – przyl. 202-203 F4
Murovani Kurylivci UA 142-143 G5
Murovdağ silsiləsi – g-y 180-181 H4
Murowana Goślina PL (WLP) 74-75 C4
Murów PL (OPO) 78-79 E5
Murphy USA (ID) 252-253 F5
Murphy USA (NC) 248-249 C7
Murphysboro USA (IL) 250-251 J7
Murray – rz. 290-291 G8
Murray Bridge AUS 296-297 F5,6
Murray Harbour CDN 244-245 T7
Murray, Lake – jez. 248-249 E7
Murray, Lake – jez. 194-195 K7
Murray River Basin – niz. 296-297 G5
Murray USA (KY) 250-251 J7
Murray USA (UT) 252-253 I6
Murraya, Krawędź – form. podm. 290-291 N1,2
Murraya, Krawędź – form. podm. 309 q,R3
Murrells Inlet USA (SC) 248-249 F8
Murrhardt D 120-121 E2
Murrin Murrin AUS 296-297 C4
Murro di Porco, Capo – przyl. 132-133 J12
Murrumbidgee – rz. 296-297 H5
Murrurundi AUS 296-297 I5
Murshidabad IND 190-191 T12
Murska Sobota SLO 120-121 L4
Murten CH 120-121 B4
Murter – w. 118-119 C4
Murter HR 118-119 C4
Murtiçi TR 134-135 M7
Murtoa AUS 296-297 G6
Murtosa P 130-131 C5
Murtovaara FIN 136-137 H5
Muru, Rio – rz. 276-277 C5
Murud – g. 194-195 E,F5
Murud IND 190-191 C5
Murueta E 130-131 I2
Murum – rz. 196 P15
Murunkan CL 190-191 M9
Murupara NZ 298 G4
Mururoa – w. 290-291 O7
Murwara IND 190-191 E4
Murwillumbah AUS 296-297 I4
Mürz – rz. 120-121 K3
Mürzsteg A 120-121 K3
Mürzzuschlag A 120-121 K3
Muş TR 180-181 C6
Mūša – rz. 140-141 E5
Musabeyli TR 134-135 P4
Musaiʻid Q 187 D4
Musala – g. 104-105 N7
Musallam, Wādī – rz. 188-189 G4
Musan CHN 202-203 E2
Musandam, Ra's – przyl. 187 F,G3
Musashi Banks – form. podm. 202-203 G1
Musawa WAN 220-221 G6
Mušayrib, Ra's – przyl. 187 D4
Musbat – oaza 222-223 D4
Mus-Chaja, gora – g. 178-179 F6
Muscoda USA (WI) 250-251 I4
Musctine USA (IA) 250-251 I5
Müsgebi TR 134-135 I6
Musgrave AUS 296-297 G1
Musgrave Range – g-y 290-291 E,F7
Mushenge ZRE 224-225 D4
Mushie ZRE 224-225 C4
Musi – rz. 194-195 C6
Musicians Seamounts – form. podm. 290-291 L2
Musikot NEP 190-191 Q10
Muskeg Lake – jez. 250-251 J1
Muskegon Heights USA (MI) 248-249 B3
Muskegon River – rz. 248-249 B3
Muskegon USA (MI) 248-249 B3
Muskingum River – rz. 248-249 D,E5
Muskogee USA (OK) 250-251 G8
Muskoka, Lake – jez. 248-249 F2
Muskwa CDN 244-245 H5
Muskwa River – rz. 244-245 H5
Muslimīya SYR 184-185 G3
Musoma EAT 224-225 F4
Musomišta BG 114-115 D8
Mussa Ali – g. 222-223 H5
Mussel NL 126 F2
Musselburgh GB 128-129 K6
Musselkanaal NL 126 E2
Musselshell River – rz. 252-253 J3
Mussende ANG 224-225 C6
Musserra ANG 224-225 B5
Mussidan F 124-125 G6
Mussomeli I 132-133 H11
Mussulo ANG 224-225 B5
Mussuma ANG 224-225 D6
Mustafa – przyl. 132-133 F12
Mustafakemalpasa Çayı – rz. 134-135 J3,4
Mustafakemalpaşa TR 134-135 J3
Mustahīl ETH 222-223 H6
Müstair CH 120-121 F4
Mustang NEP 190-191 Q10
Musters, Lago – jez. 280-281 D7
Mustjala EST 140-141 D3
Mustla EST 140-141 G3
Mustvee EST 140-141 H3
Musún, Cerro – g. 260-261 H6
Müsuslü AZ 180-181 I4
Muswellbrook AUS 296-297 H5
(Musza) – rz. 140-141 E5
Muszyna PL (MŁP) 80-81 F8
Mūt ET 222-223 E2
Mut TR 134-135 O7
Mutá, Ponta do – przyl. 278-279 F5
Mutanda Z 224-225 E6
Mutare ZW 226-227 F3
Mutatá CO 276-277 B2
Mutha EAK 224-225 G4
Mutis – g. 194-195 G7
Mutoko ZW 226-227 F3
Mutoraj RUS 176-177 Q5
Mutoto ZRE 224-225 D5
Mutshatsha ZRE 224-225 D6
Mutsu J 204-205 N1
Mutsu-wan – zat. 204-205 M1
Muttaburra AUS 296-297 G3
Mutton Bird Islands – w-y 298 B8
Mutton Island – w. 128-129 C9
Mutum, Rio – rz. 276-277 D5
Mutumbo ANG 224-225 C6
Muwale EAT 224-225 F5
Muwaylih, Wādī – rz. 186 A5
Muxáluando ANG 224-225 B5
Muxas AZ 180-181 I3
Muxima ANG 224-225 B5
Muy Muy NIC 260-261 H6
Muyinga BU 224-225 E4
Muzaffarabad PK 188-189 J2
Muzaffargarh PK 188-189 J3
Muzaffarnagar IND 190-191 N10
Muzaffarpur IND 190-191 R11
Muzáki GR 134-135 C4
Mužakow D 112-113 G4
Muži RUS 176-177 I4
Muzillac F 124-125 D4
Muzsna RO 114-115 N11
Muztagata – g. 166-167 L6
Muztagata – g. 182-183 P7
Muzvadi TR 134-135 N7
Mvolo SUD 222-223 E6
Mvouna – rz. 224-225 B3
Mvuma ZW 226-227 F3
Mwali – w. 226-227 H2
Mwanezi – rz. 226-227 F4
Mwanza EAT 224-225 F4
Mwanza MW 224-225 F7
Mwanza ZRE 224-225 E5
Mweka ZRE 224-225 D4
Mwenda Z 224-225 E6
Mwene-Ditu ZRE 224-225 D5
Mwenga ZRE 224-225 E4
Mweri – g. 224-225 E4
Mweru Wantipa, Lake – jez. 224-225 E5
Mwinilunga Z 224-225 D6
My Tho VN 192-193 E5
Mya, Oued – rz. 220-221 F2
Myakka River – rz. 248-249 D11
Myanaung MYA 192-193 B4
Myaungmya MYA 192-193 B4
Mychajlivka UA 142-143 O6
Myczkowce PL (MŁP) 80-81 F10
Myebon MYA 192-193 B3
Myeik MYA 192-193 C5
Myingyan MYA 192-193 C3
Myinmu MYA 192-193 C3
Myitkyina MYA 192-193 C2
Myitson MYA 192-193 C3
Myitta MYA 192-193 C5
Myjava SK 112-113 J7
Mykanów PL (ŚL) 78-79 E7
Mykeny – r. 134-135 D6
Mykines – w. 127 D4
Mykines FR 127 D4
Mykolajiv UA 142-143 C,D4
Mykolajiv UA 142-143 L7
Mykolajivka UA 142-143 J6
Mykolajivka UA 142-143 J8
Mykolajivka UA 142-143 M6
Mykolajivka UA 142-143 M8,9
Mykolajivka UA 142-143 Q5
Mykónou, Stenón – cieśn. 134-135 G6
Mykulynci UA 142-143 E4
Myl'džino RUS 176-177 L6
Mymensingh BD 190-191 U12
Mynämäki FIN 140-141 C1
Myndagaj RUS 178-179 E6
Mynkyado MYA 192-193 C3
Myohaung MYA 192-193 B3
Myōkō-san – g. 204-205 J,K6
Myra – r. 134-135 K7
Mýrasysla – jedn. adm. IS 136-137 L13
Mýrdalsjökull – lod. 136-137 I14
Myrhorod UA 142-143 M3,4
Myrne UA 142-143 M7,Q6
Myrnyj UA 142-143 L8
Myronivka UA 142-143 K4
Myropil' UA 142-143 G3
Myrskylä FIN 140-141 G1
Myrtle Beach USA (SC) 248-249 F8
Myrtle Creek USA (OR) 252-253 C5
Myrtle Grove USA (FL) 248-249 B9
Myrtle Point USA (OR) 252-253 B,C5
Myrtoy NCY 134-135 N8
Mys Čeljuskina RUS 176-177 Q2
Mys Šmidta RUS 178-179 O5
Myšanka – rz. 140-141 G9
Myšanka BY 140-141 J9
Mysen N 138-139 H3
Mysłakowice PL (DŚL) 78-79 E3
Mysłowice PL (ŚL) 78-79 E7
Mysore IND 190-191 D6
Mysovka RUS 140-141 C6
Mysra ABC 180-181 B1
Mystic USA (CT) 248-249 J4
Myszków PL (ŚL) 78-79 E7
Myszyniec PL (MAZ) 72-73 B9
Myśla – rz. 74-75 C2
Myślenice PL (MŁP) 80-81 F7
Myśliborskie, Jezioro 74-75 C2
Myśliborskie, Pojezierze 48-49 C1
Myślibórz PL (ZPM) 74-75 C2
Mytilīnī GR 134-135 H4
Mytišči RUS 144-145 I5
Mýto CZ 112-113 F6
Mývatn – jez. 136-137 M13
Myzove UA 140-141 F10
M'Zab, Oued – rz. 220-221 F2
Mže – rz. 112-113 E6
Mzimba MW 224-225 F6
Mzuzu MW 224-225 F6

N

Na Hang VN 192-193 E3
Na Sâm VN 192-193 E3
Na Wietrze, Wyspy 290-291 N6
Naab – rz. 122-123 H7
Naafkopf – g. 127 G7
Naaldwijk NL 126 C2,3
Naalehu USA (HI) 254-255 Y10
Naantali FIN 140-141 C1
Naarn – rz. 120-121 J2
Naarva FIN 136-137 h6
Naas IRL 128-129 G8
Naba MYA 192-193 C3
Nabadwip IND 190-191 S13
Nabão, Rio – rz. 130-131 C6
Nabari J 204-205 I8
Nabas RP 197 D6
Nabatīya aṭ-Taḥtā RL 186 B2
Nabberu, Lake – jez. 296-297 C4
Naberežnyje Čelny RUS 144-145 L5
Nabesna Glacier – lod. 244-245 D4
Nabesna USA (AK) 254-255 N3
Nabeul TN 220-221 H1
Nabha IND 190-191 D2
Nabī Šu'aib, Ğabal an- – g. 166-167 H8
(Nabiereżne Czełny) RUS 144-145 L5
Nabileque, Pantanal de – bag. 278-279 B7
Nabire RI 194-195 J6
(Nablus) PS 186 B3
Naboga GH 220-221 E7
Nabou BF 220-221 E6
Naboutini FJI 299 A3
Nābulus PS 186 B3
Nabur AZ 180-181 J4
Nača – rz. 140-141 J7
Nacala MOC 226-227 H2
Nacala-Velha MOC 226-227 H2
Nacaome HN 260-261 G6
Nachako Plateau – wyż. 244-245 G6
Naches USA (WA) 252-253 D3
Nachiczewan – jedn. adm. AZ 180-181 G5
(Nachiczewan) AZ 180-181 G5
Nachikatsuura J 204-205 H9
Náchod CZ 112-113 I5
Nachodka RUS 176-177 L4
Nachodka RUS 178-179 E10
Nachrodt-Wiblingwerde D 122-123 S11
Nachuge IND 192-193 B5
Nacimiento MEX 258-259 H,I3
Nacogdoches USA (TX) 250-251 G10
Nacozari de Garcia MEX 258-259 E2
Nacuñán RA 280-281 E4
Nadangarski, Płaskowyż 176-177 O5
Nadarevo BG 114-115 G6
Nadarzyn PL (MAZ) 76-77 C8
Nadăș RO 114-115 B,C3
Nadāšan IR 188-189 F2
Nádasd H 120-121 L4
Nadazowska, Wyżyna 142-143 P6
Nadbrzeżne, Góry 240 H3
Nadbużański Park Krajobrazowy 76-77 C9
Naddnieprzańska, Nizina 104-105 P5
Naddnieprzańska, Wyżyna 104-105 O6
Naddniestrze – państwo 106-107 O,P6
Nadeș RO 114-115 O11
Naděžnyj, mys – przyl. 178-179 I4
Nadgopłański Park Tysiąclecia – p. kraj. 74-75 C6
Nadi FJI 299 A2
Nadiad IND 190-191 C4
Nadkaspijska, Nizina 104-105 S6
Nădlac RO 114-115 A3
Nadleński, Płaskowyż 178-179 A6
Nadmorski Park Krajobrazowy 70-71 A5
Nadnidziański Park Krajobrazowy 80-81 E8
Nador MA 220-221 E1
Nădrag RO 114-115 C4
Nadrala FJI 299 A2,3
Nadrenia-Palatynat – jedn. adm. D 122-123 C6
Nadu – jedn. adm. IND 190-191 D6
Nádudvar H 114-115 B2
Nadur M 127 K11
Nadur Tower – g. 127 L12
Nadwarciański Park Krajobrazowy 74-75 C5
Nadwieprzański Park Krajobrazowy 76-77 D10
Nadwirna UA 142-143 D5
Nadwiślański Park Krajobrazowy 70-71 B6
Nadwołżańska, Wyżyna 104-105 R6
(Nadwórna) UA 142-143 D5
Nadym – rz. 176-177 K5
Nadym RUS 176-177 K4
Nadziei, Wyspa 310 K,j2
Naeba-yama – g. 204-205 K6
Nærbø N 138-139 B4
Naerøysteine N 136-137 c5
Næstved DK 138-139 H7
Nafada WAN 222-223 B5
Nafadji SN 220-221 C6
Naftalan AZ 180-181 H4
Naft-e Šāh IR 184-185 K5
Nafthāne IR 184-185 K4
Nāfūd Qunayfiḏ – pust. 187 A4
Nağ 'Hammādī ET 222-223 F2
Naga J 204-205 H8
Naga RP 197 D5
Nağaf Kaleī AFG 188-189 I2
Nağafabād IR 188-189 F2
Nagahama J 204-205 E9
Nagahama J 204-205 I7
Nagai J 204-205 L4
Nagaland – jedn. adm. IND 190-191 G3
Nagano J 204-205 J6
Nagaoka J 204-205 K5
Nagappattinam IND 190-191 D6
Nagara-gawa – rz. 204-205 I7
Nagarjuna Sagar – zb. 190-191 D5
Nagarote NIC 260-261 G6
Nagarzê CHN 192-193 B2
Nagasaki – jedn. adm. J 204-205 B9
Nagasaki J 202-203 E4
Naga-shima – w. 204-205 D,E9
Nagato J 204-205 D8
Nagaur IND 190-191 C3
Nagbhir IND 190-191 D4
Nagda IND 190-191 D4
Nagele NL 126 D2
Nagercoil IND 190-191 D7
Nāğid, Bi'r – oaza 222-223 M10
Nagina IND 190-191 N,O10
Nagłowice PL (ŚW) 80-81 E8
Nagma NEP 190-191 P10
Nago J 202-203 L7
Nagod IND 190-191 E4
(Nagoja) J 204-205 I7
Nagold – rz. 122-123 E8
Nagold D 120-121 D2
Nagornyj RUS 178-179 C7
Nagorsk RUS 144-145 L5
Nago-wan – zat. 202-203 K7
Nagoya J 204-205 I7
Nagpur IND 190-191 D4
Nagqu CHN 190-191 G2
Nağrān KSA 188-189 D5
Nagri, ugheltehili – przeł. 180-181 D1
Nags Head USA (NC) 248-249 H7
Nagusa, Kepulauan – w-y 197 F9
Nagyatád H 120-121 M4
Nagycsr RO 114-115 N12
Nagydisznód RO 114-115 N12
Nagyecsed H 114-115 C2
Nagyenyed RO 114-115 M11
Nagyernye RO 114-115 O10
Nagyilva RO 114-115 O9
Nagykálló H 114-115 B2
Nagykanizsa – jedn. adm. H 114-115 T,U16
Nagyknizsa H 120-121 L4
Nagykunság – reg. 114-115 X15
Nagymágocs H 114-115 A3
Nagysajó RO 114-115 O9,10
Nagysármás RO 114-115 N10
Nagysink RO 114-115 O12
Nagyszénás H 114-115 A3
Nagytalmács RO 114-115 N12
Nagza CHN 198-199 G4
Naha J 202-203 K7
Naḥal Shittim IL 186 A5
Naharāyim JOR 186 B3
Nahariyya IL 186 A2

480

(Nazrań) RUS 180-181 F1
Nazrēt ETH 222-223 G6
Nazwá OM 188-189 G4
Nazyvaevsk RUS 176-177 K6
Nchanga Z 224-225 E6
Ncue GQ 224-225 B3
Ndala EAT 224-225 F4
Ndalatando ANG 224-225 B5
Ndali DY 220-221 F7
Ndékeli RCA 224-225 D2
Ndélé RCA 224-225 D2
Ndendé G 224-225 B4
N'djamena TCH 222-223 C5
Ndjolé G 224-225 B4
Ndok CAM 224-225 B,C2
Ndola Z 224-225 E6
Ndougou G 224-225 A4
Ndoussi CI 220-221 D7
(Ndżamena) TCH 222-223 C5
Néa Jeraklítsa GR 134-135 F3
Néa Potídea GR 134-135 E3
Néa Tríglia GR 134-135 E3
Neagh, Lough – jez. 104-105 H5
Neagra Îarului RO 114-115 P9
Neah Bay USA (WA) 252-253 B2
Neajlov – rz. 114-115 E,F5
Neale, Lake – jez. 296-297 D3
Neales – rz. 296-297 F4
Neamț – jedn. adm. RO 114-115 G3
(Neapol) I 132-133 H8
Neápolī GR 134-135 C3
Neápolī GR 134-135 E7
Neápolī GR 134-135 G8
Neapolitańska, Zatoka 132-133 I8
Neath GB 128-129 J10
Neaua RO 114-115 O10,11
Néba – w. 299 I14
Nebbou BF 220-221 E6
Nebeur TN 132-133 C12
Nebitdag TM 182-183 F7
Neblina, Pico da – g. 272 G4
Nebo AUS 296-297 H3
Nebra D 122-123 H5
Nebram AZ 180-181 G5
Nebraska – jedn. adm. USA 241 K5
Nebraska City USA (NE) 250-251 F5
Nebrodi – g-y 132-133 I11
Nečajane UA 142-143 K7
Necedah USA (WI) 250-251 I3
Nechako-Reservoir – zb 244-245 G6
Nechanice CZ 78-79 E3
Neches River – rz. 250-251 G10
Nechranice – zb. 112-113 F5
Nechvorošča UA 142-143 N4
Necjer Ridge – form. podm. 290-291 L2
Neckar – rz. 122-123 F7
Neckarsulm D 122-123 E7
Necker Island – w. 290-291 L2
Necko, Jezioro 72-73 B10
Necochea RA 280-281 G5
Nečujam HR 118-119 Q14
Nedal NL 126 D3
Neded SK 112-113 J8
Nédéley TCH 222-223 C4
Nedelino BG 114-115 F8
Nederland Port USA (TX) 250-251 G,H10,11
Nederluleå S 136-137 F5
Nêdong CHN 192-193 B2
Nedre Gardsjö S 138-139 L1,2
Nedryhajliv UA 142-143 M3
Nedź – reg. 188-189 C3
Nee Soon – dzieln. SGP 196 I8
Neede NL 126 E2
Needles CDN 252-253 E1
Needles USA (CA) 252-253 G9
Neenah USA (WI) 250-251 J3
Neepawa CDN 244-245 M6
Neerpelt B 126 D3
Nefedova RUS 176-177 K6
Nefta TN 220-221 G2
Neftçala AZ 180-181 K5
Neftejugansk RUS 176-177 K5
Neftekamsk RUS 144-145 L5
Neftekumsk RUS 144-145 J,K8
Nefud, Mały – pust. 187 B3
Nefud, Wielki – pust. 166-167 G7
Nefza TN 132-133 D12
Negage ANG 224-225 C5
Negaunee USA (MI) 248-249 B1
Negēlē ETH 222-223 G6
Negeri – jedn. adm. MAL 192-193 D7
Negoiu – g. 114-115 O12
Negomano MOC 226-227 G2
Negombo CL 190-191 L9
Negotin XS 118-119 J3
Negotino MK 118-119 I6
Negra, Punta – przyl. 276-277 A5
Negrais, Cape – przyl. 192-193 B4
Negreira E 130-131 C3
Nègrepelisse F 124-125 H7
Negrești RO 114-115 H3
Negrești-Oaș RO 114-115 D2
Negril JA 260-261 K3
Négrine DZ 220-221 G2
Negro – przyl. 132-133 C11
Negro, Cerro – g. 280-281 E6
Negro Muerto RA 280-281 E5
Negro, Río – rz. 262-263 G9
Negro, Rio – rz. 272 G5
Negro, Río – rz. 272 G8
Negro, Río – rz. 272 H8
Negro, Río – rz. 276-277 E6
Negro, Rio – rz. 278-279 B6
Negro, Río – rz. 278-279 B7
Negro, Río – rz. 280-281 G3
Negros – w. 166-167 P9
Negru Vodă RO 114-115 I6
Neharèlae BY 140-141 H,I8
Nehāvand IR 184-185 M4
Nehāvand IR 184-185 M4
Nehbandān IR 188-189 G2
Nehe CHN 198-199 L2
Neheim-Hüsten D 122-123 D,E5
Nehoiu RO 114-115 G4
Néhoué, Baie de – zat. 299 I14
Nehri – rz. 104-105 O8
Neiafu TON 299 H6
Neiba, Bahía de – zat. 262-263 H4
Neiba DOM 262-263 H4
Neiba, Sierra de – g-y 262-263 H4
Neibīd IR 187 G2
Neibu TWN 196 F6
Neige, Crêt de la – g. 120-121 A4
Neihart USA (MT) 252-253 I3
Neihuang CHN 200-201 D3
Neil – w. 192-193 B5
Neillsville USA (WI) 250-251 I3
Neiqiu CHN 200-201 D2
Neirīz IR 187 F2
Neiva CO 276-277 B3
Neiwan TWN 196 G4
Neja RUS 144-145 J5
Nejapa de Madero MEX 258-259 K9
Nejo ETH 222-223 G6
Nek'emte ETH 222-223 G6
Nekla PL (WLP) 74-75 C5
Neksikan RUS 178-179 H6
Neksø DK 138-139 L7
Nelas P 130-131 D5
Nelaug N 138-139 E4
Nelemnoe RUS 178-179 H5
Nelidovo RUS 144-145 H5
Neligh USA (NE) 250-251 E4
Nel'kan RUS 178-179 F7
Nel'kan RUS 178-179 G6
Nellore IND 190-191 E6
Nel'ma RUS 178-179 F9
Nelson – jedn. adm. NZ 298 E5
Nelson, Cape – przyl. 296-297 G6
Nelson CDN 244-245 I7
Nelson, Estrecho – cieśn. 280-281 C8
Nelson GB 128-129 K8
Nelson NZ 298 E5
Nelson River – rz. 240 L4
Nelspoort ZA 226-227 D6
Nelspruit ZA 226-227 F5
Néma RIM 220-221 D5
Neman – rz. 140-141 C6
Nëman – rz. 140-141 E8
Neman RUS 140-141 C6,7
Nembe WAN 220-221 G8
Nemeckij, mys – przyl. 136-137 I2
Nemenčinė LT 140-141 G7
Nemira – g. 114-115 G3
Némiscau CDN 244-245 Q6
Nemovyči UA 140-141 H10
Nempont-Saint-Firmin F 124-125 H1
Nemrut Dağı – g. 180-181 D6
Nemrut Gölü – jez. 180-181 D6
Nemunas – rz. 104-105 N4
Nemunėlis – rz. 140-141 F5
Nemuro J 202-203 I2
Nemuro-hantō – w. 202-203 I2
Nemuro-kaikyō – cieśn. 202-203 I2
Nemuro-wan – zat. 202-203 I2
Nemyriv UA 142-143 C3
Nemyriv UA 142-143 H4,5
Nen Jiang – rz. 202-203 C,D1
Nenagh IRL 128-129 E9
Nendaz CH 120-121 C4
Nendeln FL 127 G6
Nendo – w. 290-291 I6
Nene – rz. 128-129 M,N9
Nêng Cong VN 192-193 E4
Nenggao Shan – g. 196 G5
Nengonengo – w. 290-291 N6
Nenjiang CHN 198-199 M2
Neochóri GR 134-135 C5
Néon Chōríon CY 134-135 M,N8
Néon Karlovási GR 134-135 H6
Neon USA (KY) 248-249 D6
Neosho River – rz. 250-251 G7
Neosho USA (MO) 250-251 G7
Nepa RUS 176-177 R6
Nepal – państwo 168-169 L7
Nepalganj NEP 190-191 P10
Nephi USA (UT) 252-253 I7
Nephin – g. 128-129 D8
Nephin Beg Range – g-y 128-129 D7
Nepoko – rz. 224-225 E3
Neptune Islands – w-y 296-297 F6
Ner – rz. 74-75 D6
Nera – rz. 114-115 B5
Nera – rz. 132-133 G6
Nera – rz. 178-179 G6
Nera RA 280-281 D7
Nérac F 124-125 G7
Neratovice CZ 112-113 G5
Nerča – rz. 178-179 B8
Nerčinsk RUS 178-179 B8
(Nerczyńsk) RUS 178-179 B8
Nerechta RUS 144-145 J5
Neresheim D 120-121 F2
Nereta LV 140-141 G5
Neretva – rz. 118-119 E4
Neretvanski kanal – cieśn. 118-119 S14
(Neretwa) – rz. 118-119 E4
Nerezine HR 118-119 M11
Nerežišća HR 118-119 R14
Nərimanabad AZ 180-181 J6
Nerinda, Helodranon'i – zat. 226-227 I2
Neringa LT 140-141 B6
Neriquinha ANG 224-225 D7
Neris – rz. 140-141 E,F6
Nerjungri RUS 178-179 C7
Nërojka, gora – g. 144-145 M4
Nérondes F 124-125 I4
Nerva E 130-131 E8
Nes FR 127 E5
Nes N 138-139 F2
Nes N 138-139 H2
Nes NL 126 D1
Nes' RUS 144-145 J,K3
Nēšāpūr IR 182-183 H8
Neščarda, vozera – jez. 140-141 J6
Nesebăr BG 114-115 H7
Neskaupstaður IS 136-137 m13
Neslandsvatn N 138-139 F3,4
Nesle F 124-125 I2
Nesna N 136-137 D4
Nesøya – w. 136-137 D4
Ness City USA (KS) 250-251 D6
Ness, Loch – jez. 128-129 I4
Nesseby N 136-137 H2
Nesslau CH 120-121 E3
Nesterov RUS 140-141 D7
Nestor Falls CDN 250-251 H1
Nestos – rz. 134-135 F2
Nestório GR 134-135 B,C3
Netanya IL 186 A3
Netcong USA (NJ) 248-249 H4
Netherdale AUS 296-297 H3
Netišyn UA 142-143 F3
Netivot IL 186 A4
Neto – rz. 132-133 K9
Netolice CZ 112-113 G6
Netstal CH 120-121 D3
Nett Lake Indian Reservation – jedn. adm. USA 250-251 H1
Nett Lake USA (MN) 250-251 H1
Nettersheim D 126 E4
Nettetal D 126 E3
Nettilling Lake – jez. 244-245 R3
Nettuno I 132-133 G7
Netzahualcóyotl, Presa – zb. 258-259 L9
Neubrandenburg D 122-123 J3
Neubukow D 122-123 H2,3
Neuburg an der Donau D 120-121 G2
Neuchâtel CH 120-121 B3
Neuchâtel, Lac de – jez. 120-121 B4
Neudau A 120-121 K3
Neudietendorf D 122-123 G6
Neuenburg D 122-123 D3
Neuerburg D 126 E4
Neueva Alejandría PE 276-277 C5
Neuf-Brisach F 120-121 C2
Neufchâteau B 126 D5
Neufchâteau F 120-121 A2
Neufchâtel-en-Bray F 124-125 H2
Neufelden A 120-121 I2
Neugersdorf D 122-123 K5
Neuhaus am Klausenbach A 120-121 K4
Neuhaus D 122-123 G3
Neuhaus D 122-123 H6
Neuhausen am Rheinfall CH 120-121 D3
Neu-Isenburg D 122-123 E6
Neukirchen am Walde A 120-121 I2
Neukirchen D 122-123 U14
Neukirchen D 122-123 V13
Neukirchen D 122-123 W14
Neukirchen D 122-123 Y13
Neukirchen D 126 E3
Neukloster D 122-123 H3
Neulengbach A 120-121 K2
Neum BIH 118-119 T15
Neumagen Dhron D 122-123 C7
Neumark D 122-123 U15
Neumarkt am Wallersee A 120-121 H,I2,3
Neumarkt im Hausruckkreis A 120-121 I2
Neumarkt im Steiermark A 120-121 J3
Neumarkt in der Oberpfalz D 122-123 H7
Neumarkt-Sankt Veit D 120-121 H2
Neumunster D 122-123 F2
Neunkirchen A 120-121 L3
Neunkirchen D 122-123 D7
Neuquén RA 280-281 E5
Neuquén, Río – rz. 280-281 E5
Neuruppin D 122-123 I4
Neuse River – rz. 248-249 G7
Neusiedl am See A 120-121 L3
Neuss D 126 E3
Neussargues-Moissac F 124-125 I6
Neuss-Rosellen – dzieln. D 122-123 O12
Neustadt am Rübenberge D 122-123 F4
Neustadt an der Aisch D 122-123 G7
Neustadt an der Waldnaab D 122-123 H,I7
Neustadt an der Weinstraße D 122-123 D7
Neustadt bei Coburg D 122-123 G6
Neustadt D 122-123 H6
Neustadt D 122-123 I4
Neustadt in Holstein D 122-123 G2
Neustrelitz D 122-123 I3
Neu-Ulm D 120-121 F2
Neuves-Maisons F 120-121 A2
Neuvic F 124-125 I6
Neuville-de Poitou F 124-125 G5
Neuwerk – w. 122-123 E3
Neuwied D 122-123 D6
Neuzelle D 74-75 C2
Nevada – jedn. adm. USA 241 J5
Nevada City USA (CA) 252-253 D7
Nevada de Santa Marta, Sierra – g-y 276-277 C1
Nevada, Sierra – g-y 240 I5,6
Nevada, Sierra – g-y 104-105 I8
Nevaišiu Kalns – g. 140-141 H6
Nevasa IND 190-191 C,D5
Nevatim IL 186 A4
Neve, Serra de – g-y 224-225 B6
Nevel' RUS 144-145 G5
Nevele B 126 B3
Nevel'sk Gornozavodsk RUS 178-179 G9
Never RUS 178-179 C8
Nevera – g. 130-131 J4
Nevers F 124-125 J4
Nevertire AUS 296-297 H5
Nevesinje BIH 118-119 U14
Nevesinsko polje – reg. 118-119 U14
Nevėžis – rz. 140-141 E6,7
Neviges D 122-123 Q11
Nevinnomyssk RUS 144-145 J8
Nevis – w. 262-263 L5
Nevis, Ben – g. 128-129 H5
Nev'jansk RUS 144-145 M5
Nevşehir TR 134-135 P5
Nevskoe RUS 140-141 L3
New Albany USA (IN) 248-249 B5
New Albany USA (MS) 250-251 J8
New Amsterdam GUY 276-277 F2
New Bedford USA (MA) 248-249 J4
New Bern USA (NC) 248-249 G7
New Boston USA (TX) 250-251 G9
New Braunfels USA (TX) 250-251 E11
New Brtitain USA (CT) 248-249 I4
New Brunswick USA (NJ) 248-249 H4
New Bufallo USA (MI) 248-249 B4
New Bussa WAN 220-221 F6,7
New Castle USA (DE) 248-249 H5
New Castle USA (IN) 248-249 C5
New Castle USA (PA) 248-249 E4
New Castle USA (VA) 248-249 E6
New Delhi IND 190-191 N10
New Denver CDN 252-253 F1
New England USA (ND) 250-251 C2
New Galloway GB 128-129 I6
New Hampshire – jedn. adm. USA 241 N5
New Hampton USA (IA) 250-251 H4
New Harmony USA (IN) 248-249 A5
New Haven USA (CT) 248-249 I4
New Hradec USA (ND) 250-251 C2
New Iberia USA (LA) 250-251 H10
New Jersey – jedn. adm. USA 241 N5
New Kensington USA (PA) 248-249 F4
New Kowloon CHN 200-201 D6
New Kowloon CHN 196 C1
New Liskeard CDN 248-249 E1
New London USA (CT) 248-249 I4
New London USA (MN) 250-251 G3
New London USA (WI) 250-251 J3
New Madrid USA (MO) 250-251 J7
New Market USA (VA) 248-249 F5
New Meadows USA (ID) 252-253 F4
New Norfolk AUS 296-297 H7
New Orleans USA (LA) 250-251 J10,11
New Philadelphia USA (OH) 248-249 E4
New Pine Creek USA (OR) 252-253 D5
New Plymouth NZ 298 E4
New Port Richey USA (FL) 248-249 D10
New Providence Island – w. 262-263 E1
New Radnor GB 128-129 J9
New Richmond USA (WI) 250-251 H3
New River – rz. 276-277 F3
New River Inlet – cieśn. 248-249 G7
New River USA (AZ) 252-253 H10
New Roads USA (LA) 250-251 I10
New Rochelle USA (NY) 248-249 H4
New Rockford USA (ND) 250-251 E2
New Romney GB 128-129 N,O11
New Ross IRL 128-129 G9
New Salem USA (ND) 250-251 D2
New Smyrna Beach USA (FL) 248-249 E10
New Stuyahok USA (AK) 254-255 K4
New Town USA (ND) 250-251 C1
New Ulm USA (MN) 250-251 G3
New Waterford CDN 244-245 U7
New Westminster CDN 244-245 I7
New York – jedn. adm. USA 241 N5
New York Mount – g. 252-253 G9
New York USA (NY) 248-249 I4
Newa – rz. 140-141 L2
Newada USA (MO) 250-251 G7
Newala EAT 224-225 G6
Newark on-Trent GB 128-129 M8
Newark USA (DE) 248-249 G5
Newark USA (NJ) 248-249 H4
Newark USA (NY) 248-249 G3
Newark USA (OH) 248-249 D4,5
Newberry USA (MI) 248-249 C1
Newberry USA (SC) 248-249 E7
Newburgh GB 128-129 K,L4
Newburgh USA (NY) 248-249 H4
Newbury GB 128-129 L10
Newburyport USA (MA) 248-249 J3
Newcastle AUS 296-297 I5
Newcastle CDN 244-245 S7
Newcastle Emlyn GB 128-129 I9
Newcastle GB 128-129 H7
Newcastle upon Tyne GB 128-129 K,L6
Newcastle USA (WY) 252-253 L5
Newcastle Waters AUS 296-297 E2
Newcastle West IRL 128-129 D9
Newcastle ZA 226-227 E5
Newcastle-under-Lyme GB 128-129 K8
Newcomb USA (NM) 252-253 J8
Newdegate AUS 296-297 B5
Newe Zohar IL 186 B4
(Newel) RUS 144-145 G5
Newelskie, Pojezierze 140-141 K6
Newenham, Cape – przyl. 254-255 J4
Newfoundland Ridge – form. podm. 308 G3
Newhaven GB 128-129 N11
Newkirk USA (NM) 250-251 B8
Newkirk USA (OK) 250-251 F7
Newman AUS 296-297 B3
Newman USA (TX) 252-253 K10
Newmarket CDN 248-249 F2
Newmarket GB 128-129 N9
Newmarket IRL 128-129 D9
Newnan USA (GA) 248-249 C8
Newport Beach USA (CA) 252-253 E10
Newport GB 128-129 I9
Newport GB 128-129 K10
Newport GB 128-129 L11
Newport News USA (VA) 248-249 G6
Newport USA (AR) 250-251 I8
Newport USA (KY) 248-249 C5
Newport USA (ME) 248-249 K2
Newport USA (MI) 248-249 D4
Newport USA (NH) 248-249 I,J3
Newport USA (OR) 252-253 B4
Newport USA (RI) 248-249 J4
Newport USA (TN) 248-249 D7
Newport USA (VT) 248-249 I2
Newport USA (WA) 252-253 F2
Newquay GB 128-129 H11
Newry AUS 296-297 D2
Newry GB 128-129 G7
Newton Abbot GB 128-129 J11
Newton Falls USA (NY) 248-249 H2
Newton Stewart GB 128-129 I7
Newton USA (IA) 250-251 H5
Newton USA (IL) 250-251 J6
Newton USA (KS) 250-251 F6
Newton USA (MA) 248-249 J3
Newton USA (MS) 250-251 J9
Newton USA (NC) 248-249 E7
Newton USA (TX) 250-251 G10
Newtown GB 128-129 J9
Newtown Saint Boswells GB 128-129 K6
Newtownabbey GB 128-129 G7
Newtownards GB 128-129 H7
Newtown-Stewart GB 128-129 F7
Nexapa, Río – rz. 258-259 J8
Nexon F 124-125 H6
Nexpa, Río – rz. 258-259 H8
Neyestānak IR 188-189 F2
Nez Perce Indian Reservation – jedn. adm. USA 252-253 F,G3
Nəzirli AZ 180-181 I4
Nəzrə AZ 180-181 J3
Nezyderskie, Jezioro 120-121 L3
Nędza PL (ŚL) 78-79 E6
Ngabang RI 194-195 D5
Ngaca Binsam RCB 224-225 B3
Ngadirojo RI 194-195 O11
Ngaghtawng MYA 192-193 C2
Ngalaporoua VAN 299 K12
Ngambé CAM 224-225 B2
Ngambé Tikar CAM 224-225 A3
Ngami, Lake – jez. 216 F8
Ngan Mei Wan – zat. 196 C1
Ngân Sơn VN 192-193 E3
Ngangla Ringco – jez. 190-191 E2
Ngangzê Co – jez. 190-191 F2
Ngantchou RCB 224-225 C4
Ngao THA 192-193 C,D4
Ngaoundéré CAM 224-225 B2
Ngape MYA 192-193 B3
Ngara MW 224-225 F6
Ngaruawahia NZ 298 F3
Ngatik Atoll – w. 290-291 H4
Ngau – w. 290-291 J6
Ngau Mei Chau – w. 196 C2
Ngawa CHN 198-199 H5
Ngawi RI 194-195 O10
Ngaya – g. 216 F5
Nggamea – w. 299 C2
Nggelelevu – w. 299 C2
Nghi Xuân VN 192-193 E4
Nghia Lô VN 192-193 D3
N´go RCB 224-225 C4
Ngoc Linh – g. 166-167 N8
Ngoïla CAM 224-225 B3
Ngomo Z 224-225 E7
Ngombaco RCA 224-225 C3
Ngomeni, Ras – przyl. 224-225 H4
Ngong EAK 224-225 G4
Ngong Shuen Chau – w. 196 B2
Ngonye – wdp. 224-225 D7
Ngoring CHN 198-199 G4
Ngoring Hu – jez. 198-199 G5
Ngoro EAU 224-225 F3
Ngorongoro Crater – g. 224-225 F4
N´Gouine – rz. 224-225 B4
Ngouo, Mount – g. 224-225 D2
Ngouri TCH 222-223 C5
Ngourti RN 222-223 E4
N'Guigmi RN 222-223 B5
Ngukurr AUS 296-297 E1
Ngulu Atoll – w. 290-291 F4
Ngulu Atoll – w-y 194-195 J4
Nguna – w. 299 L12
Nguru Mountains – g-y 224-225 G5
Nguru WAN 222-223 B5
Nguyên Binh VN 192-193 E3
Nha Nam VN 192-193 E3
Nha Trang VN 192-193 E5
Nhamundá, Rio – rz. 278-279 B3
Nhau MW 224-225 F6
Nhill AUS 296-297 G6
Nhulunbuy AUS 296-297 F1
Niafounké RMM 220-221 E5
Niagara Falls CDN 248-249 F3
Niagara Falls USA (NY) 248-249 F3
Niagara, Wodospad 240 N5
Niah MAL 196 O15
Niakaramandougou CI 220-221 D7
Nial RI 196 Q15
Niamey RN 220-221 F6
Niangara ZRE 224-225 E3
Niangay, Lac – jez. 220-221 E5
Niangoloko BF 220-221 E6
Niankorodougou BF 220-221 D6
Niapu ZRE 224-225 E3
Niari – rz. 224-225 B4
Nias – w. 166-167 M9
Niasa – jez. 216 G7
Niassa – jedn. adm. MOC 226-227 G2
Niau – w. 290-291 N6
Nibe DK 138-139 F6
Nic AZ 180-181 I4
Nicaj Shale AL 118-119 G5
Nicaro C 260-261 M2
Nice F 120-121 C7
(Nicea) F 120-121 C7

North Sunderland GB 128-129 L6
North Taranaki Bight – zat. 298 E4
North Truchas Peak – g. 252-253 K,L8
North Turtle Island – w-y 296-297 B2
North Tyne – rz. 128-129 K6
North Uist – w. 128-129 F4
North USA (SC) 248-249 E8
North Vancouver CDN 244-245 H7
North Vernon USA (IN) 248-249 B5
North Viking – in. 128-129 P8
North Walsham GB 128-129 O9
North West River CDN 244-245 T6
North York CDN 248-249 F3
Northallerton GB 128-129 L7
Northam AUS 296-297 B5
Northam ZA 226-227 E5
Northampton AUS 296-297 A4
Northampton GB 128-129 M9
Northampton USA (MA) 248-249 I3
Northcliffe AUS 296-297 B5
Northeast Point – przyl. 262-263 G3
Northeim D 122-123 F5
Northern Cape – jedn. adm. ZA 226-227 A7
Northern Cheyenne Indian Reservation – jedn. adm. USA 252-253 K4
Northern Light Lake – jez. 250-251 I1
Northfield USA (MN) 250-251 H3
Northland – jedn. adm. NZ 298 E2
Northport USA (AL) 248-249 B8
Northumberland Inlet – w-y 296-297 H,I3
North-West – jedn. adm. ZA 226-227 A7
Northwind Ridge – form. podm. 310 B2
Northwood USA (IA) 250-251 H4
Norton Bay – zat. 254-255 J3
Norton Shores USA (MI) 248-249 B3
Norton Sound – zat. 254-255 I3
Norton USA (KS) 250-251 D6
Nortona, Zatoka 240 E3
Nortorf D 122-123 F2
Nort-sur-Erdre F 124-125 E4
Norvalspont ZA 226-227 D6
Norvegia, Kapp – przyl. 311 B2
Norwalk USA (CT) 248-249 I4
Norwalk USA (OH) 248-249 D4
Norway House CDN 244-245 M6
Norwegia – państwo 106-107 K4
Norweska, Rynna – form. podm. 104-105 J3
Norweski, Basen – form. podm. 310 L3
Norweskie, Morze 310 L3
Norwich GB 128-129 O9
Norwich USA (CT) 248-249 I4
Norwich USA (NY) 248-249 G,H3
Norwood USA (OH) 248-249 C5
(Norymberga) D 122-123 H7
Nose J 204-205 H7,8
Noshiro J 204-205 L2
Nosice – zb. 112-113 K6
Nosivka UA 140-141 M10,11
Nosok RUS 176-177 M3
Noşratābād IR 187 I2
Noss Head – przyl. 128-129 J,K3
Nossen D 122-123 Y13
Nossob – rz. 226-227 D5
Nossop – rz. 226-227 C4
Nošul' RUS 144-145 K4
Nosy-Varika RM 226-227 I4
Noszlop H 120-121 M3
Notch Peak – g. 252-253 H7
Notecka, Puszcza – in. 74-75 C3
Notecki, Kanał 70-71 B5
Noteć – rz. 74-75 C3
Noto, Golfo di – zat. 132-133 J12
Noto I 132-133 J12
Noto J 204-205 J5
Notodden N 138-139 F3
Noto-hantō – płw. 204-205 I5
Noto-jima – w. 204-205 J5
Notojima J 204-205 J5
Notoro-ko – jez. 202-203 I1
Notre-Dame Bay – zat. 244-245 U7
Notre-Dame du Nord CDN 248-249 F1
Notre-Dame, Monts – g-y 244-245 S7
Notre-Dame-du-Lac CDN 248-249 K1
Nottawasaga Bay – zat. 248-249 E2
Nottebäck S 138-139 L5
Nøtterøy N 138-139 G3
Nottingham GB 128-129 L9
Nottingham Island – w. 244-245 P4
Nou J 204-205 K5
Nou Săsesc RO 114-115 O11
Nouâdhibon RIM 220-221 B4
Nouâdhibou, Râs – przyl. 216 A3
Nouakchott RIM 220-221 B5
Noual – oaza 220-221 D5
Noŭka BY 140-141 K6
Noŭka BY 140-141 L6
Noukloof – g-y 226-227 C4
Noul VAN 299 L12
Nouméa NC 299 K15
Nouna BF 220-221 E6
Noupoort ZA 226-227 D6
Noušahr IR 184-185 N3
Nouvion F 124-125 H1
Nouzonville F 126 C5
Nov TJ 182-183 M6
Nova Astrachan' UA 142-143 R4
Nova Baňa SK 112-113 K7
Nova Borova UA 142-143 H3
Nova Bukovica HR 118-119 E2
Nová Bystřice CZ 112-113 G6
Nova Conquista BR 278-279 E6
Nova Cruz BR 278-279 F4
Nova Esperança BR 278-279 C7
Nova Friburgo BR 278-279 E7
Nova Gorica SLO 120-121 I5
Nova Gradiška HR 118-119 E2
Nova H 120-121 L4
Nova Haleščyna UA 142-143 M4
Nova Iguacu BR 278-279 E7
Nova Kachovka UA 142-143 M7
Nova Lima BR 278-279 E7
Nova Lusitânia MOC 226-227 F3
Nova Majačka UA 142-143 M7
Nova Mambone MOC 226-227 G4
Nova Mamoré BR 276-277 D6
Nova Odesa UA 142-143 K6
Nova Olinda do Norte BR 276-277 F4
Nová Paka CZ 112-113 H5
Nova Pazova XS 118-119 G3
Nova Pilão Arcado BR 278-279 E5
Nova Praha UA 142-143 L5
Nova Pussas BR 278-279 E3
Nova Remanso BR 278-279 E4
Nová Sedlica SK 80-81 F10
Nova Sintra CV 220-221 K13
Nova Sofala MOC 226-227 F4
Nova Soure BR 278-279 F5
Nova Trento BR 278-279 D8
Nova Ušycja UA 142-143 G5
Nova Varoš XS 118-119 G4
Nova Venécia BR 278-279 E6
Nova Vodolaha UA 142-143 O4
Nova Xavantina BR 278-279 C5
Nova Zagora BG 114-115 G7
Nova Zbur'jivka UA 142-143 L7
Novačene BG 114-115 E6
Novaci MK 118-119 I6,7
Novaci RO 114-115 D4
Novafeltria I 120-121 H7
Novaja Čara RUS 178-179 B7
Novaja Igrimi RUS 176-177 Q6
Novaja Inja RUS 178-179 O,P7
Novaja Ladoga RUS 144-145 H4
Novaja Ljalja RUS 144-145 N5
Novaja Macesta RUS 180-181 A1
Novaja Maluksa RUS 140-141 M2
Nováky SK 112-113 K7
Novalja HR 118-119 N11
Novalukoml' BY 140-141 K7
Novara I 120-121 D5
Nové Město nad Metují CZ 112-113 I6
Nove Mesto nad Váhom SK 112-113 J7
Nové Mlýny – zb. 112-113 I7
Nove Qerešej RUS 180-181 D1
Nove Selo UA 142-143 F4
Nove UA 142-143 L5
Nové Zámky SK 112-113 K8
Novelda E 130-131 J,K7
Novellara I 120-121 F6
Novgorod RUS 144-145 H5
Novgrad BG 114-115 F6
Novhorodka UA 142-143 L5
Novhorod-Siverskyj UA 142-143 L1
Novi Bečej XS 118-119 H2
Novi Biljary UA 142-143 J7
Novi Bilokorovyči UA 140-141 J10
Novi di Modena I 120-121 F6
Novi Dorjan MK 118-119 J6
Novi Kneževac XS 118-119 G,H1
Novi Ligure I 120-121 D6
Novi Pazar BG 114-115 H6
Novi Pazar XS 118-119 H4
Novi Sad XS 118-119 G2
Novi Sanžary UA 142-143 N4
Novi Slankamen XS 118-119 H2
Novi Vinodolski HR 118-119 N10
Novigrad HR 118-119 C3
Novigrad HR 118-119 L10
Novikovo RUS 176-177 M6
Novikovo RUS 178-179 G9
Novillars F 120-121 A3
Noville B 127 A1
Novillero MEX 258-259 F6
Novilskär BG 114-115 D7
Novlon Porclen F 126 C5
Novo Acordo BR 278-279 D5
Novo Airão BR 276-277 E4
Novo Aripuanã BR 276-277 E5
Novo Cruzeiro BR 278-279 E6
Novo Hamburgo BR 278-279 C8
Novo, Lago – jez. 278-279 C2
Novo Mesto SLO 120-121 K5
Novo Miloševo XS 118-119 H2
Novo Selo MK 118-119 J6
Novoagansk RUS 176-177 L5
Novoajdar UA 142-143 R5
Novoaltajsk RUS 176-177 M7
Novoanninskij RUS 144-145 J6
Novoarchanhel's'k UA 142-143 J5
Novoazovs'k UA 142-143 Q6
Novobelaja RUS 142-143 S4
Novobiriljussy RUS 176-177 N6
Novobirjusinskij RUS 176-177 P6
Novobohdanivka UA 142-143 O6
Novočeboksarsk RUS 144-145 K5
Novočerkassk RUS 144-145 J7
Novočuguevka RUS 202-203 F1
Novoderevjankovskaja RUS 142-143 R7
Novodnistrovs'k UA 142-143 G5
Novodvinsk RUS 144-145 I4
Novoe Rachino RUS 140-141 N3
Novoe Ust'e RUS 178-179 G7
Novoerudinskij RUS 176-177 O6
Novohrad-Volyns'kyj UA 142-143 G3
Novohrodivka UA 142-143 P,Q5
Novohryhorivka UA 142-143 N7
Novohujvyns'ke UA 142-143 H3
Novojavorivs'ke UA 80-81 F11
Novokačalinsk RUS 178-179 E9
Novokajakent RUS 180-181 J2
Novokievskij Uval RUS 178-179 D8
Novokujbyševsk RUS 144-145 K,L6
Novokuzneck RUS 176-177 N7
Novolakskoe RUS 180-181 H1
Novolazarevskaja – st. bad. 311 M4
Novomichajlovka RUS 178-179 E10
Novomichajlovskij RUS 142-143 R9
Novominskaja RUS 142-143 R7
Novomoskovsk RUS 144-145 I6
Novomoskovs'k UA 142-143 O5
Novomychajlivka UA 142-143 O6
Novomykolajivka UA 142-143 M5
Novomykolajivka UA 142-143 O6
Novomyrhorod UA 142-143 K5
Novonežino RUS 202-203 F2
Novooleksijivka UA 142-143 N7
Novoorsk RUS 144-145 M6
Novopavlovka RUS 176-177 R7
Novopetrovka KZ 182-183 E1
Novopetrovo RUS 176-177 J6
Novopokrovka RUS 178-179 E9
Novopokrovka UA 142-143 N5
Novopskov UA 142-143 S4
Novorepnoe RUS 182-183 C1
Novorossijka RUS 178-179 D8
Novorossijsk RUS 144-145 I8
Novorossijskaja, buchta – zat. 142-143 Q9
Novorossijskoe KZ 182-183 G1
Novorybnaja RUS 176-177 R3
Novoržev RUS 140-141 K4
Novošachtinsk RUS 144-145 J7
Novoščerbinovskaja RUS 142-143 Q,R7
Novoselci BG 114-115 H7
Novoselë AL 118-119 G7
Novosel'e RUS 140-141 J,K3
Novoselivs'ke UA 142-143 M8
Novoselovo RUS 176-177 O7
Novoselycja UA 142-143 F5
Novosergievka RUS 144-145 L6
Novosibirsk RUS 176-177 M6
Novosokol'niki RUS 140-141 K5
Novostroevo RUS 140-141 C7
Novosvitlivka UA 142-143 S5
Novotroick RUS 144-145 M6
Novotroickoe RUS 178-179 D8
Novotrojic'ke UA 142-143 N7
Novoukrajinka UA 142-143 K5
Novouzensk RUS 144-145 K6
Novovasylivka UA 142-143 O7
Novovjatsk RUS 144-145 K5
Novovolyns'k UA 142-143 D3
Novovoroncovka UA 142-143 M6
Novovoronež RUS 142-143 Q3
Novovoznesenovka KS 182-183 S5
Novozybkov RUS 144-145 H6
Novr-Oala RUS 180-181 G1
Novska HR 118-119 D2
Novy Barsuk BY 140-141 L9
Novy Bychaŭ BY 140-141 K8
Nový Bydžov CZ 112-113 H5
Novy Dvor BY 140-141 F9
Nový Jičin CZ 112-113 J6
Novy Pahost BY 140-141 I6
Novye Batenki – dzieln. RUS 140-141 M7
Novye Darohi BY 140-141 J8
Novyj Bor RUS 144-145 L3
Novyj Buh UA 142-143 L6
Novyj Bykiv UA 142-143 K3
Novyj Izborsk RUS 140-141 I4
Novyj Saryčiv UA 142-143 D4
Novyj Karačaj RUS 180-181 C1
Novyj Oskol RUS 142-143 Q3
Novyj Port RUS 176-177 K4
Novyj Rozdil UA 142-143 C4
Novyj Urengoj RUS 176-177 L4
Novyj Urgal RUS 178-179 E8
Novyj Usman' RUS 142-143 S2
Novyj Vasjugan RUS 176-177 L6
Novyje Valosavičy BY 140-141 J7
Nowa Brytania – w. 290-291 H5
Nowa Brzeźnica PL (ŁDZ) 76-77 D7
Nowa Dęba PL (PKR) 80-81 E9
Nowa Fundlandia – jedn. adm. CDN 244-245 T,U6
Nowa Fundlandia – w. 240 P4
Nowa Georgia – w. 290-291 H5
Nowa Gwinea – w. 290-291 F5
Nowa Huta – dzieln. PL (MŁP) 80-81 E8
Nowa Irlandia – w. 290-291 H5
Nowa Kaledonia – teryt. zal. F 292-293 I6
Nowa Kaledonia – w. 290-291 I7
Nowa Karczma PL (POM) 70-71 A6
(Nowa Odessa) UA 142-143 K6
Nowa Południowa Walia – jedn. adm. AUS 296-297 G5
Nowa Ruda PL (DŚL) 78-79 E4
Nowa Sarzyna PL (PKR) 80-81 E10
Nowa Słupia PL (ŚW) 80-81 E9
Nowa Sól PL (LBU) 74-75 D3
Nowa Sucha PL (MAZ) 76-77 C8
Nowa Syberia – w. 310 D2
Nowa Szkocja – jedn. adm. CDN 244-245 S,T8
Nowa Szkocja – płw. 240 O5
Nowa Wieś Lęborska PL (POM) 70-71 A5
Nowa Wieś Wielka PL (K-P) 74-75 C6
Nowa Zelandia – państwo 292-293 J9
Nowa Zelandia – w. 290-291 J9
Nowa Ziemia – w. 166-167 I2
Nowata USA (OK) 250-251 G7
Nowe Brzesko PL (MŁP) 80-81 E8
Nowe Hebrydy – w-y 290-291 I6
Nowe Miasteczko PL (LBU) 74-75 D3
(Nowe Miasto) LT 140-141 F6
(Nowe Miasto Lubawskie PL (W-M) 72-73 B7
Nowe Miasto nad Pilicą PL (MAZ) 76-77 D8
Nowe Miasto nad Wartą PL (WLP) 74-75 C5
Nowe Miasto PL (MAZ) 76-77 C8
(Nowe Okmiany) LT 140-141 D5
Nowe Ostrowy PL (ŁDZ) 76-77 C7
Nowe Piekuty PL (PDL) 76-77 C10
Nowe PL (K-P) 70-71 B6
Nowe Skalmierzyce PL (WLP) 74-75 D5
(Nowe Święciany) LT 140-141 G6
Nowe Terytoria – jedn. adm. CHN 196 B1
Nowe Warpno PL (ZPM) 70-71 B2
(Nowe Zamki) SK 112-113 K8
Nowej Anglii, Góry – form. podm. 308 F,G4
Nowej Ziemi, Rów – form. podm. 310 h2
Nowęcin PL (POM) 70-71 A5
Nowgong IND 190-191 G3
Nowinka PL (PDL) 72-73 B10
(Nowoczerkask) RUS 144-145 J7
Nowodwór PL (LBL) 76-77 D10
Nowofunlandzka, Ławica – form. podm. 308 G3
Nowofunlandzki, Basen – form. podm. 308 H3
Nowogard PL (ZPM) 70-71 B3
Nowogrodziec PL (DŚL) 78-79 D3
Nowogród Bobrzański PL (LBU) 74-75 D3
Nowogród PL (PDL) 72-73 B9
(Nowogród) RUS 144-145 H5
(Nowogród Siewierski) UA 142-143 L1
(Nowogród Wołyński) UA 142-143 G3
(Nowogródek) BY 140-141 G8
Nowogródek Pomorski PL (ZPM) 74-75 C3
Nowogródzka, Wysoczyzna 140-141 G8
Nowohebrydzki, Rów – form. podm. 290-291 I7
(Nowojelnia) BY 140-141 G8
Nowokaledoński, Basen – form. podm. 290-291 I6,7
Nowoładoski, Kanał 140-141 M2
(Nowołukoml) BY 140-141 K7
(Nowopołock) BY 140-141 J6
(Noworosyjsk) RUS 144-145 I8
(Nowosielica) UA 142-143 F5
Nowosyberyjskie, Wyspy 166-167 Q2
Nowosybirski, Zbiornik 176-177 M7
(Nowoszachtyńsk) RUS 144-145 J7
(Nowowołyńsk) UA 142-143 D3
Nowozelandzki, Próg – form. podm. 311 j4
Nowra-Bamaderry AUS 296-297 I5
Nowy Amsterdam – w. 309 r8
(Nowy Aton) ABC 180-181 B1
(Nowy Boh) UA 142-143 L6
Nowy Brunszwik – jedn. adm. CDN 244-245 S7
Nowy Duninów PL (MAZ) 76-77 C7
(Nowy Dwór) BY 140-141 F9
Nowy Dwór Gdański PL (POM) 72-73 A7
Nowy Dwór Mazowiecki PL (MAZ) 76-77 C8
Nowy Dwór PL (PDL) 72-73 B11
(Nowy Jork) USA (NY) 248-249 I4
Nowy Kawęczyn PL (ŁDZ) 76-77 D8
Nowy Korczyn PL (ŚW) 80-81 E8
(Nowy Koulun) CHN 200-201 D6
(Nowy Koulun) CHN 196 C1
Nowy Meksyk – jedn. adm. USA 241 K6
(Nowy Orlean) USA (LA) 250-251 J11
(Nowy Rozdół) UA 142-143 C4
(Nowy Sad) XS 118-119 G2
Nowy Sącz PL (MŁP) 80-81 F8
Nowy Staw PL (POM) 72-73 A7
Nowy Targ PL (MŁP) 80-81 F8
Nowy Tomyśl PL (WLP) 74-75 C3
(Nowy Urengoj) RUS 176-177 L4
Nowy Wiśnicz PL (MŁP) 80-81 F8
Nowy Żmigród PL (PKR) 80-81 F9
Noya E 130-131 C3
Noyant F 124-125 F4
Noyemberian AR 180-181 G3
Noyon F 124-125 I2
Nožaj-Jurt RUS 180-181 H1,2
Nozdrzec PL (MŁP) 80-81 F10
Nógrád – jedn. adm. H 114-115 W15
Nólsoy – w. 127 E5
Nsanje MW 224-225 G7
Nsawam GH 220-221 E7
Nsok GQ 224-225 B3
Nstola FIN 140-141 G1
Nsuki – rz. 224-225 F3
Nsukka WAN 220-221 G7
Ntem – rz. 224-225 B3
Ntima RCB 224-225 B4
Ntoum G 224-225 A3
Ntui CAM 224-225 B3
Ntusi EAU 224-225 F3,4
Nu Jiang – rz. 192-193 C2
Nuapapu – w. 299 G6
Nubarashen AR 180-181 F4
Nubijska, Pustynia 216 G3
Nucet RO 114-115 C3
Nucetto I 120-121 D6
Nucla USA (CO) 252-253 J7,8
Nüden MAU 198-199 I3
Nudo Coropuna – g. 276-277 C7
Nueces River – rz. 250-251 E11
Nueltin Lake – jez. 244-245 L5
Nueva Antioquia CO 276-277 D2
Nueva Gerona C 260-261 I1,2
Nueva, Isla – w. 280-281 E9
Nueva Italia de Ruiz MEX 258-259 H8
Nueva Lubecka RA 280-281 D6
Nueva Ocotepeque HN 260-261 F5
Nueva Población RA 280-281 F3
Nueva Rosita MEX 258-259 I3
Nueva San Salvador ES 260-261 E6
Nuevitas C 260-261 L2
Nuevo Arraiján PA 260-261 Q12
Nuevo, Bayo – w-y 260-261 K5
Nuevo Casas Grandes MEX 258-259 F2
Nuevo, Cayo – w. 258-259 M,N7
Nuevo Churumuco MEX 258-259 I8
Nuevo, Golfo – zat. 280-281 F6
Nuevo León – jedn. adm. MEX 258-259 I4
Nuevo Morelos MEX 258-259 J6
Nuevo Padilla MEX 258-259 J5
Nuevo San Juan PA 260-261 Q11
Nuevo Vigía PA 260-261 Q11
Nugaal, togga – rz. 222-223 I6
Nûgâtsiaq GRØ 244-245 V2
Nuguria Islands – w-y 290-291 H5
Nūh, Ra's – przyl. 188-189 H4
Nuḩaib IRQ 184-185 J6
Nuḩaila – oaza 222-223 E4
Nui Atoll – w. 290-291 J5
Nujno UA 140-141 F10
Nukatl', chrebet – g-y 180-181 H2
Nukatl', gora – g. 180-181 H2
Nuku – w. 299 G9
Nuku Hiva, Île – w. 290-291 N5
Nuku'alofa TON 299 F9
Nukufetau Atoll – w. 290-291 J5
Nukulaelae Atoll – w. 290-291 J,K5
Nukumanu Islands – w-y 290-291 H5
Nukunonu Atoll – w. 290-291 K5
Nukuoro Atoll – w. 290-291 H4
Nukus UZ 182-183 H5
Nukutavakė – w. 290-291 O6
Nukuty RUS 176-177 Q7
Nulato USA (AK) 254-255 K3
Nules E 130-131 K6
Nullagine AUS 296-297 C3
Nullarbor AUS 296-297 E5
Nullarbor Plain – niz. 290-291 E8
Nulu'erhu Shan – g-y 202-203 B2
Num – w. 194-195 J6
Num NEP 190-191 E11
Nu'mān, Ğazīrat an- – w. 188-189 B3
Numan WAN 222-223 B6
Numancia – r. 130-131 I4
Numancia RP 197 E7
Numansdorp NL 126 C3
Numata J 204-205 K6
Numatinna – rz. 222-223 E6
Numazu J 204-205 K7
Numbulwar AUS 296-297 F1
(Numea) NC 299 K15
Numfoor – w. 290-291 F5
Numgi RUS 176-177 K4
Nummi FIN 140-141 E1
Nummijärvi FIN 136-137 f6
Numto RUS 176-177 K5
Nunapitchuk USA (AK) 254-255 J3
Nunavut – jedn. adm. CDN 244-245 J,K3
Nundu ZRE 224-225 E4
Nuñez, Isla – w. 280-281 C,D8
Nungnain Sum CHN 198-199 K2
Nungo MOC 226-227 G2
Nunivak Island – w. 240 D,E4
Nunkun – g. 190-191 D2
Nunligran RUS 178-179 O6
Nunnanen FIN 136-137 G3
Nunspeet NL 126 D2
Nunukan RI 196 Q14
Nunukan Timur – w. 196 Q15
Nuorajärvi – jez. 136-137 h6
Nuoro I 132-133 D8
Nuqruş, Ğabal – g. 222-223 F3
Nuqūb Y 188-189 E5
Nur Dağları – g-y 184-185 F3
Nur PL (MAZ) 76-77 C10
Nur Turu CHN 198-199 F4
Nūra – rz. 182-183 N1
Nūra KZ 182-183 J2
Nūrābād IR 184-185 M4
Nūrābād IR 187 D1
Nurakita – w. 290-291 J6
Nuratau – g-y 182-183 L6
Nurbu CHN 190-191 E2
Nürburg D 126 E4
Nurdağı Geçidi – przeł. 184-185 G3
Nure – rz. 120-121 E6
Nurecki, Zbiornik 182-183 M7
Nurettin TR 180-181 D5
Nurhak Dağı – g-y 184-185 G3
Nūrī – r. 222-223 F4
Nuri MEX 258-259 E3
Nurlat RUS 144-145 L6
Nurmes FIN 136-137 H6
Nurmijärvi FIN 140-141 F1
Nurmo FIN 136-137 f6
Nurmsi EST 140-141 G3
Nürnberg D 122-123 H7
Nurota UZ 182-183 K6
Nurri I 132-133 D9
Nürtingen D 120-121 E2
Nurzec – rz. 76-77 C10
Nurzec-Stacja PL (PDL) 76-77 C11
Nus I 120-121 C5
Nusa Tenggara Barat – jedn.adm. RI 194-195 F7
Nusaybin TR 184-185 I3
Nuşeni RO 114-115 N9
Nuşfalău RO 114-115 C2
Nushki PK 188-189 I3
Nutak CDN 244-245 T5
Nuttal PK 188-189 I3
Nuugaatsiaq GRØ 244-245 V2
Nuuk GRØ 244-245 V4
Nuupas FIN 136-137 G4
Nu'utele – w. 298 L12
Nuvelle Anvers ZRE 224-225 C3
Nuvvus FIN 136-137 g3
Nuwaibi' al-Muzayyina ET 184-185 F7
Nuwakot NEP 190-191 Q10
Nuyts Archipelago – w-y 296-297 E5
Ny Ålesund – st. bad. 310 k2
Nyabessan CAM 224-225 B3
Nyabing AUS 296-297 B5
Nyagassola RG 220-221 D6
(Nyagquka) CHN 192-193 D1
Nyagrong CHN 198-199 G5
Nyahururu Falls EAK 224-225 G3
Nyain – g-y 190-191 F3
Nyainrong CHN 190-191 G2
Nyak Co – jez. 190-191 D2
Nyakabindi EAT 224-225 F4
Nyakanazi EAT 224-225 F4
Nyåker S 136-137 e6
Nyalā SUD 222-223 D,E5

485

Owen USA (WI) 250-251 I3
Owena, Wodospady 224-225 F3
Owena Stanleya, Góry 290-291 G5
Owens Lake – jez. 252-253 F8
Owens River – rz. 252-253 E8
Owens USA (VA) 248-249 G5
Owensboro USA (KY) 248-249 B6
Owensville USA (MO) 250-251 H6
Owernia – reg. 124-125 I7
Owerri WAN 220-221 G7
Owińska PL (WLP) 74-75 C4
Owl Creek Mountains – g-y 252-253 J5
Owo WAN 220-221 G7
Owosso USA (MI) 248-249 C3
Owruckie, Wzniesienia – wyż. 140-141 I10
Owyhee, Lake – jez. 252-253 F5
Owyhee River – rz. 252-253 F5
Owyhee USA (NV) 252-253 F6
Oxapampa PE 276-277 B6
Oxbow CDN 244-245 L7
Oxelösund S 138-139 N4
Oxford GB 128-129 L10
Oxford House CDN 244-245 M6
Oxford NZ 298 E6
Oxford USA (MS) 250-251 J8
Oxford USA (NC) 248-249 F6
Oxford USA (NE) 250-251 E5
Oxford USA (OH) 248-249 C5
Oxiá – g. 134-135 C1
Oxley AUS 296-297 G5
Oxnard USA (CA) 252-253 E9
Oya MAL 196 N15
Oyabe J 204-205 I6
Oyama J 204-205 K7
Oyama J 204-205 L6
Ōyano J 202-203 E4
Oyapcok, Baie d' – zat. 278-279 C2
Oyapock, River – rz. 278-279 C2
Oyem G 224-225 B3
Øyer N 138-139 G1
Øyeren – jez. 138-139 G3
Oykel – rz. 128-129 I4
Oyo – jedn. adm. WAN 220-221 F7
Oyo WAN 220-221 F7
Oyonnax F 124-125 L5
Oyou Beyyé Denga RN 222-223 B4
Øyrlandsodden – przyl. 174-175 B2
Oysangur RUS 180-181 H1
Oyster Bay – zat. 296-297 H7
Oyulku Dağ – g. 134-135 N7
Ozalj HR 118-119 C2
Özalp TR 180-181 E6
Ozamiz RP 197 D7
Ozark Plateau – wyż. 240 L6
Ozark USA (AL) 248-249 C9
Ozark USA (AR) 250-251 H8
Ozark USA (MO) 250-251 H7
Ozarks, Lake of the – jez. 250-251 H6
Özen KZ 182-183 E5
Ozerne UA 142-143 H3
Ozernoe RUS 176-177 L7
Ozernoe RUS 178-179 H6
Ozernoj, mys – przyl. 178-179 K7
Ozernoj, poluostrov – płw. 178-179 K7
Ozernoj, zaliv – zat. 178-179 K7
Ozernovskij RUS 178-179 J8
Ozernyj RUS 144-145 N6
Ozerós, Límni – jez. 134-135 C5
Ozersk RUS 140-141 C,D7
Ozers'k UA 140-141 H10
Ozery RUS 144-145 I6
Ozette Lake – jez. 252-253 B2
Özgön KS 182-183 O6
Ozieri I 132-133 C8
Ozimek PL (OPO) 78-79 E6
Ozinki RUS 144-145 K6
Ožogino, ozero – jez. 178-179 G5
Ozona USA (TX) 250-251 D10
Ozorków PL (ŁDZ) 76-77 D7
Ozren – g-y 118-119 F4
Ozren Devica – g-y 118-119 I4
Ōzu J 204-205 E9
Ozuluama MEX 258-259 K7
Ozun RO 114-115 Q12
Ozurget'i GE 180-181 D3
Ozzano Monf I 120-121 D5
Ożarowice PL (ŚL) 78-79 E6
Ożarów Mazowiecki PL (MAZ) 76-77 C8
Ożarów PL (ŁDZ) 78-79 D6
Ożarów PL (ŚW) 80-81 E9
Óbidos BR 278-279 B3
Ólafsfjörður IS 136-137 I12
Ólafsvík IS 136-137 K13
Ólymbos GR 134-135 I8
Órfanio GR 134-135 E3
Órma GR 134-135 C,D3
Órmos GR 134-135 F6
Ósinka RO 114-115 P12
Ósmego Stopnia, Kanał – cieśn. 196 L10
Óssa – g-y 134-135 D4
Óthris – g-y 134-135 D4
Ózd H 112-113 M7

P

Paagouméne NC 299 I14
Paama – w. 299 L12
Paamiut GRØ 244-245 V4
Paar – rz. 122-123 H8
Paarl ZA 226-227 C6
Pabbay – w. 128-129 F4
Pabean RI 194-195 F7
Pabellón, Ensenada del – zat. 258-259 E5
Pabianice PL (ŁDZ) 76-77 D7
Pabiržė LT 140-141 F5
Pabna BD 190-191 T12
Pabradė LT 140-141 G7
Pacaás Novos, Serra dos – g-y 276-277 D,E6
Pacajá BR 278-279 C3
Pacajá, Rio – rz. 278-279 C3
Pacanów PL (ŚW) 80-81 E9
Pacaraima, Serra – g-y 276-277 E3
Pacaya, Rio – rz. 276-277 B5
Pacaya, Volcán de – wulk. 260-261 E5
Paceco I 132-133 G11
Pačelma RUS 144-145 J6
Pachachacu, Río – rz. 276-277 C6
Pachači RUS 178-179 L6
Pachiá – w. 134-135 G7
Pachía Ámos GR 134-135 G8
Pachino I 132-133 J12
Pachitea, Río – rz. 276-277 C5
Pachmarhi IND 190-191 D4
Páchnes – g. 134-135 E8
Pachora IND 190-191 C4
Pachtakor UZ 182-183 L6
Pachuca MEX 258-259 J7,8
Paciá, Rio – rz. 276-277 E5
Pacific City USA (OR) 252-253 B4
Pacific Grove USA (CA) 252-253 C8
Pacific Ranges – g-y 244-245 G6
Pacijan – w. 197 E6
Pačir XS 118-119 G2
Pacitan RI 194-195 O11
Packalpe – g-y 120-121 J3
Packwood USA (WA) 252-253 C3
Paco de los Toros ROU 280-281 G4
Pacov CZ 112-113 H6
Pacyficzno-Antarktyczny, Grzbiet – form. podm. 311 m2
Pacyna PL (MAZ) 76-77 C7
Paczków PL (OPO) 78-79 E4
(Pad) – rz. 104-105 L7
Padacaya BOL 276-277 E8
Padam IND 190-191 D2
Padang – w. 194-195 C5
Padang Enuau MAL 192-193 D7
Padang RI 194-195 B6
Padangpanjang RI 194-195 C6
Padangsidimpuan RI 194-195 B5
Padangtikar RI 194-195 D6
Padańska, Nizina 120-121 D5
Padas – rz. 196 P14
Padasjoki FIN 138-139 U1
Padauiri, Rio – rz. 276-277 E3
Padaun MYA 192-193 B4
Paderborn D 122-123 E5
Padeš BG 114-115 C8
Padeșu – g. 114-115 C4
Padew Narodowa PL (PKR) 80-81 E9
Padilla BOL 276-277 E7
Padina RO 114-115 H5
Padina XS 118-119 H2
Padinska Skela XS 118-119 H3
Padova I 120-121 G5
Padrauna IND 190-191 Q11
Padre Island – w. 250-251 F12
Padre Paraíso BR 278-279 E6
Padrón E 130-131 C3
Padstow GB 128-129 H11
Padsville BY 140-141 I,J6
Paducah USA (KY) 250-251 J7
Paducah USA (TX) 250-251 D8
(Padwa) I 120-121 G5
Padwa IND 190-191 E5
Paea PF 299 D5
Paegam KOR 202-203 E2
Paegam KOR 202-203 E2
Paektu-san – g. 202-203 E2
Paengnyŏngdo – w. 202-203 C3
Paeroa NZ 298 F3
Páfos CY 134-135 N9
Pafuri MOC 226-227 F4
Pag – w. 118-119 N11
Pag HR 118-119 B3
Pagadian RP 197 D8
Pagai Selatan – w. 194-195 B6
Pagai Utara – w. 194-195 B6
Pagan – w. 290-291 G3
Pagan MYA 192-193 B3
Pagassitikós kólpos – zat. 134-135 D4
Page USA (AZ) 252-253 I8
Pagėgiai LT 140-141 C6
Pagei PNG 194-195 K6
Pager – rz. 224-225 F3
Paghakn AR 180-181 E3
Pagny-sur-Moselle F 120-121 B2
Pago Pago AS 298 M12
Pagoda Peak – g. 252-253 K6
Pagosa Springs USA (CO) 252-253 K8
Pagouda RT 220-221 F7
Pagóndas GR 134-135 H6
Pagwa River CDN 244-245 P6,7
Pahala USA (HI) 254-255 Y10
Pahang – jedn. adm. MAL 192-193 D7
Pahara, Laguna – zat. 260-261 I5
Pahaska USA (WY) 252-253 J4
Pahat MAL 194-195 C5
Pahosckae, vozera – jez. 140-141 G9
Pahost BY 140-141 K8
Pahraničny BY 140-141 E8
Pahrock Range – g-y 252-253 G8
Pahute Mesa – g-y 252-253 F8
Pahute Peak – g. 252-253 E6
Paide EST 140-141 G3
Päijänne – jez. 138-139 V1
Páïko – g-y 134-135 D2
Paikri IND 190-191 C4
Paila, Río – rz. 276-277 E7
Paimboeuf F 124-125 D4
Paimio FIN 140-141 D1
Paimpol F 124-125 C,D3
Painan RI 194-195 C6
Painesville USA (OH) 248-249 E4
Painis RI 197 F9
Painted Desert – pust. 252-253 I8
Paintsville USA (KY) 248-249 D6
Paisley GB 128-129 I6
Paisley USA (OR) 252-253 D5
Paita, Bahía de – zat. 276-277 A5
Paita NC 299 K15
Paita PE 276-277 A5
Paitan, Teluk – zat. 196 Q13
Paiton RI 194-195 P10
Paittasjärvi – jez. 136-137 e4
Paiva, Rio – rz. 130-131 D5
Paizhou CHN 200-201 D4
Paja, Río – rz. 260-261 P11
Pajala S 136-137 f4
Pajares, Przełęcz 130-131 F2
Pájaro CO 262-263 G8
Pájaros, Punta – przyl. 280-281 D3
Pajęczno PL (ŁDZ) 78-79 D6
Pajturma RUS 176-177 O,P3
Pak Pé LAO 192-193 D3
Pakan MAL 196 N16
Pakaur IND 190-191 S12
Pakch'on KOR 202-203 D3
Paki WAN 220-221 G6
Pakin Atoll – w. 290-291 H4
Pakistan – państwo 168-169 J7
Pakleni otoci – w-y 118-119 Q14
Pakokku MYA 192-193 B3
Pakoskie, Jezioro 74-75 C6
Pakosław PL (WLP) 74-75 D5
Pakosławice PL (OPO) 78-79 E5
Pakość PL (K-P) 74-75 C6
Pakowk Lake – jez. 252-253 I2
Pakpattan PK 188-189 J2
Pakra – rz. 118-119 D2
Pakrac HR 118-119 E2
Pakruojis LT 140-141 E6
Pakwaok EAU 224-225 F3
Pakxé LAO 192-193 E4
Pala TCH 222-223 C6
Palacios USA (TX) 250-251 F11
Palacol – w. 118-119 N11
Palagonia I 132-133 I11
Palagruža – w-y 118-119 Q16
Palaiá Epidauros GR 134-135 E6
Palakollu IND 190-191 E5
Palala – rz. 226-227 E4
Palamós E 130-131 O4
Palamuse EST 140-141 H3
Palana RUS 178-179 J7
Palanan Bay – zat. 197 D3
Palanan Point – przyl. 197 D3
Palanan RP 197 D3
Palandöken Dağları – g-y 180-181 B5
Palangkaraya RI 194-195 E6
Palanpur IND 190-191 C4
Palantöken silsilesi – g-y 180-181 H3
Palapag RP 197 E5
Palapye RB 226-227 E4
Palas de Rei E 130-131 D3
Palatca RO 114-115 M10
Palatka RUS 178-179 I6,7
Palatka USA (FL) 248-249 D10
Palatna KOS 118-119 I4
Palau – państwo 292-293 F4
Palau I 132-133 D7
Palau Islands – w-y 290-291 F4
Palau MEX 258-259 I4
Palau Trench – form. podm. 290-291 F4
Palauk MYA 192-193 C5
Palauli WS 298 K11
Palaw MYA 192-193 C5
Palawan – w. 166-167 O9
Palawan Passage – cieśn. 197 A7
Palayankottai IND 190-191 D7
Palazzolo Acreide I 132-133 I11
Palazzolo sull'Oglio I 120-121 E5
Palca RCH 280-281 D1
Pal'cevo RUS 140-141 J1
Paldiski EST 140-141 E2
Pale BIH 118-119 F4
Palékastro GR 134-135 H8
Palel IND 190-191 G4
Paleleh RI 194-195 G5
Paleliu – w. 290-291 F4
Palembang RI 194-195 C6
Palencia E 130-131 G3
Palenge ZRE 224-225 D4
Palenque MEX 258-259 M9
Palenque PA 260-261 K8
Paleókastro GR 134-135 E3
Palermo I 132-133 H10
Páleros GR 134-135 B5
Palesse BY 140-141 L8
Palestina RCH 280-281 E2
Palestine USA (TX) 250-251 F,G10
Palestrina I 132-133 G7
Palestyna – państwo 168-169 G6
Paletwa MYA 192-193 B3
Palézieux CH 120-121 B4
Palghat IND 190-191 D6
Palgrave, Mount – g. 296-297 B3
Palgrave Point – przyl. 226-227 B4
Pali IND 190-191 C3
Palian THA 192-193 C6
Palićko jezero – jez. 118-119 G1
Palimbang RP 197 E8
Palinuro, Capo – przyl. 132-133 I8
Palióvouna – g. 134-135 D5
Palisade USA (NV) 252-253 F6
Paliseul B 126 D5
Palit, Kep i – przyl. 118-119 G6
Palitana IND 190-191 C4
Paliúri GR 134-135 E4
Paliúrion, Akrōtíri – przyl. 134-135 E4
Palivere EST 140-141 E3
Palizada MEX 258-259 M8
Palizzi Marina I 132-133 J11
Paljakka – g. 136-137 g5
Paljavaam – rz. 178-179 M5
Palk Strait – cieśn. 166-167 K9
Pälkäne FIN 138-139 U1
Palkino RUS 140-141 I4
Palkonda IND 190-191 E5
Palla Bianca – g. 120-121 F4
Pallasovka RUS 144-145 K6
Pallastunturi – g. 136-137 f3
Pallier VAN 299 K11
Palliser, Cape – przyl. 290-291 J9
Palm Beach USA (FL) 248-249 F11
Palm Islands – w-y 296-297 H2
Palm Springs USA (CA) 252-253 F10
Palma, Badia de – zat. 130-131 N6
Palma de Mallorca E 130-131 N6
Palma del Rio E 130-131 F8
Palma di Montechiaro I 132-133 H11
Palma MOC 226-227 H2
Palma Soriano C 260-261 L2
Palmanova I 120-121 I5
Palmar, Río – rz. 262-263 G8
Palmar Sur CR 260-261 I8
Palmares BR 278-279 F4
Palmarola, Isola – w. 132-133 G8
Palmas BR 278-279 D5
Palmas, Cap – przyl. 220-221 D8
Palmdale USA (CA) 252-253 F9
Palmdale USA (FL) 248-249 E11
Palmeira BR 278-279 C8
Palmeira das Missões BR 278-279 C8
Palmeira dos Índios BR 278-279 F4
Palmeirais BR 278-279 E4
Palmeiras BR 278-279 E5
Palmeiras, Rio – rz. 278-279 D5
Palmer – st. bad. 311 M4
Palmer Lake USA (CO) 252-253 L7
Palmer USA (AK) 254-255 M3
Palmera, Archipelag 311 r3
Palmera, Ziemia – reg. 311 r2
Palmerston Atoll – w. 290-291 L6
Palmerston, Cape – przyl. 296-297 H3
Palmerston North NZ 298 F5
Palmerston NZ 298 D7
Palmerville AUS 296-297 G2
Palmetto Point BS 262-263 E1
Palmetto USA (FL) 248-249 D11
Palmi I 132-133 J10
Palmillas MEX 258-259 J6
Palmillas, Punta – przyl. 260-261 J2
Pal'mino RUS 176-177 I6
Palmira CO 276-277 B3
Palmira MEX 258-259 G7
Palmyra – r. 186 E1
Palmyra – teryt. zal. USA 292-293 L4
Palmyra Reef – w. 290-291 L4
Palmyra USA (MO) 250-251 H,I6
Palmyra USA (PA) 248-249 G4
Palmyras Point – przyl. 190-191 F4
Palni IND 190-191 D6
Palo Alto USA (CA) 252-253 C8
Palo Duro Creek – rz. 250-251 C8
Palo Pinto USA (TX) 250-251 E9
Palo RP 197 E6
Palo Seco PA 260-261 Q12
Paločka RUS 176-177 M6
Palomani – g. 276-277 D6
Palomar Mount – g. 252-253 F10
Palomares del Campo E 130-131 I6
Palomares MEX 258-259 L9
Palomas E 130-131 E7
Palomera – g. 130-131 J5
Palomino CO 262-263 G8
Palon MAL 196 N15
Paloncia, Río – rz. 130-131 K6
Palopo RI 194-195 G6
Palos, Cabo de – przyl. 104-105 I8
Palos de la Frontera E 130-131 E8
Palos E 130-131 K8
Palotailva RO 114-115 P9,10
Palpa PE 276-277 C6
Palpana, Cerro – g. 280-281 E2
Palsa – rz. 140-141 H4
Pålsboda S 138-139 L3
Paltin RO 114-115 G4
Păltiniș RO 114-115 M12
Pältsa – g. 136-137 F3
Palu RI 194-195 F6
Palu TR 184-185 H2
Paluan RP 197 C5
Paluzza I 120-121 H4
Palwal IND 190-191 N10
Pałecznica PL (MŁP) 80-81 E8
Pama – rz. 224-225 C3
Pama BF 220-221 F6
Pamangkat RI 196 M16
Pamanukan RI 194-195 M10
Pambackie, Góry 180-181 F4
Pambak – rz. 180-181 F4
Pamekasan RI 194-195 P10
Pameungpeuk RI 194-195 M10
Pamhagen A 120-121 L3
Pamiers F 124-125 H8
Pamir – g-y 166-167 K6
Pamir – rz. 182-183 O8
Pamlico River – rz. 248-249 G7
Pamlico Sound – cieśn. 248-249 G7
Pampa – fizjogr. 272 G8
Pampa Grande BOL 276-277 E7
Pampa USA (TX) 250-251 D8
Pampas – g. 258-259 G4
Pampas PE 276-277 B6
Pampas, Río – rz. 276-277 C6
(Pampeluna) E 130-131 J3
Pampilhosa da Serra P 130-131 C5,6
Pamplona CO 276-277 C2
Pamplona E 130-131 J3
Pamukčii BG 114-115 H6
Pamukkale TR 134-135 J,K6
Pamukova TR 134-135 K3
Pan de Azúcar – g. 280-281 G4
Pan Xian CHN 200-201 B5
Pana USA (IL) 250-251 J6
Panabo RP 197 E8
Panaca USA (NV) 252-253 G8
Panagiá GR 134-135 G8
Panagjurište BG 114-115 E7
Panaitan – w. 194-195 L10
Panaji IND 190-191 C5
Panama – państwo 273 E4
Panama City Beach USA (FL) 248-249 B9
Panama City USA (FL) 248-249 C9
Panamá PA 260-261 K8
Panamint Range – g-y 252-253 F8
Panamska, Zatoka 240 M,N9
Panamski, Basen – form. podm. 272 E4
Panamski, Kanał 240 M,N8
Panaon – w. 197 E6,7
Panapie SME 278-279 C2
Panarea, Isola – w. 132-133 J10
Panaro – rz. 120-121 G6
Panarukan RI 194-195 P10
Panasqueira P 130-131 D5,6
Panay – w. 166-167 P8
Panay Gulf – zat. 197 D6
Panbeguwa WAN 220-221 G6
Pancake Range – g-y 252-253 G7
Páncélcseh RO 114-115 M9
Pănčeno BG 114-115 H7
Pančevo XS 118-119 H3
Pancey F 124-125 L3
Pančićev – g. 118-119 H4
Panciu RO 114-115 H4
Pancorbo E 130-131 H3
Pâncota RO 114-115 B3
Panda MOC 226-227 F4
Pandan Bay – zat. 197 C6
Pandan Reservoir – jez. 196 I9
Pandan RP 197 C6
Pandan RP 197 E4,5
Pandėlys LT 140-141 F5
Pandharpur IND 190-191 D5
Pandhurna IND 190-191 D4
Pandino I 120-121 E5
Pandivere kõrgustik – wysocz. 140-141 H2
Pandora CR 260-261 I8
Pandrup DK 138-139 F5
Panducan – w. 197 C8
Panemunėlis LT 140-141 G6
Panetolikó Óros – g-y 134-135 C5
Panevėžys LT 140-141 F6
Panfilov KZ 182-183 R5
Panfilovo KZ 176-177 K7
Panğ, Daryā-ye – rz. 182-183 L,M8
Panga ZRE 224-225 E3
Panğāb AFG 188-189 I2
Pangai TON 299 G7
Pangaimotu – w. 299 G,H6
Panğakent TJ 182-183 L7
Pangala RCB 224-225 B4
Pangandaran RI 194-195 N11
Pangani – rz. 224-225 G5
Pangani EAT 224-225 G5
Panganiran RP 197 D5
Pangéon – g-y 134-135 E3
Panghsang CHN 192-193 C3
Panghsang MYA 192-193 C3
Pangi ZRE 224-225 E4
Pangjiabu CHN 200-201 D1
Pangkah, Tanjung – przyl. 194-195 P10
Pangkajene RI 194-195 F6
Pangkalanbun RI 194-195 E6
Pangkalpinang RI 194-195 D6
Pangkalsiang, Tanjung – przyl. 194-195 G6
Pangkat Kalong MAL 192-193 D6
Pangkor – w. 194-195 B5
Panglao – w. 197 D7
Pangnirtung CDN 244-245 S3
Pangu CHN 178-179 C8
Panguitch USA (UT) 252-253 H8
Panguruan RI 194-195 B5
Pangutaran – w. 197 C8
Pangutaran Group – w-y 197 B8
Pangutaren RP 197 C8
Panhandle USA (TX) 250-251 D8
Pania Mutombo ZRE 224-225 D5
Panié, Mount – g. 299 J14
Panino RUS 142-143 T2
Panipat IND 190-191 N10
Panitan RP 197 B7
Panjang – w. 192-193 E7
Panjang – w. 194-195 B5
Panjang – w. 196 R15
Panjin CHN 200-201 F1
Panjutyne UA 142-143 P4,5
Panki PL (ŚL) 78-79 E6
Pankrušicha RUS 176-177 L7
Pankshin WAN 220-221 G7
Panlı TR 134-135 O5
P'anmunjŏm KOR 202-203 D3
Panna IND 190-191 D4
Pannawonica AUS 296-297 B3
Páno Lefkara CY 134-135 O9
Panorama BR 278-279 C7
Pánormo GR 134-135 F8
Panovo RUS 176-177 Q6
Panshi CHN 202-203 D2
Pantajivka UA 142-143 L5
Pantar – w. 194-195 G7
Pantelleria I 132-133 F12
Pantelleria, Isola di – w. 104-105 L8
Pantemakassar RI 194-195 G7
Pantepec MEX 258-259 J,K7
Pantha MYA 192-193 B3
Panticeu RO 114-115 M9
Pantón E 130-131 D3
Pantukan RP 197 E8
Panuco MEX 258-259 J6
Pánuco, Río – rz. 258-259 J7
Panvel IND 190-191 C5
Panž TJ 182-183 M8
Panzhihua CHN 192-193 D2
Panzi ZRE 224-225 C5
Panzós GCA 260-261 E,F5
Pao, Río – rz. 262-263 I9
Pao, Río – rz. 276-277 E2
Pão de Açúcar BR 278-279 F4
Paola I 132-133 J9
Paola USA (KS) 250-251 G6
Paoli USA (IN) 248-249 B5
Paonia USA (CO) 252-253 K7
Paopao PF 299 D4
Paoua RCA 224-225 C2
Paoziyan CHN 202-203 D2
Pápa H 120-121 M3
Papa Stour – w. 128-129 K1
Papa USA (HI) 254-255 Y10
Papa Westray – w. 128-129 J2
Papádes GR 134-135 F2
Papagayo, Golfo de – zat. 260-261 G7
Papagayo, Río – rz. 258-259 J9

Pegnitz – rz. 122-123 H7
Pegnitz D 122-123 H7
Pego E 130-131 K7
Pegrymel' – rz. 178-179 N5
Pegtymel'skij chrebet – g-y 178-179 M,N5
Pegu MYA 192-193 C4
Pegu Yoma – g-y 192-193 C3
Pehčevo MK 118-119 J6
Pehlivankoy TR 134-135 H2
Péhonco DY 220-221 F6
Pehuajó RA 280-281 F5
Pehuelches RA 280-281 F5
Pei Xian CHN 200-201 E3
Pei Xian CHN 200-201 E3
Peine D 122-123 G4
Peiraias GR 134-135 E6
Peitz D 122-123 K5
Peixe BR 278-279 D5
Peixe, Rio – rz. 278-279 C7
Peixe, Rio do – rz. 278-279 C5
Peixes, Rio dos – rz. 278-279 B5
Peixoto de Azevedo – rz. 278-279 B5
Peixoto de Azevedo BR 278-279 C5
Pejantan – w. 194-195 D5
Pejpus – jez. 104-105 O4
Pejvopu CHN 202-203 C1
Pek – rz. 118-119 I3
Pekalongan RI 194-195 N10
Pekanbaru RI 194-195 C5
(Pekin) CHN 200-201 D1
Pekin USA (IL) 250-251 J5
Pekin USA (ND) 250-251 E2
Pekkala FIN 136-137 g4
Pèkul'nej, chrebet – g-y 178-179 N5
Pelabuhan Kelang MAL 194-195 C5
Pelabuhan Ratu, Teluk – zat. 194-195 L10
Pelabuhanratu RI 194-195 M10
Pelado – g. 130-131 J6
Pelagijskie, Wyspy 104-105 L8
Pélagos – w. 134-135 F4
Pelat, Mont – g. 120-121 B6
Pelawanbesar RI 196 Q16
Peleaga – g. 114-115 C4
Peleduj RUS 178-179 A7
Pelee Island – w. 248-249 D4
Pelée, Montagne – wulk. 262-263 M6
Pelegrin, Rt – przyl. 118-119 Q14
Peleliu – w. 194-195 I4
Peleng – w. 194-195 G6
Peleochóra GR 134-135 E8
Pelhřimov CZ 112-113 H6
Pelican Lake – jez. 250-251 D1
Pelican Narrows CDN 244-245 L5
Pelican Point – przyl. 216 E8
Pelican Rapids USA (MN) 250-251 F2
Péligre, Lake de – jez. 262-263 H4
Pelješac – w. 118-119 S14,15
Pelješki kanal – cieśn. 118-119 R,S14,15
Peljušnja RUS 140-141 N3
Pelkosenniemi FIN 136-137 g4
Pell City USA (AL) 248-249 B8
Pella WAN 224-225 B2
Pellegrue F 124-125 F7
Pellestrina I 120-121 H5
Pellice – rz. 120-121 C6
Pellinge – w. 140-141 G1
Pellinki – w. 140-141 G1
Pello FIN 136-137 G4
Pellworm – w. 122-123 E2
Pelly Bay CDN 244-245 O3
Pelly Crossing CDN 244-245 E4
Pelly Mountains – g-y 244-245 F4
Pelly River – rz. 244-245 F4
Peloponez – płw. 104-105 N8
Pelotas BR 278-279 C9
Pelotas, Rio das – rz. 278-279 C8
Pelplin PL (POM) 70-71 B6
Pelvoux – g-y 120-121 B6
Pelym – rz. 144-145 N4
Pełcz, Jezioro 70-71 B3
Pełczyce PL (ZPM) 70-71 B3
Pemadumcook Lake – jez. 248-249 K2
Pemalang RI 194-195 N10
Pemalang, Tanjung – przyl. 194-195 N10
Pemanggil – w. 192-193 D7
Pematang RI 194-195 C6
Pematangsiantar RI 194-195 B5
Pemba – w. 216 G,H6
Pemba, Baía de – zat. 226-227 H2
Pemba Channel – cieśn. 224-225 G5
Pemba MOC 226-227 H2
Pemberton AUS 296-297 B5
Pemberton CDN 244-245 H6
Pembina River – rz. 244-245 I6
Pembina USA (ND) 250-251 F1
Pembine USA (WI) 250-251 J3
Pembroke CDN 244-245 Q7
Pembroke GB 128-129 H10
Pembuang – rz. 194-195 E6
Pemiö FIN 140-141 D1
Pemzashen AR 180-181 E4
Peña, Embalse de la – zb. 130-131 K3
Peña Nevada, Cerro – g. 240 K,L7
Peñafiel E 130-131 G4
Peñalara – g. 130-131 G5
Peñalba E 130-131 K4
Peñalsordo E 130-131 F7
Penalva BR 278-279 D3
Penalva do Castelo P 130-131 D5
Penamacor P 130-131 D5
Penambulai – w. 194-195 I,J7
Penápolis BR 278-279 C7
Peñaranda de Bracamonte E 130-131 F5
Penarik RI 194-195 D5
Peñarroya – g. 130-131 K5
Peñarroya, Embalse de – zb. 130-131 H6,7
Peñarroya-Pueblonuevo E 130-131 F7
Penarth GB 128-129 J10
Peñas, Cabo de – przyl. 104-105 H7
Penas, Golfo de – zat. 280-281 C7
Peñas, Punta – przyl. 276-277 E1
Penco RCH 280-281 D5
Pêncwin IRQ 184-185 K4
Pend Oreille Lake – jez. 252-253 F2
Pend Oreille River – rz. 252-253 F2
Pendembu WAL 220-221 C7
Pendembu WAL 220-221 C7
Pendleton USA (OR) 252-253 E4
Pendroy USA (MT) 252-253 H2
Pendżab – jedn. adm. IND 190-191 C,D2
Pendżab – jedn. adm. PK 188-189 J2
Penedo BR 278-279 F5
Penek Çayı – rz. 180-181 D4
Penela P 130-131 C5,6
Penetanguishene CDN 248-249 E2
Penganga – rz. 190-191 D5
Penge ZRE 224-225 D5
Penghu Shuitao – cieśn. 196 E5
Pengiki – w. 192-193 E7
Pengkou CHN 200-201 E5
Penglai CHN 200-201 F2
Pengshui CHN 200-201 B4
Pengun Dao – w. 196 E5
Pengze CHN 200-201 E4
Penha BR 278-279 D8
Penhalonga ZW 226-227 F3
Peniche P 130-131 B6
Penicuik GB 128-129 J6
Penig D 122-123 V14
Peñiscola E 130-131 L5
Penitente, Serra do – g-y 278-279 D4
Pénjamo MEX 258-259 I7
Penjawan RI 196 O16
Penkun D 70-71 A2
Penn Yan USA (NY) 248-249 G3
Penne I 132-133 H6
Penne-D'Agenais F 124-125 G7
Pennell, Mount – g. 252-253 I8
Penner – rz. 190-191 D6
Pennińskie, Góry 104-105 I5
Pennsville USA (NJ) 248-249 H5
Penobscot River – rz. 248-249 K2
Penola AUS 296-297 G6
Penong AUS 296-297 E5
Penonomé PA 260-261 J8
Penón Blanco MEX 258-259 G5
Penrhyn Atoll – w. 290-291 M5
Penrith AUS 296-297 H,I5
Penrith GB 128-129 K7
Pensa BF 220-221 E6
Pensacola Bay – zat. 248-249 B9
Pensacola Mountains – g-y 311 A1
Pensacola USA (FL) 248-249 B9
Pensiangan MAL 196 Q14
Pensylwania – jedn. adm. USA 241 M,N5
Pentágia NCY 134-135 N8
Pentálofos GR 134-135 C3
Pentálofos GR 134-135 H2
Pentápolis GR 134-135 E2,3
Pentecost – w. 290-291 I6
Pentecôte – w. 299 L11
Penticton CDN 244-245 H7
Pentland AUS 296-297 G3
Pentland Firth – zat. 128-129 J3
Pentwater USA (MI) 248-249 B3
Penukonda IND 190-191 D6
Penyu, Kepulauan – w-y 194-195 H7
Penyu, Teluk – zat. 194-195 N10
Penza RUS 144-145 J6
Penzance GB 128-129 H11
Penzberg D 120-121 G3
Penžina – rz. 178-179 L6
Penzlin D 122-123 J3
Penżyńska, Zatoka 178-179 K6
Peoria USA (IL) 250-251 I5
Pepacton Reservoir – zb. 248-249 H3
Pepe, Cabo – przyl. 260-261 I2
Pepel WAL 220-221 C7
Pepin, Lake – jez. 250-251 H3
Peqin AL 118-119 G6,7
Pequení, Río – rz. 260-261 Q10
Perachóra GR 134-135 D5
Perak – jedn. adm. MAL 192-193 D6
Perales de Tajuña E 130-131 H5
Peralta de Alcofea E 130-131 K3,4
Pérama GR 134-135 F8
Perä-Posio FIN 136-137 g4
Peraroŭ BY 140-141 I9
Peras – g. 258-259 G5
Perast XM 118-119 V16
Percé CDN 244-245 T7
Percha, Col de la – przeł. 124-125 I9
Perche – reg. 124-125 G3
Perchtoldsdorf A 120-121 L2
Percival Lakes – jez. 296-297 C3
Percy F 124-125 E3
Perdida, Rio – rz. 278-279 D4
Perdido, Monte – g. 130-131 K3
Perdido River – rz. 250-251 K10
Perdidos, Cachoeira dos – wdp. 278-279 B5
Pérdika GR 134-135 B4
Perebrody UA 140-141 H10
Perečyn UA 142-143 B5
Peregino RUS 140-141 M4
Peregrebnoe RUS 176-177 J5
Peregu Mare RO 114-115 A3
Perehins'ke UA 142-143 C5
Perehonivka UA 142-143 J5
Pereira CO 276-277 B2,3
Perejaslav Chmel'nyc'kyj UA 142-143 K3
Perejaslavka RUS 178-179 F9
(Perejasław Chmielnicki) UA 142-143 K3,4
Perekopski, Przesmyk – fizjogr. 142-143 M7
Perelazy RUS 140-141 M8
Perelešinskij RUS 142-143 S2
Perelló E 130-131 L5
Perementnoe KZ 182-183 D1
Peremul Par – w. 190-191 C6
Peremyšljany UA 142-143 D4
Perené, Río – rz. 276-277 B6
Perenjori AUS 296-297 B4
Pereščepyne UA 142-143 N4
Peresecina MD 114-115 I2
Peresična UA 142-143 O3,4
Pereslavl'-Zalesskij RUS 144-145 I5
(Peresławl Zaleski) RUS 144-145 I5
Pereval's'k UA 142-143 R5
Pérez, Isla – w. 260-261 E1
Perg A 120-121 J2
Pergamino RA 280-281 F4
Pergamon – r. 134-135 I4
Perge – r. 134-135 L6
Pergine Valsugana I 120-121 G4
Pergola I 132-133 G5
Périgueux F 124-125 G6
Perham USA (MN) 250-251 G2
Perhentian Besar, Pulau – w-y 192-193 D6
Perhonjoki – rz. 136-137 f6
Periam RO 114-115 A3
Perico, Isla – w. 260-261 Q12
Pericos MEX 258-259 F5
Perieni RO 114-115 H3
Périers F 124-125 E2
Périgord – reg. 124-125 G7
Perigoso, Canal – cieśn. 278-279 D2,3
Perijá, Sierra de – g-y 276-277 C2
Períklia GR 134-135 D2
Periprava RO 114-115 J4
Periquito, Cachoeira – wdp. 276-277 E5
Peristéra – w. 134-135 E4
Peristéri – g. 134-135 B,C4
Perito Moreno RA 280-281 D7
Periyakulam IND 190-191 D6
Periyar – rz. 190-191 D6
Perković HR 118-119 Q13
Perl D 127 B3
Perlas, Cayos de – w-y 260-261 I6
Perlas, Laguna de – zat. 260-261 I6
Perlas, Punta de – przyl. 260-261 I6
Perlé L 127 A2
Perleberg D 122-123 H3
Perlejewo PL (PDL) 76-77 C10
Perlis – jedn. adm. MAL 192-193 C6
(Perłowa, Rzeka) 200-201 D6
Perłowe, Wyspy 260-261 K8
(Perm) RUS 144-145 M5
Perm' RUS 144-145 M5
Përmet AL 118-119 H7
Pernaja FIN 140-141 G1
Pernambuco – jedn. adm. BR 278-279 E4
Pernegg an der Mur A 120-121 K3
Pernik BG 114-115 C7
Peron Islands – w-y 296-297 D1
Peron Peninsula – płw. 296-297 A4
Péronne F 124-125 I2
Perosa Argentina I 120-121 C6
Pérote MEX 258-259 K8
Perpetua, Cape – przyl. 252-253 B4
Perpignan F 124-125 I9
Perranporth GB 128-129 H11
Perrine USA (FL) 248-249 E11
Perro Lake – jez. 252-253 L9
Perros-Guirec F 124-125 C3
Perry USA (FL) 248-249 D9
Perry USA (GA) 248-249 D8
Perry USA (IA) 250-251 G,H5
Perry USA (OK) 250-251 F7
Perryton USA (TX) 250-251 D7
Perryville USA (AK) 254-255 K4
Perryville USA (MO) 250-251 I7
Peršamajski BY 140-141 G8
Persan F 124-125 V10
Perşani, Munții – g-y 114-115 P12
Perseja, Vozvyšennost' – form. podm. 176-177 C1
Perşembe TR 184-185 G1
Persepolis – r. 187 E2
Perska, Zatoka 166-167 H7
Peršotravens'k UA 142-143 P5
Peršotravneve UA 140-141 J10
Perth Amboy USA (NJ) 248-249 H4
Perth AUS 296-297 A5
Perth CDN 248-249 G2
Perth GB 128-129 J5
Perth-Andover CDN 248-249 L1
Pertuis F 124-125 L8
Pertunmaa FIN 138-139 X1
Peru – państwo 273 F5
Peru USA (IL) 250-251 J5
Peru USA (IN) 248-249 B4
Perućko jezero – zb. 118-119 D4
Perugia I 132-133 G5
Peruíbe BR 278-279 D7
Perušić HR 118-119 C3
Péruwelz B 126 B4
Peruwiański, Basen – form. podm. 306-307 M8
Pervomaevka RUS 176-177 R7
Pervomajsk RUS 144-145 J6
Pervomajs'k UA 142-143 J5
Pervomajskaja RUS 140-141 J3
Pervomajskaja RUS 180-181 G1
Pervomajs'ke UA 142-143 L6
Pervomajs'ke UA 142-143 M8
Pervomajskij RUS 182-183 E,F1
Pervomajskoe RUS 140-141 K1
Pervomajskoe RUS 180-181 I2
Pervomajs'kyj UA 142-143 P4
Pervoural'sk RUS 144-145 M5
Perwez B 126 C4
(Perwomajsk) UA 142-143 J5
Perzów PL (WLP) 78-79 D5
Pesaro I 120-121 H7
Pesčanyj, ostrov – w. 176-177 T3
Pesčanyj mys – przyl. 182-183 D5
Pescara – rz. 132-133 H6
Pescara I 132-133 I6
Pesch D 122-123 O12
Peschiera del Garda I 120-121 F5
Pescia I 120-121 F7
Pesek, Pulan – w. 196 H9
Peseux CH 120-121 B3,4
Peshawar PK 188-189 J2
Peshkopi AL 118-119 H6
Peskadory – w-y 196 E5
Peski BY 140-141 F8
Peškovka KZ 144-145 N6
Pesnoj KZ 182-183 D3
Pešnoj mys – przyl. 182-183 D3
Pêso de Régua P 130-131 C4
Pesočnyj RUS 140-141 L1
Pesqueira BR 278-279 F4
Pesquería, Río – rz. 258-259 J5
Pessac F 124-125 F7
Pessons, Pic dels – g. 127 I9
Pest – jedn. adm. H 114-115 W15
Pešter – reg. 118-119 G4
Peštera BG 114-115 E7
Peștera RO 114-115 I5
Peștișani RO 114-115 D4
Pestovo RUS 144-145 I5
Pestrjakovo RUS 140-141 M5
(Peszwar) PK 188-189 J2
Petacalco, Bahía de – zat. 258-259 H9
Petah Tiqwa IL 186 A3
Petäiskylä FIN 136-137 h6
Petäjäjärvi FIN 136-137 g5
Petalidi GR 134-135 C7
Petalii – w. 134-135 D2
Petalíon, Kólpos – zat. 134-135 F5
Petaluma USA (CA) 252-253 C7
Petare YV 276-277 D1
Pétas GR 134-135 C4
Petatlan MEX 258-259 I9
Petauke Z 224-225 F6
Petelea RO 114-115 O10
Petén Itzá, Lago – jez. 260-261 E4
Petenwell Lake – jez. 250-251 I3
Peter Pond Lake – jez. 244-245 J,K5
Peterborough AUS 296-297 F5
Peterborough CDN 244-245 P8
Peterborough GB 128-129 M9
Peterfalva RO 114-115 M12
Peterhead GB 128-129 L4
Petermann Ranges – g-y 296-297 D3
Petermanna, Góra 310 m2
Petermanns Gletscher – lod. 310 n2
Peteroa, Volcán – wulk. 280-281 E4
Petersburg Beach USA (FL) 248-249 D11
(Petersburg) RUS 144-145 G5
Petersburg USA (AK) 254-255 P4
Petersburg USA (IL) 250-251 I5
Petersburg USA (IN) 248-249 B5
Petersburg USA (VA) 248-249 G6
Petersburg USA (WV) 248-249 F5
Petersdorf D 122-123 G2
Petersfield GB 128-129 L10,11
Petershagen D 122-123 E4
Petilia Policastro I 132-133 K9
Petit Bois Island – w. 250-251 J10
Petit Loango G 224-225 A4
Petit-Mecatina, Rivière du – rz. 244-245 T6
Petit-Port DZ 130-131 L9
Petitsikapau Lake – jez. 244-245 S6
Petkula FIN 136-137 G,g4
Petlalcingo MEX 258-259 K8
Peto MEX 260-261 F2
Petoskey USA (MI) 248-249 C2
Petra – r. 186 B5
Petrăchioaia RO 114-115 G5
Petralica MK 118-119 J5
Petre GR 134-135 C3
Petrești MD 114-115 H2
Petresti RO 114-115 M12
Petreștii de Jos RO 114-115 L10
Petreto-Bicchisano F 124-125 X,Y14
Petrič BG 114-115 D8
Pétrie, Récif – w. 299 J13
Petrila RO 114-115 D4
Petrinja HR 118-119 D2
Petriș RO 114-115 C3
Petriščevo RUS 140-141 M6
Petrivka UA 142-143 L4
Petrivs'ke UA 142-143 P4
Petrodvorec RUS 140-141 K2
(Petrodworzec) RUS 140-141 K2
Petrohanski prohod – przeł. 114-115 C6
Petrokrepost', Buchta – zat. 140-141 M1
Pétrola E 130-131 J7
Petrolândia BR 278-279 F4
Petrolina BR 278-279 E4
Petrominsk RUS 144-145 I4
Pétron, Límni – jez. 134-135 C3
Petronell Carnuntum – r. 120-121 L2
Petropalivka UA 142-143 P5
Petropavl KZ 176-177 J7
Petropavlovka RUS 176-177 Q7
Petropavlovsk-Kamčatskij RUS 178-179 J8
(Petropawłowsk Kamczacki) RUS 178-179 J8
Petroșani RO 114-115 D4
(Petroszany) RO 114-115 D4
Petrov Val RUS 182-183 A1
Petrova RO 114-115 E2
Petrovac XM 118-119 F5
Petrovac XS 118-119 I3
Petrovaradin XS 118-119 G2
Petrove UA 142-143 L,M5
Petroviči RUS 140-141 M8
Petrovsk RUS 144-145 J6
Petrovskaja RUS 142-143 Q8
Petrovsk-Zabajkal'skij RUS 176-177 R7
Petrozavodsk RUS 144-145 H4
(Petrozawodzk) RUS 144-145 H4
Petrólea CO 276-277 C2
Petrópolis BR 278-279 E7
Petru Rareș RO 114-115 N9
Petrun' RUS 144-145 M3
Petrúsa GR 134-135 E2
Petrusburg ZA 226-227 D5
Petryčicha RUS 178-179 F9
Petrykaŭ BY 140-141 J9
Petrykivka UA 142-143 N5
Petrykozy PL (ŚW) 76-77 D8
Petten NL 126 C2
Petuchovo RUS 176-177 J6
Petzeck – g. 120-121 H4
Peuerbach A 120-121 I2
Peuetsagoe – wulk. 194-195 B5
Peumo RCH 280-281 D4
Peureula RI 192-193 C7
Pevek RUS 178-179 M5
(Pewek) RUS 178-179 M5
Peyrat-la-Château F 124-125 H6
Peyrehorade F 124-125 E8
Peyrolles-en-Provance F 124-125 L8
Peza – rz. 144-145 K3
Pézenas F 124-125 J8
Pezinok SK 112-113 J7
Pezu PK 188-189 J2
Pęcław PL (DŚL) 74-75 D4
Pęczniew PL (ŁDZ) 74-75 D6
Pępowo PL (WLP) 74-75 D5
Pęzino PL (ZPM) 70-71 B3
Pfaffenhofen an der Ilm D 120-121 G2
Pfäffikon CH 120-121 D3
Pfaffroda D 122-123 Y15
Pfalzdorf D 126 E3
Pfarrkirchen D 120-121 H2
Pforzheim D 120-121 D2
Pfronten D 120-121 F3
Pfullendorf D 120-121 E3
Pfunds A 120-121 F4
Pfungstadt D 122-123 E7
Pgonianí GR 134-135 B3
Phagwara IND 190-191 D2
Phaistos – r. 134-135 F8,9
Phalodi IND 190-191 C4
Phalsbourg F 120-121 C2
Phaltan IND 190-191 C5
Phaluai – w. 192-193 C6
Phan Rang VN 192-193 E5
Phan Ri VN 192-193 E5
Phan Si Păng – g. 192-193 D3
Phan Thiêt VN 192-193 E5
Phang Khon THA 192-193 D4
Phangan, Ko – w. 192-193 D6
Phangnga THA 192-193 C6
Phat Diêm VN 192-193 E3,4
Phatthalung THA 192-193 C6
Phayao THA 192-193 C,D4
Phelps Lake – jez. 248-249 G7
(Phenian) KOR 202-203 D3
Phenix City USA (AL) 248-249 C8
Phet Buri THA 192-193 D5
Phichai THA 192-193 D4
Philadelphia USA (MS) 250-251 J9
Philadelphia USA (PA) 248-249 H4,5
Philip Island – w. 296-297 G6
Philip Smith Mountains – g-y 254-255 M2
Philip USA (SD) 250-251 C,D3
Philippeville B 126 C4
Philippi Glacier – lod. 311 G3
Philippi, Lake – jez. 296-297 F3
Philippoi – r. 134-135 F3
Philippolis ZA 226-227 D6
Philipsburg USA (MT) 252-253 H3
Phillipsburg USA (KS) 250-251 E6
Philoteris – r. 184-185 D7
Phitsanulok THA 192-193 C4
(Phnom Penh) K 192-193 D5
Phnum Aôral – g. 192-193 D5
Phnum Pénh K 192-193 D5
Phnum Tbêng Méanchey K 192-193 D5
Phoenix Island – w. 290-291 K5
Phoenix USA (AZ) 252-253 H10
Phoenixville USA (PA) 248-249 G4
Phôngsaly LAO 192-193 D3
Phopagaon NEP 190-191 Q10
Phosphat Hill AUS 296-297 F3
Phra Phutthabat THA 192-193 D5
Phrae THA 192-193 D4
Phsar Réam K 192-193 D5
Phu Khieo THA 192-193 D4
Phu Lôc VN 192-193 E4
Phu Ly VN 192-193 E3
Phu My VN 192-193 E5
Phu Quo, Dao – w. 192-193 D5
Phu Tho VN 192-193 E3
Phu Tuc VN 192-193 E5
Phuket, Ko – w. 192-193 C6
Phuket THA 192-193 C6
Phulbani IND 190-191 E4
Phulbari IND 192-193 A,B2
Phumĭ Bât Tras K 192-193 E5
Phumĭ Chhlong K 192-193 E5
Phumĭ Chhuk K 192-193 E5
Phumĭ Chrăng Khpós K 192-193 D5
Phumĭ Kâmbaô Ar K 192-193 D5
Phumĭ Kâpóng Trâbêk K 192-193 E5
Phumĭ Krêk K 192-193 E5
Phumĭ Mlu Prey K 192-193 E5
Phumĭ Prâmoy K 192-193 D5
Phumĭ Prey Toch K 192-193 D5
Phumĭ Sâmraông K 192-193 D5
Phumĭ Spoe Tbong K 192-193 E5
Phumĭ Ta Krei K 192-193 D5
Phumĭ Thmâ Pôk K 192-193 D5
Phumi Narung K 192-193 E5
Phunphin THA 192-193 C6
Phuntsholing BHT 190-191 T11
Piaam NL 126 D1
Piacenza I 120-121 E5
Piadena I 120-121 F5
Piaií, Rio – rz. 278-279 E4
Pialba AUS 296-297 I4
(Piana) – rz. 122-123 J3

Pljussa RUS 140-141 K3
Ploaghe I 132-133 C8
Ploča XS 118-119 H4
Ploče HR 118-119 S14
Pločno – g. 118-119 T13
Ploërmel F 124-125 D4
(Ploeszti) RO 114-115 G5
Plogoff F 124-125 B3
Ploiești RO 114-115 G5
Plomári GR 134-135 H5
Plombières-les-Bains F 120-121 B3
Plomin HR 118-119 M10
Plön D 122-123 G2
Plopeni RO 114-115 F4
Plopeni RO 114-115 I5,6
Ploskoš' RUS 140-141 M5
Plotnica BY 140-141 H9
Plotnikovo RUS 176-177 M6
Ploty NAD 114-115 J2
Plouay F 124-125 C4
Ploudalmézeau F 124-125 A3
Plouescato F 124-125 B3
Plougasnou F 124-125 C3
Plougastel-Daoulas F 124-125 B3
Plouha F 124-125 D3
Plouineau F 124-125 C3
Plovdiv BG 114-115 E7
Plozévet F 124-125 B4
Plum Coulee CDN 250-251 F1
Plummer, Mount – g. 254-255 J3
Plumtree ZW 226-227 E4
Plungė LT 140-141 C6
Plush USA (OR) 252-253 E5
Pluszne, Jezioro 72-73 B8
Plutarco Elías Calles MEX 258-259 D6
Pluvigner F 124-125 D4
Plužne UA 142-143 F3
Plymouth GB 128-129 I11
Plymouth MH 262-263 L5
Plymouth Sound – cieśn. 128-129 I11
Plymouth USA (IN) 248-249 B4
Plymouth USA (MA) 248-249 J3,4
Plymouth USA (NH) 248-249 I3
Plysky UA 142-143 L2
Plzeň CZ 112-113 F6
Płaska PL (PDL) 72-73 B11
Płociczna – rz. 70-71 B4
Płock PL (MAZ) 76-77 C7
Płodownica – rz. 72-73 B9
Płonia – rz. 70-71 B2
Płoniawy-Bramura PL (MAZ) 76-77 C9
Płoń, Jezioro 70-71 B3
Płońsk PL (MAZ) 76-77 C8
Płońska, Wysoczyzna 48-49 C6
Płoskinia PL (W-M) 72-73 A7
Płośnica PL (POM) 72-73 B8
Płoty PL (ZPM) 70-71 B3
Płowce PL (K-P) 74-75 C6
(Płungiany) LT 140-141 C6
Płużnica PL (K-P) 70-71 B6
Pływnica – rz. 70-71 B4
Pniewy PL (MAZ) 76-77 D8
Pniewy PL (WLP) 74-75 C4
Po – rz. 104-105 L6,7
Pô BF 220-221 E6
Po di Goro – rz. 120-121 H6
Po di Volano – rz. 120-121 G6
Po Hu – jez. 200-201 E4
Po, Tanjung – przyl. 192-193 F7
Po Toi Island – w. 196 C2
Po Toi Island Group – w-y 196 C2
Poás, Volcán – wulk. 260-261 H7
Pobè DY 220-221 F7
Pobé Mengao BF 220-221 E6
Pobeda, gora – g. 178-179 H5
Pobershau D 122-123 X15
Pobiedziska PL (WLP) 74-75 C5
Pobierowo PL (ZPM) 70-71 A2
Pobla de Segur E 130-131 L,M3
Poblado Pleasant ROU 280-281 G4
(Pobrodzie) LT 140-141 G7
Pobuz'ke UA 142-143 J5
Poções BR 278-279 E5
Pocahontas USA (AR) 250-251 I7
Pocahontas USA (IA) 250-251 G4
Počajiv UA 142-143 E3,4
Pocatello USA (ID) 252-253 H5
Počep RUS 144-145 H6
Pöchlarn A 120-121 K2
Pochodsk RUS 178-179 J5
Pochutla MEX 260-261 B5
Pochvistnevo RUS 144-145 L6
Pocinho, Barragem do – zb. 130-131 D4
Pocinho P 130-131 D4
Počitelj BIH 118-119 T14
Pockau D 122-123 X15
Pocking D 120-121 I2
Pocklington Reef – form. podm. 290-291 H6
Poconé BR 278-279 B6
Poços de Caldas BR 278-279 D7
Pocrí PA 260-261 J9
Pocsaj H 114-115 B2
(Poczajów) UA 142-143 E4
(Poczdam) D 122-123 I4
Poczesna PL (ŚL) 78-79 E7
Pod Wiatrem, Wyspy 290-291 M6
Pod"elanka RUS 176-177 Q6
Podari RO 114-115 D5
Podberez'e RUS 140-141 L4,5
Podberez'e RUS 140-141 M3
Podbořany CZ 112-113 F5
Podbrezová SK 112-113 L7
Poddębice PL (ŁDZ) 74-75 D6
Poddore RUS 140-141 M4
Poděbrady CZ 112-113 H5
Podedwórze PL (LBL) 76-77 D11
Podegrodzie PL (MŁP) 80-81 F8
Podgora HR 118-119 R,S14
Podgorica XM 118-119 W16
Podgornoe RUS 176-177 M6
Podgorodenskij RUS 142-143 S3
Podgórzyn PL (DŚL) 78-79 E3
Podgrad SLO 118-119 M9
(Podhajce) UA 142-143 D,E4
Podhale – kr. hist 48-49 F6
Podhum BIH 118-119 R13
Podhum HR 118-119 M10
Podkamennaja Tunguska – rz. 166-167 M3
(Podkamienna Tunguzka) – rz. 166-167 M3
(Podkamień) UA 142-143 D,E4
Podkova BG 114-115 F8
Podlapača HR 118-119 C3
Podlaska, Nizina 48-49 D9
Podlaski PL (LBL) 76-77 C11
Podlaski Przełom Bugu, Park Krajobrazowy 76-77 C11
Podnovlje BIH 118-119 E3
Podole – wyż. 104-105 N5,6
Podoleni RO 114-115 G3
Podolínec SK 112-113 M6
(Podoliniec) SK 80-81 F8
Podor SN 220-221 B5
Podravska Slatina HR 118-119 E2
Podromanija BIH 118-119 F4
(Podświle) BY 140-141 I,J6
Podu Iloaiei RO 114-115 H2
Podu Turcului RO 114-115 H3
Podujevo KOS 118-119 H5
Podunajské Biskupice SK 112-113 J7
Podvodnikov, Kotlovina – form. podm. 178-179 H,I2
Podvoločnoe RUS 176-177 Q6
Podwietrzne, Wyspy 220-221 K,L12
Podwietrzne, Wyspy 262-263 L5
(Podwołoczyska) UA 142-143 F4
Poel – w. 122-123 H2
Poelela, Lagoa – jez. 226-227 G4
Poéthdsăt K 192-193 D5
Pofadder ZA 226-227 C5
Pogăniș – rz. 114-115 B4
Poggibonsi I 132-133 E5
Poggio di Chiesanuova RSM 127 N15
Pogoanele RO 114-115 G5
Pogorzela PL (WLP) 74-75 D5
Pogożee RUS 142-143 Q2
Pogórza Przemyskiego, Park Krajobrazowy 80-81 F10
Pogradec AL 118-119 H7
Pograničnoe RUS 144-145 K6
Pograničnyj RUS 178-179 E10
(Pograniczny) BY 140-141 E8
Pogran-Kondusi RUS 136-137 h7
P'oha-dong KOR 204-205 B1,2
P'ohang ROK 202-203 E3
Pohja FIN 138-139 U1
Pohja FIN 140-141 E1
Pohjois-li FIN 136-137 G5
Pohořelice CZ 112-113 I7
Pohorje – g-y 120-121 K4
(Pohost Zarzeczny) UA 140-141 G10
Pohreby UA 142-143 M4
Pohrebyšče UA 142-143 H4
Poi IND 190-191 G3
Poiana Mare RO 114-115 D6
Poiana Mărului RO 114-115 P12
Poiana Ruscă, Munții – g-y 114-115 C4
Poiana Sibiului RO 114-115 M12
Poiana Stampei RO 114-115 P9
Poiana Teiului RO 114-115 Q9
Poibrene BG 114-115 D7
Poienari RO 114-115 G3
Poienile de sub Munte RO 114-115 E2
Poindimié NC 299 J14
Poinsett, Cape – przyl. 311 h3
Point Arena USA (CA) 252-253 B7
Point Fortin TT 262-263 M8
Point Hope USA (AK) 254-255 I2
Point Lake – jez. 244-245 J3
Point Lay USA (AK) 254-255 J2
Point Pleasant USA (WV) 248-249 D5
Point Rock USA (TX) 250-251 D10
Point Samson AUS 296-297 B3
Pointe a la Hache USA (LA) 250-251 J11
Pointe Noire GP 262-263 L5
Pointe Noire RCB 224-225 B4
Pointe-á-Pierre TT 262-263 M8
Pointe-á-Pitre GP 262-263 M5
Poitiers F 124-125 G5
Poitou – reg. 124-125 F5
Poitou-Charentes – jedn. adm. F 124-125 B8
Poivre Atoll – w-y 226-227 L9
Poix F 124-125 H,I2
Poix-Terron F 126 C5
Pojan AL 118-119 H7
Pojarkovo RUS 178-179 D9
Pojate Stalać XS 118-119 I4
Pojezierza Iławskiego, Park Krajobrazowy 72-73 B7
Pojezierze Łęczyńskie, Park Krajobrazowy 76-77 D10
Pojkovskij RUS 176-177 K5
Pojoaque USA (NM) 252-253 L9
Pojuca, Rio – rz. 278-279 F5
Pokac' – rz. 140-141 M8
Pokaran IND 190-191 C3
Pokataroo AUS 296-297 H4
Poke ZRE 224-225 E3
Pokhara NEP 190-191 R10
Poklečani BIH 118-119 S13
Pokój PL (OPO) 78-79 E5
(Pokroje) LT 140-141 E6
Pokrovka AZ 180-181 J5
Pokrovka KZ 182-183 G2
Pokrovka RUS 178-179 E10
Pokrovsk RUS 178-179 D6
Pokrovs'ke UA 142-143 P6
Pokrovs'ke UA 142-143 R4
Pokrovskoe RUS 142-143 R6
Pokrówka PL (LBL) 76-77 D11
Pokrzywnica PL (MAZ) 76-77 C8,9
Pola – rz. 140-141 M4
Pola de Laviana E 130-131 F2
Pola de Lena E 130-131 F2
Pola de Siero E 130-131 F2
Pola RP 197 C5
Pola RUS 140-141 M4
Polacca USA (AZ) 252-253 I9
Polače HR 118-119 S15
Polack BY 140-141 J6
Polán E 130-131 G6
Polān IR 188-189 H3
Palanga LT 140-141 B6
Polanica-Zdrój PL (DŚL) 78-79 E4
Polanka Wielka PL (MŁP) 78-79 F7
Polanów PL (ZPM) 70-71 A4
Polańczyk PL (MŁP) 80-81 F10
Polarny, Płaskowyż 311 A1
Polatlı TR 134-135 N4
Polcenigo I 120-121 H4
Polcura RCH 280-281 D5
Poldašt IR 180-181 F5
Polder Południowy – fizjogr. 126 D2
Polder Północno-Wschodni – fizjogr. 126 D2
Polder Wschodni – fizjogr. 126 D2
Pol-e 'Alam AFG 188-189 I2
Pol-e Loušān IR 184-185 M3
Pol-e Safīd IR 182-183 E8
Polesie – fizjogr. 48-49 D10
Polesie – niz. 140-141 F9,10
Polesie Czernihowskie – niz. 140-141 L10
Polesie Homelskie – niz. 140-141 L9
Polesine – reg. 120-121 G6
Poleski Park Narodowy 76-77 D11
Polessk RUS 140-141 B,C7
Polevskoj RUS 144-145 M5
Poli CAM 224-225 B2
Políantho GR 134-135 G2
Policarpo RA 280-281 E8
Policastro, Golfo di – zat. 132-133 J9
Police nad Metují CZ 78-79 E4
Police PL (ZPM) 70-71 B2
Polichnítos GR 134-135 G,H4
Polichno PL (ŁDZ) 76-77 D7
Polička CZ 112-113 I6
Policzna PL (MAZ) 76-77 D9
Políegos – w. 134-135 F7
Poliégou-Folegándrou, Stenón – cieśn. 134-135 F7
Polignano a Mare I 132-133 L7,8
Poligny F 120-121 A4
Poligus RUS 176-177 O5
Polijiros GR 134-135 E3
Políkastro GR 134-135 D2
Polillo – w. 197 C4
Polillo Islands – w-y 197 D4
Polillo Strait – cieśn. 197 C4
Polinezja – reg. 290-291 K2
Polinezja Francuska – teryt. zal. F 292-293 N6
Polinik – g. 120-121 I4
Polis CY 134-135 N8
Poliss'ke UA 140-141 K10
Polist' – rz. 140-141 M4
Polisto, ozero – jez. 140-141 K,L4
Politiká GR 134-135 E5
Politotdel'skoe RUS 142-143 S6
Polivka UA 142-143 M3
Poljanka UA 142-143 G3
Poljarnyj RUS 144-145 H3
Poljarnyje Zori RUS 136-137 I4
Polje HR 118-119 Q15
Poljica HR 118-119 R14
Poljice Popovo BIH 118-119 U15
Polkowice PL (DŚL) 74-75 D4
Polla I 132-133 J8
Pollachi IND 190-191 D6
Pollença E 130-131 N6
Pollina – rz. 132-133 I11
Pollino – g-y 132-133 K9
Polliser Bay – zat. 298 F5
Polloc Harbour – zat. 197 D8
Pollux – g. 298 C7
Polmak N 136-137 H2
Polná CZ 112-113 H6
Polnovat RUS 176-177 J5
Polochic, Río – rz. 260-261 F5
Polohy UA 142-143 P6
Polomet – rz. 140-141 N4
Polomoloc RP 197 E9
Poloniny, Národný Park – p. nar. 80-81 F10
Polonio, Punta – przyl. 280-281 H4
Polonka – rz. 140-141 K4
Polonne UA 142-143 G3
Polos TR 134-135 I2
Polousnyj krjaž – g-y 178-179 G5
Polovo RUS 140-141 N4
Polovragi RO 114-115 M12
Polska – państwo 106-107 M5
Polska Cerekiew PL (OPO) 78-79 E6
Polska Góra 70-71 B4
Polska, Nizina 104-105 M5
Polski Trămbeš BG 114-115 F6
Polson USA (MT) 252-253 G,H3
Poltár SK 112-113 L7
Poltava UA 142-143 N4
Poltavka RUS 176-177 K7
Põltsamaa – rz. 140-141 G3
Põltsamaa EST 140-141 G3
Poluj – rz. 176-177 J4
Polunočnoe RUS 144-145 M4
Põlva EST 140-141 I3
Polvadera USA (NM) 252-253 K9
Polyán RO 114-115 M12
Polysaevo RUS 176-177 N7
Połajewo PL (WLP) 74-75 C4
Połaniec PL (ŚW) 80-81 E9
(Połąga) LT 140-141 B6
Połczyn-Zdrój PL (ZPM) 70-71 B4
(Połock) BY 140-141 J6
Południowa, Wyspa 290-291 I9
Południowoatlantycki, Grzbiet – form. podm. 308 K8
Południowoaustralijski, Basen – form. podm. 290-291 E8
południowochangajski, ajmak – jedn. adm. MAU 198-199 H2
Południowochińskie, Góry 166-167 N7
Południowochińskie, Morze 166-167 N9
Południowofidżyjski, Basen – form. podm. 290-291 J7
południowogobijski, ajmak – jedn. adm. MAU 198-199 G,H3
Południowopacyficzny, Basen – form. podm. 290-291 L7
Południoworoztoczański Park Krajobrazowy 80-81 E11
Południowoszkocka, Wyżyna 128-129 I6
Południowotasmański, Grzbiet – form. podm. 290-291 G9
Południowo-Wschodni, Przylądek 290-291 F8
Południowo-Wschodni, Przylądek 290-291 G9
Południowo-Zachodni, Przylądek 290-291 I9
Południowo-Zachodni, Przylądek 290-297 G7
Południowy, Kanał 124-125 H8
Południowy, Przylądek 310 K2
Pomar de Valdivia E 130-131 G3
Pomarance I 132-133 E5
Pomarão E 130-131 D8
Pombal BR 278-279 F4
Pombal P 130-131 C6
Pomeroy USA (OH) 248-249 D5
Pomeroy USA (WA) 252-253 F3
Pomična UA 142-143 K5
Pomiechówek PL (MAZ) 76-77 C8
Pomorie BG 114-115 H7
Pomorjany UA 142-143 D4
Pomorska, Zatoka 70-71 A2
Pomorskie, Pojezierze 48-49 B1
(Pomorzany) UA 142-143 D4
Pomorze, Jezioro 72-73 A11
Pomorze Zachodnie – reg. 122-123 J2
Pomos CY 134-135 N8
Pōmou, Akrōtīri – przyl. 134-135 N8
Pomozdino RUS 144-145 L4
Pompano Beach USA (FL) 248-249 E11
Pompei I 132-133 I8
(Pompeje) I 132-133 I8
Pompéu BR 278-279 E6
Ponache, Lake – jez. 248-249 E1
Ponca City USA (OK) 250-251 F7
Ponca USA (NE) 250-251 F4
Ponce de Leon Bay – zat. 248-249 E12
Ponce PR 262-263 J5
Poncjańskie, Wyspy 132-133 G7
Pond Creek USA (OK) 250-251 E7
Pond Inlet CDN 244-245 Q2
Pondicherry IND 190-191 D6
Ponérihouen NC 299 J14
Ponferrada E 130-131 E3
Pongara Pointe – przyl. 224-225 A3
P'ŏnggang KOR 202-203 D3
Ponghwa ROK 202-203 E3
Pongo – rz. 222-223 E6
Pongola – rz. 226-227 F5
Pongola ZA 226-227 F5
Poniatowa PL (LBL) 76-77 D10
Poniec PL (WLP) 74-75 D4
(Poniewież) LT 140-141 F6
Poninka UA 142-143 G3
Ponitz D 122-123 U14
Ponizov'e RUS 140-141 L6
Ponnagyun MYA 192-193 B3
Ponnaiyar – rz. 190-191 D6
Ponnani IND 190-191 D6
Ponomarevka RUS 176-177 M6
Ponornycja UA 142-143 L2
Ponorogo RI 194-195 O10
Ponson – w. 197 E6
Ponsul, Rio – rz. 130-131 D6
Ponta de Pedras BR 278-279 C3
Ponta Delgada P 220-221 J11
Ponta Grossa BR 278-279 C8
Ponta Porã BR 278-279 B7
Pont-à-Celles B 126 C4
Pontailler-en-Auxois F 124-125 L4
Pontal, Rio – rz. 278-279 E4
Pont-à-Mousson F 120-121 B2
Pontarlier F 120-121 B4
Pontassieve I 120-121 G7
Pont-Audemer F 124-125 G2
Pontaumur F 124-125 I6
Pont-Aven F 124-125 C4
Pontchartrain Lake – jez. 250-251 I10
Pontchâteau F 124-125 D,E4
Pont-d'Ain F 124-125 L5
Pont-de-Roide F 120-121 B3
Pont-de-Salars F 124-125 I7
Pont-de-Vaux F 124-125 K,L5
Ponte Alta do Tocantins BR 278-279 D5
Ponte de Lima P 130-131 C4
Ponte de Sor P 130-131 D6
Ponte dell Olio I 120-121 E6
Ponte nelle Alpi I 120-121 H4
Ponte Nova BR 278-279 E7
Ponte Tresa I 120-121 D5
Ponteareas E 130-131 C3
Pontebba I 120-121 I4
Pontecorvo I 132-133 H7
Pontedera I 132-133 E5
Pontedeume E 130-131 C2
Ponteix CDN 252-253 K1
Pontelagoscuro I 120-121 G6
Ponte-Leccia F 124-125 Y13
Pontes e Lacerda BR 278-279 B5
Pontevedra E 130-131 C3
Pontevedra, Ria de – zat. 130-131 B3
Pontevico I 120-121 E5
Pontiac USA (IL) 250-251 J5
Pontiac USA (MI) 248-249 D3
Pontianak RI 194-195 D6
Pontieux F 124-125 C3
Pontivy F 124-125 D3
Pont-l'Abbé F 124-125 B4
Pontoise F 124-125 I2
Pontotoc USA (MS) 250-251 J8
Pontremoli I 120-121 E6
Pontresina CH 120-121 E4
Pont-Saint-Esprit F 124-125 K7
Pont-Saint-Martin I 120-121 C5
Pontyjskie, Góry 166-167 G5
Pontypool GB 128-129 K10
Pontypridd GB 128-129 J10
Ponza I 132-133 H8
Ponza, Isola di – w. 132-133 G8
Poochera AUS 296-297 E5
Pool Malebo – zb. 224-225 C4
Poole Bay – zat. 128-129 L11
Poole GB 128-129 K11
Pooncarie AUS 296-297 G5
Poopó BOL 276-277 D7
Poopó, Lago de – jez. 272 G6
Poor Knights Islands – w-y 298 F2
Pōōsaspea neem – przyl. 140-141 E2
Pop UZ 182-183 N6
Popa, Isla – w. 260-261 I8
Popakai SME 278-279 B2
Popasna UA 142-143 R5
Popasne UA 142-143 O5
Popayán CO 276-277 B3
Poperinge B 126 A4
Popham Beach USA (ME) 248-249 K3
Popielów PL (OPO) 78-79 E5
Popigaj RUS 176-177 S3
Popil'nja UA 142-143 I4
Popina BG 114-115 G5
Poplar Bluff USA (MO) 250-251 I7
Poplar River – rz. 244-245 M6
Poplar River – rz. 252-253 L2
Poplar USA (MT) 252-253 L2,3
Poplarville USA (MS) 250-251 J10
Popocatépetl, Volcán – wulk. 240 K8
Popoh RI 194-195 O11
Popokabaka ZRE 224-225 C5
Popovača HR 118-119 D2
Popovica BG 114-115 F7
Popović XS 118-119 I3
Popovo BG 114-115 G6
Popovo polje – reg. 118-119 T,U15
Popów PL (ŚL) 78-79 D6
Poppel B 126 D3
Poppi I 132-133 F5
Poprad – rz. 80-81 F8
Poprad SK 112-113 M6
Popradzki Park Krajobrazowy 80-81 F8
Popšica XS 118-119 I4
Poptún GCA 260-261 F4
Por – rz. 80-81 E10
Poraj PL (ŚL) 78-79 E7
Porangahau NZ 298 G5
Porangatu BR 278-279 D5
Porazava BY 140-141 F9
Porąbka PL (ŚL) 78-79 F7
Porbandar IND 190-191 B4
Porčaman AFG 188-189 H2
Porcher Island – w. 244-245 F6
Porchov RUS 144-145 G5
Porchov RUS 140-141 K4
Porcsalma H 114-115 C2
Porcsed RO 114-115 N12
Porcuna E 130-131 G8
Porcupine Bank – form. podm. 308 K2
Porcupine River – rz. 240 G3
Pordenone I 120-121 H5
Pordim BG 114-115 E6
Poreč HR 118-119 L10
Poreč'e RUS 140-141 L5
Porer – w. 118-119 L11
Poręba PL (ŚL) 78-79 E7
Poręba Wielka PL (MŁP) 80-81 F8
Porga DY 220-221 F6
Pori FIN 138-139 R1
Poříčí nad Sázavou CZ 112-113 G6
Porirua NZ 298 F5
Porjus S 136-137 e4
Porkkala FIN 140-141 F2
Porkkalanselkä – zat. 140-141 E,F2
Porlamar YV 276-277 E1
Porma, Embalse del – zb. 130-131 F3
Pornic F 124-125 D4
Poro – w. 197 E6
Poroçan AL 118-119 H7
Poronajsk RUS 178-179 G9
Poronin PL (MŁP) 80-81 F7
Poroškove UA 142-143 B5
Porosozero RUS 144-145 H4
Porożek RUS 140-141 L2
Porozina HR 118-119 M10
(Porozów) BY 140-141 F9
Porpoise Bay – zat. 311 I3
Porqueros E 130-131 E3
Porrentruy CH 120-121 C3
Porreras E 130-131 O6
Porretta Terme I 120-121 F6
Porriño E 130-131 C3
Porsangen – cieśn. 136-137 G2
Porsanger Halvøya – płw. 136-137 G2
Porsgrunn N 138-139 F3
Porsuk Barajı – zb. 134-135 L4
Porsuk Çayı – rz. 134-135 M4
Port Adelaide AUS 296-297 F5
Port Alberni CDN 244-245 G7
Port Alfred ZA 226-227 E6
Port Alice CDN 244-245 G6
Port Angeles USA (WA) 252-253 C2
Port Antonio JA 260-261 L3
Port Aransas USA (TX) 250-251 F12
Port Askaig GB 128-129 G6
Port Augusta AUS 296-297 F5
Port Austin USA (MI) 248-249 D2,3
Port Bell EAU 224-225 F3
Port Blair IND 192-193 B5
Port Burwell CDN 244-245 T4

Rahačoŭ BY 140-141 K,L8
Rahad al-Bardī SUD 222-223 D5
Rāhğerd IR 184-185 N4
Rāhib – oaza 222-223 E4
Rahīmah KSA 187 D3
Rahimyar Khan PK 188-189 J3
Rahmanov bülaķtary KZ 176-177 N8
Rahmet KZ 182-183 K2
Rai, Hon – w. 192-193 D6
Raia, Rio – rz. 130-131 C7
Raiatea – w. 290-291 M6
Raichur IND 190-191 D5
Raigarh IND 190-191 E4
Railb – rz. 127 I9
Railroad Pass – przeł. 252-253 F7
Rain D 120-121 F2
Rainbow Lake CDN 244-245 I5
Rainie USA (OR) 252-253 C3,4
Rainier, Mount – g. 252-253 D3
Rainier, Mount – wulk. 240 I5
Rainy Lake – jez. 244-245 N7
Rainy River – rz. 250-251 G1
Rainy River CDN 250-251 G1
Raipur IND 190-191 E4
Raisduoddarhaldde – g. 136-137 F3
Raisio FIN 140-141 C1
Raisūt OM 188-189 F5
Raith CDN 250-251 J1
Raiuja – w. 194-195 G8
Raivavaé – w. 290-291 N7
Raiwind PK 188-189 J2
Rāj Nandgaon IND 190-191 E4
Rajac XS 118-119 J3
Rajahmundry IND 190-191 E5
Rajang – rz. 166-167 O9
Rajanpur PK 188-189 I3
Rajapalaiyam IND 190-191 D7
Rajapur IND 190-191 C5
Rajauti IND 190-191 R12
Rajbari BD 190-191 T13
Rajčichinsk RUS 178-179 D9
Rajcza PL (ŚL) 78-79 F7
Rajganj IND 190-191 S,T12
Rajgarh IND 190-191 C3
Rajgir IND 190-191 R12
Rajgrodzkie, Jezioro 72-73 B10
Rajgród PL (PDL) 72-73 B10
Rajka H 120-121 M3
Rajkoke, ostrov – w. 178-179 I9
Rajkot IND 190-191 C4
Rajpipla IND 190-191 C4
Rajshahi BD 190-191 T12
Rajula IND 190-191 C4
Raka Zangbo – rz. 190-191 F3
Rakahanga Atoll – w. 290-291 L5
Rakaia River – rz. 298 D6
Rakalj HR 118-119 M11
Rakamazlbrány H 112-113 N7
Rakan, Ra's – przyl. 187 D3
Rakaposhi – g. 190-191 C1
Rakas – jez. 190-191 E2
Rakata – w. 194-195 L10
Rakek SLO 120-121 J5
Rakhni PK 188-189 I3
Rakiewo – jez. 140-141 E6
(Rakiszki) LT 140-141 G6
Rakit, Pulau – w. 194-195 N9,10
Rakitnoe RUS 142-143 O3
Rakitnoe RUS 178-179 E9
Raki-Ura – w. 290-291 I9
Rakka TR 134-135 O6
Rakke EST 140-141 H2
Rakkestad N 138-139 H3
Rakoniewice PL (WLP) 74-75 C4
Rakops RB 226-227 D4
Rakovăț MD 114-115 I1
Rakovica BG 114-115 C6
Rakovica HR 118-119 C2
Rakovník CZ 112-113 F5
Rakovski BG 114-115 E7
Rakowskie, Jezioro 70-71 B4
Raków PL (ŚW) 80-81 E9
Rakszawa PL (PKR) 80-81 E10
Rakutowskie, Jezioro 76-77 C7
Rakvere EST 140-141 H2
Raleigh Bay – zat. 248-249 H7
Raleigh USA (MS) 250-251 J9
Raleigh USA (NC) 248-249 F7
Ralik Chain – w-y 290-291 I4
Ralingen L 127 B2
Ralja XS 118-119 H3
Ralún RCH 280-281 D6
Rām Allāh PS 186 B4
Rama IL 186 B3
Rama NIC 260-261 H6
Ramacca I 132-133 I11
Ramah Navajo Indian Reservation
– jedn. adm. USA 252-253 J9
Ramales de la Victoria E 130-131 H2
Ramanathapuram IND 190-191 D7
Ramanuj Ganj IND 190-191 Q13
Ramaquabane RB 226-227 E4
Ramat Gan IL 186 A3
Rambervillers F 120-121 B2
Rambi – w. 299 C2
Ramblón RA 280-281 E4
Rambouillet F 124-125 H3
Rambrouch L 127 A2
Ramechhap NEP 190-191 R11
Ramelau – g. 166-167 P10
Râmet RO 114-115 M11
Ramgarh BD 190-191 G4
Ramgarh IND 190-191 R13
Rāmhormoz IR 184-185 M6
Ramino AND 127 I9
Rāmiya RL 186 B2
Ramla IL 186 A4
Ramlat al-Wahibah – pust. 188-189 G4
Ramlat Ibn Su'aydān – pust. 187 F6
Ramlat Rabyāna – pust. 222-223 D2
Ramlu – g. 222-223 H5
Ramm, Ğabal – g. 186 B6
Rāmm JOR 186 B6
Ramnagar IND 190-191 E4
Ramnäs S 138-139 M3
Râmnicu Sărat RO 114-115 G4
Râmnicu Vâlcea RO 114-115 E4
Ramo ETH 222-223 H6
Ramon' RUS 142-143 S2
Ramon USA (NM) 252-253 L9
Ramos – w. 197 A7
Ramos MEX 258-259 I6
Ramosv, Río de – rz. 258-259 G5
Ramotswa ZA 226-227 E4
Rampart USA (AK) 254-255 L2
Rampayan MAL 196 Q13
Rampur Hat IND 190-191 S12
Rampur IND 190-191 D2
Rampur IND 190-191 O10
Ramree Island – w. 192-193 B4
Ramree MYA 192-193 B4
Rāmsar IR 184-185 N3
Ramsele S 136-137 d6
Ramseur USA (NC) 248-249 F7
Ramsey GBM 128-129 I7
Ramsey Island – w. 128-129 H10
Ramsey Lake – jez. 244-245 P7
Ramsgate GB 128-129 O10
Rāmšīr IR 184-185 M6
Ramsjö S 136-137 d6
Ramsund N 136-137 E3
Ramtek IND 190-191 D4
Ramu BD 190-191 G4
Ramudu MAL 196 P15
Ramuševo RUS 140-141 M4
Ramvik S 136-137 E,e6
Ramygala LT 140-141 F6
Rana, Cerro – g. 276-277 D3
Ranaghat IND 190-191 T13
Ranai RI 194-195 D5
Ranau, Danau – jez. 194-195 C6
Rancagua RCH 280-281 D4
Rance – rz. 124-125 D3
Rancharia BR 278-279 C7
Rancheria, Río – rz. 262-263 G8
Ranchester USA (WY) 252-253 K4
Ranchi IND 190-191 R13
Rancho Cordova USA (CA)
252-253 D7
Ranco – rz. 127 O14
Ranco, Lago – jez. 280-281 D6
Randa DJI 222-223 H5
Randazzo I 132-133 I11
Rånden – rz. 136-137 D6
Rander IND 190-191 C4
Randers DK 138-139 G6
Randers Fjord – zat. 138-139 G6
Randijaure – jez. 136-137 e4
Randlett USA (OK) 250-251 E8
Randolph USA (NE) 250-251 F4
Randolph USA (UT) 252-253 I6
Randolph USA (VT) 248-249 I3
Randow – rz. 70-71 B2
Randsfjord – jez. 138-139 G2
Råneå S 136-137 f5
Råneälven – rz. 136-137 F4
Ranfurly NZ 298 C7
Rangae THA 192-193 D6
Rangapara North IND 190-191 G3
Rangárvallasysla – jedn. adm. IS
136-137 L14
Rangaunu Harbour – zat. 298 E2
Rangeley USA (ME) 248-249 J2
Rangely USA (CO) 252-253 J7
Ranger Bank – form. podm.
258-259 B3
Ranger Lake – jez. 248-249 C,D1
Ranger USA (TX) 250-251 E9
Rangia IND 190-191 G3
Rangiora NZ 298 E6
Rangiroa – w. 290-291 N6
Rangitaiki River – rz. 298 G4
Rangitata River – rz. 298 D6
Rangitikei River – rz. 298 F5
Rangitukia NZ 298 H3
Rangkasbitung RI 194-195 L10
Rangkŭl TJ 182-183 P7
Rangpur BD 190-191 T12
Rangsang – w. 192-193 D7
(Rangun) MYA 192-193 C4
Ranibennur IND 190-191 D6
Ranić,Rt – przyl. 118-119 S15
Raniwara IND 190-191 C4
Raniye IRQ 184-185 K3
Ranižów PL (PKR) 80-81 E9
Rankin USA (TX) 250-251 D10
Rankins Springs AUS 296-297 H5
Rannes AUS 296-297 I3
Rannoch, Loch – jez. 128-129 I5
Rano WAN 220-221 G6
Ranohira RM 226-227 I4
Ranong THA 192-193 C6
Ransiki RI 194-195 I6
Ransol AND 127 I9
Rantasalmi FIN 136-137 H6
Rantau RI 194-195 E6
Rantekombola – g. 166-167 O10
Rantoul USA (IL) 250-251 J5
Ranttila FIN 136-137 G,g3
Raohe CHN 198-199 N2
Raon-l'Étape F 120-121 B2
Raoping CHN 200-201 E6
Raoul – w. 290-291 K7
Raoyang CHN 200-201 D2
Rapa – w. 290-291 N7
Rapa, Ponta do – przyl. 278-279 D8
Rapallo I 120-121 E6
Rapel, Embalse – zb. 280-281 D4
Rapelje USA (MT) 252-253 J3
Rapid City USA (SD) 250-251 C3
Rapid River – rz. 250-251 G1
Rapid River USA (MI) 248-249 B1,2
Rāpina EST 140-141 I3
Rapla EST 140-141 F2,3
Rapolano Terme I 132-133 F5
Rappahanock River – rz. 248-249 G5
Rapperswil CH 120-121 D3
Rapti – rz. 190-191 Q11
Rapu Rapu – w. 197 E5
Rápulo, Río – rz. 276-277 D6
Rapur IND 190-191 B4
Rapur IND 190-191 D6
Raqdan dağı – g. 180-181 I3
Raraka – w. 290-291 N6
Rarakah – g. 194-195 G7
Raroia – w. 290-291 N6
Rarotonga – w. 290-291 M7
Ra's al-'Ain SYR 184-185 I3
Ra's al-Ğunaina – g. 184-185 E7
Ra's al-Ḫaima UAE 187 F4
Ra's al-'Ušš ET 222-223 L9
Ra's an-Naqb ET 186 A6
Ra's an-Naqb JOR 186 B6
Ra's Ba'labakk RL 186 C1
Ras Dashen Terara – g. 222-223 G5
Ras El Ma DZ 220-221 E2
Ras Kam – g. 190-191 D1
Ra's Kārib ET 222-223 F2
Ras Koh – g. 188-189 H3
Ras Koh – g-y 188-189 H3
Ra's Lanūf LAR 222-223 C1
Ras Matunda – przyl. 226-227 H2
Ra's Tannūra KSA 188-189 F3
Rasa – w. 197 B7
Raša HR 118-119 M10
Rasa, Punta – przyl. 272 G9
Rašaant MAU 198-199 E,F2
Rašaant MAU 198-199 I3
Rašād SUD 222-223 F5
Rāšayyā RL 186 B2
Răşcani MD 114-115 H2
Raseiniai LT 140-141 D6
Rašī, Ğabal – g-y 184-185 G4
Rašīd ET 222-223 F1
Rašīd, Far' – rz. 184-185 D6
Rašīdīya SYR 184-185 I3
Rasina – rz. 118-119 I4
Răşinari RO 114-115 M12
Rasinja HR 118-119 D1
Raška XS 118-119 H4
Raški Zaliv – zat. 118-119 M11
Rašm IR 188-189 F1
Rasmussen Basin – form. podm.
244-245 M3
Rasna BY 140-141 L7
Râşnoy RO 114-115 P12
Raso, Cabo – przyl. 130-131 B7
Raso, Ilhéu – w. 220-221 K12
Rason, Lake – jez. 296-297 C4
Rasony BY 140-141 J6
Rasovalon Corvin RO 114-115 H5
Rasskazovo RUS 144-145 J6
Rassua, ostrov – w. 178-179 I9
Rassvet RUS 176-177 O6
Rašt IR 184-185 M3
Rasta – rz. 140-141 L8
Rastatt D 120-121 D2
Rastede D 122-123 E3
Rastenfeld A 120-121 K2
Rašthvār IR 188-189 G2
Rastigaissa – g. 136-137 G2,3
Rastište XS 118-119 G4
Råstojaure – jez. 136-137 F3
Rastolița RO 114-115 O9,10
Rastro – g. 258-259 J5
Raszków PL (WLP) 74-75 D5
Raszyn PL (MAZ) 76-77 C8
Rat Island – w. 254-255 F5
Rata – rz. 80-81 E11
Ratak Chain – w-y 290-291 J3
Ratamka BY 140-141 I8
Ratangarh IND 190-191 C3
Ratanpur IND 190-191 E4
Rätansbyn S 136-137 D,d6
Ratauprapat RI 194-195 B5
Ratča RUS 140-141 L4
Ratchaburi THA 192-193 C5
Rath D 122-123 N12
Rath Luirc IRL 128-129 D,E9
Rathbun Lake – jez. 250-251 H5
Rathdrum IRL 128-129 G9
Rathdrum USA (ID) 252-253 F3
Rathenow D 122-123 I4
Rathlin Island – w. 128-129 G6
Rathmore IRL 128-129 D9
Rätikon – g-y 120-121 E3
Ratingen D 126 E3
Ratingen-Breitschaid – dzieln. D
122-123 P11
Ratingen-Hösel – dzieln. D
122-123 P11
Ratingen-Schwarzbach – dzieln. D
122-123 P11
Ratkovo XS 118-119 G2
Ratlam IND 190-191 C4
Ratnagiri IND 190-191 C5
Ratnapura CL 190-191 M9
Ratne UA 140-141 F10
Ratno Dolne PL (DŚL) 78-79 E4
(Ratno) UA 140-141 F10
Raton Pass – przeł. 252-253 L8
Raton USA (NM) 252-253 L8
Ratosnya RO 114-115 O9,10
Ratqa, Wādī ar- – rz. 184-185 I5
Ratschings I 120-121 G4
Ratta RUS 176-177 M5
Rattaphum THA 192-193 C6
Rattersdorf A 120-121 L3
Rattlesnake Hills – g-y 252-253 K5
Rättvik S 138-139 K2
(Ratyzbona) D 120-121 H1
Ratz, Mount – g. 244-245 F5
Ratzeburg D 122-123 G3
Rau – w. 194-195 H5
Râu Sadului RO 114-115 M,N12
Raub MAL 194-195 C5
Raučanskij chrebet – g-y 178-179 L5
Rauch RA 280-281 G5
Raucourt-et-Flaba F 126 C5
Raučua – rz. 178-179 L5
Raufarhöfn IS 136-137 m12
Raukumara Range – g-y 298 G4
Rauma FIN 138-139 R1
Raumo FIN 138-139 R1
Rauna LV 140-141 G4
Raung – wulk. 194-195 P,R10,11
Raura, Río – rz. 194-194 B5
Raurimu NZ 298 F4
Rauris A 120-121 H3
Raurkela IND 190-191 E4
Rausslitz D 122-123 Y13
Rausu J 202-203 I2
Rausu-dake – g. 202-203 I1
Răut – rz. 114-115 I2
Rautavaara FIN 136-137 g6
Rautjärvi FIN 136-137 H7
Rava Rus'ka UA 142-143 C3
Ravalli USA (MT) 252-253 G3
Ravan – g-y 118-119 E,F3
Ravan' – rz. 140-141 L,M2
Ravānsar IR 184-185 L4
Ravanusa I 132-133 H,I11
Rāvar IR 188-189 G2
Ravendale USA (CA) 252-253 D6
Ravenglass GB 128-129 J7
Ravenna I 120-121 H6
Ravenna USA (NE) 250-251 E5
Ravenna USA (OH) 248-249 E4
Ravensburg D 120-121 E3
Ravenscar GB 128-129 M7
Ravenshoe AUS 296-297 G2
Ravensthorpe AUS 296-297 C5
Ravi – rz. 188-189 J2
Ravièrea F 124-125 K4
Ravlı TR 134-135 O3
Ravna Gora HR 118-119 N10
Ravna Reka XS 118-119 I3
Ravna Vlaka – g. 118-119 V15
Ravne na Koroškem SLO 120-121 K4
Ravnice HR 118-119 R14
Ravnik – w. 118-119 Q14
Rāwa IRQ 184-185 I4
Rawa Mazowiecka PL (ŁDZ) 76-77 D8
(Rawa Ruska) UA 142-143 C3
Rawalpindi PK 188-189 J2
Rawauncal RI 194-195 M10
Rawene NZ 298 E2
(Rawenna) I 120-121 H6
Rawicz PL (WLP) 74-75 D4
Rawka – rz. 76-77 C8
Rawlinna AUS 296-297 D5
Rawlins USA (WY) 252-253 K6
Rawnina TM 182-183 J8
Rawska, Wysoczyzna 48-49 D7
Rawson RA 280-281 F6
Rawu CHN 192-193 C2
Raxalpe – g-y 120-121 K3
Raxaul IND 190-191 R11
Ray Mountains – g-y 254-255 L2
Ray USA (MN) 250-251 H1
Ray USA (ND) 250-251 C1
Raya – g. 166-167 O10
Rayachoti IND 190-191 D6
Raydā' – wyż. 188-189 E4
Rāyīn IR 187 G2
Raymond CDN 244-245 J7
Raymondville USA (TX) 250-251 F12
Raymore CDN 244-245 L6
Rayne USA (LA) 250-251 H10
Rayner Glacier – lod. 311 E3
Rayo – g. 258-259 G5
Rayong THA 192-193 D5
Rayón MEX 258-259 J7
Rayville USA (LA) 250-251 I9
Raz, Pointe de – przyl. 124-125 A3
Raza, Punta – przyl. 258-259 G7
Razan IR 184-185 M4
Razbojna XS 118-119 I4
Răzeni MD 114-115 I3
Răževo Konare BG 114-115 E7
Razgrad BG 114-115 G6
Rāzih, Ğabal – g. 188-189 D5
Razim, Lacul – jez. 114-115 I5
Razlog BG 114-115 D8
Razmak PK 188-189 I2
Rāznas ezers – jez. 140-141 I5
Razūmovka KZ 176-177 K7
Rąbino PL (ZPM) 70-71 B3
Ré, Île de – w. 124-125 E5
Reader USA (AR) 250-251 H9
Reading GB 128-129 L10
Reading USA (PA) 248-249 G4
Real, Costa – wybrz. 130-131 H2
Real del Castillo MEX 258-259 A1
Realicó RA 280-281 F5
Réalmont F 124-125 I8
Réao – w. 290-291 O6
Reaside, Lake – jez. 296-297 C4
Reay GB 128-129 J3
Rebais F 124-125 J3
Rebbenesøy – w. 136-137 E2
Rebecca, Lake – jez. 296-297 C5
Rebi RI 194-195 I7
Reb'ja – rz. 140-141 M4
Reboly RUS 144-145 H4
Rebordelo P 130-131 D4
Rebouças BR 278-279 C8
Rebricha RUS 176-177 M7
Rebun J 202-203 H1
Rebun-tō – w. 202-203 H1
Recalada, Isla – w. 280-281 C8
Recanati I 132-133 H5
Rečane RUS 140-141 M5
Recaş RO 114-115 B4
Recea MD 114-115 H2
Recea RO 114-115 O12
Recea RO 114-115 Q10
Recea-Cristur RO 114-115 L9
Récékeresztúr RO 114-115 L9
Rechenberg-Bienenmühle D
122-123 Y,Z15
Recherche, Archipelago of the – w-y
290-291 E8
Rechnitz A 120-121 L3
Reci RO 114-115 Q12
Rěčican D 112-113 G4
Rečice BIH 118-119 T14
Recife BR 278-279 G4
Recklinghausen D 122-123 C5
Reconquista RA 280-281 F3
Recovery Glacier – lod. 311 a1
Recreo RA 280-281 F3
Recsk H 114-115 A2
Recuay PE 276-277 B5
Rèčyca BY 140-141 H10
Rèčyca BY 140-141 L9
Rèčyca BY 140-141 M8
Recz PL (ZPM) 70-71 B3
Recza – g. 70-71 B4
Red Bluff Reservoir – zb. 250-251 C10
Red Bluff USA (CA) 252-253 C6
Red Cliff Indian Reservation
– jedn. adm. USA 250-251 J2
Red Cloud USA (NE) 250-251 E5
Red Deer CDN 244-245 J6
Red Deer River – rz. 244-245 J6
Red Deer River – rz. 244-245 L6
Red Devill USA (AK) 254-255 K3
Red Hill – g. 298 E5
Red, Lake – jez. 250-251 G1
Red Lake CDN 244-245 M,N6
Red Lake Falls USA (MN) 250-251 F2
Red Lake Indian Reservation
– jedn. adm. USA 250-251 G1
Red Lake USA (MN) 250-251 G2
Red Lodge USA (MT) 252-253 J4
Red Mount – g. 252-253 B,C6
Red Mount – g. 252-253 H3
Red Oak USA (IA) 250-251 G5
Red River – rz. 240 L6
Red River – rz. 250-251 F1
Red Rock Lake – jez. 250-251 H5
Red Rock River – rz. 252-253 H4
Red Wing USA (MN) 250-251 H3
Reda – rz. 70-71 A6
Reda PL (POM) 70-71 A6
Redang – w. 194-195 C4
Redcliff CDN 252-253 I1
Redcliff ZW 226-227 E3
Redcliffe AUS 296-297 I4
Redding USA (CA) 252-253 C6
Redditch GB 128-129 L9
Rede – rz. 128-129 K6
Redea RO 114-115 E5
Redenção BR 278-279 C4
Redeyef TN 220-221 G2
Redfield USA (SD) 250-251 E3
Rédics H 120-121 L4
Redig USA (SD) 250-251 C3
Redlands USA (CA) 252-253 F9
Redmond USA (OR) 252-253 D4
Redon F 124-125 D4
Redonda – w. 262-263 L5
Redondeados MEX 258-259 F5
Redondela E 130-131 C3
Redondo, Cerro – g. 258-259 B3
Redoubt Volcano – wulk. 254-255 L3
Redruth GB 128-129 H11
Redshields RB 226-227 E4
Redstone River – rz. 244-245 G4
Redwater Creek – rz. 252-253 L3
Redwood City USA (CA) 252-253 C8
Redwood Falls USA (MN) 250-251 G3
Ree, Lough – jez. 128-129 E8
Reed Bank – form. podm. 197 A6
Reed Citylonia USA (MI) 248-249 C3
Reedly USA (CA) 252-253 E8
Reedsport USA (OR) 252-253 B,C5
Reedville USA (VA) 248-249 G6
Reefton NZ 298 D6
Reelfoot Lake – jez. 250-251 I7
Rees D 126 E3
Refahiye TR 184-185 H2
Reform USA (AL) 250-251 K9
Refugio USA (TX) 250-251 F11
Rega – rz. 70-71 A3
Regen D 120-121 I2
Regensburg D 120-121 H1
Reggane DZ 220-221 E3
Reggio di Calabria I 132-133 J10
Reggio nell'Emilia I 120-121 F6
Reghin RO 114-115 O10
Reghiu RO 114-115 G4
Regimin PL (MAZ) 76-77 C8
Regina CDN 244-245 L6
Régina FGF 278-279 C2
Regis-Breitingen D 122-123 U13
Registro BR 278-279 D7
Regnéville-sur-Mer F 124-125 E2
Regnitz – rz. 122-123 G7
Regnów PL (ŁDZ) 76-77 D8
Reguengos de Monsaraz P
130-131 D7
Rehden D 122-123 E4
Rehna D 122-123 G3
Rehoboth Beach USA (DE)
248-249 H5
Rehoboth NAM 226-227 C4
Reḥovot IL 186 A4
Rei – rz. 224-225 B2
Rei Bouba CAM 224-225 B2
Reichenau CH 120-121 E4
Reichenbach D 122-123 I6
Reichenbach D 122-123 X13
Reichenbach D 78-79 D2
Reichenberg D 122-123 Z13
Reichle USA (MT) 252-253 H4
Reichraming A 120-121 J3
Reichstädt D 122-123 Z14
Reidsville USA (NC) 248-249 F6
Reigate GB 128-129 M10
Re'im IL 186 A4
Reims F 124-125 J2
Reinach CH 120-121 D3
Reinbek D 122-123 G3
Reineskarvet – g. 138-139 E2
Reinosa E 130-131 G2
Reinsdorf D 122-123 W13
Reis TR 134-135 M5
Reitz ZA 226-227 E5
Rejaf SUD 222-223 F7
Rejmyre S 138-139 L4
Rejowickie, Jezioro – zb. 70-71 B3
Rejowiec Fabryczny PL (LBL)
76-77 D11

Rocca d'Arazzo I 120-121 D6
Rocca San Casciano I 120-121 G6
Roccadaspide I 132-133 I8
Roccastrada I 132-133 F5,6
Roccella Ionica I 132-133 K10
Ročegda RUS 144-145 J4
Rocha ROU 280-281 H4
Rochdale GB 128-129 K8
Rochechouart F 124-125 G6
Rochefort B 126 D4
Rochefort F 124-125 E5,6
Roche-la-Molière F 124-125 K6
Rochelle USA (IL) 250-251 J5
Rocher River CDN 244-245 J4
Rochester USA (IN) 248-249 B4
Rochester USA (MN) 250-251 H3
Rochester USA (NH) 248-249 J3
Rochester USA (NY) 248-249 G3
Rochlitz D 122-123 W13
Rociu RO 114-115 E,F5
Rock Creek Butte – g. 252-253 E4
Rock Falls USA (IL) 250-251 J5
Rock Hill USA (SC) 248-249 E7
Rock Island USA (IL) 250-251 I5
Rock Lake USA (ND) 250-251 E1
Rock Port USA (MO) 250-251 G5
Rock Rapids USA (IA) 250-251 F4
Rock River – rz. 250-251 J5
Rock River USA (WY) 252-253 K6
Rock Sound BS 262-263 E1
Rock Springs USA (MT) 252-253 K3
Rock Springs USA (WY) 252-253 J6
Rock, The – g. 127 S16
Rockall Plateau – form. podm. 308 K2
Rockall Trough – form. podm. 308 J2
Rockaway Beach USA (MO)
250-251 H7
Rockaway Seamount – form. podm.
308 G4
Rockdale USA (TX) 250-251 F10
Rockefellera, Płaskowyż 311 n2
Rockford USA (IL) 250-251 J4
Rockglen CDN 252-253 K1
Rockhampton AUS 296-297 I3
Rockingham AUS 296-297 A5
Rockingham USA (NC) 248-249 F7
Rockland USA (ID) 252-253 H5
Rockland USA (ME) 248-249 K2
Rocklands Reservoir – zb. 296-297 G6
Rockneby S 138-139 L6
Rockport USA (CA) 252-253 B7
Rockport USA (IN) 248-249 B6
Rockport USA (TX) 250-251 F12
Rockport USA (WA) 252-253 D2
Rocksprings USA (TX) 250-251 D10
Rockstone GUY 276-277 F2
Rockville USA (IN) 248-249 B5
Rockville USA (MD) 248-249 G5
Rockwell City USA (IA) 250-251 G4
Rockwood USA (ME) 248-249 J2
Rockwood USA (TN) 248-249 C7
Rocky Boys Indian Reservation
– jedn. adm. USA 252-253 J2
Rocky Ford USA (CO) 250-251 B,C6
Rocky Island Lake – jez. 248-249 D1
Rocky Mount – g. 252-253 H3
Rocky Mount USA (NC) 248-249 F7
Rocky Mount USA (VA) 248-249 E,F6
Rocky Point – przyl. 226-227 B3
Rocroi F 126 C5
Roda D 122-123 V13
Rodach – rz. 122-123 H6
Rodach bei Coburg D 122-123 G6
(Rodan) – rz. 104-105 J,K7
Rodan-Ren, Kanał 120-121 B3
Rodanu, Delta – zat. 124-125 K9
Rodas C 260-261 J1
Rōdbār AFG 188-189 H2
Rødberg N 138-139 F2
Rødby N 136-137 D4
Rødbyhavn DK 138-139 G8
Rødding DK 138-139 E6
Rødding DK 138-139 F7
Rodeiro E 130-131 C,D3
Rodel GB 128-129 F,G4
Roden NL 126 E1
Rodenborg L 127 B2
Rodeo MEX 258-259 G5
Rodeo USA (NM) 252-253 J11
Rodewisch D 122-123 I6
Rodez F 124-125 I7
Rodgers Bank – form. podm.
278-279 F6
Rodi Garganico I 132-133 J7
Rodiezmo E 130-131 F3
Roding D 120-121 H1
Rodinga AUS 296-297 E3
Rodino RUS 176-177 M7
Rodionovo-Nesvetajskaja RUS
142-143 S6
Rødkærsbro DK 138-139 F6
Rodna RO 114-115 E2
Rodniańskie, Góry 114-115 E2
Rodniki KZ 182-183 H2
Rodnikovskoe KZ 182-183 P1
Rodoč BIH 118-119 T14
Rodonit, Gjiri i – zat. 118-119 G6
Rodonit, Kep i – przyl. 118-119 G6
Rodopy – g-y 104-105 N7
Rodopy Wschodnie – g-y 134-135 G2
Rodopy Zachodnie – g-y 114-115 E7,8
Rodos – w. 104-105 O8
Rodrigues Fracture Zone – form.
podm. 309 R7
Rodyns'ke UA 142-143 Q5
Roebourne AUS 296-297 B3
Roebuck Bay – zat. 296-297 C2
Roer – rz. 126 D,E3
Roermond NL 126 D,E3
Roes Welcome Sound – cieśn.
244-245 O4
Roeselare B 126 A,B4
Rogač HR 118-119 Q14
Rogačica XS 118-119 G4
Rogagua, Lago – jez. 276-277 D6
Rogaguado, Lago – jez. 276-277 D6
Rogaland – jedn. adm. N 138-139 B3
Rogalin PL (WLP) 74-75 C4
Rogaliński Park Krajobrazowy
74-75 C4
Rogaška Slatina SLO 120-121 K4
Rogatica BIH 118-119 F4
Rogers City USA (MI) 248-249 D2
Rogers Lake – jez. 252-253 F9
Rogers, Mount – g. 248-249 D,E6
Rogers USA (AR) 250-251 G7
Rogerson USA (ID) 252-253 G5
Rogersville USA (AL) 248-249 B7
Rogersville USA (TN) 248-249 D6
Rogliano F 124-125 Y13
Rogliano I 132-133 K9
Rogovskaja RUS 142-143 R8
Rogowo PL (K-P) 74-75 C5
Rogowo PL (K-P) 76-77 C7
Rogozna – g-y 118-119 H4
Rogoznica HR 118-119 P13
Rogoźno PL (WLP) 74-75 C5
Rogów Opolski PL (OPO) 78-79 E5
Rogów PL (ŁDZ) 76-77 D7
Rogóźno PL (K-P) 70-71 B6
Rogue River – rz. 252-253 B5
(Rohaczew) BY 140-141 K,L8
Rohatyn UA 142-143 D4
Rohoziv UA 142-143 K3
Rohrbach in Oberösterreich A
120-121 I, I2
Rohtak IND 190-191 N10
Rohtasgarh IND 190-191 Q12
Rohuküla EST 140-141 E3
Roig, Cabo – przyl. 130-131 K8
Roigheim D 122-123 F7
Roisel F 126 B5
Roissy F 124-125 V10
Roja LV 140-141 D4
Rojas RA 280-281 F4
Röjdån – rz. 138-139 I2
Rojewo PL (K-P) 74-75 C6
Rojhan PK 188-189 I3
Rojo, Cabo – przyl. 262-263 J5
Rojo, Punta – przyl. 258-259 K7
Rokiciny PL (ŁDZ) 76-77 D7
Rokietnica PL (MŁP) 80-81 F10
Rokietnica PL (WLP) 74-75 C4
Rokis ugheltehili – przeł. 180-181 F2
Rokiškis LT 140-141 G6
Rokitno PL (LBL) 76-77 C11
Rokkasho J 204-205 N2
Rokskij pereval – przeł. 180-181 F2
Rokugō J 204-205 M3
Rokycany CZ 112-113 F6
Rokytne UA 140-141 I10
Rokytne UA 142-143 J4
Rokytnice nad Jizerou CZ 78-79 E3
Rola Co – jez. 190-191 F1
Rolândia BR 278-279 C7
Røldal N 138-139 C3
Rolde NL 126 E2
Rolette USA (ND) 250-251 D1
Rolim de Moura BR 276-277 E6
Rolla USA (MO) 250-251 I7
Rolla USA (ND) 250-251 E1
Rollag N 138-139 F2
Rolle CH 120-121 B4
Rolleston AUS 296-297 H3
Rolleston NZ 298 D6
Rollet CDN 248-249 F1
Rolleville BS 262-263 F2
Rolling Fork USA (MS) 250-251 I9
Rolvsøya – w. 136-137 f2
Rom – g. 224-225 F3
Roma AUS 296-297 H4
Roma I 132-133 F7
Roma S 138-139 O5
Roma USA (TX) 250-251 E12
Romain, Cape – przyl. 248-249 F8
Romaine, Rivière – rz. 244-245 T6
Roman BG 114-115 D6
Roman RO 114-115 G3
Romanche Fracture Zone – form.
podm. 308 J,K8
Romanche Gap – form. podm. 308 J7
Romang – w. 194-195 H7
Roman-Ko , gora – g. 142-143 M9
Romano, Cape – przyl. 248-249 D12
Romano, Cayo – w. 260-261 K1
Romanovka RUS 178-179 A8
Romanów PL (LBL) 76-77 D11
Romanshorn CH 120-121 E3
Romans-sur-Isère F 124-125 L6
Romanu RO 114-115 H4
Romanyá de la Selva E 130-131 N4
Romblon – w. 197 D5
Romblon RP 197 D5
Rome USA (GA) 248-249 C7
Rome USA (NY) 248-249 H3
Rome USA (OR) 252-253 F5
Romilly-sur-Seine F 124-125 J3
Rommerskirchen D 126 E3
Romney USA (WV) 248-249 F5
Romny UA 142-143 M3
Rømø – w. 138-139 E7
Romodan UA 142-143 M3
Romodanovo RUS 144-145 K6
Romont CH 120-121 B4
Romorantin-Lanthenay F 124-125 H4
Romppala FIN 136-137 H6
Romsda Isfiorden – zat. 136-137 b6
Romsey GB 128-129 L10,11
Romuli RO 114-115 E2
Ron, Mui – przyl. 192-193 E4
Ron VN 192-193 E4
Ronan USA (MT) 252-253 G3
Ronas Hill – g. 128-129 L1
Ronave NAU 298 J9
Roncador Bank – form. podm.
260-261 J6
Roncador, Cayos – w-y 260-261 K6
Roncador, Serra do – g-y 278-279 C5
Ronchamp F 120-121 B3
Ronco – rz. 120-121 H6
Ronco Canavese I 120-121 C5
Ronco Scrivia I 120-121 D6
Ronda E 130-131 F9
Ronda IND 190-191 D1
Ronda, Serranía de – g-y 130-131 F9
Rondane – g. 136-137 C,c7
Rønde DK 138-139 G6
Ronde USA (OR) 252-253 C4
Rondônia – jedn. adm. BR 276-277 E6
Rondonópolis BR 278-279 C6
Rondón CO 276-277 C2
Ronehamn S 138-139 O5
Rong Xian CHN 200-201 C6
Rong'an CHN 200-201 C5
Rongcheng CHN 200-201 D2
Rongcheng CHN 200-201 F2
Rongelap Atoll – w. 290-291 I3
Rongerik Atoll – w. 290-291 I3
Rongjiang CHN 200-201 C5
Rongkop RI 194-195 O11
Rongshui Miaozu Zizhixian CHN
200-201 C5
Rõngu EST 140-141 H3
Ronnan – rz. 138-139 I2
Rønne DK 138-139 K7
Ronne Entrance – zat. 311 R2
Rönneå – rz. 138-139 J6
Ronneby S 138-139 L6
Ronnebyån – rz. 138-139 L6
Rönnskär S 136-137 F5
Ronse B 126 B4
Ronuro, Rio – rz. 278-279 C5
Roodeschool NL 126 E1
Roof Butte – g. 252-253 J8
Rooniu – g. 299 E5
Roorkee IND 190-191 D3
Roosendaal NL 126 C3
Roosevelt, Mount – g. 244-245 G5
Roosevelt USA (TX) 250-251 D10
Roosevelt USA (UT) 252-253 I6
Roosevelta, Wyspa 311 I2
Roosna-Alliku EST 140-141 G2
Roosvelt, Rio – rz. 276-277 E5
Ropa – rz. 80-81 F9
Ropa PL (MŁP) 80-81 F9
Ropczyce PL (PKR) 80-81 E9
Ropeid N 138-139 B3
Roper – rz. 296-297 E1
Ropša EST 140-141 I2
Roquefort F 124-125 F7
Roquemaure F 124-125 K7
Roques, Islas Los – w-y 276-277 D1
Roquetas de Mar E 130-131 I9
Roraima – jedn. adm. BR 276-277 E3
Roraima, Monte – g. 272 G4
Røros N 136-137 c6
Rorschach CH 120-121 E3
Ros – rz. 140-141 F8,9
Ros – rz. 142-143 K4
Ros' BY 140-141 F8
Ros Comain – jedn. adm. IRL
128-129 C1
Ros Comáin IRL 128-129 E8
Rosa – przyl. 132-133 C12
Rosa, Góra – form. podm. 258-259 B4
Rosa, Lake – jez. 262-263 G3
Rosa, Monte – g-y 120-121 C5
Rosa Morada – g. 258-259 G6
Rosa, Punta – przyl. 258-259 D4
Rosa Z 224-225 F5
Rosal de la Frontera E 130-131 D7,8
Rosala – w. 140-141 D2
Rosales MEX 258-259 G3
Rosalia USA (WA) 252-253 F3
Rosalind Bank – form. podm.
260-261 J4
Rosamond Lake – jez. 252-253 F9
Rosamorada MEX 258-259 G6
Rosario, Bahía del – zat. 258-259 A3
Rosario Bank – form. podm.
260-261 H3
Rosário BR 278-279 E3
Rosario, Cayo del – w. 260-261 J2
Rosario de la Frontera RA 280-281 F3
Rosário do Sul BR 278-279 B9
Rosario, Islas de – w-y 276-277 B1
Rosario MEX 258-259 B2
Rosario MEX 258-259 E4
Rosario MEX 258-259 F6
Rosário Oeste BR 278-279 B5
Rosario PY 278-279 B7
Rosario RA 280-281 F4
Rosario RP 197 C3
Rosario YV 276-277 C1
Rosarito MEX 258-259 C3
Rosarito MEX 258-259 C4
Rosarno I 132-133 J10
Rosas CO 276-277 B3
Rosawa – rz. 142-143 K4
Roščino RUS 140-141 K1
Roščinskoe KZ 176-177 J7
Roscoff F 124-125 B3
Roscommon – jedn. adm. IRL
128-129 C1
Roscommon IRL 128-129 E8
Roscommon USA (MI) 248-249 C2
Roscrea IRL 128-129 F9
Rose Atoll – w. 290-291 L6
Rose Peak – g. 252-253 J10
Rose XM 118-119 V16
Roseau USA (MN) 250-251 G1
Roseau WD 262-263 M6
Rosebery AUS 296-297 G7
Roseboro USA (NC) 248-249 F7
Rosebud Creek – rz. 252-253 K4
Rosebud Indian Reservation
– jedn. adm. USA 250-251 D4
Rosebud USA (MT) 252-253 K3
Rosebud USA (TX) 250-251 F10
Roseburg USA (OR) 252-253 C5
Rosedale AUS 296-297 I3
Roselini I 132-133 I,J12
Rosen BG 114-115 H7
Rosenberg USA (TX) 250-251 F11
Rosenhall GUY 276-277 F2
Rosenheim D 120-121 G3
Rosennock – g. 120-121 I4
Roses E 130-131 O3
Roses, Golf de – zat. 130-131 O3
Roseto degli Abruzzi I 132-133 I6
(Rosetta) – rz. 184-185 D6
(Rosetta) ET 222-223 F1
Roseville USA (CA) 252-253 D7
Rosia – dzieln. GBZ 127 R,S17
Rosia Bay – zat. 127 R17
Roșia Montană RO 114-115 D3
Roșia RO 114-115 C3
Rosica BG 114-115 H6
Rosiclare USA (IL) 250-251 J7
(Rosienie) LT 140-141 D6
Rosières-en-Santerre F 124-125 I2
Roșiești RO 114-115 H3
Rosignano Marittimo I 132-133 E5
Rosignol GUY 276-277 F2
Roșiori de Vede RO 114-115 F5
Rositz D 122-123 U13
Rosja – państwo 106-107 R4
Roskilde DK 138-139 I7
Roskoš – zb. 112-113 H5
Roslavl' RUS 144-145 H6
Röslerkopf – g. 126 E5
(Rosław) RUS 144-145 H6
Rosnowskie, Jezioro – zb. 70-71 A4
Rosow D 122-123 K3
Rosponden F 124-125 C3,4
Rosport L 127 B3
Rospuda – rz. 72-73 B10
Rospuda, Jezioro 72-73 A10
Ross AUS 296-297 H7
Ross Barnett Reservoir – zb.
250-251 J9
Ross Lake – jez. 252-253 D2
Ross NZ 298 D6
Ross River – rz. 244-245 F4
Ross River AUS 296-297 E3
Ross River CDN 244-245 F4
Rossa, Lodowiec Szelfowy 311 I1
Rossa, Morze 311 L2
Rossa, Wyspa 311 k2
Rossan Point – przyl. 128-129 D7
Rossano I 132-133 K9
Ross-Bethio SN 220-221 B5
Rosscarbery IRL 128-129 D,E10
Rosseau, Lake – jez. 248-249 F2
Rossel Island – w. 296-297 I1
Rossens CH 120-121 C4
Rossland CDN 252-253 E1
Rosslare Harbour IRL 128-129 G9
Rosslare IRL 128-129 G9
Rosslau D 122-123 I5
Rosso RIM 220-221 B5
Ross-on-Wye GB 128-129 K10
Rossos' RUS 144-145 I6
Rossosz PL (LBL) 76-77 D11
Røssvatnet – g. 136-137 d5
Røssvatnet – jez. 136-137 D5
Rossville USA (GA) 248-249 C7
Rosswein D 122-123 J5
Røst – w. 136-137 c4
Röstånga S 138-139 I,J7
Rostāq AFG 182-183 M8
Rostāq IR 187 E3
Rosthern CDN 244-245 K6
Roštkala TJ 182-183 N8
Rostock D 122-123 I2
Rostov RUS 144-145 I5
Rostov-na-Donu RUS 144-145 I,J7
(Rostów nad Donem) RUS
144-145 I,J7
(Rostów) RUS 144-145 I5
Rostrenen F 124-125 C3
Rostuša MK 118-119 H6
Roswell USA (NM) 250-251 B9
Rosyjska, Wyspa 176-177 P2
(Roś) BY 140-141 F8
Roś, Jezioro 72-73 B9
Rościszewo PL (MAZ) 76-77 C7
Rot – rz. 120-121 E2
Rota – g. 118-119 S15
Rota – w. 290-291 G3
Rota E 130-131 E9
Rota NIC 260-261 G6
Rotan USA (TX) 250-251 D9
Rote Weisseritz – rz. 122-123 Z14
Rotem Fertilizers IL 186 B4
Rotenburg an der Fulda D 122-123 F5
Rotenburg D 122-123 F3
Roth bei Nürnberg D 122-123 G7
Rothaar-hochgebirge – g-y 122-123 E6
Rothbury GB 128-129 K6
Rothenburg D 78-79 D2
Rothenburg ob der Tauber D
122-123 F7
Rothera – st. bad. 311 r3
Rotherham GB 128-129 L8
Rothes GB 128-129 J4
Rothesay GB 128-129 H6
Roti – w. 166-167 P11
Rotna – rz. 114-115 I3
Roto AUS 296-297 H5
Rotoiti, Lake – jez. 298 G3
Rotondella I 132-133 K8
Rotondo, Monte – g. 124-125 X13
Rotorua, Lake – jez. 298 F,G3
Rotorua NZ 298 F,G4
Rotselaar B 126 C4
Rott – rz. 120-121 I2
Rottenburg am Neckar D 120-121 D2
Rottenburg an der Laaber D
120-121 G2
Rottenmann A 120-121 J3
Rotterdam NL 126 C3
Rottnest Island – w. 296-297 A5
Rottum – w. 126 E1
Rottumeroog – w. 126 E1
Rottweil D 120-121 D2
Rotuma – w. 290-291 J6
Rotung IND 190-191 H3
Rötz D 122-123 I7
Roubaix F 124-125 J1
Roŭbick BY 140-141 F9
Roudnice nad Labem CZ 112-113 G5
Rouen F 124-125 H2
Rough – in. 128-129 N8
Rough River Lake – jez. 250-251 K7
Rouillac F 124-125 F6
Round Island Passage – cieśn. 299 A2
Round Mount – g. 296-297 I5
Round Valley Indian Reservation
– jedn. adm. USA 252-253 C7
Roundup USA (MT) 252-253 J3
Roura FGF 278-279 C2
Roussillon – reg. 124-125 I9
Rouxville ZA 226-227 E6
Rouyn-Noranda CDN 244-245 Q7
Rovaniemi FIN 136-137 G4
Rovanjska HR 118-119 C3
Rovato I 120-121 E5
Rovdino RUS 144-145 J4
Roven'ki RUS 142-143 R4
Roven'ky UA 142-143 S5
Rovenskaja Slabada BY 140-141 L9
Roveredo CH 120-121 E4
Rovereto I 120-121 G5
Rovigno HR 118-119 L10
Rovigo I 120-121 G5
Rovinari, Lacul – zb. 114-115 D5
Rovinari RO 114-115 D5
Rovinj HR 118-119 L10
Rovinjsko Selo HR 118-119 L10
Rovišće HR 118-119 D2
Rovkul'skoe, ozero – jez. 136-137 h5
Rovnoe RUS 140-141 J3
Rovuma – rz. 226-227 G2
Rowland USA (NC) 248-249 F7
Rowley Island – w. 244-245 Q3
Rowley Shoals – form. podm.
296-297 B2
Rowokół – g. 70-71 A5
Rowy PL (POM) 70-71 A5
Roxa, Ilha – w. 220-221 B6
Roxas RP 197 B6
Roxas RP 197 C5
Roxas RP 197 D6
Roxas RP 197 D7
Roxboro USA (NC) 248-249 F6
Roxburgh NZ 298 C7
Roxen – jez. 138-139 L4
Roxie USA (MS) 250-251 I10
Roy Hill AUS 296-297 C3
Roy USA (ID) 252-253 H5
Roy USA (MT) 252-253 J3
Roy USA (NM) 250-251 B8
Royal Bishop Bank – form. podm.
192-193 E6
Royal Canal – kan. 128-129 F8
Royal GB 128-129 L9
Royal Island – w. 248-249 G12
Royal Oak USA (MI) 248-249 D3
Royal Tunbridgel GB 128-129 N10
Royale, Isle – w. 250-251 J2
Royan F 124-125 E6
Roybon F 124-125 L6
Roye F 124-125 I2
Royston GB 128-129 M9
Royston USA (GA) 248-249 D7
Rožaj XM 118-119 H5
Rozdil'na UA 142-143 J7
Rozdol'ne UA 142-143 M8
Rozdrażew PL (WLP) 74-75 D5
Rozewie, Przylądek 70-71 A6
Rozivka UA 142-143 P,Q6
Rožňava SK 112-113 M7
Rožnjativ UA 142-143 D5
Rožnov pod Radhoštěm CZ
112-113 K6
Roznov RO 114-115 G3
Rozoga – rz. 72-73 B9
Rozogi PL (W-M) 72-73 B9
Rozovec BG 114-115 E7
Rozoy-sur-Serre F 126 C5
Rozprza PL (ŁDZ) 76-77 D7
Rozsgyesztvenka KZ 182-183 N1
Roztoczański Park Narodowy
80-81 E10
Roztocze – wyż. 48-49 E9
Roztoky CZ 112-113 G5
Rožyšče UA 142-143 E3
Roźwienica PL (MŁP) 80-81 F10
(Rożniatów) UA 142-143 D5
Rożnowskie, Jezioro – zb. 80-81 F8
Rożnów PL (MŁP) 80-81 F8
Ró – w. 134-135 K7
Ródos GR 134-135 J7
Rów Polski – rz. 74-75 D4
(Równe) UA 142-143 F3
Równia PL (MŁP) 80-81 F10
Różan PL (MAZ) 76-77 C9
Różana PL (LBL) 76-77 D11
Różanystok PL (PDL) 72-73 B11
Rrëshen AL 118-119 G6
Rtanj Samanjac – g-y 118-119 I4
Rtiščevo RUS 144-145 J6
Ruacana Falls – wdp. 224-225 B7
Ruahine Range – g-y 298 G4,5
Ru'ais UAE 187 E4
Ruang – w. 194-195 G5
Ruang Paildn Phumd K 192-193 D5
Ruapehu – wulk. 290-291 J8
Ruapuke Island – w. 298 C8
Ruatoria NZ 298 H3
Ruba BY 140-141 L6
Ruba LV 140-141 D5
Rubanivka UA 142-143 N6,7
Rubas – rz. 180-181 J3
Rubcovsk RUS 176-177 M7
Rubeho Mountains – g-y 224-225 G5
Rubel' BY 140-141 I10
Rübenau D 122-123 Y15
Rubeshioe J 202-203 H2
Rubi – rz. 224-225 E3
Rubik AL 118-119 G6
Rubikių – jez. 140-141 G6
Rubinéia BR 278-279 C7
Rubio YV 276-277 C2

Sai Kung – dzieln. CHN 196 C1
Sai Ying Pun – dzieln. CHN 196 B2
Saïak G 224-225 B4
Šā'ib al-Banāt, Ğabal – g. 222-223 F2
Saibai Island – w. 194-195 K7
Šaibāra, Ğazīrat – w. 188-189 C3
Saibi RI 194-195 B6
Saïda DZ 220-221 F2
Şaidā RL 186 B2
Saidaiji J 204-205 G8
Said-e Sefīd Rūd – jez. 184-185 M3
Saïdia MA 220-221 E1
Saidpur BD 190-191 T12
Šaiḫ Sa'd IRQ 184-185 L5
Saihu J 204-205 E8
Saijō J 204-205 F8
Saijō J 204-205 F9
Saiki J 202-203 E4
Šaim RUS 176-177 I5
Saima CHN 202-203 D2
Saimaa – jez. 104-105 O3
Saimbeyli TR 184-185 F3
Saimiański, Kanał 140-141 J1
Sain MEX 258-259 H6
Saindak IR 188-189 H3
Sains-Riohaumont F 126 B5
Saint Abb's Head – przyl. 128-129 K6
Saint Agnes – w. 128-129 G12
Saint Agnes GB 128-129 H11
Saint Albans GB 128-129 M10
Saint Alban's Head – przyl. 128-129 K,L11
Saint Albans USA (VT) 248-249 I2
Saint Albans USA (WV) 248-249 D5
Saint Albert CDN 244-245 I6
Saint André, Tanjona – przyl. 226-227 H3
Saint Andrew Sound – zat. 248-249 E9
Saint Andrews Bay – zat. 248-249 B10
Saint Andrews CDN 248-249 L2
Saint Andrews GB 128-129 K5
Saint Anne USA (IL) 250-251 K5
Saint Annes GBA 128-129 K12
Saint Ann's Bay JA 260-261 L3
Saint Anthony CDN 244-245 U6
Saint Anthony USA (ID) 252-253 I5
Saint Arnaud – g-y 298 E5,6
Saint Arnaud AUS 296-297 G6
Saint Augustine USA (FL) 248-249 E10
Saint Austell Bay – zat. 128-129 I11
Saint Austell GB 128-129 I11
Saint Barthélémy – w. 262-263 L5
Saint Bees Head – przyl. 128-129 I,J7
Saint Blaize, Cape – przyl. 226-227 D6
Saint Brideís Bay – zat. 128-129 H10
Saint Brides GB 128-129 H10
Saint Catharines CDN 244-245 P8
Saint Catherines Island – w. 248-249 E9
Saint Catherine's Point – przyl. 128-129 L11
Saint Charles USA (MO) 250-251 I6
Saint Christopher – w. 262-263 L5
Saint Clair, Lake – jez. 248-249 D3
Saint Clair River – rz. 248-249 D3
Saint Clair USA (MI) 248-249 D3
Saint Clair USA (MO) 250-251 I6
Saint Cloud USA (MN) 250-251 G3
Saint Croix – w. 262-263 K5
Saint Croix CDN 244-245 S7
Saint Croix Falls USA (WI) 250-251 H3
Saint Croix River – rz. 250-251 H3
Saint David's GB 128-129 H10
Saint David's Head – przyl. 128-129 H10
Saint Elias, Mount – g. 254-255 N3
Saint Eustatius – w. 262-263 L5
Saint Francis, Cape – przyl. 226-227 D6
Saint Francis USA (KS) 250-251 D6
Saint Francis USA (ME) 248-249 K1
Saint Francis USA (SD) 250-251 D4
Saint Francisbaai – zat. 226-227 E6
Saint Francisville USA (LA) 250-251 I10
Saint François – w. 226-227 L9
Saint George AUS 296-297 H4
Saint George Island – w. 248-249 C10
Saint George Island – w. 254-255 I4
Saint George, Point – przyl. 252-253 B6
Saint George USA (SC) 248-249 E8
Saint George USA (UT) 252-253 H8
Saint George's Bay – zat. 244-245 T7
Saint George's WG 262-263 L7
Saint Helena Sound – zat. 248-249 E8
Saint Helens GB 128-129 K8
Saint Helens, Mount – g. 252-253 C3
Saint Helens USA (OR) 252-253 C4
Saint Helier GBJ 128-129 K12
Saint Hubert B 126 D4
Saint Ignace Island – w. 250-251 K1
Saint Ignace USA (MI) 248-249 C1,2
Saint Ives GB 128-129 H11
Saint James, Cap – przyl. 244-245 F6
Saint James USA (MI) 248-249 B,C2
Saint James USA (MO) 250-251 I7
Saint Jo USA (TX) 250-251 F9
Saint John – rz. 220-221 D7
Saint John – w. 262-263 K4
Saint John CDN 244-245 S7
Saint John River – rz. 248-249 L1
Saint John USA (KS) 250-251 E6,7
Saint John's AG 262-263 M5
Saint John's CDN 244-245 V7
Saint John's Point – przyl. 128-129 H7
Saint Johns River – rz. 248-249 E10
Saint Johns USA (AZ) 252-253 J9
Saint Johns USA (MI) 248-249 C3
Saint Johnsbury USA (VT) 248-249 I2
Saint Joseph – w. 226-227 L9
Saint Joseph Island – w. 248-249 C,D1
Saint Joseph TT 262-263 M8
Saint Joseph USA (LA) 250-251 I10
Saint Joseph USA (MI) 248-249 B3
Saint Joseph USA (MO) 250-251 G6
Saint Keverne GB 128-129 H11
Saint Kilda – w-y 128-129 E4
Saint Kilda NZ 298 D7
Saint Kitts i Nevis – państwo 273 G3
Saint Lawrence AUS 296-297 H3
Saint Lawrence Island – w. 240 D3
Saint Lawrence River – rz. 240 N5
Saint Lazarus Bank – form. podm. 226-227 H2
Saint Leonard CDN 248-249 L1
Saint Louis River – rz. 250-251 H2
Saint Louis SN 220-221 B5
Saint Louis USA (MS) 250-251 J10
Saint Lóuis USA (MO) 250-251 I6
Saint Lucia – państwo 273 G3
Saint Lucia – w. 272 G3
Saint Lucia Channel – cieśn. 262-263 M6
Saint Lucia, Lake – jez. 226-227 F5
Saint Marc RH 262-263 G4
Saint Maries USA (ID) 252-253 F3
Saint Marks USA (FL) 248-249 C9
Saint Martin – w. 262-263 L4
Saint Martin – w. 190-191 G4
Saint Martin Island – w. 248-249 B2
Saint Martin's – w. 128-129 G12
Saint Martinville USA (LA) 250-251 I10
Saint Mary Lake – jez. 252-253 H2
Saint Mary Peak – g. 296-297 F5
Saint Mary Reservoir – zb. 252-253 H2
Saint Mary USA (MT) 252-253 H2
Saint Mary's – w. 128-129 G12
Saint Marys AUS 296-297 H7
Saint Mary's CDN 248-249 E3
Saint Marys, Lake – jez. 248-249 C4
Saint Marys River – rz. 248-249 C1
Saint Marys River – rz. 248-249 D,E9
Saint Marys USA (AK) 254-255 J3
Saint Marys USA (GA) 248-249 E9
Saint Marys USA (KS) 250-251 F6
Saint Marys USA (OH) 248-249 C4
Saint Marys USA (PA) 248-249 F4
Saint Marys USA (WV) 248-249 E5
Saint Matthew Island – w. 240 D3
Saint Matthews USA (KY) 248-249 C5
Saint Matthews USA (SC) 248-249 E8
Saint Michael in Oberösterreich A 120-121 J3
Saint Michael USA (AK) 254-255 J3
Saint Miguelito PA 260-261 K8
Saint Mitchell CDN 248-249 E3
Saint Neots GB 128-129 M9
Saint Paul – rz. 220-221 C,D7
Saint Paul CDN 244-245 J6
Saint Paul Island – w. 254-255 H4
Saint Paul USA (MN) 250-251 H3
Saint Paul USA (NE) 250-251 E5
Saint Paul USA (VA) 248-249 D6
Saint Peter Island – w. 296-297 E5
Saint Peter Port GBG 128-129 K12
Saint Peters CDN 244-245 T7
Saint Petersburg USA (FL) 248-249 D11
Saint Pierre – w. 226-227 K9
Saint Pierre MQ 262-263 M6
Saint Pierre SPM 244-245 U7
Saint Robert USA (MO) 250-251 H7
Saint Roch Basin – form. podm. 244-245 M3
Saint Sébastien, Tanjon'i – przyl. 226-227 I2
Saint Simon F 126 B5
Saint Simons Island – w. 248-249 E9
Saint Simons Island USA (GA) 248-249 E9
Saint Stephen CDN 244-245 S7
Saint Stephen USA (SC) 248-249 F8
Saint Stephen-Milltown CDN 248-249 L2
Saint Thomas – w. 262-263 K4
Saint Thomas CDN 244-245 P8
Saint Vincent – w. 272 G3
Saint Vincent, Cieśnina 262-263 M7
Saint Vincent i Grenadyny – państwo 273 G3
Saint Vincent Island – w. 248-249 C10
Saint Vincent, Tanjona – przyl. 226-227 H4
Saint Vincent USA (MN) 250-251 F1
Saint-Affrique F 124-125 I8
Saint-Aignan F 124-125 H4
Saint-Amand-en-Puisayet F 124-125 J4
Saint-Amand-les-Eaux F 124-125 J1
Saint-Amand-Mont-Rond F 124-125 I5
Saint-Ambrolx F 124-125 K7
Saint-Amour F 124-125 L5
Saint-André-de-Cubzac F 124-125 F6,7
Saint-André-les-Alpes F 120-121 B7
Saint-Antonin-Noble-Val F 124-125 H7
Saint-Astier F 124-125 G6
Saint-Aubin-du-Cornier F 124-125 E3
Saint-Augustin CDN 244-245 U6
Saint-Avold F 120-121 B1
Saint-Béat F 124-125 G9
Saint-Beauzély F 124-125 I7
Saint-Benoit F 124-125 G5
Saint-Benoit-du-Sault F 124-125 H5
Saint-Brieuc F 124-125 D3
Saint-Calais F 124-125 G4
Saint-Céré F 124-125 H7
Saint-Cergue CH 120-121 A4
Saint-Chamond F 124-125 K6
Saint-Chely-d'Apcher F 124-125 J7
Saint-Claude F 120-121 A4
Saint-Clément F 120-121 B2
Saint-Cosme-en-Vair F 124-125 G3
Saint-Cyr-sur-Mer F 124-125 L8
Saint-Denis F 124-125 H8
Saint-Denis F 124-125 I3
Saint-Denis REU 226-227 N12
Saint-Denis-d'Oléron F 124-125 E5
Saint-Dié F 120-121 B2
Saint-Dizier F 124-125 K,L3
Sainte Geneviev USA (MO) 250-251 I6,7
Sainte Rose GP 262-263 L5
Sainte-Agathe-des-Monts CDN 244-245 Q7
Sainte-Anne-de-Beaupré CDN 248-249 J1
Sainte-Anne-des Monts CDN 244-245 S7
Sainte-Croix CDN 248-249 J1
Sainte-Croix CH 120-121 B4
Sainte-Foy CDN 248-249 J1
Sainte-Foy l'Argentière F 124-125 K6
Sainte-Foy-la-Graande F 124-125 G7
Sainte-Geneviève-sur-Argence F 124-125 I7
Saint-Élie FGF 278-279 C1
Sainte-Livrade-sur-Lot F 124-125 G7
Saint-Eloy-les-Mines F 124-125 I5
Sainte-Marie MQ 262-263 M6
Sainte-Marie-aux-Mines F 120-121 B2
Sainte-Maure-de-Touraine F 124-125 G4
Sainte-Maxime F 124-125 M8
Sainte-Menehould F 124-125 K2
Sainte-Mère-Église F 124-125 E2
Saint-Erme-Outre-et-Ramecourt F 124-125 J2
Saintes F 124-125 F6
Saintes, Îles des – w-y 262-263 L6
Sainte-Savine F 124-125 J3
Saintes-Maries-de-la-Mer F 124-125 K8
Saint-Étienne F 124-125 K6
Saint-Fargeau F 124-125 J4
Saint-Felicien CDN 244-245 R7
Saint-Florent F 124-125 Y13
Saint-Florent, Golfe de – zat. 124-125 X,Y13
Saint-Florentin F 124-125 J3
Saint-Florent-sur-Cher F 124-125 I4,5
Saint-Flour F 124-125 J6
Saint-Gaultier F 124-125 H5
Saint-Genix-sur-Guiers F 124-125 L6
Saint-Georges FGF 278-279 C2
Saint-Germain-des-Fossés F 124-125 J5
Saint-Germain-en Laye F 124-125 H3
Saint-Gervais-d'Auvergne F 124-125 I5
Saint-Gervais-les-Bains F 120-121 B5
Saint-Gervais-sur-Mare F 124-125 I8
Saint-Gildas, Pointe de – przyl. 124-125 D4
Saint-Gilles F 124-125 K8
Saint-Gilles-Croix-de-Vie F 124-125 D5
Saint-Girons F 124-125 H9
Saint-Girons-en-Marensis F 124-125 E8
Saint-Guardens F 124-125 G8
Sainthia IND 190-191 S12
Saint-Hilaire-de-Villefranche F 124-125 F6
Saint-Hilaire-du Harcourët F 124-125 E3
Saint-Hippolyte F 120-121 B3
Saint-Hyacinthe CDN 248-249 I2
Saint-Imier CH 120-121 C3
Saint-Ineix-la-Parche F 124-125 H6
Saint-James F 124-125 E3
Saint-Jean FGF 278-279 C1
Saint-Jean Lake – jez. 244-245 R7
Saint-Jean-d-'Angély F 124-125 F6
Saint-Jean-de-luz F 124-125 E8
Saint-Jean-de-Monts F 124-125 D5
Saint-Jean-en-Auxois F 124-125 L4
Saint-Jean-Pied-de-Port F 124-125 E8
Saint-Jean-Port-Joli CDN 248-249 J1
Saint-Jean-sur-Richelieu CDN 244-245 R7
Saint-Jérôme CDN 244-245 Q7
Saint-Joseph NC 299 K14
Saint-Joseph REU 226-227 O12
Saint-Jovité CDN 248-249 H1
Saint-Juér F 124-125 I8
Saint-Julien-de-Concelles F 124-125 E4
Saint-Julien-en-Born F 124-125 E7
Saint-Julien-les-Villas F 124-125 K3
Saint-Junien F 124-125 G6
Saint-Just-en-Chaussee F 124-125 I2
Saint-Laurent FGF 278-279 C1
Saint-Laurent, Fleuve – rz. 240 N5
Saint-Laurent-de-la-Salanque F 124-125 I,J9
Saint-Laurent-en-Grandvaux F 120-121 A4
Saint-Laurent-et-Benon F 124-125 E6
Saint-Léger B 126 D5
Saint-Léonard-de-Noblat F 124-125 H6
Saint-Lô F 124-125 E2
Saint-Lyé F 124-125 J3
Saint-Lys F 124-125 H8
Saint-Maixent-l'Ecole F 124-125 F5
Saint-Malo F 124-125 D3
Saint-Malo, Golfe de – zat. 124-125 D3
Saint-Marc, Canal de – cieśn. 262-263 G4
Saint-Marcellin F 124-125 L6
Saint-Mars-la Jaille F 124-125 E4
Saint-Martin-de-Ré F 124-125 E5
Saint-Martin-Vésubie F 120-121 C6
Saint-Maurice CH 120-121 B4
Saint-Maurice, Rivière – rz. 248-249 I2
Saint-Maxent F 124-125 H1
Saint-Maximin-la-Sainte-Baume F 124-125 L8
Saint-Médard-en-Jalles F 124-125 E7
Saint-Méen-le Grand F 124-125 D3
Saint-Michel-de-Maurienne F 120-121 B5
Saint-Michel-des-Saints CDN 248-249 H1
Saint-Mihiel F 120-121 A2
Saint-Nazaire F 124-125 D4
Saint-Omer F 124-125 H1
Saintonge – reg. 124-125 F6
Saint-Palais F 124-125 E,F8
Saint-Pamphile CDN 248-249 K1
Saint-Pascal CDN 248-249 K1
Saint-Patrice, Lac – jez. 248-249 G1
Saint-Paul, Île – w. 309 r8
Saint-Paulien F 124-125 J6
Saint-Paul-les-Dax F 124-125 E8
Saint-Pierre i Miquelon – teryt. zal. F 244-245 U7
Saint-Pierre, Lac – jez. 248-249 I1
Saint-Pierre REU 226-227 N12
Saint-Pierre-d'Oléron F 124-125 E6
Saint-Pol-de-Léon F 124-125 B3
Saint-Pol-sur-Ternoise F 124-125 I1
Saint-Pons F 124-125 I8
Saint-Quentin F 124-125 J2
Saint-Raphaël F 124-125 M8
Saint-Saulge F 124-125 J4
Saint-Sauveur-sur-Tinée F 120-121 B6
Saint-Seine-en-Auxois F 124-125 K4
Saint-Servan-sur-Mer F 124-125 E3
Saint-Severs F 124-125 F8
Saint-Siméon CDN 248-249 J1
Saint-Sulpice F 124-125 H8
Saint-Sulpice-les-Feuilles F 124-125 G,H5
Saint-Symphories F 124-125 F7
Saintt-Benoit REU 226-227 O12
Saint-Tropez F 124-125 M8
Saint-Urbain CDN 248-249 J1
Saint-Valéry-en Caux F 124-125 G2
Saint-Valery-sur-Somme F 124-125 H1
Saint-Vallier F 124-125 K6
Saint-Vasst-la-Hougue F 124-125 E2
Saint-Vincent I 120-121 C5
Saint-Yorre F 124-125 J5
Saipan – w. 290-291 G3
Šā'ir, Ğabal aš- – g. 184-185 G4
Saitama – jedn. adm. J 204-205 L6
Saiți MD 114-115 J3
Saitlai MYA 192-193 B3
Saito J 202-203 E4
Sai'ün Y 188-189 E5
Saivitaipale FIN 138-139 Y1
Saivomuotka S 136-137 F3
Saj Utjëst KZ 182-183 E4
Saja – rz. 130-131 G2
Sajak KZ 182-183 R3
Sajama – g. 272 G6
Sajama, Nevado – g. 276-277 D7
Šajan KZ 182-183 M5
Sajan Wschodni – g-y 176-177 O6
Sajan Zachodni – g-y 176-177 N7
Sajanogorsk RUS 176-177 O7
Sajano-Suszeński, Zbiornik 176-177 O7
Sajansk RUS 176-177 Q7
Sajany – g-y 166-167 L4
Sajda-Guba RUS 136-137 I3
Šajdon TJ 182-183 N6
Sajdy RUS 178-179 E5
Šajince XS 118-119 J5
Sajkyn KZ 182-183 B2
Šajmak IND 190-191 C1
Šajmak TJ 182-183 P8
Sajna – rz. 72-73 A9
Sajno, Jezioro 72-73 B11
Sajnšand MAU 198-199 I3
Sajó – rz. 112-113 M7,8
Sajószentpéter Edelény H 112-113 M7
Sajylyk RUS 178-179 F5
Sak – rz. 226-227 D6
Saka EAK 224-225 G4
Saka Geçidi – przeł. 134-135 J6
Sakai J 204-205 H8
Sakaide J 204-205 F8
Sakaiminato J 204-205 F7
Sakakawea, Lake – jez. 250-251 C2
Sakala kõrgustik – wysocz. 140-141 G4
Sakaltutan Geçidi – przeł. 184-185 H2
Sakami, Lac – jez. 244-245 Q6
Sakania ZRE 224-225 E6
Sakao – w. 299 K11
Sakar – g-y 114-115 G8
Sakar TM 182-183 J7
Sakaraha RM 226-227 H4
Sakarçäge TM 182-183 I8
Sakari J 204-205 N3
Sakarya – jedn. adm. TR 134-135 L3
Sakarya Nehri – rz. 104-105 P7
Sakarya TR 134-135 L3
Sakata J 204-205 L4
Sakchu KOR 202-203 D2
Sakeni ABC 180-181 C1
Sakeny – rz. 226-227 I3,4
Sakété DY 220-221 F7
Sakhon Nakhon THA 192-193 D4
Saki WAN 220-221 F7
Šakiai LT 140-141 D6,7
Sakir – g. 188-189 I2
Sakishima-shotō – w-y 166-167 P7
Sakmara – rz. 144-145 M6
Sakra, Pulau – w. 196 H9
Sakrand PK 188-189 I3
Sakrivier ZA 226-227 C6
Sakskøbing DK 138-139 H8
Saksonia – jedn. adm. D 122-123 I5
Saksonia-Anhalt – jedn. adm. D 122-123 H4
Saksun FR 127 D4
Sakti IND 190-191 E4
Saktisgarh IND 190-191 Q12
Saku J 204-205 K6
Sakuma J 204-205 J7
Sakura J 204-205 M7
Sakurae J 204205 E8
Saky UA 142-143 M8
Sakyatan TR 134-135 N6
Säkylä FIN 138-139 S1
Sal – rz. 144-145 J7
Sal, Cay – w. 262-263 C2
Sal, Ilha do – w. 220-221 L12
Šāl IR 184-185 M4
Sal, Punta – przyl. 260-261 G5
Sal Rei CV 220-221 L12
Sala Consilina I 132-133 J8
Sala S 138-139 M3
Šala SK 112-113 J7
Sala y Gómez, Isla – w. 290-291 S7
Sala y Gómez Ridge – form. podm. 290-291 R7
Salabangka, Kepulauan – w-y 194-195 G6
Salaberry de-Valleyfield CDN 244-245 Q7
Salaca – rz. 140-141 F4
Salacgrīva LV 140-141 E,F4
Salada – g. 130-131 K6
Salada, Laguna – jez. 258-259 B1
Saladas RA 280-281 G3
Saladillo, Arroyo del – rz. 280-281 F4
Saladillo RA 280-281 G5
Saladillo, Río – rz. 280-281 F4
Salado, Arroyo – rz. 280-281 E6
Salado, Río – rz. 258-259 I4
Salado, Río – rz. 272 G7
Salado, Río – rz. 130-131 G8
Salaga GH 220-221 E7
Şalāḥaddīn – jedn. adm. IRQ 184-185 J4
Sala'ilua WS 298 K11
Salair RUS 176-177 M7
Sălaj – jedn. adm. RO 114-115 C2
Salak – wulk. 194-195 M10
Šalakas LT 140-141 H6
Šalakuša RUS 144-145 J4
Salal TCH 222-223 C5
Salāla OM 188-189 F5
Salala RCH 280-281 D4
Salāla SUD 222-223 G3
Salamá GCA 260-261 E5
Salama WAL 220-221 C7
Salaman RP 197 D8
Salamanca E 130-131 F5
Salamanca MEX 258-259 I7
Salamanca PA 260-261 Q10
Salamanca USA (NY) 248-249 F3
Salamat, Bahr – rz. 222-223 C6
Salāmatābād IR 184-185 L4
Salamina – w. 134-135 E6
Salamina CO 260-261 M7
Salamina CO 276-277 B2
Salamína GR 134-135 E6
Salamís – r. 134-135 O8
Salamīya SYR 184-185 G4
Salanda TR 134-135 P5
Salangen N 136-137 E3
Salani WS 298 L12
Salantai LT 140-141 C5
Salaquí, Río – rz. 260-261 L9
Salar de Pocitos RA 280-281 E2
Sălard RO 114-115 B2
Salas de los Infantes E 130-131 H3
Salas E 130-131 E2
Salaš XS 118-119 J3
Salatiga RI 194-195 O10
Šalaurova, mys – przyl. 178-179 G4
Salaverry PE 276-277 B5
Salawati – w. 290-291 E5
Salay RP 197 E7
Salazar RA 280-281 F5
Salazar, Río – rz. 130-131 J3
Salbris F 124-125 H4
Šalbuzdag, gora – g. 180-181 I3
Salčia – rz. 140-141 G7
Salcia RO 114-115 C5
Salcia RO 114-115 E6
Šalčininkai LT 140-141 G7
Săliciua RO 114-115 L11
Salda Gölü – jez. 134-135 K6
Salda TR 134-135 K6
Saldaña E 130-131 G3
Saldanha ZA 226-227 C6
Salde SN 220-221 C5
Saldo, Riacho – rz. 280-281 G3
Saldus LV 140-141 D5
Sale AUS 296-297 H6
Sale I 120-121 D5,6
Salé MA 220-221 D2
Sale SYR 186 C3
Salebabu – w. 197 F9
Salechard RUS 176-177 J4
Saleh, Teluk – zat. 194-195 F7
Şāleḥābād IR 184-185 K,L5
Şāleḥābād IR 182-183 I9
Salem IND 190-191 D6
Salem USA (AR) 250-251 I7
Salem USA (IL) 250-251 J6
Salem USA (IN) 248-249 B5
Salem USA (MA) 248-249 J3
Salem USA (MO) 250-251 I7
Salem USA (NH) 248-249 J3
Salem USA (OH) 248-249 E4
Salem USA (OR) 252-253 C4
Salem USA (SD) 250-251 F4
Salem USA (VA) 248-249 E6
Salemes F 124-125 M8
Salemi I 132-133 G11
Sälen S 138-139 J1
Salentyński, Półwysep 132-133 L8
Salerno, Golfo di – zat. 132-133 I8
Salerno I 132-133 I8
Salers F 124-125 I6
Salez CH 127 F,G6
Sălfalva RO 114-115 N11,12

San Juan de los Morros YV 276-277 D2
San Juan del Norte, Bahía de – zat. 260-261 I7
San Juan del Norte NIC 260-261 I7
San Juan del Río MEX 258-259 G5
San Juan del Río MEX 258-259 I7
San Juan del Sur NIC 260-261 H7
San Juan DOM 262-263 H4
San Juan, Embalse de – zb. 130-131 G5
San Juan Evangelista MEX 258-259 L9
San Juan Islands – w-y 252-253 C2
San Juan Moutains – g-y 252-253 K8
San Juan Nepomuceno CO 260-261 M8
San Juan PE 276-277 B,C7
San Juan PR 262-263 J4
San Juán RA 280-281 E4
San Juan, Río – rz. 258-259 F4
San Juan, Río – rz. 258-259 J5
San Juan, Río – rz. 258-259 L8
San Juan, Río – rz. 260-261 H7
San Juan, Río – rz. 262-263 L8
San Juan, Río – rz. 276-277 B3
San Juan, Río – rz. 276-277 B6
San Juan River – rz. 252-253 J8
San Juan RP 197 E6
San Juan RP 197 F7
San Juan, Volcán – wulk. 258-259 G7
San Juanito, Bahía – zat. 258-259 C4
San Juanito, Isla – w. 258-259 I7
San Juanito MEX 258-259 F3
San Justo RA 280-281 F4
San Lawrenz M 127 K11
San Lázaro, Cabo – przyl. 258-259 C5
San Lázaro, Sierra de – g-y 258-259 D,E6
San Leonardo – rz. 132-133 H11
San Leonardo de Yagüe E 130-131 H4
San Lorenzo – g. 130-131 H3
San Lorenzo – r. 258-259 L9
San Lorenzo al Mare I 120-121 C,D7
San Lorenzo BOL 276-277 D6
San Lorenzo BOL 276-277 E8
San Lorenzo, Cerro – g. 280-281 D7
San Lorenzo de El Escorial E 130-131 G5
San Lorenzo de Morunys E 130-131 M3
San Lorenzo EC 276-277 B3
San Lorenzo HN 260-261 G6
San Lorenzo HR 118-119 L10
San Lorenzo, Isla – w. 258-259 C3
San Lorenzo MEX 258-259 D2
San Lorenzo MEX 258-259 H5
San Lorenzo PE 276-277 C6
San Lorenzo PY 278-279 B8
San Lorenzo RA 280-281 F4
San Lorenzo, Río – rz. 258-259 J5
San Lucas MEX 258-259 C,D5
San Lucas MEX 258-259 E6
San Lucas MEX 258-259 G6
San Luis Acatlán MEX 258-259 J9
San Luis C 260-261 I1
San Luis C 260-261 M2
San Luis de la Paz MEX 258-259 I7
San Luis de Montes Belos BR 278-279 C6
San Luis del Cordero MEX 258-259 G5
San Luis GCA 260-261 F4
San Luis, Isla – w. 258-259 B3
San Luis, Lago de – jez. 276-277 E6
San Luis MEX 258-259 D5
San Luis Obispo Bay – zat. 252-253 D9
San Luis Obispo USA (CA) 252-253 D9
San Luis, Point – przyl. 252-253 D9
San Luis Potosí MEX 258-259 I6
San Luis RA 280-281 E4
San Luis Reservoir – zb. 252-253 D8
San Luis Rio Colorado MEX 258-259 B1
San Luis USA (CO) 252-253 L8
San Mamed, Sierra de – g-y 130-131 D3
San Manuel USA (AZ) 252-253 I10
San Marcello Pistoiese I 120-121 F6
San Marcial MEX 258-259 D3
San Marco Argentano I 132-133 J9
San Marco, Capo – przyl. 132-133 C9
San Marco in Lamis I 132-133 J7
San Marcos CO 260-261 M8
San Marcos GCA 260-261 E5
San Marcos, Isla – w. 258-259 C,D4
San Marcos MEX 258-259 G7
San Marcos MEX 258-259 J9
San Marcos RCH 280-281 D4
San Marcos, Sierra de – g-y 258-259 H4
San Marcos USA (TX) 250-251 E11
San Marino – państwo 106-107 L7
San Marino – rz. 127 O14
San Marino RSM 127 O14
San Martín CO 276-277 C3
San Martin de Elines E 130-131 H3
San Martin de Unx E 130-131 J3
San Mártin de Valdeiglesias E 130-131 G5
San Martin, Isla – w. 258-259 A2
San Martín, Lago – jez. 280-281 D7
San Martín MEX 258-259 J7
San Martín Pajapán, Volcán – wulk. 258-259 L8
San Martín RA 280-281 E4
San Martín, Río – rz. 276-277 E6
San Martín Tuxtla, Volcán – wulk. 258-259 L8
San Mateo E 130-131 L5
San Mateo Ixtatán GCA 260-261 E5
San Mateo USA (CA) 252-253 C8
San Mateo YV 276-277 E2
San Matías BOL 276-277 F7
San Miguel Bay – zat. 197 D4
San Miguel BOL 276-277 E7
San Miguel Creek – rz. 250-251 E11
San Miguel de Allende MEX 258-259 I7
San Miguel de Huachi BOL 276-277 D7
San Miguel de Tacumán RA 280-281 E3
San Miguel EC 276-277 B4
San Miguel el Alto MEX 258-259 H7
San Miguel ES 260-261 F6
San Miguel, Golfo de – zat. 260-261 K8
San Miguel Island – w. 252-253 D9
San Miguel Islands – w-y 197 B8
San Miguel MEX 260-261 B4
San Miguel PA 260-261 K8
San Miguel PE 276-277 C6
San Miguel, Río – rz. 258-259 D3
San Miguel, Río – rz. 258-259 F4
San Miguel, Río – rz. 276-277 E6
San Miguel River – rz. 252-253 J7
San Miguel, Volcán de – wulk. 260-261 F6
San Miguelito MEX 258-259 E2
San Miguelito NIC 260-261 H7
San Miniato I 132-133 E5
San Narciso RP 197 B4
San Nicola, Isola – w. 132-133 J6
San Nicolás, Bahía – zat. 258-259 D4
San Nicolás, Bahía – zat. 276-277 B7
San Nicolas de los Garza MEX 258-259 I4,5
San Nicolas Island – w. 252-253 E10
San Nicolás RA 280-281 F4
San Nicolás, Río – rz. 258-259 G8
San Pablo BOL 276-277 D8
San Pablo BOL 276-277 E7
San Pablo Huitzo MEX 258-259 K9
San Pablo MEX 258-259 J7
San Pablo MEX 258-259 N8
San Pablo, Punta de – przyl. 258-259 B4
San Pablo RA 280-281 E8
San Pablo RP 197 C4,5
San Pascual RP 197 D5
San Pawl il-Bahar M 127 L12
San Pedro Bay – zat. 197 E6
San Pedro BH 260-261 G4
San Pedro BOL 276-277 E7
San Pedro de Aiquile BOL 276-277 D7
San Pedro de Arimena CO 276-277 C3
San Pedro de Atacama RCH 280-281 E2
San Pedro de Buena Vista BOL 276-277 D7
San Pedro de Ceque E 130-131 E3
San Pedro de las Colonias MEX 258-259 H5
San Pedro de Lloc PE 276-277 A5
San Pedro del Gallo MEX 258-259 G5
San Pedro Macorís DOM 262-263 I4
San Pedro Mártir MEX 258-259 B2
San Pedro Mártir, Sierra de – g-y 258-259 B2
San Pedro MEX 258-259 D6
San Pedro Nolasco, Isla – w. 258-259 D4
San Pedro, Punta – przyl. 260-261 H8
San Pedro, Punta – przyl. 280-281 D3
San Pedro PY 278-279 B7
San Pedro RA 280-281 F2
San Pedro RA 280-281 F4
San Pedro, Río – rz. 258-259 G6
San Pedro, Río – rz. 258-259 M8
San Pedro, Río – rz. 260-261 K2
San Pedro, Rio – rz. 278-279 E4
San Pedro River – rz. 252-253 I10
San Pedro RP 197 C5
San Pedro, Sierra de – g-y 130-131 E6
San Pedro Sula HN 260-261 G5
San Pedro Totolapan MEX 258-259 K9
San Pedro, Volcán – wulk. 272 G7
San, Phou – g. 192-193 D4
San Pietro, Isola di – w. 132-133 B9
San Pietro Vernotico I 132-133 L8
San Quintín, Cabo – przyl. 258-259 A2
San Quintín E 130-131 G7
San Quintin MEX 258-259 A2
San Quintini, Bahía de – zat. 258-259 A2
San Rafael MEX 258-259 I5
San Rafael RA 280-281 E4
San Rafael River – rz. 252-253 I7
San Rafael USA (CA) 252-253 C8
San Ramon PE 276-277 B6
San Ramón, Bahía – zat. 258-259 A2
San Ramón de la Nueva Orán RA 280-281 F2
San Remo I 120-121 C7
San RMM 220-221 E6
San Román, Cabo – przyl. 262-263 H7
San Roque E 130-131 F9
San Saba River – rz. 250-251 E10
San Saba USA (TX) 250-251 E10
San Salvador – w. 262-263 F2
San Salvador de Jujuy RA 280-281 E2
San Salvador El Seco MEX 258-259 K8
San Salvador ES 260-261 F6
San Salvatore Monferrato I 120-121 D5,6
San Sebasián, Bahía – zat. 280-281 E8
San Sebastián De La Gomera E 220-221 B3
San Sebastián E 130-131 I2
San Sebastián MEX 258-259 G7
San Sebastián RA 280-281 E8
San Severino Marche I 132-133 G5
San Severo I 132-133 J7
San Simeon USA (CA) 252-253 D9
San Simon USA (AZ) 252-253 J10
San Stefano di Camastra I 132-133 I10
San Stino di Livenza I 120-121 H5
San Telmo MEX 258-259 A2
San Telmo, Punta – przyl. 258-259 G8
San Tiburcio MEX 258-259 H5
San Timoteo YV 262-263 H9
San Valentín, Cerro – g. 280-281 D7
San Vicente de Alcántara E 130-131 D6
San Vicente de Cañete PE 276-277 B6
San Vicente de la Barquera E 130-131 G2
San Vicente MEX 258-259 A2
San Vicente RP 197 D2
San Vigilio I 120-121 G4
San Vincente ES 260-261 F6
San Vincente, Presa – zb. 258-259 J5
San Vincente, Volcán de – wulk. 260-261 F6
San Vincenzo I 132-133 E5
San Vito al Tagliamento I 120-121 H5
San Vito, Capo – przyl. 132-133 G10
San Vito dei Normanni I 132-133 L8
San Vito di Cadore I 120-121 H4
San Xavier Indian Reservation – jedn. adm. USA 252-253 I11
San Ygnacio USA (TX) 250-251 E12
Sana – rz. 118-119 D3
(Sana) Y 188-189 D5
San'ā' Y 188-189 D5
Sanae – st. bad. 311 b2
Sanāfir, Ğazīrat – w. 184-185 F8
Sanaga – rz. 216 E5
Sanak Island – w. 254-255 J5
Sanak Islands – w-y 254-255 J5
Sanana – w. 194-195 H6
Sanana RI 194-195 H6
Sanandağ IR 184-185 L4
Sanandita BOL 276-277 E8
Sânandrei RO 114-115 B4
Sanāw Y 188-189 F5
Sanbe-san – g. 204-205 E7
Sanborn USA (MN) 250-251 G3
Sancak TR 180-181 B5
Sançali Tepesi – g. 134-135 M3
Sancerre F 124-125 I4
Sánchez DOM 262-263 I4
Sánchez Magallanes MEX 258-259 L8
Sanchong TWN 196 G3
Sanch'ŏng ROK 202-203 D4
Sanchor IND 190-191 C4
Sancoins F 124-125 I,J5
Sancti Spiritus C 260-261 K2
Sancti-Spiritus E 130-131 E5
Sančursk RUS 144-145 K5
Sancy, Puy de – g. 104-105 J6
Sand – rz. 226-227 E4
Sand Hills – g-y 250-251 C4,5
Sand in Taufers I 120-121 G4
Sand Island – w. 250-251 I2
Sand N 138-139 C3
Sand Point USA (AK) 254-255 J4
Sand Springs USA (OK) 250-251 F7
Sanda Island – w. 128-129 H6
Sanda J 204-205 H8
Sandai RI 194-195 E6
Sandakan MAL 194-195 F4
Sandal, Baie de – zat. 299 K14
Sândăn K 192-193 E5
Sandane N 136-137 b7
Sandanski BG 114-115 D8
Sandaré RMM 220-221 C6
Sandavágur FR 127 D4
Sanday – w. 128-129 G4
Sanday – w. 128-129 K2
Sanday Sound – cieśn. 128-129 K2
Sandbäck S 138-139 K6
Sanddøla – rz. 136-137 D5
Sande D 122-123 D3
Sande N 138-139 G3
Sandefjord N 138-139 G3
Sandeid N 138-139 B3
Sanders USA (AZ) 252-253 J9
Sanderson USA (TX) 250-251 C10
Sandersville USA (GA) 248-249 D8
Sandfontein NAM 226-227 C4
Sandhammaren S 138-139 J,K7
Sandhaug N 138-139 D2
Sandhornøya – w. 136-137 D4
Sandi IND 190-191 O11
Sandī SUD 222-223 F4
Sandia Crest – g. 252-253 K9
Sandia PE 276-277 D6
Sandiao Jiao – przyl. 196 G4
Sandıklı TR 134-135 L5
Sandila IND 190-191 P11
Sanding – w. 194-195 C6
Sandnes N 138-139 B4
Sandness GB 128-129 L1
Sandnessjøen N 136-137 c5
Sando E 130-131 E5
Sandoa ZRE 224-225 D5
Sandomierska, Kotlina 48-49 E8
Sandomierz PL (ŚW) 80-81 E9
Sândomonic RO 114-115 Q10
Sandover – rz. 296-297 E3
Sandoway MYA 192-193 B4
Sandown-Shanklin GB 128-129 L11
Sandoy – w. 127 E5
Sandset N 136-137 d3
Sandsfjorden – zat. 138-139 C3
Sandstad N 136-137 C6
Sandstone AUS 296-297 B4
Sandstone USA (MN) 250-251 H2
Sandu Ao – zat. 200-201 E5
Sandu CHN 200-201 D5
Sandu Shuizu Zizhixian CHN 200-201 B5
Sânduleni RO 114-115 G3
Sanduo CHN 200-201 E3
Sandur FR 127 E5
Sandusky USA (MI) 248-249 D3
Sandusky USA (OH) 248-249 D4
Sandverhaar NAM 226-227 C5
Sandvik S 138-139 M5
Sandviken S 138-139 M2
Sandwich Południowy – w-y 308 I13
Sandwip BD 190-191 G4
Sandwip Island – w. 192-193 B3
Sandy Bay – zat. 127 S17
Sandy Point BS 248-249 G11,12
Sandykgaçy TM 182-183 I8
Sanem L 127 A2
Sånfjället – g. 136-137 D6
Sanford USA (FL) 248-249 E10
Sanford USA (ME) 248-249 J3
Sanford USA (NC) 248-249 F7
Sang Abād IR 184-185 L3
Sang Khom THA 192-193 D4
Sang Sang HN 260-261 H5
Sanga BF 220-221 F6
Sanga EAU 224-225 F4
Sanga RMM 220-221 E6
Sangamner IND 190-191 C5
Sangar RUS 178-179 D6
Sangay – wulk. 276-277 B4
Sangbast IR 182-183 H9
Sangboy Islands – w-y 197 C8
Sangeang – w. 194-195 F7
Sângeorgiu de Pădure RO 114-115 O11
Sânger RO 114-115 N10
Sanger USA (CA) 252-253 E8
Sângerei MD 114-115 I2
Sangerhausen D 122-123 H5
Sanggan He – rz. 200-201 D1
Sanggau RI 194-195 E5
Sanggou Wan – zat. 200-201 F2
Sangha – rz. 216 E5
Sangihe – w. 194-195 H5
Sangihe Kepulauan – w-y 194-195 G5
Sangihe, Kepulaunan – w-y 166-167 P9
Sangijn Dalaj MAU 198-199 G2
Sangijn Dalaj MAU 198-199 H3
Sangijn Dalaj MAU 198-199 H,I2
Sangijn dalaj nuur – jez. 198-199 G2
Sangīn AFG 188-189 H,I2
Sangju ROK 202-203 D3
Sangkapura RI 194-195 P9
Sangkulirang RI 194-195 F5
Sangli IND 190-191 C5
Sangmélima CAM 224-225 B3
Sangniana RG 220-221 C6
Sangola IND 190-191 C5
Sangre de Cristo Mountains – g-y 252-253 L8,9
Sangre Grande TT 262-263 M8
Sangri CHN 192-193 B2
Sangro – rz. 132-133 I7
Sangsang CHN 190-191 F3
Sangue, Rio do – rz. 278-279 B5
Sangüesa E 130-131 J3
Sanguhar GB 128-129 I6
Sangzhi CHN 200-201 C4
Sanhe CHN 198-199 K,L1
Sanhosh – rz. 192-193 A2
Sania, Rio – rz. 276-277 B5
Sanibel Island – w. 248-249 D11
Sanio – g-y 132-133 I7
Sanjawi PK 188-189 I2
Sanje EAU 224-225 F4
Sanjiang CHN 192-193 D2
Sanjiang Dongzu Zizhixian CHN 200-201 C5
Sanjiangkou CHN 202-203 C2
Sanjiazi CHN 202-203 C2
Sanjō J 204-205 K5
Sankampeng – jedn. adm. THA 192-193 D4,5
Sankt Anton am Arlberg A 120-121 F3
Sankt Gallen A 120-121 J3
Sankt Gallen CH 120-121 E3
Sankt Gilgen A 120-121 I3
Sankt Herongen D 122-123 M11
Sankt Ingbert D 122-123 D7
Sankt Jakob A 120-121 H4
Sankt Johann am Tauern A 120-121 J3
Sankt Johann im Pongau A 120-121 I3
Sankt Johann in Tirol A 120-121 H3
Sankt Kathrein am Hauenstein A 120-121 K3
Sankt Lorenzen bei Knittelfeld A 120-121 J3
Sankt Michael im Burgenland A 120-121 L3
Sankt Michaelisdonn D 122-123 E2
Sankt Moritz CH 120-121 E4
Sankt Paul A 120-121 J4
Sankt Peter CH 120-121 E4
Sankt Peter Ording D 122-123 E2
Sankt Pölten A 120-121 K2
Sankt Urlich I 120-121 G4
Sankt Vigil I 120-121 G4
Sankt Vith B 126 E4
Sankt Wendel D 122-123 D7
Sankt-Blasien D 120-121 D3
Sankt-Peterburg RUS 144-145 G5
Sankuru – rz. 216 F6
Sanlıurfa TR 184-185 H3
Sanlúcar de Barrameda E 130-131 E9
Sanluri I 132-133 C9
Sânmartin RO 114-115 Q11
Sanmen CHN 200-201 F4
Sanmen Wan – zat. 200-201 F4
Sanmenxia CHN 200-201 C3
Sanmenxia Shuiku – zb. 200-201 C3
Sanmenxia Shuiku – zb. 166-167 N6
Sânmihaiu de Câmpie RO 114-115 N10
Sanming CHN 200-201 E5
Sanna – rz. 80-81 E10
Sannäs S 138-139 G4
Sannaspos ZA 226-227 E5
Sannat M 127 K11
Sannicandro Garganico I 132-133 J7
Sânnicolau Mare RO 114-115 A3
Sanniki PL (MAZ) 76-77 C7
Sannikova, proliv – cieśn. 310 d2
Sanniquelle LB 220-221 D7
Sannohe J 204-205 M,N2
Sano J 204-205 L6
Sanok PL (MŁP) 80-81 F10
Sânpaul RO 114-115 L10
Sânpaul RO 114-115 N11
San-Pawl il-Baħar, Il Bajja ta' – zat. 127 L12
San-Pédro CI 220-221 D7,8
Sanqaçal AZ 180-181 K4
Sanriku J 204-205 N3
Sansepolcro I 132-133 F5
Sanshengyu CHN 202-203 C1
Sanski Most BIH 118-119 D3
Sansui CHN 200-201 C5
Sant Antoni de Portmany E 130-131 L6,7
Sant Feliu de Guíxols E 130-131 O4
Sant Francesc Xavier E 130-131 M7
Sant Joan de Labritja E 130-131 M6
Sant Joan E 130-131 N6
Sant Joan les Fonts E 130-131 N3
Sant Jordi, Golf de – zat. 130-131 L5
Santa Ana, Bahía – zat. 258-259 C4
Santa Ana BOL 276-277 E7
Santa Ana BOL 276-277 F7
Santa Ana CO 260-261 M8
Santa Ana de Yacuma BOL 276-277 D6
Santa Ana EC 276-277 A4
Santa Ana, Embalse de – zb. 130-131 L4
Santa Ana ES 260-261 F5,6
Santa Ana MEX 258-259 D2
Santa Ana, Río – rz. 262-263 G9
Santa Ana USA (CA) 252-253 F10
Santa Ana, Volcán de – wulk. 260-261 E6
Santa Ana YV 262-263 K9
Santa Anita MEX 258-259 E6
Santa Anna USA (TX) 250-251 E10
Santa Bárbara – g. 130-131 I8
Santa Barbara Channel – cieśn. 252-253 D9
Santa Bárbara de Cas E 130-131 D8
Santa Bárbara HN 260-261 F5
Santa Barbara MEX 258-259 G4
Santa Barbara USA (CA) 252-253 D9
Santa Bárbara YV 262-263 L9
Santa Catalina CO 260-261 M7
Santa Catalina, Gulf of – zat. 252-253 E10
Santa Catalina, Isla – w. 258-259 D5
Santa Catalina Island – w. 252-253 E10
Santa Catalina PA 260-261 J8
Santa Catarina – jedn. adm. BR 278-279 C8
Santa Catarina de Tepehuanes MEX 258-259 G5
Santa Catarina MEX 258-259 I5
Santa Clara, Bahía de – zat. 260-261 J1
Santa Clara BR 276-277 D5
Santa Clara C 260-261 J1
Santa Clara CO 276-277 D4
Santa Clara, Isla – w. 280-281 C4
Santa Clara MEX 258-259 F3
Santa Clara PA 260-261 P11
Santa Clara ROU 280-281 H4
Santa Clara USA (CA) 252-253 C8
Santa Clotilde PE 276-277 C4
Santa Coloma de Queralt E 130-131 M4
Santa Comba Dão P 130-131 C5
Santa Comba E 130-131 C2
Santa Cruz – jedn. adm. RA 280-281 D7
Santa Cruz BOL 276-277 E7
Santa Cruz BR 276-277 C5
Santa Cruz BR 278-279 F4
Santa Cruz Cabrália BR 278-279 F6
Santa Cruz CR 260-261 H7
Santa Cruz das Flores P 220-221 I10
Santa Cruz De La Palma E 220-221 B3
Santa Cruz de Mudela E 130-131 H7
Santa Cruz de Quiché GCA 260-261 E5
Santa Cruz De Tenerife E 220-221 B3
Santa Cruz del Norte C 260-261 J1
Santa Cruz del Sur C 260-261 K2
Santa Cruz do Sul BR 278-279 C8
Santa Cruz, Isla – w. 258-259 D5
Santa Cruz Island – w. 252-253 E10
Santa Cruz Islands – w-y 290-291 I6
Santa Cruz MEX 258-259 D2
Santa Cruz RCH 280-281 D4
Santa Cruz, Río – rz. 280-281 D8
Santa Cruz RP 197 B4
Santa Cruz RP 197 B,C3
Santa Cruz RP 197 C4
Santa Cruz RP 197 D7
Santa Cruz USA (CA) 252-253 C8
Santa Domingo Cay – w. 262-263 F3
Santa Elena, Bahía de – zat. 260-261 G7
Santa Elena, Bahía de – zat. 276-277 A4
Santa Elena, Cabo – przyl. 260-261 G7

503

Shahdadkot PK 188-189 I3
Shahdol IND 190-191 E4
Shahe CHN 200-201 C6
Shahe CHN 200-201 D2
Shahganj IND 190-191 Q11
Shahgarh IND 190-191 B,C3
Shahjahanpur IND 190-191 P11
Shahousuo CHN 200-201 E,F1
Shahpur IND 190-191 D5
Shahpur PK 188-189 J2
Shahpura IND 190-191 C3
Shahumian AZ 180-181 H4
Shakawe RB 226-227 D3
Shakotan-misaki – przyl. 202-203 G2
Shala, Hāyk' – jez. 222-223 G6
Shalan CHN 202-203 E1
Shaleitian Dao – w. 200-201 E2
Shallotte USA (NC) 248-249 F8
Sham Tseng – dzieln. CHN 196 B1
Shamattawa CDN 244-245 N5
Shamlugh AR 180-181 F3
Shamokin USA (PA) 248-249 G4
Shamrock USA (TX) 250-251 D8
Shamuhombo ZRE 224-225 C5
Shamva ZW 226-227 F3
Shan – jedn. adm. MYA 192-193 C3
Shan Xian CHN 200-201 E3
Shanchengzhen CHN 202-203 D2
Shanchuan Dao – w. 200-201 D6
Shandan CHN 198-199 H4
Shandon USA (CA) 252-253 D9
Shandong – jedn. adm. CHN 200-201 E2
Shang Xian CHN 200-201 C3
Shangani – rz. 226-227 E3
Shangani ZW 226-227 E3
Shangchao CHN 200-201 C5
Shangcheng CHN 200-201 D4
Shangdu CHN 200-201 D1
Shanggao CHN 200-201 D4
Shanggu CHN 200-201 E1
Shanghai CHN 200-201 F4
Shanghang CHN 200-201 D5
Shanghe CHN 200-201 E2
Shanglancun CHN 200-201 D2
Shanglin CHN 200-201 C6
Shangqiu CHN 200-201 D3
Shangrao CHN 200-201 E4
Shangshui CHN 200-201 D3
Shangsi CHN 200-201 B6
Shangtang CHN 200-201 D4
Shangtang CHN 200-201 E3
Shangyi CHN 200-201 D1
Shangying CHN 202-203 D1
Shangyou CHN 200-201 D5
Shangyou Shuiku – zb. 200-201 D5
Shangyu CHN 200-201 F4
Shangyun CHN 192-193 C3
Shangzhi CHN 202-203 D1
Shanhaiguan CHN 200-201 E1
Shanhetun CHN 202-203 D1
Shankou CHN 200-201 C6
Shanmatang Ding – g. 200-201 C5
Shannon – rz. 128-129 D9
Shannon IRL 128-129 D9
Shannon, Mouth of The – zat. 128-129 C9
Shannon Ø – w. 310 I2
Shanshan CHN 198-199 F3
Shanshuping – g. 200-201 C4
Shansonggang CHN 202-203 D2
Shantou CHN 200-201 E6
Shanxi – jedn. adm. CHN 200-201 C2
Shanyang CHN 200-201 C3
Shanyin CHN 200-201 D2
Shaoguan CHN 200-201 D5
Shaoris tcqalsacavi – zb. 180-181 E2
Shaoshan CHN 200-201 D5
Shaowu CHN 200-201 E5
Shaoxing CHN 200-201 F4
Shaoyang CHN 200-201 C5
Shapinsay – w. 128-129 K2
Sharbot Lake CDN 248-249 G2
Shari J 202-203 I2
Shark Reef – w-y 296-297 H1
Sharon Springs USA (KS) 250-251 D6
Sharon USA (PA) 248-249 E4
Sharpe, Lake – jez. 250-251 E3
Shashemenē ETH 222-223 G6
Shashi – rz. 226-227 E4
Shashi CHN 200-201 D4
Shashi RB 226-227 E4
Shasta Lake – jez. 252-253 C6
Shasta, Mount – g. 252-253 C6
Shasta, Mount – wulk. 240 I5
Shatili GE 180-181 G2
Shatin AR 180-181 G5
Shatskiy Rise – form. podm. 166-167 S6
Shattuck USA (OK) 250-251 E7
Shau Kei Wan – dzieln. CHN 196 C2
Shaunavon CDN 244-245 K7
Shaviklde, mta – g. 180-181 G2
Shaw USA (MS) 250-251 I9
Shawan CHN 198-199 E3
Shawano USA (WI) 250-251 J3
Shawinigan CDN 244-245 R7
Shawinigan Sud CDN 248-249 I1
Shawnee USA (OK) 250-251 F8
Shawneetown USA (IL) 250-251 J7
Shay Gap AUS 296-297 C3
Shayang CHN 200-201 D4
She Xian CHN 200-201 E4
Sheboygan USA (WI) 250-251 K4
Shebshi Mountains – g-y 222-223 B6
Sheelin, Lough – jez. 128-129 F8
Sheenjek River – rz. 254-255 N2
Sheep Mount – g. 252-253 K6,7
Sheep Peak – g. 252-253 G8
Sheep Range – g-y 252-253 G8
Sheep's Head – przyl. 128-129 C10
Sheet Harbour CDN 244-245 T8
Shefar'am IL 186 B3
Sheffield GB 128-129 L8
Sheffield NZ 298 D6
Sheffield USA (AL) 248-249 B7
Sheffield USA (TX) 250-251 C10
Sheikhpura IND 190-191 R12
Shek Kwu Chau – w. 196 A2
Shekhupura PK 188-189 J2
Shelburne Bay – zat. 296-297 G1
Shelburne CDN 244-245 S8
Shelburne CDN 248-249 E2
Shelby USA (MS) 250-251 I9
Shelby USA (MT) 252-253 I2
Shelby USA (NC) 248-249 E7
Shelbyville, Lake – jez. 250-251 J6
Shelbyville USA (IN) 248-249 C5
Shelbyville USA (TN) 248-249 B7
Sheldon USA (IA) 250-251 G4
Shell USA (WY) 252-253 J4
Shellbrook CDN 244-245 K6
Shellharbour AUS 296-297 I5
Shelter Cove USA (CA) 252-253 B6
Shelton USA (WA) 252-253 C3
Shen Xian CHN 200-201 D2
Shenandoah USA (IA) 250-251 G5
Shendam WAN 220-221 G7
Sheng Xian CHN 200-201 F4
Shenge WAL 220-221 C7
Shëngjin AL 118-119 G6
Sheng-li Feng – g. 182-183 S6
Shengou CHN 200-201 D3
Shengsi Liedao – w-y 200-201 F4
Shengze CHN 200-201 F4
Shenmu CHN 200-201 C2
Shenqiu CHN 200-201 D3
Shenton, Mount – g. 296-297 C4
Shenyang CHN 202-203 C2
Shenze CHN 200-201 D2
Sheopur IND 190-191 D3
Shepard Island – w. 311 N2
Shepherd, Îles – w-y 290-291 I6
Shepherd Islands – w-y 290-291 I6
Shepherd USA (MT) 252-253 J4
Shepparton-Mooroopna AUS 296-297 G6
Shepy, Isle of – w. 128-129 N10
Sheqi CHN 200-201 D3
Sherard Cap – przyl. 244-245 Q2
Sherbo Island – w. 220-221 C7
Sherborne GB 128-129 K11
Sherbrooke CDN 244-245 R7
Sherda – oaza 222-223 C3
Sheridan Lake USA (CO) 250-251 C6
Sheridan USA (AR) 250-251 H8
Sheridan USA (WY) 252-253 K4
Sheringham GB 128-129 O9
Sherkin Island – w. 128-129 D10
Sherman Pass – przeł. 252-253 E2
Sherman USA (TX) 250-251 F9
's-Hertogenbosch NL 126 D3
Sherwood USA (ND) 250-251 D1
Sheshalik USA (AK) 254-255 J2
Sheshea, Río – rz. 276-277 C5
Sheyang CHN 200-201 F3
Sheyenne River – rz. 250-251 F2
Shibata J 204-205 L5
Shibata J 204-205 M4
Shibetsu J 202-203 H1
Shibetsu J 202-203 I2
Shibing CHN 200-201 C5
Shibukawa J 204-205 L6
Shibushi-wan – zat. 202-203 E5
Shicheng Dao – w. 200-201 F2
Shidao CHN 200-201 F2
Shido J 204-205 G8
Shiel, Loch – jez. 128-129 H5
Shiga – jedn. adm. J 204-205 I8
Shigu CHN 192-193 C2
Shiguaigou CHN 200-201 C1
Shihezi CHN 198-199 E3
Shiikh SPL 222-223 I6
Shijak AL 118-119 G6
Shijiazhuang CHN 200-201 D2
Shijiu Hu – jez. 200-201 E4
Shijiusuo CHN 200-201 E3
Shijiutuo – w. 200-201 E2
Shikabe J 202-203 H2
Shikarpur PK 188-189 I3
Shikengkong – g. 200-201 D5
Shikine-jima – w. 204-205 K8
Shikohabad IND 190-191 O11
Shikoku Basin – form. podm. 166-167 Q7
Shikoku-sanchi – g-y 204-205 E9
Shikotsu-ko – jez. 202-203 H2
Shikuan Shuiku – zb. 200-201 C3
Shilabo ETH 222-223 H6
Shilianghe Shuiku – zb. 200-201 E3
Shilipu CHN 200-201 C4
Shillelagh IRL 128-129 G9
Shillong IND 190-191 G3
Shimabara J 202-203 E4
Shimada J 204-205 J8
Shima-hantō – pbw. 204-205 I8
Shimane – jedn. adm. J 204-205 E8
Shimbiris – g. 216 H4
Shimen CHN 200-201 C4
Shimen TWN 196 G3
Shimian CHN 192-193 D2
Shimizu J 204-205 K7
Shimoda J 204-205 K8
Shimodate J 204-205 L,M6
Shimoga IND 190-191 C6
Shimokawa J 202-203 H1
Shimokita-hantō – pbw. 204-205 M1
Shimoni EAK 224-225 G4
Shimonita J 204-205 K6
Shimonoseki J 204-205 C8,9
Shimotsu J 204-205 H8
Shimotsuma J 204-205 L6
Shin, Loch – jez. 128-129 I3
Shinan CHN 200-201 C6
Shinano-gawa – rz. 204-205 K5
Shinchi J 204-205 M5
Shing Mun Reservoir – jez. 196 B1
Shingbwiyang MYA 192-193 C2
ShingletonTrenary USA (MI) 248-249 B1
Shingū J 204-205 G8
Shingū J 204-205 H9
Shinji J 204-205 E7
Shinji-ko – jez. 204-205 E7
Shinjō J 204-205 M4
Shinmido – w. 202-203 D3
Shinminato J 204-205 J6
Shin'nanyō J 204-205 D8
Shinshiro J 204-205 J8
Shinu PK 182-183 O9
Shinyanga EAT 224-225 F4
Shiobara J 204-205 L5,6
Shiogama J 204-205 M4
Shiojiri J 204-205 J6
Shio-no-misaki – przyl. 204-205 H9
Shioya-saki – przyl. 204-205 N5,6
Ship Island – w. 250-251 J10
Ship Rock – g. 252-253 J8
Shiping CHN 192-193 D3
Shipki La – przeł. 190-191 D2
Shippensburg USA (PA) 248-249 G4
Shiprock USA (NM) 252-253 J8
Shipu CHN 200-201 F4
Shiqian CHN 200-201 C5
Shiquan CHN 200-201 C3
Shiquanhe CHN 190-191 E2
Shira WAN 220-221 G6
Shirahama J 204-205 H9
Shirakami-misaki – przyl. 202-203 G2
Shirakawa J 204-205 I6
Shirakawa J 204-205 M5
Shiraminė J 204-205 I6
Shirane-san – g. 204-205 J7
Shirane-san – g. 204-205 L6
Shiranuka J 202-203 I2
Shiraoi J 202-203 H2
Shirase Coast – wybrz. 311 m2
Shirasebreen – lod. 311 d3
Shirataka J 204-205 L4
Shirataka-yama – g. 204-205 M4
Shire – rz. 226-227 G3
Shiretoko-hantō – w. 202-203 I1
Shireza PK 188-189 I3
Shiriya J 204-205 N1
Shiroishi J 204-205 M4,5
Shirone J 204-205 K5
Shirotori J 204-205 I7
Shirouma-dake – g. 204-205 J6
Shiruchi J 202-203 G2
Shirya-zaki – przyl. 204-205 N1
Shisanzhan CHN 198-199 M1
Shishaldin Volcano – wulk. 254-255 I5
Shishmarel USA (AK) 254-255 I2
Shishou CHN 200-201 D4
Shitan CHN 200-201 D5
Shitanjing CHN 200-201 B2
Shitara J 204-205 J7
Shively USA (KY) 248-249 B5
Shivpuri IND 190-191 D3
Shivwits Plateau – wyż. 252-253 H8
Shiwan Dashan – g-y 200-201 B6
Shiya CHN 200-201 C6
Shiyan CHN 200-201 C3
Shizong CHN 192-193 D3
Shizugawa J 204-205 N4
Shizuishan CHN 200-201 B2
Shizuishan CHN 200-201 B2
Shizukuishi J 204-205 M3
Shizunai J 202-203 H2
Shizuoka J 204-205 K7,8
Shizzafon IL 186 A5
Shkhara, mta – g. 180-181 E2
Shkodër AL 118-119 G5
Shkumbin – rz. 118-119 G6
Shllakut, Qafae – przeł. 118-119 H5
Shoals Lake – jez. 250-251 H7
Shoals USA (IN) 248-249 B5
Shōbara J 204-205 E,F8
Shōdo-shima – w. 204-205 G8
Shoe Island – w. 298 F3
Sholapur IND 190-191 D5
Shơn Dương VN 192-193 E3
Shongar BHT 190-191 U11
Shōō J 204-205 G7
Shor IND 190-191 D2
Shorkot PK 188-189 J2
Shorzha AR 180-181 G4
Shoshone Mountaines – g-y 252-253 F7
Shoshone USA (CA) 252-253 F9
Shoshone USA (ID) 252-253 G5
Shoshong RB 226-227 E4
Shoshoni USA (WY) 252-253 J,K5
Shost PK 182-183 O8
Shou Xian CHN 200-201 E3
Shoufeng TWN 196 G5
Shouguang CHN 200-201 E2
Shouning CHN 200-201 E5
Shoup USA (ID) 252-253 G4
Shouqia TWN 196 F6
Show Low USA (AZ) 252-253 I,J9
Shōwa J 204-205 M3
Shreveport USA (LA) 250-251 G9
Shrewsbury GB 128-129 J,K9
Shrigonda IND 190-191 C5
Shu He – rz. 200-201 E3
Shuakhevi GE 180-181 D3
Shuangcheng CHN 202-203 D1
Shuangfeng Dao – w. 200-201 F5
Shuanggou CHN 200-201 E3
Shuanghezhen CHN 202-203 D2
Shuangjiang CHN 192-193 C3
Shuangliao CHN 202-203 C2
Shuanglingzi CHN 202-203 C,D2
Shuangshan CHN 202-203 C2
Shuangxi TWN 196 G3
Shuangyang CHN 202-203 D2
Shuangyashan CHN 198-199 N2
Shucheng CHN 200-201 E4
Shufu CHN 182-183 P7
Shuidong CHN 200-201 E4
Shuikouguan CHN 200-201 B6
Shuili TWN 196 F5
Shuiquliu CHN 202-203 D1
Shujaabad PK 188-189 J3
Shujalpur IND 190-191 D4
Shulan CHN 202-203 D1
Shulaveri GE 180-181 F3
Shule CHN 182-183 P7
Shumagin Islands – w-y 254-255 J5
Shunde CHN 200-201 D6
Shungchang CHN 200-201 E5
Shunyi CHN 200-201 E1
Shuo Xian CHN 200-201 D2
Shurugwi ZW 226-227 E3
Shushi KAR 180-181 H5
Shushicë – rz. 118-119 G7
Shuyang CHN 200-201 E3
Shuzenji J 204-205 K7,8
Shwebo MYA 192-193 C3
Shwegyin MYA 192-193 C4
Shyok – rz. 190-191 D2
Shyok IND 190-191 D2
Si Ayutthabat THA 192-193 C5
Si RMM 220-221 E6
Si Satchanalai – r. 192-193 C4
Si Xian CHN 200-201 E3
Siachen Glacier – lod. 182-183 R9
Siahan Range – g-y 188-189 H3
Siak – rz. 194-195 C5
Sialkot PK 188-189 J2
Sianów PL (ZPM) 70-71 A4
Siantan – w. 194-195 D5
Siapa, Río – rz. 276-277 D3
Siapiapi RI 194-195 C5
Siargao – w. 197 F7
Siasi – w. 197 C9
Siasi RP 197 C9
Šiaškotan, ostrov – w. 178-179 I9
Siátista GR 134-135 C3
Siaton RP 197 D7
Siau – w. 194-195 H5
Šiauliai LT 140-141 E6
Siayan – w. 197 C1
Šīāz IR 187 E2
Sīb IR 188-189 H3
Sibā'ī, Ğabal as- – g. 222-223 F2
Sibaj RUS 144-145 M6
Šibām Y 188-189 E5
Sibayi, Lake – jez. 226-227 F5
Sibayi ZA 226-227 F5
Sibela – g. 194-195 H6
Šibenik – g. 118-119 S14
Šibenik HR 118-119 P13
Siberut – w. 166-167 M10
Sibi PK 188-189 I3
Sibi RMM 220-221 D6
Sibigo RI 194-195 B5
Šībīn al-Kūm ET 222-223 F1
Sibinj HR 118-119 N10
Sibircevo RUS 178-179 E10
Sibirjakova, ostrov – w. 310 H2
Sibirjakova, ostrov – w. 176-177 L3
Sibiti RCB 224-225 B4
Sibiu RO 114-115 N12
Sibiuluti RO 114-115 N12
Sibley USA (IA) 250-251 F4
Sibolga RI 194-195 B5
Sibolon – w. 197 C5
Sibot RO 114-115 L12
Sibsagar IND 190-191 G3
Sibu MAL 194-195 E5
Sibuco RP 197 C8
Sibuguey Bay – zat. 197 D8
Sibut RCA 224-225 C2
Sibutu – w. 197 B9
Sibutu Passage – cieśn. 197 B9
Sibuyan – w. 197 D5
Sibuyan, Morze 197 D5
Sic RO 114-115 M10
Sicapoo – g. 197 C2
Şicasău – rz. 114-115 P,Q10
Sicasica BOL 276-277 D7
Sicciole HR 118-119 L10
Sichon THA 192-193 C6
Sichote-Alin' – g-y 166-167 Q5
Sichuan – jedn. adm. CHN 198-199 H5
Sicienko PL (K-P) 70-71 B5
Siclău RO 114-115 B3
Sico Tinto, Río – rz. 260-261 H5
Sicuani PE 276-277 C6
Şicula RO 114-115 B3
Šid XS 118-119 G2
Siddhapur IND 190-191 C4
Siddipett IND 190-191 D5
Side – r. 134-135 M7
Siderno I 132-133 K10
Síderos, Akrōtíri – przyl. 134-135 H8
Šiderti KZ 176-177 K7
Sidī 'Abdarraḥmān ET 184-185 B,C6
Sidi Aïch DZ 130-131 P9
Sidi Aïssa DZ 130-131 O10
Sidi Ali Ben Nasr Allah TN 132-133 D13
Sidi Ali DZ 130-131 L9
Sidi Bel Abbes DZ 220-221 E1
Sidi Bou Ali TN 132-133 E13
Sidi Brahim DZ 130-131 P9
Sidi Daoud DZ 130-131 O9
Sidi Ghiles DZ 130-131 M9
Sidi Smaïl MA 220-221 D2
Sidi-Ifni MA 220-221 C3
Sidi-Kacem MA 220-221 D2
Sidikalang RI 194-195 B5
Sidirókastro GR 134-135 E2
Sidley, Mount – g. 311 n2
Sidli IND 190-191 U11
Sidnaw USA (MI) 248-249 A1
Sidney CDN 252-253 C1
Sidney Lanier, Lake – jez. 248-249 C,D7
Sidney USA (IA) 250-251 G5
Sidney USA (MT) 252-253 L3
Sidney USA (NE) 250-251 C5
Sidney USA (NY) 248-249 H3
Sidney USA (OH) 248-249 C4
Sido RMM 220-221 D6
Sidorovsk RUS 176-177 M4
Sidra PL (PDL) 72-73 B11
Sidrolândia BR 278-279 C7
Siebenlehn D 122-123 Y13
Siechnice PL (DŚL) 78-79 D5
Sieciechów PL (MAZ) 76-77 D9
Siecino, Jezioro 70-71 B4
Siedlce PL (MAZ) 76-77 C10
Siedlec PL (WLP) 74-75 C3
Siedlecka, Wysoczyzna 48-49 C9
Siedlęcin PL (DŚL) 78-79 E3
Siedlisko PL (LBU) 74-75 D3
Siedliszcze PL (LBL) 76-77 D11
Sieg – rz. 122-123 D6
Siegburg D 122-123 D6
Siegen D 122-123 D6
Siekierczyn PL (DŚL) 78-79 D3
Siekierki PL (ZPM) 74-75 C2
Šielí KZ 182-183 L4
Sielpia Wielka PL (ŚW) 76-77 D8
Siemianice PL (WLP) 78-79 D6
Siemianowice Śląskie PL (ŚL) 78-79 E6
Siemianowskie, Jezioro – zb. 76-77 C11
Siemiatycze PL (PDL) 76-77 C10
Siemiątkowo Koziebrodzkie PL (MAZ) 76-77 C8
Siemień PL (LBL) 76-77 D10
Siemkowice PL (ŁDZ) 78-79 D6
Šiĕmpang K 192-193 E5
Siĕmréab K 192-193 D5
Siemyśl PL (ZPM) 70-71 A3
Siena I 132-133 F5
Sieniawa PL (PKR) 80-81 E10
(Sienkiewiczówka) UA 142-143 E3
Siennica PL (LBL) 76-77 D11
Siennica PL (MAZ) 76-77 C9
Sienno PL (MAZ) 76-77 D9
Sieppijärvi FIN 136-137 G4
Siepraw PL (MŁP) 80-81 F7
Sieradowicki Park Krajobrazowy 80-81 D8
Sieradz PL (ŁDZ) 74-75 D6
Sieradzka Niecka – fizjogr. 48-49 E7
Sierakowice PL (POM) 70-71 A5
Sierakowski Park Krajobrazowy 74-75 C4
Sieraków PL (WLP) 74-75 C4
Sieroszewice PL (WLP) 74-75 D5
Sierpc PL (MAZ) 76-77 C7
Sierra Blanca Peak – g. 252-253 L10
Sierra Blanca USA (TX) 250-251 B10
Sierra Colorada RA 280-281 E6
Sierra de Fuentes E 130-131 E6
Sierra España RA 280-281 E7
Sierra Gorda RCH 280-281 D2
Sierra Leone – państwo 217 B5
Sierra Mojada MEX 258-259 H4
Sierra Vista USA (AZ) 252-253 I11
Sierre CH 120-121 C4
Siete Puntas, Río – rz. 278-279 B7
Şieu – rz. 114-115 N9
Şieu RO 114-115 O9,10
Sieve – rz. 120-121 G7
(Siewierodonieck) UA 142-143 R4
Siewierz PL (ŚL) 78-79 E7
Šifā, Ğabal aš- – g-y 188-189 C3
Sífnos – w. 134-135 F6,7
Sífnou, Stenón – cieśn. 134-135 F6
Sigatal MAL 196 Q14
Sigean F 124-125 I8,9
Sigep, Tanjung – przyl. 194-195 B6
Siġġiewi M 127 L12
Sigguup Nunaa – płw. 310 O2,3
Sigguup Nunaa – w-y 244-245 T2
Sighetu Marmaţiei RO 114-115 D2
Sighişoara RO 114-115 O11
Sighnaghi GE 180-181 G3
Siğirli AZ 180-181 J4
Sigli RI 194-195 B4
Siglufjörður IS 136-137 I12
Sigmaringen D 120-121 E2
Signal Peak – g. 252-253 G10
Signy Island – st. bad. 311 s4
Signy-l'Abbaye Flize F 124-125 K2
Sigoisoinan RI 194-195 B6
Sigourney USA (IA) 250-251 H5
Sigriswil CH 120-121 C4
Sigtuna S 138-139 N3
Siguanea C 260-261 I2
Siguanea, Ensenada de la – zat. 260-261 I2
Siguatepeque HN 260-261 G5
Sigüenza E 130-131 I4
Siguiri RG 220-221 D6
Sigulda LV 140-141 F4
Siguri Falls – wdp. 216 G6
Šiḥan, Wādī – rz. 188-189 F5
Sihand IR 187 E1
Sihlea RO 114-115 H4
Sihochac MEX 258-259 N8
Sihong CHN 200-201 E3
SihoraTirodi IND 190-191 D4
Sihuas PE 276-277 B5
Sihui CHN 200-201 D6
Siikajoki – rz. 136-137 G5
Siilinjärvi FIN 136-137 g6
Siipyy FIN 136-137 F6
Siirt TR 184-185 J3
Sijiao Shan – w. 200-201 F4
Sikanni Chief River – rz. 244-245 H5
Sikar IND 190-191 C3
Sikås S 136-137 d6
Sikasso RMM 220-221 D6
Sikaw MYA 192-193 C3
Sikeå S 136-137 F5
Sikeli RI 194-195 G7
Sikendarabad IND 190-191 N10
Sikeston USA (MO) 250-251 I7
Sikfors S 136-137 F5
Sikhoraphum THA 192-193 D5
Síkinos – w. 134-135 G7
Síkinos GR 134-135 G7
Šikkā RL 186 B1

507

Tarnogród PL (LBL) 80-81 E10
(Tarnopol) UA 142-143 E4
Tarnov SK 112-113 N6
Târnova MD 114-115 H1
Târnova RO 114-115 B3
Tarnowiec PL (PKR) 80-81 F9
Tarnowo Podgórne PL (WLP) 74-75 C4
Tarnowskie Góry PL (ŚL) 78-79 E6
Tarnów Opolski PL (OPO) 78-79 E6
Tarnów PL (MŁP) 80-81 E8
Tarnówka PL (WLP) 70-71 B4
Tärnsjö S 138-139 M2
Taro – rz. 120-121 F6
Tarō J 204-205 N3
Taro, Tarso – g. 222-223 C3
Tārom IR 187 F2
Taroom AUS 296-297 H4
Tarouca P 130-131 D4,5
Taroudannt MA 220-221 D2
Tarowoto Swamp – bag. 296-297 G4
Tarp D 122-123 F2
Tarpon Springs USA (FL) 248-249 D10
Tarpum Bay BS 262-263 E1
Tarquinia I 132-133 F6
Tarquino, Pico – g. 260-261 L3
Tarrabool, Lake – jez. 296-297 E2
Tarrafal CV 220-221 K12
Tarrafal CV 220-221 L12
Tarragona E 130-131 M4
Tàrrega E 130-131 M4
Tarski Zaliv – zat. 118-119 L10
Tarsus TR 134-135 P7
Tart CHN 198-199 F4
Tartagal RA 280-281 F2
Tartan – in. 128-129 N3
Tartar – rz. 180-181 H4
Ṭarṭār, Buḥairat aṭ- – jez. 184-185 J5
Ṭarṭār, Wādī aṭ- – rz. 184-185 J4
Tartarugalzinho BR 278-279 C2
Tartas F 124-125 F8
Tartu EST 140-141 H3
Ṭarṭūs – jedn. adm. SYR 186 C1
Ṭarṭūs SYR 184-185 F4
Tarumae-yama – wulk. 202-203 H2
Tarutao – w. 192-193 C6
Tarutung RI 194-195 B5
Tarutyne UA 142-143 I7
Tarvisio I 120-121 I4
Ṭarwānīyah UAE 187 F5
Tarxien M 127 L12
(Tarym) – rz. 166-167 L5
Tarymska, Kotlina 166-167 K6
Taş Tepe – g. 134-135 L3,4
Taşağıl TR 134-135 M7
Tasajera, Sierra – g-y 258-259 G3
Tašanta RUS 176-177 N8
Tasāwah LAR 222-223 B2
Tasböget KZ 182-183 K4
Taşburun TR 180-181 F5
Taşcılar TR 134-135 K7
Taseevo RUS 176-177 P6
Taşeli Yaylası – wyż. 134-135 N7
Tashan CHN 200-201 F1
Tashigang BHT 190-191 G3
Tashir AR 180-181 F3
Tashiro J 204-205 M2
Tasikmalaya RI 194-195 N10
Tasiko – w. 299 K12
Tasīl SYR 186 B3
Tasiriki VAN 299 K11
Tas-Jurjach RUS 176-177 S5
Ṭašk IR 187 E2
Taskan RUS 178-179 I6
Tasker – oaza 220-221 H5
Taskesken KZ 182-183 T3
Taşköprü TR 134-135 P2
Taš-Kumyr KS 182-183 O6
Tašla RUS 144-145 L6
Taşlıçay TR 180-181 E5
Tasman Fracture Zone – form. podm. 290-291 G9
Tasman Mountains – g-y 298 E5
Tasman Peninsula – płw. 296-297 H7
Tasman River – rz. 298 D7
Tasman Seamount Chain – form. podm. 290-291 H8
Tasmana, Basen – form. podm. 290-291 H8
Tasmana, Lodowiec 298 D6
Tasmana, Morze 290-291 H8
Tasmana, Zatoka 298 E5
Tasmania – jedn. adm. AUS 296-297 G7
Tasmania – w. 290-291 G9
Tăşnad RO 114-115 C2
Taşova TR 184-185 G1
Tasovčići BIH 118-119 T14
Tasquillo MEX 258-259 J7
Tasr – oaza 220-221 H6
Tassemalte VAN 299 K11
Tassili du Hoggar – wyż. 220-221 F4
Taštagol RUS 176-177 N7
Tastiota, Estero – zat. 258-259 D3
Tas-Tumus RUS 178-179 D6
Tasty-Taldy KZ 182-183 L1
Taşucu Körfezi – zat. 134-135 O7
Taşucu TR 134-135 O7
Tāsūkī IR 188-189 H2
(Taszkent) UZ 182-183 M6
Tata MA 220-221 D3
Tatabánya – jedn. adm. H 114-115 V15
Tatabánya H 112-113 K8
Tatajurt RUS 180-181 I1
Tatakoto – w. 290-291 O6
Tatal RUS 144-145 K7
Tatan KZ 182-183 R2
Tatanagar IND 190-191 S13
Tătărăşti MD 114-115 I3
Tatarbunary UA 142-143 I8
Tatarka BY 140-141 J8
Tatarlı TR 134-135 L5
Tatarsk RUS 176-177 L6
Tatarska, Cieśnina 166-167 R4
Tatarstan – jedn. adm. RUS 174-175 E4
Tatau MAL 196 O15
Tatebayashi J 204-205 L6
Tatev AR 180-181 H5
Tate-yama – wulk. 204-205 J6
Tateyama J 204-205 J6
Tateyama J 204-205 L8
Tathong Channel – cieśn. 196 C2
Tatikawa J 204-205 L4
Tatkon MYA 192-193 C3
Tatların Barajı – zb. 134-135 P5
Tatlı AZ 180-181 G4
Tatlısu NCY 134-135 O8
Taṯlīṯ KSA 188-189 D5
Tatnam Cap – przyl. 244-245 N5
Tatrang CHN 198-199 D,E4
Tatranský Národný Park – p. nar. 80-81 F7
Tatry – g-y 48-49 F6
Tatry, Niżne – g-y 112-113 L7
Tatrzański Park Narodowy 80-81 F7
Tatsuno J 204-205 G8
Tätti KZ 182-183 O5
Tatuke LB 220-221 D7
Tătuleşti RO 114-115 E5
Tatum USA (NM) 250-251 C9
Tatvan TR 180-181 D6
Tau – w. 299 F,G8,9
Tau N 138-139 B3
Taua BR 278-279 E4
Taubaté BR 278-279 D7
Taubenheim D 122-123 Y13
Taucha D 122-123 I5
Tauini, Rio – rz. 278-279 B2
Taujska, Zatoka 178-179 H7
Taum Sauk Mountain – g. 250-251 I7
Taumarunui NZ 298 F4
Taung ZA 226-227 D5
Taungdwingyi MYA 192-193 C3
Taunggyi MYA 192-193 C3
Taungtha MYA 192-193 C3
Taungup MYA 192-193 B4
Taunsa PK 188-189 J2
Taunton GB 128-129 J10,11
Taunus – g-y 122-123 E6
Taupo, Lake – jez. 298 F4
Taupo NZ 298 G4
Tauragė LT 140-141 D6
Tauranga NZ 298 G3
Taureau, Réservoir – zb. 248-249 H1
Taurianova I 132-133 J10
Tauroa Point – przyl. 298 E2
(Taurogi) LT 140-141 D6
Taurova RUS 176-177 K6
Taurus – g-y 166-167 G6
Taurus Środkowy – g-y 184-185 F,G3
Taurus Wschodni – g-y 184-185 I2
Taurus Zachodni – g-y 134-135 L6
Taury Niskie – g-y 120-121 I3
Taury Wysokie – g-y 120-121 H3
Tauste E 130-131 J4
Taušyk KZ 182-183 D4
Taušyk KZ 182-183 J1
Tautira PF 299 E5
Tauu Islands – w-y 290-291 H5
Tavares USA (FL) 248-249 E10
Tavas TR 134-135 K6
Tavas Yaylası Ovasi – wyż. 134-135 J6
Tavastehus FIN 138-139 T2
Tavda – rz. 176-177 I,J6
Tavda RUS 176-177 J6
Taverne CH 120-121 D4
Taveuni – w. 290-291 K6
Tavignano – rz. 124-125 Y13
Tavin MAU 198-199 I2
Tavira P 130-131 D8
Tavistock GB 128-129 I11
Tavolara Molara, Isola – w. 132-133 D8
Tavoy Point – przyl. 192-193 C5
Tavričanka RUS 178-179 E10
Tavropós – rz. 134-135 C4
Tavropóu, Technití Límni – zb. 134-135 C4
Tavşancıl TR 134-135 K3
Tavşanlı TR 134-135 K4
Tavua FJI 299 A2
Taw – rz. 128-129 I,J11
Tawa NZ 298 F5
Tawakon, Lake – jez. 250-251 G9
Tawas City USA (MI) 248-249 D2
Tawau MAL 194-195 F5
Tawitawi – w. 197 B9
Tawitawi Group – w-y 197 C9
Ṭāwūq IRQ 184-185 K4
Tāwurġā' LAR 222-223 C1
Taxco MEX 258-259 J8
Taxenbach A 120-121 H3
Tay – rz. 128-129 J5
Tay, Firth of – zat. 128-129 J5
Tay, Loch – jez. 128-129 I5
Tay Ninh VN 192-193 E5
Tayabamba PE 276-277 B5
Tayabas Bay – zat. 197 C5
Tayabas RP 197 C4
Tayandu, Kepulauan – w-y 194-195 I7
Tayeegle SP 224-225 H3
Taylor, Mount – g. 252-253 K9
Taylor Mountains – g-y 254-255 K3
Taylor USA (AK) 254-255 J2
Taylor USA (MI) 248-249 D3,4
Taylor USA (NE) 250-251 E5
Taylor USA (TX) 276-277 C5
Taylorsville USA (MS) 250-251 J10
Taylorsville USA (NC) 248-249 E6,7
Taylorville USA (IL) 250-251 J6
Taytay Bay – zat. 197 B6
Taytay RP 197 B6
Taz – rz. 176-177 L4
Taza MA 220-221 E2
Taza RUS 176-177 S6
Tazawa-ko – jez. 204-205 M3
Tazawako J 204-205 M3
Tāze Ḫurmātū IRQ 184-185 K4
Tazenaknt MA 220-221 D2
Tazewell USA (VA) 248-249 D,E6
Tāzirbū LAR 222-223 D2
Tazlău RO 114-115 G3
Tazovskij RUS 176-177 L4
Tazovska, Zatoka 176-177 K4
Tazumal – r. 260-261 F6
Tbilisi GE 180-181 F3
Tchamba RT 220-221 F7
Tchetti DY 220-221 F7
Tchin-Tabaradene RN 220-221 G5
Tcholliré CAM 224-225 B2
Tchula USA (MS) 250-251 I9
Tczew PL (POM) 70-71 A6
Tczów PL (MAZ) 76-77 D9
Te Anau, Lake – jez. 298 B7
Te Anau NZ 298 B7
Te Arona NZ 298 F3
Te Awamutu NZ 298 F3,4
Te Hapua NZ 298 E2
Te Kaha NZ 298 G3
Te Karaka NZ 298 G4
Te Kauwhata NZ 298 F3
Te Kopuru NZ 298 E3
Te Kuiti NZ 298 F4
Te Teko NZ 298 G3
Te Waewae Bay – zat. 298 B8
Teaca RO 114-115 N10
Teacapán MEX 258-259 F6
Teahupoo PF 299 E5
Teano I 132-133 I7
Teapa MEX 258-259 M9
Tearce MK 118-119 I5
Teasc RO 114-115 D5
Teažnyj RUS 178-179 J7
Teba RI 194-195 J6
Tebay GB 128-129 K7
Teberda – rz. 180-181 C1
Teberda RUS 144-145 J8
Teberdi – rz. 180-181 C1
Teberdi RUS 180-181 C1
Tébessa DZ 220-221 G1
Tebicuary, Río – rz. 278-279 B8
Tebingtinggi RI 194-195 B5
Tebingtinggi RI 194-195 C6
Téboursouk TN 132-133 C12
Tebra – rz. 140-141 C5
(Tebriz) IR 184-185 L2
Tebtunis – r. 184-185 D7
Tebulos, gora – g. 180-181 G2
Tebulos, mta – g. 180-181 G2
Teby – r. 222-223 F2
(Teby) GR 134-135 E5
Tecate MEX 258-259 A1
Tecer Dağları – g-y 184-185 G2
Techia WSA 220-221 C4
Techirghiol RO 114-115 I5
Technical, Mount – g. 298 D6
Tecka RA 280-281 D6
Tecklenburg D 122-123 D4
Tecomán MEX 258-259 H8
Tecoripa MEX 258-259 D3
Tecpan de Galeana MEX 258-259 I9
Tecpatán MEX 258-259 M9
Tecuala MEX 258-259 G6
Tecuci RO 114-115 H4
Tecumseh USA (NE) 250-251 F5
Tedońskie, Góry 202-203 D3
Tedori-gawa – rz. 204-205 I6
Teec Nos Pos USA (AZ) 252-253 J8
Teel MAU 198-199 H2
Tèèli RUS 176-177 O7
Tefé BR 276-277 E4
Tefé, Rio – rz. 276-277 D4
Tefedest – g-y 220-221 G4
Tefenni TR 134-135 K6
Tegal RI 194-195 N10
Tegelen NL 126 E3
Tegernsee D 120-121 G3
Tegguidda-n-Tessoum RN 220-221 G5
Tegina WAN 220-221 G6
Teglio I 120-121 F4
Tegua – w. 299 K10
Tegucigalpa HN 260-261 G5
Tehachapi Mountains – g-y 252-253 E9
Tehachapi Pass – przeł. 252-253 E9
Tehachapi USA (CA) 252-253 E9
Tehek Lake – jez. 244-245 M,N4
(Teheran) IR 184-185 N4
Téhini CI 220-221 E7
Tehi-n-Isser – g. 220-221 G3,4
Tehrān IR 184-185 N4
Tehuacán MEX 258-259 K8
Tehuantepec, Golfo de – zat. 240 L8
Tehuantepec MEX 260-261 C4
Tehuantepec, Przesmyk – fizjogr. 258-259 L9
Tehuantepec, Ridge – form. podm. 240 K8
Tehuitzingo MEX 258-259 J8
Tehur – rz. 180-181 D2
Teide, Pico de – g. 220-221 B3
Teifi – rz. 128-129 I,J9
Teigen USA (MT) 252-253 J3
Teisko FIN 138-139 T1
Teiuş RO 114-115 M11
Teja RUS 176-177 O5
Tejares E 130-131 F5
Tejen – rz. 182-183 I8
Tejen TM 182-183 I8
Tejenstroý TM 182-183 I8
Tejo, Rio – rz. 276-277 C5
Tejo, Río – rz. 104-105 H8
Tejon Pass – przeł. 252-253 E9
Tekamah USA (NE) 250-251 F5
Tekapo, Lake – jez. 298 D6
Tekax de Álvaro Obregón MEX 260-261 F2
Teke Burnu – przyl. 134-135 H5,6
Teke RO 114-115 N10
Teke TR 134-135 K2
Tekek MAL 194-195 C5
Tekeli KZ 182-183 I2
Tekeli KZ 182-183 S4
Tekes – rz. 182-183 S5
Tekes CHN 198-199 D3
Tekeujfalu RO 114-115 N10
Tekezē, Wenz – rz. 222-223 G5
Tekija XS 118-119 J3
Tekir Dağ – g-y 134-135 I3
Tekirdağ TR 134-135 I2
Tekirova TR 134-135 L7
Tekkali IND 190-191 E5
Tekke TR 134-135 M3
Tekman TR 180-181 C5
Tekoa USA (WA) 252-253 F3
Tekong Besar, Pulau – w. 196 K8
Tekong Kechil, Pulau – w. 196 K8
Tekong Reservoir – jez. 196 K8
Tekouiat, Oued – rz. 220-221 F4
Teksas – jedn. adm. USA 241 K6
Tel Aviv-Yafo IL 186 A3
(Tel Awiw-Jafa) IL 186 A3
Tela HN 260-261 G5
Telaga MAL 196 O13
Telan, mys – przyl. 178-179 J6
Telatyn PL (LBL) 80-81 E11
T'elavi GE 180-181 G3
Telč CZ 112-113 H6
Telciu RO 114-115 F2
Telde E 220-221 B3
Tele – rz. 224-225 D3
(Telechany) BY 140-141 G9
Teleckie, Jezioro 176-177 N7
Telefomin PNG 194-195 K7
Telega RO 114-115 F4
Telegapulang RI 194-195 E6
Telegrapf Creek CDN 244-245 F5
Telegraph USA (TX) 250-251 D10
Telekis Volcano – wulk. 216 G5
Telekitonga – w. 299 G8
Telemark – jedn. adm. N 138-139 D3
Telemba RUS 178-179 A8
Telembí, Rio – rz. 276-277 B3
Telen – rz. 196 Q16
Telén RA 280-281 E5
Teleneşti MD 114-115 I2
Teleno – g. 130-131 E3
Teleorman – jedn. adm. RO 114-115 E5,6
Teleorman – rz. 114-115 E,F5
Telerhteba, Djebel – g. 220-221 G4
Telerig BG 114-115 H6
Teles Pires, Rio – rz. 278-279 B4
Telescope Peak – g. 252-253 F8
Telet' RUS 180-181 H2
Televrine – g. 118-119 M11
Telford GB 128-129 K9
Telfs A 120-121 F,G3
Telgte D 122-123 D4
Telica, Volcán – wulk. 260-261 G6
Télimélé RG 220-221 C6
Teliš BG 114-115 E6
Tell al-Amarna – r. 184-185 D7
Tellicherry IND 190-191 C6
Tel'manove UA 142-143 Q,R6
Tèlmèn nuur – jez. 198-199 G2
Telok Anson MAL 194-195 B5
Telok Blangah – dzieln. SGP 196 I9
Teloloapan MEX 258-259 I8
Telsen RA 280-281 E6
Telšiai LT 140-141 D5
(Telsze) LT 140-141 D5,6
Teluk Marchesa – zat. 197 A8
Telukair – w. 194-195 D6
Telukdalam RI 194-195 B5
Telupid MAL 196 Q14
Téma GH 220-221 F7
Temagami CDN 248-249 E1
Temagami, Lake – jez. 248-249 E1
Tematangi – w. 290-291 N7
Temax MEX 260-261 F2
Tembilahan RI 194-195 C6
Tembleque E 130-131 H6
Tembo, Mont – g. 224-225 B3
Teme – rz. 128-129 K9
Temerin XS 118-119 G2
Temerloh MAL 194-195 C5
(Temesz) – rz. 118-119 H2
Teminabuan RI 194-195 I6
Temir KZ 182-183 G2
Temirlan KZ 182-183 M5
Temirtaū KZ 182-183 O1
Temirtau RUS 176-177 N7
Temiscaming CDN 244-245 Q7
Tèmiscamingue, Lac – jez. 248-249 F1
Témiscouata, Lac – jez. 248-249 K1
Temki TCH 222-223 C5
Temlik TR 134-135 P4
Temnikov RUS 144-145 J6
Te-Moak Indian Reservation – jedn. adm. USA 252-253 F,G6
Temoe – w. 290-291 O7
Temora AUS 296-297 H5
Temosachic MEX 258-259 E3
Tempe, Danau – jez. 194-195 F6
Tempe Downs AUS 296-297 E3
Tempe USA (AZ) 252-253 H10
Tempio Pausania I 132-133 C8
Tempisque, Río – rz. 260-261 H7
Temple Bay – zat. 296-297 G1
Temple USA (TX) 250-251 F10
Templemore IRL 128-129 F9
Templin D 122-123 J3
Tempoal MEX 258-259 J7
Tempoal, Río – rz. 258-259 J7
Temrjuk RUS 144-145 I7
Temrjukskij zaliv – zat. 142-143 Q8
Temuco RCH 280-281 D5
Temuk TR 134-135 P7
Temuka NZ 298 D7
Ten Sleep USA (WY) 252-253 K4
Ten Thousand Islands – w-y 248-249 D12
Tenabo MEX 260-261 E2
Tenabo, Mount – g. 252-253 F7
Tenacatita, Bahía de – zat. 258-259 G8
Tenala FIN 140-141 E1
Tenali IND 190-191 E5
Tenancingo de Degollado MEX 258-259 I8
Ténaro, Akrōtíri – przyl. 104-105 N8
Tenaserimskie, Góry 192-193 C5
Tenasserim MYA 192-193 C5
Tenby GB 128-129 I10
Tence F 124-125 K6
Tenda, Colle di – przeł. 120-121 C6
Tende, Col de – przeł. 120-121 C6
Tende F 120-121 C6
Tendō J 204-205 M4
Tendrara MA 220-221 E2
Tendre, Mont – g. 120-121 B4
Tendudia, Sierra de – g-y 130-131 E7
Tendürek Dağı – g. 180-181 E5
Ténéré – pust. 216 E4
Teneryfa – w. 220-221 B3
Ténès, Cap – przyl. 130-131 M9
Ténès DZ 220-221 F1
Tenevo BG 114-115 G7
Teng Xian CHN 200-201 E3
Tengah – dzieln. SGP 196 I8
Tengah, Kepulauan – w-y 194-195 F7
Tengchong CHN 192-193 C3
Tengeh Reservoir – jez. 196 H,I8
Tenggarong RI 194-195 F6
Tengiz KZ 182-183 E3
Tenglou Jiao – przyl. 200-201 C6
Tenhant USA (CA) 252-253 C6
Ténibre, Mont – g. 120-121 B6
Teniente Rodolfo Marsh – st. bad. 311 M4
Teniz köli – jez. 182-183 M1
Teniz köli – soln. 104-105 W5
Tenja XS 118-119 F2
Tenkasi IND 190-191 D7
Tenke ZRE 224-225 E6
Tenkeli RUS 178-179 F,G4
Tenkiller Ferry Lake – jez. 250-251 G8
Tenkodogo BF 220-221 E6
Tenna – rz. 132-133 H5
Tennengebirge – g-y 120-121 I3
Tennessee – jedn. adm. USA 241 M6
Tennessee Pass – przeł. 252-253 K7
Tennessee River – rz. 240 M6
Tenneville B 126 D4
Tenniöjoki – rz. 136-137 H4
Tennis Bugt – zat. 138-139 G5
Tennō J 204-205 L3
Tenojoki – rz. 136-137 g2,3
Tenom MAL 194-195 F4,5
Tenosique de Pino Suárez MEX 258-259 N9
Tenryū J 204-205 J8
Tensif, Oued – rz. 220-221 D2
Tentena RI 194-195 G6
Tenterfield AUS 296-297 I4
Tentolomatinan – g. 194-195 G5
Teocaltiche MEX 258-259 H7
(Teodozja) UA 142-143 O8
Teofipol' UA 142-143 F4
Teomabal – w. 197 C8
Teopisca MEX 258-259 M9
Teotepec, Cerro – g. 258-259 I9
Teotihuacán – r. 258-259 J8
Teófilo Otôni BR 278-279 E6
Tepa RI 194-195 H7
Tepalcatepec MEX 258-259 H8
Tepalcatepec, Río – rz. 258-259 H8
Tepatitlán de Morelos MEX 258-259 H7
Tepca XM 118-119 G4
Tepehuanes, Río de – rz. 258-259 F5
Tepehuanes, Sierra – g-y 258-259 F4
Tepeköy TR 134-135 G3
Tepelenë AL 118-119 H7
Tēpī ETH 222-223 G6
Tepic MEX 258-259 G7
Teplá CZ 112-113 E6
Teplanlangsat RI 196 Q16
Teplice CZ 112-113 F5
Teploozersk RUS 178-179 E9
Teplyk UA 142-143 I5
Tepoca, Bahía de – zat. 258-259 C2
Tepoca, Cabo – przyl. 258-259 C2
Tépoto – w. 290-291 N6
Teqteq IRQ 184-185 K4
Tequila – g. 258-259 G7
Tequila MEX 258-259 H7
Ter Aar NL 126 C2
Ter Apel NL 126 E2
Ter, Río – rz. 130-131 N4
Tera, Rio – rz. 130-131 D7
Tera, Río – rz. 130-131 F3
Téra RN 220-221 F6
Teraine – w. 290-291 L4
Terakeka SUD 222-223 F6
Teramo I 132-133 H6
Terán MEX 258-259 J5
Terang AUS 296-297 G6
Teravaraa, Passe – cieśn. 299 D5
Terbjas RUS 178-179 C6
Terborg NL 126 E3
Terbuny RUS 142-143 R1
Tercan Barajı – zb. 180-181 B5
Tercan TR 180-181 B5
Terceira, Ilha – w. 220-221 J10
Tercero, Río – rz. 280-281 F4
Terdoppio – rz. 120-121 D5
Terebovlja UA 142-143 E4
Teregova RO 114-115 C4
Terek – rz. 144-145 K8
Terek RUS 180-181 F1
Terekli-Mekteb RUS 144-145 J,K8
Terek-Saj KS 182-183 N6
Terekti KZ 182-183 M2

Tintang RI 196 Q16
Tintina RA 280-281 F3
Tintinara AUS 296-297 G6
Tintioulen RG 220-221 D6
Tinto, Río – rz. 130-131 E8
Ti-n-Toumma – reg. 222-223 B4
Tinwald NZ 298 D6
Tiobraid Árann – jedn. adm. IRL 128-129 C1
Tioga USA (ND) 250-251 C1
Tioman – w. 194-195 C5
Tione di Trento I 120-121 F4
Tionesta USA (PA) 248-249 F4
Tip Top Hill – g. 250-251 K1
Tipasa DZ 130-131 N9
Tipitapa NIC 260-261 G6
Tippecanoe River – rz. 248-249 B4
Tipperary – jedn. adm. IRL 128-129 C1
Tipperary IRL 128-129 E9
Tippori IL 186 B3
Tipton USA (IA) 250-251 I5
Tipton USA (WY) 252-253 J6
Tiputini, Rio – rz. 276-277 B4
Tiquicheo MEX 258-259 I8
Tiquié, Rio – rz. 276-277 D3
Tiquisate GCA 260-261 E5
Tiracambu, Serra do – g-y 278-279 D3
Tirahart, Oued – rz. 220-221 F4
Tīrān, Ğazīrat – w. 184-185 F8
Tirān IR 184-185 N6
(Tirana) AL 118-119 G6
Tiranë AL 118-119 G6
Tirano I 120-121 F4
Tiraouene – oaza 220-221 G5
Tiraspol NAD 114-115 J3
Tire TR 134-135 I5
Tirebolu TR 184-185 H1
Tiree – w. 128-129 F5
Tirich Mir – g. 166-167 J6
Tirig E 130-131 K5
Tirio PNG 194-195 K7
Tiriri EAU 224-225 F3
Tiriye TR 134-135 J3
Tírnavos GR 134-135 D4
Tiro RG 220-221 C7
Tirschenreuth D 122-123 H,I7
Tirso – rz. 132-133 C9
Tirteafuera, Río – rz. 130-131 G7
Tirúa RCH 280-281 D5
Tiruchirapalli IND 190-191 D6
Tirunelveli IND 190-191 D7
Tiruntán PE 276-277 B5
Tirupati IND 190-191 D6
Tiruppur IND 190-191 D6
Tiruvottiyur IND 190-191 E6
Tiryns – r. 134-135 D6
Tisa – rz. 118-119 H2
Tisac – g. 118-119 U15
Tisdale CDN 244-245 L6
Tishomingo USA (OK) 250-251 F8
Tīsīya SYR 186 C3
Tisno HR 118-119 C4
Tišnov CZ 112-113 I6
Tisovec SK 112-113 L7
Tissamaharama CL 190-191 M9
Tissemsilt DZ 220-221 F1
Tisza – jez. 114-115 A2
Tisza – rz. 104-105 N6
Tiszabő H 114-115 A2
Tiszacsege H 114-115 A2
Tiszaföldvár H 114-115 A3
Tiszafüred H 114-115 A2
Tiszajenő H 114-115 A2
Tiszakécske H 114-115 A3
Tiszalök H 114-115 B1,2
Tiszaújváros H 114-115 A2
Tiszavaik H 114-115 A2
Tiszavasvári H 114-115 B2
Tit DZ 220-221 F3
Titagarh IND 190-191 T13
Titano, Monte – g. 127 O14
Titao BF 220-221 E6
Tit-Ary RUS 178-179 D4
Tite GNB 220-221 B6
Tit-Ebja RUS 178-179 D6
Titel XS 118-119 H2
Titicaca, Lago – jez. 272 F6
Titlagarh IND 190-191 E4
Titlis – g. 120-121 D4
Titov Drvar BIH 118-119 D3
Titov Vrbas XS 118-119 G2
Titov vrh – g. 118-119 H6
Titova Korenica HR 118-119 C3
Titova špilja – jask. 118-119 Q14
Titovo Užice XS 118-119 G4
Tittmoning D 120-121 H2
Titu RO 114-115 F5
Titule ZRE 224-225 E3
Titusville USA (FL) 248-249 E10
Titusville USA (PA) 248-249 F4
Tiu Chung Chau – w. 196 C1
Tivaouane SN 220-221 B6
Tivari IND 190-191 C3
Tivat XS 118-119 V16
Tivatski Zaliv – zat. 118-119 V16
Tiverton GB 128-129 J11
Tivisa E 130-131 L4
Tivoli I 132-133 G7
Tivoli USA (TX) 250-251 F11
Tixmucuy MEX 258-259 N8
Tixtla de Guerrero MEX 258-259 J9
Tiyās SYR 186 D1
Tiyo, Pegunungan – g-y 194-195 J6
Tizard Bank – form. podm. 194-195 E3
Tizi Ouzon DZ 220-221 F1
Tizimin MEX 260-261 F2
Tiznados, Río – rz. 276-277 D2
Tiznit MA 220-221 C3
Tjačiv UA 142-143 C5
Tjeberdy – rz. 180-181 C1
Tjeberdy RUS 180-181 C1
Tjeggelvas – jez. 136-137 E4
Tjeukemeer – jez. 126 D2
Tjörn – w. 138-139 H4
Tjørnuvík FR 127 D4
Tjuchtet RUS 176-177 N6
Tjukalinsk RUS 176-177 K6
Tjulender araly – w-y 182-183 D4
Tjulenovo BG 114-115 I6
Tjul'gan RUS 144-145 M6
Tjul'kino RUS 144-145 M5
Tjumen' RUS 176-177 J6
Tjust – fizjogr. 138-139 L5
Tkibuli GE 180-181 E2
Tkibulis tcqalsacavi – zb. 180-181 E2
Tkon HR 118-119 C4
Tkvarch'eli ABC 180-181 C2
Tlacotalpan MEX 258-259 K8
Tlalnepantla MEX 258-259 J7
Tlapa de Comonfort Santa Maria MEX 258-259 J9
Tlapacoyan MEX 258-259 K8
Tlaquepaque MEX 258-259 H7
Tlaxcala – jedn. adm. MEX 258-259 J8
Tlaxcala de Xicoténcatl MEX 258-259 J8
Tlaxco de Morelos MEX 258-259 J8
Tlemcen DZ 220-221 E1,2
Tleń PL (K-P) 70-71 B6
Tleta-De-Sidi-Bouguedra MA 220-221 C2
Tlētē Quāte Garbī, Ğabal – g. 184-185 H4
Tljarata RUS 180-181 H2
Tloch RUS 180-181 H2
Tlumač UA 142-143 D,E5
Tłokowo PL (POM) 72-73 B8
Tłuchowo PL (K-P) 76-77 C7
(Tłuste) UA 142-143 E5
Tłuszcz PL (MAZ) 76-77 C9
Tmara – w. 118-119 P13
Tmassah LAR 222-223 C2
Toa Payoh – dzieln. SGP 196 J8
Toamasina RM 226-227 I3
Toano Mountains – g-y 252-253 G6
Toau – w. 290-291 N6
Toba, Danau – jez. 194-195 B5
Toba J 204-205 I8
Toba Kakar Range – g-y 188-189 I2
Tobago – w. 272 G,H3
Tobarra E 130-131 J7
Tobelo RI 194-195 H5
Tobermorey AUS 296-297 F3
Tobermory CDN 244-245 P7
Tobermory GB 128-129 G5
Tobi – w. 290-291 F4
Tobias Barreto BR 278-279 F5
Tobin Lake – jez. 296-297 D3
Tobin, Mount – g. 252-253 F6
Tobin Reservoir – zb. 244-245 L6
Tobi-shima – w. 204-205 L3
Toblach I 120-121 H4
Toblas Strait – cieśn. 197 C5
Toboali RI 194-195 D6
Tobol – rz. 166-167 J4
Toboli RI 194-195 F6
Tobol'sk RUS 176-177 J6
(Tobruk) LAR 222-223 D1
Tobseda RUS 144-145 L3
Tobyl KZ 144-145 N6
Tobylžan KZ 176-177 L7
Tocantínia BR 278-279 D4
Tocantinópolis BR 278-279 D4
Tocantins – jedn. adm. BR 278-279 D4
Tocantins, Rio – rz. 278-279 B4
Tocantins, Rio – rz. 278-279 D3
Toccoa USA (GA) 248-249 D7
Toce – rz. 120-121 D4
Tochigi – jedn. adm. J 204-205 L6
Tochigi J 204-205 L6
Tochio J 204-205 L5
Toch'o-do – w. 202-203 D4
Töcksfors S 138-139 H3
Tocoa HN 260-261 G,H5
Toconao RCH 280-281 E2
Tocopilla RCH 280-281 D2
Tocorpuri, Cerros de – g. 276-277 D8
Tocumen PA 260-261 K8
Tocumwal AUS 296-297 G6
Tocuyo, Río – rz. 276-277 D1
Toda Rai Singh IND 190-191 D3
Todeli RI 194-195 G6
Todenyang EAK 224-225 G3
Tödi – g. 120-121 D4
Todi I 132-133 G6
Todireni RO 114-115 G2
Todmorden AUS 296-297 E4
Todos Santos, Bahía de – zat. 258-259 A2
Todos Santos MEX 258-259 D6
Toě Sŏk K 192-193 D5
Toéssé BF 220-221 E6
Toetoes Bay – zat. 298 C8
Tofino CDN 244-245 G7
Tofte USA (MN) 250-251 I2
Tofua – w. 290-291 K6
Tog Dheertogga, togga – rz. 222-223 I6
Toga – w. 299 K10
Tōgane J 204-205 M7
Togh KAR 180-181 H5
Togi J 204-205 I5
Togiak USA (AK) 254-255 J4
Togian, Kepulauan – w-y 194-195 G6
Togni SUD 222-223 G4
Togo – państwo 217 D5
Togoromá CO 276-277 B3
Tögrög MAU 198-199 F2
Tögrög MAU 198-199 F2
Togtoh CHN 200-201 C1
Togučin RUS 176-177 M6,7
Togur RUS 176-177 M6
Tohatchi USA (NM) 252-253 J9
Tohiea – g. 299 D5
Tohma Çayı – rz. 184-185 G2
Tohmajärvi FIN 136-137 h6
Toi J 204-205 K8
Toijala FIN 138-139 T1
Toi-misaki – przyl. 202-203 E5
Toirano I 120-121 D6
Toivakka FIN 136-137 G,g6
Toiyabe Mountains – g-y 252-253 F7
Tojlok UZ 182-183 L7
Tōjō J 204-205 F8
Tojoku RUS 178-179 B6
Tokachi-dake – wulk. 202-203 H2
Tokachi-mitsumata J 202-203 H2
Tōkai J 204-205 I8
Tōkai J 204-205 M6
Tokaj H 112-113 N7
Tokal IND 190-191 D4
Tōkamachi J 204-205 K5
Tōkar SUD 222-223 G4
Tokara-kaikyō – cieśn. 166-167 P6,7
Tokara-rettō – w-y 202-203 L6
Tokarevka KZ 182-183 O1
Tokarnia – g. 80-81 F10
Tokarnia PL (MŁP) 80-81 F7
Tokarnia PL (ŚW) 80-81 E8
Tokat TR 184-185 G1
Tŏkchŏk-gundo – w-y 202-203 D3
Tokelau – teryt. zal. NZ 292-293 K5
Tokelau Islands – w-y 290-291 K5
(Tokio) J 204-205 L7
Toklat USA (AK) 254-255 L3
Tokma RUS 176-177 R6
Tokmak UA 142-143 O6
Tokmok KS 182-183 P5
Tokomaru Bay NZ 298 H4
Tokoname J 204-205 I8
Tokoro J 202-203 I1
Tokorozawa J 204-205 L7
Toksovo RUS 140-141 L1
Toksu CHN 198-199 D3
Toksun CHN 198-199 E3
Toktogul KS 182-183 O6
Toktogulski, Zbiornik 182-183 O6
Toku – w. 290-291 K6
Tokulu – w. 299 G8
Toku-no-shima – w. 166-167 P7
Tokunoshima J 202-203 L7
Tokur RUS 178-179 E8
Tokushima J 204-205 G8
Tokuyama J 204-205 D8
Tokwe – rz. 226-227 F4
Tōkyō J 204-205 L7
Tōkyō-wan – zat. 204-205 L7
Tol – w. 290-291 H4
Tolaga Bay NZ 298 H4
Tolapalca, Río – rz. 276-277 D7
Tolar Grande RA 280-281 E2
Tōle Bi KZ 182-183 O5
Tolé PA 260-261 J8
Toledańskie, Góry 130-131 G6
Toledo Bend Reservoir – zb. 250-251 H10
Toledo BR 278-279 C7
Toledo E 130-131 G6
Toledo USA (IA) 250-251 H4
Toledo USA (OH) 248-249 D4
Toledo USA (OR) 252-253 C4
Tolentino I 132-133 H5
Tolga DZ 220-221 G2
Toli CHN 198-199 D2
Toliara RM 226-227 H4
Tolima, Nevado de – wulk. 276-277 B3
Tolimaržon UZ 182-183 K7
Toling CHN 190-191 E2
Tolitoli RI 194-195 G5
Tol'jatti RUS 144-145 K6
Tol'ka RUS 176-177 M5
Tolkmicko PL (W-M) 72-73 A7
Tollarp S 138-139 J7
Tollense – rz. 122-123 J3
Tolloche RA 280-281 F3
Tølløse DK 138-139 H7
Tolmačevo RUS 140-141 K3
Tolmezzo I 120-121 I4
Tolmin SLO 120-121 I4
Tolna – jedn. adm. H 114-115 V16
Tolo, Teluk – zat. 166-167 P10
Tolo ZRE 224-225 C4
Tolosa E 130-131 I2
Tolsan-do – w. 202-203 D4
Tolstoj, mys – przyl. 178-179 J7
Tolú CO 260-261 M8
Toluca MEX 258-259 I,J8
Toluca, Nevado de – g. 258-259 I8
Toluk KS 182-183 O5,6
Tolvojarvi RUS 136-137 h6
(Tołoczyn) BY 140-141 K7
Tom' – rz. 176-177 N6
Tom Price AUS 296-297 B3
Toma BF 220-221 E6
Tomah USA (WI) 250-251 I4
Tomahawk USA (WI) 250-251 J3
Tomai MD 114-115 I3
Tomakivka UA 142-143 N6
Tomakomai J 202-203 H2
Tomamae J 202-203 H1
Tomanggong MAL 196 R14
Tomani MAL 196 P14
Tomanivi – g. 299 B2
Tomanowa Przełęcz 80-81 F7
Tomar KZ 182-183 P3
Tomar P 130-131 C6
Tomari J 204-205 N1
Tomarovka RUS 142-143 O3
Tomarza TR 184-185 F2
Tomašhorod UA 140-141 H10
Tomašhorod UA 140-141 K10
Tomašpil' UA 142-143 H5
(Tomaszgród) UA 140-141 H10
(Tomaszgród) UA 140-141 K10
Tomaszów Lubelski PL (LBL) 80-81 E11
Tomaszów Mazowiecki PL (ŁDZ) 76-77 D7
(Tomaszówka) UA 140-141 E10
Tomat SUD 222-223 G5
Tomatlán, Río – rz. 258-259 G8
Tombador, Serra do – g-y 278-279 B5
Tombigbee River – rz. 250-251 J10
Tombo, Punta – przyl. 280-281 E6
Tombo, Río – rz. 276-277 C6
Tomboco ANG 224-225 B5
Tombouctou RMM 220-221 E5
Tombstone USA (AZ) 252-253 J11
Tombua ANG 224-225 B7
Tomdibulok UZ 182-183 K6
Tomé Açu BR 278-279 D3
Tomé RCH 280-281 D5
Tomelilla S 138-139 J7
Tomelloso E 130-131 H6
Tomești RO 114-115 C4
Tomgo CHN 190-191 E2
Tomice PL (MŁP) 78-79 F7
Tominé – rz. 220-221 C6
Tomini RI 194-195 G5
Tomini, Teluk – zat. 166-167 P10
Tominián RMM 220-221 E6
Tomiño E 130-131 C3,4
Tomintoul GB 128-129 J4
Tomioka J 204-205 K6
Tomioka J 204-205 N5
Tomislavgrad BIH 118-119 S13
Tomiyama J 204-205 J7
Tomkinson Ranges – g-y 296-297 D4
Tommot RUS 178-179 D7
Tomnatic RO 114-115 A3,4
Tomo NC 299 J,K14,15
Tomo, Río – rz. 276-277 D2
Tomorice – reg. 118-119 H7
Tomorri – g-y 118-119 H7
Tomörtei CHN 200-201 D1
Tompkinsville USA (KY) 248-249 C6
Tompo – rz. 178-179 F6
Tompo RUS 178-179 F6
Tomsk RUS 176-177 N6
Tomtor RUS 178-179 E5
Tomu Rosu RO 114-115 N12
Tonaki-jima – w. 202-203 K7
Tonalá MEX 260-261 D4
Tonale, Passo di – przeł. 120-121 F4
Tonalea USA (AZ) 252-253 I8
Tonami J 204-205 J6
Tonantins BR 276-277 D4
Tonasket USA (WA) 252-253 E2
Tonbara J 204-205 E7
Tonb-e Borzog, Ğazīre-ye – w. 187 F3
Tonb-e Kučak, Ğazīre-ye – w. 187 F3
Tonbibi RMM 220-221 E5
Tonbo MYA 192-193 B4
Tonbridge GB 128-129 M10
Tondano RI 194-195 G,H5
Tondela P 130-131 C5
Tønder DK 138-139 E8
Tondou, Massif du – g-y 224-225 D2
Tone J 204-205 L6
Tonégrande FGF 278-279 C2
Tonekābon IR 184-185 N3
Tonež BY 140-141 I10
Tong – rz. 222-223 E6
Tong SUD 222-223 E6
Tong Xian CHN 200-201 E2
Tonga – państwo 292-293 K6
Tonga Islands – w-y 290-291 K7
Tonga SUD 222-223 F6
Tongaat ZA 226-227 F5
Tong'an CHN 200-201 E5
Tongariki – w. 299 L12
Tongatapu – w. 290-291 K7
Tongatapu Group – w-y 290-291 K7
Tongbai CHN 200-201 D3
Tongbai Shan – g-y 200-201 D3
Tongcheng CHN 200-201 D4
Tongcheng CHN 200-201 E3
Tongcheng CHN 200-201 E4
T'ongch'ŏn KOR 202-203 D3
Tongchuan CHN 200-201 C3
Tongde CHN 198-199 H4
Tongeren B 126 D4
Tonggu CHN 200-201 D4
Tonggu Jiao – przyl. 200-201 C7
Tongguan CHN 200-201 C3
Tongha CHN 192-193 D3
Tonghe CHN 198-199 M2
Tonghua CHN 202-203 D2
Tongjiang CHN 198-199 N2
Tongjiang CHN 200-201 B4
Tongliang CHN 200-201 B4
Tongliao CHN 202-203 C2
Tongling CHN 200-201 E4
Tonglu CHN 200-201 E4
Tongmen TWN 196 G5
Tongoa – w. 299 L12
Tongod MAL 196 Q14
Tongoy RCH 280-281 D4
Tongren CHN 198-199 H4
Tongren CHN 200-201 C5
Tongshan CHN 200-201 D4
Tongshi CHN 200-201 C7
Tongta MYA 192-193 C3
Tongtian He – rz. 198-199 G5
Tongue GB 128-129 I3
Tongue, Kyle of – cieśn. 128-129 I3
Tongue River – rz. 252-253 K4
Tongwei CHN 200-201 B3
Tongxiao TWN 196 F4
Tongxin CHN 200-201 B2
Tongxu CHN 200-201 D3
Tongyu CHN 202-203 C1
Tongyuanpu CHN 200-201 F1
Tongzi CHN 200-201 B4
Tonhayau MEX 258-259 F4
Tonichi MEX 258-259 E3
Tönisvorst D 126 E3
Tonk IND 190-191 D3
Tonkawa USA (OK) 250-251 F7
Tonkińska, Zatoka 166-167 N8
Tônlé Sab – jez. 166-167 N8
Tonnay-Charente F 124-125 F6
Tonneins F 124-125 G7
Tonnel'nyj RUS 178-179 A7
Tonnerre F 124-125 J4
Tönning D 122-123 E2
Tōno J 204-205 N3
Tonopah USA (NV) 252-253 F8
Tonoshō J 204-205 G8
Tonosí PA 260-261 J9
Tons – rz. 190-191 E4
Tønsberg N 138-139 G3
Tonstad N 138-139 C4
Tontelange B 127 A2
Tonto, Río – rz. 258-259 K8
Tonumea – w. 299 G8
Toñuz Orun awuš – przeł. 180-181 D1
Tonya TR 184-185 H1
Tonzang MYA 192-193 B3
Toobly LB 220-221 D7
Toodyay AUS 296-297 B5
Tooele USA (UT) 252-253 H6
Toora-Chem RUS 176-177 P7
Toowoomba AUS 296-297 I4
Topaklı TR 134-135 P4
Topalu RO 114-115 I5
Topana RO 114-115 E5
Topar KZ 182-183 O2
Topares E 130-131 I8
Topboğazı Geçidi – przeł. 184-185 F3
Topçu AZ 180-181 I4
Topeka USA (KS) 250-251 G6
Topki RUS 176-177 M,N6,7
Topko, gora – g. 178-179 F7
Topl'a – rz. 112-113 N6
Topleț RO 114-115 C5
Toplica – rz. 118-119 I4
Toplice HR 118-119 L10
Toplița RO 114-115 P10
Topocalma, Punta – przyl. 280-281 D4
Topock USA (AZ) 252-253 G9
Topola XS 118-119 H3
Topolčani MK 118-119 I6
Topoľčany SK 112-113 J7
Topoľčianky SK 112-113 K7
Topolnica – rz. 114-115 E7
Topolnica, jazovir – zb. 114-115 E7
Topolobampo, Bahía de – zat. 258-259 E5
Topolobampo MEX 258-259 E5
Topolog RO 114-115 I5
Topolovec – rz. 114-115 C6
Topoloveni RO 114-115 F5
Topolovgrad BG 114-115 G7
Topolovka RUS 178-179 J6
Topolovo BG 114-115 F8
Topopa, Cabo – przyl. 258-259 C3
Toporu RO 114-115 F5
Topozero, ozero – jez. 104-105 P2
Topólka PL (K-P) 74-75 C6
Topraisar RO 114-115 I5,6
Toprakkale TR 180-181 D5
Toprakkale TR 184-185 F3
Topusko HR 118-119 C2
Topuz Geçidi – przeł. 134-135 Q5
Toquima Mountains – g-y 252-253 F7
Tor – in. 128-129 P,R5
Tor Bay – zat. 128-129 J11
Tor ETH 222-223 F6
Torá E 130-131 M4
Toraka Vines – form. podm. 226-227 H3
Toram VN 192-193 E5
Torawitan, Tanjung – przyl. 194-195 G5
Torbalı TR 134-135 I5
Torbat-e Heidarīye IR 188-189 G1
Torbay GB 128-129 J11
Torbino RUS 140-141 N3
Torbole I 120-121 F5
Torch Lake – jez. 248-249 C2
Torčyn UA 142-143 D3
Torda RO 114-115 M10
Tordatúr RO 114-115 M10
Tordesillas E 130-131 F,G4
Tordoia E 130-131 C2
Torekov S 138-139 I6
Toreno E 130-131 E3
Torez UA 142-143 R5,6
Torğaj – rz. 182-183 J2
Torğaj KZ 182-183 J2
Torgau D 122-123 I5
Torgelow D 122-123 J3
Torhout B 126 B3
Tori IND 190-191 R13
Torigni-sur-Vire F 124-125 E2
Torila ots – przyl. 140-141 E3
Torino I 120-121 C5
Torio, Río – rz. 130-131 D5,6
Torit SUD 222-223 F7
Torūd IR 182-183 F9
Torixoréu BR 278-279 C6
Torja RO 114-115 R11
Torkoviči RUS 140-141 L3
Tormac RO 114-115 B4
Tormes, Río – rz. 130-131 F4
Tornado Mount – g. 252-253 G1,2
Tornal'a SK 112-113 M7
Tornanádaska H 112-113 M7
Torneälven – rz. 104-105 N2
Torneträsk – jez. 136-137 e3
Torngat Mountains – g-y 244-245 T4,5
Tornio FIN 136-137 f5
Torniojoki – rz. 136-137 f4
Toro – g. 258-259 I5
Toro, Cerro del – g. 280-281 E3
Toro E 130-131 F4
Toro, Isola il – w. 132-133 C10
Toro, Lago del – jez. 280-281 D8
Toro MEX 258-259 E4
Toro Peak – g. 252-253 F10
Toro, Punta – przyl. 260-261 P10
Toro WAN 220-221 G6
Torockó RO 114-115 M11

Trzemeszno PL (WLP) 74-75 C5
Trzeszczany PL (LBL) 80-81 E11
Trzęsacz PL (ZPM) 70-71 A2
Tržič SLO 120-121 J4
Trzyciąż PL (MŁP) 80-81 E7
Trzydnik Duży PL (LBL) 80-81 E10
(Trzyniec) CZ 112-113 K6
Ts'ageri GE 180-181 D2
T'salenjikha GE 180-181 D2
Ts'alka GE 180-181 F3
T'salkas tcqalsacavi – zb. 180-181 E,F3
Tsamantás GR 134-135 B4
Tsani GE 180-181 E2
Tsaratanana RM 226-227 I3
Tsaratanana, Tangorombohitr'i – g-y 226-227 I2
Tsau RB 226-227 D4
Tsavo EAK 224-225 G4
Tschibanga G 224-225 B4
Tsebelda ABC 180-181 C2
Tses NAM 226-227 C5
Tseung Kwan O – dzieln. CHN 196 C1,2
Tsévié RT 220-221 F7
Tshabong RB 226-227 D5
Tshabuta ZRE 224-225 D5
Tshane RB 226-227 D4
Tshangalélé, Lac – zb. 224-225 E6
Tshela ZRE 224-225 B5
Tshesebe RB 226-227 E4
Tshikapa ZRE 224-225 D5
Tshikubu ZRE 224-225 C,D5
Tshinsenda ZRE 224-225 E6
Tshofa ZRE 224-225 E5
Tshuapa – rz. 224-225 D4
Tshumbe Sainte-Marie ZRE 224-225 D4
Tshumoiri ZRE 224-225 C4
Tshwane RB 226-227 D4
Tsiafajavena – g. 226-227 I3
Tsihombe RM 226-227 H,I5
Ts'ikhisdziri GE 180-181 C3
Tsikuri, mta – g. 180-181 D2
Tsimanampetsotsa, Farihy – jez. 226-227 H4
Tsing Yi – dzieln. CHN 196 B1
Tsiribihina – rz. 226-227 H3
Tsiroanomandidy RM 226-227 I3
Tsit'eli Sabat'lo GE 180-181 H3
Tsitsa – rz. 226-227 E6
Tsitsa Falls – wdp. 226-227 E6
Tsivi, mta – g. 180-181 G3
Tsivory RM 226-227 I4
Ts'kaltubo GE 180-181 D2
Ts'karo GE 180-181 F3
Ts'khinvali GE 180-181 E2
Ts'knet'i GE 180-181 F3
Ts'nori GE 180-181 G,H3
Tsodilo – g. 216 F7
Tsu J 204-205 I8
Tsubame J 204-205 K5
Tsubata J 204-205 I6
Tsuchiura J 204-205 M6
Tsuda J 204-205 G8
Tsuen Wan – dzieln. CHN 196 B1
Tsugaru kaikyō – cieśn. 166-167 Q5
Tsugaru-hantō – płw. 204-205 M1
Tsukidate J 204-205 M4
Tsukumi J 202-203 E4
Tsukushi-sanchi – g-y 204-205 C9
Tsumagoi J 204-205 K6
Tsumeb NAM 226-227 C3
Tsumis NAM 226-227 C4
Tsunan J 204-205 K5
Tsuno-shima – w. 204-205 C8
Tsuru J 204-205 K7
Tsuruga J 204-205 I7
Tsuruga-wan – zat. 204-205 I7
Tsurugi-san – g. 204-205 F9
Tsuruoka J 204-205 L4
Tsushima Basin – form. podm. 204-205 C5
Tsushima kaikyō 202-203 D,E4
Tsútsuros GR 134-135 G9
Tsuyama J 204-205 G7
Ttangua, Rio – rz. 278-279 D5
Tua, Rio – rz. 130-131 D4
Tuakau NZ 298 F3
Tual RI 194-195 I7
Tuam IRL 128-129 E8
Tuamotu, Îles – w-y 290-291 N6
Tuân Giao VN 192-193 D3
Tuangku – w. 192-193 C7
Tuapí NIC 260-261 I5
Tuapse RUS 144-145 I8
Tuaran MAL 194-195 F4
Tuas – dzieln. SGP 196 H9
Tuasivi WS 298 K11
Tuba – rz. 176-177 O7
Tubac USA (AZ) 252-253 I11
Tubaiq, Ğabal aṭ- – g-y 188-189 C3
Tuban RI 194-195 O10
Tubarão BR 278-279 D8
Ṭūbās PS 186 B3
Tubbataha Reefs – form. podm.197 B7
Tubbergen NL 126 E2
Tubigan – w. 197 C8
Tübingen D 120-121 E2
Tübkaragan mys – przyl. 182-183 C4
Tubman-burg LB 220-221 C7
Tubod RP 197 D7
Tubruq LAR 222-223 D1
Tubuai – w. 290-291 N7
Tubuaï, Îles – w-y 290-291 M7
Tubutama MEX 258-259 D2
Tucacas YV 276-277 D1
Tucano BR 278-279 F5
Tucavaca, Río – rz. 276-277 E7
Tučepi HR 118-119 R,S14
Tuchan F 124-125 I9
Tuchang TWN 196 G4
Tuchola PL (K-P) 70-71 B5
Tucholska, Równina – fizjogr. 48-49 B5
Tucholski Park Krajobrazowy 70-71 B5
Tucholskie, Bory – in. 70-71 B6
Tuchomie PL (POM) 70-71 A5
Tuchów PL (MŁP) 80-81 F9
Tucker Glacier – lod. 311 K2
Tuckerman USA (AR) 250-251 I8
Tucson USA (AZ) 252-253 I10
Tucumã BR 278-279 C4
Tucumán – jedn. adm. RA 280-281 E3
Tucumcari USA (NM) 250-251 B8
Tucuparé BR 278-279 B4
Tucupita YV 276-277 E2
Tucuracas CO 262-263 G8
Tucuruí BR 278-279 C3
Tuczępy PL (ŚW) 80-81 E9
Tuczna PL (LBL) 76-77 D11
Tuczno PL (ZPM) 70-71 B4
Tudela de Duero E 130-131 G4
Tudela E 130-131 J3
Tudmur SYR 186 E1
Tudora RO 114-115 G2
Tudu EST 140-141 H2
Tuela, Rio – rz. 130-131 D4
Tuen Mun – dzieln. CHN 196 A1
Tuensang IND 190-191 G3
Tueré, Rio – rz. 278-279 C3
Ṭufayḥ KSA 187 C3
Tufeni RO 114-115 E5
Tufești RO 114-115 H4
Tugela – rz. 216 G8
Tugela Falls – wdp. 226-227 E5
Tugela ZA 226-227 F5
Tuggerah, Lake – jez. 296-297 I5
Tugotino RUS 140-141 K4
Tuguegarao RP 197 C3
Tugur RUS 178-179 F8
Tui E 130-131 C3
Tuichi, Río – rz. 276-277 D6
Tuira, Río – rz. 260-261 K,L8
Tuitán MEX 258-259 G5
Tujmazy RUS 144-145 L6
Tŭjtepa UZ 182-183 M6
Tüjyk KZ 182-183 S5
Tukangbesi, Kepulauan – w-y 194-195 G7
Tukkituki River – rz. 298 G4,5
Tukkuztara CHN 198-199 D3
Tükrah LAR 222-223 C,D1
Tuktoyaktuk CDN 244-245 F3
Tukums LV 140-141 D5
Tukuringra, chrebet – g-y 178-179 C8
Tukuyu EAT 224-225 F5
Tula de Allende – r. 258-259 J7
Tula MEX 258-259 J6
Tula, Río – rz. 258-259 J7
Tula RUS 144-145 I6
Tulancingo MEX 258-259 J7
Tulare Lake Bed – jez. 252-253 E8,9
Tulare USA (CA) 252-253 E8
Tularosa USA (NM) 252-253 L10
Tularosa Valley – dol. 252-253 K10
Tulasa TR 134-135 N6
Tulcán EC 276-277 B3
Tulcea RO 114-115 I4
Tul'čyn UA 142-143 H5
(Tulcza) RO 114-115 I4
Tule River Indian Reservation – jedn. adm. USA 252-253 E8
Tulelake USA (CA) 252-253 D6
Tulgheș RO 114-115 Q10
Tul'havičy BY 140-141 K10
Tuli ZW 226-227 E4
Tulia USA (TX) 250-251 D8
Tuliszków PL (WLP) 74-75 C6
Tülkarm PS 186 B3
Tülkibas KZ 182-183 M,N5
Tullahoma USA (TN) 248-249 B7
Tullamore AUS 296-297 H5
Tullamore IRL 128-129 F8
Tulle F 124-125 H6
Tulln A 120-121 L2
Tullow IRL 128-129 G9
Tullus SUD 222-223 D5
Tully AUS 296-297 H2
Tulnici RO 114-115 G4
Tuloma – rz. 136-137 I3
Tulos, ozero – jez. 136-137 h6
Tulpan RUS 144-145 M4
Tulsequah CDN 244-245 E5
Tuluá CO 276-277 B3
Tulum MEX 260-261 G2
Tulun RUS 176-177 P7
Tulungagung RI 194-195 O10
(Tuluza) F 124-125 H8
Tułowice PL (MAZ) 76-77 C8
Tułowice PL (OPO) 78-79 E5
Tum PL (ŁDZ) 76-77 C7
Tuma, Río – rz. 260-261 H6
Tumaco EC 276-277 B3
Tumaco, Ensenada de – zat. 276-277 B3
T'umanian AR 180-181 F4
Tumannyj RUS 144-145 I3
Tumba, Lac – jez. 224-225 C4
Tumba ZRE 224-225 D4
Tumbaya RA 280-281 E2
Tumbes PE 276-277 A4
Tumby Bay AUS 296-297 F5
Tumd Youqi CHN 200-201 C1
Tumd Zuoqi CHN 200-201 C1
Tumen CHN 202-203 E2
Tumen Jiang – rz. 202-203 E2
Tumi KAR 180-181 H5
Tumkur IND 190-191 D6
Tumlong IND 190-191 T11
Tumosa – rz. 136-137 h4
Tump PK 188-189 H3
Tumpat MAL 194-195 C4
Tumsar IND 190-191 D4
Tumu GH 220-221 E6
Tumucumaque, Serra – g-y 278-279 B2
Tumupasa BOL 276-277 D6
Tumureng GUY 276-277 E2
Tumut AUS 296-297 H6
Tuna S 138-139 M5
Tunanak USA (AK) 254-255 I3
Tunas de Zaza C 260-261 K2
Tunca – rz. 134-135 H2
Tunceli TR 184-185 H2
Tunchang CHN 200-201 C7
Tunduma EAT 224-225 F5
Tunduru EAT 224-225 G6
Tundža – rz. 114-115 G7
Tüney TR 134-135 O3
Tunezja – państwo 217 D2
Tung Lung Chau – w. 196 C2
Tunga WAN 220-221 G7
Tungaru SUD 222-223 F5
Tungawan RP 197 C,D8
Tungelsta S 138-139 N3
Tungku MAL 194-195 F4
Tungla NIC 260-261 H6
Tunglo TWN 196 F4
Tungokočen RUS 178-179 B8
Tungua – w. 299 G8
Tungue, Baía de – zat. 226-227 H2
Tungurahua, Volcán – wulk. 276-277 B4
Tunguski, Płaskowyż 176-177 O4
Tuni IND 190-191 E5
Tunica USA (MS) 250-251 I8
Tunis TN 220-221 G1
Tuniska, Zatoka 220-221 H1
Tunja CO 276-277 C2
Tunkhannock USA (PA) 248-249 G4
Tunki NIC 260-261 H6
Tunliu CHN 200-201 D2
Tunnhovdfjord – jez. 138-139 E2
Tunnsjøen – jez. 136-137 D5
Tuntange L 127 B2
Tuntum BR 278-279 D4
Tunuyán RA 280-281 E4
Tunuyán, Río – rz. 280-281 E4
Tuo Jiang – rz. 200-201 B4
Tuobuja RUS 178-179 C6
Tuoji Dao – w. 200-201 F2
Tuolomne USA (CA) 252-253 D8
Tuŏng Dương VN 192-193 D4
Tuotuo Heyan CHN 198-199 F5
Tüp KS 182-183 S5
Tupã BR 278-279 C7
Tupaciguara BR 278-279 D6
Tupai – w. 290-291 M6
Tupana, Rio – rz. 276-277 E4
Tupanciretã BR 278-279 C8
Tupažnica – g-y 118-119 I,J4
Tupelo USA (MS) 250-251 J8
Tupilați RO 114-115 G2
Tupinambarana, Ilha – w. 276-277 F4
Tupirantins BR 278-279 D4
Tupiza BOL 276-277 D8
Tuplice PL (LBU) 74-75 D2
Tupper Lake USA (NY) 248-249 H2
Tupungato, Cerro – g. 280-281 E4
Tupyčiv UA 140-141 M10
Tuqu Gang – zat. 200-201 C7
Tuquan CHN 202-203 C1
Tur – rz. 114-115 D2
Tur UA 140-141 F10
Tura – rz. 176-177 I6
Tura IND 190-191 U12
Tura RUS 176-177 Q5
Turaba KSA 188-189 D4
Turabah KSA 188-189 D3
Turagua, Serranía – g. 276-277 E2
Turaif KSA 188-189 C2
Turan RUS 176-177 O7
Turana, chrebet – g-y 178-179 E8
Turanlı TR 134-135 I4
Turano – rz. 132-133 G6
Turańska, Nizina 166-167 I5
Turaq al-'Ilab – pust. 186 E2
Tur'at Maṣīra – cieśn. 188-189 G4
Turaŭ BY 140-141 I9
Turawa PL (OPO) 78-79 E6
Turawskie, Jezioro – zb. 78-79 E6
Turbaco CO 276-277 B1
Turbacz – g. 80-81 F8
Turbat PK 188-189 H3
Turbenthal CH 120-121 D3
Turbiv UA 142-143 H4
Turbo CO 276-277 B2
Turburea RO 114-115 D5
Turčianske Teplice SK 112-113 K7
Turcja – państwo 168-169 F6
Turco, Río – rz. 276-277 D7
Turda RO 114-115 M10
Tureckie, Wzgórza – fizjogr. 48-49 C5
Tureia – w. 290-291 O7
Turek PL (WLP) 74-75 C6
Turen RI 194-195 P11
Tureni RO 114-115 M10
Turenia – reg. 124-125 G4
Turenki FIN 140-141 F1
Tureta WAN 220-221 G6
Turew PL (WLP) 74-75 C4
(Turfan) CHN 198-199 E3
Turfańska, Kotlina 166-167 L5
Turgajska, Brama – fizjogr. 166-167 J5
Turgajska, Wyżyna 182-183 J1
Turgowia – jedn. adm. CH 120-121 D3
Turgut TR 134-135 M5
Turgutlu TR 134-135 I5
Turhal TR 184-185 G1
Türi EST 140-141 G3
Turia, Río – rz. 130-131 K6
Turia RO 114-115 R11
Turiaçu, Baía de – zat. 278-279 D3
Turiaçu, Rio – rz. 278-279 D3
Turij Rog RUS 178-179 E9
Turija – rz. 140-141 F10
Turijs'k UA 140-141 F10
Turimaquire, Cerro – g. 262-263 K8
Turin CDN 252-253 H1
Turinsk RUS 176-177 I6
Turis E 130-131 K6
Turk, Wielki – w. 262-263 H3
Turka RUS 176-177 R7
Turka UA 142-143 B4
Türkan AZ 180-181 L4
Turkana, Lake – jez. 216 G5
Türkeli Adası – w. 134-135 I3
Túrkeve H 114-115 A2
Turkey USA (TX) 250-251 D8
Türkheim D 120-121 F2
Turkiestańskie, Góry 182-183 L7
Türkistan KZ 182-183 L5
Türkmen ajlagi – zat. 182-183 E7
Türkmen Dağı – g-y 134-135 L4
Türkmenbaçi TM 182-183 E6
Türkmengala TM 182-183 J8
Turkmenistan – państwo 168-169 I5,6
Turks i Caicos – teryt. zal. GB 273 F2
Turks Island Passage – cieśn. 262-263 H3
Turku FIN 140-141 D1
Turkwel – rz. 224-225 G3
Turlock USA (CA) 252-253 D8
Turmantas LT 140-141 H6
(Turmont) LT 140-141 H6
Turneffe Islands – w-y 260-261 G4
Turner USA (MT) 252-253 J2
Turners Penisula – płw. 10-143 C7
Turnhout B 126 C3
Türnitz A 120-121 K3
Turnov CZ 112-113 H5
Turnu Măgurele RO 114-115 F6
Türnük TR 134-135 Q3
Turobin PL (LBL) 80-81 E10
Turočak RUS 176-177 N7
Turopyn UA 140-141 F10
Turoszów – dzieln. PL (DŚL) 9-11 E2
Turośl PL (PDL) 72-73 B9
Turośń Kościelna PL (PDL) 72-73 B11
(Turów) BY 140-141 I9
Turpan CHN 198-199 E3
Turpie Bank – form. podm. 290-291 J6
Turpin USA (OK) 250-251 D7
Turrialba CR 260-261 I8
Turriff GB 128-129 K4
Turruncún E 130-131 I3
Turs'ke, ozero – jez. 140-141 F10
Tursunzoda TJ 182-183 M7
Turt MAU 198-199 H1
Türtkül UZ 182-183 I6
Turtle Islands – w-y 220-221 C7
Turtle Islands – w-y 197 B8
Turtle Lake USA (ND) 250-251 D2
Turtle Lake USA (WI) 250-251 H3
Turtle Mountain – g. 250-251 D1
Turtle Mountain Indian Reservation – jedn. adm. USA 250-251 D1
Turuchansk RUS 176-177 N4
Turuchanskaja nizmennost' – niz. 176-177 N5
Turugart CHN 182-183 P6
Turum, Ğabal – g. 222-223 F5
Turvo, Rio – rz. 278-279 C6
Turyançay – rz. 180-181 I4
Turyançay AZ 180-181 I4
(Turyn) I 120-121 C5
Turyngia – jedn. adm. D 122-123 G6
(Turyńsk) RUS 176-177 I6
Turzin RUS 180-181 I1
Turzovka SK 112-113 K6
(Turzówka) SK 78-79 F6
(Turzysk) UA 140-141 F10
Tūs IR 182-183 H8
Tüs-Ašuu – przeł. 182-183 O5
Tuscaloosa USA (AL) 248-249 B8
Tuscania I 132-133 F6
Tuscola USA (IL) 250-251 J6
Tuscola USA (TX) 250-251 E9
Tuscumbia USA (AL) 248-249 A7
Tuščykudyk KZ 182-183 E4
Tuskar Rock – w. 128-129 G9
Tuskegee USA (AL) 248-249 C8
Tusla USA (OK) 250-251 G7
Tusnád RO 114-115 Q11
Tușnad RO 114-115 Q11
Tusnádfürdő RO 114-115 Q11
Tušnica – g-y 118-119 S13
Tuszów Narodowy PL (PKR) 80-81 E9
Tuszyn PL (ŁDZ) 76-77 D7
Tutak TR 180-181 D5
Tūtān IR 187 H3
Tutatepec MEX 260-261 B4
Tuticorin IND 190-191 D7
Tutin XS 118-119 H4
Tutoh – rz. 196 P15
Tutoko, Mount – g. 298 B,C7
Tutončany RUS 176-177 O5
Tutóia BR 278-279 E3
Tutrakan BG 114-115 G5
Tuttle Creek Lake – jez. 250-251 F6
Tuttlingen D 120-121 D3
Tutuala RI 194-195 H7
Tutuba – w. 299 K11
Tutuila – w. 290-291 K6
Tutupaca, Volcán – wulk. 276-277 C7
Tutwiler USA (MS) 250-251 I9
Tuul gol – rz. 198-199 I2
Tuusniemi FIN 136-137 H6
Tuusula FIN 140-141 F1
Tuvalu – państwo 292-293 J5
Tuvutha – w. 299 C2
Tuwa – jedn. adm. RUS 174-175 J4
Tuwaiq, Ğabal – g-y 188-189 E4
Tūwal KSA 188-189 C4
Tuxer Alpen – g-y 120-121 G3
Tuxpan, Arrecife – w. 258-259 K7
Tuxpan MEX 258-259 G7
Tuxpan MEX 258-259 H8
Tuxpan MEX 258-259 K7
Tuxpan, Río – rz. 258-259 J7
Tuxtepec MEX 258-259 K9
Tuxtla Gutiérrez MEX 258-259 M9
Tuy Hoa VN 192-193 E5
Tuy Phong VN 192-193 E5
Tuy, Río – rz. 262-263 J8
Tuyên Hoa VN 192-193 E4
Tuyên Quang VN 192-193 D3
Tūyserkān IR 184-185 M4
Tuz Gölü – jez. 134-135 O5
Ṭūz Ḫurmātū IRQ 184-185 K4
Tuzi XM 118-119 W16
Tuzla BIH 118-119 F3
Tuzla Çayı – rz. 180-181 B5
Tuzla Gölü – jez. 184-185 F2
Tuzla RO 114-115 I6
Tuzluca TR 180-181 E4
Tuzlukçu TR 134-135 M5
Tuzly UA 142-143 J8
Tuzugu – oaza 222-223 C3
Tvărdica BG 114-115 F7
Tvedestrand N 138-139 E4
Tver' RUS 144-145 I5
Tving S 138-139 L6
Tvishi GE 180-181 D2
Tvøroyri FR 127 E5
Tvrdošín SK 112-113 L6
Tvrdošovce SK 112-113 J7
Twardogóra PL (DŚL) 78-79 D5
(Twardoszyn) SK 112-113 L6
Twedy Mount – g. 252-253 H4
Tweed – rz. 128-129 K6
Tweed CDN 248-249 G2
Twente – reg. 126 E2
Twentekanaal de Veluwezoom – kan. 126 E2
Twentynine Palms USA (CA) 252-253 G9
Twin Bridges USA (MT) 252-253 H4
Twin Buttes Reservoir – zb. 250-251 D10
Twin Falls USA (ID) 252-253 G5
Twin Hills USA (AK) 254-255 J,K4
Twin Lakes – jez. 248-249 K2
Twin Peaks – g. 252-253 G4
Twins, The – g. 298 E5
Two Buttes USA (CO) 250-251 C7
Two Harbors USA (MN) 250-251 H2
Two Rivers USA (WI) 250-251 K3
Two Thumb Range – g-y 298 D6,7
Tworóg PL (ŚL) 78-79 E6
Tyara, Cayo – w. 260-261 I6
(Tyber) – rz. 132-133 G7
(Tyberiada) IL 186 B3
Tyberiadzkie, Jezioro 186 B3
Tybet – jedn. adm. CHN 198-199 D5
Tybetańska, Wyżyna 166-167 N5
Tychonovyči UA 142-143 K,L2
Tychowo PL (ZPM) 70-71 B4
Tychy PL (ŚL) 78-79 E6
Tyczyn PL (MŁP) 80-81 F10
Tyeckani MD 114-115 G1
Tygda RUS 178-179 D8
(Tygrys) – rz. 166-167 H6
Tyin – jez. 138-139 E1
Tyitov Seamount – form. podm. 290-291 K5
Tykocin PL (PDL) 72-73 B10
Tyler USA (MN) 250-251 F3
Tyler USA (TX) 250-251 G9
Tylertown USA (MS) 250-251 I10
Tylicka, Przełęcz 80-81 F9
Tylihul – rz. 142-143 J6
Tym – rz. 176-177 M6
Tymbark PL (MŁP) 80-81 F8
Tymovskoe RUS 178-179 G8
Tympáki GR 134-135 F8
Týn nad Vltavou CZ 112-113 G6
Tynda RUS 178-179 C7
Tyndall USA (SD) 250-251 E4
Tynemouth GB 128-129 L6
Tyngsjö S 138-139 J2
Tyniec – dzieln. PL (MŁP) 80-81 E7
Tynset N 136-137 c6
Tynycja UA 142-143 L2
Týniště nad Orlicí CZ 112-113 H5
Tyonek USA (AK) 254-255 L3
(Tyr) RL 186 B2
(Tyraspol) NAD 114-115 J3
Tyrawa Wołoska PL (MŁP) 80-81 F10
Tyrifjord – jez. 138-139 G2,3
Tyrma RUS 178-179 E8
Tyrnyauz RUS 180-181 D1
Tyrny-Auz RUS 180-181 D1
Tyrnyawuz RUS 180-181 D1
Tyrol – jedn. adm. A 120-121 F3
Tyrone USA (PA) 248-249 F4
Tyrreński, Basen – form. podm. 132-133 E9
Tyrreńskie, Morze 104-105 L7
Tyruliai LT 140-141 E6
Tyrviv UA 142-143 H4,5
Tysa – rz. 114-115 D2
Tysmenycja UA 142-143 D5
Tysnes N 138-139 B2
Tysnesøy – w. 138-139 B2,3
Tysse N 138-139 B2
Tysteberga S 138-139 N4
Tyszowce PL (LBL) 80-81 E11
Tyśmienica – rz. 76-77 D10
(Tyśmienica) UA 142-143 D5
Tytuvėnai LT 140-141 E6
Tywa – rz. 70-71 B2
Tywyn GB 128-129 I9
Tzaghkadzor AR 180-181 F4
Tzaghkahovit AR 180-181 F4
Tzintzuntzan MEX 258-259 I8
Tzovagyugh AR 180-181 F4
Tzovinai AR 180-181 G4
Tzucacab MEX 260-261 F2,3
Tzummarum NL 126 D1

U

Ua Huka, Île – w. 290-291 O5
Ua Pou – w. 290-291 N5
Uaco Cungo ANG 224-225 C6
Uaffah, Ra's – przyl. 187 G4
Uaiauka, Río – rz. 276-277 D3
Ualand N 138-139 C4
Ualibān KSA 188-189 D4
Uamīm – oaza 187 F5
Uamri KOR 202-203 E2

Skorowidz nazw

518

Warmandi RI 194-195 I6
Warmątowice Sienkiewiczowskie PL (DŚL) 78-79 D4
Warmbad NAM 226-227 C5
Warmbad ZA 226-227 E4
(Warna) BG 114-115 H,I6
Warner CDN 252-253 H1
Warner Mountains – g-y 252-253 D6
Warner Robins USA (GA) 248-249 D8
Warner Valley – dol. 252-253 D5
Warnes BOL 276-277 E7
Warnice PL (ZPM) 70-71 B3
Waroona AUS 296-297 B5
Warora IND 190-191 D4
Warrabri AUS 296-297 E3
Warracknabeal AUS 296-297 G6
Warrego – rz. 296-297 H4
Warrego Range – g-y 290-291 G7
Warren AUS 296-297 H5
Warren USA (AR) 250-251 H9
Warren USA (MI) 248-249 D3
Warren USA (MN) 250-251 F1
Warren USA (OH) 248-249 E4
Warren USA (PA) 248-249 F4
Warrenpoint GB 128-129 G7
Warrensburg USA (MO) 250-251 G6
Warrenton USA (GA) 248-249 D8
Warrenton USA (MO) 250-251 I6
Warrenton USA (OR) 252-253 B3
Warrenton ZA 226-227 D5
Warri WAN 220-221 G7
Warrina AUS 296-297 F4
Warrington GB 128-129 K8
Warrington USA (FL) 248-249 B9
Warrior USA (AL) 248-249 B8
Warrnambool AUS 296-297 G6
Warroad USA (MN) 250-251 G1
Warsaw USA (IN) 248-249 C4
Warsaw USA (MO) 250-251 H6
Warsaw USA (NC) 248-249 F7
Warsaw USA (NY) 248-249 F,G3
Warsaw USA (VA) 248-249 G5,6
Warshiikh SP 224-225 I3
Warszawa PL (MAZ) 76-77 C9
Warszawska, Kotlina – fizjogr. 48-49 C7
Warta – rz. 104-105 M5
Warta Bolesławiecka PL (DŚL) 78-79 D3
Warta PL (ŁDZ) 74-75 D6
Wartenberg D 120-121 G2
Warud IND 190-191 D4
Warwick AUS 296-297 I4
Warwick GB 128-129 K,L9
Warwick USA (RI) 248-249 J4
Warzhong CHN 192-193 D2
Wasatch Range – g-y 240 J6
Wasco USA (CA) 252-253 E9
Wasco USA (OR) 252-253 D4
Waseca USA (MN) 250-251 H3,4
Wasel-Datteln-Kanal – kan. 122-123 O10
Wash, The – zat. 104-105 J5
Washago CDN 248-249 F2
Washburn, Mount – g. 252-253 I4
Washburn USA (ND) 250-251 D2
Washburn USA (WI) 250-251 I2
Washim IND 190-191 D4,5
Washington Court House USA (OH) 248-249 D5
Washington Island – w. 248-249 B2
Washington Island USA (WI) 250-251 K3
Washington USA (GA) 248-249 D8
Washington USA (IA) 250-251 I5
Washington USA (IN) 248-249 B5
Washington USA (KS) 250-251 F6
Washington USA (MD) 248-249 G5
Washington USA (MO) 250-251 I6
Washington USA (NC) 248-249 G7
Washington USA (PA) 248-249 E4
Washita River – rz. 250-251 F8
Washoe USA (MT) 252-253 J4
Wasi IND 190-191 D5
Wasian RI 194-195 I6
Wasilków PL (PDL) 72-73 B11
Wasior RI 194-195 I6
Wasipe GH 220-221 E7
Wāsiṭ – jedn. adm. IRQ 184-185 K5
Waskada CDN 250-251 D1
Waskesiu Lake CDN 244-245 K6
Waskish USA (MN) 250-251 G1
Waspán NIC 260-261 H5
Waspik NL 126 C3
Waspus, Río – rz. 260-261 H5
Wassamu J 202-203 H1,2
Wassaw Island – w. 248-249 E9
Wassen CH 120-121 D4
Wassenaar NL 126 C2
Wassenberg D 126 E3
Wasserburg am Inn D 120-121 H2
Wasserkuppe – g. 122-123 F6
Wassigny F 126 B4
Wassuk Range – g-y 252-253 E7
Wassy F 124-125 K,L3
(Waszkowce) UA 142-143 E5
Waszyngton – jedn. adm. USA 241 I5
(Waszyngton) USA (MD) 248-249 G5
Waszyngtona, Góra 248-249 J2
Waszyngtona, Ziemia – reg. 310 n2
Waśniów PL (ŚW) 80-81 E9
Watampone RI 194-195 F,G6
Watari J 204-205 M4
Wataru Channel – cieśn. 196 L11
Watauga Lake – jez. 248-249 E6
Watchet GB 128-129 J10
Water Cay – w. 262-263 F2
Water Cays – w-y 262-263 D2
Water Valley USA (MS) 250-251 J8
Waterberg NAM 226-227 C4
Waterbury USA (CT) 248-249 I4
Waterbury USA (VT) 248-249 I2
Wateree Lake – jez. 248-249 E7
Waterford – jedn. adm. IRL 128-129 C1
Waterford Harbour – zat. 128-129 F10
Waterford IRL 128-129 F9
Watergate Bay – zat. 128-129 H11
Waterloo B 126 C4
Waterloo CDN 248-249 E3
Waterloo USA (IA) 250-251 H4
Waterloo USA (IL) 250-251 I6
Watersmeet USA (MI) 248-249 A1
Waterton Park CDN 252-253 G1
Watertown USA (NY) 248-249 H3
Watertown USA (SD) 250-251 F3
Watertown USA (WI) 250-251 J4
Waterville IRL 128-129 C10
Waterville USA (ME) 248-249 K2
Waterville USA (WA) 252-253 D,E3
Watford City USA (ND) 250-251 C2
Watford GB 128-129 M10
Wathaman River – rz. 244-245 K,L5
Watheroo AUS 296-297 B5
Watonga USA (OK) 250-251 E8
Watou B 126 A4
Watrous USA (NM) 252-253 L9
Watsa ZRE 224-225 E3
Watseka USA (IL) 250-251 K5
Watsi Kengo ZRE 224-225 D4
Watson Lake CDN 244-245 G4
Watsonville USA (CA) 252-253 C,D8
Watten F 124-125 I1
Wattens A 120-121 G3
Wattów, Morze 126 D1
Watts Bar Lake – jez. 248-249 C7
Wattwil CH 120-121 E3
Watubela, Kepulauan – w-y 194-195 I6
Watykan – państwo 106-107 L7
Watzmann – g. 120-121 H3
Wauchope AUS 296-297 E3
Wauchula USA (FL) 248-249 D11
Waukarlycarly, Lake – jez. 296-297 C3
Waukegan USA (IL) 250-251 K4
Waukesha USA (WI) 250-251 J4
Waulsort B 126 C4
Waupaca USA (WI) 250-251 J3
Waurika USA (OK) 250-251 E8
Wausau USA (WI) 250-251 J3
Wauseon USA (OH) 248-249 C4
Wautoma USA (WI) 250-251 J3
Wauwatosa USA (WI) 250-251 J4
Wave Hill AUS 296-297 E2
Waveney – rz. 128-129 O9
Waverly USA (IA) 250-251 H4
Waverly USA (NY) 248-249 G3,4
Waverly USA (OH) 248-249 D5
Waverly USA (TN) 248-249 B6,7
Waverly USA (VA) 248-249 G6
Wavre B 126 C4
Wavrin F 126 A4
Wāw al-Kabīr LAR 222-223 [illegible]2
Wāw an-Nāmūs – oaza 222-223 C3
Wāw SUD 222-223 E6
Wawa CDN 244-245 P7
Wawa WAN 220-221 F7
Wawanesa CDN 250-251 E1
Wawo RI 194-195 G6
Wawona USA (CA) 252-253 E8
Wawrzeńczyce PL (MŁP) 80-81 E8
Waxahachie USA (TX) 250-251 F9
Waxweiler D 126 E4
Waya – w. 299 A2
Wayao CHN 192-193 C2
Waycross USA (GA) 248-249 D9
Wayland USA (KY) 248-249 D6
Wayne USA (NE) 250-251 F4
Wayne USA (WV) 248-249 D5
Waynesboro USA (GA) 248-249 D8
Waynesboro USA (MS) 250-251 J10
Waynesboro USA (PA) 248-249 F5
Waynesboro USA (TN) 248-249 A,B7
Waynesboro USA (VA) 248-249 F5
Waynesyille USA (MO) 250-251 H7
Waynoka USA (OK) 250-251 E7
Waza CAM 222-223 B5
Waza MYA 192-193 C2
Waziers F 126 B4
Wazirabad PK 188-189 J2
Wąbrzeźno PL (K-P) 70-71 B6
Wąchock PL (ŚW) 76-77 D9
Wądroże Wielkie PL (DŚL) 78-79 D4
Wągrowiec PL (WLP) 74-75 C5
Wąpielsk PL (K-P) 72-73 B7
Wąsewo PL (MAZ) 76-77 C9
Wąsosz PL (DŚL) 74-75 D4
Wąsosz PL (PDL) 72-73 B10
Wątkowa – g. 80-81 F9
Wąwolnica PL (LBL) 76-77 D10
Wda – rz. 70-71 B6
Wdecki Park Krajobrazowy 70-71 B6
Wdzydze, Jezioro 70-71 B5
Wdzydze PL (POM) 70-71 A5
Wdzydzki Park Krajobrazowy 70-71 A5
Wé NC 299 K14
Weagamow Lake CDN 244-245 N6
Weatherford USA (OK) 250-251 E8
Weatherford USA (TX) 250-251 E9
Weaverville USA (CA) 252-253 C6
Webb City USA (MO) 250-251 G7
Webbwood CDN 248-249 D1
Webē Gestro – rz. 222-223 H6
Webē Mena – rz. 222-223 H6
Weber NZ 298 G5
Webera, Rów – form. podm. 194-195 H7
Webster City USA (IA) 250-251 H4
Webster Springs USA (WV) 248-249 E5
Webster USA (SD) 250-251 F3
Wechsel – g-y 120-121 K3
Wechselburg D 122-123 W14
Weda RI 194-195 H5
Weddela, Morze 311 s3
Weddell Island – w. 280-281 F8
Wede D 122-123 F3
Weed USA (CA) 252-253 C6
Weeki Wachee USA (FL) 248-249 D10
Weelde B 126 C3
Weener D 122-123 D3
Weerden NL 126 C2
Weert NL 126 D3
Weesen CH 120-121 E3
Wegberg D 126 E3
Weh – w. 194-195 B4
Wei He – rz. 200-201 D2
Wei He – rz. 166-167 N6
Wei Xian CHN 200-201 D2
Weichang CHN 200-201 E1
Weida D 122-123 I6
Weiden in der Oberpfalz D 122-123 H,I7
Weifang CHN 200-201 E2
Weihai CHN 200-201 F2
Weikendorf A 120-121 L2
Weilburg D 122-123 E6
Weilerwist D 126 E4
Weilheim im Oberbayern D 120-121 F,G3
Weilmünster D 122-123 E6
Weimar D 122-123 H6
Weinan CHN 200-201 C3
Weine CHN 202-203 E1
Weinfelden CH 120-121 E3
Weingarten D 120-121 E3
Weinheim D 122-123 E7
Weins A 120-121 J,K2
Weinsberg – g. 120-121 J2
Weipa AUS 296-297 G1
Weirton USA (WV) 248-249 E4
Weisendorf D 122-123 G7
Weishan Hu – jez. 200-201 E3
Weishi CHN 200-201 D3
Weisse Spitze – g. 120-121 H4
Weissenbach am Lech A 120-121 F3
Weissenborn D 122-123 Y14
Weissenburg in Bayern D 120-121 F1
Weissenfels D 122-123 H5
Weissenhorn D 120-121 F2
Weißensee – jez. 120-121 I4
Weisser Stein – g. 126 E4
Weisshorn – g. 120-121 C4
Weißkugel – g. 120-121 F4
Weisswasser D 122-123 K5
Weiten D 127 C2
Weitnau D 120-121 F3
Weitra A 120-121 J2
Weixin CHN 200-201 B5
Weiyuan CHN 200-201 B3
Weiz A 120-121 K3
Weizhou Dao – w. 200-201 C6
Wejherowo PL (POM) 70-71 A6
Wel – rz. 72-73 B7
Welch USA (WV) 248-249 E6
Welcome Kop – g. 226-227 C6
Weld Range – g-y 296-297 B4
Weldiya ETH 222-223 G5
Welebicki, Kanał – cieśn. 118-119 N10
Welkenraedt B 126 D,E4
Welkom ZA 226-227 E5
Well NL 126 E3
Welland – rz. 128-129 M9
Welland CDN 244-245 Q8
Wellesley Islands – w-y 290-291 F6
Wellin B 126 D4
Wellingborough GB 128-129 L,M9
Wellington AUS 296-297 F6
Wellington AUS 296-297 H5
Wellington CDN 248-249 G2,3
Wellington, Isla – w. 272 E9
Wellington, Lake – jez. 296-297 H6
Wellington NZ 298 F5
Wellington USA (CO) 252-253 L6
Wellington USA (KS) 250-251 F7
Wellington USA (NV) 252-253 E7
Wellington USA (TX) 250-251 D8
Wellington ZA 226-227 C6
Wells GB 128-129 K10
Wells, Lake – jez. 296-297 C4
Wells, Mount – g. 296-297 D2
Wells USA (MN) 250-251 H4
Wells USA (NV) 252-253 G6
Wellsboro USA (PA) 248-249 G4
Wellsford NZ 298 F3
Wells-Next-the-Sea GB 128-129 N8
Wellsville USA (NY) 248-249 G3
Wellsville USA (UT) 252-253 H6
Wellton USA (AZ) 252-253 G,H10
Welmet, Shet' – rz. 222-223 H6
Wels A 120-121 J2
Welshpool AUS 296-297 H6
Welshpool GB 128-129 J9
Welski Park Krajobrazowy 72-73 B7
Wełna – rz. 74-75 C4
(Wełtawa) – rz. 104-105 L6
Wema ZRE 224-225 D4
Wembo Nyama ZRE 224-225 D4
Wemding D 120-121 F2
Wen Xian CHN 200-201 B3
Wenatchee Mountains – g-y 252-253 D3
Wenatchee USA (WA) 252-253 D3
Wenchang CHN 200-201 C7
Wencheng CHN 200-201 E5
Wenchi GH 220-221 E7
Wendell USA (NC) 248-249 F7
Wendeng CHN 200-201 F2
Wendishain D 122-123 W13
Wendland – reg. 122-123 G3
Wendo ETH 222-223 G6
Wendover USA (UT) 252-253 G6
Wenduine B 126 A3
Wenebegon Lake – jez. 248-249 D1
Wenecja Euganejska – jedn. adm. I 132-133 F3
(Wenecja) I 120-121 H5
Wenecja PL (K-P) 74-75 C5
Wenecka, Laguna – zat. 120-121 H5
Wenecka, Zatoka 120-121 H5
Wener – jez. 104-105 L4
Wenezuela – państwo 273 F,G4
Wenezuelska, Zatoka 276-277 C1
Wenezuelski, Basen – form. podm. 272 G3
Weng'an CHN 200-201 B5
Wengcheng CHN 200-201 D5
Wengyuan CHN 200-201 D5
Wenjiashi CHN 200-201 D4
Wenjiazhen CHN 200-201 E4
Wenling CHN 200-201 F4
Wenquan CHN 198-199 F5
Wenquan CHN 182-183 S4
Wenquanzhen CHN 200-201 D4
Wenshan CHN 192-193 D3
Wenshang CHN 200-201 E3
Wenshui CHN 200-201 B4
Wenshui CHN 200-201 C2
Wensu CHN 198-199 C3
Wentworth AUS 296-297 G5
Wentzville USA (MO) 250-251 I6
Wenxi CHN 200-201 C3
Wenzhou CHN 200-201 F5
Wenzhou Wan – zat. 200-201 F5
Wenzhu CHN 200-201 D5
Weott USA (CA) 252-253 C6
Wepener ZA 226-227 E5
Werbkowice PL (LBL) 80-81 E11
Werda RB 226-227 D5
Werdau D 122-123 I6
Werder D 122-123 I4
Werdēr ETH 222-223 H,I6
Were Īlu ETH 222-223 G5
Wereszczyca – rz. 80-81 F11
Werfen A 120-121 I3
Weri RI 194-195 I6
(Weria) GR 134-135 D3
Weridai PNG 194-195 K7
Werkeendam NL 126 C3
Werl D 122-123 D5
Wermelskirchen D 122-123 Q12
Werne an der Lippe D 122-123 D5
Werneck D 122-123 G7
Wernigerode D 122-123 G5
Wernsdorf D 122-123 V14
Wernsdorf D 122-123 V14
Wernstein am Inn A 120-121 I2
Werra – rz. 122-123 G6
Werribee AUS 296-297 G6
Werris Creek AUS 296-297 I5
Wertheim D 122-123 F7
Wesel D 126 E3
Wesenberg D 122-123 I,J3
Weser – rz. 122-123 E3
Weska Weka ETH 222-223 G6
Weskan USA (KS) 250-251 D6
Weslaco USA (TX) 250-251 E12
Wessel Islands – w-y 290-291 F6
Wessela, Przylądek 296-297 F1
Wesseling D 126 E4
Wessington Springs USA (SD) 250-251 E3
West Allis USA (WI) 250-251 J4
West Bay – zat. 250-251 J11
West Bend USA (WI) 250-251 J4
West Branch USA (MI) 248-249 C2
West Bromwich GB 128-129 L9
West Caicos – w. 262-263 G3
West Chester USA (PA) 248-249 G5
West Columbia USA (TX) 250-251 G11
West Des Moines USA (IA) 250-251 H5
West End BS 248-249 F11
West Frankfort USA (IL) 250-251 J7
West Glacier USA (MT) 252-253 H2
West Grand Lake – jez. 248-249 K2
West Hartford USA (CT) 248-249 I4
West Helena USA (AR) 250-251 I8
West Lafayette USA (IN) 248-249 B4
West Lamma Chnnel – cieśn. 196 B2
West Liberty USA (IA) 250-251 H,I5
West Loch Tarbert – zat. 128-129 F3
West Lunga – rz. 224-225 D6
West Memphis USA (AR) 250-251 I8
West Monroe USA (LA) 250-251 H9
West Nicholson ZW 226-227 E4
West Palm Beach USA (FL) 248-249 E,F11
West Plains USA (MO) 250-251 H7
West Point Lake – jez. 248-249 C8
West Point USA (KY) 248-249 B6
West Point USA (MS) 250-251 J9
West Point USA (NE) 250-251 F5
West Point USA (VA) 248-249 G6
West Sand – w-y 194-195 E2
West Sheba Ridge – form. podm. 309 Q3
West Sole – in. 128-129 O8
West Thumb USA (WY) 252-253 I4
West Union USA (WV) 248-249 E5
West USA (TX) 250-251 F10
West Wyalong AUS 296-297 H5
West Yellowstone USA (MT) 252-253 I4
West York Island – w. 194-195 E3
Westbrook USA (ME) 248-249 J3
Westby USA (MT) 252-253 L2
Westende B 126 A3
Westerbork NL 126 E2
Westerburg D 122-123 D6
Westerellingwerf NL 126 E2
Westerland D 122-123 E2
Westerly USA (RI) 248-249 J4
Western Cape – jedn. adm. ZA 226-227 A7
Western Rocks – w. 128-129 G12
Westerstede D 122-123 D3
Westerwald – g-y 122-123 D6
Westfield USA (MA) 248-249 I3
Westgate AUS 296-297 H4
Westheim D 122-123 E5
Westhope USA (ND) 250-251 D1
Westkapelle NL 126 B3
Westland – jedn. adm. NZ 298 C7
Westlock CDN 244-245 J6
Westmalle B 126 C3
Westmeath – jedn. adm. IRL 128-129 C1,2
Westminster USA (MD) 248-249 G5
Westminster USA (SC) 248-249 D7
Westmoreland USA (KS) 250-251 F6
Westmoreland USA (TN) 248-249 B6
Westmorland USA (CA) 252-253 G10
Weston MAL 196 P14
Weston USA (MO) 250-251 G6
Weston USA (WV) 248-249 E5
Weston USA (WY) 252-253 L4
Weston-super-Mare GB 128-129 K10
Westport IRL 128-129 D8
Westport NZ 298 D5
Westport USA (CA) 252-253 B7
Westray – w. 128-129 J2
Westray Firth – zat. 128-129 J2
Westree CDN 248-249 E1
West-Terschelling NL 126 D1
Westwego USA (LA) 250-251 I11
Westwood AUS 296-297 H3
Westwood USA (CA) 252-253 D6
Wet Mountains – g-y 252-253 L7
Wetar – w. 194-195 H7
Wetaskiwin CDN 244-245 I,J6
Wete EAT 224-225 G4
Wetes RI 194-195 N,O10,11
Wetherby GB 128-129 L8
Wetlina PL (MŁP) 80-81 F10
Wĕtošow D 112-113 G4
(Wetryno) BY 140-141 J6
Wetter – jez. 104-105 L,M4
Wetter D 122-123 R11
Wetteren B 126 B3,4
Wetterstein Gebirge – g-y 120-121 F3
Wettin D 122-123 H5
Wettingen CH 120-121 D3
Wetumka USA (OK) 250-251 F8
Wetumpka USA (AL) 248-249 B8
Wetzikon CH 120-121 D3
Wetzlar D 122-123 E6
Wevelgem B 126 B4
Wewahitchka USA (FL) 248-249 C9
Wewnętrzne, Wyżyny 240 I4
Wewoka USA (OK) 250-251 F8
Wexford – jedn. adm. IRL 128-129 C2
Wexford Bay – zat. 128-129 G9
Wexford Harbour – zat. 128-129 G9
Wexford IRL 128-129 G9
Weyburn CDN 244-245 L7
Weyer Markt A 120-121 J3
Weyhe-Leeste D 122-123 E4
Weymouth Bay – zat. 128-129 K11
Weymouth GB 128-129 K11
(Wezera) – rz. 122-123 E3
Wezuwiusz – wulk. 104-105 L7
Węgierska Górka PL (ŚL) 78-79 F7
Węgierska, Mała Nizina 114-115 T15
Węgierska, Wielka Nizina 104-105 M6
Węgliniec PL (DŚL) 78-79 D3
(Węgorapa) – rz. 140-141 C7
Węgorzewo PL (W-M) 72-73 A9
Węgorzyno PL (ZPM) 70-71 B3
Węgrów PL (MAZ) 76-77 C9
Węgry – państwo 106-107 M6
Whakatane NZ 298 G3
Whale Cay – w. 248-249 G12
Whalsay – w. 128-129 M1
Whanganui Inlet – zat. 298 E5
Whangarei NZ 298 F2
Wharanui NZ 298 F5
Wharton USA (TX) 250-251 F11
Wheatland Reservoir – zb. 252-253 L6
Wheatland USA (WY) 252-253 L5
Wheeler Lake – jez. 250-251 K8
Wheeler Mount – g. 252-253 G6
Wheeler Peak – g. 252-253 G7
Wheeler Peak – g. 252-253 L8
Wheeler, Rivière – rz. 244-245 S5
Wheeler USA (OR) 252-253 B4
Wheeler USA (TX) 250-251 D8
Wheeling USA (WV) 248-249 E4,5
Whernside – g. 128-129 K7
Whiddy – w. 128-129 D10
Whim Creek AUS 296-297 B3
Whiporie AUS 296-297 I4
Whitbey Island – w. 252-253 C2
Whitby CDN 248-249 F2,3
Whitby GB 128-129 M7
White Bay – zat. 244-245 U6
White Bear Lake USA (MN) 250-251 H3
White Bird USA (ID) 252-253 F4
White Butte – g. 250-251 C2
White City USA (KS) 250-251 F6
White Cliffs AUS 296-297 G5
White Earth Indian Reservation – jedn. adm. USA 250-251 F,G2
White Horse Pass – przeł. 252-253 G6
White Island – w. 244-245 O3
White Island – w. 311 E3
White Islands – w-y 298 G3
White Lake – jez. 250-251 L1
White, Lake – jez. 296-297 D3
White Lake USA (WI) 250-251 J3
White Mount Peak – g. 252-253 E8
White Mountain USA (AK) 254-255 J3
White Mountains – g-y 252-253 E8
White Nossop – rz. 226-227 C4
White Otter Lake – jez. 250-251 I1
White Pass – przeł. 252-253 D3
White Plains USA (NY) 248-249 H4
White River – rz. 250-251 C4
White River – rz. 250-251 I8
White River – rz. 250-251 L1
White River – rz. 252-253 G8
White River – rz. 252-253 J7
White River CDN 244-245 O7
White River USA (SD) 250-251 D4
White Salmon USA (WA) 252-253 D4

Wŏnsan KOR 202-203 D3
Wonthaggi AUS 296-297 G,H6
Wood Lake USA (NE) 250-251 D4
Wood Mount – g. 252-253 K2
Wood River Tavak – jez. 254-255 K4
Wood River USA (IL) 250-251 I,J6
Wood River USA (NE) 250-251 E5
Woodah, Isle – w. 296-297 F1
Woodall Mountain – g. 250-251 J8
Woodbridge GB 128-129 O9
Woodbridge USA (VA) 248-249 F,G5
Woodburn AUS 296-297 I4
Woodbury USA (TN) 248-249 B7
Woodlake USA (CA) 252-253 E8
Woodland Park USA (CO) 252-253 L7
Woodland USA (CA) 252-253 C7
Woodland USA (ME) 248-249 K,L2
Woodlands – dzieln. SGP 196 I8
Woodlark – w. 290-291 H5
Woodridge CDN 250-251 F1
Woodroffe, Mount – g. 290-291 F7
Woodruff USA (SC) 248-249 D7
Woods Hole USA (MA) 248-249 J4
Woods, Lake – jez. 296-297 E2
Woodside USA (UT) 252-253 I7
Woodstock CDN 244-245 P8
Woodstock CDN 244-245 S7
Woodstock USA (IL) 250-251 J4
Woodstock USA (NH) 248-249 I2
Woodstock USA (VT) 248-249 I3
Woodsville USA (NH) 248-249 I2
Woodville NZ 298 F,G5
Woodville USA (MS) 250-251 I10
Woodville USA (TX) 250-251 G10
Woodward USA (OK) 250-251 E7
Woody Island – w. 194-195 E2
Woolgangie AUS 296-297 C5
Woomera AUS 296-297 F5
Woonsocket USA (RI) 248-249 I,J3
Woonsocket USA (SD) 250-251 E3
Wooster USA (OH) 248-249 D4
Worbis D 122-123 G5
Worcester GB 128-129 K9
Worcester USA (MA) 248-249 I3
Worcester ZA 226-227 C6
Wörgl A 120-121 H3
Workai – w. 194-195 I7
Workington GB 128-129 I,J7
Worksop GB 128-129 L8
Workum NL 126 D2
Worland USA (WY) 252-253 K5
(Wormacja) D 122-123 E7
Wormhout F 126 A4
Worms D 122-123 E7
Worms Head – przyl. 128-129 I10
(Wornie) LT 140-141 D6
Wörnitz – rz. 120-121 F2
(Woroneż) – rz. 144-145 I6
(Woroneż) RUS 144-145 I6
Woronina, Rów – form. podm. 176-177 M,N2
(Woronów) BY 140-141 G7
(Woropajewo) BY 140-141 H,I6
Worpswede D 122-123 E,F3
Wörth am Rhein D 120-121 D1
Wörth an der Donau D 120-121 H1
Worth Arlington USA (TX) 250-251 F9
Wörther See – jez. 120-121 J4
Worthing GB 128-129 M11
Worthington USA (MN) 250-251 F,G4
Wosi RI 194-195 H6
Wosu RI 194-195 G6
Woświn, Jezioro 70-71 B3
Wotho Atoll – w. 290-291 I3,4
(Wotkińsk) RUS 144-145 L5
Wotkiński, Zbiornik 104-105 T4
Wotu RI 194-195 G6
Woumo – rz. 224-225 B3
Wounded Knee USA (SD) 250-251 C4
Wounta, Laguna de – zat. 260-261 I6
Wounta NIC 260-261 I6
Wour TCH 222-223 C3
Wowoni – w. 194-195 G6
Woźniki PL (ŚL) 78-79 E7
Wożuczyn PL (LBL) 80-81 E11
Wólka PL (LBL) 76-77 D10
Wragby GB 128-129 M8
Wrangell, Cape – przyl. 254-255 E5
Wrangell Island – w. 254-255 P4
Wrangell, Mountain – wulk. 254-255 M3
Wrangell USA (AK) 254-255 P4
Wrangla, Góry 254-255 N3
Wrangla, Wyspa 166-167 U2
Wrangle GB 128-129 N8
Wrath, Cape – przyl. 104-105 H,I4
Wray USA (CO) 250-251 C5
Wreck Reef – w-y 296-297 I,J3
Wremen D 122-123 E3
Wrexham GB 128-129 J8
Wręczyca Wielka PL (ŚL) 78-79 E6
Wriezen D 122-123 J4
Wright RP 197 E6
Wrightsville Beach USA (NC) 248-249 G7
Wrightsville USA (GA) 248-249 D8
Wrigley CDN 244-245 G,H4
Wrigleya, Zatoka 311 n2
Wrignht Patman Lake – jez. 250-251 G9
Wrocław PL (DŚL) 78-79 D5
Wronki PL (WLP) 74-75 C4
Wrota Piekieł, Wodospady 224-225 E5
Wróblew PL (ŁDZ) 74-75 D6
Wrwitte D 122-123 E5
Wrzelowiecki Park Krajobrazowy 76-77 D9
Września PL (WLP) 74-75 C5
Wrześnica – rz. 74-75 C5
wschodni, ajmak – jedn. adm. MAU 198-199 J2
Wschodni, Przylądek 290-291 J8
Wschodnia – rz. 80-81 E9
Wschodnioangielska, Wyżyna 128-129 M10
Wschodnioaustralijski, Basen – form. podm. 298 B5
Wschodniochińskie, Morze 166-167 P6
Wschodnioeuropejska, Nizina 104-105 O4
Wschodniofryzyjskie, Wyspy 122-123 C3
wschodniogobijski, ajmak – jedn. adm. MAU 198-199 I2,3
Wschodnioindyjski, Grzbiet – form. podm. 309 A7,8
Wschodniokaroliński, Basen – form. podm. 290-291 G4
Wschodniokoreańska, Zatoka 202-203 E3
Wschodniokoreańskie, Góry 202-203 D3
Wschodniomandżurskie, Góry 202-203 D2
Wschodniomariański, Basen – form. podm. 290-291 H3
Wschodniopacyficzny, Grzbiet – form. podm. 290-291 P9,10
Wschodniopontyjskie, Góry 180-181 B4
Wschodniosyberyjskie, Morze 310 C2
Wschowa PL (LBU) 74-75 D4
(Wsielub) BY 140-141 G8
Wszystkich Świętych, Zatoka 278-279 F5
Wu Jiang – rz. 200-201 B5
Wu Jiang – rz. 200-201 E4
Wu Shan – g-y 200-201 C4
Wu'an CHN 200-201 D2
Wubu CHN 200-201 C2
Wuchang CHN 202-203 D1
Wuchang CHN 190-191 E2
Wucheng CHN 200-201 D2
Wuchengtian CHN 202-203 C2
Wuchuan CHN 200-201 B4
Wuchuan CHN 200-201 C1,6
Wuda CHN 200-201 B2
Wudan CHN 202-203 B2
Wudang Shan – g-y 200-201 C3
Wudao CHN 200-201 D2
Wudaoliang CHN 198-199 F4
Wudi CHN 200-201 E2
Wuding CHN 200-201 E2
Wuding CHN 192-193 D2
Wuding He – rz. 200-201 C2
Wudu CHN 200-201 B3
Wufeng CHN 200-201 C4
Wufeng TWN 196 F4
Wugang CHN 200-201 C5
Wuhai CHN 200-201 B2
Wuhan CHN 200-201 D4
Wuhe CHN 200-201 E3,4
Wuhua CHN 200-201 D6
Wuji CHN 200-201 D2
Wujia CHN 200-201 C6
Wujia CHN 202-203 D1
Wujiazhan CHN 202-203 D1
Wukari WAN 220-221 G7
Wukeshu CHN 202-203 D1
Wulai TWN 196 G4
Wular Lake – jez. 190-191 C2
Wuleidao Wan – zat. 200-201 F2
Wülfrath D 122-123 Q11
Wuli CHN 200-201 C6
Wuliang Shan – g-y 192-193 D3
Wuliaru – w. 194-195 I7
Wuling Shan – g. 200-201 E1
Wuling Shan – g-y 200-201 C5
Wulka – rz. 120-121 L3
Wulong CHN 200-201 B4
Wulpińskie, Jezioro 72-73 B8
Wulur RI 194-195 H7
Wum CAM 224-225 A2
Wumeng Shan – g-y 192-193 D2
Wuming CHN 200-201 C6
Wümme – rz. 122-123 F3
Wun Šwai SUD 222-223 E6
Wunan Gang – form. podm. 200-201 F3
Wuni IND 190-191 D4
Wuning CHN 200-201 D4
Wunnummin Lake – jez. 244-245 N,O6
Wunstorf D 122-123 F4
Wuntau SUD 222-223 F5
Wuntho MYA 192-193 C3
Wuping CHN 200-201 E5
Wupper – rz. 122-123 Q12
Wuppertal D 122-123 C5
Wuppertal-Ronsdorf – dzieln. D 122-123 Q12
Wuqi CHN 200-201 C2
Wuqi TWN 196 F4
Wuqiao CHN 200-201 E2
Wurarga AUS 296-297 B4
Wurno WAN 220-221 G6
Würschnitz – rz. 122-123 W14,15
Würselen D 126 E4
Würzburg D 122-123 F7
Wurzen D 122-123 I5
Wushan CHN 200-201 B3
Wushan CHN 200-201 C4
Wushe TWN 196 G4
Wushen, Przełęcz 200-201 D4
Wusheng CHN 200-201 B4
Wushi CHN 198-199 C3
Wushi CHN 200-201 C6
Wushi Pi – przyl. 196 G4
Wutai Shan – g. 200-201 D2
Wutai Shan – g-y 200-201 D2
Wutonggou CHN 198-199 E3
Wutongqiao CHN 192-193 D2
Wuustwezel B 126 C3
Wuvulu – w. 290-291 G5
Wuwei CHN 198-199 H4
Wuwei CHN 200-201 E4
Wuxi CHN 200-201 C4
Wuxi CHN 200-201 F4
Wuxiang CHN 200-201 D2
Wuxuan CHN 200-201 C6
Wuyang CHN 200-201 D3
Wuyi CHN 200-201 D2
Wuyi CHN 200-201 E3
Wuyi CHN 200-201 E4
Wuyi Shan – g-y 200-201 D5
Wuyiling CHN 198-199 M2
Wuyuan CHN 200-201 B,C1
Wuyuan CHN 200-201 E4
Wuzhai CHN 200-201 C2
Wuzhen CHN 200-201 F4
Wuzhi CHN 200-201 D3
Wuzhi Shan – g. 200-201 C7
Wuzhi Shan – g-y 200-201 C7
Wuzhong CHN 200-201 B2
Wuzhou CHN 200-201 C6
Wyalkatchem AUS 296-297 B5
Wyandra AUS 296-297 H4
Wyangala, Lake – zb. 296-297 H5
Wyborska, Zatoka 140-141 I,J1
Wybrzeże Kości Słoniowej – państwo 217 C5
Wydminy PL (W-M) 72-73 B9
Wye – rz. 128-129 K9
Wyganowskie, Jezioro 140-141 G9
Wygiełzów PL (MŁP) 78-79 E7
(Wygoda) UA 142-143 C5
Wyhorlat – g-y 112-113 N7
Wyhra – rz. 122-123 V13
Wyk an Föhr D 122-123 E2
Wylie Lake – jez. 248-249 E7
Wylkańskie, Góry 114-115 C4
(Wyłkowyszki) LT 140-141 D,E7
Wymiarki PL (LBU) 74-75 D3
Wymondham GB 128-129 O9
Wyndham AUS 296-297 D2
Wyndmere USA (ND) 250-251 F2
Wynnewood USA (OK) 250-251 F8
Wynyard AUS 296-297 H7
Wyola USA (MT) 252-253 K4
Wyoming – jedn. adm. USA 241 J,K5
Wyoming Mountains – g-y 252-253 I5
Wyoming Peak – g. 252-253 I5
Wyoming USA (MI) 248-249 B,C3
Wyris, Ben – g. 128-129 I4
Wyrwa – rz. 80-81 F10
Wyry PL (ŚL) 78-79 E6
Wyryki-Połód PL (LBL) 76-77 D11
Wyrzysk PL (WLP) 70-71 B5
Wysoczyzny Elbląskiej, Park Krajobrazowy 72-73 A7
Wysoka Kopa – g. 78-79 E3
Wysoka PL (WLP) 70-71 B5
(Wysokie Litewskie) BY 140-141 E9
Wysokie Mazowieckie PL (PDL) 76-77 C10
Wysokie PL (LBL) 80-81 E10
Wysowa PL (MŁP) 80-81 F9
Wyspa Bożego Narodzenia – teryt. zal. AUS 194-195 D8
Wyspa Man – teryt. zal. GB 106-107 H,I5
Wyspy Ashmore i Cartiera – teryt. zal. AUS 292-293 D6
Wyspy Cooka – teryt. zal. NZ 292-293 L7
Wyspy Dziewicze Stanów Zjednoczonych – teryt. zal. USA 273 G3
Wyspy Heard i McDonalda – teryt. zal. AUS 309 r10
Wyspy Kokosowe – teryt. zal. AUS 309 a6
Wyspy Marshalla – państwo 292-293 I3
Wyspy Morza Koralowego – teryt. zal. AUS 292-293 G6
Wyspy Niedźwiedziej, Rynna – form. podm. 310 K2
Wyspy Owcze – teryt. zal. DK 106-107 G3
Wyspy Salomona – państwo 292-293 I5
Wyspy Świętego Tomasza i Książęca – państwo 217 D5
(Wystruć) – rz. 140-141 D7
Wyszki PL (PDL) 76-77 C10
Wyszków PL (MAZ) 76-77 C9
Wyszogród PL (MAZ) 76-77 C8
(Wyszogród) UA 142-143 J3
Wyśmierzyce PL (MAZ) 76-77 D8
Wytheville USA (VA) 248-249 E6
Wyville'a-Thomsona, Próg – form. podm. 104-105 H3
Wyżnica – rz. 76-77 D9
(Wyżnica) UA 142-143 E5
(Wyżwa Stara) UA 140-141 F10
Wzgórz Dylewskich, Park Krajobrazowy 72-73 B7
Wzniesień Łódzkich, Park Krajobrazowy 76-77 D7

X
Xa Cassau ANG 224-225 C,D5
Xaafuun, Raas – przyl. 216 I4
Xaafuun SP 222-223 J5
Xaçmaz AZ 180-181 I3
Xaçmaz AZ 180-181 J3
Xaghra M 127 K11
Xaitongmoin CHN 190-191 F3
Xai-Xai MOC 226-227 F5
Xalac AZ 180-181 J5
Xaldan AZ 180-181 I4
Xalin SPL 222-223 I6
Xallas, Río – rz. 130-131 C2,3
Xalxa-Marta RUS 180-181 G1,2
Xam Hua LAO 192-193 D3
Xambioá BR 278-279 D4
Xamindele ANG 224-225 B5
Xangongo ANG 224-225 B7
Xanlar adası – w. 180-181 L4
Xanlar AZ 180-181 H4
Xanlıq KAR 180-181 H5
Xanten D 126 E3
Xánthī GR 134-135 F2
Xanxerê BR 278-279 C8
Xapuri BR 276-277 D6
Xar Moron He – rz. 202-203 B2
Xarardheere SP 222-223 I7
Xaro Zirə adası – w. 180-181 K4
Xateruru, Cachoeira – wdp. 278-279 C4
Xau, Lake – jez. 216 F8
Xavier USA (AZ) 252-253 I10
Xđndian TWN 196 G4
Xegil CHN 198-199 C,D3
Xehila CHN 198-199 C,D3
Xenia USA (OH) 248-249 D5
Xenô LAO 192-193 E4
Xerias – rz. 134-135 D4
Xeriás GR 134-135 F3
Xeriuini, Rio – rz. 276-277 E3
Xermade E 130-131 D2
Xertigny F 120-121 B2
Xewkija M 127 K11
Xi Jiang – rz. 200-201 C6
Xi Ujmiqin Qi CHN 202-203 B1
Xi Xian CHN 200-201 D3
Xi Xiang CHN 200-201 B3
Xiachengzi CHN 202-203 E1
Xiachuan Dao – w. 200-201 D6
Xiaguan CHN 192-193 D2
Xiahe CHN 198-199 H4
Xiajiang CHN 200-201 D5
Xiajin CHN 200-201 E2
Xialuhe CHN 202-203 D2
Xiamaya CHN 198-199 F,G3
Xiamen CHN 200-201 E5
Xiamen Gang – zat. 200-201 E5
Xi'an CHN 200-201 C3
Xian Xian CHN 200-201 D2
Xianfeng CHN 200-201 C4
Xiang Jiang – rz. 200-201 D5
Xiang Ngeun LAO 192-193 D4
Xiangcheng CHN 200-201 D3
Xiangfan CHN 200-201 C3
Xiangfen CHN 200-201 C3
Xianggang CHN 196 B2
Xianghuang Qi CHN 202-203 A2
Xiangkhoang LAO 192-193 D4
Xiangshan CHN 200-201 F4
Xiangshan Gang – zat. 200-201 F4
Xiangtan CHN 200-201 D5
Xiangtang CHN 200-201 D4
Xiangxiang CHN 200-201 D5
Xiangyang CHN 202-203 D1
Xiangyin CHN 200-201 D4
Xiangyuan CHN 200-201 D2
Xianju CHN 200-201 F4
Xianning CHN 200-201 D4
Xiantao CHN 200-201 D4
Xianxia Ling – g-y 200-201 E4
Xianyang CHN 200-201 C3
Xianyou CHN 200-201 E5
Xiao Shan – g-y 200-201 C3
Xiao Xian CHN 200-201 E3
Xiaochang CHN 200-201 D1
Xiaocheng CHN 202-203 D1
Xiaodong CHN 200-201 C6
Xiaofeng CHN 200-201 E4
Xiaogan CHN 200-201 D4
Xiaoling CHN 202-203 D1
Xiaomei Guan – przeł. 200-201 D5
Xiaoshan CHN 200-201 F4
Xiaotao CHN 200-201 E5
Xiaowutai Shan – g. 200-201 D2
Xiapu CHN 200-201 F5
Xiawa CHN 202-203 C2
Xiayi CHN 200-201 E3
Xiayukou CHN 200-201 C3
Xichang CHN 192-193 D2
Xichien CHN 202-203 E,F1
Xichuan CHN 200-201 C3
Xicoténcatl MEX 258-259 J6
Xicotepec de Juárez MEX 258-259 J7
Xieng Hung LAO 192-193 D3
Xifei He – rz. 200-201 D3
Xifeng CHN 200-201 B5
Xifeng CHN 202-203 D2
Xigazê CHN 192-193 A2
Xihe CHN 200-201 B3
Xihu TWN 196 F5
Xihua CHN 200-201 D3
Xiis SPL 222-223 I5
Xiji CHN 200-201 B2
Xijin CHN 200-201 C6
Xijin Shuiku – zb. 200-201 C6
Xikouzi CHN 198-199 L1
Xiliao He – rz. 202-203 C2
Xilin CHN 200-201 B5
Xilin Hot CHN 202-203 B2
Xilinghetun CHN 202-203 E1
Xilinhe CHN 202-203 E1
Xilitla MEX 258-259 J7
Xıllı AZ 180-181 K5
Xılmilli AZ 180-181 J4
Xilo TWN 196 F5
Xilókastro GR 134-135 D3
Ximiao CHN 198-199 G3
Xin Barag Youqi CHN 198-199 K2
Xin Barag Zuoqi CHN 198-199 K2
Xin Xian CHN 200-201 D2
Xınalıq AZ 180-181 J3
Xin'an CHN 200-201 E2
Xin'an CHN 202-203 D2
Xin'anjiang CHN 200-201 E4
Xin'anjiang Shuiku – zb. 200-201 E4
Xin'anzhen CHN 200-201 C1
Xinbin CHN 202-203 D2
Xincai CHN 200-201 D3
Xinchang CHN 200-201 F4
Xincheng CHN 200-201 C5,6
Xincheng TWN 196 G4
Xinchengzi CHN 202-203 C2
Xindian CHN 202-203 D1
Xindu CHN 200-201 C6
Xinfeng CHN 200-201 D5
Xinfeng CHN 200-201 D5
Xinfengjiang Shuiku – zb. 200-201 D6
Xing Xian CHN 200-201 C2
Xingang TWN 196 E,F5
Xingcheng CHN 200-201 F1
Xinge ANG 224-225 C5
Xingguo CHN 200-201 D5
Xinghai CHN 198-199 H4
Xinghe CHN 200-201 D1
Xinghua CHN 200-201 E3
Xinghua Wan – zat. 200-201 E5
Xingkai Hu – jez. 166-167 Q5
Xingkai Hu – jez. 178-179 E9
Xinglong CHN 200-201 E1
Xingning CHN 200-201 D5
Xingping CHN 200-201 C3
Xingren CHN 200-201 B5
Xingshan CHN 200-201 C4
Xingtai CHN 200-201 D2
Xingtang CHN 200-201 D2
Xingu, Rio – rz. 272 H5
Xinguara BR 278-279 D4
Xingxingxia CHN 198-199 G3
Xingyi CHN 200-201 B5
Xinhe CHN 198-199 D3
Xinhua CHN 200-201 C5
Xinhua TWN 196 F5,6
Xinhui CHN 200-201 D6
Xining CHN 198-199 H4
Xinji CHN 200-201 D2
Xinjin CHN 200-201 F2
Xinle CHN 200-201 D2
Xinlitun CHN 202-203 C2
Xinlong CHN 198-199 G5
Xinmin CHN 202-203 C2
Xinping CHN 192-193 D3
(Xinpu) CHN 200-201 E3
Xinqing CHN 198-199 M2
Xinquan CHN 200-201 E5
Xintai CHN 200-201 E3
Xintian CHN 200-201 D5
Xinwen CHN 200-201 E3
Xinxi TWN 196 F5
Xinxiang CHN 200-201 D3
Xinxing CHN 200-201 D6
Xinyang CHN 200-201 D3
Xinye CHN 200-201 D3
Xinyi CHN 200-201 C6
Xinyi CHN 200-201 E3
Xinyu CHN 200-201 D5
Xinyuan CHN 198-199 D3
Xinzhan CHN 202-203 D1
Xinzheng CHN 200-201 D3
Xinzhu TWN 196 F4
Xinzhuang TWN 196 G3
Xinzo de Limia E 198-199 D3
Xioalan Yu – w. 196 G7
Xi'ong CHN 192-193 B1
Xiongyuecheng CHN 200-201 F1
Xipanamu – rz. 276-277 D6
Xiping CHN 200-201 C3
Xiping CHN 200-201 D3
Xiqu CHN 200-201 A2
Xique Xique BR 278-279 E5
Xırdalan AZ 180-181 K4
Xırmandalı AZ 180-181 J5
Xiró – g. 134-135 E5
Xishui CHN 200-201 B4
Xishui CHN 200-201 D4
Xitang CHN 200-201 F4
Xitole GNB 220-221 C6
Xiuguluan Shan – g. 196 G5
Xiushan CHN 200-201 C4
Xiushui CHN 200-201 D4
Xiuyan CHN 200-201 F1
Xixabangma Feng – g. 190-191 R10
Xixia CHN 200-201 C3
Xiyang CHN 200-201 D2
Xiyangji CHN 200-201 E3
Xiyu TWN 196 E5
Xizhong Dao – w. 200-201 F2
Xızı AZ 180-181 K4
Xok AZ 180-181 G5
Xorkol CHN 198-199 F4
Xpujil MEX 260-261 F3
Xuân Lôc VN 192-193 E5
Xuancheng CHN 200-201 E4
Xuan'en CHN 200-201 C4
Xuanhua CHN 200-201 D1
Xuchang CHN 200-201 D3
Xudat AZ 180-181 J3
Xuddur SP 224-225 H3
Xudun SPL 222-223 I6
Xue Shan – g. 196 G4
Xuefeng Shan – g-y 200-201 C5
Xuguit Qu CHN 198-199 L2
Xujiadian CHN 200-201 F2
Xujiaweizi CHN 202-203 D1
Xulun Hobot Qagan CHN 202-203 A2
Xulun Hoh CHN 202-203 A2
Xun Jiang – rz. 200-201 C6
Xun Xian CHN 200-201 D3
Xunwu CHN 200-201 D5
Xunyi CHN 200-201 C3
Xupu CHN 200-201 C5
Xushui CHN 200-201 D2
Xuwen CHN 200-201 C6
Xuyi CHN 200-201 E3
Xuymællæg RUS 180-181 F1
Xuyong CHN 200-201 B4
Xuzhou CHN 200-201 E3
Xylofagou CY 134-135 O8,9

Y
Ya Xian CHN 200-201 C7
Ya'an CHN 192-193 D2
Yaapeet AUS 296-297 G6
Ya'bad PS 186 B3
Yabarāt – oaza 188-189 F5
Yabassi CAM 224-225 B3
Yabēlo ETH 222-223 G7
Yabrūd SYR 186 C2
Yabula AUS 296-297 H2
Yachats USA (OR) 252-253 C4
Yachimata J 204-205 M7

527

Skorowidz map

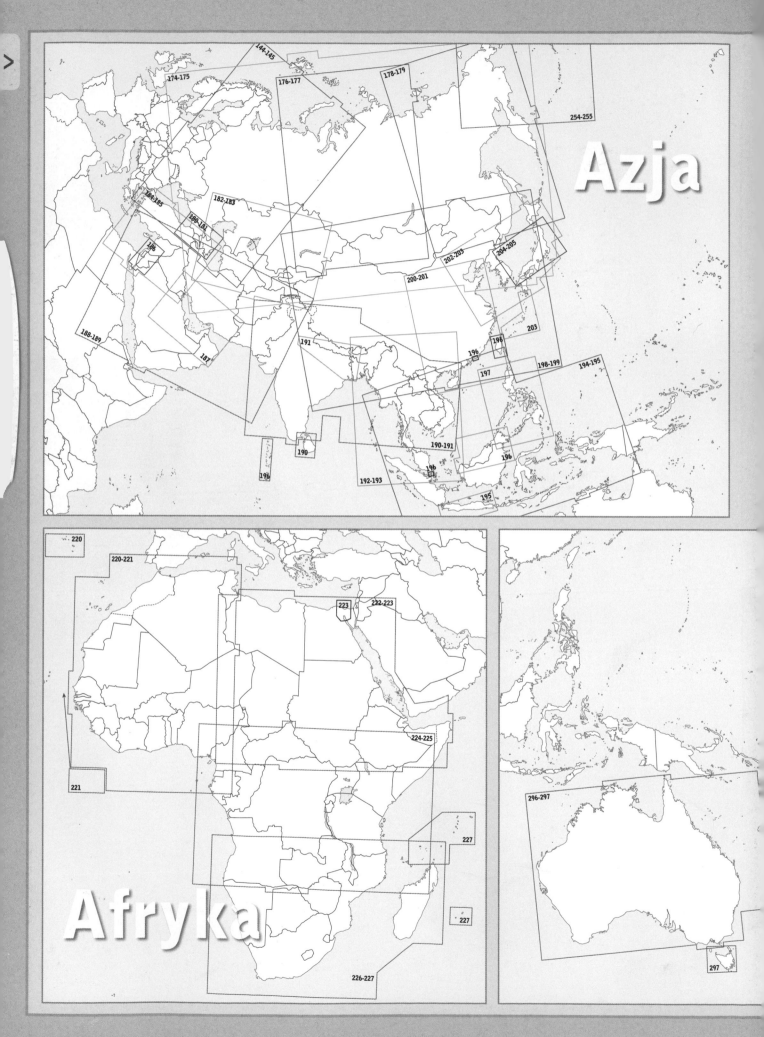

Azja

Afryka